IAIN PEARS

Iain Pears est né en Angleterre en 1955 et vit à Oxford. Docteur en philosophie et historien de l'art, il a travaillé pour l'agence Reuter jusqu'en 1990. Conseiller de la BBC et de Channel 4 pour plusieurs programmes consacrés à l'art, il est aujourd'hui journaliste. Auteur de plusieurs études sur l'art, il a également publié six romans courts, composés dans l'esprit des *mysteries* anglais, ces textes brefs qui, à la suite des *Histoires extraordinaires* d'Edgar Poe, perpétuent la littérature à énigmes imprégnée de fantastique et de morbide. Après la publication de *L'affaire Bernini* et de *L'affaire Raphaël*, *Le cercle de la croix*, paraît en France en 1998. Salué à sa sortie comme un événement littéraire majeur, la critique a vu en lui une étape capitale dans le renouvellement de la littérature policière et historique.

LE CERCLE DE LA CROIX

Remerciements à Michael Benjamin, Cathy Crawford, Margaret Hunt, Karma Nabulsi, Lyndal Roper, Nick Stargardt, Felicity Bryan, Liz Cowen, Eric Christiansen, Dan Franklin, Anne Freedgood, Olwen Hufton, Maggie Pelling, Charles Webster et (tout particulièrement) Ruth Harris.

IAIN PEARS

LE CERCLE
DE LA CROIX

belfond

Titre original :
AN INSTANCE OF THE FINGERPOST
publié par Jonathan Cape, Londres.

Traduit de l'anglais
par Georges-Michel Sarotte

© Iain Pears, 1997.
© Belfond, 1998, pour la traduction française.

ISBN 2-266-08802-5

Historia vero testis temporum, lux veritatis, vita memoriae, magistra vitae.

« L'histoire est le témoin du temps, la lumière de la vérité, la vie de la mémoire, la maîtresse de la vie. »

Cicéron, *De oratore*

À Ruth

UNE QUESTION D'ANTÉRIORITÉ

Il y a des idoles que nous appelons les idoles de la place publique. Car les hommes s'associent par le discours, mais un usage faux et impropre des mots dénature l'entendement, les mots s'imposant avec une force absolue à l'entendement et semant la confusion en toutes choses.

Francis Bacon, *Novum Organum*,
section II, aphorisme VI

Chapitre premier

Marco da Cola, gentilhomme vénitien, présente ses salutations respectueuses.

Je souhaite relater le voyage que je fis en Angleterre, en l'an de grâce 1663, les événements dont je fus témoin, et évoquer les personnes que je rencontrai ; cela offre, me semble-t-il, quelque intérêt pour ceux qui ont l'esprit curieux. Je souhaite également que ces pages servent à dénoncer les mensonges propagés par des gens que je considérais jadis, à tort, comme mes amis. Je n'ai pas l'intention de rédiger une longue justification de mes actions, ni de raconter en détail comment on m'a trompé et frustré de la gloire qui aurait dû légitimement me revenir. Je crois que mon récit parlera de lui-même.

Je vais omettre bien des choses, mais rien de significatif. Une grande partie du voyage que j'accomplis dans tout le pays n'ayant eu d'intérêt que pour moi-même, elle n'apparaît pas dans ma narration. De même, bien des personnes que je rencontrai alors étaient des gens de peu d'importance. Ceux qui plus tard me firent du tort, je les décris tels que je les connus à l'époque, et je prie tout lecteur de se rappeler que, bien que je ne fusse guère béjaune, je n'étais pas encore averti des usages du monde. Si mon récit paraît simple et naïf, vous devrez en conclure que le jeune homme de jadis l'était aussi. Je ne retouche pas mon portrait en y ajoutant de nouvelles couches de peinture et de vernis pour dissimuler mes erreurs ou les faiblesses du coup de crayon. Je ne lancerai aucune accusation, ni n'engagerai aucune polémique contre quiconque ; je décrirai seulement ce qui s'est passé, assuré que cela suffira amplement.

Mon père, Giovanni da Cola, était négociant, et durant les dernières années de sa vie il s'occupait de l'importation d'articles de luxe en Angleterre, qui, tout en restant un pays peu raffiné, commençait néanmoins à se remettre des effets de la révolution. Il avait deviné longtemps à l'avance que le retour du roi Charles II signifiait qu'un vaste marché, dont il fallait tirer parti, s'ouvrirait à nouveau, et, devançant les commerçants plus timorés, il s'établit à Londres afin de procurer aux riches Anglais les marchandises dont les zélotes puritains avaient pendant des années découragé l'achat. Ses affaires prospérèrent : il avait un bon représentant à Londres en la personne de Giovanni di Pietro et il s'associa également à un négociant anglais avec qui il partageait les bénéfices pour moitié. Comme il me le dit un jour, c'était un accord équitable : ce John Manston était sournois et malhonnête, mais il possédait une connaissance sans pareille du goût anglais. En outre, les Anglais ayant voté une loi qui interdisait aux marchandises d'entrer dans leurs ports à bord de bateaux étrangers, grâce à Manston on pouvait contourner cet obstacle. Tant que di Pietro était sur place pour surveiller soigneusement les comptes, mon père était persuadé qu'il n'y avait guère de risque qu'on le vole.

Depuis fort longtemps, il ne s'intéressait plus directement à ses affaires, et il avait déjà converti une partie du capital en terres sur la terre ferme afin d'entrer dans le Livre d'or. Bien qu'il fût fondamentalement un marchand, il voulait que ses enfants deviennent gentilshommes ; c'est pourquoi il me déconseilla de participer activement à son négoce. Je signale cela pour souligner sa bonté ; il avait remarqué très tôt que je n'avais aucune inclination pour le commerce, et il m'encouragea à prendre une autre voie que la sienne. Il savait aussi que le jeune mari de ma sœur était davantage que moi fait pour les entreprises commerciales.

Par conséquent, tandis que mon père bâtissait la fortune familiale — ma mère étant morte et une de mes sœurs bien mariée —, moi, je me trouvais à Padoue pour acquérir les rudiments des connaissances de l'honnête homme ; il était ravi que son fils fût membre de notre noblesse, mais il ne souhaitait pas que je sois aussi ignorant qu'elle. Sur ces entrefaites, alors que je n'étais plus tout jeune — j'approchais de la trentaine —, je fus tout soudain pris de l'ardent désir de devenir citoyen de la République du savoir, selon la formule consacrée. Je n'ai pas gardé souvenance de cette subite passion, car elle m'a totalement quitté, mais à cette époque la nouvelle philosophie expérimentale me fascinait et me tenait complètement sous sa coupe. Je veux parler, bien sûr, de l'esprit plutôt que de la mise en pratique. Je dis avec Béroalde : *non sum medicus, nec medicinae prorsus expers* ; j'ai fait beaucoup d'efforts pour étudier la théorie de la médecine, non pas dans l'intention de pratiquer, mais pour mon plaisir personnel. Je n'avais ni le désir ni le besoin de gagner ma vie de cette façon, même si cela avait été possible ; pourtant, parfois — j'ai honte de l'avouer —, je narguais mon pauvre père, cet homme si bon, en déclarant que, s'il n'était pas gentil avec moi, je me vengerais en devenant médecin.

J'imagine qu'il savait depuis toujours que je n'en ferais rien, et qu'en réalité j'étais simplement captivé par certaines idées et par certains hommes aussi passionnants que dangereux. Il n'éleva aucune objection quand je lui écrivis pour lui faire part des remarques d'un professeur qui, bien qu'il fût censé donner des conférences de rhétorique, passait le plus clair de son temps à disserter sur les derniers développements de la philosophie naturelle. Il

avait beaucoup voyagé et soutenait que celui qui souhaitait étudier sérieusement l'histoire naturelle ne devait plus
dédaigner les Pays-Bas ni l'Angleterre. Après de nombreux mois passés sous sa tutelle, je fus gagné par son
enthousiasme et, comme il n'y avait pas grand-chose qui
me retînt à Padoue, je demandai la permission de voyager
dans cette partie du monde. Dans sa bonté, mon père me
l'accorda sur-le-champ, obtint pour moi l'autorisation de
quitter le territoire vénitien et envoya à ses banquiers des
Flandres une lettre de crédit destinée à mon usage.

J'avais pensé tirer parti de ma position pour y aller par
mer, mais je décidai que, si j'avais l'intention d'acquérir
des connaissances, mieux valait voir le plus de choses
possible et que ce but était mieux atteint en voyageant en
diligence qu'en passant trois semaines sur un bateau à
boire avec l'équipage. En outre, je souffre atrocement du
mal de mer — faiblesse que je répugnais à avouer, car si
Gomesius affirme qu'il guérit de la tristesse, je ne m'en
suis jamais aperçu. Néanmoins, mon courage fléchit puis
s'évapora presque entièrement au cours du voyage. Le
trajet jusqu'à Leyde ne prit que neuf semaines, mais les
souffrances endurées m'empêchèrent tout à fait de jouir
de ce que je voyais. Un jour, alors que nous étions
embourbés en plein milieu d'un col alpin, sous une pluie
torrentielle, qu'un cheval était tombé malade, que j'avais
de la fièvre et pour tout compagnon un militaire à l'air
féroce, je me dis qu'il eût mieux valu subir la pire tempête sur l'Atlantique que cette horrible infortune.

Mais rebrousser chemin eût pris autant de temps que
continuer ma route ; je redoutais, en outre, le mépris de
mes concitoyens si j'étais rentré dans ma ville natale, la
honte au front et en piteux état. La honte est, j'en suis
certain, le sentiment humain le plus puissant ; la plupart
des découvertes et des voyages importants ont été menés
à bien en raison de l'ignominie qui se serait ensuivie si
la tentative avait été abandonnée. Donc, tout en regrettant
la chaleur et le confort de ma terre natale — les Anglais

ont inventé le mot « nostalgie » pour décrire le mal du pays qui, croient-ils, est dû au déséquilibre causé par un environnement étranger —, je poursuivis mon chemin, l'humeur morose et bien marri, jusqu'à mon arrivée à Leyde, où je m'inscrivis à l'école de médecine en tant que gentilhomme.

On a déjà tant écrit sur ce siège du savoir, et cette partie de ma vie est si éloignée du cœur de mon récit, qu'il me suffira de dire que j'y trouvai deux professeurs d'une exceptionnelle compétence, qui donnaient des cours instructifs sur l'anatomie et l'économie du corps humain. Je voyageai également dans les Pays-Bas et y tombai en bonne compagnie, surtout celle d'Anglais dont j'appris un peu la langue. Je quittai le pays pour la simple raison que mon excellent père me l'ordonna. Le comptoir de Londres connaissait quelque désordre, m'écrivit-il, et seul un membre de la famille réussirait à y remédier : on ne pouvait faire confiance à personne d'autre. Bien que je n'aie qu'une connaissance pratique limitée du commerce, j'étais enchanté d'agir en fils obéissant ; je congédiai donc mon domestique, pris mes dispositions et m'embarquai pour faire mon enquête. J'arrivai à Londres le 22 mars 1663 avec seulement quelques guinées en poche, la somme que j'avais versée à l'un des professeurs pour ses enseignements ayant presque épuisé les fonds qui me restaient. Mais je n'étais pas inquiet : il n'y avait qu'un court trajet à effectuer entre le fleuve et le comptoir dirigé par l'agent de mon père, et ensuite tout serait réglé. Quelle naïveté ! Je ne parvins pas à trouver di Pietro, et ce gredin de John Manston ne voulut pas me recevoir. Il est mort depuis longtemps ; je prie pour son âme, tout en espérant que le Seigneur ne tiendra pas compte de mes suppliques, car je sais bien que plus il souffrira les tortures de l'enfer, plus juste sera son châtiment.

Je dus tirer des renseignements d'un simple domestique, et ce gamin m'informa que l'agent de mon père était mort subitement quelques semaines auparavant. Pis encore, Manston s'était vivement emparé de la fortune et de l'affaire, niant que mon père en eût possédé la moindre part. Il avait présenté des documents (des faux, naturellement) à plusieurs hommes de loi pour étayer ses dires. En d'autres termes, il avait totalement détourné les fonds appartenant à ma famille — à tout le moins ceux qui se trouvaient en Angleterre.

Le jeune garçon, malheureusement, ne savait trop quelle marche à suivre me conseiller. Je pouvais déposer plainte devant un magistrat, mais sans autre preuve que mon intime conviction, cela semblait inutile. Je pouvais également consulter un avocat, mais, si l'Angleterre et Venise diffèrent à bien des égards, elles se ressemblent sur un point : les avocats y ont une faim insatiable d'argent, et c'était une denrée que je ne possédais pas.

Il devint bientôt clair que Londres était un endroit malsain. Je ne fais pas allusion à la peste qui n'avait pas encore ravagé la ville ; je veux dire que, le soir même, Manston envoya une bande d'hommes de main pour me montrer que ma vie serait en plus grande sécurité si j'allais me faire voir ailleurs. Heureusement, ils ne me tuèrent pas ; en fait, je me comportai assez bien pendant la rixe, grâce aux émoluments versés par mon père à mon maître d'escrime. L'un d'entre eux, au moins, quitta les lieux beaucoup plus grièvement blessé que moi. Nonobstant ce fait, je compris le message et décidai de rester à l'écart jusqu'à ce que j'y voie plus clair. Je n'ajouterai pas grand-chose à ce sujet, sauf pour préciser que je finis par abandonner la quête de dédommagement : mon père m'écrivit quelques mois après pour m'indiquer que nos pertes ne valaient pas le coût de la procédure. L'affaire fut oubliée, difficilement, pendant deux ans, période au bout de laquelle l'un des navires de Manston accosta à Trieste pour se protéger d'une tempête. Ma famille intervint pour le faire saisir, la justice vénitienne étant aussi favorable aux Vénitiens que le droit anglais aux Anglais. Le bateau et sa cargaison fournirent quelque compensation.

Si j'avais eu alors la permission de rentrer, j'en aurais été infiniment réconforté, car le temps de Londres suffirait à réduire l'homme le plus résistant au plus sombre désespoir. Le brouillard, la bruine incessante et débilitante, le froid perçant et persistant, ajoutés au vent qui traversait mon mince manteau, tout cela me plongeait dans la plus profonde mélancolie. Seul le devoir familial me forçait à rester et m'empêchait de me rendre sur les quais pour supplier qu'on me ramène chez moi. Au lieu d'adopter cette attitude raisonnable, j'écrivis une lettre à mon père pour l'informer des derniers développements et lui promettre de tenter tout ce qui était en mon pouvoir, mais en lui signalant que tant que je ne recevrais pas de nouvelles munitions en provenance de ses coffres je ne pouvais pas faire grand-chose. J'avais, je m'en rendais bien compte, de nombreuses semaines à attendre avant que sa réponse me parvînt. Et cinq livres pour survivre.

Le professeur avec qui j'avais étudié à Leyde avait eu l'extrême obligeance de me donner des lettres d'introduction auprès de deux hommes du monde avec lesquels il avait correspondu, et, puisque c'était là mon seul contact avec des Anglais, je décidai que la meilleure solution consistait à m'en remettre à leur pitié. Un atout supplémentaire était que ni l'un ni l'autre ne résidaient à Londres ; par conséquent, je choisis l'homme qui vivait à Oxford, la ville la plus proche, et résolus de partir le plus rapidement possible.

Les Anglais semblent beaucoup se méfier des gens qui se déplacent : ils font tout leur possible pour rendre les voyages extrêmement malaisés. Selon l'affiche apposée à l'endroit où j'attendais la diligence, il faudrait dix-huit heures pour atteindre Oxford, à soixante miles de Londres ; « si Dieu veut », était-il précisé pieusement. Le Tout-Puissant ne le voulait pas ce jour-là. La pluie avait emporté une bonne partie de la route, si bien que le cocher devait naviguer à travers ce qui ressemblait fort à un champ labouré. Une roue se détacha quelques heures après le départ, ce qui fit tomber ma malle par terre et en brisa le couvercle, et, juste avant une affreuse petite bourgade appelée Thame, l'un des chevaux s'étant cassé une patte on dut l'abattre. Ajoutez à cela les fréquents arrêts, apparemment à toutes les auberges du sud de l'Angleterre (les aubergistes soudoient les cochers pour qu'ils fassent halte devant chez eux), et le voyage prit vingt-cinq heures en tout ; quant à moi, je fus éjecté dans la cour d'une hôtellerie dans la Grand-Rue d'Oxford à sept heures du matin.

Chapitre deux

À entendre les Anglais (on les dit vantards à juste titre), un voyageur novice imaginerait que leur pays contient les plus beaux édifices, les plus grandes villes, les habitants les plus riches, les mieux nourris, les plus heureux du monde. Ce ne fut pas du tout mon impression. Lorsqu'on est habitué aux villes de Lombardie, de Toscane et de Vénétie, on ne peut que s'étonner de l'exiguïté de toutes les agglomérations du pays, ainsi que de leur rareté ; la campagne est presque vide de tout habitant et on y trouve plus de moutons que d'êtres humains. Il n'y a que Londres, *epitome Britannia* et noble centre de négoce, qui puisse se comparer aux grandes villes du continent ; les autres sont dans un médiocre état, en ruine pour la plupart, pauvres et pleines de mendiants, à cause de la chute du commerce due aux récents remous politiques. Quoique certains des bâtiments de l'université soient assez beaux, Oxford n'a, en fait, qu'un petit nombre de rues dignes d'intérêt, et l'on ne peut guère marcher plus de dix minutes dans n'importe quelle direction sans se retrouver hors de la ville, en plein champ.

J'avais l'adresse d'une petite maison dans la partie nord de la ville, située dans une large rue tout près du mur d'enceinte et occupée par un marchand étranger qui avait jadis commercé avec mon père. C'était une habitation plutôt triste d'aspect, sise juste en face d'un quartier qu'on était en train de raser pour y bâtir un nouveau collège universitaire. Les Anglais faisaient toute une histoire à propos de cet édifice, dessiné par un jeune homme assez arrogant que je rencontrai plus tard et qui finit par devenir célèbre en reconstruisant la cathédrale de Londres après le grand incendie. Ce Christopher Wren ne mérite pas sa réputation : il n'a aucun sens des proportions et pas un grand talent pour élaborer un ensemble harmonieux. C'était cependant le premier bâtiment d'Oxford exécuté selon des principes modernes, et il provoqua un grand enthousiasme chez les ignorants.

M. Van Leeman, le marchand, m'offrit une boisson chaude tout en affirmant qu'il regrettait de ne pouvoir faire davantage, car il manquait de place. Mon humeur s'assombrit encore plus, mais au moins il bavarda quelque temps avec moi, m'installa près de l'âtre et me permit de faire un brin de toilette afin d'avoir l'air moins inquiétant quand je retournerais dans le monde extérieur. Il me donna également quelques renseignements sur le pays que j'étais venu visiter. Ma connaissance du lieu était d'une grande indigence et se bornait à ce que les Anglais fréquentés à Leyde m'avaient appris ; tout au plus savais-je qu'une guerre civile de vingt ans s'était terminée. Mais Van Leeman me détrompa bien vite : le pays n'était guère redevenu un havre de paix et de tranquillité. Le roi était bien de retour, dit-il, mais il s'était si vite acquis une réputation de débauché qu'il avait dégoûté tout le monde. Déjà se profilait la situation qui avait mené son père à la guerre, puis au billot, et l'avenir était fort sombre. Pas un jour ne se passait sans que courent dans les tavernes des rumeurs d'insurrection, de complot ou de rébellion.

Non pas, me dit-il d'un ton rassurant, que cela me concernât le moins du monde. Le voyageur innocent comme moi trouverait maintes occupations et distractions intéressantes à Oxford, ville qui s'enorgueillissait de compter parmi ses habitants les plus grands noms de la nouvelle philosophie. Il avait ouï parler de l'honorable Robert Boyle, la personne auprès de laquelle j'avais une lettre d'introduction, et il m'affirma que si je souhaitais le fréquenter il me fallait me rendre au café de M. Tillyard, dans la Grand-Rue, où le Chemical Club tenait ses séances depuis plusieurs années ; c'était également un endroit connu pour sa bonne chère. Était-ce un renseignement utile ou une allusion discrète ? Quoi qu'il en soit, je me préparai à partir et, lui demandant seulement la permission de laisser mes bagages chez lui jusqu'à ce que j'aie trouvé à me loger, je pris la direction qu'il m'indiqua.

À l'époque, le café était en vogue en Angleterre ; il était entré dans le pays avec le retour des Juifs. Ce grain amer n'était guère nouveau pour moi, bien sûr, car je le buvais pour me purifier la rate et aider ma digestion, mais je ne m'attendais pas qu'il fût tellement à la mode qu'on avait construit des bâtiments spécialement pour le consommer en extraordinaires quantités et à un prix extrêmement élevé. L'établissement de M. Tillyard, en particulier, était un bel endroit confortable — même si le fait d'avoir à payer un penny pour y entrer me stupéfia. Mais je ne voulais pas jouer le rôle du voyageur sans le sou, mon père m'ayant appris que plus on avait l'air miséreux plus on le devenait. Je payai d'un air joyeux, puis choisis la bibliothèque pour y boire mon café, qui me coûta deux pence en sus.

Les cafés trient soigneusement leurs clients, par opposition aux tavernes qui servent toutes sortes de gens du bas peuple. Ainsi, à Londres, par exemple, il y a des établissements anglicans ou presbytériens, d'autres où des gribouilleurs de nouvelles ou de poèmes se retrouvent pour échanger des ragots, d'autres, encore, où le ton général est donné par des hommes cultivés qui peuvent lire ou passer une heure ou deux à converser sans être insultés par les ignorants ou souillés par le vomi des gens vulgaires. Au temps pour le *theorum* justifiant ma présence en ces lieux. Le *partum practicum* était bien différent : la société des philosophes censée y fréquenter ne bondit pas pour m'accueillir, comme je l'avais espéré. En réalité, il

23

n'y avait que quatre personnes dans la salle et, lorsque j'adressai un profond salut à l'une d'entre elles — un homme rougeaud, corpulent, aux yeux enflammés et aux cheveux raides et grisonnants —, elle fit semblant de ne pas me voir. Personne d'autre ne prêta attention à mon arrivée ; il n'y eut que quelques coups d'œil curieux en direction de celui qui était, de toute évidence, un client d'une certaine qualité.

Mes premiers pas dans la société anglaise semblant se solder par un échec, je résolus de ne pas m'y attarder trop longtemps. La seule chose qui me retint, ce fut la gazette, un journal imprimé à Londres et distribué dans tout le pays : c'était une idée très nouvelle. Cette gazette était étonnamment franche dans ses commentaires sur les questions nationales, et elle contenait également des comptes rendus détaillés d'événements survenus à l'étranger qui m'intéressèrent au plus haut point. J'appris plus tard, cependant, que c'était de la petite bière en comparaison de ce qui existait quelques années auparavant, lorsque les passions des factieux avaient fait naître une multitude d'organes similaires. Pour le roi, contre le roi, pour le Parlement, pour l'armée, pour ou contre ceci ou cela. Cromwell, puis le roi Charles à son retour firent de leur mieux pour restaurer un semblant d'ordre, considérant, à juste titre, que ce genre de choses amène simplement les gens à se bercer de l'illusion qu'ils comprennent les affaires d'État. Et l'on ne peut guère imaginer idée plus stupide, puisqu'il est évident que le lecteur est seulement informé de ce que le gazetier veut qu'il sache et qu'il est poussé subrepticement à croire n'importe quoi, ou presque. Une telle liberté ne fait que transformer les obscurs scribouillards qui rédigent ces tracts en hommes d'influence, si bien qu'ils se pavanent comme s'ils étaient des hommes de qualité. Quiconque a jamais rencontré l'un de ces journalistes anglais (ainsi appelés, m'est avis, parce qu'ils sont payés à la journée, comme un vulgaire cantonnier) saura à quel point cela est ridicule.

Néanmoins, je lus pendant plus d'une demi-heure, intrigué par un compte rendu sur la guerre de Crète, jusqu'à ce qu'un léger bruit de pas dans l'escalier et celui d'une porte que l'on ouvre viennent troubler ma concentration. Un bref coup d'œil me fit découvrir une femme, d'environ dix-neuf, vingt ans, me sembla-t-il, de taille moyenne mais anormalement mince : pas la moindre de ces rondeurs qui ornent la vraie beauté. En fait, le médecin en moi se demanda confusément si elle pouvait souffrir d'une tendance à la consomption et si une pipe de tabac chaque soir ne pourrait pas lui faire du bien. Elle avait les cheveux noirs et naturellement bouclés ; ses vêtements étaient ternes et humbles (quoique soignés), et, bien qu'elle fût assez jolie de visage, elle n'avait rien d'exceptionnel. Cependant, c'était l'une de ces personnes qu'on regarde, dont on se détourne, puis qu'on se prend à regarder de nouveau. En partie à cause de ses yeux qui étaient anormalement grands et sombres. Mais ce fut surtout son allure, si inattendue, qui me fit lui prêter attention. Cette donzelle sous-alimentée possédait le port d'une reine et se déplaçait avec l'élégance que mon père avait essayé d'inculquer à ma plus jeune sœur en dépensant une petite fortune en maîtres à danser.

Je la regardai avec un vague intérêt avancer d'un pas ferme vers l'homme aux yeux rougis assis à l'autre bout de la pièce et l'entendis non moins vaguement lui donner du « docteur », puis se taire et rester là sans bouger. Il la contempla d'un air inquiet lorsqu'elle se mit à parler. Je perdis la plus grande partie de ses propos — la distance, la faiblesse de mon anglais et la douceur de sa voix, tout contribuait à en effacer le sens —, mais je devinai, à partir des quelques fragments qui me parvenaient, qu'elle requérait son aide en tant que médecin. Il était inhabituel, naturellement, qu'une personne de son humble condition pense à consulter un médecin, mais je n'avais qu'une piètre connaissance des usages du pays. Peut-être était-ce normal en ces lieux.

La requête fut mal accueillie, et cela me déplut. D'accord, remettre cette fille à sa place, c'est tout naturel. N'importe quel homme du monde peut se voir obligé d'agir ainsi si on l'aborde sans y mettre les formes. Pourtant, il y avait un je-ne-sais-quoi dans la mine de l'homme — colère, dédain ou quelque chose d'approchant — qui provoqua mon mépris. Comme nous le dit Tullius, un patricien doit faire une telle réprimande avec regret et non pas en y prenant plaisir, cette dernière attitude déconsidérant l'offensé plutôt qu'elle ne corrige l'offenseur.

« Quoi ? dit-il, en jetant dans la salle un coup d'œil circulaire pour vérifier que personne ne prenait garde à la scène. Veux-tu bien déguerpir, ma fille ! »

Elle dit autre chose mais à voix si basse que je ne pus comprendre ses paroles.

« Je ne peux rien faire pour ta mère. Tu le sais bien. Allez ! s'il te plaît. Laisse-moi tranquille ! »

La fille haussa légèrement le ton.

« Mais, monsieur, il faut que vous nous aidiez ! Ne croyez pas que je demande... »

Puis, devant l'inflexibilité de son interlocuteur, et sous le poids de la défaite, ses épaules s'affaissèrent et elle se dirigea vers la porte.

Pourquoi donc me levai-je, la suivis-je dans l'escalier et l'abordai-je dans la rue ? Je ne sais. Peut-être, tels Rinaldo et Tancrède, étais-je stupidement chevaleresque. Peut-être, parce que le monde m'écrasait si lourdement depuis quelques jours, la plaignais-je d'être traitée par lui de la sorte. Peut-être avais-je si froid, étais-je si fatigué et accablé par mes ennuis que même aborder une telle créature me semblait une conduite acceptable. Je ne sais... Mais avant qu'elle ne se fût trop éloignée, je m'approchai d'elle et toussai poliment.

Elle se retourna brusquement, l'air fou furieux.

« Laissez-moi tranquille, sacrebleu ! » hurla-t-elle.

Je dus réagir comme si elle m'avait souffleté ; je me rappelle m'être mordu la lèvre et avoir lancé un « oh » de surprise devant sa réponse.

« Je vous demande pardon, madame », ajoutai-je dans mon meilleur anglais.

Dans mon pays, j'aurais répondu différemment : avec courtoisie, mais du ton familier qui indique clairement la supériorité du rang. En anglais, bien sûr, de telles subtilités n'étaient pas à ma portée ; je ne savais que m'adresser à des dames de qualité et, donc, c'est ainsi que je lui parlai. Plutôt que d'avoir l'air d'un sot sans éducation — les Anglais considèrent que si l'on ne comprend pas leur langue, cela ne peut relever que de la sottise ou de l'entêtement buté —, je décidai qu'il valait mieux joindre le geste à la parole, comme si ma déférence était voulue. En conséquence, j'accompagnai mes propos d'une profonde révérence.

Ce n'était pas le but recherché, pourtant, cela dégonfla ses voiles — pour user d'une expression nautique dont raffolait mon cher père. Face à cette courtoisie, au lieu de la réprimande méritée, sa colère s'apaisa, et elle me regarda du coup avec curiosité, tandis qu'une petite ride de confusion jouait sur l'arête de son nez.

Ayant commencé dans cette veine, je résolus de continuer sur le même ton.

« Pardonnez-moi, je vous prie, de vous avoir abordée de cette manière, mais je n'ai pu éviter d'entendre que vous aviez besoin du secours de la médecine. Est-ce que je me trompe ?

— Vous êtes médecin ? »

Je fis une révérence.

« Marco da Cola de Venise. » C'était un mensonge, évidemment, mais j'étais persuadé d'être aussi compétent que le genre de charlatan ou de guérisseur auquel elle aurait normalement eu recours. « Et vous ?

— Je m'appelle Sarah Blundy. Je suppose que vous êtes trop important pour traiter une vieille femme qui s'est cassé la jambe, de peur de vous rabaisser aux yeux de vos confrères ? »

C'était vraiment quelqu'un de difficile à aider.

« Dans un cas comme celui-là, il vaudrait mieux faire appel à un chirurgien, expliquai-je. Cependant, j'ai appris les arts de l'anatomie à l'université de Padoue et à celle de Leyde. Qui plus est, je n'ai pas de confrères ici, aussi n'y a-t-il guère de risque qu'ils me méprisent parce que je fais commerce de mon savoir. »

Elle me regarda, puis hocha la tête.

« Je crains que vous n'ayez mal entendu, mais je vous remercie de votre offre. Je ne peux pas vous payer, car je n'ai pas le sou. »

J'esquissai un geste de la main et — pour la deuxième fois ce jour-là — j'indiquai que l'argent ne comptait pas pour moi.

« Je vous offre mes services de toute façon, continuai-je. Nous pourrons discuter le paiement plus tard, si vous le désirez.

— Je n'en doute pas », dit-elle, d'un ton qui me laissa de nouveau perplexe.

Elle me dévisagea d'un air franc et direct, comme le font parfois les Anglais, puis haussa les épaules.

« Peut-être pourrions-nous voir la malade ? suggérai-je. Et, chemin faisant, vous pourriez me raconter ce qui lui est arrivé... »

Comme tous les jeunes gens, j'étais fort désireux de retenir l'attention d'une jolie fille, quelle que fût sa position sociale, mais je ne fus guère récompensé de mes efforts. Loin d'être aussi chaudement habillée que moi — on voyait ses membres à travers la mince toile de sa robe et sa tête n'était recouverte que de ce que la bienséance requiert —, elle ne semblait pourtant pas du tout avoir froid, paraissant même ne guère souffrir du vent qui me transperçait aussi aisément qu'un couteau coupe le beurre. En outre, elle marchait vite et, quoiqu'elle fût plus petite que moi d'un bon pouce, je devais presser le pas pour rester à sa hauteur. Et ses réponses étaient brèves et monosyllabiques, ce que j'attribuais au souci que lui causait la santé de sa mère.

Nous retournâmes chez M. Van Leeman pour prendre mes instruments. Je jetai également un rapide coup d'œil sur le livre de chirurgie de Barbette afin d'éviter de consulter un manuel en pleine opération, cela n'inspirant pas confiance à un patient. Apparemment, sa mère était tombée lourdement la veille et était restée par terre toute seule la nuit entière. Je lui demandai pourquoi elle n'avait pas appelé des voisins ou des passants, car il me semblait peu probable que la malheureuse habite loin de toute âme qui vive ; mais ma question reçut une réponse évasive.

« Qui est l'homme à qui vous parliez ? » m'enquis-je.

Mais là-dessus je n'obtins pas de réponse non plus.

Par conséquent, adoptant une froideur que je jugeais de circonstance, je marchai à côté d'elle le long d'une rue sordide appelée Butcher's Row, passant devant de puantes carcasses d'animaux suspendues à des crochets ou exposées dehors sur des tables de bois grossier afin que la pluie entraîne le sang dans les caniveaux, puis nous suivîmes une rangée de masures encore plus minables qui longeait l'un des ruisseaux serpentant à l'extérieur et sur les terres du château fort. C'était un quartier absolument répugnant : les rivières étaient obstruées, souillées et chargées de toutes sortes d'immondices émergeant de l'épaisse couche de glace. À Venise, évidemment, nous avons le flux et le reflux de la mer qui, chaque jour, purgent les voies d'eau de la cité. En Angleterre, on laisse les rivières s'engorger sans que personne s'avise qu'un peu d'entretien pourrait adoucir les eaux.

Parmi toutes les masures de ce quartier, celle de Sarah Blundy et de sa mère était la plus misérable : toute petite, les croisées formées de planches de bois et non pas de carreaux de verre, le toit plein de trous bouchés avec des chiffons, la porte mince et en mauvais état. À l'intérieur, cependant, régnait une impeccable propreté, malgré l'humidité ; signe que même dans une pareille misère l'éclat d'une certaine fierté peut continuer à luire. La petite cheminée et le plancher avaient été frottés, tout comme les deux tabourets branlants, et le lit, quoique de piètre qualité, était ciré. C'était là tout le mobilier de la pièce, mis à part les quelques casseroles et la vaisselle dont ne peuvent se passer même les plus humbles. Une chose ne laissa pas de m'étonner : sur une étagère, une demi-douzaine de livres au moins m'apprit qu'à une certaine époque en tout cas un homme avait habité en ces lieux.

« Eh bien ! lançai-je du ton enjoué dont mon maître de Padoue aurait usé pour inspirer confiance, où est donc la malade ? »

Elle désigna un lit que j'avais cru vide. Recroquevillée sous la mince couverture se trouvait une femme, tel un petit oiseau blessé, si minuscule qu'il était difficile de ne pas la prendre pour un enfant. Je m'approchai et repoussai doucement la couverture.

« Bonjour, madame, dis-je. On m'a dit que vous avez eu un accident. Alors, voyons un peu ! »

Même moi, je me rendis compte instantanément qu'il s'agissait d'une blessure grave. L'extrémité de l'os fracturé avait traversé la peau parcheminée et apparaissait, brisé et ensanglanté, à l'air libre. Et, comme si cela ne suffisait pas, un imbécile avait maladroitement essayé de le remettre en place à toute force, lacérant encore plus la peau ; puis, on avait simplement entouré la blessure d'un linge sale, si bien que les fils s'étaient collés à l'os lorsque le sang s'était caillé et coagulé.

« Sainte mère de Dieu, m'écriai-je (en italien, heureusement !) de désespoir. Quel est l'idiot qui a fait ça ?

— C'est elle-même qui l'a fait, répondit la fille d'une voix calme, quand je répétai mes dernières paroles en anglais. Elle était toute seule et elle a fait ce qu'elle a pu. »

Les choses se présentaient vraiment très mal. Même chez un jeune homme robuste, l'affaiblissement que provoquait inévitablement une telle blessure aurait été grave. Et puis il était possible que la putréfaction s'y mette et fort probable que certains des fils créent une irritation de la chair. Je frémis à cette pensée ; c'est alors que je me rendis compte que la pièce était glaciale.

« Faites du feu immédiatement. Il lui faut de la chaleur », dis-je.

Elle resta plantée là sans bouger.

« M'entendez-vous ? Obéissez !

— Nous n'avons pas de combustible », répondit-elle.

Que pouvais-je faire ? Cela manquait quelque peu de dignité et c'était contraire aux usages, mais, parfois, le devoir d'un médecin va au-delà du simple traitement du mal physique. Je tirai quelques pennies de ma poche avec une certaine impatience.

« Allez donc en acheter ! » m'exclamai-je.

Elle regarda les pièces que je lui avais fourrées dans la main et, sans le moindre remerciement, elle sortit en silence et s'engagea dans la ruelle.

« Allons ! madame, dis-je en me retournant vers la vieille femme. Vous serez bientôt au chaud. C'est le plus important. Maintenant, il faut qu'on nettoie cette jambe. »

C'est ainsi que je me mis au travail. Heureusement, la fille revint peu après avec du bois et des braises pour allumer le feu, de telle sorte que j'eus bientôt de l'eau chaude. Je me disais que si je réussissais à nettoyer la plaie assez rapidement et à replacer l'os sans faire mourir la patiente de douleur, si elle ne faisait pas de fièvre, si sa blessure ne s'envenimait pas et si elle était gardée au chaud et bien nourrie, alors elle pourrait survivre. Mais les dangers étaient nombreux, et le moindre d'entre eux risquait de la tuer.

Lorsque je me mis à l'œuvre, elle sembla assez lucide, ce qui était de bon augure ; mais, vu les souffrances que je lui causais, même un cadavre fût devenu conscient de ce qui l'entourait. Elle m'informa qu'elle avait fait une mauvaise chute en glissant sur une plaque de glace le matin précédent ; à part ça, elle fut d'abord aussi peu communicative que sa fille, même si elle avait davantage d'excuses.

Il est possible qu'une personne plus avisée ou plus fière eût quitté les lieux dès que la fille avait avoué ne pas avoir d'argent ; peut-être aurais-je dû partir quand il était devenu clair qu'il n'y avait pas de chauffage ; sans aucun doute, j'aurais dû refuser sur-le-champ de songer à fournir à la femme la moindre médecine. Il ne s'agit pas de soi, bien sûr ; en la matière, il faut considérer la réputation de la profession. Mais, en toute conscience, je n'avais pu me résigner à agir comme j'aurais dû. En même temps, il est difficile d'être à la fois gentilhomme et médecin.

De plus, quoique j'eusse étudié la manière adéquate de nettoyer une blessure et de remettre les os, je n'avais aucune pratique. C'était beaucoup plus difficile que ne l'avaient laissé prévoir les cours théoriques, et je crains d'avoir causé à la vieille femme d'atroces souffrances. Mais, finalement, l'os fut remis, la jambe bandée et, ayant donné à la fille encore quelques-uns de mes rares pennies, je l'envoyai chercher de quoi concocter un onguent. Pendant son absence, je coupai des lames de bois, les attachant à la jambe en espérant que, si la malade avait assez de chance pour survivre, l'os brisé se ressouderait correctement.

À ce moment-là, j'avais déjà perdu ma bonne humeur. Que faisais-je ici, dans cette petite ville de province, misérable et inhospitalière, entouré d'étrangers, si loin de tout ce que je connaissais et de tous les êtres qui m'aimaient ? Et, surtout, qu'allait-il arriver quand, dans un futur très proche à n'en pas douter, je me retrouverais sans argent pour payer mon loyer et ma nourriture ?

Aveuglé par mon propre désespoir, j'oubliai complètement la malade, considérant que j'avais déjà fait plus que je ne lui devais, et je me pris à examiner les livres sur la petite étagère ; non pas par sincère curiosité, mais juste afin de lui tourner le dos et de cesser de voir la pauvre créature qui devenait rapidement le symbole de mes malheurs. Ce sentiment était d'autant plus fort que je craignais que tous mes efforts et toutes mes dépenses ne fussent inutiles : malgré ma jeunesse et mon inexpérience, je savais déjà reconnaître la mort quand je la regardais en face, quand je sentais son haleine et touchais la sueur qu'elle faisait perler sur la peau.

« Vous êtes malheureux, monsieur, dit d'une voix frêle la vieille femme, couchée sur le lit. Je crains de vous causer bien des ennuis.

— Non, non. Pas du tout, répondis-je du ton neutre de l'insincérité délibérée.

— C'est gentil à vous de dire ça. Mais on sait tous les deux que vous ne serez pas payé pour vos services. Et j'ai bien vu à votre air que vous n'êtes pas riche vous-même en ce moment, malgré vos beaux vêtements. D'où est-ce que vous venez ? Vous n'êtes pas d'ici. »

Quelques instants plus tard, je me retrouvai perché sur l'un des tabourets branlants, près du lit, vidant mon cœur à propos de mon père, de mon manque d'argent, de la manière dont j'avais été reçu à Londres, de mes espoirs et de ma peur de l'avenir. Quelque chose en elle encourageait de telles confidences, comme si je parlais à ma vieille mère, et non pas à quelque Anglaise pauvre, hérétique et sur le point de mourir.

D'un bout à l'autre elle m'écouta patiemment et avec une sagesse qui me réconforta. Cela plaisait à Dieu de nous envoyer des épreuves, exactement comme Il l'avait fait avec Job. Notre devoir consistait à les supporter patiemment, à utiliser les talents qu'Il nous avait donnés pour les surmonter, à ne jamais cesser de croire que Ses desseins étaient justes et nécessaires. Plus pratiquement, elle me dit qu'il me fallait rendre visite à M. Boyle, car il passait pour un bon chrétien.

Je suppose que j'aurais dû mépriser ce mélange de piété puritaine et d'impertinence. Mais je voyais qu'à sa manière elle essayait de me dédommager par ses conseils. Elle n'avait ni argent ni services à offrir. Ce qu'elle pouvait donner, c'était de la compréhension, et elle me paya généreusement dans la seule monnaie en sa possession.

« Je vais bientôt mourir, pas vrai ? » demanda-t-elle après m'avoir écouté parler de mes maux pendant un long moment et après que j'eus épuisé le sujet de mes difficultés.

Mon maître de Padoue nous avait toujours mis en garde à propos des questions de ce genre : d'autant plus qu'on pouvait se tromper. Il croyait fermement que le patient n'avait pas le droit de les poser au médecin ; si l'on a raison et qu'en effet le malade meure, cela ne fait que l'attrister pendant les tout derniers jours de sa vie. Au lieu de se préparer à la montée imminente vers Dieu (événement désirable plutôt que regrettable, croirait-on), la plupart des gens se plaignent amèrement de subir cette bonté divine. Et, par-dessus le marché, ils ont réellement tendance à croire leur médecin. Dans mes moments de franchise, j'avoue volontiers que je ne sais pas pourquoi ; quoi qu'il en soit, il semble que si le médecin leur dit qu'ils vont mourir beaucoup se font un devoir d'obéir, même si leur maladie est bénigne.

« Nous mourons tous un jour ou l'autre, madame », dis-je d'un ton grave, dans le vain espoir que cela pourrait la satisfaire.

Cependant, la veuve Blundy n'était pas du genre dont on pouvait se débarrasser grâce à quelques paroles de réconfort. Elle avait posé calmement la question et elle était, de toute évidence, capable de distinguer le vrai du faux.

« Mais certains partent plus vite que les autres, rétorqua-t-elle avec un petit sourire. Et mon tour approche, n'est-ce pas ?

— Je n'en ai aucune idée. Il est possible qu'aucune putréfaction ne se manifeste et que vous guérissiez. Mais, en vérité, je crains que vous ne soyez très faible. »

Je ne pouvais pas lui dire carrément : « Oui, vous allez mourir, et très bientôt. » Cependant, le sens était assez clair.

Elle hocha la tête avec sérénité.

« C'est ce que je pensais, dit-elle. Et louée soit la volonté du Seigneur ! Je suis un grand poids pour ma Sarah. »

Come l'oro nel foco, così la fede nel dolor s'affina. Je n'avais guère envie de défendre la fille, mais marmonnai que j'étais sûr qu'elle accomplissait ses obligations d'un cœur léger.

« Certes, dit-elle. Elle connaît trop bien ses devoirs. »

C'était une femme qui parlait avec une correction bien au-dessus de sa condition et de son éducation. Je sais qu'il arrive qu'un milieu vulgaire et qu'une éducation grossière n'empêchent pas un certain raffinement, mais l'expérience nous enseigne que c'est rare. De même que la finesse de la pensée requiert naturellement le raffinement du milieu, de même une vie fruste et sordide engendre un état similaire de l'âme. Cependant, cette vieille femme, bien que vivant dans des conditions des plus miséreuses, parlait avec une sympathie et une compréhension que j'avais rarement trouvées chez les gens du grand monde. Cela me faisait m'intéresser à elle en tant que patiente de manière tout à fait insolite. Subtilement, et sans même m'en rendre compte, je cessai de la considérer comme un cas désespéré : je ne pourrais peut-être pas tromper la mort, me pris-je à penser lugubrement, mais du moins cette dernière ne s'en tirerait pas à bon compte.

Puis la fille revint avec le petit paquet de médecines que j'avais prescrites. Me regardant droit dans les yeux, comme si elle me narguait, elle m'annonça que je ne lui avais pas donné assez d'argent : M. Crosse, l'apothicaire, lui avait fait deux pence de crédit après qu'elle eut promis que je paierais le dû. Je restai bouche bée d'indignation, car cette fille semblait me reprocher de l'avoir envoyée faire une course sans lui fournir assez d'argent. Mais que pouvais-je y faire ? L'argent était dépensé, la malade était là, et je n'allais pas m'abaisser à entrer dans une querelle.

Gardant un calme apparent, je pris mon pilon et mon mortier portatif et me mis à malaxer les ingrédients ; du mastic comme ciment, un grain de sel ammoniac, deux d'encens, une drachme de vitriol blanc, ainsi que deux grains de nitre et de vert-de-gris. Une fois ces éléments réduits à l'état de pâte onctueuse, j'ajoutai l'huile de lin, goutte à goutte, jusqu'à ce que le mélange soit parvenu à la consistance souhaitée.

« Où est la poudre vermifuge ? demandai-je, cherchant le dernier ingrédient dans le sac. Il n'en avait pas ?

— Si, répondit-elle. Je le pense, en tout cas. Mais ça ne sert à rien, vous savez. C'est pour ça que j'ai décidé de ne pas en prendre. Je vous ai fait faire des économies. »

Cela passait les bornes. Être traité avec insolence par ses propres filles est une chose somme toute banale, mais être contesté et défié dans sa propre spécialité est une tout autre chose.

« Je t'ai dit que j'en avais besoin. C'est un ingrédient essentiel. Es-tu médecin, ma fille ? As-tu été formée dans les meilleures écoles de médecine ? Est-ce que les médecins viennent te demander ton avis sur leurs drogues ? demandai-je d'un ton hautain et sarcastique.

— Oui, en effet », rétorqua-t-elle calmement.

J'eus un haut-le-corps.

« Je ne sais pas ce qui est pire : avoir affaire à quelqu'un d'idiot ou de menteur ? m'exclamai-je avec colère.

— Moi non plus. Tout ce que je sais, c'est que je ne suis ni l'un ni l'autre. Mettre de la poudre vermifuge sur une blessure reviendrait à condamner ma mère à perdre sa jambe et à causer sa mort.

— Es-tu donc Galien ? Paracelse ? Hippocrate lui-même ? hurlai-je. Comment oses-tu mettre en question l'autorité de tes supérieurs ? On utilise cet onguent depuis des siècles.

— Bien que ce soit inutile ? »

Pendant cet échange, j'appliquais le baume sur la blessure de sa mère, puis la rebandais. Je n'étais pas sûr de son efficacité, incomplet qu'il était, mais il fallait s'en contenter en attendant que je le refasse selon les règles. Lorsque j'eus fini, je me redressai d'un seul coup et, évidemment, je me cognai la tête contre le plafond bas. La donzelle étouffa un ricanement, ce qui me rendit encore plus furieux.

« Laisse-moi te dire une chose, lui dis-je, sur le point de partir et en ayant beaucoup de mal à me contenir, j'ai traité ta mère de mon mieux, bien que rien ne m'y ait obligé. Je reviendrai plus tard pour lui donner une potion somnifère et aérer la blessure. Je le fais tout en sachant que je n'obtiendrai rien en échange, si ce n'est du mépris, même si je ne l'ai pas mérité et que tu n'aies pas le droit de me parler sur ce ton. »

Elle fit la révérence.

« Merci, mon bon monsieur. Quant au salaire, je suis sûre que vous serez satisfait. Vous avez dit qu'on pourrait s'occuper de ça plus tard et je suis certaine qu'on le fera. »

Sur ce, hochant la tête et tout en me demandant dans quel repaire de déments j'étais si étourdiment tombé, je quittai la maison et me retrouvai dans la rue.

J'espère que ce récit rend compte des deux premières étapes de mon voyage : mon arrivée en Angleterre puis à Oxford, et ma rencontre avec la patiente dont le traitement allait me causer tant de tracas. De la fille elle-même, que dire ? Elle était déjà marquée par le sort ; le dénouement était écrit, et le diable tendait déjà la main pour l'entraîner. L'homme de talent peut deviner cela ; il peut lire un visage comme un livre ouvert et présager ce que l'avenir recèle. Le visage de Sarah Blundy était ravagé par le terrible mal qui s'était emparé de son âme et qui allait bientôt la détruire. C'est ce que je me dis plus tard, et c'est peut-être vrai. Mais, à l'époque, je ne voyais qu'une fille aussi insolente que jolie, et aussi indifférente à ses obligations vis-à-vis de ses supérieurs qu'elle était respectueuse de ses devoirs envers sa famille.

Il me faut maintenant expliquer la suite des événements, qui fut également due au hasard, même si, en fin de compte, les conséquences furent bien plus cruelles : d'autant plus qu'il sembla, pendant un certain temps, que la fortune eût recommencé à me sourire. Il me restait à payer les dettes que la fille avait si impertinemment contractées auprès de l'apothicaire — sachant qu'il n'est jamais prudent de mécontenter les apothicaires lorsqu'on s'intéresse à l'expérimentation. Oubliez de payer, et il est fort probable qu'à l'avenir ils refuseront de vous servir ; non seulement eux, mais également tous leurs confrères à des miles à la ronde, tant ils se tiennent les coudes. En la circonstance c'eût été la dernière goutte d'eau. Même si je n'avais plus qu'un penny en poche, je ne pouvais entrer dans la société des philosophes anglais avec la réputation d'un homme sans crédit.

C'est ainsi que je demandai le chemin de l'officine de ce M. Crosse et que je dus reparcourir la moitié de la Grand-Rue avant d'ouvrir la porte en bois et de pénétrer dans la chaleur de l'échoppe. C'était une belle boutique, bien décorée, comme toujours en Angleterre, avec de beaux comptoirs en cèdre et de belles balances en cuivre des plus modernes. Les arômes des herbes, des épices et des drogues m'accueillirent tandis que j'avançais stratégiquement sur le parquet de chêne ciré, avant de me poster le dos devant la belle cheminée sculptée où flambait un grand feu.

L'apothicaire, homme corpulent d'une cinquantaine d'années et paraissant très à son aise dans la vie, s'occupait d'un client qui, l'air d'avoir tout son temps, bavardait tranquillement, nonchalamment appuyé sur l'établi. Il devait être un peu plus âgé que moi ; il avait les traits vifs et mobiles, les yeux brillants, mais le regard cynique sous d'épais sourcils arqués. Ses vêtements sombres étaient à mi-chemin entre l'extrême austérité puritaine et l'opulence de la mode. En d'autres termes, ils étaient d'un marron fort terne et très bien coupés.

Malgré sa nonchalance, ce client semblait très timide, et je devinai que M. Crosse s'amusait à ses dépens.

« Et en plus, ça tient chaud l'hiver », déclarait l'apothicaire avec un large sourire.

Le client fit une grimace de douleur.

« Évidemment, au printemps, il faudra mettre un grillage dessus, pour empêcher les oiseaux d'y faire leurs nids, continua-t-il, en se tenant les côtes.

— Ça va, Crosse, ça suffit comme ça », protesta l'autre. Puis il éclata de rire lui aussi. « Ça m'a coûté douze marcs... »

Ces propos déclenchèrent chez Crosse un fou rire encore plus énorme, et bientôt les deux hommes se tordaient de rire, incapables de s'arrêter, au bord de l'hystérie.

« Douze marcs ! » gémit l'apothicaire, à bout de souffle, avant d'éclater de rire de plus belle.

Je me mis moi-même à glousser, bien que je n'eusse pas la moindre idée du sujet de leur conversation. Je ne savais même pas s'il n'était pas malséant en Angleterre de participer à l'hilarité d'inconnus, mais, en fait, peu m'importait. La chaleur de l'échoppe et la franche bonne humeur de ces deux-là, agrippés au comptoir pour éviter de s'affaler par terre, me donnaient envie de rire avec eux, afin de célébrer les premiers rapports humains normaux que j'eusse connus depuis mon arrivée. Cela me requinqua sur-le-champ car, pour citer Gomesius, la gaieté soigne bien des maux de l'esprit.

Mon petit rire attira leur attention, cependant, et M. Crosse tenta de reprendre l'attitude digne que requérait sa profession. Son compère fit de même, et, tournant la tête, ils me dévisagèrent tous les deux ; un silence de mort régna pendant quelques secondes, puis le plus jeune me désigna du doigt et ils perdirent leur sérieux à nouveau.

« Vingt marcs ! s'exclama le jeune homme, en faisant de grands signes dans ma direction avant de frapper du poing le comptoir. Au moins vingt ! »

Je pris cela comme faisant office de présentations et, avec une certaine prudence, j'effectuai une courtoise révérence à leur adresse. Je soupçonnais vaguement quelque horrible facétie à mes dépens. Les Anglais adorent se moquer des étrangers, dont ils considèrent la simple existence comme une énorme plaisanterie.

Ma révérence à l'intention d'égaux — parfaitement exécutée, avec juste l'exact équilibre entre l'extension de la jambe gauche et le gracieux mouvement d'élévation du bras droit — les fit s'esclaffer derechef ; aussi attendis-je avec l'imperturbabilité du stoïque que se calmât la tempête. Ce qui finit par arriver : après un certain temps, les gloussements s'atténuèrent, les deux hommes s'essuyèrent les yeux, se mouchèrent et firent de leur mieux pour reprendre l'apparence de gens civilisés.

« Je vous prie de m'excuser, monsieur, dit M. Crosse, qui fut le premier à recouvrer l'usage de la parole et eut l'élégance de l'utiliser avec courtoisie. Mais mon ami que voici vient de décider de devenir un homme à la mode, et il s'est mis à paraître en public un toit de chaume sur la tête. Je faisais de mon mieux pour l'assurer qu'il a véritablement très belle allure. »

Il recommença à pouffer, et son ami arracha sa perruque, puis la jeta par terre.

« Enfin, de l'air ! s'exclama-t-il avec soulagement tout en passant ses doigts dans sa longue et épaisse chevelure. Dieu du ciel, qu'il faisait chaud là-dessous ! »

Je commençais enfin à comprendre de quoi il retournait. La perruque était arrivée à Oxford dix ans au moins après avoir été adoptée par le monde entier, ou presque, comme faisant partie intégrante du costume masculin. J'en portais une moi-même, en ayant fait le signe, pour ainsi dire, de mon entrée officielle dans le monde des adultes.

Je comprenais, évidemment, pourquoi elle provoquait une telle hilarité, bien que cette compréhension fût doublée du sentiment de supériorité qu'un homme du monde ressent vis-à-vis du provincial. Lorsque j'avais adopté la perruque, j'avais mis moi-même un bon bout de temps à m'y habituer ; je ne l'avais gardée que sous la pression de mes camarades. Et, bien sûr, si l'on prenait le point de vue d'un Turc ou d'un Indien débarquant soudain sur nos rivages, il semblait, en effet, assez étrange qu'un homme doté par la nature d'une belle chevelure en rasât une bonne partie afin de porter celle d'un autre. Mais la mode n'a rien à voir avec le confort et, puisque la perruque était particulièrement inconfortable, il faut en conclure qu'elle était très à la mode.

« Je pense, dis-je, que ce serait plus confortable si vous vous coupiez les cheveux ; ainsi il y aurait moins de pression sous la calotte.

— Me couper les cheveux ? Grands dieux, est-ce ainsi qu'il faut faire ?

— J'en ai bien peur. Il faut souffrir pour être beau, vous savez. »

Il donna un violent coup de pied dans la perruque, qui glissa sur le plancher.

« Alors, je préfère être laid, lança-t-il, car je refuse de paraître en public avec ça sur la tête. Si ça déclenche des convulsions chez Crosse, imaginez la réaction des étudiants de la ville. J'aurai de la chance si j'en sors vivant.

— Ailleurs, la perruque est à la pointe de la mode, hasardai-je. Même les Hollandais la portent. Je crois que c'est une question de temps. Dans quelques mois, dans une année peut-être, il se peut qu'on vous hue ou qu'on vous lance des pierres si vous n'en portez pas.

— Bah ! C'est ridicule, dit-il, en ramassant néanmoins la perruque et la plaçant plus prudemment sur le comptoir.

— Je suis sûr que ce monsieur n'est pas venu ici pour discuter de la mode, dit Crosse. Peut-être même souhaite-t-il acheter quelque chose ? Cela est déjà arrivé. »

Je fis un profond salut.

« Non, je suis venu payer une dette. Je crois que vous avez récemment fait crédit à une jeune fille.

— Ah ! la petite Blundy. Vous êtes le monsieur qu'elle a nommé ? »

Je hochai la tête.

« Il semble qu'elle ait dépensé mon argent un peu librement. Je viens régler sa... ou plutôt ma... dette. »

Crosse poussa un grognement.

« Vous ne serez pas remboursé, vous savez ? Pas en argent.

— Apparemment. Mais c'est trop tard. De plus, j'ai remis la jambe de sa mère ; il était intéressant pour moi de savoir si j'en étais capable. J'avais bien appris la théorie à

Leyde, mais je ne l'avais jamais mise en pratique sur un malade vivant.

— Leyde ? demanda le jeune homme, l'air soudain intéressé. Vous connaissez Sylvius ?

— En effet ! répondis-je, j'ai étudié l'anatomie avec lui, et j'ai sur moi une lettre de lui, à l'intention d'un certain M. Boyle.

— Pourquoi ne l'avez-vous pas dit plus tôt ? » demanda-t-il.

Il se dirigea vers la porte du fond, qu'il ouvrit. J'aperçus un escalier dans le couloir.

« Boyle, cria-t-il, êtes-vous là-haut ?

— Inutile de hurler, vous savez, dit Crosse. Je peux vous répondre. Il n'est pas là. Il est allé au café.

— Ah ! ça ne fait rien. On peut aller le chercher. Au fait, comment vous appelez-vous ? »

Je me présentai. Il me répondit par un salut et ajouta : « Richard Lower, à votre service. Médecin. Enfin presque. »

Nous nous fîmes un nouveau salut et, après cette formalité, il me tapota l'épaule.

« Allez ! venez avec moi ! Boyle sera ravi de vous connaître. Depuis quelque temps, on se sent un peu isolés par ici. »

Pendant le bref trajet qui me ramena chez Tillyard, il m'expliqua que le ferment de la vie intellectuelle de la ville avait désormais cessé de bouillonner, à cause du retour du roi.

« Mais j'ai entendu dire que Sa Majesté aimait la science, dis-je.

— C'est vrai, lorsqu'il arrive à s'arracher à ses maîtresses. C'est ça l'ennui. Sous Cromwell, nous avions du mal à joindre les deux bouts, tandis que tous les emplois lucratifs de l'État allaient aux bouchers et aux poissonniers. Maintenant, le roi est de retour et, naturellement, tous ceux qui sont bien placés pour profiter de sa générosité sont partis à Londres, ne laissant ici que le croupion dont je fais partie. Je crains d'avoir à essayer de me faire reconnaître là-bas également, tôt ou tard.

— D'où la perruque ? »

Il fit la grimace.

« Oui, je suppose. À Londres, il faut faire de l'effet si l'on veut être tant soit peu pris au sérieux. Wren est revenu ici il y a quelques semaines — c'est un de mes amis, un homme charmant —, se pavanant dans un costume flamboyant. Il projette un voyage en France, et lorsqu'il reviendra, je suppose qu'il faudra que nous nous protégions les yeux pour ne pas être éblouis.

— Et M. Boyle ? demandai-je, avec un petit pincement au cœur. Il a... euh, décidé... de rester à Oxford ?

— Oui, pour le moment. Mais il a de la chance. Il a tant d'argent qu'il n'a pas à quémander un poste comme nous autres.

— Ah ! » fis-je, grandement soulagé.

Lower me lança un regard signifiant qu'il avait parfaitement compris ce qui se passait dans ma tête.

« Son père était l'un des hommes les plus riches du royaume et un fervent partisan de l'ancien roi. Bénie soit la mémoire du roi ! Ce doit être notre vœu, je suppose ! Bien sûr, une bonne partie de sa fortune a été dissipée, mais il en reste assez pour que Boyle n'ait pas les soucis des mortels ordinaires.

— Ah !

— C'est quelqu'un qu'il est bon de connaître si vous êtes amateur de philosophie, son principal centre d'intérêt. Sinon, évidemment, il ne va pas faire très attention à vous.

— J'ai fait quelques expériences, dis-je modestement, du mieux que j'ai pu. Mais j'ai bien peur de n'être qu'un débutant. Ce que je ne sais pas ou ne comprends pas dépasse de beaucoup ce que je sais. »

Ma réponse sembla lui plaire énormément.

« Dans ce cas, vous serez en bonne compagnie, dit-il avec un large sourire. Pris tous ensemble, notre ignorance est quasiment complète. Et pourtant nous grattons la surface. Nous y voici », continua-t-il, tout en me faisant entrer exactement dans le même café.

Mme Tillyard s'avança vers moi une fois encore pour me réclamer une nouvelle pièce, mais Lower l'écarta d'un geste.

« Sacrebleu ! madame, s'exclama-t-il d'un ton enjoué, vous n'allez pas faire payer un de mes amis pour entrer dans ce lupanar. »

Réclamant du café à grands cris, Lower bondit dans l'escalier en direction de la salle que j'avais précédemment choisie. C'est alors qu'une pensée horrible me traversa l'esprit : Et si ce Boyle était l'individu désagréable qui avait éconduit la jeune fille ?

Assis dans un coin, l'homme que Lower aborda immédiatement n'aurait pu être plus différent. Je suppose que je dois faire ici une pause pour décrire l'honorable Robert Boyle, l'homme qu'on a plus couvert de lauriers que n'importe quel philosophe depuis des siècles. La première chose que je notai fut sa relative jeunesse ; vu sa réputation, je m'attendais à rencontrer un homme ayant sans doute la cinquantaine. En fait, il ne devait avoir que quelques années de plus que moi. Grand, maigre et, de toute évidence, souffrant d'une faible constitution, il avait un visage hâve et pâle, mais une bouche étrangement sensuelle ; il était assis dans une attitude élégante et sereine qui signalait sur-le-champ l'homme bien né. Il n'était pas d'un abord particulièrement agréable : plutôt hautain, comme s'il était tout à fait conscient de sa supériorité et s'attendait que les autres le fussent également. Cela, comme je l'appris plus tard, ne constituait qu'un aspect du personnage : il possédait autant de générosité que d'orgueil ; autant d'humilité que de hauteur ; autant de piété que de morgue ; autant de sévérité que de charité.

Néanmoins, c'était une personne à traiter avec circonspection car, quoique Boyle tolérât des gens vraiment affreux rien que pour leur mérite, il ne supportait pas les charlatans ni les imbéciles. Je compte comme l'un des grands honneurs de ma vie qu'il ait daigné me traiter avec amitié pendant un certain temps. La perte de cette relation, à cause de la calomnie, fut l'un des grands chagrins de mon existence.

En dépit de sa position et de sa naissance, il acceptait une certaine familiarité de la part de ses intimes, dont Lower faisait manifestement partie.

« Monsieur Boyle, dit-il, lorsque nous fûmes devant lui, voici quelqu'un qui vient d'Italie pour déposer son tribut sur votre autel. »

Redressant la tête, Boyle leva les sourcils, puis se permit un bref sourire.

« Bonjour, Lower », fit-il sèchement.

Je remarquai alors, et plus tard, que Lower n'était jamais au bon diapason dans ses rapports avec Boyle : se considérant comme son égal en matière de sciences, tout en restant extrêmement conscient de l'infériorité de son rang, il passait de marques de respect qui, sans être obséquieuses, étaient loin d'être aisées et naturelles à la familiarité la plus excessive.

« Je vous transmets les salutations du Dr Sylvius, de Leyde, monsieur, dis-je. Il a pensé que, comme je devais me rendre en Angleterre, vous accepteriez peut-être que je me présente à vous. »

J'ai toujours l'impression que les présentations constituent la partie la plus ardue de l'étiquette. Bien sûr, elles sont nécessaires et le demeureront. Comment un total inconnu pourrait-il être accepté sans la recommandation d'un homme de qualité qui soit à même de jurer de son honnêteté ?

Dans la plupart des groupes, cependant, la simple existence d'une lettre de recommandation suffit et si on la lit c'est généralement après le rituel des présentations. J'espérais qu'une lettre de Sylvius, un médecin aussi célèbre dans son domaine d'expérimentation que Boyle en chimie, m'assurerait un accueil favorable. Mais j'étais conscient du fait que les divergences entre les spécialistes de l'expérimentation étaient profondes et qu'il se pourrait fort bien que je fusse écarté à cause de ma religion. L'Angleterre venait de sortir des griffes de puritains fanatiques, et je savais que subsistaient des séquelles de leur emprise : durant la nuit, sur la route d'Oxford, mes compagnons de voiture avaient pris plaisir à me mettre au courant des nouvelles lois contre nous, lois que le Parlement avait forcé le roi à adopter.

Non seulement Boyle prit la lettre et commença à la lire, mais il en commenta le contenu au fur et à mesure, ce qui me rendit de plus en plus nerveux. Je découvris que c'était une assez longue missive ; Sylvius et moi n'ayant pas toujours été parfaitement d'accord, je craignais beaucoup qu'une grande partie de la lettre ne fût pas élogieuse.

Et telle était bien l'impression produite par la lecture de Boyle.

« Hum, fit-il, écoutez-moi ça, Lower. Sylvius dit que votre ami, ici présent, est impétueux, ergoteur et qu'il a tendance à contester l'autorité de ses supérieurs, qu'il est impertinent et un vrai papillon en ce qui concerne ses centres d'intérêt. »

Je fis mine de me défendre, mais un geste de Lower m'intima de me taire.

« Une famille d'honorables marchands de Venise, hein ? continua Boyle. Et papiste, je suppose ? »

J'eus un pincement au cœur.

« Un vrai vampire, poursuivit Boyle, en ne me prêtant pas la moindre attention. S'amusant constamment avec des seaux pleins de sang. Mais sachant se servir d'un bistouri et bon dessinateur. Hum... »

J'en voulais à Sylvius pour ses remarques. Traiter mes expériences d'amusement me rendait fou d'indignation. J'avais commencé méthodiquement et procédé d'une manière que je croyais rationnelle. Ce n'était guère ma faute, après tout, si la requête de mon père m'avait obligé à quitter Leyde avant d'être parvenu à des conclusions conséquentes.

Étant donné que cela importe à mon histoire, je dois préciser que mon intérêt pour le sang n'était pas une nouvelle marotte, mais qu'il y avait un certain temps que le sujet me passionnait. Je ne sais trop quand débuta cette fascination. Je me rappelle avoir jadis écouté à Padoue la conférence sur le sang faite par un galéniste ennuyeux et avoir emprunté dès le lendemain un exemplaire du magnifique travail de Harvey sur la circulation. C'était si clair, si simple, et si manifestement *vrai*, que j'en eus le souffle coupé. Je n'ai jamais eu une telle expérience depuis. Cependant, même moi, je voyais que c'était incomplet : Harvey a démontré que le sang part du cœur, circule dans tout le corps avant de revenir à son point de départ. Il n'a pas découvert *pourquoi* cela se passe ainsi, et sans cette précision la science est une bien pauvre chose ; il n'a pas tiré non plus de conclusions thérapeutiques de ses observations. C'est peut-être avec une certaine impertinence, en tout cas avec beaucoup de respect, que j'avais consacré de nombreux mois à Padoue et presque tout mon séjour à Leyde à explorer la question, et j'aurais déjà conduit des expériences remarquables si je n'avais pas obéi aux désirs de mon père et débarqué en Angleterre.

« Bien, finit par dire Boyle, en repliant la lettre soigneusement et en la mettant dans sa poche. Soyez le bienvenu, plus que le bienvenu, parmi nous. Et surtout auprès de M. Lower, j'imagine, étant donné que sa faim insatiable d'entrailles semble n'avoir d'égale que la vôtre. »

Lower me fit un large sourire et m'offrit la tasse de café qui avait refroidi pendant la lecture de Boyle. Apparemment, j'avais été mis à l'épreuve et déclaré apte et idoine. Le soulagement que je ressentis me fit presque chanceler.

« Je dois dire, poursuivit Boyle en jetant des quantités de sucre dans son café, que je suis d'autant plus heureux de vous accueillir que j'ai apprécié votre attitude.

48

— Plaît-il ?

— Votre offre de secours à la petite Blundy — vous vous souvenez d'elle, Lower ? — était charitable et chrétienne, quoiqu'un peu imprudente. »

Je fus abasourdi par ces remarques, tant j'étais convaincu que personne ne m'avait prêté la moindre attention. J'avais totalement sous-estimé la fascination que peut exercer le moindre remous dans ce genre de petite ville.

« Mais qui est cette fille que vous connaissez tous les deux ? Elle m'a donné l'impression d'être une créature très humble, peu propre normalement à retenir votre intérêt. Les années de républicanisme ont-elles nivelé la société à ce point ? »

Lower éclata de rire.

« Heureusement que non ! Cette sorte de personne ne fait généralement pas partie de notre monde, Dieu merci ! Elle est assez jolie, mais je n'aimerais pas qu'on pense que je la fréquente. Nous la connaissons car elle jouit d'une certaine notoriété : son père, Ned, a été fusillé pour subversion et républicanisme. Elle connaît fort bien, dit-on, les remèdes naturels. Boyle, ici présent, l'a consultée à propos des plantes médicinales. Un des projets qui lui tiennent à cœur, c'est de fournir aux pauvres des remèdes qui correspondent à leur condition.

— Pourquoi dites-vous "dit-on" ?

— Nombreux sont ceux qui ont attesté ses talents de guérisseuse, alors Boyle a pensé qu'il lui ferait l'honneur d'inclure certaines de ses meilleures recettes dans son travail. Mais elle a refusé d'aider, prétendant qu'elle n'avait absolument aucun don. Je suppose qu'elle voulait être payée, ce que Boyle a eu raison de refuser puisqu'il s'agissait d'une œuvre de bienfaisance. »

Au moins cela expliquait le commentaire de la donzelle que j'avais pris pour un mensonge.

« Pourquoi est-il imprudent de la fréquenter ?

— Sa fréquentation ne vous honorera guère. Elle a la réputation d'être une débauchée. Je voulais surtout dire que sa pratique ne s'avérera pas très lucrative.

— Je m'en suis déjà rendu compte », répondis-je. Et je leur racontai comment elle avait dépensé mon argent.

Boyle sembla quelque peu choqué par mon récit.

« Ce n'est pas ainsi que vous ferez fortune, remarqua-t-il simplement.

— Quelle est la proportion de médecins, ici ? Pensez-vous que je pourrai me faire une clientèle ? »

Lower grimaça, puis expliqua que l'ennui c'était qu'il y avait déjà beaucoup trop de médecins à Oxford. Raison pour laquelle, quand il aurait terminé son travail en cours et que Christ Church l'aurait éjecté de son poste, il serait forcé d'aller à Londres.

« Il y en a déjà six, dit-il, et toute une série de charlatans, de chirurgiens et d'apothicaires. Tout ça pour une ville de dix mille âmes. Et vous courriez un certain risque si vous n'obteniez pas de l'université l'autorisation de pratiquer. Avez-vous reçu votre diplôme à Padoue ? »

Je lui répondis que non, n'ayant pas eu le projet d'exercer, même si mon père n'avait pas jugé que c'était déroger que de passer des examens. Seule la nécessité me faisait, en l'occurrence, penser à gagner quelque argent en pratiquant la médecine. Je suppose que ma formulation n'était pas bonne, car, si Boyle comprit ma situation, Lower considéra que la remarque que j'avais faite en toute innocence exprimait du mépris pour sa profession.

« Je suis sûr que tomber aussi bas ne vous souillera pas de manière permanente, dit-il sèchement.

— Au contraire, m'empressai-je d'ajouter pour réparer mon affront involontaire, l'occasion tombe à pic et compense parfaitement l'infortune dans laquelle je me trouve. Et si cela me donne la possibilité de m'associer à des hommes de qualité tels que vous et M. Boyle, j'aurai une chance inouïe. »

Cette remarque l'amadoua, et il reprit peu à peu sa nonchalance première ; cependant, j'avais vu en un éclair ce qui se trouvait sous la surface : un caractère qui, en dépit de son charme et de sa grâce, était en fait fier et susceptible. L'éclair disparut aussi vite qu'il était apparu, et je me félicitai trop rapidement de l'avoir reconquis.

Afin d'expliquer clairement la situation, j'exposai succinctement ma position du moment : une question précise de Boyle me poussa à avouer que je me trouverais bientôt sans un penny. De là mon désir de m'occuper de malades. Il fit une grimace et me demanda dans quel but au juste j'étais venu en Angleterre.

Je lui répondis que, par obligation filiale, j'étais contraint de rétablir la position juridique de mon père. Et que pour cela j'aurais sans doute besoin d'un avocat.

« Et pour cela vous aurez besoin d'argent, ce qui implique un revenu. *Absque argento omnia rara*, dit Lower. Hum, monsieur Boyle ? Vous avez des suggestions à faire ?

— Pour le moment, je serai heureux de vous offrir quelque occupation dans mon laboratoire, répondit-il avec bonté. J'ai presque honte de vous proposer cela, car c'est bien au-dessous de ce qu'un homme de votre qualité devrait faire. Je suis persuadé que Lower, ici présent, pourrait vous trouver de quoi vous loger dans son ancienne maison et, la prochaine fois qu'il fera une tournée dans la campagne, peut-être pourra-t-il vous emmener avec lui. Qu'en pensez-vous, Lower ? Vous dites toujours que vous êtes débordé de travail. »

Lower hocha la tête, même si je ne sentais pas un grand entrain de sa part.

« J'apprécierai grandement et l'aide et la compagnie. Je projetais une tournée dans une semaine ou deux, et si M. Cola désire se joindre à moi... »

Boyle hocha la tête, à son tour, comme si tout était réglé.

« Excellent ! Ensuite, nous pourrons attaquer le problème de Londres. Je vais écrire à un avocat de ma
connaissance afin de voir ce qu'il recommande. »

Je le remerciai avec enthousiasme pour sa grande bonté
et sa générosité. De toute évidence, cela lui plut, quoiqu'il
affectât de penser que c'était une bagatelle. Ma gratitude
était absolument sincère : pauvre, sans ami et malheureux,
j'avais désormais acquis la protection de l'un des philosophes les plus éminents d'Europe. La pensée me traversa
l'esprit que c'était en partie dû à Sarah Blundy, dont l'apparition ce matin-là et ma réaction avaient amené Boyle
à avoir une meilleure opinion de moi que cela n'eût été
le cas autrement.

Chapitre quatre

Donc, je m'établis rapidement en bonne compagnie et pus attendre de l'argent à partir d'une position avantageuse. Le courrier mettrait huit jours à l'aller et huit autres jours pour le retour, avec de la chance. Ajoutez à cela une semaine environ pour que les fonds fussent réunis, ainsi que plusieurs mois pour régler mes affaires à Londres ; je comptais par conséquent rester en Angleterre jusqu'en octobre au moins, époque à laquelle le temps se serait déjà bien gâté. Il me faudrait ou bien rentrer au pays par voie de terre ou risquer l'horrible perspective d'un voyage par mer en hiver. Une autre possibilité serait de me résigner à passer un autre hiver nordique en demeurant sur place jusqu'au printemps.

Mais au début je fus satisfait de ma situation, sauf en ce qui concernait ma nouvelle logeuse, Mme Bulstrode. Tout le monde pensait sincèrement que cette bonne dame était une excellente cuisinière, et c'est plein d'espoir — et le ventre vide, n'ayant pas mangé correctement depuis deux jours — que je me présentai à quatre heures tapantes pour m'asseoir, croyais-je, devant un excellent repas.

S'il était difficile pour un Vénitien de s'habituer au climat de l'Angleterre, en ce qui concernait la nourriture c'était carrément impossible. À en juger par la quantité, l'Angleterre paraissait le pays le plus riche de la terre. Même les plus humbles mangeaient généralement de la viande une fois par mois au moins, et les Anglais se vantaient de ne pas avoir besoin de sauces, contrairement aux Français, pour masquer le côté filandreux et le goût désagréable de celle-ci. Il suffit de la faire rôtir puis de la manger. Comme Dieu l'a voulu, affirment-ils, car ils croient fermement que le raffinement en matière de cuisine est un péché et que l'Hôte des cieux lui-même s'envoie son rôti de bœuf et sa bière tous les dimanches.

Malheureusement, il n'y avait pas souvent grand-chose d'autre. Bien sûr, on trouve rarement des fruits frais à cause du climat, mais même les fruits confits ne sont pas de leur goût, parce qu'ils donnent des vents, ce que les Anglais considèrent comme une perte de la chaleur vitale. Il n'y avait pas davantage de légumes verts, et ce pour la même raison. Ils préfèrent manger du pain ou, plus fréquemment, boire leurs céréales sous forme de bière consommée en quantités véritablement stupéfiantes ; même les dames les plus délicates descendent joyeusement un litre ou deux de bière forte au cours d'un repas, et les bébés apprennent à être ivres dès le berceau.

L'ennui pour un étranger comme moi était que leur bière était plutôt forte ; or, il était considéré comme peu viril (et peu féminin) de ne pas en boire. Je signale tout cela afin d'expliquer pourquoi un repas composé de chair bouillie et de trois litres de bière me laissait en fort piteux état.

Réussir à m'occuper ensuite de ma patiente était extrêmement méritoire. Comment parvins-je au juste à préparer ma trousse et à marcher jusqu'à la pauvre masure ? Je n'en ai pas souvenance. Heureusement, la fille n'était pas là, car je n'éprouvais pas le moindre désir de reprendre mon commerce avec elle ; en ce qui concerne la mère, la chance ne nous souriait pas : elle nécessitait beaucoup de soins et d'attention, et l'absence de sa fille ne me parut guère être un exemple de la piété filiale signalée par la vieille femme.

Elle avait dormi. En fait, elle somnolait encore, sa fille lui ayant donné quelque potion de bonne femme concoctée par elle-même, mais qui, au demeurant, paraissait très efficace. Pourtant, elle souffrait énormément ; du pus et quelque matière corrosive avaient suinté et traversé mon pansement ; en séchant, ils avaient formé une croûte sur la plaie, dégageant une odeur fétide qui me remplit d'appréhension.

Ôter le pansement fut une opération longue et répugnante, mais, lorsque je l'eus finalement menée à bien, je résolus d'essayer de laisser la blessure à l'air libre, ayant entendu dire que garder une plaie au chaud sous un bandage serré risquait fort de favoriser l'infection au lieu de la prévenir. Je sais bien qu'une telle théorie va à l'encontre de la pratique orthodoxe, et que la volonté de laisser les vapeurs flotter tout autour peut être jugée téméraire. Tout ce que je puis affirmer, c'est que les expériences conduites ensuite par d'autres ont tendu à confirmer le bien-fondé de cette technique. J'étais si absorbé par ma tâche que je n'entendis pas la porte grincer, ni le léger bruit de pas s'approchant derrière moi. Les premiers mots de Sarah Blundy me firent sursauter.

« Comment va-t-elle ? »

Je me retournai. Sa voix était douce et ses manières meilleures qu'avant.

« Elle ne va pas bien du tout, avouai-je franchement. Tu ne peux pas t'occuper d'elle davantage ?

— Il me faut aller au travail, répondit-elle. Notre situation est déjà assez grave comme ça, maintenant que ma mère ne gagne plus rien. J'ai demandé à quelqu'un de passer, mais il semble que personne n'est venu. »

Je poussai un grognement, quelque peu honteux de n'avoir pas pensé à cette raison.

« Va-t-elle guérir ?

— Il est trop tôt pour le dire. Je fais sécher la plaie, et ensuite je la banderai à nouveau. Je crains qu'elle ne fasse de la fièvre. La fièvre peut tomber, mais je suis inquiet. Il faut vérifier toutes les demi-heures que la fièvre ne monte pas. Et, aussi étrange que cela puisse paraître, il faut que tu veilles à ce qu'elle reste bien au chaud. »

Elle acquiesça, comme si elle comprenait, alors que c'était impossible.

« Tu vois, dis-je gentiment, en cas de fièvre, on peut ou la renforcer ou la contrecarrer. La renforcer porte le mal à son apogée et le purge, débarrassant ainsi le patient de la cause. La contrecarrer est un moyen de restaurer l'économie naturelle du corps. Ainsi, s'il y a fièvre, on peut ou bien mettre le patient en contact avec de la glace ou de l'eau froide, par exemple, ou, au contraire, l'emmitoufler chaudement. Je choisis la seconde solution à cause de la grande faiblesse de la malade : un remède plus énergique pourrait bien la tuer avant de produire son effet. »

Elle se pencha et borda sa mère d'un geste protecteur, puis, avec une douceur surprenante, elle caressa les cheveux de la vieille femme pour les remettre en place.

« C'était mon intention, du reste, dit-elle.

— Et maintenant tu auras mon approbation, de surcroît.

— Quelle chance ! » s'exclama-t-elle.

Elle me jeta un coup d'œil, vit mon regard soupçonneux et sourit.

« Pardonnez-moi, monsieur, je ne voulais pas être insolente. Ma mère m'a fait part de votre bonté et de votre générosité, et nous vous sommes toutes les deux très reconnaissantes. Je regrette mes paroles déplacées. J'avais peur pour elle, et la manière dont j'avais été traitée au café m'avait bouleversée. »

J'esquissai un geste de la main, étrangement touché par son ton soumis.

« Ne t'en fais pas, dis-je. Mais qui était cet homme ?

— J'ai travaillé pour lui jadis, répondit-elle sans quitter sa mère des yeux, et j'ai toujours été sérieuse et consciencieuse. Je crois que je méritais plus de considération de sa part. » Elle leva la tête et me sourit avec une douceur telle que je sentis mon cœur commencer à fondre. « Mais il semble que nous soyons rejetées par nos amis et sauvées par des inconnus. Aussi je vous remercie une fois de plus, monsieur.

— C'est avec le plus grand plaisir ! Du moment que tu ne t'attends pas à des miracles. »

L'espace d'un instant nous oscillâmes au bord d'une plus grande intimité, cette étrange fille et moi-même ; mais cet instant passa aussitôt. Elle avait hésité avant de parler, et ce fut immédiatement trop tard. Alors, faisant tous les deux un effort pour rétablir des relations normales, nous nous levâmes.

« Je vais prier pour qu'il en arrive un, même si je ne le mérite pas. Est-ce que vous reviendrez ?

— Demain, si je le puis. Et si son état s'aggrave, viens me chercher chez M. Boyle. Je vais l'aider. Bon, en ce qui concerne le paiement... » m'empressai-je d'ajouter.

Sur le chemin de leur maison, vu qu'il n'existait pas la moindre chance d'être payé de toute façon, j'étais résolu à accepter la chose avec grâce. Au lieu de m'y résigner, je ferais de nécessité vertu. En d'autres termes, j'avais décidé de ne pas prendre d'honoraires. J'étais très fier de moi, compte tenu surtout de ma propre impécuniosité, mais, puisque la chance m'avait souri, je pensais qu'il était juste de faire un tant soit peu partager ma bonne fortune.

Hélas, mes paroles s'étranglèrent dans ma gorge avant même la fin de la première phrase. Elle me regarda immédiatement, les yeux brûlants de dédain.

« Ah ! oui, votre paiement. Comment avais-je pu imaginer que vous l'oublieriez ! Nous devons nous occuper de ça de toute urgence, n'est-ce pas ?

— En effet, continuai-je, abasourdi par la rapidité de sa complète transformation. Je pense que... »

Je ne pus poursuivre. Elle me fit traverser la pièce et me mena dans le réduit humide au fond de la maison où, de toute évidence, elle — ou quelque autre animal, c'était difficile à dire — couchait. Sur le sol humide se trouvait une paillasse : un sac de toile rêche bourré de paille. Il n'y avait aucune fenêtre, et le réduit exhalait une forte odeur d'eau croupie.

D'un geste brusque, empreint du plus profond mépris, elle se coucha immédiatement sur le lit et releva sa jupe légère.

« Allez ! docteur, railla-t-elle. Payez-vous ! »

J'eus un mouvement de recul, puis je devins écarlate de rage dès que je compris son intention, même si la bière de la soirée m'avait rendu l'esprit un peu lent. Je fus encore plus gêné à la pensée que mes nouveaux amis croyaient peut-être que c'était là la raison qui me faisait m'intéresser à ce cas. Plus précisément, j'étais outré de voir comment mon beau geste était traîné dans la boue.

« Tu me dégoûtes, dis-je froidement quand j'eus recouvré l'usage de la parole. Comment oses-tu agir de la sorte ? Je ne vais pas rester ici pour être insulté. Dorénavant, tu peux t'occuper de ta mère à ta guise. Mais, je t'en prie, n'espère pas que je reviendrai ici pour subir ta présence. Bonne nuit ! »

Puis je tournai les talons, me dirigeant d'un pas ferme vers la sortie, parvenant même — enfin, presque — à ne pas claquer la mince porte derrière moi.

Je suis plus que sensible aux charmes féminins — certains diront excessivement sensible — et, dans ma jeunesse, je renonçais rarement à prendre mon plaisir si l'occasion se présentait. Mais cette fois-ci, il ne s'agissait pas de cela. Ayant soigné la mère par pure bonté d'âme, voir mes motifs et mes intentions traités si vulgairement m'était intolérable. Même si cela avait été la forme de paiement que j'avais eue en tête, cette fille n'avait certainement pas le droit de me parler de la sorte.

Bouillant de rage, je m'éloignai de son taudis à grandes enjambées, encore plus persuadé qu'avant que cette fille était aussi infecte et immonde que sa masure. Que sa mère aille au diable ! pensai-je. Et puis, quel genre de mère pouvait avoir enfanté un tel monstre diabolique ? Quel minable avorton, me dis-je, oubliant qu'un peu plus tôt je

58

l'avais trouvée jolie. Et même si c'était une belle fille, qu'en avais-je à faire ? Le diable en personne peut s'incarner, paraît-il, en une belle fille pour séduire l'humanité...

Pourtant, une petite voix, venue du fond de mon esprit, me murmurait des reproches à l'oreille. Donc, chuchotait-elle, tu vas tuer la mère pour te venger de la fille. Bravo, docteur ! J'espère que tu es fier de toi. Qu'étais-je censé faire ? M'excuser ? Seul le bon saint Roch aurait pu se montrer capable d'un tel acte de charité. Mais c'était un saint.

Ceux qui soupçonnent qu'à cette époque ma connaissance de l'anglais pouvait être suffisante mais en aucun cas parfaite pensent, sans aucun doute, que je mens lorsque je rapporte mes conversations. J'admets que je ne parlais pas assez bien l'anglais pour exprimer des idées complexes ; en fait, cela n'était pas nécessaire. Certes, dans mes conversations avec des personnes comme la petite Blundy, je devais faire beaucoup d'efforts, même si leur manière de parler était généralement assez simple et directe pour que je me débrouille fort bien. Avec d'autres, la conversation passait, selon la situation, du latin, et même du français, à l'anglais, les Anglais de qualité étant renommés pour être des linguistes de grande valeur, parlant souvent couramment plusieurs langues ; ce que beaucoup d'autres peuples — les Allemands surtout — feraient bien d'imiter.

Lower, par exemple, était tout à fait à l'aise en latin et maîtrisait assez bien le français ; Boyle savait, en outre, le grec, parlait un italien délicat et connaissait des rudiments d'allemand. Je crains qu'aujourd'hui le latin ne tombe en désuétude, au détriment de notre république ; en effet, qu'adviendra-t-il des savants lorsqu'ils sacrifieront la conversation avec leurs égaux, n'ayant plus que la possibilité de s'entretenir avec leurs compatriotes ignorants ?

Je me sentais alors en sécurité, entouré, croyais-je, d'hommes de qualité qui balayaient les préjugés des hommes inférieurs. Le fait que j'étais un catholique romain n'occasionnait que de rares plaisanteries acérées de la part de Lower, dont l'humour dépassait parfois les bornes ; quant au pieux Boyle, il n'allait pas jusque-là et se montrait respectueux de la foi des autres, tout en pratiquant la sienne avec ferveur. Je me dis parfois qu'il aurait même accueilli à sa table un musulman ou un hindou, pour peu qu'ils soient pieux et s'intéressent à l'expérimentation. Une telle attitude est rare en Angleterre, où bigoterie et méfiance constituent le défaut le plus grave d'une nation qui en a beaucoup. Heureusement, mes fréquentations me protégèrent, au début, de ses effets, mis à part une insulte ou un jet de pierre de temps en temps dans la rue lorsqu'on commença à savoir qui j'étais.

Je dois dire que, depuis mon enfance, Lower était le seul homme que je pouvais considérer comme mon ami, et je crains d'avoir mal compris les Anglais en ce domaine. Lorsqu'un Vénitien appelle quelqu'un son ami, c'est après mûre réflexion, cela revient presque à faire de cette personne un membre de la famille, ce qui implique beaucoup de patience et de tolérance. On meurt pour ses amis comme pour sa famille, et on les estime à l'instar de Dante : *noi non potemo aver perfetta vita senza amici* — une vie parfaite a besoin d'amis. De telles amitiés sont justement célébrées par les Anciens, comme Homère loue le lien entre Achille et Patrocle, ou Plutarque l'amitié entre Thésée et Perithoos. Mais elles sont rares chez les Juifs : dans l'Ancien Testament je trouve peu d'amis, sauf David et Jonathan, et même dans ce cas, cela n'empêche pas David de tuer le fils de Jonathan. Comme la plupart des gens de ma condition, j'avais eu des compagnons d'enfance, mais je les avais laissés de côté au moment où les obligations familiales étaient apparues avec l'âge adulte, car celles-ci pèsent très lourd. Les Anglais sont très différents : ils ont des amis à tout âge, mais ils font une distinction entre les devoirs de l'amitié et ceux qui concernent les parents. En donnant mon affection à Lower — car je n'avais jamais rencontré quelqu'un d'aussi proche de moi tant en esprit qu'en matière de goûts —, je fis l'erreur de supposer qu'il me payait de retour, et qu'il se sentait tenu par les mêmes obligations. Ce n'était pas le cas. En Angleterre, on peut perdre ses amis.

À l'époque, je ne me doutais pas de cette triste réalité et je m'ingéniais à rendre à mes amis leurs bontés, tout en augmentant mes connaissances en assistant Boyle pendant ses expériences chimiques et en ayant de longs et fructueux entretiens, à toute heure du jour et de la nuit, avec Lower et ses camarades. Malgré l'apparence extrêmement grave de Boyle, son laboratoire débordait véritablement de bonne humeur. Sauf lorsqu'on se mettait au travail, car, considérant l'expérimentation comme l'exploration de l'œuvre de Dieu, il pensait qu'on devait l'aborder avec révérence. Quand une expérience allait avoir lieu, on excluait toutes les femmes, de peur que leur irrationalité n'influençât les résultats ; alors, une atmosphère de fervente concentration régnait dans le laboratoire. Ma tâche consistait à prendre des notes au fur et à mesure, à aider à l'installation de l'équipement et à tenir les comptes, car Boyle dépensait une fortune pour ses recherches. Il utilisait — et cassait souvent — des flacons de verre spécialement fabriqués, et les tuyaux de caoutchouc, les pompes, ainsi que les lentilles tout exprès polies engloutissaient des sommes colossales. De plus, il y avait le coût des produits chimiques dont beaucoup devaient être commandés à Londres ou même à Amsterdam. Peu de gens sont disposés à dépenser de telles sommes pour obtenir des résultats si peu avantageux en apparence.

C'est le moment de déclarer que je ne souscris pas le moins du monde à l'opinion générale selon laquelle accepter de conduire soi-même des expériences altère la dignité de la philosophie expérimentale. Il y a, après tout, une différence manifeste entre le travail fait en vue de gains financiers et celui qui est accompli pour le bien de l'humanité ; en d'autres termes, en tant que philosophe, Lower était absolument mon égal, même s'il perdait ce statut lorsqu'il pratiquait la médecine. En fait, je soutiens fermement que l'attitude de certains professeurs d'anatomie, qui trouvent dégradant de prendre eux-mêmes le bistouri et font simplement le commentaire, tandis que des collaborateurs rémunérés pratiquent la dissection, est totalement ridicule : Sylvius n'aurait jamais songé à rester assis en chaire à lire un manuel écrit par quelque ponte pendant que d'autres disséquaient — il enseignait le bistouri à la main, et le sang éclaboussait sa veste. De même Boyle n'hésitait pas à conduire ses expériences lui-même et, une fois, en ma présence, il se montra même disposé à anatomiser un rat de ses propres mains. Le travail terminé, il n'avait pas perdu une seule once de sa dignité d'honnête homme. Je pense même qu'il en était ressorti grandi. Chez Boyle, la richesse, l'humilité et la curiosité faisaient bon ménage, et le monde s'en est trouvé enrichi.

« Eh bien, annonça Boyle lorsque Lower apparut au milieu de l'après-midi et que nous interrompîmes notre travail, il est temps que Cola mérite les maigres appointements que je lui donne. »

Ces paroles m'inquiétèrent car, travaillant dur depuis au moins deux heures, je craignais d'avoir fait quelque chose de travers ou que Boyle n'eût pas remarqué mes efforts. Mais, en fait, il souhaitait que ce fût donnant donnant, comme on dit. J'étais là non seulement pour être son élève mais également son professeur : telle était l'extraordinaire humilité de l'homme.

« Votre sang, Cola, dit Lower pour soulager mon angoisse, parlez-nous de votre sang. Qu'en avez-vous fait ? Sur quelles expériences vos conclusions sont-elles fondées ? Et quelles sont ces conclusions, au juste ?

— J'ai bien peur de vous décevoir, commençai-je avec hésitation quand je vis qu'il n'y avait pas d'espoir de les dissuader. Mes recherches n'en sont qu'à leurs débuts. Je cherche surtout à découvrir à quoi sert le sang. Nous savons depuis trente ans qu'il circule dans le corps ; Harvey, votre compatriote, l'a montré. Nous savons qu'un animal meurt rapidement si nous le vidons de son sang. L'esprit vital qui s'y trouve constitue le moyen de communication entre le cerveau et la force qui permet le mouvement... »

Lower agita le doigt.

« Ah ! vous avez trop subi l'influence de M. Helmont, monsieur. Là-dessus, nous ne serons pas d'accord.

— Vous n'acceptez pas cette théorie ?

— Non. Non pas que ça ait la moindre importance pour le moment. Continuez, je vous prie. »

Je rassemblai mes forces et réévaluai mon angle d'approche.

« Nous croyons, nous, commençai-je, nous croyons, nous, qu'il déplace la chaleur depuis le ferment du cœur jusqu'au cerveau, fournissant ainsi la chaleur dont nous avons besoin pour vivre, puis qu'il rejette l'excédent dans les poumons. Mais est-ce vraiment ce qui se passe ? Autant que je sache, aucune expérience ne l'a prouvé. L'autre question est simple : pourquoi respirons-nous ? Nous considérons que c'est pour régler la chaleur du corps, pour inspirer de l'air frais et ainsi tempérer le sang. Mais ça aussi, est-ce vrai ? Quoique la tendance à respirer davantage lorsque nous nous activons semble l'indiquer, le contraire n'est pas vrai, car j'ai placé un rat dans un seau de glace et lui ai bouché le nez, et il en est mort. »

Boyle hocha la tête, et Lower eut l'air de vouloir poser des questions, mais voyant que je me concentrais afin de bien présenter mes théories, il eut l'obligeance de ne pas m'interrompre.

« L'autre chose qui m'a frappé, c'est la manière dont le sang change de consistance. Avez-vous remarqué, par exemple, qu'il change de couleur après avoir traversé les poumons ?

— J'avoue que non, répondit Lower, l'air sérieux, quoique je sache, bien sûr, qu'il change de couleur dans un bocal. Mais nous savons pourquoi, n'est-ce pas ? Le sang se décante et la mélancolie tombe au fond, ce qui rend la partie supérieure plus claire et l'inférieure plus sombre. Vous n'êtes pas d'accord ?

— Non, dis-je avec fermeté. Couvrez le bocal : la couleur ne change pas. Et je ne parviens pas à expliquer comment une telle séparation pourrait se produire dans les poumons. Mais lorsqu'il émerge des poumons — en tout cas, c'est ce qui se passe chez les chats —, il est beaucoup plus clair que lorsqu'il y pénètre, ce qui indique que quelque chose de sombre lui est retiré dans les poumons.

— Il faudra que je dissèque un chat et que je voie par moi-même. C'était un chat vivant, n'est-ce pas ?

— Il l'est resté un certain temps. Il est tout à fait possible que d'autres éléments nocifs quittent le sang dans les poumons et soient aspirés lorsqu'ils passent dans le tissu comme à travers un filtre avant d'être exhalés. Le sang ainsi allégé est une substance purifiée. Après tout, nous savons que l'haleine est souvent fétide.

— Et avez-vous pesé les deux coupes de sang pour voir si elles avaient le même poids ? » demanda Boyle.

Je rougis légèrement car je n'y avais jamais songé.

« Ce serait l'étape suivante, dit Boyle. Il se peut que ce soit une perte de temps, mais il se pourrait que ce soit une voie à explorer. C'est un détail mineur, cependant. Poursuivez, je vous prie. »

Ayant commis une omission si élémentaire, je n'avais plus guère envie de continuer à exposer mes hypothèses les plus folles.

« Si l'on se concentre sur les deux hypothèses, dis-je, le problème consiste à déterminer grâce à l'expérience laquelle est correcte : le sang perd-il quelque chose dans les poumons, ou bien y acquiert-il quelque chose ?

— Ou les deux, ajouta Lower.

— Ou les deux, acquiesçai-je. J'avais envisagé une expérimentation, mais à Leyde je n'avais ni le temps ni l'équipement pour poursuivre mon idée.

— C'est-à-dire ?

— Eh bien ! commençai-je un peu nerveux, si le but de la respiration est d'éliminer de la chaleur et les résidus nocifs de la fermentation, alors l'air lui-même n'a pas d'importance. Par conséquent, si nous placions un animal dans le vide...

— Ah ! je vois, dit Boyle, en jetant un coup d'œil à Lower. Vous aimeriez utiliser ma pompe aspirante. »

En fait, l'idée ne m'était pas venue avant. Curieusement, la pompe de Boyle jouissait d'une telle renommée que je n'y avais guère pensé depuis mon arrivée à Oxford, n'ayant jamais songé à la possibilité de l'utiliser moi-même. La machine était si complexe, si magnifique et si coûteuse qu'elle était connue dans l'Europe entière par tous ceux qui s'intéressaient à la recherche. Évidemment, aujourd'hui, de tels appareils sont assez bien connus, mais, à l'époque, il n'y en avait peut-être que deux dans toute la chrétienté, et celle de Boyle était la meilleure. Elle était d'une structure si ingénieuse que personne n'avait réussi à la reproduire, pas plus que les résultats qu'il avait obtenus. Naturellement, l'utilisation en était rigoureusement rationnée. Rares étaient ceux qui avaient le droit de la voir fonctionner, sans parler de l'utiliser, et il était téméraire de ma part d'oser seulement en parler. J'avais surtout peur d'essuyer un refus ; m'étant donné pour objectif de gagner sa confiance, une rebuffade m'aurait blessé.

En fait, tout alla pour le mieux. Boyle réfléchit un moment avant de hocher la tête.

« Et comment auriez-vous l'intention de procéder ?

— Une souris ou un rat feraient l'affaire, dis-je, un oiseau même. On met l'animal sous la cloche et on aspire l'air. Si le but de la respiration consiste à exhaler les miasmes, alors le vide créera davantage d'espace pour les émanations et l'animal vivra plus aisément. Si la respiration sert à faire entrer l'air dans le sang, le vide devrait le rendre malade. »

Boyle réfléchit puis hocha de nouveau la tête.

« Oui, dit-il finalement, c'est une bonne idée. On peut faire l'expérience tout de suite si vous le voulez. Pourquoi pas, en effet ? Suivez-moi. La machine est prête et nous pouvons commencer sur-le-champ. »

Il me précéda dans la pièce d'à côté, où avaient été menées à bien tant de ses plus remarquables expériences. La pompe, l'une des plus belles œuvres d'art qu'il m'eût été donné de contempler, se trouvait sur l'établi. À ceux qui ne la connaissent pas, je suggère de consulter les belles gravures de son *opera completa* ; je dirai simplement ici que c'était une machine complexe faite de cuivre et de cuir, munie d'un manche connecté à une grosse cloche de verre et d'un jeu de soupapes à travers lesquelles, à l'aide d'une paire de soufflets, on pouvait faire passer l'air dans un sens mais pas dans l'autre. Grâce à elle, Boyle avait déjà démontré un certain nombre de choses étonnantes, notamment que le *dictum* d'Aristote selon lequel la nature a horreur du vide était erroné. Comme il le dit, faisant l'une de ses rares plaisanteries, la nature ne l'aime peut-être pas, mais on peut la forcer à faire contre mauvaise fortune bon cœur. Un vide — c'est-à-dire un espace libéré de tout contenu — peut en effet être créé, et il possède un grand nombre d'étranges qualités. Comme j'examinais la machine avec attention, Boyle m'apprit que, placée dans un récipient de verre, une cloche en train de sonner cesse de résonner lorsqu'on fait le vide autour d'elle ; plus le vide s'accroît, moins il y a de son. Il m'informa qu'il avait même élaboré une explication à ce sujet, mais il s'abstint de m'en faire part : je la trouverais par moi-même avec l'animal, même si le reste de l'expérience échouait.

L'oiseau était une colombe, un bel oiseau qui roucoulait doucement lorsque Boyle le sortit de sa cage et le plaça sous le dôme de verre. Quand tout fut prêt, il fit un signe et l'assistant commença à manœuvrer les soufflets en ahanant tandis que l'air était bruyamment chassé de l'appareil.

« Cela prend combien de temps ? demandai-je impatiemment.

— Quelques minutes, répondit Boyle. Il me semble que le chant s'affaiblit, vous ne trouvez pas ? »

Je regardai l'oiseau avec attention ; il montrait des signes de désarroi.

« Vous avez raison. Mais c'est sans doute parce qu'il n'a plus envie de se faire entendre... »

À peine avais-je prononcé ces mots que la colombe, qui, quelques instants plus tôt, avait sautillé sous le dôme d'un air curieux, se cognant contre les parois de verre en voletant sans comprendre de quoi il s'agissait, tomba à la renverse, le bec grand ouvert, ses yeux perçants exorbités tandis que ses pattes battaient l'air pitoyablement.

« Grands dieux ! » m'écriai-je.

Sans prêter attention à ma réaction, Lower déclara simplement :

« Et si on remettait l'air pour voir ce que cela donnera ? »

On retourna les soupapes et un fort sifflement indiqua que le vide se comblait. Agité de soubresauts, l'oiseau gisait toujours là, il était clair pourtant qu'il était très soulagé. Bientôt, il se releva, ébouriffa ses plumes et tenta de nouveau de s'envoler hors de sa prison.

« Eh bien ! dis-je, une hypothèse au moins est confirmée. »

Boyle approuva, puis d'un signe du menton il indiqua à l'assistant de recommencer l'expérience. Je dois signaler ici l'extraordinaire bonté de cet honnête homme qui refusait de soumettre deux fois le même animal à une telle torture. Une fois qu'il avait offert sa contribution à la recherche humaine du savoir, l'animal était rendu à la liberté, ou bien, le cas échéant, tué.

Jusqu'alors, je n'avais jamais pensé que ce pût être là le comportement d'un autre expérimentaliste que moi-même, et je me réjouis d'avoir rencontré quelqu'un dont les sentiments fussent semblables aux miens. L'expérimentation doit avoir lieu, c'est certain ; mais, parfois, quand je contemple le visage de mes collègues en train de disséquer, j'y lis un plaisir excessif, et je devine que l'agonie est prolongée plus longtemps qu'il n'est nécessaire s'il ne s'agit que d'augmenter le savoir. À Padoue, une expérience sur un chien avait été une fois interrompue, une servante, bouleversée par les cris déchirants de l'animal que l'on disséquait, l'ayant étranglé devant un amphithéâtre plein, ce qui causa la consternation parmi l'auditoire et déclencha les protestations des étudiants à qui on avait gâché le spectacle. Parmi toute l'assemblée, je crois avoir été le seul à éprouver de la sympathie pour cette femme et à lui avoir été reconnaissant ; pourtant, j'avais honte du caractère efféminé de mes préoccupations qui provenait, je pense, du plaisir que je ressentais, enfant, quand on me lisait des passages de la vie de saint François, qui aimait et respectait toutes les créatures de Dieu.

Mais Boyle était parvenu aux mêmes conclusions, même (et c'était typique de l'homme) s'il l'avait fait avec plus de rigueur que moi, puisqu'il n'était pas influencé par les souvenirs de la campagne autour d'Assise. Tout comme un gentilhomme, d'après lui, devait faire montre de charité chrétienne envers les classes inférieures, selon leurs mérites, de même les hommes — les gentilshommes dans l'ordre de la création divine — devaient faire preuve d'une semblable courtoisie envers les animaux, au-dessus desquels ils avaient été placés. Bien qu'il n'eût aucun scrupule à utiliser les hommes ou les animaux, comme c'était son droit, il avait cependant la ferme conviction qu'on ne devait pas abuser d'eux. En cela, le bon catholique et le fervent protestant étaient d'accord, pour une fois, et je l'aimai encore plus pour sa sollicitude.

Cet après-midi-là, nous n'utilisâmes qu'un seul oiseau. Grâce à une étude précise, nous déterminâmes qu'il n'était guère affecté lorsque seulement la moitié de l'air était retirée, qu'il commençait à montrer des signes de malaise lorsqu'il en manquait les deux tiers, et qu'il perdait conscience après que les trois quarts avaient disparu. Conclusion : la présence de l'air est nécessaire pour que la vie continue, quoique, comme Lower le fit remarquer, cela n'expliquât pas à quoi il servait. Personnellement, je pense que comme le feu a besoin d'air pour brûler, de même la vie, qui peut être comparée au feu, en a également besoin ; je reconnais néanmoins que l'argumentation fondée sur l'analogie n'est que d'un usage limité.

C'était un charmant petit oiseau que cette colombe que nous utilisâmes pour arracher ce secret à la nature. Et je ressentis mon habituel pincement au cœur lorsque nous atteignîmes la dernière et nécessaire étape de l'expérience. Même si nous nous doutions du résultat, les exigences de la philosophie sont implacables et tout doit être démontré sans que subsiste l'ombre d'un doute. Ce fut donc ma voix qui rassura la créature pour la dernière fois, et ma main qui la replaça en enfer puis donna le signal à l'assistant pour qu'il recommence à pomper. J'offris une petite prière au doux saint François quand elle finit par s'effondrer avant de mourir, son chant à jamais éteint. C'est la volonté de Dieu que les innocents doivent parfois souffrir pour un plus grand dessein.

Chapitre cinq

Notre travail terminé, Lower me proposa de dîner, plus tard ce soir-là, avec quelques amis que, d'après lui, j'aurais intérêt à connaître. C'était fort aimable de sa part ; il semblait que l'intimité qu'avait fait naître un après-midi d'expérimentation auprès de Boyle l'avait mis de bonne humeur. Je devinai, néanmoins, que sa personnalité possédait une autre facette — une noirceur qui s'opposait à sa bonté naturelle. L'espace d'un instant, pendant que j'exposais mes idées à Boyle, j'avais perçu en lui un léger malaise, qui, cependant, ne troubla pas la surface. J'avais également remarqué qu'il ne répondait jamais en expliquant ses propres théories ou en développant ses propres pensées, qu'il gardait toujours pour lui.

Cela m'était égal. Boyle étant la relation la plus importante parmi les rares hommes de qualité dont la réputation pouvait l'aider à faire carrière, il était normal qu'il craignît que cette protection ne fût détournée. En outre, comme je n'étais en rien son rival, il n'y avait aucune raison que je m'attire son hostilité. Peut-être aurais-je dû me montrer plus sensible à ses appréhensions, son malaise venant de son tempérament et non des circonstances.

Ma position sociale m'avait permis de me sentir à l'aise dans toutes les classes de la société. J'admirais Boyle et je lui savais gré de sa bonté, mais dans tous les autres domaines je le considérais comme mon égal. Lower ne parvenait pas à réagir ainsi ; bien qu'ils fussent tous citoyens de la République du savoir, Lower était souvent gêné en compagnie de tels hommes, s'estimant inférieur à cause d'une naissance qui, quoique respectable, ne lui avait donné ni fortune ni famille. De plus, ne possédant pas les talents d'un courtisan, il n'était pas parvenu à une position d'envergure dans la Société royale, alors que des hommes de moindre valeur s'emparaient des places prestigieuses. Cela rendait amer un homme de son ambition et de son orgueil, mais ce conflit intérieur était en grande partie dissimulé. Je me rends compte aujourd'hui qu'il fit tout ce que sa nature lui permettait de faire pour m'accueillir et m'aider durant mon séjour à Oxford. C'était un homme qui aimait facilement, et qui, ensuite, avait soudain peur que des gens d'un naturel moins confiant que lui n'en vinssent à abuser de ses affections et à en tirer parti. Le fait qu'il est terriblement difficile en Angleterre de se faire une place renforça encore cet aspect de son caractère. Je peux le dire, maintenant, le passage du temps ayant amoindri ma blessure et accru ma perception des choses. À l'époque, j'étais moins compréhensif.

Ce fut grâce à son amitié et à son enthousiasme que, cet après-midi-là, je le suivis dans la Grand-Rue en direction du château fort.

« Je ne voulais pas en parler en présence de Boyle, me dit-il sur le ton de la confidence, tandis que nous marchions d'un pas allègre dans l'air vif de l'après-midi, mais j'ai bon espoir de mettre sous peu la main sur un cadavre. Boyle désapprouve. »

Cette remarque m'étonna. Bien que certains vieux médecins fussent tout à fait contre et que cela créât encore de grands remous parmi le clergé, en Italie c'était accepté comme une partie essentielle des études médicales. Était-il possible qu'un homme tel que Boyle pût ne pas être d'accord ?

« Oh ! non, il n'a rien contre le fait d'anatomiser, mais il considère que j'ai tendance à perdre toute dignité dans ce domaine. C'est peut-être vrai, il n'y a pas d'autre moyen pourtant d'obtenir le corps sans demander l'autorisation au préalable.

— Que voulez-vous dire par "demander l'autorisation" ? D'où cet homme tire-t-il le corps ?

— Il est le corps.

— Comment demande-t-on son autorisation à un cadavre ?

— Oh ! il n'est pas mort, dit Lower d'un ton badin. Pas encore, du moins.

— Il est malade ?

— Grands dieux, non ! En pleine forme. Mais on doit bientôt le pendre... une fois qu'on l'aura déclaré coupable. Il a attaqué un gentilhomme et l'a grièvement blessé. C'est d'ailleurs un cas d'une grande simplicité : on l'a trouvé près du corps, le couteau à la main. Voulez-vous venir assister à la pendaison ? Je dois avouer que moi, j'irai. C'est rare qu'un étudiant soit pendu, hélas ! La plupart deviennent membres du clergé et ont leur bénéfice à vie... »

Je commençais à comprendre le point de vue de Boyle. Lower, qui n'était pas du tout sensible à la désapprobation quand il s'agissait de son travail, expliqua à quel point il était difficile de mettre la main sur un cadavre par les temps qui couraient. C'était la seule chose de bien pendant la guerre civile, dit-il d'un ton nostalgique. Surtout à l'époque où l'armée du roi avait pris ses quartiers à Oxford, les corps, c'était treize à la douzaine. Jamais auparavant les anatomistes n'en avaient eu une telle moisson. Je m'abstins de lui faire remarquer qu'il était bien trop jeune pour être aussi affirmatif.

« L'ennui, voyez-vous, c'est que la plupart des gens qui meurent ont une maladie ou une autre.

— Pas s'ils ont un bon médecin, répliquai-je, afin de me montrer aussi spirituel que lui.

— Tout à fait. Mais c'est très gênant. La seule occasion où l'on peut voir à quoi ressemblent les gens en bonne santé, c'est quand quelqu'un est tué assez proprement. Et c'est le gibet qui fournit le meilleur contingent de ces morts. Voilà, là encore, l'un des monopoles de l'université.

— Pardon ? fis-je, quelque peu surpris.

— Le droit du sol, continua-t-il. L'université possède les droits sur tous les pendus dans un périmètre de vingt miles. De plus, les tribunaux d'aujourd'hui sont trop indulgents. D'intéressants spécimens s'en tirent avec une simple bastonnade, et on ne compte pas plus d'une demi-douzaine de pendaisons par an. Et je crains qu'on ne fasse pas toujours le meilleur usage des corps à notre disposition. Le titulaire de la chaire royale n'est guère plus compétent qu'un charpentier. La dernière fois... Bon, passons ! » fit-il en frissonnant.

Nous arrivâmes devant le château fort, grande bâtisse lugubre qui ne paraissait guère capable de défendre la ville contre une attaque ni de servir de refuge aux habitants. En fait, il n'avait pas été utilisé à cet effet depuis des temps immémoriaux ; aujourd'hui, c'était la prison du comté où l'on incarcérait, en attendant leur procès et, ensuite, l'exécution de leur sentence, les prévenus devant être jugés aux assises. L'endroit était sale et délabré, et je l'examinai avec dégoût, tandis que Lower frappait à la porte d'une chaumière près de la rivière, à l'ombre de la tour.

Cela lui fut étonnamment facile d'entrer voir le corps qui l'intéressait ; il lui suffit de donner un penny de pourboire au gardien, et ce boiteux, ancien soldat royaliste qui avait obtenu son poste pour services rendus, nous précéda, son trousseau de clefs cliquetant à son côté.

Si l'extérieur était lugubre, l'intérieur apparaissait plus sombre encore, bien que la condition des plus fortunés des prisonniers fût loin d'être sinistre. Les plus pauvres, bien sûr, avaient les plus affreuses cellules et étaient forcés de manger une nourriture à peine suffisante pour empêcher que l'âme ne se séparât du corps. Mais, comme le fit remarquer Lower, étant donné que l'âme et le corps de plusieurs d'entre eux devaient, tôt ou tard, être séparés de force, à quoi bon les dorloter...

Cependant, les prisonniers d'un certain niveau pouvaient louer une cellule plus salubre, envoyer chercher à manger dans une taverne et même faire laver leur linge si besoin était. Ils jouissaient également du privilège de recevoir des visiteurs, si, comme dans le cas de Lower, ces derniers se montraient disposés à verser de gros pourboires.

« Vous y voilà », dit le gardien, ouvrant une lourde porte qui donnait accès à ce qui me parut être une cellule pour prisonnier de rang intermédiaire.

L'homme que Lower espérait couper en petits morceaux était assis sur un lit étroit. Il leva la tête d'un air plutôt bougon lorsque nous entrâmes, puis plissa les yeux avec curiosité, une lueur de vague reconnaissance passant sur son visage au moment où mon ami pénétra dans le faible rai de lumière qui tombait de la fenêtre ouverte munie de barreaux.

« Vous êtes bien le docteur Lower, n'est-ce pas ? » demanda-t-il d'une voix mélodieuse.

Lower m'expliqua plus tard que ce jeune homme appartenait à une bonne famille ayant perdu sa fortune ; sa déchéance avait fait scandale et son rang n'était pas assez élevé pour qu'il pût échapper à la potence. Désormais, l'heure fatidique approchait. Les Anglais passent extrêmement vite du procès à l'exécution de la sentence, si bien que, sauf s'il a de la chance, un homme condamné le lundi peut souvent être pendu le lendemain matin. M. Prestcott pouvait s'estimer heureux d'avoir été arrêté plusieurs semaines avant que la cour d'assises n'arrivât pour juger son cas ; cela lui donnait le temps de préparer son âme puisque, selon Lower, il n'avait pas la moindre chance d'être acquitté ou gracié.

« Monsieur Prestcott, dit Lower d'un ton enjoué, j'espère que vous allez bien... »

74

Prestcott hocha la tête et répondit qu'il se portait aussi bien que possible.

« Je ne vais pas tourner autour du pot, reprit Lower, je suis venu vous demander quelque chose. »

Prestcott eut l'air surpris que, vu sa condition actuelle, on lui demandât un service, mais il fit un signe de la tête pour indiquer que Lower était libre de demander tout ce qu'il désirait. Il posa son livre et prit un air attentif.

« Vous êtes un très savant jeune homme, et j'ai appris que votre maître a dit beaucoup de bien de vous, continua Lower. Mais vous avez commis un crime absolument atroce.

— Si vous avez découvert un moyen de me sauver du gibet, alors je suis d'accord avec vous, dit calmement Prestcott. Pourtant, je crains que vous n'ayez autre chose en tête. Mais, je vous en prie, docteur, continuez, je vous interromps...

— Je suis sûr que vous avez réfléchi à vos péchés et que vous avez compris que le sort qui vous attend, le moment venu, est juste », poursuivit Lower d'un ton qui me frappa par sa remarquable affectation.

Je suppose que l'effort pour trouver le ton adéquat le faisait parler un peu faux.

« En effet, répondit le jeune homme avec gravité. Je prie chaque jour le Tout-Puissant pour qu'Il me pardonne, tout en sachant que je ne mérite guère une telle miséricorde.

— Splendide ! Par conséquent, si je vous exposais la façon dont vous pourriez participer considérablement à l'amélioration de l'humanité entière, tout en effaçant les horribles actions auxquelles votre nom restera à jamais associé, vous seriez intéressé ? N'est-ce pas ? »

Le jeune homme hocha la tête avec prudence et demanda à savoir de quoi il pouvait s'agir.

Lower expliqua la loi à propos des cadavres des criminels.

« Or, vous comprenez, poursuivit-il sans vraiment se rendre compte que Prestcott avait quelque peu pâli, le professeur titulaire de la chaire royale et son assistant sont d'atroces bouchers. Ils taillent, scient et dépècent, et vous transformeront en un affreux tas de chair, sans que ça apprenne quoi que ce soit à quiconque. Cela n'aboutira qu'à faire de vous un spectacle de choix pour tout étudiant boutonneux qui aura envie de venir regarder. Non pas qu'il y en ait beaucoup. Tandis que moi et mon ami que voici, le signor da Cola, de Venise, nous nous consacrons à une recherche extrêmement raffinée. Lorsque nous en aurons terminé, nous connaîtrons infiniment mieux les fonctions du corps humain. Et il n'y aura pas le moindre déchet, je vous le promets, continua-t-il en agitant un doigt dans l'air pour rythmer son propos... Voyez-vous, l'ennui avec le professeur, c'est qu'une fois qu'il s'est arrêté pour déjeuner, il a tendance à perdre tout intérêt. Il boit beaucoup, vous savez, confia-t-il. Ce qui reste se retrouve dans la boîte à ordures ou sert de nourriture aux rats des caves. Alors que moi, je vais vous mettre en conserve...

— Plaît-il ? murmura Prestcott.

— Vous mettre en conserve, répéta-t-il avec enthousiasme. C'est la toute dernière technique. Si on vous coupe en morceaux et qu'on vous jette dans une cuve pleine d'alcool, vous vous conserverez bien plus longtemps. C'est beaucoup mieux que du cognac. Puis, lorsqu'on a le loisir de disséquer un brin, on vous repêche et on se met au travail. Magnifique, non ? Rien ne se perdra, je vous assure. Tout ce qu'on vous demande, c'est de rédiger un testament par lequel vous me laissez votre corps une fois reçu votre châtiment. »

Persuadé que c'était là une requête qu'aucun homme raisonnable ne pouvait refuser, sûr de la réponse, Lower s'appuya contre le mur, le visage rayonnant.

« Non, dit Prestcott.

— Je vous demande pardon ?

— J'ai dit non. Certainement pas.

— Mais je vous ai prévenu : quoi qu'il arrive, vous serez disséqué. Vous n'avez pas envie que cela soit fait correctement ?

— Merci bien, correctement ou pas, je refuse qu'on le fasse. De plus, je suis convaincu que cela n'arrivera pas.

— Une grâce ? demanda Lower avec intérêt. Oh, je ne le pense pas. Non, je crains que vous ne pendiez au bout d'une corde, monsieur. Après tout, vous avez failli tuer un homme d'une certaine importance. Dites-moi, pourquoi l'avez-vous attaqué ?

— Je m'empresse de vous rappeler que je n'ai pas été déclaré coupable, encore moins condamné pour quelque crime que ce soit ; je suis persuadé que je vais très bientôt recouvrer ma liberté. Si je me trompe, peut-être alors pourrai-je reconsidérer votre proposition, mais, même dans ce cas, je doute de pouvoir vous obliger. Ma mère y trouverait grandement à redire. »

Je croyais que c'était le moment pour Lower de revenir à la charge, mais son enthousiasme semblait s'être émoussé. Peut-être pensait-il que la mère estimerait que, si son fils était découpé en morceaux et mis en conserve, cela jetterait encore plus d'opprobre sur son nom. Il hocha la tête d'un air de regret, se leva et remercia le jeune homme d'avoir écouté sa requête.

Prestcott lui répondit qu'il n'y avait pas de quoi et, lorsqu'on lui proposa de lui apporter tout ce qui serait de nature à améliorer sa condition, il demanda si Lower pouvait faire passer un message au Dr Grove, l'un de ses anciens maîtres, pour le prier de lui faire la bonté d'une visite. Il avait besoin de réconfort spirituel, dit-il. Un autre gallon de vin serait également le bienvenu. Lower promit, et je lui offris de venir lui apporter moi-même le vin, car le pauvre garçon me faisait pitié ; c'est ce que je fis pendant que mon ami allait à un rendez-vous chez un nouveau client.

« Bon, cela valait la peine d'essayer », dit-il, l'air profondément déçu, quand nous nous retrouvâmes un peu plus tard.

La nouvelle avait totalement dissipé sa bonne humeur du début de la journée.

« Qu'a-t-il voulu dire à propos de sa famille et de l'opprobre dont elle souffrait déjà assez ? »

Perdu dans ses pensées, tout occupé qu'il était à réfléchir à son échec, Lower n'entendit pas ma question.

« Vous disiez ? » demanda-t-il brusquement quand il revint à lui.

Je répétai ma question.

« Oh ! Rien que la stricte vérité. Son père était un traître qui a fui à l'étranger avant qu'on ne puisse l'arrêter. Il aurait été exécuté lui aussi si on en avait eu la possibilité.

— Quelle famille !

— En effet. Il semble que le fils tienne de son père, et pas seulement physiquement, hélas ! Quel dommage, Cola ! J'ai besoin d'un cerveau. De plusieurs cerveaux, et je rencontre constamment des difficultés et des obstacles. »

Après un long silence, il me demanda ce que je pensais des chances qu'avait la mère de Sarah Blundy de s'en tirer.

Assez naïvement, j'imaginai qu'il souhaitait que je lui fasse un compte rendu détaillé du cas et du traitement appliqué ; aussi lui décrivis-je la nature de la blessure, la façon dont j'avais remis l'os et nettoyé la plaie, puis je lui indiquai l'onguent que j'avais utilisé.

« Perte de temps ! affirma-t-il d'un ton hautain. Ce qu'il vous faut, c'est de la teinture de mercure.

— Vous croyez ? Peut-être bien. Mais, dans le cas présent, vu l'aspect de Vénus, j'ai décidé qu'elle avait une bien meilleure chance avec un remède plus orthodoxe... »

C'est alors qu'apparut la première indication sérieuse du côté sombre de mon ami que j'ai déjà évoqué, car je n'eus même pas le loisir de finir ma réponse qu'il explosa de rage, en public, se tournant brusquement et me faisant face, l'air menaçant.

« Je n'ai jamais entendu de pareilles sottises ! hurla-t-il. L'"aspect de Vénus" ! Qu'est-ce que c'est que ces sornettes de magicien ? Dieu du ciel ! Sommes-nous toujours des Égyptiens pour prêter attention à de telles inepties ?

— Mais Galien...

— Je me fiche de Galien. Ou de Paracelse. Ou de n'importe lequel de vos mages étrangers qui bavent et marmottent entre leurs dents. Ces gens sont les pires charlatans. Tout comme vous, si vous continuez à débiter ce genre de boniments. On ne devrait pas vous laisser approcher des malades.

— Mais, Lower...

— Un "remède plus orthodoxe", dit-il en imitant cruellement mon accent. Je suppose que vous tenez ça de quelque imbécile de prêtre, et vous faites ce qu'on vous dit, n'est-ce pas ? La médecine est une chose trop importante pour qu'on permette de jouer avec à des fils de riches tels que vous qui ne pourraient pas plus guérir un rhume qu'une jambe cassée. Contentez-vous de compter vos sous et vos arpents de terrain, et laissez les choses sérieuses à ceux qui s'y connaissent. »

J'étais si choqué par cet esclandre, imprévu et violent, que tout ce que je trouvai à répondre c'était que je faisais de mon mieux et que personne de plus qualifié que moi n'avait proposé ses services.

« Oh ! ôtez-vous de ma vue ! s'exclama-t-il, d'un ton affreusement méprisant. Je ne veux plus avoir affaire à vous ! Je n'ai pas de temps à perdre avec des guérisseurs et des charlatans ! »

Et, brusquement, il pivota sur ses talons et s'éloigna à grands pas, me plantant là, le visage en feu, rouge de colère et de honte, conscient surtout d'avoir fourni un spectacle gratuit à la foule des boutiquiers qui m'entouraient.

Chapitre six

Bouleversé, je rentrai dans ma chambre pour réfléchir à ce que j'allais faire ensuite et essayer de comprendre en quoi j'avais causé une si grave offense ; je suis de ceux qui supposent que la faute vient avant tout d'eux-mêmes, et ma méconnaissance des Anglais aggravait beaucoup mon incertitude. J'étais malgré tout convaincu que le choquant éclat de Lower était excessif, mais, à l'époque, l'atmosphère du pays exacerbait tous les sentiments.

Je restai donc assis près du petit feu de ma chambre glaciale, en proie à la solitude et au désespoir, sentiments bannis si récemment, qui revenaient me tourmenter. Cette relation était-elle déjà terminée ? En Italie, aucune relation n'aurait pu survivre à un tel comportement, et nous aurions dû être en train de nous préparer à un duel. Ce n'était absolument pas mon intention, bien sûr, mais je me demandai un instant si je ne ferais pas mieux de quitter Oxford ; mon association avec Boyle pourrait bien devenir insupportable ; alors, je serais de nouveau sans ami. Où aller désormais ? Je ne voyais guère de raisons de retourner à Londres et encore moins de rester là. J'étais plongé dans l'indécision quand des pas dans l'escalier et des coups violents contre la porte me tirèrent de mes lugubres pensées.

C'était Lower. Le visage grave, il pénétra dans la pièce d'un pas déterminé et posa deux bouteilles sur la table. Je le regardai d'un air froid et prudent, m'attendant à une autre volée d'injures et résolu à le laisser parler en premier.

Au lieu de cela, il tomba à genoux et joignit les mains.

« Messire, dit-il d'un ton solennel et passablement théâtral, comment puis-je vous supplier de me pardonner ? J'ai agi comme un boutiquier, ou pis. J'ai été inhospitalier, méchant, injuste et très grossier. Je vous fais mes plus humbles excuses, comme vous le voyez, et j'implore votre pardon, que je ne mérite pas. »

Aussi étonné par son attitude actuelle que par la précédente, je ne savais que répondre devant sa contrition, tout aussi excessive que sa violence l'avait été, moins d'une demi-heure auparavant.

« Vous ne pouvez pas me pardonner, reprit-il avec un soupir théâtral tandis que je restais coi. Je ne saurais vous le reprocher. Alors je n'ai pas le choix. Il faut que je me tue. Je vous en prie, dites à ma famille que mon épitaphe doit être : "Richard Lower, médecin et misérable." »

J'éclatai de rire tant son comportement était absurde. Voyant que la glace était brisée, il eut un large sourire.

« Vraiment, je suis terriblement désolé, dit-il d'un ton plus modéré. Je ne sais pas pourquoi, mais parfois je me mets dans de telles colères que je n'arrive pas à me dominer. Et ma frustration à propos de ces corps est parfois immense. Si vous saviez quels tourments sont les miens... Acceptez-vous mes excuses ? Acceptez-vous de boire à la même bouteille que moi ? Je ne dormirai pas, je ne me laverai pas avant que vous ayez accepté, et vous ne voulez pas que ce soit votre faute si ma barbe me tombe jusqu'aux chevilles, n'est-ce pas ? »

Je secouai la tête.

« Lower, je ne vous comprends pas, répliquai-je franchement. Ni aucun de vos compatriotes. Je vais donc considérer que c'est en raison des usages de mon propre pays que j'ai tant de difficultés à vous comprendre. Je vais boire avec vous.

— Que Dieu soit loué ! s'exclama-t-il. Je pensais avoir perdu un estimable ami à cause de ma propre bêtise. Vous êtes la bonté même de me donner une seconde chance.

— Mais expliquez-moi, je vous prie... Pourquoi vous ai-je mis si en colère ? »

Il fit un geste de la main.

« Vous n'y étiez pour rien. C'était un malentendu, et j'étais contrarié d'avoir perdu Prestcott. Il n'y a pas très longtemps, j'ai eu une violente altercation avec quelqu'un à propos des prédictions astrologiques. Le Collège des médecins ne jure que par elles, et l'un d'entre eux m'a menacé de m'empêcher d'exercer parce que je m'en moque publiquement. C'est une bataille entre le nouveau savoir et la mainmise de l'ancien. Je sais bien que telle n'était pas votre intention, mais je crains que l'altercation ne soit encore trop fraîche dans mon esprit. Que vous, surtout vous, vous vous rangiez de leur côté m'était intolérable, tant j'ai de l'estime pour vous. Je suis impardonnable, je le répète. »

Sa manière de changer une insulte en compliment me déconcertait. Nous, les Vénitiens, nous sommes aussi connus pour le raffinement de nos politesses que pour celui de nos injures, mais les unes et les autres sont si pompeuses qu'il n'y a aucun risque que la remarque la plus opaque soit mal comprise. Lower, et les Anglais en général, avait l'imprévisibilité des peuples non civilisés ; leur génie est aussi peu maîtrisé que leurs manières, à tel point que je doute que les étrangers puissent un jour les connaître ou leur faire vraiment confiance. Mais des excuses sont des excuses, et je n'en avais jamais reçu d'aussi magnifiques ; je lui serrai la main ; nous nous fîmes un profond salut, puis nous nous portâmes mutuellement un toast pour célébrer solennellement la fin de notre querelle.

« Pourquoi tenez-vous tant à Prestcott ?

— Mes cerveaux, Cola, mes cerveaux, dit-il en poussant un sonore gémissement. J'ai anatomisé et dessiné tous les cerveaux sur lesquels j'ai pu mettre la main, et j'aurai bientôt fini. J'y ai consacré des années entières, et cela assurera ma réputation quand tout sera terminé. Il ne peut en être autrement. La moelle épinière, en particulier. Fascinant. Mais je ne peux terminer sans en avoir encore quelques autres, et tant que je n'ai pas fini je ne peux publier le fruit de mon travail. Et puis, il y a un Français qui, je le sais, œuvre dans le même sens que moi. Je refuse d'être coiffé au poteau par un de ces pleurnicheurs de papistes... »

Il se tut, s'apercevant qu'il avait une fois de plus commis un impair.

« Mes excuses, messire. Mais l'enjeu est si grand que c'est désespérant de ne pouvoir avancer à cause de ce genre de stupidités. »

Il ouvrit la seconde bouteille, but longuement à la régalade, puis me la tendit.

« Voilà donc les raisons de mon impolitesse. Elles se combinent, je dois l'admettre, à un tempérament terriblement irascible. Je suis très colérique de nature.

— Bravo pour l'homme qui rejette la médecine traditionnelle. »

Il eut un large sourire.

« Touché ! Je parle métaphoriquement.

— Vous pensiez vraiment ce que vous avez dit à propos des étoiles ? Vous considérez que ça ne tient pas debout ? »

Il haussa les épaules.

« Oh ! je ne sais pas. Vraiment. Notre corps est-il un microcosme de toute la création ? Pouvons-nous apercevoir les mouvements de l'un en étudiant l'autre ? Probablement. C'est tout à fait logique, je suppose, mais personne ne m'a jamais fourni une méthode infaillible pour y parvenir. Toutes ces heures passées par les astronomes à scruter les étoiles me semblent une belle perte de temps, surtout lorsqu'ils se mêlent d'en déduire des panacées accompagnées de formules creuses. Et ils n'arrêtent pas d'en découvrir de nouvelles à l'aide de tous ces télescopes. Tout cela est très intéressant, mais leur enthousiasme leur fait presque oublier le but de leur

observation. Mais ne me laissez pas me lancer là-dedans...
Je perdrais mon sang-froid pour la deuxième fois aujour-
d'hui. Alors, on peut repartir de zéro ?

— Que voulez-vous dire ?

— Parlez-moi de votre patiente, la très étrange veuve
Blundy. Je vais prêter la plus entière attention à l'affaire,
et mes suggestions seront absolument libres de toute critique. »

J'hésitais encore à prendre un tel risque, mais Lower
soupira et se prépara minutieusement à se remettre à
genoux.

« D'accord ! fis-je en levant les mains, tout en essayant
de me retenir d'éclater de rire une fois de plus. Vous avez
gagné !

— Dieu merci ! s'exclama-t-il. Car je suis sûr que
j'aurai des rhumatismes quand je serai vieux. Bon ! Vous
m'avez dit, si je me rappelle bien, que la blessure ne se
refermait pas ?

— En effet. Et elle va très bientôt devenir putride.

— Avez-vous essayé de l'exposer à l'air au lieu de la
garder bandée ?

— Oui. Ça ne fait aucune différence.

— De la fièvre ?

— Non, et c'est étonnant. Pas encore, mais ça ne tar-
dera pas à venir.

— Elle s'alimente ?

— Pas du tout, à moins que sa fille n'ait réussi à lui
faire avaler un peu de bouillie.

— L'urine ?

— Claire, avec une odeur de citron et un goût âcre.

— Hum. Ce n'est pas bon. Vous avez raison. Pas bon.

— Elle va mourir. Je veux la sauver. Ou plutôt, c'était
mon intention. Je trouve la fille insupportable. »

Lower ne fit aucun commentaire sur ma dernière
remarque.

« Quelque signe de gangrène ? »

Je lui répondis que non, mais qu'il était fort probable qu'elle se déclarerait.

« Pensez-vous que cela l'intéresserait de faire avancer... ?

— Non, répondis-je d'un ton ferme.

— Et la fille ? Si je lui offrais une livre pour la dépouille ?

— Vous l'avez rencontrée, il me semble. »

Lower fit oui de la tête, puis poussa un profond soupir.

« Je vous le dis, Cola, si je venais à mourir demain, je vous donne l'autorisation de m'anatomiser. Que cela dérange certaines gens me dépasse. Après tout, on les enterre tôt ou tard, n'est-ce pas ? Qu'importe qu'ils soient en un seul morceau ou en plusieurs, du moment qu'ils meurent avec le secours de la religion ? Croient-ils que le bon Dieu n'est pas capable de les remonter avant le deuxième avènement du Messie ? »

Je répondis que c'était la même chose à Venise : pour une raison ou une autre, les gens n'aimaient pas l'idée d'être découpés en morceaux, morts ou vifs.

« Que comptez-vous faire avec cette femme ? demanda-t-il. Attendre qu'elle meure ? »

À ce moment précis, j'eus une idée que je décidai de partager immédiatement. J'étais d'une nature si confiante que je n'hésitai pas un seul instant.

« Repassez-moi cette bouteille, dis-je, et je vais vous raconter ce que j'aimerais faire, si j'en étais seulement capable. »

C'est ce qu'il fit sur-le-champ, et je réfléchis brièvement au pas considérable que j'étais sur le point de franchir. Je n'étais guère dans un état d'esprit serein ; j'avais été gravement meurtri, mais mon soulagement après ses excuses était si grand que mon jugement n'était plus sain. Je suis absolument persuadé que je ne me serais jamais confié à lui si sa loyauté et son amitié n'avaient pas été mises en question auparavant ; mais, présentement, le désir de lui faire plaisir et de montrer mon sérieux balaya toute objection.

« Excusez, je vous prie, la maladresse avec laquelle je m'exprime, dis-je, tandis qu'il s'installait sur mon petit lit aussi confortablement que possible. L'idée ne m'est venue qu'au moment où nous regardions cette colombe dans la pompe à vide. Il s'agit du sang, voyez-vous. Et que se passe-t-il s'il n'y a pas assez de sang pour transporter les éléments nutritifs ? Une perte de sang signifie-t-elle que l'excès de chaleur ne peut plus être évacué hors du cœur ? Ne serait-ce pas là la cause de la fièvre ? Depuis quelques années, je me suis également demandé si le sang ne vieillit pas avec le reste du corps. Comme un canal contenant de l'eau stagnante où tout se met à mourir parce que la voie d'eau est bouchée.

— Bien sûr, lorsqu'on perd du sang, on meurt.

— Mais pourquoi ? Pas d'inanition, ni d'un excès de chaleur non plus. Non, monsieur. C'est l'assèchement ou l'occlusion de l'esprit vital présent dans le sang qui entraîne la mort. Le sang lui-même, j'en suis convaincu, ne fait que transporter cet esprit. Et c'est le déclin de cet esprit qui cause le vieillissement. En tout cas, c'est ma théorie, et dans cette théorie la tradition que vous méprisez et l'expérimentation que vous applaudissez sont en parfait accord.

— En l'occurrence, nous relions vos préliminaires théoriques à l'aspect pratique de votre cas, non ? Dites-moi quelle sera votre méthode ?

— Lorsqu'on y pense, c'est très clair. Si nous avons faim, nous mangeons. Si nous avons froid, nous nous approchons d'une source de chaleur. Si nos humeurs sont déséquilibrées, nous en ajoutons ou nous en créons pour restaurer l'équilibre.

— Si vous croyez en ces sornettes.

— En effet. Autrement, et si vous croyez à la théorie des éléments, vous rééquilibrez le corps en renforçant le plus faible des trois éléments. C'est là l'essence de la médecine, l'ancienne comme la nouvelle : restaurer l'équilibre. Or, dans le cas présent, tirer davantage de sang en appliquant des sangsues ou en scarifiant la patiente ne ferait qu'empirer les choses. Si son esprit vital est diminué, l'amoindrir encore plus ne peut en rien l'aider. C'est la théorie de Sylvius, et je crois qu'il a raison. En bonne logique, au lieu de tirer du sang, la seule réponse devrait être...

— D'en ajouter », répliqua-t-il immédiatement, se penchant en avant sur son siège, l'air soudain très attentif, voyant enfin où je voulais en venir.

Je hochai la tête avec enthousiasme.

« C'est ça ! Oui ! C'est exactement ça ! Et pas seulement davantage de sang, mais du sang jeune, frais, nouveau et fluide, plein de la vitalité de la jeunesse. C'est peut-être ce qui permettrait à une vieille personne de se remettre d'une blessure. Qui sait, Lower, dis-je avec excitation, ce pourrait être là l'élixir de vie. On dit, après tout, que le seul fait de faire partager à un enfant son lit peut améliorer la santé d'une personne âgée. Alors, pensez un peu à ce que pourrait accomplir son sang ! »

Lower se cala sur son siège, avala une bonne gorgée de bière tout en réfléchissant à ce que j'avais dit. Ses lèvres bougeaient comme s'il se parlait à lui-même en silence, envisageant mentalement toutes les possibilités.

« Vous êtes tombé sous l'influence de Monsieur Descartes, n'est-ce pas ? demanda-t-il enfin.

— Pourquoi dites-vous cela ?

— Vous avez construit une théorie, et cela vous amène à recommander une pratique. Vous n'avez aucune preuve que cela marchera. Et, permettez-moi de vous le dire, votre théorie est confuse. Vous vous fondez sur une analogie, en utilisant une métaphore humorale à laquelle, en fait, vous ne croyez pas, pour conclure que combler une absence est la solution. C'est-à-dire ajouter de l'esprit vital, dont l'existence relève de la conjecture.

— Bien que vous ne la contestiez pas vous-même.

— En effet.

— Est-ce que vous contestez ma théorie, cependant ?

— Non.

— Et y a-t-il un moyen de découvrir si j'ai raison, sauf en mettant l'hypothèse à l'épreuve des résultats ? N'est-ce pas là justement la base de la philosophie expérimentale ?

— C'est la base de celle de Monsieur Descartes, dit-il, si je le comprends correctement. Établir une hypothèse, puis rassembler des preuves pour la confirmer. L'autre méthode, proposée par lord Bacon, c'est de rassembler les preuves, puis d'élaborer une explication qui prenne en compte tout ce que l'on a appris. »

Lorsque je repense à cette conversation, que je notai avec soin dans mon carnet à l'époque et que j'ai relue pour la première fois depuis de nombreuses années, je découvre bien des choses alors dissimulées à mon entendement. L'hostilité que les Anglais ressentent à l'égard des étrangers les conduit très facilement à ne faire aucun cas de tout progrès produit par ce qu'ils considèrent comme des méthodes erronées et mène ce peuple excessivement fier à revendiquer toute découverte. Une découverte résultant d'une méthode erronée n'en est pas une : tous les étrangers influencés par Descartes utilisent des hypothèses erronées, et, par conséquent... *Hypotheses non fingo*. Ce ne sont pas des hypothèses : n'est-ce pas là la trompette qu'embouche M. Newton lorsqu'il accuse Leibniz d'être un voleur parce qu'il a les mêmes idées que lui ? Mais, à l'époque, je croyais que mon ami utilisait l'argumentation comme moyen de faire avancer la connaissance, et je n'y pris pas garde.

« Je trouve que votre résumé des théories de Monsieur Descartes ne lui rend guère justice, dis-je. Ça ne fait rien. Dites-moi comment vous, vous procéderiez.

— Je commencerais par transfuser du sang entre deux animaux, jeune et vieux, de la même race, puis entre deux races différentes. Je transfuserais de l'eau dans les veines d'un animal, afin de voir si cela produirait la même réaction. Puis je comparerais les résultats pour déterminer quels sont les effets exacts de la transfusion du sang. Finalement, quand je pourrais procéder avec certitude, je ferais l'expérience sur Mme Blundy.

— Qui, entre-temps, serait morte depuis un an ou plus. »

Lower fit un large sourire.

« Votre œil infaillible a repéré le point faible de la méthode.

— Suggérez-vous que je devrais m'abstenir ?

— Non. Ce serait fascinant. Je me demande seulement si la base est solide. Et je suis certain que cela occasionnerait un scandale. Ce qui rend dangereuse toute discussion publique à ce sujet.

— Pour poser la question autrement : êtes-vous disposé à m'aider ?

— Bien sûr, j'en serais ravi. Je ne faisais que discuter les problèmes soulevés. Comment vous y prendriez-vous ?

— Je ne sais pas, répondis-je. Je pensais me servir peut-être d'un taureau. Ne dit-on pas : "Fort comme un bœuf" ? Mais de bonnes raisons interdisent cette possibilité. Le sang a tendance à se coaguler. Aussi serait-il impératif de le transporter immédiatement d'un corps à l'autre sans le moindre retard. Et il nous serait difficile d'amener un bœuf. De plus, le sang charrie l'esprit animal et je répugnerais à infuser la bestialité d'un bœuf dans le corps d'un être humain. Ce serait une offense à Dieu qui nous a placés au-dessus des animaux.

— Votre propre sang, par conséquent ?

— Non, parce qu'il me faudra m'occuper de l'expérience.

— Il n'y a aucun problème. On peut facilement trouver quelqu'un d'autre. La personne qui conviendrait le mieux, continua-t-il, ce serait sa fille. Elle accepterait pour le bien de sa mère. Et je suis certain qu'on pourrait la persuader de garder le silence. »

J'avais oublié la fille. Me voyant me rembrunir, Lower demanda ce qui n'allait pas.

« Elle a été affreusement impolie avec moi la dernière fois que je me suis rendu chez elles, et j'avais juré de ne plus jamais y mettre les pieds.

— C'est de l'orgueil, monsieur, de l'orgueil.

— Peut-être bien. Mais vous devez comprendre que je ne puis céder. Il faudrait qu'elle se traîne à mes genoux pour que je change d'avis.

— Oubliez cela pour le moment. Dans l'hypothèse (ce n'est qu'une hypothèse !) où vous seriez capable de faire cette expérience... quelle quantité de sang vous faudrait-il ? »

Je réfléchis un court instant.

« Quinze onces, peut-être ? Ou vingt. On peut perdre cette quantité sans trop de dommages. Peut-être davantage, un peu plus tard. Ce que je ne sais pas, c'est comment effectuer le transport. Il me semble que le sang devra quitter un corps pour entrer dans l'autre au même endroit : de veine à veine ou d'artère à artère. Je recommanderais de trancher la jugulaire s'il n'était pas si affreusement difficile de la reboucher ensuite. Je ne souhaite pas sauver la mère si c'est pour que la fille saigne à mort. Aussi vaut-il mieux choisir l'un des principaux vaisseaux dans le bras. Une lanière pour le faire gonfler. Ça, c'est facile. Le transfert me tracasse plus. »

Lower se leva et déambula dans la pièce, tout en fouillant dans ses poches.

« Avez-vous entendu parler des injections ? » demanda-t-il finalement.

Je secouai la tête.

« Ah ! fit-il. C'est une idée merveilleuse sur laquelle nous travaillons.

— "Nous" ?

— Moi-même, le Dr Wallis et mon ami Wren. Cela rappelle votre idée par certains côtés. Ce que nous faisons, voyez-vous, c'est prendre un instrument pointu que nous enfonçons dans une veine, puis nous projetons un liquide directement dans le sang sans passer du tout par l'estomac. »

Je fronçai les sourcils.

« C'est extraordinaire. Que se passe-t-il ? »

Il se tut un instant.

« Nous avons eu des résultats mitigés, avoua-t-il. La première fois, cela a marché à merveille. Nous avons injecté le huitième d'un verre de vin rouge directement dans un chien. Trop petite quantité pour le saouler, en général, mais en utilisant cette méthode il a roulé sous la table. » Le souvenir le fit sourire. « Que de difficultés pour le maîtriser ! Il a sauté de la table et s'est mis à courir, puis il s'est affalé après s'être cogné dans un vaisselier. Nous avions du mal à garder notre sérieux. Même Boyle n'a pu s'empêcher de sourire. L'important, c'est qu'il semble qu'une petite quantité d'alcool injectée directement produit plus d'effet que lorsqu'elle passe par l'estomac. Par conséquent, la fois suivante, nous avons pris une vieille bête galeuse et lui avons injecté du sel ammoniac.

— Et... ?

— Elle est morte, et dans les plus grandes souffrances. Quand nous l'avons ouverte, le cœur était considérablement érodé. Nous avons essayé d'injecter du lait la fois d'après pour voir si on pouvait supprimer la nécessité de manger. Mais il s'est caillé dans les veines, malheureusement.

— La bête est morte à nouveau ? »

Il hocha la tête.

« Nous avons dû en mettre trop. Nous réduirons la dose la prochaine fois.

— Cela me fascinerait d'y assister, si vous m'y autorisez.

— Avec plaisir. Ce que je veux dire, c'est que nous pourrions utiliser la même idée pour transférer votre sang. Il ne faut pas que le sang soit exposé à l'air, parce qu'il pourrait se coaguler. Aussi vaut-il mieux prendre un tuyau de plume de pigeon que l'on peut effiler et rendre très pointu. Le percer au bout et l'insérer dans la veine de Sarah. Le fixer à un long tube d'argent de petit diamètre, tandis qu'un autre tuyau de plume est piqué dans la veine de la mère. Attendre que le sang se mette à couler, puis arrêter l'écoulement dans la veine de la mère au-dessus de l'entaille. Joindre le tube au second tuyau de plume, puis compter. Je crains qu'il ne nous faille deviner la quantité qui sort. Si nous laissons le sang s'écouler dans un bol pendant quelques secondes, nous aurons une idée de la vitesse. »

J'acquiesçai avec enthousiasme.

« Merveilleux ! fis-je. J'avais songé à des ventouses. Mais ça, c'est beaucoup mieux. »

Il eut un large sourire et me tendit la main.

« Dieu m'est témoin, monsieur Cola, je suis content que vous soyez là. Vous êtes un homme selon mon cœur, vraiment ! Entre-temps, qui de nous deux va aller voir Grove à propos de Prestcott ? »

J'ai toujours reconnu ma dette envers Lower en ce qui concerne l'aspect mécanique de la transfusion. Sans son ingéniosité, je doute que l'opération eût pu marcher. Le fait demeure, cependant, que c'est moi qui en ai le premier évoqué la possibilité et imaginé le déroulement ; c'est également moi qui ai effectué l'expérience. Jusqu'alors, Lower avait seulement réfléchi au problème posé par l'injection de substances médicinales dans le sang, sans jamais considérer qu'il était possible ou imaginable de transférer le sang lui-même.

Mais je reviendrai plus loin sur cet aspect des choses ; je dois m'en tenir à la chronologie de mon histoire. Pour l'instant, je souhaitais surtout me proposer pour rendre visite au Dr Grove de la part de Prestcott, parce que je croyais toujours que plus je connaîtrais de membres de cette société mieux ce serait pour moi. Le Dr Grove ne pourrait sans doute pas me servir à grand-chose, mais Lower accueillit mon offre de service avec enthousiasme, cela lui évitant de rencontrer un homme qu'il trouvait fort ennuyeux. C'était un ennemi avoué et très bruyant du nouveau savoir, et pas plus tard que la semaine précédente il avait prononcé au collège St. Mary un sermon cinglant dans lequel il avait attaqué l'expérimentation qui, selon lui, était contraire à la parole de Dieu, contribuait à saper l'autorité et s'avérait défectueuse tant dans l'intention que dans l'exécution.

« Est-ce que beaucoup sont de son avis dans la ville ? demandai-je.

— Grands dieux, oui ! Il y a des médecins qui ont peur de perdre leurs prérogatives, des prêtres qui craignent qu'on n'usurpe leur pouvoir et des hordes d'ignorants qui détestent simplement tout ce qui est nouveau. Nous avançons en terrain dangereux. C'est pour cela que nous devons faire très attention en ce qui concerne la mère Blundy.

— C'était la même chose en Italie, dis-je.

— En ce cas, vous serez prêt à affronter Grove, répondit-il en souriant. Parlez-lui. Il vous obligera à rester en éveil. Ce n'est pas un imbécile... Même s'il se trompe et si, pour être franc, il est assez fatigant. »

St. Mary, le collège de Sainte-Marie-la-Vierge, communément appelé « New College » (le nouveau collège), est une grande bâtisse minable qui se dresse dans la partie est de la ville, tout contre l'enceinte et les terrains de tennis. C'est un collège très riche mais qui a la réputation d'être l'un des endroits les plus rétrogrades. Quand j'y arrivai, il semblait vide et je n'avais pas la moindre idée du lieu où pouvait se trouver l'objet de ma visite. Aussi abordai-je l'unique personne en vue, laquelle me répondit que le Dr Grove était malade depuis quelques jours et qu'il ne tenait pas à recevoir de visiteurs. J'expliquai que, même si normalement j'eusse été plutôt enclin à le laisser en paix, en la circonstance, je ne pouvais pas, en toute conscience, agir de la sorte. L'homme, tout en exécutant un petit salut raide, se présenta comme étant Thomas Ken et m'accompagna jusqu'à l'escalier.

La lourde porte en chêne de l'appartement du Dr Grove — les Anglais ne sont pas avares de leur beau bois — étant hermétiquement close, je frappai sans espoir de réponse. Percevant cependant un léger traînement de pieds, je frappai derechef. Il me sembla entendre une voix ; je ne parvenais pas à distinguer les paroles, mais il me parut raisonnable de supposer qu'on m'invitait à entrer.

« Allez-vous-en ! dit la voix d'un ton irrité, au moment où j'entrai dans la pièce. Êtes-vous sourd ?

— Je vous demande pardon, monsieur », répondis-je.

La surprise m'empêcha de continuer. L'homme à qui j'étais venu rendre visite n'était autre que la personne que j'avais vue plusieurs jours auparavant rejeter l'appel à l'aide de Sarah Blundy. Je le dévisageai, quelque peu déconcerté, et il me regarda à son tour, se rappelant lui aussi, de toute évidence, m'avoir déjà vu quelque part.

« Comme je le disais, continuai-je, une fois rasséréné, je vous prie de m'excuser, mais je n'avais pas très bien entendu.

— Alors, je me répète pour la troisième fois : je vous demandais de partir. Je me sens bien trop mal. »

C'était un homme d'un certain âge : d'une quarantaine d'années, ou peut-être même davantage. Large de carrure, il avait cependant cet air de déclin physique que le Tout-Puissant envoie tôt ou tard pour courber les épaules même des plus robustes de ses créatures, afin de leur rappeler qu'elles sont soumises à Ses lois.

Mais, *a re decedo*.

« Je suis désolé d'apprendre que vous êtes malade, dis-je sans quitter le seuil de la porte. Est-ce que je me trompe si j'avance que votre œil vous fait souffrir ? »

N'importe qui aurait pu émettre cette hypothèse, car l'œil gauche du Dr Grove était rougi, chassieux et enflammé à force d'avoir été frotté et refrotté. Bien que cela n'eût rien à voir avec le but de ma visite, ce spectacle m'intéressa.

« Bien sûr qu'il s'agit de mon œil, rétorqua-t-il d'un ton agacé. Il me fait souffrir les tourments de l'enfer. »

Je fis un ou deux pas dans la chambre, afin de voir plus clairement et de m'imposer à lui.

« C'est une grave irritation, monsieur, qui produit de la chassie et provoque une inflammation. J'espère que vous êtes bien traité. Bien que je ne croie pas que ce soit très grave.

— "Grave" ? s'écria-t-il d'un ton incrédule. Pas grave ? Je souffre le martyre. Et j'ai beaucoup de lectures urgentes à faire. Êtes-vous médecin ? Je n'ai pas besoin d'un médecin. Je suis le meilleur traitement possible. »

Je me présentai.

« Évidemment, j'hésite à contredire un médecin, monsieur, mais il me semble que vous faites erreur. Je vois d'ici qu'une souillure brunâtre s'accumule autour de la paupière, sur laquelle il faut appliquer une médecine.

— Mais, c'est ça la médecine, espèce d'idiot ! s'exclama-t-il. J'ai mélangé les ingrédients moi-même.

— De quels ingrédients s'agissait-il ?

— D'excréments de chien séchés.

— Quoi ?

— Bate, mon médecin, m'a conseillé ce remède. C'est le médecin du roi, savez-vous, et c'est un homme de bonne famille. Ce remède infaillible a fait ses preuves au cours des siècles. Un chien de race, qui plus est. Il appartient au directeur du collège.

— Des excréments de chien ?

— Oui. On les fait sécher au soleil, puis on les réduit en une poudre qu'on projette dans les yeux. C'est infaillible pour tous les maux d'yeux. »

Pour moi, cela expliquait sa forte douleur. Naturellement, on utilise d'innombrables remèdes très anciens, et certains sont, sans aucun doute, aussi efficaces que ceux qu'un médecin peut prescrire — bien que ça ne veuille pas nécessairement dire grand-chose. J'étais persuadé que le médicament minéral qui provoquait un tel enthousiasme chez Lower finirait par supplanter tous les autres. J'avais quelque idée de la sorte de propos oiseux accompagnant la recommandation : l'attraction naturelle entre substances de même nature, les excréments pulvérisés établissant une affinité avec l'infection et l'aspirant. Ou non, selon le cas.

« Loin de moi l'idée de contester, monsieur, mais êtes-vous sûr que cela produit un effet ? demandai-je.

— Autrement dit, vous ne croyez pas à l'efficacité du remède ?

— Non, dis-je prudemment. Dans certains cas, il se peut qu'il soit efficace, je ne sais. Depuis combien de temps votre œil vous fait-il souffrir ?

— Environ dix jours.

— Et il y a combien de temps que vous appliquez ce traitement ?

— Environ une semaine.

— Et, durant ce temps, l'état de votre œil s'est-il amélioré ou a-t-il empiré ?

— Il ne s'est pas amélioré, concéda-t-il. Mais peut-être sans le traitement aurait-il empiré.

— Et il est possible également qu'avec un autre traitement il se serait amélioré, dis-je. Si maintenant je vous donnais un autre traitement et si l'état de votre œil s'améliorait, cela démontrerait...

— Cela démontrerait que mon premier traitement a enfin commencé à produire ses effets et que votre traitement n'a servi à rien.

— Vous souhaitez que votre œil guérisse le plus vite possible. Si l'on applique un traitement et que dans un laps de temps raisonnable aucune amélioration ne se produise, on peut en conclure que le traitement est sans effet. Le fait qu'il marche la semaine suivante, une semaine après, ou trois ans plus tard n'a aucun intérêt. »

Le Dr Grove ouvrit la bouche pour réfuter ce genre de raisonnement, mais son œil le relança et il se mit à le frotter furieusement.

Je vis là l'occasion de me faire bien voir et même, peut-être, de recevoir des honoraires afin de me renflouer. Aussi lui demandai-je de l'eau et commençai-je immédiatement à baigner l'œil pour le libérer complètement de cette matière répugnante, pensant que cette seule opération produirait sans doute une guérison quasi miraculeuse. Lorsque j'eus terminé, son œil meurtri était de nouveau ouvert et, bien qu'il fût toujours quelque peu gêné, il exprima sa joie de se sentir déjà beaucoup mieux. Ce qui me combla est qu'il attribua cela uniquement à la potion que j'avais appliquée.

« Passons à l'étape suivante, déclara-t-il d'une voix forte en retroussant sa manche. Je pense que cinq onces suffiront. Qu'en pensez-vous ? »

Je n'étais pas d'accord, mais je m'abstins de lui dire que j'étais loin d'être convaincu que la saignée eût jamais soulagé qui que ce fût, car j'avais peur de perdre sa confiance. Au lieu de cela, je suggérai que l'harmonie de son corps serait mieux restaurée par un léger vomissement après le repas ; surtout parce qu'il avait l'air d'un homme qui pouvait sauter un repas ou deux sans grand dommage.

Le traitement terminé, il m'offrit de boire un verre de vin avec lui, invitation que je déclinai — j'avais déjà beaucoup trop bu ces derniers temps. En revanche, je lui expliquai le but de ma visite, ayant décidé que s'il n'évoquait pas l'incident du café je n'en parlerais pas non plus. Au début, j'avais critiqué son attitude, maintenant que je connaissais mieux la fille, j'étais plus compréhensif.

« C'est au sujet d'un jeune homme que j'ai rencontré hier, dis-je. Un certain M. Prestcott. »

Le Dr Grove se rembrunit en entendant ce nom et me demanda comment j'avais pu le rencontrer puisqu'il était enfermé dans le château fort.

« C'est mon cher ami, le Dr Lower, expliquai-je, qui avait un... message à lui transmettre.

— Il veut son cadavre, n'est-ce pas ? Je vous jure que lorsque je tombe malade, j'ai envie de rentrer à Northampton de peur de voir Lower apparaître à mon chevet, l'œil brillant de convoitise. Qu'a dit Prestcott ? »

Je répondis que Prestcott avait immédiatement rejeté la proposition. Grove hocha la tête.

« Bravo ! C'est un garçon sensé ; même s'il était aisé de deviner qu'il finirait mal. Il était très indiscipliné.

— En ce moment, dis-je gravement, il semble très contrit, et il a besoin de réconfort spirituel. Il aimerait que vous lui rendiez visite afin de recevoir de vous le soutien de la religion. »

Grove parut aussi content que surpris.

« La capacité qu'a le nœud coulant de provoquer le repentir, même chez les pécheurs les plus endurcis, ne doit jamais être sous-estimée, affirma-t-il avec satisfaction. J'irai le voir ce soir. »

Je lui en fus reconnaissant. Brusque et entêté, il était également bon, me semblait-il, et il adorait qu'on ne fût pas d'accord avec lui. Lower m'apprit plus tard que, quels qu'eussent été ses défauts, Grove ne prenait jamais ombrage d'opinions honnêtement défendues, même s'il était décidé à les combattre avec acharnement. Cela signifiait que s'il était difficile d'aimer le caractère certains finissaient par adorer l'homme.

« Il était très désireux de vous parler le plus tôt possible, dis-je. Permettez-moi cependant de vous conseiller d'attendre un jour ou deux. Le vent vient du nord, et on sait que ce vent est mauvais pour les maux d'yeux.

— Nous verrons, répondit-il. Mais il faut que j'y aille bientôt. Je répugnais à lui rendre visite avant qu'il me réclame, et je suis ravi qu'il l'ait fait. Je vous remercie, monsieur.

— Savez-vous, demandai-je, tout en réinspectant son œil, quelles sont les circonstances de son crime ? D'après les rares détails que j'ai appris, cela semble très étrange. »

Grove hocha la tête.

« Très étrange, acquiesça-t-il. Mais je crains qu'il n'ait été destiné à agir ainsi, à cause de sa famille. Son père était indiscipliné, lui aussi. Il avait fait un mariage malheureux.

— Il n'aimait pas sa femme ? »

Grove fronça les sourcils.

« Pire que cela. Il a épousé sa femme par amour. Une femme charmante, paraît-il, mais ce mariage allait à l'encontre des projets des deux familles, qui ne le lui pardonnèrent jamais. Je crains que ça n'ait été typique de l'homme. »

Je secouai la tête. D'une famille de commerçants moi-même, j'étais bien conscient de l'importance de ne pas laisser les sentiments obscurcir le jugement en matière de mariage. Comme l'avait fait une fois remarquer mon père, si Dieu avait voulu que nous fissions des mariages d'amour, pourquoi aurait-Il créé les maîtresses ? Non pas que lui-même abusât de ce genre de plaisirs, car lui et ma mère s'aimaient beaucoup.

« Le père s'est engagé aux côtés du roi lorsque la guerre a éclaté ; il s'est battu avec courage et a tout perdu. Mais il a continué à lui être fidèle et a comploté contre le Commonwealth. Hélas ! il aimait les complots davantage que son monarque, car il a trahi le roi pour Cromwell, et cela a failli produire des effets désastreux. Depuis Judas l'Iscariote, on n'a jamais assisté à plus noire action. »

Il hocha la tête tristement pour souligner l'horreur de son récit. Moi, je trouvais tout cela fort intéressant, mais je ne comprenais toujours pas comment Prestcott s'était retrouvé en prison.

« C'est très simple, dit Grove. Il est d'un tempérament violent et instable ; peut-être est-ce une illustration de l'adage "Tel père, tel fils". C'était un enfant rebelle et indiscipliné, et il s'est plongé dans le vice dès qu'il a échappé à l'emprise familiale. Il a attaqué et presque assassiné le tuteur qui s'était occupé de lui avec bonté depuis la disgrâce de son père, et un oncle a porté plainte : il aurait vidé sa cassette pendant une récente visite. Cela arrive parfois : l'année dernière, on a pendu un étudiant qui s'était fait voleur de grand chemin ; cette année ce sera le tour de Prestcott, et je crains que ce cas ne soit pas le dernier. "Le pays est plein de jugements pour meurtre et la ville est pleine de violence." »

Il s'arrêta pour que j'identifie la citation ; je haussai les épaules en signe d'impuissance.

« Ézéchiel 7, 23, dit-il d'un ton de reproche. C'est la conséquence des troubles que nous avons connus. Bon, monsieur, je n'ose pas vous insulter en vous offrant de l'argent pour vous remercier de vos bontés, mais peut-être accepterez-vous un repas pris au collège comme un dédommagement adéquat ? La cuisine est bonne, le vin est encore meilleur, et je peux vous promettre une excellente compagnie. »

Je fis un pâle sourire et déclarai que j'en serais enchanté.

« Splendide ! fit-il. Vous m'en voyez ravi. Cinq heures ? »

Nous tombâmes d'accord et je pris congé de lui, avec force remerciements. La façon dont il les écarta d'un revers de main suggérait qu'il me croyait extrêmement honoré par l'invitation.

« Avant que vous ne partiez, me dit-il au moment où j'ouvrais la porte, renseignez-moi, comment se porte la mère de cette fille ? »

La manière dont il parla de la chose me cloua sur place.

« Elle ne va pas bien. En fait, je crois qu'elle va mourir. »

Il hocha la tête d'un air sombre que je ne sus pas déchiffrer.

« Je vois, conclut-il. Que la volonté de Dieu soit faite ! »

Et il m'expédia. Je rentrai informer Mme Bulstrode que je ne dînerais pas chez elle, puis j'accomplis ma dernière obligation : apporter le gallon de vin à Prestcott dans sa cellule.

Chapitre huit

Le dîner à New College fut plutôt un choc. Comme le groupe de mes hôtes était composé uniquement d'hommes instruits et qu'un grand nombre d'entre eux étaient dans les ordres, j'imaginais que j'allais passer un bon moment dans un environnement agréable. Au lieu de cela, le repas fut servi dans une vaste salle balayée par le vent et les courants d'air, comme si nous étions en pleine mer sur un bateau pris au milieu d'une tempête. Grove était chaudement emmitouflé pour l'occasion et il me décrivit avec moult détails les sous-vêtements qu'il enfilait l'un sur l'autre avant de s'aventurer dehors. S'il m'avait prévenu j'en aurais fait autant. Et même ainsi, j'aurais eu froid. Les Anglais ont l'habitude des frimas de l'hiver, moi je suis habitué à l'air doux et au temps clément de la Méditerranée. La taverne la plus humble ne pouvait être aussi glaciale que ce réfectoire où le froid transperçait les vêtements et vous faisait mal aux os.

Cela encore eût été supportable si la nourriture, le vin et la compagnie avaient fourni une compensation. Ces collèges suivent la coutume monastique du repas pris en commun ; seuls les plus fortunés paient en plus pour qu'on leur monte leur repas dans leur chambre. Sur une estrade sont assis les professeurs les plus élevés dans la hiérarchie, tandis que les autres s'installent en bas. Étant donné que la nourriture serait à peine bonne pour des bêtes, il n'y a guère lieu de s'étonner qu'ils se comportent comme des animaux. On mange dans des écuelles en bois et au milieu des tables se trouvent des bassines, en bois également, dans lesquelles on jette les os, lorsqu'on ne se les lance pas à la tête. Je finis par être couvert de nourriture, car les convives parlaient la bouche pleine et postillonnaient de petits bouts de gras et de pain à moitié mâché.

Le vin étant à peine buvable, je ne pus même pas m'enivrer pour oublier. Je dus au contraire écouter leur conversation, qui n'avait absolument pas trait à des sujets scientifiques. Je commençais à me rendre compte que, ayant d'abord fréquenté M. Boyle et le Dr Lower, j'avais eu une impression fallacieuse à la fois d'Oxford et des Anglais. Loin de s'intéresser aux dernières avancées de la science, ils se préoccupaient uniquement de deviner qui allait obtenir telle ou telle promotion et de savoir ce que le doyen de ceci avait dit au recteur de cela. À part moi, il y avait un autre invité qui, de toute évidence, était quelqu'un d'important, car on le traitait avec une telle obséquiosité que je le supposai être quelque protecteur du collège. Cependant, il parlait fort peu et j'étais placé trop loin de lui pour engager la conversation.

Quant à moi, je ne suscitai guère d'intérêt, ce qui blessa ma fierté. J'avais imaginé que quelqu'un comme moi, qui débarquait de Leyde et de Padoue, allait rapidement devenir le centre de l'attention. Pas du tout. Le fait de déclarer que je n'étais pas de la ville, que je ne détenais aucun poste dans l'Église, était comme si j'avais avoué être atteint de la vérole. Quand il devint clair que j'étais catholique, deux membres quittèrent le réfectoire, et un troisième refusa de s'asseoir à côté de moi. Je répugnai à le reconnaître, étant donné que les Anglais me plaisaient beaucoup désormais, mais dans presque tous les domaines ils ne valaient guère mieux que leurs collègues de Padoue ou de Venise ; mis à part les différences en matière de religion et de langue, on aurait pu les remplacer par n'importe quel groupe de prêtres italiens cancaniers sans que personne s'en rende compte.

Si ceux qui me prêtèrent attention étaient rares, un seul, cependant, se montra insultant : on m'accueillit avec

103

davantage d'indifférence que d'hostilité. À mon grand dam, celui qui me reçut avec le plus de froideur fut la personne que j'étais prêt à admirer sans réserve, le Dr John Wallis étant quelqu'un que j'aurais beaucoup aimé fréquenter. J'avais entendu parler de ses connaissances mathématiques qui le plaçaient parmi les tout premiers mathématiciens d'Europe, et j'avais imaginé qu'un homme qui était le correspondant de Mersenne, qui avait croisé le fer mathématique avec Fermat et Pascal devait être une personne extrêmement civilisée. Hélas ! ce n'était pas le cas. Le Dr Grove nous présenta, mais il eut honte de la manière dont le Dr Wallis refusa de me traiter ne serait-ce que poliment. Il fixa simplement sur moi ses yeux pâles et glacials qui évoquaient le reptile guettant sa proie, ne répondit pas à mon salut, puis me tourna le dos. Bien pis, il repoussa ensuite avec un mépris grossier tous mes efforts pour lier conversation.

Cela se passa au moment où nous nous installions à table ; Grove se lança dans des propos vindicatifs et joyeux pour dissimuler la gêne que lui avait causée son collègue.

« Maintenant, monsieur, dit-il, il vous faut vous défendre. Ce n'est pas tous les jours que nous avons parmi nous un défenseur du nouveau savoir. Si vous êtes un intime de Lower, je suppose que c'est ce que vous êtes. »

Je répondis que je ne me considérais guère comme un avocat, et certainement pas comme un avocat compétent.

« Est-il vrai, cependant, que vous cherchiez à rejeter le savoir des Anciens afin de le remplacer par le vôtre ? »

Je dis que je respectais toutes les opinions valables.

« Aristote ? lança-t-il, d'un ton de défi. Hippocrate ? Galien ? »

Je concédai que c'étaient tous de grands hommes, mais qu'on pouvait prouver qu'ils s'étaient trompés sur bien des choses. Il salua ma réponse d'un grognement.

« De quelles avancées s'agit-il ? Tout ce que votre nouvelle école a découvert, ce sont de nouvelles raisons pour d'anciennes pratiques, et elle n'a fait que montrer que les choses fonctionnent différemment de ce qu'on supposait.

— Non pas, monsieur, non pas ! rétorquai-je. Pensez au baromètre, au télescope. »

Il fit un geste méprisant de la main.

« Mais tous ceux qui les utilisent aboutissent à des conclusions opposées. Quelles découvertes le télescope a-t-il permis de faire ? De tels instruments ne remplaceront jamais la raison, le jeu de l'esprit sur les impondérables.

— Les avancées de la philosophie, j'en suis sûr, accompliront des choses merveilleuses.

— Je n'en ai toujours pas vu le moindre signe.

— Vous en verrez, répliquai-je avec enthousiasme. Je ne doute pas que la postérité ne confirme bien des choses qui pour le moment ne sont que des rumeurs. Un jour, peut-être, un voyage dans la Lune ne sera guère plus étrange qu'un voyage en Amérique pour nous. Parler avec les Indes sera peut-être aussi banal qu'une correspondance écrite. Après tout, parler après la mort a dû paraître une pure fiction avant l'invention des lettres, et naviguer correctement grâce à un minéral aurait semblé absurde aux Anciens, qui ne connaissaient pas l'aimant.

— Quelle extraordinaire envolée ! répondit Grove d'un ton acerbe. Cependant, je trouve la rhétorique déficiente dans l'enchaînement des antithèses et des antapodoses. Car vous avez tort, monsieur. En fait, les Anciens connaissaient l'aimant. Diodore de Sicile aussi, de toute évidence, comme tout honnête homme devrait le savoir. Nous avons juste découvert une nouvelle utilisation de cette pierre. Voilà ce que je voulais dire. Tout savoir se trouve dans les textes anciens, si vous savez les lire correctement. Et cela vaut pour l'alchimie comme pour la physique.

— Je ne suis pas d'accord, dis-je, tout en pensant que je me défendais fort bien. Par exemple, prenez les crampes d'estomac. Quel est le remède habituel ?

— L'arsenic, lança l'un des commensaux, assis un peu plus loin et qui écoutait en silence. Quelques grains dans de l'eau comme vomitif. J'en ai pris moi-même en septembre.

— Ça a été efficace ?

— Je sais que les douleurs ont commencé par empirer. Je dois dire que je suis enclin à penser qu'une petite saignée aurait eu de meilleurs résultats. Mais ses qualités en tant que purgatif sont indubitables. Je n'ai jamais été à la selle si vite et si souvent.

— Mon maître de Padoue a fait quelques expériences et en a conclu que la croyance en l'arsenic était une erreur stupide. L'idée vient d'un livre de remèdes traduit de l'arabe en latin par Deusingius. Il se trouve que le traducteur a commis une erreur ; le livre recommandait pour ces douleurs ce qu'il appelait du "darsini", et c'est ce qui a été traduit par "arsenic". Mais en arabe arsenic se dit *zarnich*.

— Alors que devrions-nous prendre ?

— De la cannelle, apparemment. Voyons, monsieur, défendez-vous une longue tradition quand on peut prouver qu'elle est uniquement fondée sur l'erreur d'un traducteur ? »

À ce moment-là, l'homme rejeta la tête en arrière et éclata de rire, tandis qu'une pluie d'aliments à moitié mâchés sortait de sa bouche et décrivait une élégante parabole au-dessus de la table.

« Vous n'avez fait que justifier l'existence d'une solide connaissance des langues classiques, dit-il. Rien de plus. De là à l'utiliser comme prétexte pour rejeter des millénaires de savoir et les remplacer par vos médiocres tâtonnements...

— Je ne suis que trop conscient de la médiocrité de mes tâtonnements », rétorquai-je. J'étais sans nul doute la personne la plus courtoise du groupe. « Mais je ne remplace rien ; je ne fais qu'examiner une hypothèse avant de l'accepter. Aristote lui-même n'a-t-il pas affirmé que nos idées doivent se conformer à notre expérience des choses telles qu'elles sont ? »

Je crains d'avoir fini par devenir rouge de colère, car je me rendais bien compte que mon interlocuteur n'était guère intéressé par une discussion où la raison jouait un rôle ; tandis que Grove restait aimable lorsqu'il présentait ses arguments, l'autre le faisait d'une manière et d'un ton discourtois.

« Et ensuite ?

— Que voulez-vous dire ?

— Une fois que vous aurez mis Aristote à l'épreuve des faits ? Que vous l'aurez, sans aucun doute, pris en défaut. Qu'allez-vous faire ensuite ? Allez-vous soumettre la monarchie à vos investigations ? L'Église, peut-être ? Aurez-vous la présomption de mettre Notre Sauveur Lui-même à l'épreuve des faits ? C'est le danger, monsieur. Votre quête mène inévitablement à l'athéisme, sauf si la science reste fermement entre les mains de ceux qui veulent renforcer la parole de Dieu, plutôt que de la défier. »

Il s'arrêta alors et chercha un regard de soutien parmi ses collègues. Je fus content de constater que ceux-ci ne paraissaient pas absolument enthousiastes, bien que la plupart eussent hoché la tête d'un air approbateur.

« La glaise dit-elle à celui qui la façonne : "Que fais-tu ?" » murmura doucement Grove, comme pour lui-même.

Mais cette citation à mi-voix réveilla le jeune homme qui m'avait conduit à la chambre de Grove ce matin-là. « Isaïe 45, 9, fit-il. Mieux vaut acquérir la sagesse que des perles », ajouta-t-il calmement, étant de toute évidence trop jeune et trop bas dans la hiérarchie pour participer à la discussion, tout en ne souhaitant pas que son aîné parlât sans être contredit. J'avais remarqué qu'à plusieurs reprises il avait tenté de prendre part à la conversation, mais, chaque fois qu'il avait ouvert la bouche, Grove l'avait interrompu et avait continué comme s'il n'existait pas.

« Job 28, 18, rétorqua brusquement Grove, irrité par tant d'insolence. Surcroît de science, surcroît de douleur.

— Ecclésiaste, 1, 18 », répliqua Thomas Ken qui, lui aussi, me sembla-t-il, commençait à s'échauffer. Je devinais qu'il s'agissait d'une querelle personnelle qui n'avait rien à voir avec moi ou avec l'expérimentation. « Jusques à quand les moqueurs se plairont-ils à la moquerie et les sots haïront-ils la science ?

— Proverbes 1, 22. "Ta sagesse et ta science, elles t'ont perverti." »

Cette dernière sortie marqua la défaite du pauvre Ken, incapable de se rappeler la source de la citation ; son visage s'empourpra sous le coup de cette humiliation publique tandis qu'il essayait désespérément de trouver une réponse.

« Isaïe 47, 10 », annonça Grove d'un air de triomphe quand l'échec de Ken devint manifeste.

Ken jeta violemment son couteau sur la table et, les mains tremblantes, il se leva pour partir. Je craignis qu'ils n'en vinssent aux mains, mais, en fait, ce n'était que du théâtre. « Romains 8, 13 », dit-il. Il quitta la table avec une lenteur glaciale, puis traversa le réfectoire à grandes enjambées en direction de la sortie, ses pas martelant le sol. Je crois avoir été la seule personne à avoir entendu ses derniers mots, qui n'avaient aucun sens pour moi. J'ai toujours trouvé la tendance des protestants à se lancer à la tête des citations bibliques un tant soit peu ridicule, voire blasphématoire. En tout cas, Grove n'entendit sûrement pas ; il parut, au contraire, satisfait d'avoir remporté la bataille.

Puisque personne d'autre ne voulait briser le silence, je décidai — en tant qu'étranger peu au fait de ce qui se passait — d'essayer de faire comme si de rien n'était.

« Je ne suis ni théologien ni prêtre, dis-je de manière à ce que le débat se déroule à nouveau sur une base rationnelle, mais j'ai étudié l'art médical à ma façon. Et je sais que dans bien des cas le remède a autant de chances de tuer que de guérir. Je pense qu'il est de mon devoir de chercher à en savoir autant que faire se peut afin d'aider mes patients le mieux possible. Ce n'est pas être impie, j'espère, que d'agir ainsi.

— Pourquoi devrais-je vous croire sur parole quand vous allez à l'encontre des grands maîtres du passé ? Quelle est votre autorité, comparée à la leur ?

— Bien faible, en effet, et je les respecte autant que vous. Dante n'a-t-il pas appelé Aristote *il maestro di color qui sanno* ? Mais ce n'est pas la question que je pose. Je vous demande de donner votre avis sur le résultat de l'expérience.

— Ah ! l'expérience ! s'exclama Grove joyeusement, tandis que l'autre, lassé de la conversation, s'était détourné. Eh bien ! l'expérience... commença-t-il... Soutenez-vous la notion copernicienne que la Terre tourne autour du Soleil ?

— Bien sûr.

— Et avez-vous fait les expériences vous-même ? Vous avez fait les observations, fait et refait les calculs, et conclu, grâce à vos propres travaux, qu'il en est ainsi ?

— Non. Je ne connais pas grand-chose aux mathématiques, hélas !

— Donc vous croyez simplement que c'est vrai, mais vous ne le savez pas ? Vous croyez Copernic sur parole ?

— Oui. Ainsi que les experts qui acceptent ses conclusions.

— Pardonnez-moi de vous faire remarquer que vous êtes tout autant soumis à l'autorité et à la tradition que celui qui souscrit aux théories d'Aristote ou de Ptolémée. Malgré toutes vos protestations, votre science est également une question de foi ; elle n'est pas le moins du monde différente de l'ancien savoir que vous méprisez tant.

— Je juge sur les résultats, répondis-je d'un ton badin, car, de toute évidence, il s'amusait beaucoup, et il eût été peu amène de lui gâcher son plaisir en répondant d'un ton revêche. Et je m'appuie sur le fait que la méthode expérimentale a produit de bons résultats.

— Votre expérimentation est le cœur de la nouvelle médecine, par exemple ? »

Je fis oui de la tête.

« Mais comment conciliez-vous cela avec les préceptes d'Hippocrate, que vous autres médecins jugez si importants ?

— La question ne se pose pas. Je n'y vois aucun conflit.

— Comment ça ? demanda Grove. Il vous faut remplacer des traitements prouvés par d'autres qui peuvent s'avérer meilleurs, mais qui pourraient fort bien être moins bons. Au lieu d'essayer, avant toute chose, de guérir votre patient, vous faites des expériences sur lui afin d'observer les résultats. Vous utilisez les patients pour accroître vos connaissances et non pas pour les guérir, et c'est un péché. C'est ce que dit Bartolomée de Chaimis dans son *Interrogatorium sive confessionale*, et depuis les meilleures autorités l'ont toujours soutenu.

— C'est astucieux, et faux pourtant. L'expérimentation sert à améliorer les traitements pour tous les patients.

— Mais si je viens chez vous en tant que malade, je ne me préoccupe pas de tous les patients. Peu m'importe si les autres sont guéris alors que je meurs pour prouver qu'un traitement ne marche pas. Je veux recouvrer la santé, or vous dites que votre soif de connaissance est plus grande que mon besoin de guérir ?

— Je ne dis rien de la sorte. Bien des expériences peuvent être menées sans danger pour le patient.

— Mais vous mettez cependant de côté le serment d'Hippocrate. Vous décidez d'utiliser des traitements sans savoir s'ils vont être efficaces ou non, et cela vous fait renier la parole que vous aviez solennellement donnée.

— Imaginez, monsieur, un malade pour lequel il n'y a pas de remède. Cette personne va mourir. Dans ce cas, une expérience qui offre une chance de guérir vaut mieux qu'aucune chance du tout.

— Non. Car il est fort possible que vous hâtiez la mort. Cela va non seulement à l'encontre du serment, mais également à l'encontre de la loi divine. Et de la loi des hommes, s'il y a meurtre.

— Vous voulez dire qu'en médecine aucune amélioration n'est permise ? Nous avons ce que nous avons hérité de nos ancêtres et nous ne pouvons espérer rien de plus ?

— Je dis que, selon votre propre aveu, la méthode expérimentale est dépravée. »

C'était difficile à accepter, cependant je restai courtois. « Peut-être. Mais je vous ai traité aujourd'hui et vous paraissez aller beaucoup mieux. Vous pouvez contester le point de départ, mais pas, dans ce cas précis, le résultat. »

Grove se mit à rire et battit des mains de plaisir ; je vis qu'en fait il ne faisait que s'amuser, cherchant à voir jusqu'où il pouvait aller dans la provocation.

« C'est vrai, monsieur, mon œil va beaucoup mieux, et je rends grâce à la nouvelle philosophie pour cela. Je vous ferai dorénavant confiance à propos des dangers que présentent toutes les substances que vous détestez, et je vais les éviter complètement. Mais, continua-t-il avec un soupir en découvrant que son verre de vin était vide, notre repas se termine et avec lui notre discussion. Quel dommage ! Il faut que nous la continuions pendant votre séjour à l'université. Qui sait ? J'arriverai peut-être à vous persuader de vos erreurs.

— Ou moi des vôtres ?

— J'en doute. Personne n'y est jamais parvenu. Mais je serais ravi de vous voir essayer. »

Tout le monde se leva alors, tandis qu'un jeune maître lisait à haute voix les remerciements au Seigneur pour la nourriture (ou peut-être était-ce parce que nous y avions survécu), puis nous sortîmes tous tranquillement. Grove m'accompagna jusqu'à la sortie, à l'autre bout de la cour, faisant une brève halte au pied de son escalier pour ramasser une bouteille qu'on y avait laissée.

« Merveilleux ! s'exclama-t-il en la serrant contre sa poitrine. De la chaleur par une nuit glaciale. »

Je le remerciai de son hospitalité.

« Je suis désolé si je vous ai agacés, vous ou votre collègue, le Dr Wallis. Ce n'était pas mon intention. »

Grove fit un signe de la main.

« Vous ne m'avez absolument pas agacé, et ne vous en faites pas à propos de Wallis. C'est quelqu'un de très irascible. Je ne pense pas qu'il vous ait beaucoup apprécié, mais ne vous tracassez pas. Il n'aime personne. Ce n'est pas un méchant homme, cependant : il m'a proposé de rendre visite à Prestcott à ma place ce soir. Comme vous me l'avez conseillé, je dois ménager mes yeux, et c'est fort aimable de sa part. Nous y voici, monsieur Cola, conclut-il. Bonsoir à vous. »

Il fit un salut, pivota sur ses talons et partit à grands pas vers son appartement et sa bouteille. Je le regardai s'éloigner pendant quelques instants, surpris par sa manière brusque de prendre congé, si différente des longues formalités de Venise ; il est vrai que rien ne vaut le vent du nord pour abréger les civilités.

Ce n'est qu'en fin de matinée, le lendemain, que je m'aperçus qu'une catastrophe se préparait. Le début de la journée se passa à déplorer avec Lower la perte de son cadavre.

Il le prit bien ; comme il le dit lui-même, les chances de s'emparer du corps de Prestcott avaient été maigres, et il fut un tant soit peu consolé par la nouvelle que l'université ne l'aurait pas non plus. En outre, il aimait plutôt le jeune homme, même si, comme la plupart des autres citadins, il pensait que Prestcott avait traité le Dr Wallis de manière extrêmement inconvenante.

En un mot — et ce bref récit est le résultat de la mise bout à bout d'innombrables comptes rendus qui me permit finalement de comprendre ce qui s'était passé —, ce fut en partie grâce à moi que Jack Prestcott échappa à la justice royale. J'avais transmis le message concernant le désir du jeune homme de recevoir une visite, et ce Wallis, l'homme même qui avait été si peu aimable avec moi au dîner, y était allé à la place de Grove en raison de mon avis médical. C'était une action généreuse, tant à l'égard de Grove que de Prestcott, et je ressentis quelque honte à en trouver le résultat un tantinet amusant.

Wallis avait demandé que le prisonnier fût détaché afin que celui-ci pût faire ses prières plus à l'aise, et on l'avait laissé seul avec lui. Environ une heure plus tard, toujours emmitouflé dans son épaisse robe noire et coiffé de son lourd chapeau d'hiver, il était ressorti si chagriné par la disparition imminente de cette jeune et vigoureuse vie qu'il avait eu du mal à parler, se contentant de donner deux pence de pourboire au geôlier, tout en requérant qu'on laissât Prestcott jouir d'une bonne nuit de sommeil complète. Il serait toujours temps de le rattacher le lendemain matin.

Le geôlier, qui en conséquence allait probablement perdre sa place, avait obéi, et ce n'est qu'après cinq heures, le lendemain matin, qu'on ouvrit la cellule. On découvrit alors que la personne couchée sur le petit lit n'était pas Prestcott, mais le Dr Wallis, bâillonné, pieds et poings liés, qui raconta comment le jeune criminel s'était jeté sur lui, puis l'avait attaché et dépouillé de son manteau ainsi que de son chapeau. C'était Prestcott qui était sorti la veille et qui, par la même occasion, avait gagné près de dix heures d'avance sur ceux qui partirent à sa poursuite.

Cette nouvelle causa une extraordinaire sensation ; la populace fut, bien sûr, ravie que la majesté de la Loi ait été ridiculisée mais déplora d'être privée du spectacle de la pendaison. L'un dans l'autre, l'admiration pour l'audace du prisonnier l'emporta sur la déception. La plupart ne furent pas mécontents, me sembla-t-il, lorsque les poursuivants revinrent bredouilles.

M'étant désigné moi-même comme médecin de Grove, je fus naturellement envoyé par Lower pour examiner son œil une fois de plus, dans le but de recueillir quelques commérages. Cependant, je trouvai la lourde porte de sa chambre fermée à double tour et, cette fois-ci, il n'y eut aucune réponse lorsque j'y donnai des coups de canne.

« Savez-vous où se trouve le Dr Grove ? demandai-je à une servante.

— Dans sa chambre.

— Il ne répond pas.

— C'est qu'il doit encore dormir. »

Je lui fis remarquer qu'il était déjà presque dix heures. Les membres du collège ne devaient-ils pas se lever à temps pour assister à l'office ? N'était-ce pas inhabituel qu'il fût encore endormi ?

C'était une femme revêche et peu serviable, aussi abordai-je M. Ken que j'aperçus en train de longer l'autre côté de la cour. Il avait l'air soucieux, en effet, car, affirmat-il, Grove prenait un plaisir tout particulier à faire l'appel à la chapelle et à persécuter les retardataires. Peut-être que sa maladie... ?

« Ce n'était qu'une inflammation de l'œil. Il était assez bien pour dîner hier soir.

— Quel médicament lui avez-vous prescrit ? C'est peut-être là la raison ? »

Je n'appréciai pas la suggestion de ma possible responsabilité dans sa maladie, si maladie il y avait. Mais je n'avais guère envie d'avouer que mon traitement — utilisé la veille en tant qu'exemple de la supériorité de la médecine expérimentale — n'était que de l'eau additionnée d'eau de Cologne.

« J'en doute. Mais cela me préoccupe. Y a-t-il moyen d'ouvrir cette porte ? »

M. Ken parla à la servante, et, pendant qu'ils partaient chercher une deuxième clef, je restai devant la porte et cognai encore pour tenter de réveiller Grove.

J'étais toujours en train de frapper lorsque Ken réapparut avec une clef.

« Bien sûr, cela ne servira à rien si la sienne est restée dans la serrure, dit-il tout en s'agenouillant pour regarder par le trou. Et il sera fou furieux s'il revient et qu'il nous trouve ici. »

Je remarquai à quel point Ken eut l'air très inquiet en pensant à cette éventualité.

« Peut-être souhaitez-vous faire marche arrière ? suggérai-je.

— Non, non, répondit-il avec hésitation. Nous ne nous aimons guère, vous avez pu le constater, mais la charité chrétienne m'interdit de l'abandonner s'il est malade.

— Vous avez appris ce qui est arrivé au professeur Wallis ? »

M. Ken étouffa un petit rire très irrespectueux juste à temps pour ne pas altérer la gravité de sa mine.

« En effet, et cela me choque qu'une homme d'Église soit traité de manière si éhontée. »

Sur ce, la porte s'ouvrit et l'image du Dr Wallis fut chassée totalement de nos pensées.

Que le Dr Grove se trouvât *corpus sine pectore* était indiscutable, et il était non moins évident qu'il était mort dans de grandes douleurs. Il gisait sur le dos au milieu de la chambre, le visage contorsionné, la bouche ouverte, un filet de salive séchée s'échappant d'un côté de la bouche. Il avait vomi et vidé son estomac avant de rendre l'âme, d'où l'odeur insupportable qui empestait la chambre. Les mains recroquevillées ressemblaient davantage à des serres qu'à des mains humaines ; un bras était étendu le long du corps, l'autre remontait jusqu'au cou, comme s'il avait essayé de s'étrangler lui-même. La chambre se trouvait dans le plus grand désordre : des livres jonchaient le sol, des papiers étaient éparpillés partout, ce qui suggérait qu'il s'était démené violemment dans toute la pièce pendant son agonie. Ou, comme le fit remarquer Lower plus tard, peut-être était-il simplement désordonné.

La vue des cadavres ne m'émouvait guère. Je fus cependant bouleversé en découvrant celui-ci dans de si horribles conditions. M. Ken fut pris d'une peur panique. J'eus la vague impression qu'il était sur le point de faire le signe de la croix mais qu'il se retint à temps par bienséance.

« Dieu du ciel, protégez-nous dans les temps de malheur ! s'exclama-t-il d'une voix tremblante en apercevant le corps étendu. Vous, ordonna-t-il à la servante, courez vite chercher le directeur. Monsieur Cola, que s'est-il passé ici ?

— Je ne saurais l'expliquer, répliquai-je. L'explication la plus évidente serait qu'il s'agit d'une attaque, mais les mains recroquevillées et l'expression du visage semblent indiquer que ce n'est pas le cas ici. On dirait qu'il a éprouvé de fortes douleurs ; l'état de la chambre est peut-être dû à cela. »

Nous regardâmes en silence le corps du malheureux jusqu'au moment où des pas résonnèrent dans l'escalier. Le directeur était un petit homme à l'air vif, qui parvint à bien se maîtriser en voyant le spectacle de la chambre. Il arborait une petite moustache et une barbiche à l'ancienne mode des royalistes ; j'appris que c'était, en fait, un partisan du Parlement qui avait cependant gardé son poste, non parce que c'était un grand savant — le collège n'attachait pas beaucoup d'importance à ce genre de choses —, mais en vertu de ses talents de financier. Comme l'avait fait remarquer l'un des membres du collège, il serait parvenu à tirer des bénéfices perpétuels d'un cochon mort, et grâce à cela le collège le respectait.

« Peut-être devrions-nous prendre un avis plus précis avant de faire quoi que ce soit, dit-il, après nous avoir entendus, Ken et moi-même, expliquer ce que nous avions trouvé. Mary, poursuivit-il, en s'adressant à la servante demeurée à l'écart, l'air complètement chaviré, allez chercher le Dr Bate, dans la Grand-Rue, s'il vous plaît. Dites-lui que c'est urgent et que je lui serais reconnaissant de venir sur-le-champ. »

Je fus sur le point d'ouvrir la bouche pour protester, mais je m'abstins. Être si rapidement oublié ne me faisait pas plaisir, néanmoins je n'y pouvais pas grand-chose. J'espérais seulement, puisqu'on n'avait pas besoin de mes services et qu'il s'agissait d'une affaire interne au collège, qu'on ne m'exclurait pas d'une situation aussi passionnante.

« Il me semble clair, déclara le directeur d'un ton ferme qui ne souffrait aucune contradiction, que le malheureux a eu une attaque. Je ne vois rien d'autre à ajouter. On doit, bien sûr, en attendre la confirmation, mais je n'ai aucun doute qu'elle vienne. »

M. Ken, l'un de ces prélats obséquieux qui se font un devoir d'être d'accord avec quiconque a plus de pouvoir qu'eux, hocha la tête avec ardeur. Les deux hommes, d'ailleurs, paraissaient extrêmement désireux de parvenir à cette conclusion, et c'est surtout parce que j'étais vexé que je hasardai ma propre opinion.

« Puis-je suggérer, avançai-je avec prudence, que l'on examine les détails de cette terrible affaire avec plus de soin avant d'adopter ce genre de conclusion ? »

Ils me dévisagèrent tous les deux avec circonspection.

« Par exemple, de quels maux s'était plaint cet homme par le passé ? Peut-être avait-il trop bu la veille ? Avait-il fait quelque effort qui aurait fatigué le cœur ?

— Que suggérez-vous ? » demanda Woodward, le visage fermé, se tournant brusquement vers moi. Je notai que Ken lui aussi avait pâli en m'entendant.

« Rien du tout.

— Vous êtes un méchant homme, répliqua-t-il, à ma très grande surprise. Une telle allégation est sans le moindre fondement. Je trouve monstrueux que vous y fassiez allusion à un pareil moment.

— Je ne fais ni allégation ni allusion, rétorquai-je, complètement déconcerté, une fois de plus, par le caractère imprévisible des Anglais. Soyez assuré, je vous prie, de mon entière innocence, car je me bornais à évoquer des possibilités.

— Même pour moi, il est évident, continua Woodward avec véhémence, qu'il s'agit d'une attaque. Et, qui plus est, c'est une affaire interne au collège, monsieur. Nous vous remercions d'avoir donné l'alarme et nous ne souhaitons pas abuser davantage de votre temps. »

Cette déclaration équivalait clairement à un congé quelque peu cavalier. Je me retirai en faisant preuve de davantage de courtoisie qu'eux.

Chapitre dix

J'avais presque terminé mon récit et, au café, mes camarades paraissaient subjugués. C'était, il est vrai, la chose la plus passionnante qui fût arrivée dans la ville depuis le siège ; tous les protagonistes étant connus de mon auditoire, cela rendait la chose doublement intéressante. Lower commença immédiatement à se demander s'il pouvait se proposer pour examiner lui-même le corps.

Nous tentions de lui expliquer que ses chances d'être autorisé à anatomiser le Dr Grove étaient maigres, et il protestait qu'une telle idée ne lui avait jamais traversé l'esprit, lorsqu'il regarda derrière moi, un petit sourire éclairant son visage.

« Eh bien ! Eh bien ! que pouvons-nous faire pour vous, mon enfant ? »

Je me retournai et vis Sarah Blundy, l'air pâle et fatigué. La mère Tillyard pénétra dans la pièce à sa suite en lui reprochant son impertinence. Elle lui saisit le bras, mais Sarah se dégagea avec colère.

Il paraissait manifeste qu'elle était venue me voir. Aussi la regardai-je avec froideur, comme elle le méritait, attendant d'apprendre l'objet de sa visite. En fait, je le connaissais déjà ; Lower, j'en étais sûr, lui avait parlé et lui avait fait part du prix de la vie de sa mère : ou bien elle s'excusait pour sa conduite, ou sa mère mourait. C'était, me semble-t-il, un faible prix à payer.

Elle baissa les yeux pour prendre l'air penaud — et quels yeux ! songeai-je, à mon corps défendant — et déclara d'une voix basse et tranquille :

119

« Monsieur Cola, j'aimerais vous présenter mes excuses. »

Je ne disais toujours rien, tout en continuant à la fixer d'un air glacial.

« Ma mère se meurt, m'est avis. Je vous en prie... »

C'est le Dr Grove qui sauva alors la vie de la vieille femme. Sans le souvenir de son attitude quelques jours auparavant en ces mêmes lieux, je me serais détourné de Sarah et j'aurais ordonné à la mère Tillyard de la jeter dehors, comme elle le méritait. Cependant, cette fois-ci, je n'allais pas céder si vite.

« Pensez-vous le moins du monde que je doive lever le petit doigt pour l'aider ? Après l'insolence dont vous avez fait preuve à mon égard ? »

Elle secoua humblement la tête, ses longs cheveux bruns se déversant sur ses épaules.

« Non, confirma-t-elle d'un ton presque inaudible.

— Alors, pourquoi êtes-vous venue ? demandai-je sans faiblir.

— Parce qu'elle a besoin de vous et parce que je sais que vous êtes trop bon pour l'abandonner par ma faute. »

Flatteries que tout cela ! pensai-je ironiquement tout en prolongeant sa douloureuse angoisse quelques instants encore. Puis, voyant que Boyle me jugeait froidement, je poussai un profond soupir et me levai.

« Très bien, dis-je. C'est une brave femme, et je vais venir pour elle. Avoir une fille comme vous doit déjà lui être une assez grande souffrance. »

Je quittai la table, lançai un regard noir à Lower qui avait l'air tout fier de lui. Nous traversâmes la ville pratiquement sans échanger une parole. J'avais du mal à ne pas me sentir satisfait, et la raison n'en était pas cette victoire facile. Non ! ma satisfaction venait seulement du fait que maintenant j'allais pouvoir mener mon expérience et peut-être même sauver une vie.

J'étais à peine entré dans la chaumière que toutes mes pensées concernant la fille s'évanouirent complètement.

La vieille femme était pâle et agitée ; en proie au délire, elle faisait des soubresauts dans son lit. En outre, affreusement faible, elle avait de la fièvre. En tout état de cause, la plaie ne s'était pas gangrenée, ce qui avait constitué ma plus grande crainte. Mais elle ne se refermait pas non plus : la peau, la chair et l'os ne se ressoudaient pas, alors que des signes manifestes indiquant qu'une guérison naturelle prenait effet auraient dû déjà apparaître. L'éclisse tenait toujours l'os en place, cela ne servait cependant à rien si son corps frêle et affaibli ne voulait pas se prendre en charge. Je ne pouvais le forcer s'il refusait d'agir dans son propre intérêt.

Je réfléchis et me frottai le menton, le front soucieux, pendant que j'essayais d'imaginer un autre traitement plus conventionnel : quelque drogue ou onguent qui pût aider la vieille femme. Rien ne venait. Je souhaite qu'on comprenne bien que je voulais envisager toutes les possibilités qui m'éviteraient d'avoir recours à mon expérience. Je ne me lancerais pas dans celle-ci tête baissée. Lower avait raison : il fallait d'abord essayer le procédé sur un animal. Mais le temps pressait, et il n'y avait aucune autre solution envisageable, ni par moi-même ni par Lower, que je consultai.

Et la fille connaissait aussi bien que moi la faiblesse de mes moyens. Elle restait accroupie devant le feu, le menton dans les mains, tout en fixant sur moi un regard calme et intense. Pour la première fois, son visage reflétait une bienveillance grave devant mon évidente perplexité.

« Ses chances de guérison n'étaient pas bonnes, même avant votre arrivée, murmura-t-elle d'une voix douce. Grâce à votre bonté et à votre adresse, elle a duré plus longtemps que je ne l'avais cru possible. Je vous en suis très reconnaissante, et il y a longtemps que ma mère s'est préparée à la mort. Ne vous faites aucun reproche, monsieur. On ne peut pas vaincre la volonté de Dieu. »

Je scrutai son visage pendant qu'elle parlait, tout en me demandant s'il y avait quelque sarcasme ou condescendance dans sa voix, tant j'étais habitué à ce qu'elle fût impolie envers moi. Mais il n'en était rien : elle parlait seulement avec gentillesse. C'est étrange, pensai-je, sa mère est en train de mourir et elle console le médecin !

« Comment savons-nous quelle est la volonté de Dieu ? Peut-être en es-tu sûre, mais moi, je n'ai pas été élevé de la sorte. Il se peut que je sois censé imaginer ce qui pourra la sauver.

— S'il en est ainsi, alors, c'est ce qui arrivera », répondit-elle simplement.

J'étais à la torture, osant à peine en parler à une fille comme elle qui n'avait pas la moindre chance de comprendre ce que je proposais.

« Parlez-m'en, dit-elle.

— Depuis longtemps, je réfléchis à une forme de traitement, expliquai-je. Je ne sais pas si ça marcherait, ni pourquoi. Il se pourrait très bien que ça la tue plus vite que la lame du bourreau. Il se pourrait que je sois ou le sauveur de ta mère, ou son assassin.

— Pas son sauveur, répliqua-t-elle avec gravité. Elle en a un, déjà. Mais vous ne seriez pas son assassin non plus. Quiconque cherche à l'aider ne peut être que son bienfaiteur, quel que soit le résultat. C'est le désir d'aider qui compte, m'est avis.

— Plus on vieillit, plus il est difficile de se remettre d'une blessure, répondis-je en regrettant de ne pas l'avoir fait remarquer à Grove, la veille, et tout surpris de la sagesse de ses propos. Ce dont un enfant se remettra en un tournemain peut suffire à causer la mort chez un vieillard. La chair se fatigue, elle perd de sa souplesse, et, finalement, elle meurt, libérant l'esprit qui y réside. »

Toujours accroupie, elle me regardait d'un air impassible, sans le moindre mouvement de nervosité, sans montrer le moindre signe d'incompréhension. Aussi continuai-je :

« De plus, il est possible que le sang vieillisse, lui aussi, à passer et repasser dans les veines, si bien qu'il

122

finit par perdre sa force naturelle et devient moins efficace dans sa fonction de transporter les substances nutritives jusqu'au cœur pour alimenter l'esprit vital. »

Sarah approuvait de la tête comme si je n'avais rien dit qui pût la surprendre, alors qu'en fait je venais d'exposer quelques-unes des dernières découvertes de l'art médical, agrémentées, pour que le compte fût bon, d'une interprétation fantastique qui aurait provoqué chez mes aînés des hochements de tête consternés.

« Tu me comprends, mon enfant ?

— Bien sûr, pourquoi est-ce que je ne comprendrais pas ?

— Cela te surprend sans doute quand je dis que le sang circule dans le corps.

— Il n'y a qu'un médecin qui pourrait être surpris. N'importe quel fermier le sait.

— Que veux-tu dire ?

— Si on saigne un cochon, on tranche la grosse veine du cou. Le cochon saigne à mort et produit une viande blanche très tendre. Comment est-ce que tout le sang pourrait sortir par une seule coupure si tout n'était pas lié ? Et il se déplace tout seul, presque comme si on le pompait ; c'est pourquoi il ne peut que circuler en rond. Tout ça est évident, pas vrai ? »

Je battis des paupières, la dévisageant avec incrédulité. Cela avait demandé pratiquement deux mille ans pour que les praticiens de l'art médical fissent cette découverte stupéfiante, et cette fille déclarait qu'elle l'avait toujours su. Quelques jours plus tôt, j'aurais été furieux devant tant d'impudence. Maintenant, je me demandais simplement ce qu'elle et ces fermiers pourraient nous révéler, si seulement on leur demandait leur avis.

« Ah ! oui... Très bien observé », répondis-je, tout décontenancé et m'efforçant de me rappeler ce dont j'étais en train de lui parler. Je la regardai gravement et pris une profonde inspiration.

« Ce que j'ai l'intention de faire, c'est de fournir à ta mère un sang nouveau, pour lui rendre la faculté roborative d'une femme beaucoup plus jeune. L'expérience n'a jamais été tentée, ni imaginée, autant que je sache. C'est dangereux, et cela ferait scandale si on l'apprenait. Mais je crois fermement que c'est la seule chance qu'a ta mère de rester en vie. »

La pauvre fille eut l'air stupéfait en m'entendant, et je lus une certaine appréhension sur son visage.

« Eh bien ?

— Vous êtes le médecin, monsieur. C'est vous qui décidez. »

À nouveau, je pris une profonde inspiration. Je me rendais compte que j'avais à demi espéré qu'elle allait se remettre à m'insulter, à m'accuser de violer la Loi divine, ou quelque chose de ce genre, me soulageant ainsi du fardeau dont je m'étais chargé avec tant d'imprudence. Mais il était écrit que je n'échapperais pas à mon destin aussi facilement. Mes propos avaient mis en jeu ma réputation, ma compétence, et reculer n'était plus envisageable.

« Il va falloir que je vous laisse seules un petit moment, toi et ta mère, pour aller consulter Lower, qui va devoir me seconder. Je vais revenir dès que possible. »

Je quittai la masure, laissant Sarah Blundy agenouillée près du lit de sa mère ; elle lui caressait les cheveux, tout en fredonnant d'une voix douce. Musique réconfortante, pensai-je en m'éloignant. Ma propre mère avait ainsi chanté pour moi quand j'étais malade, et elle m'avait caressé les cheveux de la même façon. Cela m'avait rassuré. Aussi priai-je afin qu'il en fût ainsi pour la vieille femme.

Chapitre onze

Je trouvai Lower en train de disséquer un cerveau. Ce travail, que le monde connut plus tard sous le titre de *Tractatus de corde*, l'avait occupé une grande partie de la journée, et il avait exécuté de beaux croquis de l'anatomie du cerveau. Il n'eut pas l'air content que je fasse irruption dans son laboratoire pour requérir son aide ; je le vis à nouveau assombri.

« Ça ne peut pas attendre, Cola ? demanda-t-il.

— Je ne le crois pas. Pas très longtemps semble-t-il. Et, en retour, je peux vous offrir l'une des expériences les plus divertissantes.

— Je ne fais pas des expériences pour être diverti », rétorqua-t-il sèchement.

J'étudiai son visage penché au-dessus de l'établi, l'une de ses mèches sombres lui barrant un œil. Il y avait une crispation autour de la bouche et des joues qui me fit craindre qu'il ne traversât une de ses périodes de mauvaise humeur.

« C'est aussi une question de charité, aussi je vous supplie de ne pas me repousser : j'ai besoin d'aide, et vous êtes la seule personne assez posée et assez sage pour me fournir cette aide. Ne vous mettez pas en colère, et je vous promets de vous le rendre au centuple plus tard. J'ai examiné la veuve Blundy ; il n'y a guère de temps à perdre. »

Mon obséquiosité le désarma : il fit une grimace et, en montrant bien sa mauvaise grâce, il posa son scalpel et se tourna vers moi.

125

« Est-elle aussi mal que semblait l'indiquer le visage de sa fille ?

— Oui. Elle va bientôt mourir si rien n'est fait. On doit tenter l'expérience. Il faut lui donner du sang. J'ai examiné l'almanach : le Soleil est en Capricorne, ce qui est bon pour tout ce qui concerne le sang. Demain, il sera trop tard. Je sais que vous doutez de ce genre de choses, mais je ne souhaite pas prendre de risques. »

Il grommela, furieux, mon ton indiquant clairement que je n'accepterais aucun refus et que je ne le laisserais pas en paix tant qu'il ne m'aurait pas écouté.

« Je ne suis pas convaincu que ce soit une bonne idée.

— Mais autrement elle va mourir.

— Il est probable qu'elle mourra, de toute façon.

— Alors qu'avons-nous à perdre ?

— Rien dans votre cas ; vous êtes trop riche pour vous en faire. Dans le mien, le risque est plus conséquent ; cela compte pour ma carrière et ma famille que je réussisse à Londres.

— Je ne vois pas le problème. »

Il essuya son fin scalpel sur son tablier et se lava les mains.

« Écoutez, Cola, dit-il, se retournant vers moi quand il eut fini, il y a assez longtemps que vous êtes ici pour savoir à quelle hostilité nous devons faire face. Pensez à la façon dont cet imbécile de Grove vous a attaqué l'autre soir à New College, justement sur cette question du traitement expérimental. Il n'avait pas tout à fait tort, vous savez, même si cela ne me fait pas plaisir de l'admettre. Et il y en a de pires qui sont en position de me porter préjudice si je leur donne la moindre chance. Si je prends part à cette opération, si la patiente meurt et si cela se sait, alors, adieu à ma réputation de médecin avant même qu'elle ait eu le temps de prendre son essor !

— Vous doutez de l'expérience que je propose ? demandai-je, changeant d'angle d'approche.

— Je nourris les doutes les plus sérieux à cet égard, et cela devrait également être votre cas. C'est une jolie théorie, mais les chances que la malade survive à sa mise en pratique sont bien maigres. Je dois admettre, cependant, avoua-t-il avec réticence (mais je sus que j'avais gagné) que ce serait fascinant d'essayer.

— Donc, s'il n'y avait aucun risque que ce soit rendu public...

— Dans ce cas, je serais ravi d'y participer.

— Nous pouvons faire jurer à la fille de garder le silence ?

— En effet. Mais vous aussi devez jurer de faire de même. Même lorsque vous serez de retour à Venise, si vous publiiez une lettre racontant ce que vous avez fait, vous m'attireriez les plus graves ennuis, sauf si c'était fait correctement. »

Je lui donnai une tape dans le dos.

« Ne vous en faites pas. Je ne suis pas du genre à publier. Je vous donne ma parole que je ne dirai rien sans que vous m'en donniez l'autorisation expresse. »

Lower se gratta le nez, l'air pensif ; puis, la mine grave, vu le risque encouru, il acquiesça d'un signe de tête.

« Eh bien, soit ! fit-il. Allons-y ! »

Voilà comment cela se passa. Même aujourd'hui j'aime à penser (j'ai la faiblesse de toujours voir le bon côté des gens, chaque fois que c'est possible) qu'il n'avait aucune arrière-pensée en insistant pour que les choses se déroulent ainsi. Il agissait par pur instinct de conservation, et ce n'est que plus tard, à mon avis, qu'influencé par les propos séduisants de ses amis de la Société royale il en vint à préférer la renommée à l'honneur et la carrière à l'amitié. Alors, il exploita de manière abjecte mon honnêteté et ma confiance, et utilisa mon silence à ses propres fins.

À l'époque, néanmoins, j'étais fou de joie et très reconnaissant de le voir prendre pour moi tant de risques.

En vérité, j'aurais préféré mener mon expérience dans un lieu plus propice et avec davantage de témoins assistant à l'opération. Mais cette option était impensable : Mme Blundy n'aurait pu être déplacée et, sans parler des craintes de Lower, trouver d'autres personnes qualifiées pour participer à l'expérience eût pris trop de temps. C'est pourquoi nous retournâmes seuls, Lower et moi, en silence, vers la petite masure, où nous retrouvâmes la malade et sa fille.

« Ma chère enfant, lui dit Lower de sa voix la plus rassurante et la plus amicale, entendez-vous parfaitement ce que mon collègue vous a proposé ? Vous comprenez les dangers, pour vous-même et pour votre mère ? Il se peut que nous liions vos âmes et vos vies, et un échec pour l'une peut entraîner une catastrophe pour l'autre. »

Elle fit oui de la tête.

« Nous sommes aussi liées que peuvent l'être une mère et sa fille. Je le lui ai expliqué, mais je ne sais pas jusqu'à quel point elle a compris. Je suis sûre qu'elle refuserait parce qu'elle n'a jamais fait grand cas de sa vie, mais vous devez passer outre. »

Lower poussa un grognement.

« Et vous, Cola, vous êtes prêt à aller de l'avant ?

— Non, fis-je, saisi d'un doute maintenant que le moment était venu. Je crois pourtant que c'est notre devoir. »

Lower examina alors la patiente et prit un air grave.

« Je ne peux certainement pas contester votre diagnostic. Elle a l'air très mal, en effet. Bon, d'accord, allons-y ! Sarah, relevez votre manche et venez vous asseoir ici. »

Il indiqua le petit tabouret à côté du lit, et, lorsqu'elle fut installée, je commençai à enrouler un ruban autour de son bras. Lower dégagea le bras maigre de la mère et en entoura la partie supérieure d'un autre ruban — de couleur rouge celui-là ; cela m'est resté à l'esprit.

Puis il sortit son tube d'argent ainsi que les deux tuyaux de plume dans lesquels il souffla pour s'assurer qu'ils n'étaient pas obstrués.

« Prêts ? » demanda-t-il.

Nous acquiesçâmes tous les deux par un signe de la tête. D'un geste habile et précis, il planta un scalpel tranchant dans la veine de la fille, y inséra un tuyau de plume, la pointe dirigée contre le flux de telle sorte que le mouvement naturel détournât le sang vers l'air ; puis il glissa une coupe dessous et recueillit le liquide. C'était un flot rubis qui coulait beaucoup plus vite que nous ne l'avions imaginé lui et moi.

Il compta lentement.

« Ce récipient peut contenir un huitième de pinte. Je vais seulement voir combien de temps il met pour se remplir, comme ça, on pourra plus ou moins deviner la quantité soutirée. »

Le récipient fut vite plein ; à tel point qu'il déborda et que le sang éclaboussa le sol.

« Une minute et un huitième, lança Lower à voix haute. Vite, Cola, le tube ! »

Je le lui tendis alors que le sang vital de Sarah commençait à se répandre sur le sol et j'insérai l'autre tuyau de plume dans la veine de la mère, dans la direction opposée, cette fois-ci, afin que le nouveau sang s'écoulât dans le même sens que le sien propre et sans créer de turbulence. Alors, avec une douceur surprenante, tandis que le sang de la fille commençait de couler à flots par le tube d'argent, Lower la fit s'approcher et connecta le tube au tuyau de plume qui sortait du bras de la mère.

Il examina la jointure.

« Ça semble marcher, dit-il, parvenant mal à cacher sa surprise. Et je ne perçois aucun signe de coagulation. D'après vos calculs, combien de temps devrions-nous attendre ?

129

« — Pour dix-huit onces ? » Je calculai aussi vite que possible pendant que Lower comptait à haute voix. « Ah ! environ quatorze minutes, dis-je. Mettons quinze. »

Il y eut un silence : Lower comptait intérieurement, l'air concentré, et la fille se mordait les lèvres, le visage soucieux. Elle était très brave, je l'admets : pas la moindre plainte, pas un mot exprimant l'inquiétude ne sortit de sa bouche pendant toute l'opération. Quant à moi, j'étais fort anxieux, me demandant quel pourrait bien être le résultat. Pour le moment rien n'indiquait l'issue.

« ... Cinquante-neuf, soixante... dit finalement Lower. Ça ira. On sort ! » Et il extirpa le tube et le posa sur le sol, plaçant son doigt sur la veine de la mère et retirant le tuyau de plume d'un geste expert. Je fis la même chose avec la fille, puis nous nous mîmes tous les deux en devoir de bander les bras pour arrêter l'écoulement du sang.

« C'est terminé ! déclara-t-il avec satisfaction. Comment vous sentez-vous, ma fille ? »

Elle secoua la tête avant de prendre une ou deux profondes inspirations.

« Un peu étourdie, il me semble, répondit-elle faiblement. Mais ça va.

— Bien. Restez assise tranquillement, maintenant. » Puis il tourna son attention vers la mère : « Là, il n'y a aucun changement. Qu'en pensez-vous ? »

Je secouai la tête.

« Ni en mieux, ni en pire. Mais, naturellement, il se peut qu'il faille un certain temps pour que le jeune sang fasse son effet.

— Mais quel effet ?... murmura Lower. Normalement, dans un cas comme celui-là, je recommanderais un puissant émétique, mais je ne crois guère que ce serait sage en l'occurrence. Je pense que tout ce qui nous reste à faire, mon cher, c'est attendre patiemment. Espérer et prier. Ou bien votre traitement marchera, ou il ne mar-

130

chera pas. Un point, c'est tout. Il est trop tard pour changer d'avis désormais.

— Regardez la fille », dis-je. Elle s'était mise à bâiller à se décrocher la mâchoire ; elle était, en outre, très pâle et se plaignait d'avoir la tête qui lui tournait.

« Ça vient simplement de la perte de sang. Nous lui avons soutiré de l'esprit vital, et, par conséquent, elle est de toute évidence diminuée. Couchez-vous près de votre mère, ma fille, et dormez un moment.

— C'est impossible. Il faut que je m'occupe d'elle.

— Ne vous inquiétez pas à ce sujet. Cola veut suivre ses progrès et, ensuite, j'enverrai quelqu'un de ma connaissance pour nous tenir informés de la moindre évolution. Alors mettez-vous au lit avec elle et ne vous tracassez pas. Quelle journée, Cola ! Quelle journée ! D'abord, le Dr Grove, puis ceci. Je suis épuisé par tous ces événements dramatiques.

— Quoi ? demanda Sarah. Qu'est-il arrivé au Dr Grove ?

— Hum ? Ah ! vous le connaissez, n'est-ce pas ? Je l'avais oublié. Il est mort, savez-vous. C'est Cola qui l'a trouvé ce matin dans son appartement. »

Le calme de la fille, non altérée apparemment par la perte de sang, ni même par la pensée que sa mère se mourait, fut affecté pour la première fois à l'annonce de cette nouvelle. Elle devint encore plus pâle qu'elle ne l'était déjà, et nous remarquâmes, à notre grand étonnement, qu'elle secoua la tête tristement avant de se recroqueviller sur le lit et d'enfouir son visage dans ses mains. C'était très émouvant et très surprenant, mais je notai que, malgré tout son chagrin, elle ne demandait pas ce qui était arrivé.

Nous échangeâmes un regard, Lower et moi, et tombâmes d'accord sans mot dire que nous ne pouvions rien faire : la saignée l'avait affaiblie. Frustrée de sa nourriture, sa matrice avait laissé échapper les humeurs qu'elle renfermait, ce qui avait provoqué dans le corps les symptômes de l'hystérie.

Mon ami fut magnifique : il fit montre d'une bonté et d'une habileté que sa mine arrogante ne suggérait pas, ce qui rendait la noirceur de ses colères d'autant plus déroutante. Après qu'on se fut assuré qu'il y avait assez de nourriture et de bois, et qu'on se fut procuré de chaudes couvertures pour notre patiente, il ne restait plus grand-chose d'autre à faire. Nous lui souhaitâmes une bonne soirée avant de nous retirer. Je revins quelques heures plus tard pour constater les éventuels progrès. Les deux femmes dormaient, et je dois dire que la mère paraissait la plus sereine des deux.

Chapitre douze

Lorsque je rejoignis Lower ce soir-là chez la mère Jean — une femme qui tenait une gargote à deux pas de la Grand-Rue et servait des repas pour une somme modique —, il paraissait d'une bien meilleure humeur que quelques heures plus tôt.

« Et comment va votre malade ? lança-t-il de sa table, comme je traversais la petite pièce bourrée de monde — des étudiants et les maîtres les plus démunis.

— Sans grand changement, répondis-je, tandis qu'il repoussait un étudiant afin de me faire de la place. Elle dort toujours, mais elle respire plus facilement et elle a le teint plus vif.

— Comme il se doit, vu les circonstances. Mais il faudra que nous parlions de ça plus tard. Puis-je vous présenter à un de mes bons amis ? Un collègue médecin et expérimentaliste. Monsieur da Cola, je vous présente John Locke. »

Un jeune homme d'à peu près mon âge, au visage mince, à la mine hautaine et au long nez, leva les yeux de son assiette pendant une seconde, murmura quelque chose, puis repiqua du nez vers sa nourriture.

« C'est un brillant causeur, comme vous le voyez, continua Lower. Qu'il puisse autant manger et rester aussi mince constitue l'un des grands mystères de la création. Il m'a promis de me donner son corps après sa mort pour que je puisse l'élucider. Bon, d'accord. Mangeons ! J'espère que vous aimez la tête de porc. Ça coûte deux pence, et vous pouvez manger autant de chou que vous le voulez pour ce prix. La bière, c'est un demi-penny. Il n'en reste pas beaucoup, donc vous avez intérêt à hurler si vous souhaitez vous faire entendre de la bonne femme.

— Comment est-elle préparée ? » demandai-je avec gourmandise, car je mourais de faim. J'avais complètement oublié de manger dans l'excitation de la journée, et la perspective d'une bonne tête, rôtie avec des pommes et de la liqueur, et accompagnée de quelques crevettes, me faisait saliver à l'avance.

« Bouillie, dit-il. Dans du vinaigre. Y a-t-il une autre façon ? »

Je soupirai.

« Non, en effet. Très bien. »

Lower appela la bonne femme et commanda pour moi. Puis, empoignant son propre pichet, il me versa une chope de bière.

« Allez, Lower ! racontez-moi ce qui se passe. Vous avez la mine fort réjouie. »

Il porta un doigt à ses lèvres.

« Chut ! fit-il. C'est un grand secret. J'espère que vous êtes libre ce soir.

— Pourquoi ne le serais-je pas ?

— Excellent ! Je souhaite vous remercier d'avoir eu la bonté de me laisser vous aider cet après-midi. Nous avons du pain sur la planche. On m'a chargé d'une commission.

— Quelle sorte de commission ?

— Regardez dans mon sac. »

Je m'exécutai.

« C'est une bouteille de cognac, dis-je. Parfait. C'est mon alcool préféré. Après le vin, bien sûr.

— Vous en voulez un peu ?

— Absolument. Cela effacera de ma bouche le goût de la cervelle de porc bouillie.

— Sans nul doute. Regardez-la avec attention.

— Elle est à moitié vide.

— Vous êtes très observateur. Maintenant, regardez le fond. »

134

Je fis ce qu'il me disait.

« Il y a un dépôt.

— D'accord. Or on trouve des dépôts dans le vin, pas dans le cognac. Et celui-ci a un aspect granuleux. Qu'est-ce que c'est ?

— Je n'en sais rien. Qu'est-ce que ça peut faire ?

— Cela vient de chez le Dr Grove. »

Je fronçai les sourcils.

« Que faisiez-vous chez lui ?

— On m'a fait appeler. M. Woodward, qui est un parent éloigné de Boyle — tout le monde est un parent éloigné de Boyle, comme vous n'allez pas tarder à vous en apercevoir —, a sollicité son avis, mais il s'est dérobé, prétextant que cela ne relevait pas de sa compétence. Aussi Boyle m'a-t-il demandé de le remplacer. Bien sûr, j'ai été ravi. Woodward est un homme important. »

Je secouai la tête, devinant déjà ce qui allait se passer. Le pauvre Grove, pensai-je. Il n'a jamais eu le temps de filer à Northampton.

« Je croyais qu'il avait fait appel à quelqu'un d'autre. Bate ? Non ? »

Lower claqua des doigts avec mépris.

« Le vieux grand-père Bate ? Il ne sort même pas de son lit s'il pense que Mars est ascendant, et le seul traitement qu'il connaisse, c'est appliquer des sangsues et brûler des herbes. Il aurait besoin de tout son savoir rien que pour constater la mort du pauvre Grove. Non ! Woodward n'est pas un sot. Il veut l'opinion de quelqu'un qui sait de quoi il parle.

— Et votre opinion est... ?

— C'est là où il faut faire preuve d'ingéniosité, dit-il d'un air rusé. J'ai examiné le corps brièvement et j'ai décidé qu'il fallait un supplément d'enquête. Ce que je vais faire ce soir, dans la cuisine du directeur. J'ai pensé que vous aimeriez être présent. Locke désire également venir et si Woodward offre du vin cela devrait être très instructif.

— Avec le plus grand plaisir. Mais êtes-vous sûr qu'on me permettra d'y assister ? Le directeur Woodward ne m'a pas paru très accueillant quand nous nous sommes rencontrés. »

Lower écarta mes craintes d'un geste de la main.

« Ne vous en faites pas. Vous l'avez rencontré dans des circonstances pénibles.

— Il a été vexant, m'accusant de prêter foi à des commérages injurieux.

— Vraiment ? Lesquels ?

— Je ne sais pas. J'ai juste demandé si le malheureux avait pu se livrer à quelque exercice physique. Woodward est devenu vert de rage et m'a accusé de méchanceté. »

Lower se frotta le menton, un vague sourire d'intelligence sur les lèvres.

« Eh bien ! Eh bien ! C'était peut-être donc vrai.

— Quoi ?

— Il y a eu un petit scandale, dit celui qu'on appelait Locke. » Ayant fini de manger, il était disposé à prêter attention à autre chose. « Rien de très sérieux, mais quelqu'un a fait courir le bruit que Grove forniquait avec sa servante. Personnellement, cela me paraissait peu probable, étant donné la source de la rumeur.

— Que voulez-vous dire ? » demandai-je.

Locke haussa les épaules, comme s'il hésitait à poursuivre. Lower, cependant, ne s'embarrassa pas de bienséances.

« La servante en question, c'était Sarah Blundy.

— Grove m'a toujours paru être un homme de bien, tout à fait capable de résister aux ruses de quelqu'un comme cette fille, dit Locke. De plus, la rumeur venait de Wood, cet homme ridicule. Aussi n'y ai-je prêté aucune foi, évidemment.

— Qui est Wood ?

— Anthony Wood. Alias "Anthony a Wood", comme il aime à se faire appeler, vu ses prétentions nobiliaires. Vous ne l'avez pas rencontré ? Ne vous en faites pas,

136

vous n'y couperez pas. Il vous recherchera et vous sucera jusqu'à la moelle. C'est un antiquaire des plus fouineurs.

— Ce n'est pas vrai, dit Lower. Il faut lui rendre justice. Dans ce domaine, l'homme est d'une extrême compétence.

— Possible, mais il a une langue de vipère et il est pétri d'envie et de mélancolie : tout le monde est moins méritant que lui et ne réussit que par protection. Je suis sûr qu'il croit que Jésus a obtenu son travail grâce à l'influence de sa famille. »

Ce blasphème fit glousser Lower ; moi, je me signai discrètement.

« Allons, Locke, tu mets mal à l'aise notre ami papiste, dit Lower avec un large sourire. En fait, Wood mène une vie monacale entre ses livres et ses manuscrits, et est lié à cette fille on ne sait comment. Elle travaillait pour sa mère, en tant que servante, et le pauvre Wood s'est senti gravement trahi par elle. »

Locke sourit.

« Seul Wood pouvait être surpris par ce genre de choses. C'est pourtant lui qui a procuré à la fille sa place chez Grove et qui a ensuite élaboré cette théorie à leur sujet. Comme il est méchant, il s'est mis à répandre la rumeur de par la ville, si bien que, pour protéger sa réputation, Grove a été forcé de renvoyer la fille. »

Lower lui donna un petit coup dans le bras.

« Chut ! mon ami. Voici l'homme en personne. Tu sais à quel point il a horreur qu'on parle de lui.

— Oh ! Seigneur Dieu... s'écria Locke. Je ne le supporterai pas. Pas en mangeant. Je vous prie de m'excuser, monsieur Cole.

— Cola.

— Monsieur Cola. J'espère avoir le plaisir de vous revoir, peut-être. Bien le bonsoir, messieurs. »

Il se leva, fit un bref salut, se précipita vers la porte avec une rapidité peu courtoise et salua un petit homme grotesquement dépenaillé qui se dirigeait vers nous d'un pas traînant.

« Monsieur Wood, asseyez-vous donc avec nous ! Je vous présente mon ami, M. Cola, de Venise. »

De toute façon, Wood était sur le point de s'installer à notre table, sans y avoir été convié ; il se glissa à côté de moi, si bien que l'odeur de ses vêtements crasseux fut tout à fait perceptible.

« Bonsoir, monsieur, bonsoir, Lower. »

Je compris l'empressement de Locke à partir. Non seulement l'homme puait, non seulement il était dépourvu de toute élégance, allant même jusqu'à porter ses lunettes en public, comme s'il eût oublié qu'il n'était plus dans une bibliothèque, mais sa présence jeta immédiatement un voile de tristesse sur ce qui avait été auparavant une joyeuse tablée.

« Je crois comprendre que vous êtes historien, monsieur, dis-je, afin de relancer une conversation courtoise.

— Oui, en effet.

— Cela doit être très intéressant. Êtes-vous de l'université ?

— Non. »

Un long silence, finalement brisé par Lower lorsqu'il repoussa sa chaise et se leva.

« J'ai des préparatifs à faire, annonça-t-il, sans se soucier de mes regards épouvantés qui le suppliaient de ne pas me laisser seul avec M. Wood. Si vous voulez bien me rejoindre chez M. Stahl, dans Turl Street, dans une demi-heure environ... »

Avec une petite moue ironique indiquant qu'il était parfaitement conscient du tour qu'il me jouait, Lower s'éloigna, me laissant avec M. Wood pour toute compagnie. Je remarquai que celui-ci ne commanda rien à manger, mais qu'il rassembla les assiettes des autres, ramassant des morceaux de graisse et de nerfs, suçant les os avec un bruit affreux. Il devait, pensai-je, être vraiment très pauvre.

« Je suppose qu'on a dû vous raconter pas mal d'histoires inamicales à mon sujet, dit-il, avant de faire un geste de la main comme je m'empressais de nier de telles allégations. Ne prenez pas la peine, je sais ce qu'on dit.

— Cela n'a pas l'air de vous gêner beaucoup, hasardai-je avec circonspection.

— Si, bien sûr. Tout homme ne souhaite-t-il pas être tenu en haute estime par ses pairs ?

— J'ai entendu bien pire sur d'autres. »

Il poussa un grognement et s'occupa de l'assiette de Lower ; la manière de préparer la nourriture m'ayant complètement coupé l'appétit, je lui passai mon assiette, qui était toujours pleine.

« Très aimable à vous. Vraiment.

— Peut-être considérez-vous Lower comme un faux ami, mais je dois dire qu'il a beaucoup vanté vos talents dans le domaine de l'histoire. Ce qui me pousse à m'enquérir de vos recherches. »

Wood ayant émis un nouveau grognement, je craignis que la nourriture ne le rendît trop bavard.

« Vous êtes le médecin vénitien dont j'ai entendu parler ? demanda-t-il pour toute réponse.

— Vénitien, certes, mais pas vraiment médecin.

— Papiste ?

— Oui, concédai-je avec prudence, bien qu'il ne semblât pas sur le point de se lancer dans des invectives blessantes.

— Alors, dites-moi : pensez-vous que les hérétiques doivent brûler ?

— Plaît-il ? fis-je, plutôt surpris de la maladresse de ses propos.

— Si quelqu'un se laisse séduire et quitte le sein de la vraie Église, la vôtre ou une autre... Faut-il qu'il brûle ?

— Pas nécessairement », dis-je, en essayant de trouver un argument au pied levé. Il m'apparut qu'il valait mieux rester dans les généralités plutôt que de le laisser mettre son nez dans mes affaires personnelles ; je déteste les commérages quels qu'ils soient. « Il se peut qu'il mérite de perdre la vie, si vous suivez l'argumentation de saint Thomas d'Aquin, qui a demandé pourquoi les faux-monnayeurs doivent être tués et pas les faux prophètes. Mais c'est rare aujourd'hui, à mon avis, malgré ce que vous pouvez entendre sur nous, vous, les protestants.

— Je parlais de l'enfer.

— Ah !

— Si je suis baptisé par un prêtre hérétique, les péchés d'Adam sont-ils absous ? Si je suis marié par l'un d'eux, mes enfants sont-ils des bâtards ? Cyprien a dit que la qualité du sacrement existait *ex opere operantis*, me semble-t-il, si bien qu'un baptême hérétique ne serait pas un baptême du tout.

— Mais le pape Étienne Ier a contesté cela et a affirmé qu'il existait *ex opere operato,* par le mérite de l'action et non pas par la qualité de l'acteur, répondis-je. Par conséquent, vous ne courriez pas de grand danger si les deux parties étaient de bonne foi. »

Il renifla et s'essuya la bouche.

« Pourquoi posez-vous cette question ?

— Vous croyez au péché mortel, vous, les papistes, continua-t-il d'un air absent. Sombre doctrine, à mon avis.

— Moins sombre que celle de la prédestination des protestants. Dieu peut tout pardonner, même le péché mortel, s'il le désire. Vous dites que les hommes gagnent ou perdent leur âme immortelle avant même de naître, et que Dieu n'y peut rien. C'est un bien piètre talent pour un dieu ! »

Il poussa un nouveau grognement et sembla ne plus avoir envie de poursuivre la discussion, chose étrange puisque, en fait, c'était lui qui l'avait commencée.

« Vous désirez devenir catholique, peut-être ? demandai-je, au cas où cette sortie avait une autre cause que la gaucherie et le fait qu'il n'était pas habitué aux conversations de bon ton. Est-ce pour cette raison que vous posez la question ? Je crains que vous ne deviez vous adresser à quelqu'un de plus savant que moi... Je ne suis pas très fort en théologie. »

Wood éclata de rire, et je sentis que je l'avais finalement extirpé de son introspection morbide — beau triomphe, pensai-je, car il n'est rien de plus inébranlable qu'un protestant en état de mélancolie.

« En effet, monsieur. Ne vous ai-je pas vu entrer dans une église hérétique en compagnie de M. Lower pas plus tard que dimanche dernier ?

— J'ai assisté en sa compagnie à un office à St. Mary, c'est vrai. Mais je n'ai pas reçu la communion. Bien que je doive avouer que cela ne m'aurait pas gêné.

— Vous m'étonnez. Comment est-ce possible ?

— Les Corinthiens ne virent aucun mal à manger de la viande offerte en sacrifice à des idoles païennes, sachant que ces dieux n'existaient pas. Et même s'ils se trompaient sur d'autres sujets, sur celui-là je suis d'accord avec eux. L'acte est inoffensif, c'est la fausse croyance volontaire qui constitue l'hérésie.

— Si on nous présente la vérité et qu'on refuse d'accepter la preuve que nous offrent nos yeux et nos oreilles ?

— C'est un péché, de toute évidence. Pas vrai ?

— Mais si ça va à l'encontre de toute opinion généralement acceptée ?

— Il fut un temps où croire au Christ allait à l'encontre de toute opinion communément acceptée. Il n'est pas si facile, cependant, de discerner la vérité. Raison pour laquelle il ne faut pas trop se hâter de rejeter les croyances rendues sacrées par la tradition, même si on peut les critiquer en privé. »

Wood grommela.

« Pour moi, c'est du jésuitisme. Vous ne verriez aucune objection à ce que j'assiste à un office dans l'une de vos églises ?

— Je vous y accueillerais avec plaisir. Non pas que j'aie le moindre droit d'accueillir ou d'exclure.

— Vous êtes très tolérant, je dois dire. Mais comment savez-vous que l'Église anglicane est hérétique ?

— Pour les raisons que j'ai citées. Et parce qu'elle a été condamnée comme telle par le pape.

— Ah ! je vois. Mais si une doctrine était clairement hérétique sans avoir été condamnée ? Est-ce que j'aurais, moi — ou vous —, la liberté de la soutenir ?

— Je suppose que ça dépendrait de la doctrine, et si elle contredit indubitablement le bon sens ou non », répondis-je, cherchant désespérément à sortir de cette conversation, qui était retombée dans la mélancolie. Mais c'était un homme tenace et qui voulait si manifestement qu'on lui parlât et qu'on le prît au sérieux, le pauvre, qu'il m'était impossible de me montrer cruel. « Je vais vous donner un exemple, si vous voulez. Il y a quelques années, je suis tombé sur une histoire des mouvements hérétiques dans l'Église primitive. Vous connaissez, évidemment, Montanus, le Phrygien, et son assertion selon laquelle à chaque génération les nouveaux prophètes ajouteraient à la parole de notre Seigneur.

— Condamné par Hippolyte.

— Mais soutenu par Tertullien, et commenté favorablement par Épiphane. Mais ce n'est pas là mon propos, car l'histoire dont j'ai parlé évoquait l'une de ses fidèles, appelée Prisca, dont les déclarations n'ont jamais été condamnées, autant que je sache, étant donné que presque personne ne les connaît.

— Et qu'a-t-elle dit ?

— Que la rédemption est un processus perpétuel, et que le Messie renaîtrait à chaque génération, qu'il serait trahi, qu'il mourrait et qu'il serait ressuscité, jusqu'à ce que l'humanité se détourne du mal et ne pèche plus. Et, j'ajouterais, bien d'autres choses du même genre.

— Doctrine dont il n'y a plus de trace, dites-vous, répondit Wood, étonnamment plus intéressé par mon

142

exemple que par tout ce que j'avais dit depuis que je lui avais passé mon assiette. Ce n'est pas surprenant. Il s'agit, de toute évidence, d'une version peu subtile des théories d'Origène qui affirmait que le Christ est crucifié chaque fois que nous péchons. C'est une métaphore prise littéralement.

— Ce que je veux dire, c'est que, en dépit du fait qu'aucune condamnation n'ait jamais été prononcée, il ne fait aucun doute que les catholiques sont obligés de rejeter cette doctrine, tout comme ils sont obligés de rejeter toute religion païenne. La doctrine et la liturgie sont formulées très clairement, et nous devons considérer que ce qui n'est pas permis est par définition exclu. »

Wood grogna.

« Vous ne vous rebellez jamais contre ce qu'on vous dit de croire ?

— Fréquemment, rétorquai-je d'un ton enjoué. Mais pas en matière de doctrine. Votre M. Boyle prétend que lorsque la science et la religion sont en conflit, c'est la science qui se trompe. Cela revient presque à dire que lorsque l'esprit d'un individu et l'Église sont en conflit, il est du devoir de l'individu de chercher à savoir d'où vient son erreur. »

Je voyais que Wood s'intéressait bien plus à la conversation que moi et qu'il était sur le point de suggérer d'aller boire un verre quelque part afin de poursuivre notre passionnante discussion. Rien ne m'eût paru plus désagréable : avant que je ne fusse obligé de refuser, je me levai donc brusquement.

« Il faut que vous me pardonniez, monsieur Wood, mais j'ai rendez-vous avec Lower. Et je suis déjà en retard. »

La déception se lisait sur son visage et je le plaignis. Avoir de si bonnes intentions, faire tant d'efforts, et être tenu à distance malgré tout. Si j'en avais eu le temps, j'aurais été plus courtois, en dépit de mon aversion pour son obsession de l'érudition et sa manière obtuse de mener une conversation. Mais, heureusement, je n'avais pas à mentir pour l'éviter : des choses plus importantes m'attendaient effectivement. Je le laissai planté là, occupé à finir mon dîner tout seul. L'unique personne silencieuse dans une pièce pleine de gaieté et de joyeuse compagnie.

Ce Peter Stahl, que souhaitait consulter Lower, était allemand et connu pour être quelque peu magicien, car il possédait de bonnes compétences en alchimie. Quand il avait bu, il pouvait parler de manière fascinante sur la pierre philosophale, la vie éternelle et la façon de changer des matières viles en or. Pour ma part, je pense qu'un beau discours ne vaut pas une bonne démonstration, et Stahl, en dépit de toutes ses prétentions et de toutes ses phrases obscures, n'avait jamais conféré la vie éternelle ne serait-ce qu'à une vipère. Comme il ne paraissait pas riche, je suppose qu'il n'avait jamais réussi non plus à transformer quoi que ce fût en or. Cependant, comme il le fit un jour remarquer, le fait que quelque chose n'a pas encore été fait ne signifie pas que ce soit impossible, et il accepterait l'impossibilité de ces transformations le jour où il serait convaincu que la matière est immuablement coulée dans une forme unique. Jusqu'à présent, toutes les recherches prouvaient, suggérait-il, qu'il était possible de transformer des matériaux vils en éléments primaires. Si on pouvait changer de l'eau-forte en sel — projet plutôt simple —, pour quelle raison quelqu'un comme moi se moquait-il de l'hypothèse selon laquelle, avec la méthode appropriée, il était concevable de métamorphoser la pierre en or ? De même, toute médecine avait pour but de repousser la maladie, l'âge et la déchéance ; des remèdes efficaces existaient. Pouvais-je donc jurer — et fournir les raisons expliquant mes croyances — qu'aucune potion ultime ne pourrait à jamais écarter la maladie ? Après tout, les meilleurs esprits de l'Antiquité y croyaient, et il y avait même des témoignages bibliques. Adam n'avait-il pas vécu neuf cent trente ans, Seth neuf cent douze ans et Mathusalem neuf cent soixante-neuf ans, selon la Genèse ?

Lower m'avait averti à quel point Stahl était un personnage difficile, et que seul Boyle parvenait à le maîtriser. Sa compétence n'avait d'égal que son vice : c'était un sodomite des plus manifestes qui adorait écœurer ceux qui conversaient avec lui. À l'époque, il avait une quarantaine d'années et montrait déjà les signes de décrépitude que la débauche entraîne : de profondes rides entouraient une bouche pincée, pleine de dents affreusement gâtées, et sa posture courbée révélait la suspicion et l'aversion qu'il ressentait à l'égard du monde entier. Quelqu'un qui considérait tous les autres comme des inférieurs, quels que soient leur rang social, leur réussite ou leur qualité. Aucun monarque ne savait comme lui gouverner un royaume, aucun évêque n'était aussi compétent que lui en théologie, aucun avocat ne possédait sa subtilité dans l'élaboration d'un dossier. Étrangement, le seul domaine où il ne faisait pas preuve d'arrogance était celui où elle eût été justifiée, c'est-à-dire ses talents de chimiste.

Autre chose surprenante à son sujet : alors qu'il traitait tout le monde avec mépris, il dépensait son temps sans compter une fois que sa curiosité était éveillée. Il ne savait pas y faire avec les êtres humains, mais, si on lui soumettait un problème à résoudre, il travaillait dessus jusqu'à l'épuisement. Il eût dû me répugner, pourtant l'homme m'inspira un sentiment de considération circonspecte.

Nous eûmes du mal à le convaincre, bien qu'il sût que Lower était un intime de Boyle, lequel payait son salaire à l'époque. Pendant que nous lui expliquions la situation, il se vautrait dans son fauteuil en nous regardant avec mépris.

« Donc, il est mort ? » dit-il dans son latin fortement accentué, qu'il prononçait à l'ancienne, donnant toute leur valeur aux accents toniques — prononciation totalement discréditée chez les spécialistes italiens, bien que les Anglais et d'autres, me semble-t-il, discutent toujours passionnément du sujet. « Cela importe-t-il de savoir ce qui s'est passé exactement ?

— Bien sûr.

— Pourquoi ?

— Parce qu'il est toujours important d'établir la vérité.

— Et vous pensez que c'est possible, n'est-ce pas ?

— Oui. »

Stahl ricana.

« Donc vous êtes plus optimiste que moi.

— À quoi occupez-vous votre temps ?

— J'amuse mes maîtres, répliqua-t-il d'un ton aca-riâtre. Ils veulent découvrir ce qui se passe si on mélange du vert-de-gris et du salpêtre, alors je les mélange pour eux. Ce qui se passe si on chauffe le mélange, alors je le chauffe.

— Et, ensuite, vous cherchez à savoir pourquoi cela se passe ainsi. »

Il fit un geste désinvolte de la main.

« Peuh ! Que non pas ! On cherche à savoir comment cela se passe. Pas pourquoi.

— Il y a une différence ?

— Bien sûr. Une dangereuse différence. L'écart entre le comment et le pourquoi me cause de grands tracas, comme cela devrait être le cas pour vous aussi. Une diffé-rence qui va faire s'écrouler le monde sur notre tête. » Il se moucha et me regarda avec dégoût. « Écoutez, poursui-vit-il, je suis un homme très occupé. Vous êtes venus chez moi pour résoudre un problème. Un problème de chimie, nécessairement, sinon vous ne vous seriez pas abaissés à me demander un service. Pas vrai ?

— Je tiens vos talents en haute estime, protesta Lower. Je vous l'ai certainement assez prouvé. Il y a fort long-temps que je vous paie pour prendre des leçons.

— Certes, certes. Mais je n'ai pas été accablé de visites. Non pas que cela me gêne, ayant mieux à faire qu'à bavarder. Donc si vous désirez que je vous rende un service, dites-moi de quoi il s'agit, et puis allez-vous-en ! »

Lower semblait parfaitement habitué à cette manière d'agir. Moi, je serais déjà parti, mais lui sortit tranquillement la bouteille de cognac de son sac et la posa sur la table. Stahl la scruta de très près : il était myope et il avait probablement besoin d'une paire de lunettes.

« Eh bien, quoi ? Qu'est-ce que c'est ?

— Une bouteille de cognac au fond de laquelle se trouve un dépôt bizarre que vous pouvez apercevoir aussi bien que moi bien que vous fassiez semblant d'être aveugle. Nous voudrions savoir ce que c'est.

— Ha, ha, ha ! Le Dr Grove a-t-il été tué par des esprits ou par des spiritueux ? Là est le problème, non ? Venin des serpents, leur vin, atroce poison d'aspic ? »

Lower soupira.

« Deutéronome 32, 33. Exactement. »

Il resta debout patiemment pendant que Stahl faisait semblant d'élaborer son raisonnement avec beaucoup d'ostentation.

« Bon ! Comment allons-nous tester cette substance, même si elle est altérée par le liquide ? » Il réfléchit encore un peu. « Pourquoi n'offrez-vous pas à votre aguichante servante un verre de ce cognac un de ces soirs, hein ? Question de faire d'une pierre deux coups ! »

Lower répondit qu'à son avis ce n'était pas une très bonne idée. Ce serait après tout difficile de recommencer l'expérience même si elle réussissait.

« Eh bien ! Vous voulez nous aider ou non ? »

Stahl fit un large sourire, découvrant la rangée de chicots jaunâtres et noircis qui lui servaient de dents, peut-être bien à l'origine de son mauvais caractère.

« Bien sûr. Il s'agit là d'un problème fascinant. Il nous faut faire une série d'expériences qui puissent être répétées, et en nombre suffisant, pour identifier ce dépôt. La première chose à faire c'est de l'extraire sous une forme utilisable. » Il désigna la bouteille. « Je vous propose de me laisser et de revenir dans quelques jours. Je ne veux pas brusquer les choses.

— Peut-être pourrions-nous commencer ? »

Stahl soupira, haussa les épaules et se leva.

« Oh ! Très bien... Si cela me débarrasse de votre compagnie. »

Il se dirigea vers une étagère et choisit un tube souple au bout duquel se trouvait une pipette de verre ; il inséra celle-ci dans le goulot de la bouteille qu'il plaça sur la table. Ensuite, il s'accroupit et aspira par l'autre bout du tube, puis s'écarta lorsque le liquide jaillit dans le récipient placé au-dessous.

« Exercice intéressant et utile, fit-il observer. Assez commun, évidemment, mais fascinant malgré tout. Du moment que la seconde partie du tube est plus longue que la première, le liquide va continuer à s'écouler, parce que le liquide qui descend pèse davantage que le liquide qu'on fait remonter. Si tel n'était pas le cas, un vide se formerait dans le tube, vide qu'il est impossible de maintenir. Pour l'heure, la question vraiment intéressante est de savoir ce qui se passe si...

— Vous ne voulez pas aspirer tout le dépôt également, n'est-ce pas ? interrompit anxieusement Lower, car le niveau de cognac approchait du fond de la bouteille.

— Je l'ai vu, je l'ai vu ! » Et Stahl extirpa promptement le tube.

« Et maintenant ?

— Maintenant, j'extrais le sédiment, que l'on doit laver et sécher. Cela prendra du temps, et il n'y a absolument aucune raison que vous soyez présents.

— Dites-nous simplement ce que vous avez l'intention de faire.

— C'est tout simple. Ceci est un mélange de cognac et de sédiment. Je vais le chauffer doucement pour faire s'évaporer le liquide, ensuite je vais le laver dans de l'eau de pluie pure, le laisser reposer de nouveau, décanter derechef le liquide, puis le laver et le sécher une seconde fois. Il devrait être désormais assez pur. Trois jours, s'il vous plaît. Pas un instant plus tôt ! Si vous revenez avant, je ne vous adresserai pas la parole. »

Aussi retournai-je avec Lower jusqu'à la demeure du directeur, une vaste bâtisse qui occupait la majeure partie du côté est de la grande cour de New College. Le serviteur nous conduisit jusqu'au salon où recevait M. Woodward ; Locke se trouvait déjà là, bavardant et se prélassant auprès de l'âtre, aussi à l'aise que s'il était propriétaire des lieux. Quelque chose, me dis-je, fait que cet homme parvient toujours à se glisser dans les bonnes grâces des puissants. D'où cela venait-il, je ne le savais, car il n'était pas d'un commerce facile ni d'une compagnie particulièrement agréable, cependant, son zèle auprès de ceux qu'il considérait comme dignes de lui était tel qu'il s'avérait irrésistible. Et, bien sûr, il soignait sa réputation d'homme extrêmement brillant, au point que ces personnes finissaient par devenir ses mécènes et lui en étaient, de plus, reconnaissantes. Plus tard, il écrivit des essais qui passèrent pour des traités de philosophie, alors qu'une lecture même superficielle montrait qu'ils ne faisaient guère que transposer sa tendance à la flatterie sur un plan métaphysique et justifier pourquoi ceux qui le finançaient devaient détenir entre leurs mains tout le pouvoir. Je n'aimais pas M. Locke.

Son naturel et son assurance en présence du directeur contrastaient avec l'attitude de mon ami Lower, lequel sombrait dans la morosité dès qu'il lui fallait montrer cette courtoisie déférente que requérait le commerce des gens plus haut placés que lui. Le pauvre homme ! Il avait désespérément besoin de la faveur des grands, mais il ne possédait pas la capacité de faire semblant. Sa maladresse était souvent interprétée comme de l'impolitesse. Au bout de cinq minutes, on oublia presque qu'on avait appelé Lower afin qu'il examinât le corps de Grove et que Locke n'était là qu'en observateur ; la conversation ne se déroulait qu'entre le disert philosophe et le directeur, tandis que, l'air emprunté, Lower restait assis à l'écart, sans dire un mot, son humeur s'assombrissant de plus en plus pendant qu'il écoutait en silence.

Quant à moi, c'est avec joie que je restais coi, ne voulant pas mécontenter Woodward ; Locke (il faut lui rendre cet hommage) me tira de mon embarras.

« Vos reproches, tout à l'heure, ont beaucoup chagriné M. Cola que voici, monsieur le directeur, dit-il. Vous devez vous rappeler qu'il est étranger à notre société et qu'il ne connaît rien à nos affaires. Quoi qu'il ait dit, c'était en toute innocence, vous savez. »

Woodward fit un signe de tête et me regarda.

« Je vous prie d'accepter mes excuses, monsieur. Mais j'étais bouleversé et je n'ai pas fait assez attention à ce que je disais. J'avais reçu une plainte la veille et j'ai mal interprété vos propos.

— Quelle sorte de plainte ?

— On pensait au Dr Grove pour un bénéfice, et il était probable qu'il allait l'obtenir, mais, pas plus tard qu'hier, une plainte a été déposée l'accusant d'être un débauché, ce qui devait l'empêcher d'être nommé.

— Allusion à la petite Blundy, n'est-ce pas ? demanda Locke d'un ton neutre, comme s'il s'agissait d'un simple renseignement.

— Comment le savez-vous ? »

Locke haussa les épaules.

« Tout le monde en parle dans les tavernes, monsieur. Ce qui n'est pas une preuve, bien sûr. Puis-je vous demander d'où venait cette plainte ?

150

— Elle émanait du corps des maîtres.

— Et plus précisément ?

— Plus précisément, c'est une affaire qui ne concerne que le collège.

— Votre plaignant a-t-il étayé son accusation par quelque preuve ?

— Il a déclaré que la fille en question se trouvait dans l'appartement du Dr Grove hier soir, qu'il l'y avait vue entrer. Il a déposé sa plainte de peur que d'autres ne l'aperçoivent et mettent en cause la réputation du collège.

— Et c'est vrai ?

— J'avais l'intention de le demander au Dr Grove ce matin même.

— Donc, elle se trouvait là hier soir, et Grove est mort ce matin, dit Locke. Tiens, tiens...

— Suggérez-vous qu'elle a attenté à sa vie ?

— Grands dieux, non ! s'exclama Locke. Mais un violent exercice physique, vous savez, peut dans certaines circonstances provoquer une attaque, comme M. Cola l'a si innocemment fait remarquer ce matin. C'est de loin l'explication la plus logique. Si c'est le cas, un examen approfondi nous aidera sans aucun doute. Et quelque chose de plus sinistre semble improbable, puisque M. Lower affirme que lorsqu'on a fait part à la fille de la mort de Grove elle a paru véritablement bouleversée. »

Le directeur poussa un grognement.

« Merci du renseignement. Peut-être devrions-nous nous mettre au travail ? J'ai fait placer son corps dans la bibliothèque. Où souhaitez-vous l'examiner ?

— Il nous faut une grande table, dit Lower d'un ton bourru. La cuisine serait le meilleur endroit, s'il n'y a pas de domestiques dans les parages. »

Woodward partit éloigner le personnel des cuisines, puis nous passâmes dans la pièce contiguë pour examiner le corps. Lorsque la maison fut vide, nous le transportâmes jusqu'aux communs, de l'autre côté du vestibule.

151

Heureusement, il avait déjà été lavé et préparé, aussi ne fûmes-nous pas retardés par cette peu agréable besogne.

« Je suppose qu'on a intérêt à ne pas perdre de temps : qu'en pensez-vous ? » demanda Lower, tout en débarrassant la vaisselle. Nous déshabillâmes le corps et l'installâmes sur la table de cuisine en costume d'Adam. Puis Lower prit ses scies, aiguisa ses scalpels et retroussa ses manches. Woodward déclara qu'il n'avait pas envie d'assister à l'opération et nous quitta.

« Je vais aller chercher ma plume, si vous avez la bonté de lui raser la tête », dit Lower.

Ce que je fis volontiers. Je me dirigeai vers un placard où l'un des domestiques gardait ses affaires de toilette et y pris son rasoir.

« Un chirurgien doublé d'un barbier », expliqua Lower tout en dessinant la tête. (Par intérêt personnel seulement, pensai-je.)

Il posa le papier, se recula et réfléchit quelques instants. Quand il fut fin prêt, il saisit son scalpel, son marteau et sa scie. Puis nous fîmes tous une brève pause pour réciter les prières, comme il se devait puisque nous allions ouvrir et violer la plus belle création de Dieu.

« Je note que la peau n'est pas noircie », fit remarquer Locke du ton de la conversation, après les prières. Lower, lui, tranchait dans les couches de graisse jaune pour atteindre la cage thoracique. « Allez-vous tenter l'épreuve sur le cœur ? »

Lower fit oui de la tête.

« Ce sera une expérience utile. Je ne suis pas convaincu par l'argument selon lequel le cœur d'une victime du poison ne peut être consumé par le feu, mais il nous faut le vérifier. » On entendit un léger déchirement au moment où les couches de graisse furent enfin traversées. « J'ai vraiment horreur de découper les grosses personnes. »

Une fois le ventre ouvert, il s'arrêta de parler un moment pour tenir écartés les deux lourds pans de graisse épaisse en en clouant les coins sur la table de cuisine.

« L'ennui, poursuivit-il, une fois l'opération terminée et lorsqu'il put bien voir l'intérieur, c'est que le livre que j'ai consulté ne précise pas si l'on est d'abord censé sécher le cœur. Mais vous saisissez ce que veut dire Locke à propos de l'absence de noircissement de la peau, n'est-ce pas, Cola ? Signe qu'il n'y pas eu empoisonnement. D'un autre côté, elle est livide par endroits. Vous voyez ? Sur le dos et les cuisses ? Cela compte peut-être. Je pense que c'est peu concluant. A-t-il vomi avant de mourir ?

— Énormément. Pourquoi ?

— Dommage ! Je vais prendre son estomac, au cas où. Passez-moi ce flacon, s'il vous plaît. »

Avec infiniment d'adresse, il fit passer de l'estomac dans le flacon un bouillon gluant, sanguinolent et malodorant.

« Voudriez-vous ouvrir la fenêtre, Cola ? demanda-t-il. Que la maison du directeur ne devienne pas inhabitable.

— Habituellement, les victimes du poison vomissent », dis-je. Je me rappelai une occasion où mon maître de Padoue avait obtenu l'autorisation d'empoisonner un criminel pour constater les effets produits. Le malheureux n'avait pas eu une mort très heureuse, mais, comme il avait été condamné à avoir les membres coupés et à voir brûler ses entrailles pendant qu'il était encore en vie, jusqu'au bout il resta pitoyablement reconnaissant à mon maître de sa gentillesse. « Mais je crois qu'elles réussissent rarement à tout expulser. »

Sur ce, la conversation s'arrêta : Lower était occupé à transvaser l'estomac, la rate, les reins et le foie dans ses flacons de verre, tout en faisant des commentaires sur chaque organe qu'il me montrait avant de le lâcher dans son flacon.

« La membrane est plus jaune que d'habitude », nota-t-il d'un ton enjoué, le travail lui ayant rendu sa bonne humeur.

« L'estomac et les intestins ont une bizarre couleur marron à l'extérieur. Les poumons portent des taches noires. Le foie et la rate sont très décolorés et le foie a l'air... Qu'en pensez-vous ? »

Je regardai l'organe de forme bizarre dans le flacon.

« Je ne sais pas. On dirait assez qu'il a été bouilli. »

Lower gloussa.

« En effet. En effet. Regardez la bile : elle est très fluide. Elle coule dans tous les coins et elle est d'une sorte de jaune sale. C'est tout à fait anormal. Il y a une inflammation et une excoriation du duodénum, mais aucun signe de détérioration naturelle. Idem pour l'estomac. »

Puis je le vis regarder le cadavre d'un air pensif, tout en essuyant ses mains couvertes de sang sur son tablier.

« Ça suffit, dis-je d'un ton ferme.

— Pardon ?

— Je ne vous connais pas bien, monsieur, mais déjà je reconnais ce regard. Si vous songez à enlever le cerveau, je dois vous prier de n'en rien faire. Après tout, nous essayons d'établir la cause de sa mort ; il serait tout à fait illégitime de le mettre en pièces pour pratiquer la dissection sur les divers morceaux.

— Et il sera exposé en public avant l'enterrement, vous vous le rappelez, ajouta Locke. D'où la difficulté de dissimuler le fait que vous auriez fendu son crâne en deux. Ce sera assez dur de s'assurer que personne ne voit qu'on lui a rasé la tête. »

De toute évidence, Lower s'apprêtait à contester cette affirmation, mais, finalement, il haussa les épaules.

« Vous êtes les gardiens de ma conscience. Très bien. Même s'il se peut que le savoir médical pâtisse de votre morale.

— Pas pour toujours, j'en suis sûr. De plus, nous devrions rassembler les morceaux maintenant. »

Nous nous mîmes donc au travail, bourrant les cavités de bouts de tissu pour que le mort eût bonne apparence, le recousant, bandant les plaies, car si les liquides ressortaient, ils risqueraient de tacher son costume mortuaire.

« À mon avis, il n'a jamais eu meilleure allure », déclara Lower, une fois que Grove fut finalement paré de ses plus beaux atours, qu'on l'eut peigné et installé confortablement dans un fauteuil en un coin de la pièce, tandis que les flacons contenant ses organes s'alignaient sur le sol. Je voyais bien que Lower était décidé à garder au moins ces derniers.

« Maintenant, l'expérience finale. »

Il prit le cœur de l'homme, le mit dans un petit plat de faïence, qu'il plaça sur le fourneau, puis versa un quart de pinte de cognac dessus. Ensuite, il prit un copeau qu'il alluma au fourneau avant de le jeter dans le plat.

« C'est un peu comme du pudding aux prunes flambé, en fait », dit-il avec un certain mauvais goût, comme le cognac s'enflammait brusquement.

Nous contemplâmes le spectacle tandis que le liquide brûlait, avant de crachoter et de s'éteindre en dégageant une odeur particulièrement désagréable.

« Qu'en pensez-vous ? »

J'examinai soigneusement le cœur du Dr Grove et haussai les épaules.

« La membrane est un peu carbonisée en surface, répondis-je. On ne peut pas dire qu'il a été consumé, même partiellement.

— Ce sont également mes conclusions, ajouta Lower avec satisfaction. Voilà la première vraie preuve en faveur de l'empoisonnement. Intéressant.

— Est-ce que cette expérience a déjà été faite sur quelqu'un dont on est absolument sûr qu'il n'était pas mort d'empoisonnement ? » demandai-je.

Lower secoua la tête, dubitatif.

« Pas que je sache. La prochaine fois que j'obtiendrai un cadavre, je tenterai l'expérience. Si le jeune Prestcott n'avait pas été si égoïste, voyez-vous, on aurait pu faire la comparaison. » Il jeta un coup d'œil tout autour de la cuisine. « Je suppose que nous devrions faire un peu de ménage ; autrement, les domestiques vont détaler à leur retour demain matin. »

Il se mit au travail lui-même avec de l'eau et un torchon ; je remarquai que Locke n'aida point.

« Voilà ! » fit-il après de longues minutes de silence durant lesquelles j'avais remis de l'ordre, tandis que lui faisait du nettoyage et que Locke tirait sur sa pipe. « Si vous voulez appeler le directeur, nous pouvons remettre Grove en place. Mais, auparavant, qu'en pensez-vous ?

— L'homme est mort, déclara simplement Locke.

— Oui, mais comment ?

— Je ne pense pas qu'il y ait assez de preuves pour le dire.

— Vous prenez des risques, comme d'habitude... Cola ?

— Je ne suis pas enclin, vu les preuves, à penser que sa mort soit autre que naturelle. Cependant...

— Et vous, Lower ? demanda Locke.

— Je suggère que nous réservions notre jugement jusqu'à ce que nous ayons d'autres preuves. »

Après nous avoir soigneusement recommandé de ne mettre personne au courant des activités de la soirée, par crainte du scandale, le directeur Woodward nous remercia pour notre aide lorsque nous lui eûmes présenté nos maigres conclusions. Le soulagement se lut clairement sur son visage — Lower ne lui avait pas parlé de Stahl ; de toute évidence, il croyait que l'affaire était désormais close.

Chapitre treize

Les Anglais ont coutume d'enterrer leurs compatriotes aussi rapidement qu'ils les pendent. En des temps normaux, le Dr Grove eût été déjà enterré dans le cloître de New College, mais le directeur avait utilisé quelque prétexte pour retarder la cérémonie pendant deux jours entiers. Lower se servit de ce répit pour pousser M. Stahl à se dépêcher ; quant à moi, je n'avais plus d'obligations, par suite du séjour de M. Boyle à Londres, ville qui l'attirait davantage depuis que sa sœur bien-aimée s'y était installée.

Je passai la majeure partie de ma journée à m'occuper de ma patiente et de mon expérience ; je vis avec joie arriver le moment où les deux firent de grands progrès. Non seulement Mme Blundy était réveillée et lucide, mais elle avait même bu un peu de bouillon léger. La fièvre avait disparu, l'urine avait une saine amertume, et, chose encore plus extraordinaire, la plaie montrait les premiers signes d'amélioration. Peu de chose, bien sûr, pourtant c'était la première fois que je voyais que sa condition ne s'était pas détériorée.

Ravi, je lui souris triomphalement avec toute l'affection qu'un médecin peut ressentir pour un malade obéissant.

« Chère madame, lui dis-je après avoir terminé mon examen, appliqué un peu d'onguent et m'être assis sur un tabouret branlant, je crois sincèrement qu'il est possible que nous vous arrachions aux mâchoires de la mort. Comment vous sentez-vous ?

— Un peu mieux, merci, grâce à Dieu. Pas encore prête à retourner au travail, je le crains. Cela me préoccupe beaucoup. Le Dr Lower et vous-même avez été plus que généreux, mais nous ne pouvons survivre si je ne gagne pas d'argent.

— Votre fille n'en gagne pas assez ?

— Pas suffisamment pour que nous évitions les dettes, non. Elle a du mal à trouver du travail, car elle a la réputation d'être emportée et désobéissante. C'est très injuste : jamais mère n'a eu une si bonne fille.

— Elle est parfois plus franche dans ses propos qu'une fille de sa condition ne devrait l'être.

— Non, monsieur. Elle est plus franche dans ses propos qu'une fille de sa condition n'est autorisée à l'être. »

Il y eut soudain un ton de défi dans sa voix faible, bien que le sens exact de ses paroles ne m'apparût pas clairement tout d'abord.

« Y a-t-il une différence ? demandai-je.

— Sarah a été élevée dans une société où régnait l'égalité la plus parfaite entre hommes et femmes ; elle a du mal à admettre que certaines choses lui sont interdites. »

J'eus du mal à réprimer un ricanement, mais, me rappelant qu'elle était ma patiente, je me montrai compréhensif ; de plus, j'étais en voyage pour apprendre, et même s'il ne s'agissait pas le moins du monde d'une expérience utile, j'étais alors assez large d'esprit pour me montrer tolérant.

« Je suis persuadé qu'un bon mari lui enseignerait tout ce qu'elle a besoin de savoir sur ce sujet. Si on parvient à lui en trouver un.

— Il sera difficile d'en trouver un qu'elle accepte. »

Cette fois-ci, j'éclatai de rire.

« Votre fille ferait bien de prendre quiconque voudra d'elle, vous ne croyez pas ? Elle n'a pas grand-chose à offrir en retour.

— Elle n'a qu'elle-même, et c'est beaucoup. Parfois, je me dis que nous n'avons pas bien agi envers elle. Cela ne s'est pas terminé comme on l'avait prévu. Maintenant, elle est toute seule, et ses parents sont un fardeau au lieu d'être un soutien.

— Votre mari est donc toujours en vie ?

— Non, monsieur. Mais les calomnies dont on l'a couvert pèsent sur elle également. Je vois à votre expression que vous avez entendu parler de lui.

— Très peu, et, quand c'est du mal de quelqu'un, j'ai appris à ne jamais croire ce que j'entends.

— Alors vous êtes l'exception, dit-elle gravement. Ned était le plus aimant des maris et le meilleur des pères ; il avait consacré sa vie à faire que la justice triomphe dans ce monde cruel. Mais il est mort, et moi, je vais bientôt mourir.

— Elle n'a absolument aucune ressource ? Personne, à part vous ?

— Rien. La famille de Ned était du Lincolnshire, la mienne du Kent. Tous mes parents sont morts, et les siens se sont dispersés après l'assèchement des plaines marécageuses ; on les a chassés de leurs terres sans un penny. Sarah est donc sans protection. Les perspectives d'avenir qu'elle avait ont été emportées par la médisance, et pour soigner mes maladies elle a dépensé les maigres sommes qu'elle avait épargnées pour sa dot. Tout ce qu'elle héritera de moi, à ma mort, c'est sa liberté.

— Elle se débrouillera, dis-je d'un ton enjoué. Elle est jeune et en bonne santé, et de toute manière vous me causeriez un grave préjudice. Après tout, je fais du mieux possible pour vous garder en vie. Avec quelque succès, je dois avouer.

— Vous devez être très content que votre traitement ait marché. C'est étrange à quel point je tiens à la vie.

— Heureux de vous faire plaisir. Je pense que nous sommes peut-être tombés sur un remède d'une importance inouïe. Dommage que nous n'ayons eu que Sarah à notre disposition. Si nous avions eu un peu plus de temps, nous aurions peut-être pu mettre la main sur un forgeron. Pensez un peu, si on vous avait donné le sang d'un homme vraiment robuste, vous seriez peut-être déjà debout, et en pleine forme. Je crains en effet que l'esprit contenu dans le sang d'une femme ne permette pas à votre jambe de guérir aussi vite. Qui sait, dans une semaine environ nous pourrions répéter le traitement... »

Elle sourit et déclara qu'elle se soumettrait à tout ce que j'estimerais nécessaire. Et c'est pourquoi je partis de très bonne humeur et tout fier de moi.

Je rencontrai Sarah : elle avançait péniblement dans la neige boueuse du sentier et transportait encore des branches et des bûches pour le feu. Je la saluai même d'un ton joyeux et, à ma grande surprise, elle répondit avec chaleur.

« Ta mère fait de grands progrès, lui dis-je. Je suis fort content d'elle. »

Elle sourit tranquillement : c'était la première fois que je voyais une telle expression sur son visage.

« Dieu nous a souri par votre intermédiaire, répondit-elle. Je vous suis très reconnaissante.

— Il n'y a pas de quoi, dis-je, ravi de sa réponse. C'était fascinant. En outre, elle n'est pas complètement guérie, tu sais. Elle est encore faible, plus faible qu'elle ne le croit elle-même. Et je pense qu'il faudra continuer le traitement. Prends bien garde à ce qu'elle ne fasse rien qui puisse mettre en danger ses progrès. Je suppose que cela ne sera pas facile.

— En effet. Elle a l'habitude d'être très active. »

Bien que ce fût le début du dégel et que la campagne émergeât lentement de la longue période d'obscurité hivernale, il faisait terriblement froid lorsque le vent se levait, et je frissonnais sous les rafales du vent glacial.

« Il faut que je te parle de ces choses, dis-je. Y a-t-il un endroit où l'on pourrait aller ? »

Elle me répondit qu'il y avait un estaminet dans une rue adjacente où l'on faisait du feu. Pendant que j'irais, elle, elle allait mettre quelques bûches dans l'âtre et s'assurer que sa mère était confortablement installée, puis elle me rejoindrait.

L'endroit indiqué ne ressemblait en rien à l'élégant et spacieux café des Tillyard, ni même aux grandes hôtelleries qui avaient surgi pour servir les voyageurs des diligences ; c'était, au contraire, un lieu destiné à la populace qui ne possédait comme atout que son feu. Il appartenait à une vieille femme qui vendait une bière brassée par elle-même aux habitants du coin venus se réchauffer. J'étais le seul client ; il était clair qu'à cette salle jamais un homme de qualité n'accordait l'hommage de sa présence. Quand j'ouvris la porte et pénétrai dans l'estaminet, elle me regarda avec une curiosité peu amicale. Je m'assis néanmoins près de l'âtre et attendis.

Sarah arriva quelques minutes plus tard et salua la vieille avec familiarité : contrairement à moi, elle fut bien accueillie.

« C'était une cantinière », dit-elle.

Apparemment, cela devait tout expliquer. Aussi ne posai-je aucune question.

« Comment vas-tu ? » J'avais hâte de connaître les effets de l'expérience sur celle qui avait donné son sang tout autant que sur celle qui l'avait reçu.

« Je suis fatiguée. Mais cela est plus que compensé par l'amélioration de ma mère.

— Elle se fait également du souci à ton sujet. Ce n'est pas bon pour elle. Il te faut lui montrer un visage réjoui.

— Je fais ce que je peux. Bien que parfois ça ne soit pas facile. Votre générosité et celle du Dr Lower ont été un grand bienfait, ces derniers temps. Ce qui me tracasse c'est de ne jamais pouvoir vous dédommager. Mes parents ne m'ont pas habituée à recevoir la charité.

« — Tu travailles ?

— Un peu. Je travaille pour la famille Wood presque tous les jours, et le soir, de temps en temps, je vais chez un gantier. Je sais bien coudre, quoique ce soit dur de coudre le cuir.

— Ça t'a fait de la peine, ce qui est arrivé au Dr Grove ? »

Je vis son visage se fermer sur-le-champ et j'eus peur d'être encore victime d'un de ses accès de colère. Je levai la main pour la calmer.

« Je t'en prie, ne me crois pas malintentionné. Je demande ça pour une bonne raison. Je dois te dire que sa mort provoque quelque inquiétude, et on a dit qu'on t'avait vue dans le collège ce soir-là. »

Elle me regardait toujours sans broncher. Aussi continuai-je, me demandant vaguement pourquoi je prenais tant de précautions.

« Il est fort possible que quelqu'un d'autre te pose les mêmes questions.

— Que voulez-vous dire par "inquiétude" ?

— Simplement qu'il y a une petite possibilité qu'il ait été empoisonné. »

Elle pâlit et baissa le regard, l'air pensif, pendant quelques instants, avant de me regarder droit dans les yeux.

« Vraiment ?

— Je crois savoir qu'il t'avait renvoyée récemment ?

— C'est vrai, et sans aucune raison valable.

— Et tu lui en voulais ?

— Beaucoup, bien sûr. C'est naturel. J'avais travaillé dur et bien pour lui, et je n'avais jamais mérité le moindre reproche.

— Mais tu l'as abordé au café ? Pourquoi ?

— Je croyais qu'il aurait eu assez de cœur pour aider ma mère. Je voulais lui emprunter de l'argent. »

Elle me regarda avec colère, me défiant aussi bien de la critiquer que de m'apitoyer sur son sort.

« Et il t'a repoussée.

— Vous l'avez vu vous-même.

— As-tu été chez lui le soir de sa mort ?

— Quelqu'un prétend cela ?

— Oui.

— Qui ?

— Je ne le sais pas. Réponds à ma question, s'il te plaît. C'est important. Où étais-tu ?

— Cela ne vous regarde pas. »

Nous étions dans une impasse, je le voyais bien. Si je la poussais dans ses retranchements, elle s'en irait, alors qu'elle était loin d'avoir satisfait ma curiosité. Et quelle raison aurait-elle pu avoir de ne pas parler franchement ? Rien ne valait la peine d'encourager le soupçon sous quelque forme que ce fût, et elle devait désormais avoir compris que je lui voulais du bien. J'essayai une fois de plus, mais elle m'opposa une fin de non-recevoir.

« Y avait-il la moindre vérité dans les commérages ?

— Je ne connais pas ces commérages. Dites-moi, docteur, est-ce que quelqu'un affirme que le Dr Grove a été assassiné ? »

Je secouai la tête.

« Je ne le crois pas. Pour le moment, rien ne permet de le penser et on doit l'enterrer ce soir. Une fois la cérémonie terminée, l'affaire sera close. Le directeur quant à lui croit sincèrement qu'il n'y a rien de suspect dans cette histoire.

— Et vous, que pensez-vous ? »

Je pris mon temps avant de répondre.

« J'ai entendu parler de bien des hommes qui, ayant l'âge et les appétits de Grove, étaient morts d'une crise subite ; à part ça, ça ne me préoccupe guère. Ce qui m'inquiète avant tout, c'est ta mère et le traitement que je lui ai administré. A-t-elle été à la selle ? »

Elle me fit signe que non.

« N'oublie pas de garder les selles, s'il y en a, continuai-je. Cela me sera de la plus grande utilité. Ne la laisse pas se lever et empêche-la de se laver. Qu'elle reste bien au chaud, surtout ! Et s'il y a le moindre changement dans son état, fais-le-moi immédiatement savoir. »

Chapitre quatorze

Le service funèbre en l'honneur de Grove fut une cérémonie solennelle et digne qui commença juste après la
tombée de la nuit. Sans doute avait-on fait les préparatifs
pendant toute la journée : le jardinier du collège creusa
une fosse dans le cloître près de la chapelle, le chœur des
jeunes garçons répéta, et Woodward prépara le panégy-
rique. Je décidai d'y assister après que Lower m'eut dit
qu'il ne pensait pas qu'on s'y opposerait ; Grove était,
après tout, l'une des rares personnes de ma connaissance
en ville. J'insistai cependant pour qu'il m'accompagne ;
rien n'est plus déprimant que le ne savoir que faire lorsqu'une cérémonie religieuse est terminée.

Il rechigna d'abord, mais accepta finalement. Je crus
comprendre que le régime de New College ne lui plaisait
guère. Lorsque l'office commença — la chapelle était
pleine et les prêtres avaient revêtu leurs habits sacerdotaux —, je compris pourquoi, en me mettant à sa place.

« Il faudra que vous m'expliquiez, lui chuchotai-je pendant une pause, quelle est la différence entre votre Église
et la mienne. Je dois dire que je n'en vois guère. »

Lower fit la grimace.

« Il n'y en a aucune ici. Pourquoi ne font-ils pas carrément vœu d'obéissance à la putain de Babylone — mes
excuses, Cola —, je ne sais. Ils le désirent tous, les
coquins ! »

À mon avis, une douzaine au moins possédaient les
mêmes convictions religieuses que Lower, et ils ne se
comportaient pas tous aussi bien que lui. Thomas Ken,

l'homme qui s'était disputé avec Grove pendant le dîner, resta assis avec ostentation pendant tout l'office et parla à haute voix pendant le requiem. Le Dr Wallis, qui avait été si impoli avec moi, resta les bras croisés de l'air calme et réprobateur de l'ecclésiastique professionnel. D'autres encore éclatèrent de rire aux moments les plus solennels, ce qui leur attira des regards noirs de la part d'autres fidèles. On aura de la chance, pensai-je à un moment, si la cérémonie se termine sans dégénérer en bataille rangée.

Malgré tout, l'office parvint à son terme sans scandale, et j'eus presque l'impression de sentir le soulagement dans l'atmosphère lorsque Woodward prononça les dernières paroles de bénédiction et, bâton blanc en main, sortit de la chapelle à la tête de la procession, laquelle fit le tour du cloître avant de s'arrêter devant la tombe ouverte. Porté par quatre membres du collège, le cercueil fut placé au-dessus du trou béant ; Woodward s'apprêtait à dire la dernière prière lorsqu'un remue-ménage se produisit à l'arrière.

Je regardai Lower : nous étions tous les deux sûrs que certains ne s'étaient plus retenus et que les derniers instants passés par Grove au-dessus de la terre allaient être ternis par des querelles doctrinales. Scandalisés, quelques-uns des maîtres du collège se retournèrent, furieux ; un murmure parcourut les fidèles au moment où on les écarta pour laisser passer un homme corpulent aux favoris gris, qui portait un épais manteau et paraissait extrêmement gêné.

— « De quoi s'agit-il ? demanda Woodward en se détournant de la tombe pour faire face à l'intrus.

— Il faut arrêter la cérémonie », déclara l'homme.

Je donnai un coup de coude à Lower et lui murmurai à l'oreille :

« Qui est-ce ? Que se passe-t-il ? »

Lower détacha son regard de la scène et chuchota :

« Sir John Fulgrove, magistrat, dit-il, avant de m'enjoindre de me taire.

— Vous n'avez aucune autorité en ce lieu, continua Woodward.

— Si, lorsqu'il y a violence.

— Il n'y a eu aucune violence.

— C'est possible. Mais ma fonction m'oblige à le vérifier. J'ai reçu un avis officiel signalant qu'il y a peut-être eu meurtre, je suis donc contraint de faire une enquête. Vous le savez aussi bien que moi, monsieur le directeur. »

Au mot « meurtre », un grand murmure s'éleva. Woodward restait immobile devant la tombe, comme s'il protégeait le corps contre sir John Fulgrove. En fait, il protégeait son collège.

« Il ne s'agit pas d'un meurtre. Je m'en suis assuré. »

Le magistrat était mal à l'aise mais résolu à ne pas se laisser faire.

« Lorsqu'une plainte a été reçue par un magistrat, il doit mener une enquête en bonne et due forme. Le fait que la mort est survenue à l'intérieur du collège n'a aucune importance. Vos privilèges ne s'étendent pas jusque-là. Vous ne pouvez m'exclure en l'occurrence et vous ne pouvez pas non plus contester mon mandat. J'ordonne que cesse cet enterrement jusqu'à ce que je sois satisfait. »

Sous les regards des membres du collège et d'une grande partie de l'université, Woodward se balançait d'un pied sur l'autre tout en réfléchissant à la meilleure manière de répondre à ce défi public. En général, il n'était pas homme à hésiter longtemps, mais cette fois-là il ne se pressa pas :

« Je n'ai pas l'intention de céder à votre autorité, fit-il finalement. Je ne vous reconnais pas le droit d'entrer ici sans mon consentement ni de vous mêler des affaires du collège. Je suis convaincu que votre présence est injustifiée et que je pourrais légalement vous expulser. »

L'assistance parut ravie de cette réponse et sir John se rebiffa avec indignation. Mais ayant respecté les bienséances et s'étant fait un point d'honneur de ne rien concéder en matière de principes, d'une certaine manière, Woodward obtempéra.

« Cependant, peut-être avez-vous des témoignages dont je n'ai pas eu connaissance. S'il y a eu violence, il est du devoir du collège d'apprendre la vérité. Je vais entendre ce que vous avez à dire et différer l'enterrement en conséquence. Si je considère que votre plainte est sans fondement, il continuera, avec ou sans votre accord. »

Un murmure d'approbation salua ce que Lower me décrivit plus tard comme une magistrale retraite défensive à partir d'une position intenable et, tandis que le murmure se prolongeait, Woodward ordonna que le corps fût ramené dans la chapelle. Puis il sortit du cloître avec le magistrat et l'escorta jusqu'à sa maison.

« Tiens, tiens ! chuchota discrètement Lower au moment où les deux hommes disparaissaient sous l'étroite voûte menant à la cour principale. Je me demande qui est derrière ça.

— Que voulez-vous dire ?

— Un magistrat ne peut agir que si quelqu'un dépose une plainte dénonçant un crime. Alors, il doit faire une enquête afin de voir si la plainte est justifiée. Qui est donc allé le voir ? Cela ne peut pas être Woodward. Qui d'autre peut y avoir intérêt ? Autant que je sache, l'homme n'avait pas de famille. »

Je frissonnai.

« Ce n'est pas en restant ici que nous allons le découvrir, fis-je remarquer.

— Vous avez raison. Si nous allions boire une bouteille dans mon appartement de Christ Church ? Ensuite, nous verrons si on peut démêler l'écheveau... »

Nous n'avançâmes pas beaucoup. Malgré moult discussions et davantage de vin, la question de savoir qui s'était rendu chez le magistrat restait aussi mystérieuse au réveil, le lendemain matin, qu'au moment où nous avions quitté New College. La seule chose que j'appris, c'est que le vin des Canaries préféré des Anglais laisse un bien mauvais souvenir le lendemain matin.

Je dormis avec Lower, étant trop mal assuré sur mes jambes pour regagner mon lit à la fin de la conversation, laquelle délaissa vite le sujet de Grove pour parcourir tout le champ de la recherche. Lower revint en particulier sur le sujet de l'esprit : était-il possible de l'analyser ? Notion importante pour la théorie qui sous-tendait ma transfusion sanguine.

« Je crois, dit-il d'un air pensif, qu'on peut supposer la présence de l'esprit vital dans le sang en s'appuyant sur l'existence des fantômes, car que sont-ils sinon l'esprit dégagé du corps ? Et je ne peux me résoudre à douter de ces manifestations, en ayant moi-même vu un.

— Vraiment ? fis-je. Quand ?

— Il y a quelques mois seulement. J'étais ici et j'ai entendu un bruit de l'autre côté de la porte. J'ai ouvert car j'attendais une visite : un jeune homme, très curieusement vêtu de velours, se trouvait là ; il avait de longs cheveux blonds et portait une corde de soie. Je lui ai dit bonjour et il s'est retourné pour me regarder. Il n'a pas répondu mais a souri tristement avant de descendre l'escalier. Je n'ai pas fait grand cas de la chose et suis rentré chez moi. Mon invité est arrivé une minute après environ. Je lui ai demandé s'il avait rencontré l'étrange jeune homme — il ne pouvait pas ne pas l'avoir croisé —, il a répondu par la négative : il n'avait vu absolument personne dans l'escalier. Plus tard, le doyen m'a appris qu'un jeune homme s'était tué en 1560. Après avoir quitté sa chambre qui se trouvait desservie par mon escalier, il s'était rendu dans une cave de l'autre côté du collège et s'était pendu avec une corde de soie.

— Hum...

— Hum, en effet. Je veux simplement souligner que c'est l'une des rares occasions où les meilleures théories de la science et l'observation pratique coïncident parfaitement. C'est pour cela que je ne rejette pas de prime abord vos hypothèses. Quoique je n'exclue pas la possibilité qu'une autre explication puisse rendre compte de l'amélioration de la veuve Blundy.

— Écarter une explication qu'on possède en faveur d'une autre qu'on ne possède pas semble stupide. Je dois vous faire remarquer que vous supposez que l'esprit qui soutient la vie est le même que celui qui lui survit. »

Il soupira.

« Vous avez sans doute raison. Même Boyle n'a pas encore imaginé une expérience pour découvrir la nature de cet esprit-là, à supposer qu'il possède quelque existence physique.

— Cela lui attirerait beaucoup d'ennuis de la part des théologiens, dis-je. Et il paraît décidé à entretenir d'excellentes relations avec eux.

— Un jour ou l'autre cela lui arrivera, répondit mon ami. Sauf si nous, les savants, nous nous contentons uniquement des choses matérielles ; quel serait alors l'intérêt ? Mais vous avez raison ; il n'est guère probable que Boyle prenne un tel risque. Je ne peux m'empêcher de le lui reprocher. Votre monsieur Galilée a bien montré quel risque il y avait à agacer les hommes d'Église. Que pensez-vous de lui, d'ailleurs ? »

Bien sûr, Lower avait entendu parler de ce cas célèbre, et on en discutait beaucoup à Padoue quand je m'y trouvais, Galilée ayant été rémunéré par Venise jusqu'à ce qu'il l'eût quittée, tenté par la pompe des Médicis ; cela lui attira de nombreux ennemis et n'arrangea pas ses affaires lorsqu'il eut des ennuis pour avoir affirmé que la Terre tournait autour du Soleil. Même si sa chute eut lieu avant ma naissance, elle avait effrayé bien des esprits chercheurs et les faisait hésiter avant de s'exprimer. Cela

170

me contrariait que Lower en parlât, sachant ce qu'il en penserait et qu'il déformerait les faits pour attaquer mon Église.

« J'ai pour lui le plus grand respect, naturellement, répondis-je, et ces événements m'attristent. Je suis un homme de science, et je me considère comme un vrai fils de l'Église. Je crois fermement avec M. Boyle que la science ne peut jamais contredire la vraie religion et que si elles semblent s'opposer c'est que nous comprenons mal l'une ou l'autre. Dieu nous a donné la Bible et Il nous a donné la nature pour nous montrer sa création ; il est absurde de penser qu'Il puisse se contredire. C'est l'homme qui se trompe.

— Quelqu'un se trompe dans cette affaire, par conséquent, dit Lower.

— C'est clair, et personne ne doute sérieusement que les conseillers du pape ne se soient pas fourvoyés. Mais M. Galilée avait tort, lui aussi, peut-être davantage qu'eux, d'ailleurs. C'était un homme difficile et arrogant qui a commis l'erreur d'omettre de montrer comment ses idées étaient conformes à la doctrine. En vérité, je ne crois pas qu'il y ait eu la moindre contradiction. Plutôt de l'incompréhension, et cela a entraîné de terribles conséquences.

— Donc, cela n'est pas venu de l'intolérance de votre Église ?

— Je ne le pense pas ; et j'ajouterai qu'il est prouvé que l'Église catholique est plus ouverte à la science que la protestante. Jusqu'à présent, tous les hommes de science importants ont été élevés dans le giron de l'Église catholique. Pensez à Copernic, Vésale, Torricelli, Pascal, Descartes...

— Notre M. Harvey était un fidèle de l'Église anglicane, objecta Lower, avec une certaine sécheresse de ton, me sembla-t-il.

— En effet. Mais il était venu étudier à Padoue, et c'est là qu'il a formulé ses idées. »

Lower émit un grognement avant de lever son verre pour saluer ma repartie.

« Vous finirez cardinal, dit-il. Réponse judicieuse et politique. Vous croyez que la science doive se justifier ?

— Oui. Autrement elle s'érige en égale de la religion au lieu d'être sa servante : les conséquences de cette prétention sont trop horribles à imaginer.

— Vous vous mettez à parler comme le Dr Grove.

— Non. Il nous a pris pour des imposteurs et a mis en doute l'utilité de l'expérimentation. Je crains le pouvoir et l'ambition de l'expérimentation, j'appréhende que son efficacité ne rende les hommes arrogants. »

Ses propos auraient pu me mettre en colère, mais je n'avais pas envie de me quereller, Lower ne cherchait d'ailleurs pas vraiment à me provoquer.

« De toute façon, poursuivit-il, tant qu'il y aura des hommes comme Grove dans notre Église, comment pourrons-nous condamner les autres ? Ils ont moins la capacité de nuire que vos cardinaux, mais ils le feraient s'ils le pouvaient. » Il fit un geste de la main pour écarter un sujet dont il s'était lassé. « Dites-moi donc comment va votre malade ? Illustre-t-elle les théories dont vous avez chargé ses épaules ? »

Je souris de plaisir.

« Elle les soutient merveilleusement bien. Ma patiente montre des signes manifestes d'amélioration et elle m'assure qu'elle ne s'est jamais sentie aussi bien depuis le jour où elle est tombée.

— Dans ce cas, je bois à la santé de Monsieur Descartes, dit Lower en levant son verre, ainsi qu'à celle de son disciple, l'éminent Dr da Cola.

— Merci. Je vous soupçonne de respecter davantage ses théories que vous ne le dites. »

Lower porta un doigt à ses lèvres.

« Chut ! Je l'ai lu avec intérêt et profit. Mais je préférerais encore avouer que je suis papiste plutôt que cartésien. »

172

Étrange manière de terminer une conversation, mais c'est ainsi qu'elle prit fin. Sans même pousser un bâillement, Lower roula sur le côté — emportant la mince et unique couverture tandis que je grelottais — avant de tomber dans un profond sommeil. Je laissai errer mes pensées quelque temps et ne m'aperçus même pas que je succombais moi aussi à l'étreinte de Léthé.

Nous étions encore tous deux endormis lorsqu'un messager vint nous annoncer que les préparatifs de Stahl étaient terminés et que, si nous souhaitions lui rendre visite dès que cela nous serait loisible, nous pourrions assister à son expérience. Je ne peux pas dire que je me sentais disposé à affronter l'irascible Allemand dans l'état d'hébétude et de faiblesse où je me trouvais, Lower, lui, finit par conclure qu'il était de notre devoir de faire de notre mieux.

« Dieu sait à quel point je n'en ai aucune envie, dit-il en se rinçant la bouche et en rajustant ses vêtements, avant d'attaquer un morceau de pain accompagné d'un verre de vin en guise de petit déjeuner. Mais, si c'est devenu l'affaire d'un magistrat, alors nous serons obligés de présenter correctement les résultats de notre enquête. Non pas qu'il y ait la moindre chance qu'il nous prête grande attention.

— Pourquoi pas ? demandai-je avec quelque curiosité. À Venise, les médecins sont régulièrement consultés.

— En Angleterre également. "Votre Honneur, à mon avis, cet homme est mort. La présence d'un couteau dans son dos indique une mort non naturelle." Tant que ça reste simple, il n'y a aucun problème. On y va ? Je suis sûr que vous ne voulez vraiment pas rater ça », conclut-il en fourrant encore du pain dans la poche de sa veste tout en me tenant la porte.

À ma grande surprise, Stahl parut presque heureux de nous voir lorsque, un quart d'heure plus tard, après avoir monté péniblement son escalier, nous entrâmes dans son logement exigu et malodorant situé près de Turl Street. La perspective de démontrer son ingéniosité et son habileté devant un auditoire admiratif était pour lui irrésistible, même s'il fit de son mieux afin d'avoir l'air revêche. Tout était prêt : les bougies, les vases, les flacons contenant divers liquides, ainsi que six petits tas de poudre — la substance qu'il avait extraite de la bouteille — et, enfin, les produits chimiques que Lower avait achetés et envoyés chez lui.

« Bon, j'espère que vous allez bien vous tenir et ne pas me faire perdre mon temps en bavardant. »

Il nous lança un regard noir, tandis que Lower lui assurait que nous observerions l'expérience aussi calmement que possible, promesse que ni lui ni Stahl ne prirent au sérieux un seul instant.

Les préliminaires achevés, Stahl se mit au travail. Comme exemple de technique chimique, l'expérience était fascinante et, pendant qu'il parlait, je sentais mon dégoût pour l'homme s'évanouir devant mon admiration pour son ingéniosité et son approche méthodique. Le problème, dit-il en désignant les tas de poudre, était parfaitement simple. Comment déterminons-nous la nature du dépôt tiré de la bouteille de cognac ? Le regarder ne démontrerait rien, tant de substances étant blanches et pouvant être réduites en poudre. On peut le peser, cependant, vu la quantité d'impuretés présente, cela ne prouverait pas grand-chose. On peut le goûter et en comparer le goût à celui d'autres choses, mais cette opération — mis à part le fait que cela pourrait s'avérer dangereux — ne serait pas d'un grand secours, sauf si le dépôt avait un goût unique et reconnaissable. En se fondant juste sur son aspect, on peut seulement affirmer que le dépôt est une poudre blanchâtre.

Ainsi donc, expliqua-t-il, parlant avec de plus en plus d'ardeur, on doit procéder à d'autres expériences. Si, par exemple, on le dissolvait dans un peu de sel ammoniac, le mélange pourrait réagir de plusieurs façons : il pourrait changer de couleur, ou bien dégager de la chaleur, ou encore devenir effervescent. La poudre pourrait se dissoudre, rester en suspens, ou tomber au fond sans se dissoudre. Si nous répétions l'expérience avec une autre substance et qu'elle réagisse de manière similaire, serait-il possible de déclarer que c'est la même substance ?

J'allais répondre par l'affirmative, lorsqu'il agita son doigt à notre adresse. Non. Bien sûr que non. Si elles réagissaient différemment, alors nous aurions vraiment le droit de conclure que les deux substances ne sont pas identiques. Mais si leur réaction était semblable, tout ce que nous pourrions affirmer, c'est que les deux substances, lorsqu'on les mélange avec du sel ammoniac, réagissent de la même manière.

Il s'arrêta pour nous laisser digérer ses propos puis reprit son discours. Maintenant, vous dites-vous, comment s'assurer de la nature de cette matière ? La réponse est simple : c'est impossible. Je vous l'ai annoncé la semaine dernière. Quoi que vous pensiez, il ne peut y avoir de certitude. Nous pouvons seulement déclarer que l'accumulation des preuves indique une forte probabilité qu'il s'agit de telle ou telle substance.

Je n'avais pas beaucoup d'expérience des tribunaux anglais, mais je savais que si quelqu'un comme Stahl participait à un procès vénitien et s'exprimait de cette manière, la partie qu'il soutiendrait n'aurait plus qu'à abandonner tout espoir.

« Donc, comment s'y prend-on ? demanda-t-il rhétoriquement en agitant un doigt. On répète l'expérience à plusieurs reprises et si, après chaque nouvelle expérience, les deux substances ont la même réaction, alors on peut conclure que les chances qu'elles soient différentes s'amenuisent au point que soutenir qu'elles ne sont pas identiques devient déraisonnable. Vous me suivez ? »

Je fis oui de la tête. Lower ne prit pas la peine de répondre.

« Bien, dit-il. Ces derniers jours, j'ai fait mes expériences sur une douzaine de substances et plus, et j'ai abouti à certaines conclusions. Je suis uniquement disposé à les démontrer ici : je n'ai pas le temps de repasser par toutes les étapes avec vous. Voici des vases qui contiennent cinq substances différentes, et nous allons ajouter notre poudre, vase par vase, à chacune des cinq, puis nous commencerons le processus de comparaison. Bon, la première se compose d'un peu de sel ammoniac (il versa une petite quantité de poudre tout en parlant), la deuxième contient du lixivium tartrique ; les autres de l'esprit de vitriol, de l'esprit de sel et enfin du sirop de violette. J'ai également ici un morceau de fer chaud. J'espère que vous voyez la logique de tout cela, docteur Lower ? »

Lower hocha la tête.

« Peut-être alors aurez-vous l'amabilité de l'expliquer à notre ami ici présent ? »

Lower soupira.

« Il ne s'agit pas d'un cours, vous savez.

— J'aime que les gens comprennent la méthode expérimentale. Trop de médecins ne la comprennent pas ; ils ne font que prescrire des potions sans avoir la moindre idée de la raison pour laquelle celles-ci peuvent être efficaces. »

Lower grogna, puis céda.

« Ce qu'il fait, c'est soumettre les poudres à toutes les diverses formes de matière. Comme vous le savez, les principes essentiels des choses naturelles sont le sel et la terre, qui sont passifs, et l'eau, l'esprit et l'huile, qui sont actifs. La combinaison des ingrédients ici choisis couvre, par conséquent, tous ces éléments, ce qui devrait fournir un tableau général de toutes les variétés de formes que les poudres peuvent prendre. Il essaie aussi la chaleur, ce qui est très illogique de sa part, puisqu'il n'est pas de ceux qui croient que le feu est un élément naturel. »

Stahl fit un large sourire.

« Non, en effet. Je trouve peu probable la théorie selon laquelle toute matière contient une certaine quantité de feu que l'on peut libérer en la chauffant. Cependant, il faut prévoir toutes les possibilités, surtout que je ne sais pas ce qu'est le feu. Mais assez parlé comme ça ! Si cela est bien entré dans la jolie petite tête de votre ami, peut-être peut-on commencer. »

Il nous regarda de près, s'assurant qu'il avait toute notre attention, se frotta les mains, puis saisit le premier vase et le plaça dans la lumière pour que nous puissions bien le voir.

« Le sel ammoniac, tout d'abord. Vous voyez qu'il a produit des particules de sédiment pâle sans autre changement apparent. Hum ? »

Il nous le tendit, nous l'examinâmes et fûmes d'accord que l'autre substance qu'il nous montrait produisait le même résultat.

« Et, maintenant, le lixivium tartrique. Un nuage blanc au milieu du liquide, suspendu à mi-chemin entre la surface et le fond. »

À nouveau, l'autre substance agissait de la même manière.

« Le vitriol. Un précipité de cristaux qui se forment sur les parois du verre. Résultat identique au précédent. Le sel. » Il s'arrêta et examina le vase avec attention. « Léger précipité crémeux... si léger qu'il pourrait passer complètement inaperçu. Les violettes. Comme c'est joli ! Teinture vert pâle. Ravissant. Il y en a deux, en fait, car l'autre substance choisie a produit le même résultat. J'espère que vous commencez à être convaincu. »

Il émit un grognement à notre adresse, l'air content de lui, puis prit de chaque poudre une pincée qu'il jeta séparément sur le fer chauffé au rouge où elle grésilla en dégageant une épaisse fumée blanche. Stahl la renifla, puis grogna une nouvelle fois.

« Pas de flamme, dans aucun des cas. Légère odeur — qu'en pensez-vous ? — d'ail... »

Il versa un peu d'eau sur le fer pour le refroidir, puis le jeta négligemment par la fenêtre afin qu'il reste sur le sol et ne nous empoisonne pas :

« Voilà ! Inutile de perdre davantage de temps avec d'autres matières. Nous avons fait six expériences séparées, et dans chaque cas le dépôt que vous m'avez apporté dans la bouteille de cognac réagit de la même manière que cette substance. En tant qu'expérimentateur de chimie, messieurs, je vous suggère qu'il n'y a guère de chances, en fait, que le dépôt de la bouteille ne soit pas de même nature que ma substance.

— Soit ! Soit ! s'exclama Lower, à bout de patience. Quelle est donc votre substance ?

— Ah ! la question cruciale ! Excusez ma petite mise en scène. On l'appelle "arsenic blanc". Jadis utilisé comme poudre de maquillage par les femmes stupides et vaniteuses, et tout à fait mortel en grandes quantités. Je peux également le prouver, car j'ai fait une expérience supplémentaire.

« Au fait, j'ai pris des notes sur tout cela, continua-t-il en ouvrant deux paquets. Deux chats, expliqua-t-il en saisissant les animaux par la queue. Un blanc et un noir. Tous deux en parfaite santé hier soir lorsque je les ai attrapés. J'ai donné à l'un deux grains de la poudre de la bouteille, et à l'autre la même quantité d'arsenic, les deux substances dissoutes dans un peu de lait. Les deux créatures sont, comme vous le voyez, tout à fait mortes.

« Vous feriez bien de les prendre toutes les deux, continua Stahl. Comme il semble que vous ayez tripoté les intestins du Dr Grove, il se peut que vous ayez envie d'examiner ceux-là aussi. On ne sait jamais. »

178

Nous le remerciâmes avec effusion de sa gentillesse, et Lower, une queue dans chaque main, partit en direction du laboratoire afin d'anatomiser les deux chats.

« Qu'en pensez-vous ? » me demanda-t-il, tandis que nous avancions dans la Grand-Rue pour revenir vers Christ Church.

Ayant établi que le dépôt de la bouteille était vraiment de l'arsenic (ou, pour être plus précis, qu'il réagissait dans tous les cas comme de l'arsenic et jamais autrement que comme de l'arsenic, si bien qu'on pouvait raisonnablement affirmer qu'il en possédait toutes les caractéristiques) et que, d'autre part, lorsqu'on donnait un peu de ce dépôt à un chat, il mourait d'une façon très semblable à celle dont mourait un chat à qui on avait fait prendre de l'arsenic, nous étions à deux doigts d'une conclusion alarmante.

« Fascinant, dis-je. Ingénieux et tout à fait satisfaisant, à la fois dans la méthode et dans l'exécution. Mais je dois réserver mon avis définitif jusqu'à ce que nous ayons examiné l'intérieur de ces chats. Le syllogisme que vous avez de toute évidence à l'esprit est encore incomplet.

— De l'arsenic dans la bouteille, et Grove est mort. Est-ce bien de l'arsenic qui a tué Grove ? Vous avez absolument raison. Mais vous devinez comme moi ce que vont révéler les intestins des chats. »

Je fis oui de la tête.

« Nous possédons toutes les preuves suggérant que Grove a été assassiné, sauf l'unique facteur nécessaire.

— Qui est ? demandai-je alors que nous franchissions l'indigne entrée inachevée du collège et que nous traversions la vaste cour, elle aussi inachevée.

— Nous n'avons pas le motif, et c'est là l'essentiel. C'est le problème qu'a Stahl avec le pourquoi et le comment, si vous voulez. Inutile de déterminer la manière dont les choses se sont passées si on ne sait pas pourquoi. Le fait et le motif du crime, voilà ce qui est nécessaire : le reste n'est qu'un détail sans importance. *Cui prodest scelus, is fecit* : "Celui à qui profite la vilenie l'a commise."

— Ovide ?

— Sénèque.

— Je crois, dis-je avec une certaine impatience, que vous essayez de m'expliquer quelque chose.

— C'est vrai. De même que Stahl peut déterminer comment les produits chimiques se mêlent les uns aux autres — sans savoir le moins du monde pourquoi —, il en va de même pour nous. Nous savons comment Grove est mort, mais pas pourquoi. Qui a bien pu désirer se donner tant de peine pour le tuer ?

— *Causa latet, vis est notissima*, citai-je à mon tour, ravi de l'avoir, pour une fois, mystifié.

— "La cause est cachée..." ? Suétone ?

— "Mais l'effet est clair." Ovide à nouveau. Vous devriez connaître cette citation. Nous avons au moins établi les faits... si l'examen des chats nous donne raison. Le reste n'est pas de notre ressort. »

Il hocha la tête à plusieurs reprises.

« Vu votre méthode de raisonnement à propos du sang, je trouve étrange votre attitude. Vous avez complètement changé d'avis. Dans un cas, vous avez une hypothèse et ne considérez pas comme nécessaire d'avoir une preuve au préalable. Dans le cas du Dr Grove, vous avez la preuve préalable et ne considérez pas comme nécessaire d'avoir une hypothèse.

— Je pourrais tout aussi facilement dire que vous avez agi de même. En outre, je ne rejette pas le besoin d'une explication. Je prétends seulement que ce n'est pas à nous de la formuler.

— Exact, concéda-t-il, et peut-être mon mécontentement n'est-il que de la vanité. Mais je pense que, à moins que notre philosophie ne puisse aussi établir les choses importantes, elle n'a guère de chances de produire de grands changements. À la fois à propos du pourquoi et du comment. Si la science se borne au comment, je doute qu'elle soit jamais prise au sérieux. Souhaitez-vous vous occuper des chats ? »

Je lui fis signe que non.

« Cela me plairait beaucoup. Mais je dois aller voir ma patiente.

— Très bien. Peut-être me rejoindrez-vous chez Boyle quand vous aurez fini ? Et ce soir, je propose un grand régal. Il ne faut pas se laisser accaparer par l'expérimentation. Il est aussi indispensable de se distraire, à mon avis. Au fait, j'aimerais vous demander quelque chose.

— Et quoi donc ?

— Périodiquement, je fais une tournée dans la campagne ; Boyle en a parlé la semaine dernière. Étant donné que je ne peux pratiquer en ville, je dois en sortir pour gagner un peu d'argent, et j'en ai terriblement besoin en ce moment. Cela procède de la charité chrétienne et c'est très profitable, ce qui est une excellente combinaison. J'installe un cabinet les jours de marché, je suspends une enseigne et j'attends que les pennies affluent. J'allais partir demain. Il va y avoir une pendaison du côté d'Aylesbury et je veux faire une offre pour obtenir le corps. Aimeriez-vous m'accompagner ? Il y aura plus qu'assez de travail pour nous deux. Vous pouvez louer un cheval pour une semaine, voir du pays. Savez-vous arracher les dents ? »

Je regimbai à l'idée.

« Sûrement pas !

— Non ? C'est facile. J'emporterai des pinces avec moi, et vous pourrez pratiquer, si ça vous chante.

— Vous m'avez mal compris. Je veux dire que je ne suis pas barbier. Pardonnez-moi, mais je risque d'encourir la colère de mon père en jouant au médecin, et il y a des limites à ma déchéance. »

Pour une fois, Lower ne fut pas vexé.

« Alors vous ne serez pas d'une grande utilité, fit-il d'un ton enjoué. Écoutez, je me rends dans des villes de quelques centaines d'âmes, tout au plus. Les villageois viennent de plusieurs miles à la ronde et il leur faut le grand jeu. Ils veulent être saignés, purgés, qu'on perce leurs abcès, qu'on masse leurs hémorroïdes et qu'on leur arrache les dents. Nous ne sommes pas à Venise, où vous pouvez les envoyer chez le barbier d'à côté. Vous serez la seule personne compétente qu'il leur sera donné de voir avant une année entière, sauf si un charlatan ambulant passe par là. Donc, si vous venez avec moi, il faudra laisser votre dignité de côté, comme moi-même. Personne ne vous verra, et je vous promets de ne pas en informer votre père. Ils veulent que vous leur arrachiez une dent ? Eh bien, vous empoignez les pinces ! Vous passerez un bon moment : plus jamais vous n'aurez de patients aussi reconnaissants.

— Et Mme Blundy ? Je ne veux pas la trouver morte à mon retour. »

Lower se rembrunit.

« Je n'y avais pas pensé. Mais elle n'a pas besoin de soins, n'est-ce pas ? Je veux dire : vous ne pouvez pas faire grand-chose, à part attendre et voir si elle survit. Et si vous renouveliez le traitement cela gâcherait l'expérience.

— C'est vrai.

— Je pourrais demander à Locke de lui rendre visite. J'ai remarqué qu'il ne vous a pas beaucoup plu, pourtant c'est réellement un brave homme, et un bon médecin. Nous ne serons absents que cinq ou six jours. »

J'hésitais, ne souhaitant pas que quelqu'un comme Locke fût informé de mon travail, même si, sachant que Lower le tenait en haute estime, je me gardai de le dire.

« Laissez-moi y réfléchir. Je vous donnerai ma réponse ce soir.

— Bon. Mais ces chats m'attendent. Et ensuite je suppose que nous devrions nous rendre chez le magistrat pour lui faire part de ce que nous avons découvert. Je doute, cependant, que cela l'intéresse beaucoup. »

Ainsi donc, trois heures plus tard, nous frappâmes à la porte de la maison du magistrat pour l'informer que, selon l'avis de deux médecins, le Dr Grove était mort des suites d'un empoisonnement à l'arsenic et qu'un travail considérable l'attendait. L'examen de l'estomac et des entrailles des chats ne laissait aucun doute à ce sujet : il n'y avait aucune différence entre les deux animaux et, en outre, l'excoriation était absolument semblable à celle qu'on avait notée chez Grove. Les conclusions étaient inévitables quelle que soit l'approche théorique, celle de Monsieur Descartes ou celle de lord Bacon.

Sir John Fulgrove nous reçut presque tout de suite ; on nous fit entrer dans la pièce qu'il utilisait comme bureau et comme salle d'audience improvisée pour juger les affaires mineures. Il avait l'air soucieux, ce qui n'était guère surprenant. Quelqu'un comme Woodward pouvait rendre la vie difficile à tout dignitaire laïque encourant sa colère, même à un magistrat. Faire une enquête sur un décès revenait à soupçonner un meurtre : il lui fallait donc préparer un dossier convaincant pour le présenter devant le jury de l'officier de police judiciaire ; pour cela, il fallait trouver quelqu'un à accuser.

Lorsque nous lui fîmes part de nos investigations et de nos conclusions, il se pencha en avant de son fauteuil, faisant un effort pour comprendre ce que nous disions et l'importance de nos paroles. Je le plaignais beaucoup : c'était, après tout, une affaire exceptionnellement délicate. Il faut reconnaître qu'il nous questionna avec précision sur nos méthodes et sur la logique de nos déductions, il nous fit expliquer plusieurs fois les procédures complexes jusqu'à ce qu'il les eût bien saisies.

« Vous croyez donc que le Dr Grove est mort d'avoir avalé de l'arsenic dissout dans une bouteille de cognac. C'est bien ça ? »

Lower — c'est lui qui exposait les faits — hocha la tête.

« En effet, oui.

— Cependant, vous ne souhaitez pas formuler d'hypothèses à propos de l'introduction de l'arsenic dans la bouteille ? Aurait-il pu l'y introduire lui-même ?

— J'en doute. On l'avait prévenu le soir même de ses dangers, et il avait affirmé qu'il ne s'en servirait plus. En ce qui concerne la bouteille, M. Cola, ici présent, pourra peut-être nous aider sur ce point. »

J'expliquai, par conséquent, comment j'avais vu Grove prendre la bouteille au pied de l'escalier quand il m'avait raccompagné jusqu'au portail. J'expliquai, cependant, que je n'étais pas certain qu'il se fût agi de la même bouteille et que, naturellement, je ne savais pas si le poison s'y trouvait déjà.

« Et ce poison est-il utilisé médicalement ? Vous soigniez le Dr Grove, monsieur Cole ?

— Cola. »

Lower expliqua comment on s'en servait parfois, mais jamais dans de telles quantités. J'ajoutai que je n'avais fait que nettoyer l'œil du médicament qui s'y trouvait, afin que l'œil guérisse tout seul.

« Vous l'avez soigné, vous avez dîné avec lui ce soir-là, et vous êtes probablement la dernière personne à l'avoir vu avant sa mort ? »

J'acquiesçai posément : c'était bien possible, effectivement. Le magistrat grommela :

« Cet arsenic, qu'est-ce exactement ?

— Une poudre, expliqua Lower. On la tire d'un minéral composé de soufre et de sels caustiques. C'est difficile de s'en procurer, et très cher. On en trouve dans les mines d'argent en Allemagne. On peut également le fabriquer en sublimant de l'orpiment avec des sels. En d'autres termes...

— Merci, dit le magistrat, en levant les mains afin d'empêcher Lower de faire l'un de ses cours. Merci. Je

184

voulais seulement savoir où l'on peut s'en procurer. Les apothicaires en vendent-ils, par exemple ? Fait-il partie de la *materia medica* des médecins ?

— Ah ! je vois. En gros, je dirais que les médecins n'en gardent pas chez eux. On ne l'utilise que rarement, et comme je le disais, c'est cher. Ordinairement, ils s'adressent à un apothicaire s'ils en ont besoin.

— Merci beaucoup. » Le front plissé, le magistrat se concentrait sur ce que nous venions de lui dire. « Je ne vois pas comment ces renseignements, quelle que soit leur valeur, pourraient être utilisés dans l'hypothèse où l'affaire viendrait à passer en jugement. J'en saisis l'intérêt, bien sûr, mais je doute que ce soit le cas d'un jury. Vous savez ce que sont ces gens, Lower, la plupart du temps. Si un dossier dépendait de ce genre de bagatelle, il est certain qu'ils acquitteraient l'accusé, quel qu'il soit. »

Lower se renfrogna mais admit que sir John avait raison.

« Dites-moi, monsieur Cole...

— Cola.

— Cola. Vous êtes italien, me semble-t-il. »

J'acquiesçai.

« Vous êtes vous-même médecin ? »

Je répondis que j'avais étudié la médecine, mais que je n'étais pas diplômé et que je n'avais aucune intention d'en faire mon métier. Mon père, continuai-je, s'y opposait...

« Vous connaissez l'arsenic, par conséquent ? »

Ne soupçonnant pas un seul instant où menait cet interrogatoire, j'admis d'un ton enjoué que tel était le cas.

« Et vous reconnaissez avoir été la dernière personne à voir le Dr Grove vivant ?

— C'est possible.

— Ainsi — pardonnez-moi d'émettre des hypothèses —, si donc vous aviez vous-même introduit le poison et le lui aviez donné quand vous êtes arrivé pour dîner, personne ne pourrait contester votre compte rendu ?

— Sir John, vous oubliez sans nul doute quelque chose ? commença Lower avec douceur... à moins de désigner le motif d'une action, on ne peut en attribuer la responsabilité. Et la logique écarte l'existence du motif. Il n'est à Oxford, dans notre pays, en fait, que depuis quelques semaines. Il n'avait rencontré Grove qu'une seule fois avant ce soir-là. Et je suis prêt à me porter absolument garant de son honnêteté, comme le ferait, j'en suis sûr, l'honorable Robert Boyle, s'il était ici. »

Je suis heureux de dire que cela lui fit prendre conscience de l'absurdité de son interrogatoire, même si l'homme ne remonta pas dans mon estime.

« Toutes mes excuses, monsieur. Je n'avais pas l'intention de vous offenser. Mais il est de mon devoir de faire une enquête et, naturellement, je dois questionner ceux qui ont été mêlés aux événements.

— C'est tout à fait compréhensible. Inutile de vous excuser, je vous assure », répondis-je assez peu sincèrement.

Ses propos m'avaient tellement inquiété que je fus sur le point de mettre en évidence la faille de son raisonnement : je n'étais pas forcément la dernière personne à avoir vu Grove vivant, quelqu'un ayant aperçu Sarah Blundy, semblait-il, entrer chez lui après que je l'eus quitté devant le portail.

Je me rendais compte, cependant, que si un Italien papiste eût été le coupable idéal, la fille d'un sectaire, débauchée et passionnée, eût fait une remplaçante de choix. Je n'avais aucun désir de me dégager du soupçon en pointant un doigt accusateur dans sa direction. Je la croyais capable d'un tel méfait, mais, à part les commérages, rien ne suggérait qu'elle était mêlée à l'affaire. Je me sentais tout à fait le droit de me taire jusqu'à l'apparition de nouveaux éléments.

Finalement, le magistrat abandonna l'idée de poursuivre l'entretien ; il se hissa hors de son fauteuil.

« Il faut que vous m'excusiez. Je dois voir l'officier de police judiciaire afin de l'informer, puis m'entretenir avec certaines personnes et également amadouer le directeur Woodward. Docteur Lower, auriez-vous l'amabilité de lui faire part de ce que vous m'avez dit ? Je préférerais qu'il soit convaincu que je n'ai pas agi par animosité envers l'université. »

Lower hocha la tête sans enthousiasme et partit remplir sa mission, me laissant libre d'agir à ma guise pendant le reste de la journée.

Malgré l'agitation entraînée par la mort du Dr Grove, je n'oubliais pas que ce n'était qu'une distraction par rapport à ma mission première, laquelle consistait à m'occuper des affaires de ma famille. Bien que j'en aie peu parlé dans ce récit, je n'avais pas chômé et, gentiment, M. Boyle en avait fait encore davantage. Les nouvelles étaient décourageantes et je n'avais pas abouti à grand-chose. Comme promis, Boyle avait consulté à Londres un avocat de ses amis, qui lui avait assuré que je perdrais mon temps. Sans preuve concrète indiquant que mon père possédait la moitié du négoce, il n'existait aucune chance de persuader un tribunal d'accorder un titre garantissant la moitié de la propriété. On me conseillait de passer les biens perdus par profits et pertes, au lieu d'engager des frais supplémentaires dans une quête chimérique.

Par conséquent, j'écrivis à mon père et lui annonçai que, sauf s'il possédait des documents adéquats à Venise, il semblait que l'argent était à jamais perdu et que je pourrais tout aussi bien rentrer chez nous. Une fois les lettres écrites, scellées et expédiées par la poste royale (peu m'importait qu'elles fussent lues par le gouvernement, aussi décidai-je de ne pas faire la dépense supplémentaire de les envoyer par une poste privée), je retournai à l'échoppe de M. Crosse pour passer le temps à converser et préparer une trousse de médecine, au cas où je déciderais d'accompagner Lower, bien que j'eusse déjà résolu de n'en rien faire.

« Je ne veux pas y aller. Si vous pouviez néanmoins les préparer pour demain matin, à tout hasard... »

Crosse prit ma liste et ouvrit son registre à la page où figuraient mes précédents achats.

« Je vais vous les procurer, dit-il. Comme il n'y a rien de particulièrement rare ni de très cher, cela ne me donnera pas trop de travail. »

Il me dévisagea un instant, visiblement sur le point de dire quelque chose, mais se ravisa et consulta une nouvelle fois son registre.

« Ne vous en faites pas pour le paiement, dis-je. Je suis certain que Lower ou même M. Boyle me serviront de garants.

— Bien sûr, bien sûr. Il n'est pas question de cela.

— Quelque chose d'autre vous préoccupe ? Dites-le-moi, je vous en prie. »

Il réfléchit un peu, puis s'occupa quelques secondes à disposer sur le comptoir des fioles contenant des liquides avant de se décider à parler.

« Je discutais avec Lower tout à l'heure, commença-t-il. À propos de ses expériences au sujet de la mort du Dr Grove.

— Ah oui ! fis-je, pensant qu'il souhaitait entendre d'autres ragots de la bouche de quelqu'un capable de fournir des potins intéressants. Quel homme fascinant que ce M. Stahl, même s'il n'est pas très facile !

— Vous pensez que ses conclusions sont de bon aloi ?

— Je n'ai détecté aucune erreur dans sa méthode, et sa réputation parle d'elle-même. Pourquoi posez-vous cette question ?

— C'est de l'arsenic, alors ? C'est ce qui a causé sa mort ?

— Je ne vois absolument aucune raison de le contester. Vous en doutez ?

— Non. Pas du tout. Mais, monsieur Cola, je me demandais... »

Il hésita de nouveau.

« Allons, l'ami, dites ce que vous avez sur le cœur ! m'écriai-je avec entrain. Quelque chose vous chagrine ? Dites-moi donc ce que c'est ! »

Il allait parler, mais se reprit et secoua la tête.

« Oh, ce n'est rien ! Rien d'important. Je me demandais simplement d'où pouvait provenir l'arsenic. Ça me déplairait que ce soit de ma boutique.

— Je doute que nous le sachions jamais. De plus, d'après ce qu'on me dit, c'est au magistrat à faire de son mieux pour le découvrir et, quoi qu'il arrive, personne ne vous le reprochera. À votre place, je ne me ferais pas du mauvais sang avec ça. »

Il hocha la tête, rassuré.

« Vous avez raison. Tout à fait raison. »

C'est alors que la porte s'ouvrit toute grande et que Lower, accompagné, hélas ! de Locke, pénétra dans l'échoppe. Ils étaient tous deux vêtus de leurs plus beaux manteaux, et Lower avait de nouveau osé arborer sa perruque. Je leur fis un salut à tous les deux.

« Je n'ai pas vu deux plus beaux messieurs depuis mon départ de Paris », dis-je.

Lower fit un large sourire et me rendit un salut maladroit, car il manquait trop d'assurance pour ne pas retenir sa perruque d'une main en s'inclinant.

« La pièce, monsieur Cola, la pièce !

— Quelle pièce ?

— Celle dont je vous ai parlé. Ai-je oublié ? Le régal que je vous ai promis. Êtes-vous prêt ? N'êtes-vous pas émoustillé ? Toute la ville sera là. Venez donc ! Ça commence dans une heure et, si nous ne nous dépêchons pas, nous n'aurons pas les meilleures places. »

Sa bonne humeur et son air pressé balayèrent sur-le-champ toute autre préoccupation de mon esprit, et c'est sans penser plus avant à M. Crosse et à sa mine vaguement soucieuse que je lui souhaitai un bon après-midi et sortis dans la rue en compagnie de mon ami.

Assister à une pièce en Angleterre, pour toute personne délicate qui a connu les raffinements du théâtre italien ou français, occasionne un certain choc ; et, plus que tout, cela rappelle que cette race d'insulaires a émergé de la barbarie il y a peu.

Il ne s'agit pas tant de leur comportement, bien que les plus vulgaires des spectateurs aient fait constamment du bruit ; il faut ajouter que certains parmi les mieux nés étaient loin d'être calmes. Cela était dû au fol enthousiasme suscité par la troupe de comédiens. Il n'y avait que quelques années que ce genre d'événements était à nouveau autorisé, et toute la ville était prise de frénésie joyeuse à la pensée de pouvoir être témoin d'une telle nouveauté. Même les étudiants, paraît-il, avaient vendu leurs livres et leurs couvertures pour acheter des billets, excessivement chers, d'ailleurs.

Non que la mise en scène ait été affreuse, même si elle était terriblement grossière et plus proche du carnaval burlesque que du théâtre à proprement parler. Mais c'est le genre de pièces qu'admirent les Anglais qui révèle à quel point ce peuple est fruste et violent. Elle était écrite par un homme qui avait vécu dans les environs d'Oxford, mais qui, hélas ! n'avait de toute évidence ni voyagé, ni étudié les meilleurs auteurs, car il ne possédait aucune technique, aucun sens de l'intrigue, et certainement pas celui de la bienséance.

Ainsi, les unités qu'Aristote préconise à juste titre pour s'assurer que la pièce reste compréhensible étaient bafouées presque dès la première scène. Loin de se passer dans un seul lieu, la pièce commençait dans un château (me semble-t-il), se déplaçait ensuite sur quelque lande, puis sur un champ de bataille ou deux. Enfin, on avait l'impression que l'auteur cherchait à placer une scène dans la moindre ville du pays. Il avait aggravé sa faute en faisant fi de l'unité de temps : entre les différentes scènes, il pouvait s'écouler une minute, une heure, un mois ou (autant que je pus en juger) quinze ans, sans que l'auditoire en fût informé. Il manquait également l'unité d'action, l'intrigue principale étant oubliée pendant de longues périodes, tandis que des récits secondaires apparaissaient, un peu comme si l'auteur avait arraché des pages à une demi-douzaine de pièces et les avait jetées en l'air avant de les recoudre ensemble selon l'ordre où elles étaient retombées par terre.

La langue était pire : je ne compris pas tout. Les acteurs ne possédaient aucun sens de la déclamation, parlant comme s'ils bavardaient avec des amis dans une taverne. Naturellement, le véritable jeu de l'acteur qui consiste à rester immobile, face à l'auditoire, et à séduire celui-ci par le pouvoir d'une belle rhétorique n'eût pas été adéquat puisqu'il n'y avait guère de beauté à mettre en valeur. Bien au contraire, les acteurs ne proposaient qu'une langue d'une vulgarité à vous couper le souffle. Pendant une scène, en particulier, où le fils d'un noble fait semblant d'être fou et folâtre en pleine lande sous la pluie, avant de rencontrer le roi, qui, devenu fou lui aussi, s'est couronné la tête de fleurs (croyez-moi, je ne plaisante pas !), je m'attendais vraiment à ce que les dames fussent rapidement évacuées par des maris prévenants. Pas du tout ! Elles restèrent assises, l'air absolument ravi, et la seule chose qui causa un frisson de stupéfaction fut la présence d'actrices sur la scène, fait inouï jusque-là.

Finalement, il y avait la violence. Dieu seul sait combien furent tués ; à mon avis, cela explique très bien pourquoi les Anglais sont notoirement si brutaux :

comment pourrait-il en être autrement si ces spectacles répugnants sont présentés comme des distractions ? Par exemple, un noble se fait crever les yeux sur la scène, devant les spectateurs et d'une façon qui ne laisse rien à l'imagination. À quoi peut bien servir cette épaisse et inutile vulgarité, sinon à offenser et à choquer ?

En fait, le seul intérêt véritable que je trouvai à cette manifestation — qui traîna si longtemps que les dernières scènes furent jouées, Dieu merci ! dans le noir — fut qu'elle m'offrit un panorama de la société locale, étant donné que personne ne sut résister à la tentation de tremper ses doigts dans la boue offerte. M. Wood, le colporteur de ragots, était présent, ainsi que le directeur Woodward et le sévère, l'austère Dr Wallis. Il y avait également Thomas Ken, Crosse, Locke, Stahl et bien d'autres gens que j'avais aperçus chez la mère Jean.

Ainsi que beaucoup d'autres, sans même compter les étudiants, que je n'avais jamais vus, mais que connaissait bien mon ami. Pendant l'une des nombreuses interruptions, par exemple, un homme mince et émacié essaya de parler au Dr Wallis. Ce dernier eut l'air en colère et gêné ; il se détourna brusquement, refusant clairement de se laisser aborder.

« Oh ! Oh ! fit Lower, qui regardait la scène avec intérêt. Les temps changent ! »

Je le priai de me donner une explication.

« Hein ? Oh, je suppose que vous n'êtes pas au courant, répondit-il, sans pouvoir détacher son regard de la scène qui se jouait sous ses yeux. Comment le seriez-vous ? Dites-moi, que pensez-vous de ce petit homme ? Croyez-vous qu'il soit possible de lire le caractère sur la physionomie ?

— Sans doute. Si ce n'est pas le cas, alors un grand nombre de portraitistes perdent leur temps et nous racontent des mensonges.

— Eh bien, allez-y ! Faites votre analyse ! Nous pouvons mettre à l'épreuve le bien-fondé de la doctrine. Ou le niveau de votre habileté.

— Bon ! fis-je, tout en étudiant soigneusement l'homme pendant qu'il retournait humblement à sa place et se rasseyait sans se plaindre. Je ne suis pas artiste en la matière et je n'ai reçu aucune formation, mais il s'agit d'un homme qui a dans les quarante-cinq ans et qui semble né pour servir et obéir. Nullement un homme qui aurait jamais eu autorité ou pouvoir. Il n'est pas favorisé par la fortune, bien qu'il ne soit pas pauvre. Un homme de qualité, mais sans grande naissance.

— Bon début ! commenta Lower. Continuez !

— Il n'a pas pour habitude de s'imposer. Et ne possède pas du tout l'allure de quelqu'un qui puisse briller dans le monde. Plutôt le contraire : son comportement suggère que c'est quelqu'un qui sera toujours oublié et dont on ne tiendra jamais compte.

— Ha ! ha ! Quoi encore ?

— C'est l'un des éternels suppliants de l'univers, continuai-je, me laissant entraîner par le sujet. On peut le voir par la façon dont il a abordé le Dr Wallis et par la manière dont il a accepté la rebuffade. De toute évidence, il est habitué à être traité de la sorte. »

Lower hocha la tête.

« Excellent ! Expérience vraiment concluante !

— J'ai raison ?

— Disons que vous avez fait une série d'observations intéressantes. Ah ! la pièce reprend. Splendide ! »

Je grognai intérieurement : en effet, les acteurs revenaient sur scène, pour le dénouement, heureusement. J'aurais pu faire mieux moi-même : au lieu que la morale de l'œuvre soit agréable, le roi et sa fille meurent juste au moment où n'importe quel dramaturge sensé se serait attaché à les faire vivre afin qu'on puisse en tirer une leçon de morale. Mais, bien sûr, à ce stade de la pièce, tous les autres personnages sont déjà morts, et, à la fin, la scène est un véritable charnier, aussi ont-ils probablement décidé de faire comme les autres puisqu'ils n'ont plus personne à qui parler.

Je sortis de là tout abasourdi, je n'avais pas vu autant de sang depuis ma dernière classe d'anatomie à Leyde. Heureusement que Lower suggéra juste après d'aller dans une taverne. Ayant besoin d'un fort remontant, je n'hésitai même pas lorsque Locke et Wood décidèrent de se joindre à nous : ce n'était pas la compagnie selon mon cœur, mais j'aurais bu avec Calvin lui-même s'il l'eût fallu.

Sur le chemin de la Fleur-de-Lis, située à l'autre bout de la ville, Lower avait fait part à Locke de mes remarques à propos du comportement de l'homme, ce qui ne produisit qu'un ricanement.

« Si je me suis trompé, vous devez me dire en quoi, fis-je avec une certaine irritation, très mécontent qu'on se moquât de moi de la sorte. De qui s'agit-il ?

— Vas-y, Wood ! Tu es le dépositaire de tous les ragots de l'humanité. Dis-le-lui ! »

Visiblement satisfait d'être inclus dans notre groupe et ravi d'être le centre de l'attention, Wood but une gorgée et commanda une pipe par le passe-plat. Lower fit de même, pour ma part, je déclinai l'offre. Non pas que je sois contre un peu de tabac, surtout le soir, quand je suis constipé, mais il arrive que les pipes, après avoir été trop souvent utilisées par la clientèle des tavernes, acquièrent un goût de salive amère. La plupart des clients n'en ont cure, moi, je trouve cela désagréable et je n'utilise que ma pipe personnelle.

« Eh bien ! commença Wood de sa voix pédante, lorsque sa chope de bière fut à nouveau pleine et sa pipe bien allumée, ce petit homme qui est vraiment l'un de ceux qui ont échoué dans la vie, qui est si naturellement un serviteur, un véritable suppliant est, en fait, John Thurloe. »

Il fit une pause afin de produire son effet dramatique, comme si ce nom devait m'impressionner. Je lui demandai d'un ton un peu plus sec qu'il n'eût été strictement nécessaire qui, exactement, était John Thurloe.

« Vous n'avez jamais entendu parler de lui ? s'étonna-t-il. Bien des gens à Venise savent qui il est. Et presque partout dans le reste de l'Europe. Pendant près de dix ans, cet homme a assassiné, volé et torturé dans tout le pays et ailleurs. Naguère — il n'y a pas si longtemps — il tenait dans sa main le destin des royaumes et se jouait des monarques et des hommes d'État comme s'il s'agissait de simples marionnettes. »

Il s'arrêta une nouvelle fois et finit par se rendre compte qu'il ne se montrait pas assez précis.

« Thurloe était le secrétaire d'État de Cromwell, expliqua-t-il, comme s'il parlait à un enfant. (Vraiment, cet homme m'exaspérait.) Son maître espion, responsable de la sécurité du Commonwealth et de la vie de Cromwell, tâche qu'il a accomplie avec un incontestable succès, car Cromwell est mort dans son lit. Tant que John Thurloe était là, aucun assassin ne s'est approché. Il avait des espions partout : si le moindre complot était ourdi par les hommes du roi, Thurloe en avait vent avant qu'eux-mêmes en soient informés. J'ai ouï dire qu'il a été jusqu'à fomenter lui-même certains de leurs complots pour le simple plaisir de les annihiler. Tant qu'il avait la confiance de Cromwell, il n'y avait aucune limite à sa puissance. Absolument aucune. On raconte que c'est Thurloe qui a, par la ruse, amené le père de Jack Prestcott à trahir le roi.

— Ce petit homme ? demandai-je avec étonnement. Mais, si c'est vrai, comment se fait-il qu'il se promène en liberté, aille au théâtre ? Sans aucun doute, n'importe quel gouvernement sensé l'aurait fait pendre en deux temps trois mouvements. »

Wood haussa les épaules, ne souhaitant pas avouer qu'il y avait quelque chose qu'il ignorait.

« C'est un mystère d'État. Il vit à quelques miles d'ici, en toute tranquillité. Tout le monde s'accorde pour dire qu'il ne voit personne et qu'il a fait la paix avec le gouvernement. Naturellement, tous ces gens qui s'agglutinaient autour de lui lorsqu'il était puissant ne se rappellent même plus son nom.

— Y compris John Wallis, de toute évidence.

— Ah, oui ! fit Wood, les yeux pétillants de malice. Lui y compris. Le Dr Wallis est un homme qui a l'instinct du pouvoir. Il le renifle. Je suis sûr que le premier indice qu'a un homme d'État de l'imminence de sa chute, c'est que John Wallis a cessé de lui faire sa cour. »

Tout le monde aime les histoires relatant des événements sombres et mystérieux, et je n'étais pas différent. Le récit de Wood à propos de Thurloe révélait certains aspects du royaume. Ou bien le roi restauré était si sûr de son trône qu'il pouvait sans crainte laisser de tels hommes en liberté, ou bien il était si faible qu'il n'avait pas le pouvoir de les faire passer en justice. C'eût été différent à Venise : il y a bien longtemps que Thurloe aurait été dévoré par les poissons de l'Adriatique.

« Et ce Wallis ? Il m'intrigue... »

Je n'en appris pas davantage, car un jeune homme, que je reconnus comme étant le serviteur du magistrat, s'approcha de notre table et se tint au garde-à-vous jusqu'au moment où Lower lui permit de se mettre au repos en lui demandant ce qu'il désirait.

« Je cherche M. Cola et le Dr Lower, monsieur. »

Nous nous nommâmes.

« Et toi, que veux-tu ?

— Sir John requiert votre présence de toute urgence chez lui, à Holywell.

— Maintenant ? demanda Lower. Nous deux ? Il est plus de neuf heures et nous n'avons pas encore dîné.

— Je crois que ça ne peut attendre. C'est une question de la plus extrême importance, insista le jeune homme.

— Il ne faut jamais faire attendre un homme qui a le pouvoir de vous faire pendre, affirma Locke d'un ton encourageant. Vous feriez mieux d'obtempérer. »

La maison de Holywell paraissait chaleureuse et engageante quand nous y arrivâmes. On nous fit patienter dans le vestibule, avant d'être introduits dans la pièce où avaient lieu les entretiens. Je m'approchai du feu qui flambait dans l'âtre, me rendant compte, une fois de plus, du froid qui régnait l'hiver dans ce pays et à quel point mon propre logement était mal chauffé. Je m'aperçus également que j'avais une faim de loup.

Le magistrat était visiblement plus guindé qu'il ne l'avait été le matin même. Les civilités terminées, il nous conduisit dans la petite pièce et nous fit tous les deux asseoir.

« Vous travaillez très tard, sir John, dit aimablement Lower.

— Pas par choix, docteur, répondit-il. Mais il s'agit d'une affaire pressante.

— Cela doit être grave alors.

— En effet. Il s'agit de M. Crosse. Il est venu me voir cet après-midi, et je souhaite vérifier son honorabilité, étant donné que ce n'est pas un homme de qualité, bien qu'il soit, sans aucun doute, éminemment digne de confiance à tous égards.

— Allez-y donc ! Que voulez-vous savoir sur ce brave Crosse ? C'est l'un des hommes les plus honnêtes que je connaisse, qui ne triche sur le poids que rarement, et encore, uniquement avec les clients qu'il ne connaît pas.

— Il a apporté son registre de commerce, poursuivit le magistrat, et celui-ci montre très clairement qu'une importante quantité d'arsenic a été achetée il y a quatre mois par Sarah Blundy, une servante d'ici.

— Je vois.

— La Blundy avait été renvoyée par Grove pour mauvaise conduite le jour même, continua le magistrat. Elle vient d'une famille violente.

— Pardonnez-moi, interrompit Lower. Avez-vous interrogé la fille ? Peut-être a-t-elle une réponse parfaitement plausible.

— Je l'ai fait. Après avoir parlé à M. Crosse, je me suis rendu directement chez elle. Elle a déclaré avoir acheté la poudre sur l'ordre du Dr Grove.

— Ce qui est peut-être vrai. Il serait difficile de la contredire.

— Possible. J'ai l'intention de vérifier si le Dr Grove tenait un livre de comptes. Le coût de la poudre avoisine le shilling, et il est fort probable qu'une dépense de ce montant a été notée. Pouvez-vous vous porter garant pour Crosse ? Est-il de bonne moralité et incapable de faux témoignage par pure méchanceté ?

— Sans aucun doute. À cet égard, on peut lui faire une entière confiance. S'il a dit que la fille a acheté de l'arsenic, alors elle l'a fait, affirma Lower.

— Avez-vous accusé directement la fille ? demandai-je.

— Non, répondit sir John, c'est beaucoup trop tôt.

— Vous pensez que c'est possible ?

— Oui. Puis-je savoir pourquoi aucun de vous deux ne m'a signalé la rumeur selon laquelle on l'avait vue entrer chez le Dr Grove ce soir-là ?

— Ce n'est pas à moi de propager des racontars, répliqua Lower avec force. Ni à vous de les répéter, monsieur.

— Il ne s'agit pas de cela. Le directeur Woodward m'en a fait part et m'a amené M. Ken pour qu'il répète ses accusations.

— Ken ? demandai-je. Êtes-vous sûr qu'il disait la vérité ?

— Je n'ai aucune raison d'en douter. Il ne s'entendait pas avec le Dr Grove, mais je ne puis croire qu'il mentirait à propos d'une affaire de cette gravité.

— Et qu'a dit la fille ?

— Elle a nié, bien sûr. Mais elle a refusé de dire où elle se trouvait. »

Je me souvins qu'elle avait refusé de me le confier à moi aussi, et, pour la première fois, un pressentiment m'étreignit le cœur : il valait mieux avouer la pire immoralité si cela écartait de tels soupçons. Qu'avait donc pu faire cette fille à ce moment-là, au cas où, bien sûr, elle ne mentait pas pour dissimuler sa culpabilité ?

« En ce cas, ce sera sa parole contre celle de Ken, explique Lower.

— Naturellement sa parole à lui aura plus de poids, fit remarquer le magistrat. Et, d'après les ragots que l'on colporte, la fille avait un motif, quelle que soit la perversité de celui-ci, pour perpétrer ce méfait. Est-il vrai que vous traitez sa mère ? »

Je fis oui de la tête.

« Je vous conseille de cesser sur-le-champ. Vous devez avoir aussi peu de contacts que possible avec elle.

— Vous présumez de sa culpabilité, dis-je, inquiet du tour que prenait la conversation.

— Je crois apercevoir les premiers éléments d'un dossier. Mais déterminer cette culpabilité n'est pas de mon ressort, et je m'en réjouis !

— La mère a toujours besoin d'un médecin, expliquai-je, sans préciser que mon expérience requérait également une constante attention.

— Un autre médecin fera sûrement l'affaire. Je ne peux pas vous l'interdire, mais je vous supplie de réfléchir au malaise que cela créerait. La question du Dr Grove sera, sans aucun doute, soulevée si vous rencontrez la fille : si celle-ci est coupable, elle ne peut que s'enquérir du déroulement de l'enquête, et elle voudra savoir si vous la soupçonnez. Vous serez alors placé devant une alternative : ou vous mentez, ce qui serait indigne, ou vous la renseignez, auquel cas vous risquez de provoquer sa fuite. »

J'entrevoyais bien la logique de ces propos.

« Mais si je cesse soudain de m'occuper d'elle, cela équivaudra à une accusation.

« — En ce cas, répliqua Lower d'un ton enjoué, il faudra que vous m'accompagniez dans ma tournée. Cela vous obligera à quitter les lieux, et la fille ne suspectera pas le motif de votre absence.

— Du moment que vous revenez... Monsieur Lower, acceptez-vous de servir de garant à votre ami ? Promettez-vous qu'il reviendra à Oxford ? »

Lower accepta volontiers, et, lorsque nous quittâmes la maison, la question était réglée entre eux sans que je fusse consulté le moins du monde. Le lendemain, semblait-il, je partirais en tournée et Lower persuaderait Locke de s'occuper de ma malade et de prendre toute note utile sur sa condition. Cela revenait inévitablement à lui révéler ce que nous avions fait, ce qui me mettait mal à l'aise, mais je ne voyais pas d'autre possibilité. Il partit chercher son ami pendant que je rentrais chez moi, le cœur gros, attristé par le tour qu'avaient pris les événements.

Chapitre quinze

Malgré des débuts peu propices, la tournée médicale de la semaine suivante eut d'abord une excellente influence sur le trouble où se trouvait mon esprit. Je m'aperçus qu'en un bref laps de temps seulement l'atmosphère d'Oxford m'avait affecté et rendu aussi mélancolique que la plupart de ses habitants. Quelque chose se dégage de l'endroit, une humidité qui oppresse l'esprit et accable puissamment l'âme. Il y a longtemps que j'ai une théorie sur le climat ; si Dieu me prête vie, j'aimerais la développer un jour. Je crois sincèrement que le temps gris et pluvieux empêchera toujours les Anglais de jouer un grand rôle dans le monde, à moins qu'ils n'abandonnent leur île pour des rivages plus ensoleillés. Transportez-les aux Amériques ou aux Indes et, vu leur caractère, ils pourront régner sur le monde ; laissez-les sur place et ils sont destinés à languir et à s'étioler. J'en avais fait personnellement l'expérience en voyant mon tempérament enjoué à l'accoutumée s'assombrir au cours de mon séjour en ces lieux.

Cependant, le fait de chevaucher par ce qui paraissait être le premier jour de printemps après un hiver long et rigoureux, à travers la campagne qui commence dès que l'on a passé le pont menaçant ruine, juste après le collège St. Mary Magdalen, s'avéra être un merveilleux tonique. En outre, le vent avait enfin tourné du nord à l'ouest et emporté les effets néfastes du plus délétère des vents. J'ajouterai que la perspective de ne plus avoir rien à faire pendant quelques jours avec Sarah Blundy, ni avec le cadavre de Robert Grove, me fut d'un certain secours.

Lower avait organisé l'expédition longtemps à l'avance et, le premier matin, il m'entraîna rapidement, menant les chevaux à fond de train jusqu'à notre arrivée, en fin d'après-midi, à Aylesbury, qui se trouve dans le comté suivant. Nous descendîmes dans une hôtellerie où nous nous reposâmes jusqu'à ce qu'eût lieu l'exécution, le lendemain matin. Je n'y assistai pas, car je ne tire guère de plaisir de ce genre de spectacles, mais Lower y alla. La fille, dit-il, fit un malheureux discours qui lui coûta la sympathie de la foule. Il s'agissait d'une affaire compliquée, et la ville était loin d'être convaincue de sa culpabilité. Elle avait tué un homme qui, selon ses dires, l'avait violée, mais le jury décida qu'elle mentait parce qu'elle était tombée enceinte, ce qui ne peut se produire que si la femme prend du plaisir à l'acte. En temps normal, sa condition lui aurait permis d'échapper au gibet, mais elle avait perdu l'enfant et, par la même occasion, toute protection contre le bourreau. C'était un dénouement infortuné, cependant considéré par ceux qui la croyaient coupable comme dû à la divine providence.

Lower m'assura qu'il devait y assister : une pendaison est un détestable spectacle, mais l'une de ses nombreuses obsessions concernait le moment précis où survient la mort. Cela était directement lié à nos expériences avec la colombe dans la pompe à air. La plupart des pendus s'asphyxient lentement au bout de la corde ; ce qui intéressait surtout Lower — et la médecine, en général — était d'évaluer le temps qu'il faut à l'âme pour s'envoler. Il m'affirma être un excellent expert en la matière. C'est pour cette raison qu'il se posta près de l'arbre afin de prendre des notes.

Il obtint aussi son cadavre après avoir donné un pourboire aux employés et payé une livre à la famille. Il le fit porter chez un apothicaire qu'il connaissait et se mit au travail. Nous fîmes un peu de dissection sur place — je pris le cœur, tandis qu'il fendait le crâne et exécutait plusieurs ravissants dessins du cerveau —, puis nous remîmes le reste en place avant de faire tremper les morceaux dans de grandes cuves pleines d'alcool que l'apothicaire s'engagea à livrer chez Crosse. Il écrivit également une lettre à Boyle pour lui annoncer l'arrivée des cuves, qui ne devaient sous aucun prétexte être ouvertes.

« Je doute que cela lui fasse grand plaisir, dit-il après s'être lavé les mains, lorsque nous eûmes regagné l'auberge pour dîner et boire. Mais, à part chez lui, où pourrais-je les expédier ? Mon collège refuse de garder les cadavres sur place. Si j'envoyais celui-ci à une autre personne, elle pourrait bien se livrer à des expériences dessus avant mon retour. Certains n'ont aucun scrupule en la matière. »

En ce qui concerne le reste du voyage, inutile d'entrer dans les détails. Les patients débarquèrent en rangs serrés dès que nous nous fûmes installés dans les diverses auberges jalonnant notre parcours, et, dix jours plus tard, j'étais riche de soixante-cinq shillings supplémentaires. En moyenne, les honoraires se montaient à quatre pence, personne ne payait plus d'un shilling et demi ; lorsqu'on me réglait en nature, il me fallait vendre au rabais aux marchands locaux les diverses oies, canards et autres poules (nous mangeâmes une oie, mais il m'était difficile de rentrer à Oxford à la tête d'une basse-cour !). Tout cela devrait donner une idée du nombre de patients que je traitai.

Je vais faire le récit d'une journée, car elle fut particulièrement importante. C'était à Great Milton, un petit village à l'est d'Oxford où nous nous étions rendus parce qu'une branche éloignée de la famille de Boyle y possédait un domaine. Nous étions assurés d'un lit confortable pour la nuit et avions enfin l'occasion de nous débarrasser des poux que nous avions attrapés les jours précédents. Nous arrivâmes vers sept heures du matin, gagnâmes sans tarder nos deux chambres dans une hôtellerie voisine, tandis que l'aubergiste envoyait un crieur dans tout le village pour annoncer notre présence. Nous étions à peine prêts que le premier patient se présenta. Quand il fut traité (Lower lui perça un furoncle au fondement, traitement auquel le malade réagit avec une rare bonne humeur), une file se formait déjà devant la porte.

Ce matin-là, j'extirpai quatre dents, tirai plusieurs gallons de sang (les notions compliquées à propos de l'efficacité thérapeutique ne mènent à rien à la campagne : les paysans voulaient être saignés et étaient bien décidés à obtenir gain de cause). Je bandai des plaies, goûtai des urines, appliquai des baumes et gagnai sept shillings. Une courte pause pour le déjeuner, et nous voilà repartis : percements d'abcès, nettoyages de pus, réductions de fractures et gain de onze shillings et huit pence. Du début à la fin, toutes les grandes théories de Lower sur la nouvelle médecine furent oubliées. Les patients ne s'intéressaient pas aux bénéfices qu'apportaient les médecines iatrochimiques et méprisaient les nouveautés. Ainsi donc, au lieu de prescrire des concoctions précisément dosées de mercure et d'antimoine, nous rééquilibrâmes les humeurs comme le plus coriace des galénistes et consultâmes les étoiles avec une ferveur digne de Paracelse lui-même. Tout ce qui pouvait marcher ! Nous n'avions pas le loisir de réfléchir à de nouvelles approches, et nous ne jouissions pas de la réputation qui nous eût permis de les appliquer.

À la fin, nous étions tous les deux épuisés, et pourtant nous dûmes nous éclipser au crépuscule pour éviter de recevoir les autres patients attendant toujours leur tour. Le vieux couple qui tenait la maison nous ayant promis un bain chaud lorsque nous nous étions présentés à midi, j'étais très désireux de tirer parti de cette proposition : je ne m'étais pas immergé depuis l'automne précédent et j'avais l'impression que non seulement ma constitution pouvait le supporter, mais que cela me remonterait considérablement le moral. J'y allai le premier, emportant la bouteille de cognac pour gagner du temps, et je me sentis tout ragaillardi en émergeant de l'eau. Lower se méfiait davantage des bains, mais sa peau le démangeait tellement à cause des poux qu'il décida de courir le risque.

Je m'affalai dans un fauteuil tandis que Lower entrait dans le bain à son tour ; j'étais presque endormi lorsque Mme Fenton, la servante, m'annonça qu'il y avait un message pour moi, apporté par un domestique venant du prieuré d'à côté.

Je rechignai. Ce genre de choses se produisait constamment : la noblesse et les familles de haut rang désiraient avoir recours aux services d'un médecin de passage, mais trouvaient, bien sûr, dégradant d'attendre avec la populace. Aussi envoyaient-elles un message requérant notre présence. Très bien : nous allions leur rendre visite, au lieu du contraire, et nous leur faisions payer une belle somme en échange de cette faveur. Invariablement, c'est Lower qui prenait la majeure partie de la pratique puisqu'il était anglais et qu'il souhaitait se faire des relations pour l'avenir ; j'étais ravi de lui laisser ce privilège.

Cette fois-là, cependant, il se trouvait dans son bain, et de plus, le serviteur insista avec force sur le fait que c'étaient mes services qui étaient réclamés. J'étais flatté mais, une fois encore, la vitesse avec laquelle les nouvelles circulaient à la campagne me stupéfiait. Je pris rapidement ma trousse et laissai un message à Lower lui indiquant mon retour dès que possible.

« Qui est votre maître ? » demandai-je pour faire poliment la conversation tandis que nous revenions en direction de la rue principale du village, avant de tourner à gauche dans une voie plus étroite.

Mes professeurs avaient souvent recommandé cette méthode : en questionnant habilement les domestiques, il est souvent possible d'établir un diagnostic complet avant même de voir le malade, et d'acquérir ainsi une merveilleuse réputation. La technique ne servit pas à grand-chose, car le domestique, un homme âgé, puissamment bâti, ne répondit pas une seule fois. En fait, il n'ouvrit pas la bouche jusqu'à ce que nous ayons atteint une maison de taille moyenne, située au début du village et dans laquelle on pénétrait par une grande porte, et qu'on m'ait fait entrer dans ce que les Anglais appellent un « parloir », c'est-à-dire une salle où l'on reçoit les invités. C'est seulement là qu'il rompit le silence en me demandant de m'asseoir, avant de disparaître.

Je m'assis donc et attendis patiemment jusqu'au moment où la porte s'ouvrit et où je me retrouvai en présence du plus grand assassin de l'Europe, à en croire les récits de M. Wood.

« Bonsoir, docteur, me dit John Thurloe d'une voix calme et mélodieuse. Très aimable à vous d'être venu. »

Quoique ce fût la première fois qu'il m'était loisible de l'étudier correctement, je ne reniai pas mes premières constatations. Même compte tenu de sa réputation, il n'avait pas du tout l'air d'un tyran démoniaque. Ses yeux bleus clignaient comme s'ils n'avaient pas l'habitude de la lumière et il avait la mine doucereuse de celui qui souhaite désespérément être traité avec bonté. Pressé de donner mon avis, je l'aurais défini comme un gentil prélat menant une vie tranquille, mais digne, dans une paroisse pauvre, oublié de ses supérieurs.

La description de Wood s'étant néanmoins inscrite dans mon esprit, je m'aperçus que je le regardais bouche bée, presque avec terreur.

« Vous êtes le Dr Cola, n'est-ce pas ? » continua-t-il devant mon silence. Je réussis enfin à répondre que c'était bien le cas et à lui demander de quoi il souffrait.

« Ah ! il ne s'agit pas d'un problème corporel, déclara Thurloe avec un pâle sourire. Plutôt de l'âme, pourrait-on dire. »

Je me permis de faire remarquer que cela ne relevait guère de ma compétence.

« En effet. Il est possible pourtant que vous puissiez être d'un certain secours. Puis-je être franc avec vous, docteur ? »

Je tendis les mains comme pour dire : eh bien ! pourquoi pas ?

« Parfait ! Vous voyez, j'ai un invité qui a de graves ennuis. Je ne peux pas dire que je le reçoive avec plaisir, mais vous connaissez les devoirs de l'hospitalité. Il est coupé de la société de ses semblables et ma compagnie ne lui suffit pas. Je ne peux le lui reprocher, ma conversation n'étant pas brillante. Au fait, savez-vous qui je suis ?

— Il paraît que vous êtes M. Thurloe, le secrétaire d'État de lord Cromwell.

— Exact. Quoi qu'il en soit, mon invité a besoin de renseignements que je ne ne suis pas en mesure de lui fournir et il m'assure que vous pourriez peut-être l'aider. »

Je ne le suivais pas du tout, naturellement. Aussi affirmai-je que je le ferais volontiers. Mais, continuai-je, Great Milton n'était guère coupé de la civilisation ? Thurloe ne répondit pas tout de suite.

« J'ai cru comprendre que vous connaissiez un homme du nom de Robert Grove. Un maître de New College qui vient de décéder. Est-ce vrai ? »

Que Thurloe fût au courant me stupéfia, mais, oui, c'était bien le cas.

« Je me suis laissé dire qu'il y a un point d'interrogation à propos de sa mort. Pourriez-vous me faire part des circonstances ? »

Je ne voyais pas pourquoi j'aurais refusé ; aussi fis-je un résumé de ce qui s'était passé, depuis les enquêtes de Lower jusqu'à la conversation qu'avait eue Sarah Blundy avec le magistrat et moi-même. Thurloe restait assis dans son fauteuil, impassible, sans bouger ou presque, l'air absolument serein ; il m'eût été difficile de dire s'il m'écoutait ou si même il était toujours éveillé.

« Je vois, fit-il, comme je parvenais à ma conclusion. Donc, si je vous comprends bien, quand vous avez quitté Oxford, le magistrat avait questionné cette jeune Blundy, mais c'est tout ? »

Je fis oui de la tête.

« Cela vous surprend-il d'apprendre qu'elle a été accusée de l'assassinat du Dr Grove il y a deux jours ? Et qu'elle est maintenant en prison dans l'attente des assises ?

— En effet. Je ne savais pas que la justice anglaise œuvrait si vite.

— Pensez-vous que la fille soit coupable ? »

Quelle question ! Je me l'étais posée moult fois pendant mon voyage.

« Je ne sais. Cela relève de la justice, pas de la raison. »

Il sourit, comme si j'avais fait un trait d'esprit. Lower m'apprit plus tard qu'il avait été avocat pendant de nombreuses années avant que la rébellion ne le portât au pouvoir.

« Selon la raison, alors. Qu'en pensez-vous ?

— L'hypothèse est que Sarah Blundy a tué le Dr Grove. Quelles preuves y a-t-il ? Il y a un motif dans le fait qu'il l'a renvoyée de son emploi, quoique de nombreux domestiques soient mis à la porte et que rares soient ceux qui se vengent de la sorte. Elle s'est procuré de l'arsenic le jour de son renvoi. Elle se trouvait à New College le soir de la mort du Dr Grove mais a hésité à l'avouer. Sans aucun doute, les preuves vont dans le sens de l'hypothèse formulée.

— Votre méthode présente une faiblesse, néanmoins. Vous ne signalez pas toutes les preuves. Seulement celles qui soutiennent l'hypothèse. D'après moi, certains faits indiquent une autre interprétation : vous auriez pu le tuer, vous, étant donné que vous avez été la dernière personne à le voir et que vous aviez accès au poison si vous souhaitiez l'assassiner.

— J'aurais pu le faire, mais tel n'est pas le cas ; et je n'avais aucun motif. Pas plus que le Dr Wallis, ou que Lower, ou encore Boyle. »

Thurloe accepta cette objection. (Pourquoi avais-je besoin de me justifier ? Je n'en savais rien.) Il approuva d'un signe de tête.

« Par conséquent, c'est la combinaison de diverses sortes de faits que vous jugez significative. Et vous en concluez qu'elle est vraiment coupable.

— Non, répliquai-je, je me garde bien de le faire. »

Thurloe affecta d'avoir l'air surpris.

« Mais vous conviendrez que cela va à l'encontre de la méthode scientifique ? Vous devez accepter sa culpabilité tant que vous n'avez pas une hypothèse de rechange.

— J'accepte cette possibilité, mais j'hésiterais à me fonder dessus pour agir tant qu'une incertitude demeure. »

Il se leva lentement, comme le font les vieillards gênés par la raideur de leurs articulations :

« Je vous en prie, docteur, servez-vous un verre de vin. Je vais revenir discuter davantage de cela avec vous dans un petit moment. »

Je révisai mon opinion sur lui pendant que je me versais à boire. Ses manières étaient bien celles que j'avais décrites, sans aucun doute. Mais un ordre, quelle que soit la douceur avec laquelle il est donné, reste un ordre. Thurloe, conclus-je, était doux parce qu'il n'avait jamais eu besoin d'être autrement. À aucun moment il ne me vint à l'esprit de dire que j'avais rendez-vous avec Lower, que j'avais faim, et qu'il n'y avait aucune raison que je fisse le pied de grue à attendre son bon plaisir. Je restai là sans bouger pendant une demi-heure, ou plus, jusqu'à son retour.

Lorsqu'il revint, Jack Prestcott l'accompagnait, souriant, l'air gêné. (Le cachot et les fers n'étaient plus qu'un mauvais souvenir.)

« Ah ! » s'exclama-t-il d'un ton enjoué, tandis que je le dévisageais avec stupéfaction, car c'était la dernière personne que je pensais revoir, surtout dans de telles circonstances. « L'anatomiste italien ! Comment va mon bon docteur ? »

Thurloe nous sourit tristement à tous les deux, puis fit un profond salut.

« Je vais vous laisser discuter. N'hésitez pas, je vous prie, à m'appeler si c'est nécessaire. »

Il quitta la pièce, me laissant bouche bée et l'air pantois. Prestcott, qui était plus costaud que dans mon souvenir et certainement de plus joyeuse humeur que la dernière fois où nous nous étions rencontrés, se frotta les mains, se saisit d'un pichet posé sur le buffet et se versa un verre de bière ; puis il s'assit en face de moi, scrutant mon visage, à la recherche d'un signe de danger.

« Vous êtes surpris de me voir. Bien. J'en suis ravi. Avouez que c'est un assez bon endroit pour se cacher, non ? Qui penserait à venir me chercher ici, hein ? »

Il semblait certainement de bonne humeur, comme celui qui n'a pas le moindre souci à se faire et non pas comme quelqu'un qui risque d'être incessamment pendu haut et court. Que pouvait-il bien faire dans la maison d'une personne telle que Thurloe ?

« C'est tout simple, dit-il, lui et mon père se connaissaient, d'une certaine manière. Je m'en suis remis à sa clémence. Nous, les parias, nous devons nous entraider, vous savez.

— Qu'attendez-vous donc de moi ? Vous prenez un risque en me révélant votre présence ici, non ?

— Nous verrons. Thurloe m'a fait part de ce que vous lui aviez dit, cela vous gênerait-il de reparler de l'affaire ?

— De quelle affaire ?

— À propos du Dr Grove. Il a été bon avec moi, et c'est la seule personne à Oxford pour qui j'avais de l'affection. J'ai été fort triste d'apprendre ce qui lui est arrivé.

— Vu la vilaine manière dont vous l'auriez traité s'il vous avait rendu visite le soir de votre évasion, j'ai du mal à vous croire sur parole.

— Oh ! ça, fit-il avec mépris. Je n'ai pas fait mal à Wallis en l'attachant, et je n'en aurais pas fait au bon vieux Grove. Mais que faire ? Mourir sur le gibet afin de ne pas être discourtois ? Je devais sortir de là, et c'était ma seule chance. Comment auriez-vous agi à ma place ?

— Tout d'abord, je n'aurais pas agressé quelqu'un », répliquai-je.

Il écarta ce détail d'un geste.

« Réfléchissez quelques instants ! Thurloe me dit que le magistrat a tourné un petit moment autour de vous d'un air menaçant. Et s'il vous avait mis aux fers, comme il aurait pu ? Vous savez, un papiste aurait été un choix très apprécié. Qu'auriez-vous fait ? Vous auriez attendu sans bouger en espérant que les jurés seraient raisonnables ? Ou probablement vous auriez décidé qu'il s'agissait de vauriens et d'ivrognes qui allaient vous pendre pour le plaisir ? Je suis peut-être un fugitif, mais, au moins, je suis vivant. Sauf que la mort de Grove me chagrine et que j'aimerais pouvoir prêter mon concours si c'est possible. Aussi, dites-moi, que s'est-il passé au juste ? »

Je racontai l'histoire à nouveau. Prestcott s'avéra être un auditeur plus intéressé que Thurloe ; il s'agitait dans son fauteuil, se levait pour remplir son verre, ponctuant mes commentaires d'exclamations sonores exprimant son approbation ou son désaccord. Finalement, je terminai mon récit pour la seconde fois.

« Et maintenant, monsieur Prestcott, dis-je d'un ton grave, il faut que vous m'expliquiez de quoi il retourne.

— Eh bien ! je comprends beaucoup mieux les choses qu'il y a seulement quelques instants. La question qui se pose est la suivante : que dois-je faire à ce sujet ?

— Je ne peux pas vous conseiller avant de savoir ce que vous voulez dire. »

Prestcott poussa un profond soupir, puis me regarda droit dans les yeux.

« Vous savez que la jeune Blundy était sa catin ? »

Je répondis que je l'avais entendu dire mais j'ajoutai que la fille le niait.

« Évidemment ! Pourtant c'est vrai. Je le sais parce que nous nous sommes brièvement fréquentés, juste après mon arrivée à Oxford et avant que je sache qui elle était. Puis elle est passée à Grove, l'a séduit, le pauvre homme, et lui a mis le grappin dessus. Ça n'a pas été difficile : il était sensible à la beauté, et la fille peut se montrer très compréhensive lorsqu'elle le veut bien. Elle a été furieuse d'être renvoyée. Je suis tombé sur elle peu après et, croyez-moi, je n'ai jamais vu une mine aussi terrifiante. Une vraie diablesse : elle montrait les crocs et crachait comme une bête. Il allait le lui payer, affirmait-elle. Et chèrement !

— C'est-à-dire ? »

Il haussa les épaules.

« À l'époque, j'ai cru qu'il ne s'agissait que d'une réaction excessive de femme. Quoi qu'il en soit, c'est tout de suite après que j'ai fait cette regrettable expérience et que je me suis retrouvé en prison ; alors, j'ai perdu tout contact avec le monde extérieur. Jusqu'à ma fuite. Quand je me suis évadé du château fort, je ne savais absolument plus que faire. Ni argent ni vêtements convenables, rien ! Et j'ai pensé qu'il valait mieux me mettre à l'abri au cas où l'on avait déjà sonné l'alarme. Aussi me suis-je rendu à la chaumière des Blundy. J'y avais déjà été et je la connaissais. »

Il ajouta qu'il s'était glissé subrepticement le long du sentier boueux menant à la porte de Sarah et qu'il avait regardé par la fenêtre. Comme il faisait très noir à l'intérieur, il avait pensé que la maison était vide. Il avait fouillé un peu partout pour voir s'il pouvait trouver de la nourriture ; il était en train de manger un croûton de pain lorsque Sarah était revenue.

« Elle semblait si exaltée que j'en ai été effrayé, avoua-t-il. Elle était surprise de me voir, bien sûr, mais quand je lui ai dit que je n'avais pas l'intention de lui faire du mal et que je ne comptais pas rester longtemps, elle s'est calmée. Elle portait un petit sac et, croyant qu'il contenait peut-être quelque chose à manger, je le lui ai pris.

— Elle vous a laissé faire ?

— Pas exactement. J'ai dû le lui arracher.

— Et je devine qu'il ne contenait rien à manger ?

— Non. De l'argent. Et une bague. La chevalière de Grove. »

Il se tut pour fouiller dans sa poche, et en sortit un petit paquet enveloppé dans du papier froissé qu'il défit avec beaucoup de soin. À l'intérieur se trouvait une bague sertie d'une pierre bleue.

« Je m'en souviens très bien, continua-t-il, lorsque je la pris pour l'examiner. Je la lui avais vue au doigt à maintes reprises. Comme il ne l'enlevait jamais, j'étais curieux de savoir comment la bague était tombée entre les mains de la fille. Elle a refusé de répondre et je l'ai battue jusqu'à ce qu'elle rugisse que ça ne me regardait pas et que, de toute façon, Grove n'en aurait plus besoin.

— Elle a dit ça ? Que Grove n'en aurait plus besoin ?

— Oui. Ayant d'autres choses à l'esprit, je n'y ai pas fait attention à l'époque. Aujourd'hui, naturellement, cela paraît très important. La question que je me pose est la suivante : que dois-je faire ? Je peux difficilement offrir mon témoignage, car le magistrat va gentiment me remercier avant de m'envoyer au gibet. C'est pourquoi j'aimerais savoir si vous voudriez bien accepter cette bague et mon récit. Lorsque vous serez rentré et que vous aurez parlé à sir John Fulgrove, avec un peu de chance j'aurai décampé depuis longtemps. »

Je m'abîmai dans mes pensées, serrant la bague dans ma main, étonné de constater que je ne voulais pas croire ce que j'entendais.

« Vous me donnez votre parole que ce que vous me dites est vrai ?

— Absolument, répondit-il franchement et sans hésiter.

— Je serais plus sensible à votre sort si vous n'étiez pas vous-même d'un tempérament violent.

— C'est faux, dit-il en rougissant légèrement et en haussant le ton. Et je n'apprécie pas cette remarque ! Tous mes actes visaient à protéger les miens et la réputation de ma famille. Il n'y a aucun rapport entre mon cas, qui est une affaire d'honneur, et le sien, qui est une affaire de luxure et de vol. Sarah Blundy recommencera, croyez-moi, docteur. Elle ne reconnaît ni loi ni contrainte. Contrairement à moi, vous ne la connaissez pas, ni le genre de fille auquel elle appartient.

— Elle est rebelle à toute autorité, admis-je. Mais je l'ai déjà vue polie et obéissante.

— Quand elle le veut bien, rétorqua-t-il d'un ton définitif. Mais elle n'a aucun sens de son devoir envers ses supérieurs. Vous avez dû vous en rendre compte vous-même ? »

Je hochai la tête. C'était certainement vrai. Et je pensai une fois de plus à mon hypothèse. J'avais voulu recueillir d'autres témoignages dont la véracité fût inattaquable, et maintenant il me semblait que j'en tenais un. Prestcott n'avait pas grand-chose à gagner à faire ces révélations ; en fait, il avait potentiellement beaucoup à perdre. Difficile de ne pas le croire ; il s'exprimait avec une telle intensité qu'il était dur d'imaginer qu'il ne me disait pas la vérité.

« Je vais parler au magistrat, suggérai-je. Je ne révélerai pas l'endroit où vous vous trouvez et lui répéterai seulement votre récit. C'est un homme à qui on peut faire confiance, à mon avis, et il est désireux d'en finir avec cette affaire au plus vite. Son intervention déplaît à bien des membres de l'université, votre témoignage lui serait fort utile. Il est possible qu'il vous traite avec bienveillance. Il vous faut demander conseil à M. Thurloe à ce sujet, bien sûr, mais je ne vous donnerais pas celui de vous enfuir précipitamment. »

Prestcott réfléchit un instant, songeur.

« Peut-être. Mais vous devez me promettre d'être très prudent. J'ai terriblement peur. Si quelqu'un comme Lower sait où je me trouve, il me donnera. Il est obligé de le faire. »

Je le lui promis avec beaucoup de réticence et, si je ne tins pas ma promesse, pour des raisons que j'expliquerai plus tard, je peux au moins affirmer que cela ne fut pas préjudiciable à Prestcott.

Ma décision de tenir parole conduisit à une triste détérioration de mes relations avec Lower, car mon absence, due, croyait-il, à ma rencontre avec un important et lucratif client, le plongea, une fois de plus, dans un abîme de désespoir et de jalousie. J'ai connu des personnes qui, jusqu'à un certain point, lui ressemblaient à cet égard, mais jamais quelqu'un comme Lower, dont l'humeur changeait d'un instant à l'autre, inopinément et sans raison apparente.

Il avait été pris de rage par deux fois auparavant et avait passé ses nerfs sur moi ; j'avais supporté ces scènes par pure amitié... la troisième fut de loin la pire. À l'instar de tous les Anglais, il buvait prodigieusement, et c'est ainsi qu'il avait passé son temps à m'attendre ; lorsque je rentrai, il était complètement saoul et d'humeur violente. Au moment où je pénétrai dans l'auberge, il était assis près du feu, les bras passés autour du corps, essayant de se réchauffer. Il me lança un regard noir. Il parla et me cracha les mots à la figure comme si j'étais son pire ennemi.

« Où étiez-vous, Dieu du ciel ? »

Bien que je fusse tenté de tout raconter, je répondis que j'avais été voir un patient qui m'avait fait quérir.

« Vous avez bafoué notre accord, c'était à moi que devait revenir ce genre de patients.

— Nous n'avions aucun accord, rétorquai-je, stupéfait. Même si je suis ravi de vous les laisser. Mais vous étiez en train de vous baigner.

— Je me serais séché.

— Et le malade ne vous aurait servi à rien.

— C'est à moi d'en décider.

— Alors, décidez, maintenant... Il s'agissait de John Thurloe, et autant que j'ai pu en juger, il est en excellente santé. »

Lower poussa un grognement sarcastique.

« Vous ne savez même pas mentir. Mon Dieu ! j'en ai par-dessus la tête de votre compagnie, de vos manières d'étranger et de vos minauderies. Quand rentrez-vous chez vous ? Je serai ravi de vous voir tourner les talons.

— Lower, que se passe-t-il ?

— Ne faites pas semblant de vous soucier de moi. Tout ce qui vous intéresse, c'est vous-même. J'ai fait preuve d'une véritable amitié à votre égard ; je vous ai pris sous mon aile à votre arrivée, vous ai présenté aux personnes du meilleur monde, vous ai fait part de mes idées, et voilà comment vous me remerciez.

— Et je vous en suis reconnaissant, dis-je, sentant monter la colère en moi. Infiniment reconnaissant. Et j'ai fait de mon mieux pour gagner ce qu'on m'a donné. Ne vous ai-je pas également fait part de mes idées ?

— Vos idées ! lança-t-il d'un ton de total mépris. Ce ne sont pas des idées, mais de purs phantasmes, de folles chimères que vous avez imaginés dans le but de vous distraire.

— C'est tout à fait injuste de votre part et vous le savez. Je n'ai rien fait pour mériter pareil courroux. »

Je protestai en vain. Comme la fois précédente, mes paroles ou mes actions n'avaient aucune importance : quand la tempête éclatait, elle devait suivre son cours et, pas plus qu'un arbre pris dans l'orage, je ne pouvais rien faire pour la calmer. Cette fois-ci, néanmoins, je lui en voulus et me mis en colère ; au lieu de chercher à l'amadouer, plus sensible qu'auparavant à l'injustice de ses accusations, j'affrontai sa fureur.

Je ne vais pas répéter nos propos ; je dirai simplement qu'ils furent excessivement virulents. Lower devint encore plus furieux, et moi, toujours incapable de deviner la cause de sa fureur, je m'échauffai de plus en plus. Tout ce que je sais, c'est que j'étais résolu pour une fois à lui résister : cette détermination fit monter sa rage jusqu'à des sommets qui devinrent grotesques. Il me traita de voleur, de charlatan, de fat, de papiste, de menteur, de traître et de sournois. Comme tous les étrangers, affirma-t-il, je préférais le couteau dans le dos aux méthodes honnêtes. Je projetais selon lui de m'installer à Londres comme médecin, et mes véhémentes dénégations ne firent qu'alimenter sa rage.

Dans toute autre circonstance, l'honneur eût exigé de le défier en duel ; quand j'évoquai cette possibilité, il m'accabla encore davantage de sarcasmes. Finalement, je battis en retraite, épuisé et mort de faim, car nous n'interrompîmes pas notre querelle pour dîner. Je me couchai profondément chagriné. Je l'aimais bien, mais je me rendais compte désormais que notre amitié était à jamais impossible. Que son commerce m'ait été bénéfique, c'était parfaitement vrai, mais le prix que j'étais contraint de payer était trop élevé. J'étais certain que mon père, lorsqu'il recevrait mes lettres, me donnerait la permission de partir ; je décidai qu'il valait peut-être mieux devancer son accord. Néanmoins, j'étais déterminé à mener à son terme l'expérience entreprise avec Mme Blundy ; si cette femme survivait et que je pusse démontrer l'efficacité de l'expérimentation, alors je tirerais de ce séjour autre chose que de l'amertume.

Chapitre seize

Le matin suivant, Lower fut naturellement tout remords et excuses, mais, cette fois-ci, en pure perte. Notre amitié était définitivement brisée. *Fides unde abiit, eo nunquam redit*, pour citer Publilius Syrus. Maintenant que j'avais décidé de partir, j'étais moins enclin à accepter les compromis requis par ce genre de réconciliation et, quoique je fisse semblant d'accepter ses excuses, mes sentiments demeuraient inchangés.

Je crois qu'il s'en rendit compte, et notre voyage de retour à Oxford ne fut que silence et conversation tendue. Je regrettai beaucoup nos anciens bons rapports, sans pouvoir rien faire pour restaurer notre camaraderie. Je pense que Lower avait honte de sa conduite, sachant qu'il avait agi de manière impardonnable. C'est pourquoi il me prodigua maintes petites gentillesses afin de rentrer dans mes bonnes grâces et devint mélancolique lorsque ses efforts s'avérèrent infructueux.

Il y avait une chose, cependant, qu'il était de mon honneur de faire : même si j'avais donné ma parole à Prestcott, je considérais que mes obligations envers Lower étaient plus importantes. Je connaissais peu le droit, assez pour savoir que je devais l'informer de ce qui s'était passé chez M. Thurloe : c'eût été malséant qu'il l'apprît de la bouche du magistrat ou par les ragots des tavernes. Il écouta gravement mon récit.

« C'est seulement maintenant que vous m'en parlez ? Vous vous rendez compte de ce que vous avez fait ?

— Quoi donc ?

— Vous vous êtes fait leur complice. Vous risquez le gibet, désormais, si Prestcott est jamais repris. Cela ne vous est-il pas venu à l'esprit ?

— Non. Mais que pouvais-je faire ? »

Il réfléchit un instant.

« Je ne sais pas. Si le magistrat décide qu'il lui faut Prestcott et que celui-ci s'est échappé, alors vous aurez des ennuis. Vous croyez à ce qu'il a dit ?

— Je ne vois pas pourquoi je ne le croirais pas. Il n'avait rien à gagner. Ce n'est pas comme si je l'avais découvert sans qu'il me fasse quérir. En outre, il y a la bague du Dr Grove. Sarah Blundy devra expliquer comment cette bague est entrée en sa possession.

— Vous êtes sûr qu'il s'agit de la bague de Grove ?

— Non. Mais si c'est le cas, quelqu'un sera capable de l'identifier. Qu'en pensez-vous ? »

Lower réfléchit un moment.

« Je pense, reprit-il, que si la bague lui appartenait et qu'on puisse trouver un moyen pour que Prestcott dépose son témoignage, alors la fille sera pendue.

— Elle est coupable, à votre avis ?

— Je préférerais l'avoir vue dans la chambre de Grove en train de verser de l'arsenic dans la bouteille. Ou l'entendre de ses propres lèvres. Comme nous l'a dit M. Stahl, l'absolue certitude n'existe pas, mais j'en viens à penser qu'il est probable qu'elle est coupable. »

Nous hésitâmes tous les deux ; nous nous rendions compte qu'imperceptiblement nous redevenions proches, et il y eut tout de suite une gêne. À ce moment-là, je pris une décision, car je savais que je ne pourrais jamais plus discuter posément avec lui, de peur qu'il n'explosât à nouveau. Devinant exactement ce qui se passait dans mon esprit, Lower tomba dans un silence morose tandis que son cheval trottait sur la route boueuse. Je suis sûr qu'il estimait ne pas pouvoir en faire plus : il s'était excusé pour ses paroles de la veille et ne voyait pas l'utilité de se faire pardonner celles qu'il n'avait pas encore prononcées.

J'ai déjà signalé ma piètre opinion du théâtre anglais, où l'intrigue est ennuyeuse, le jeu des acteurs atroce, la déclamation médiocre. Il en va différemment des tribunaux, qui offrent toute la pompe et tout le drame qui font défaut au théâtre, d'autant plus que la mise en scène y est meilleure et l'expression plus convaincante.

Le spectacle d'une cour d'assises n'a pas son pareil sur le continent ; même les Français, qui adorent le grandiose, ne rendent pas la justice avec un apparat aussi impressionnant. L'essence de sa grandeur réside dans le fait que la justice anglaise est mobile. Tandis que les petites affaires sont traitées par les magistrats, les dossiers importants le sont par les représentants du roi dépêchés depuis Londres à intervalles réguliers. Ceux-ci parcourent le pays en « tournée », leur arrivée donnant lieu à des cérémonies très solennelles. Le maire attend la procession aux abords de la ville, les propriétaires fonciers de la région envoient des voitures pour la suivre, et le peuple borde les rues pendant que les voitures avancent lentement vers le tribunal, où sont lues des proclamations ampoulées conférant aux juges l'autorité de pendre autant de personnes qu'ils le souhaitent.

Peut-être est-ce le moment d'expliquer la manière dont les Anglais traitent ce genre d'affaires, car leur méthode est aussi singulière que bien d'autres pratiques du pays. On penserait qu'un seul juge compétent eût suffi, comme partout ailleurs, mais ce n'est pas le cas. Une fois que le juge a été nommé, on transfère tout son pouvoir à un groupe de douze hommes choisis au hasard et totalement ignorants en matière de droit. Les Anglais sont excessivement fiers de cette manière de procéder et révèrent ce jury comme étant la pierre angulaire de leurs libertés. Ces gens écoutent les arguments présentés pendant le procès puis votent un verdict. Le dossier est normalement présenté par la personne qui porte les charges ou bien, en cas de meurtre, par la famille ou le magistrat qui agit au nom du roi. En l'occurrence, comme Grove n'avait pas de famille, il revenait au magistrat de préparer le dossier aux frais de l'État.

Les préparatifs en vue des assises sont nombreux, et le coût est considérable ; c'est pourquoi la Grand-Rue était presque bouchée par la foule quand nous revînmes. Le spectacle me fascinait, et cela ne fit que déclencher la mauvaise humeur de Lower. C'était en fin de journée, nous n'avions mangé ni l'un ni l'autre, et nous balancions entre nous arrêter pour dîner ou nous rendre directement chez sir John Fulgrove à Holywell. Nous optâmes pour cette seconde solution, surtout, en fait, parce que j'avais hâte de voir Mme Blundy : quoi qu'eût fait sa fille, elle était toujours ma patiente et elle représentait ma chance de connaître la gloire. J'avais également hâte de me libérer de la compagnie de Lower.

Sir John Fulgrove me reçut tout de suite — c'est un aspect du droit anglais que j'admire beaucoup. Je n'ai guère eu affaire à nos magistrats vénitiens, mais je sais qu'ils croient que la grandeur de la loi dépend des ennuis causés à leurs concitoyens. Il écouta aussi mon récit avec intérêt, mais avec bien peu de gratitude. Son comportement avait, en effet, beaucoup changé pendant mon absence : il ne fit plus du tout montre de cette agréable condescendance dont il m'avait gratifié auparavant.

« Il était de votre devoir de porter cette affaire à la connaissance des autorités, déclara-t-il. Thurloe est un traître, qui aurait dû être pendu il y a bien longtemps. Et vous me dites, maintenant, qu'il cache un fugitif ? Vraiment, cet homme se croit totalement au-dessus des lois.

— D'après ce qu'on dit, répondis-je calmement, il l'est. »

Sir John fronça les sourcils.

« Il est intolérable que cela continue. Il est entré en rébellion ouverte contre le gouvernement du roi, et cependant rien n'est fait.

— Je ne voudrais pas le défendre, dis-je, car si la moitié de ce que j'ai entendu dire est vraie, alors on devrait le pendre séance tenante. Mais, dans ce cas, je ne pense pas qu'il croie que M. Prestcott est véritablement coupable de ce dont on l'accuse. Et, en le mettant à l'abri, il a certainement rendu service à la justice, si le jeune homme possède une preuve importante en ce qui concerne le Dr Grove. »

Le magistrat grogna.

« Vous pensez que cette histoire n'a aucune importance ?

— Non, bien sûr que non.

— La fille va passer en jugement ?

— Oui. Elle sera jugée le dernier jour des assises.

— Quel est le chef d'inculpation ?

— Félonie.

— Qu'est-ce à dire ?

— Grove était son maître ; peu importe qu'elle ait été renvoyée, puisque c'est parce qu'il était son maître qu'il a été assassiné. C'est une sorte de trahison parce qu'un maître est comme un père pour ses enfants, comme le roi vis-à-vis de ses sujets. Voilà le plus odieux des crimes ; bien pire que l'homicide. Et cela entraîne un châtiment bien plus terrible. Quand elle sera déclarée coupable, elle sera brûlée.

— Vous n'avez aucun doute sur sa culpabilité ?

— Aucun. Mon enquête a mis au jour un caractère si dépravé, si sordide, qu'il est stupéfiant qu'elle n'ait pas été démasquée plus tôt.

— A-t-elle avoué ?

— Pas le moins du monde ! Elle nie tout !

— Et qu'allez-vous faire de mes renseignements ?

— J'ai l'intention de prendre quelques soldats et de me rendre immédiatement à Milton. Où je vais mettre aux fers et M. Prestcott et son protecteur, puis je vais les ramener tous les deux en prison. On verra bien si

M. Thurloe parvient à échapper à la justice cette fois-ci. Il faut que vous m'excusiez... Je suis pressé. »

Ce terrible devoir accompli, je retournai dans la Grand-Rue pour m'entendre dire que M. Boyle était tombé malade chez sa sœur, à Londres, et qu'il comptait y rester quelques jours de plus. Puis j'allai chez Tillyard pour me sustenter et me mettre au courant des nouvelles. Locke se trouvait là et il parut extrêmement content de me voir ; moi, je n'étais pas aussi ravi de le rencontrer.

« La prochaine fois que vous aurez une malade, gardez-la pour vous, je vous en prie. Elle m'en a fait voir de toutes les couleurs ! Son état s'est détérioré depuis votre départ.

— J'en suis désolé. Que s'est-il passé exactement ? »

Il haussa les épaules.

« Je n'en ai aucune idée. Mais elle s'est un peu affaiblie. Ça a commencé le jour où sa fille a été arrêtée. »

Il ne se fit pas prier pour me fournir tous les détails, car il était en train de soigner la vieille femme quand cela arriva. L'huissier était venu chercher Sarah chez elle, lui avait passé les menottes et l'avait emmenée sous les yeux de sa mère. Sarah ne s'était pas laissé faire : elle avait hurlé et s'était servie de ses ongles et de ses dents, si bien qu'on avait dû la plaquer au sol et l'attacher ; même ainsi, elle avait continué à hurler et on avait dû lui mettre un bâillon. De plus, la mère avait tenté de se lever du lit, et Locke avait dû utiliser toute sa force afin de la maintenir allongée.

« Pendant tout ce temps, la pauvre femme hurlait que sa fille n'avait rien fait et qu'on devait la laisser tranquille. Je dois avouer qu'au vu du comportement de la fille, il ne m'était pas difficile de croire qu'elle avait tué

223

quelqu'un. Je n'avais jamais été témoin d'une telle transformation chez un être humain auparavant. Gentille et toute douce un moment, monstre enragé et hurlant l'instant d'après. Spectacle absolument horrible ! Et quelle force ! Savez-vous qu'il a fallu trois hommes robustes pour la maintenir pendant qu'on lui mettait les chaînes ? »

Je poussai un grognement.

« Et sa mère ?

— Elle s'est recroquevillée dans son lit et s'est mise à pleurer, bien sûr ; ensuite, elle s'est affaiblie et est devenue agitée. » Il s'arrêta et me regarda droit dans les yeux. « J'ai fait ce que j'ai pu, mais ça n'a eu aucun effet. Je vous prie de me croire sur parole.

— Il faudra que j'aille la voir, dis-je. C'est quelque chose qui me préoccupe depuis le moment où j'ai appris l'arrestation. Je crains fort que l'état de la mère n'empire, sauf si nous employons les grands moyens.

— Pourquoi donc ?

— La transfusion, monsieur Locke. La transfusion. Pensez un peu ! Je n'en étais pas sûr, mais je m'étais posé la question de savoir si l'état de la fille pouvait affecter celui de la mère, maintenant que leurs esprits se mêlent si étroitement dans le corps de cette dernière. Il est probable que Sarah pourra tenir le coup, mais la mère est plus vieille et tellement plus faible que je n'ai aucun doute sur la cause de son déclin. »

Locke se cala dans son fauteuil, haussant les sourcils d'un air qui paraissait dédaigneux, mais qui, me dis-je soudain, était son expression habituelle lorsqu'il s'abîmait dans ses pensées.

« C'est fascinant ! finit-il par dire. Votre expérience entraîne toutes sortes de conséquences. Qu'avez-vous l'intention de faire, à présent ? »

Je secouai la tête avec tristesse.

« Je ne sais. Je n'en ai aucune idée. Veuillez m'excuser. Je dois aller la voir immédiatement. »

C'est ce que je fis : la visite confirma mes pires craintes. La vieille femme était, en effet, plus faible ; la plaie avait totalement cessé de guérir, et l'odeur fétide de la maladie avait envahi la petite chambre humide. J'en aurais pleuré. Mais elle restait consciente, et son état ne s'était pas irrémédiablement détérioré. Mes questions pressantes révélèrent qu'elle n'avait pas mangé depuis près de deux jours ; la fille que Lower avait engagée pour la surveiller avait abandonné son poste dès que Sarah avait été emmenée, refusant de rester dans la maison d'une meurtrière. Évidemment, elle ne remboursa pas l'argent perçu.

Il me sembla qu'une des causes de son état était la faim ; elle devait manger correctement et régulièrement pour avoir la moindre chance de s'en tirer. Sans attendre davantage, j'allai tout droit dans une gargote pour acheter du pain et du bouillon. Je les lui fis avaler moi-même, cuillerée par cuillerée, avant d'examiner les plaies et de les rebander. Cela n'allait pas aussi mal que je l'avais craint. Locke avait bien fait son travail, à cet égard, en tout cas.

Cependant, elle n'aurait quand même pas dû être si mal en point. La faim, ajoutée à l'épouvante causée par l'arrestation de sa fille, l'avait sans aucun doute abattue, mais j'étais persuadé — en fait, toute ma théorie reposait là-dessus — que son sang communiquait avec celui de sa fille, les deux étant désormais mêlés dans ses veines. Et si le fait d'être jetée dans une geôle infestée de rats pouvait produire de tels effets, alors il était clair que le pire était encore à venir.

« Je vous en supplie, mon bon docteur, me dit-elle, quand j'eus fini, comment va ma Sarah ? Vous le savez ? »

Je secouai la tête.

« Je reviens tout juste de la campagne, et j'en sais moins que vous. Tout ce que j'ai entendu dire, c'est qu'elle doit passer en jugement après-demain. Vous n'avez reçu aucun message ?

— Non. Je ne peux aller là-bas et elle ne peut venir ici. Et personne ne veut lui porter un message de ma part. J'hésite à abuser de votre bonté... »

Mon cœur se serra. Je savais ce qu'elle allait dire et je redoutais sa demande.

« ... Mais vous la connaissez un peu. Vous savez bien qu'elle ne serait pas capable de commettre une telle action. De sa vie elle n'a jamais fait de mal à personne, c'est tout le contraire, en fait ; elle est connue — même M. Boyle le sait — pour son désir et pour son pouvoir de guérir. Je sais que vous ne pouvez rien, mais auriez-vous la bonté d'aller la voir ? Dites-lui que je vais bien et qu'elle ne doit pas se faire du souci à mon sujet. »

J'avais terriblement envie de refuser et de répondre que je souhaitais ne plus rien avoir à faire avec sa fille. Je ne pouvais me résoudre à prononcer ces dures paroles : cela aurait encore davantage affaibli la pauvre femme, et, si ma théorie était correcte, plus la fille était heureuse, meilleures étaient les chances de la mère. Aussi accédai-je à sa requête : je me rendrais à la prison, dans l'hypothèse où on me laisserait entrer, et je porterais le message.

J'espère que j'ai mené une bonne vie et que le Seigneur reconnaît mes efforts pour suivre Ses lois afin que me soient épargnés les supplices du tourment éternel, car même si l'enfer est moitié moins diabolique que les cachots d'une prison anglaise la veille des assises, alors c'est un endroit vraiment horrible. Il y avait davantage de monde dans la petite avant-cour située devant le château fort que lors de ma précédente visite : il y régnait une animation produite par tous les hommes et toutes les femmes venus visiter les prisonniers ou simplement attirés par la possibilité d'en voir arriver de nouveaux. Lorsque les juges viennent en ville, les malheureux sont amenés de très loin afin d'attendre leur tour pour entendre leur sentence. La prison, pratiquement vide la dernière fois, débordait ce jour-là ; la puanteur que dégageaient les corps était insupportable, et les cris poussés par les malades, par les désespérés ou par ceux qui mouraient de froid vous déchiraient le cœur. Même si beaucoup de ces créatures méritaient d'être logées à cette enseigne, je ne pouvais m'empêcher de les plaindre ; je connus un instant de panique en imaginant que je pourrais être pris pour un prisonnier et qu'on pourrait me refuser la permission de ressortir une fois ma mission accomplie.

Les hommes et les femmes sont séparés, bien sûr, et les plus pauvres s'entassent dans deux grandes salles. Il n'y a pas le moindre meuble, sauf les paillasses en sac grossier pour toute literie. Le vacarme produit par les lourdes chaînes lorsque les prisonniers, tentant vainement de trouver le repos, se tournent et se retournent, retentissait à mes oreilles pendant que je me frayais un passage au milieu de l'entassement des corps. Il régnait un froid intense, la salle se trouvant presque à la hauteur de l'eau des anciennes douves, et des siècles d'humidité imprégnaient les murs. La seule lumière tombait de rares fenêtres, placées si haut que seul un oiseau eût pu les atteindre. Je me dis que c'était aussi bien que les assises dussent se tenir sous peu : autrement, une fille aussi mal nourrie et aussi mal vêtue que Sarah Blundy serait morte du typhus avant même que le bourreau eût pu accomplir sa besogne.

Je mis un certain temps à la trouver, car elle était appuyée contre le mur suintant d'humidité, les bras passés autour des jambes et la tête pendante, si bien qu'on ne voyait que ses longs cheveux bruns. Elle fredonnait doucement : c'était un son lugubre dans cet endroit terrible, telle la plainte d'un oiseau en cage qui chante en mémoire de sa liberté. Lorsque je la saluai, elle ne leva la tête qu'au bout d'un certain temps. Assez bizarrement, ce qui m'attrista et m'inquiéta le plus, ce fut son changement de comportement. Son insolente hauteur avait fait place au calme et à la passivité, comme si elle avait été autant privée d'air que la colombe dans la pompe de Boyle. Elle ne répondit même pas lorsque je lui demandai de ses nouvelles : elle haussa simplement les épaules et serra ses bras contre son corps comme pour essayer de se réchauffer.

« Je regrette de ne t'avoir rien apporté, lui dis-je. Si j'avais su, j'aurais emporté des couvertures et de la nourriture.

— C'est gentil à vous. En ce qui concerne la nourriture, inutile de vous faire du souci : l'université possède un fonds de charité et Mme Wood, ma maîtresse, m'a gentiment offert de m'apporter à manger tous les jours. Par contre j'accepterais volontiers des vêtements chauds. Comment va ma mère ? »

Je me grattai la tête, hésitant.

« C'est la principale raison de ma visite. Elle m'a chargé de te dire de ne pas t'inquiéter à son sujet. Et je ne peux que t'exhorter moi-même en ce sens. Le souci que tu te fais à son sujet ne peut lui faire aucun bien et peut même, en fait, lui être néfaste. »

Elle me regarde dans les yeux, lisant l'inquiétude sur mon visage, malgré mes bonnes paroles.

« Elle ne va pas bien, n'est-ce pas ? dit-elle d'une voix éteinte. Dites-moi la vérité, docteur.

— Non, répondis-je franchement, elle ne guérit pas aussi vite que je l'avais espéré. Je m'inquiète à son sujet. »

À ma grande horreur, elle enfouit sa tête dans ses mains à nouveau, et son corps fut secoué de sanglots de détresse.

« Allons ! fis-je. Tout ne va pas aussi mal que ça ! C'est une rechute, voilà tout... Elle est encore en vie ; elle a toujours Lower, moi-même, et maintenant M. Locke également, qui veulent à tout prix qu'elle vive. Tu ne dois pas te tracasser, ce n'est pas du tout gentil pour ceux qui font tant d'efforts pour elle. »

À force d'encouragements de ce genre, je finis par la convaincre : elle leva ses yeux rougis par les pleurs et s'essuya le nez sur son bras nu.

« Je suis venu pour te rassurer, dis-je, pas pour que tu te tracasses davantage. Occupe-toi de toi-même et de ton procès ; ça suffit à ta peine. Laisse-nous prendre soin de ta mère. Dans la situation où tu te trouves, tu ne peux rien faire, de toute façon.

— Et après ?

— Après quoi ?

— Une fois que je serai pendue.

— Allons ! Allons ! C'est aller un peu vite en besogne, m'écriai-je d'un ton qui contenait plus d'espoir que je n'en ressentais vraiment. Tu n'as pas encore la corde autour du cou ! »

Je ne lui avouai pas que la sentence pourrait être pire que la simple pendaison.

« Tout est déjà décidé, fit-elle calmement. Le magistrat me l'a dit lorsqu'il m'a demandé de passer aux aveux. Les jurés sont forcés de me déclarer coupable, et le juge est obligé de me faire pendre. Qui croirait quelqu'un comme moi, alors que je ne peux pas prouver mon innocence ? Et que va alors devenir ma mère ? De quoi va-t-elle vivre ? Qui va s'occuper d'elle ? Nous n'avons ni famille ni moyens.

— *Dès* qu'elle sera guérie, dis-je en insistant lourdement, elle trouvera sans aucun doute un bon emploi.

— L'épouse d'un fanatique et la mère d'une meurtrière ? Qui lui donnera du travail ? Vous savez aussi bien que moi qu'elle ne pourra pas retravailler avant de nombreuses semaines. »

Je ne pouvais lui avouer que c'était là un faux problème puisqu'il y avait beaucoup de risques que sa mère soit morte avant la fin de la semaine. Et — que Dieu me pardonne ! — je ne voyais rien d'autre à lui dire pour la consoler.

« Monsieur Cola, il faut que je vous pose une question. Combien paie le Dr Lower ? »

Je mis quelque temps à saisir ce que cela signifiait.

« Tu veux dire... ?

— Je crois comprendre qu'il achète des corps, expliqua-t-elle, parlant désormais avec un calme effrayant. Combien donne-t-il ? Parce que je veux bien qu'il prenne le mien s'il accepte de s'occuper de ma mère. Je vous en prie, n'ayez pas l'air aussi mal à l'aise ! C'est tout ce qu'il me reste à vendre, et je n'en aurai plus besoin, conclut-elle simplement.

— Je... je... ne sais pas. Ça dépend de l'état du... Ah !...

— Pouvez-vous le lui demander de ma part ? On croit que j'ai vendu mon corps quand j'étais vivante, aussi ça ne va guère causer de scandale si je le fais une fois morte. »

Je pense que même Lower aurait jugé pénible cette conversation ; je la trouvai totalement au-dessus de mes forces. Pouvais-je lui apprendre qu'après le bûcher Lower ne voudrait pas des restes ? Je bégayai que je lui en parlerais, tout en souhaitant désespérément changer de sujet.

« Tu ne dois pas perdre espoir. As-tu préparé ta défense ?

— Comment le pourrais-je ? Je sais à peine de quoi on m'accuse et n'ai aucun moyen de savoir qui va témoigner contre moi. Personne n'est de mon côté, sauf si quelqu'un comme vous, docteur, témoigne de mes bonnes mœurs. »

Une fraction de seconde d'hésitation de ma part lui suffit.

« Vous voyez bien ! dit-elle avec douceur. Vous voyez bien ! Qui va m'aider ? »

Elle me regarda avec intensité en guettant mes mots. Je ne voulais pas répondre ; je n'avais pas eu l'intention de venir mais, pour une raison ou une autre, je ne pus lui résister.

« Je ne sais pas, finis-je par concéder, j'aurais bien voulu, mais je ne peux m'expliquer la présence de la bague du Dr Grove.

— Quelle bague ?

— Celle qu'on a volée sur son corps et qui a été trouvée par Jack Prestcott. »

Dès qu'elle eut saisi le sens de la question, je sus, sans l'ombre d'un doute, que mes soupçons étaient fondés et que le magistrat avait bien fait son travail. Elle avait tué Grove. Elle pâlit quand elle perçut brusquement la teneur de ma question. Elle eût pu expliquer presque tout le reste d'une manière ou d'une autre, mais elle ne pouvait trouver de parade à cette accusation.

« Eh bien, Sarah ? fis-je pour la faire sortir de son silence.

— Il semble donc que je ne puisse m'en tirer. Je crois qu'il est temps que vous partiez. »

C'était une déclaration résignée et pitoyable, celle de quelqu'un qui se rend compte que ses méfaits ont été indubitablement prouvés.

« Tu ne veux rien dire ? Il faudra que tu répondes au tribunal, même si tu t'y refuses avec moi. Alors comment te défends-tu de l'accusation d'avoir tué Grove pour te venger et de l'avoir volé alors qu'il gisait par terre ? »

L'ouragan qui me frappa dès que j'eus prononcé ces mots fut l'un des plus grands chocs de ma vie. Perdant leur air soumis, les véritables traits de la fille se révélèrent soudain, au moment où, écumant de haine et de frustration, elle se jeta sur moi, me lacérant le visage de ses ongles, les yeux hagards et révulsés. Heureusement que les chaînes qui enserraient ses poignets et ses chevilles la retinrent, autrement, je le jure, elle m'aurait arraché les yeux. Même ainsi, je tombai à la renverse sur une vieille femme malodorante qui glissa immédiatement la main dans ma poche pour s'emparer de ma bourse. Je poussai

231

de grands cris et, quelques secondes plus tard, un gardien se porta à ma rescousse, donnant des coups de pied aux prisonniers et assommant Sarah pour la calmer. Elle retomba sur sa paillasse, hurlant et vociférant plus violemment que je n'avais entendu quiconque le faire précédemment.

Terrifié, je contemplai le monstre devant moi ; je me remis suffisamment pour assurer le gardien que j'étais indemne, à part une éraflure sur la joue, mais je me tins à une prudente distance, respirant profondément l'air vicié pour reprendre mon souffle.

« Si j'ai jamais eu le moindre doute sur ta culpabilité, il s'est envolé. Par égard pour ta mère, je vais parler à Lower. Mais n'attends plus rien de moi. »

Sur ce, je partis, ravi de fuir cet endroit infernal et les démons qui s'y trouvaient ; je me rendis sur-le-champ à la taverne la plus proche pour me remonter. Une demi-heure après, mes mains tremblaient encore.

Bien que j'eusse désormais l'esprit tranquille à propos de la culpabilité de la fille, je ne peux dire que j'étais satisfait. Au contraire ! Se trouver en présence d'une telle manifestation du mal est profondément troublant, et je n'oubliai pas facilement le spectacle dont j'avais été témoin. Quand je quittai la taverne j'avais grand besoin de compagnie afin de chasser de mon esprit ce que j'avais vu et entendu. Si mes rapports avec Lower avaient été plus cordiaux, ses manières aisées m'eussent réconforté. Mais je n'avais aucun désir de le voir et je m'en abstins jusqu'au moment où je me rappelai la requête de la fille ; pour le bien de ma patiente et parce que j'avais donné ma parole, je me sentis obligé de porter le message, même s'il était sans objet.

Cependant, je ne pus trouver Lower dans aucun des lieux qu'il fréquentait d'habitude — ni chez Tillyard, ni chez Boyle, ni même chez lui, à Christ Church. Je finis par demander, et on me dit qu'on l'avait vu en compagnie de Locke et du mathématicien Christopher Wren environ une heure auparavant. Comme Wren gardait toujours un appartement à Wadham, peut-être devais-je essayer là.

Il se trouvait que j'avais très envie de rencontrer ce jeune homme, ayant beaucoup entendu parler de lui pendant mon séjour ; j'y allai donc et demandai à la porte où il logeait et s'il était en compagnie. Il recevait quelques amis, me répondit-on, et souhaitait ne pas être dérangé. C'est ce que les portiers affirment toujours, bien sûr ; aussi, passant outre à cette mise en garde, j'escaladai rapidement l'escalier de la loge jusqu'à l'appartement de Wren et frappai avant de pénétrer dans la pièce.

Ce fut un très grand choc. Wren, petit homme soigné aux longs cheveux et à la mine plutôt agréable, parut mécontent de me voir pénétrer dans la pièce. Je tombai en arrêt devant le spectacle que j'avais sous les yeux. Locke souriait un peu jaune, comme un enfant surpris en train de faire une bêtise, mais qui est ravi que son espièglerie soit révélée à la face du monde. Mon ami, mon très cher ami Lower, eut au moins la bonté d'avoir l'air décontenancé et gêné que sa traîtrise fût si flagrante qu'il ne pouvait y avoir aucun doute sur ce qui était en train de se passer.

Sur une grande table de bois blanc, un chien était attaché, gémissant lamentablement et roulant des yeux désespérés tout en s'efforçant de se libérer. À côté de lui se trouvait un autre chien plus résigné face à la torture qu'on lui infligeait. Un long et fin tuyau reliait les deux bêtes, et du sang, giclant par les incisions pratiquées dans le cou, avait éclaboussé le tablier de Locke et le sol.

Ils étaient en train d'effectuer une transfusion sanguine. De refaire mon expérience en secret. En cachette de moi, la personne qui avait le plus le droit d'être informée de ce qu'ils faisaient. Je ne parvenais pas à croire que j'avais été trahi à ce point.

Lower reprit ses esprits le premier.

« Excusez-moi, messieurs, dit-il, sans même avoir la courtoisie de me présenter à Wren, je dois m'absenter quelque temps. »

Il enleva son tablier, le jeta par terre, puis me demanda de l'accompagner dans le jardin. Arrachant mon regard au spectacle qui me chavirait tant l'esprit, je descendis sagement l'escalier à sa suite.

Nous fîmes le tour des jardins, traversant les haies de buis et les pelouses au hasard pendant quelques instants ; je me taisais, attendant qu'il s'expliquât.

« Ce n'est pas ma faute, Cola, commença-t-il après un bon moment. Acceptez mes excuses, je vous prie. Je suis impardonnable de m'être conduit de la sorte. »

Toujours sous le choc, je ne parvenais pas à prononcer la moindre parole.

« Locke, voyez-vous, a parlé à Wren de l'expérience que nous... que vous aviez imaginée pour soigner la Blundy, et Wren a été si enthousiasmé qu'il a insisté pour que nous la refassions. Cela n'enlève pas un iota à vos mérites, vous savez. Nous nous traînons simplement à votre suite, afin de rivaliser avec le maître. »

Il souriait d'un air penaud, se tournant vers moi pour voir comment étaient reçues ses excuses. J'étais résolu à rester de marbre.

« La plus élémentaire courtoisie exigeait que vous m'en informiez, même si vous ne pouviez vous résoudre à m'inviter à y assister. »

Une grimace remplaça subitement le sourire.

« C'est vrai. Et j'en suis sincèrement désolé. En fait, je vous ai cherché, mais je ne savais pas où vous étiez. Et Wren souhaite retourner à Londres cet après-midi, vous voyez...

— Donc, vous trahissez un ami pour en arranger un autre », l'interrompis-je avec froideur.

Cette remarque justifiée le déconcertant considérablement, il fit semblant de se mettre en colère.

« En quoi est-ce une trahison ? Une fois qu'une idée est conçue, elle ne reste pas la propriété de la personne qui y a pensé en premier. Nous ne nions pas ce que vous avez accompli et nous n'avions pas projeté de garder le secret. Vous n'étiez pas là, c'est tout. Je ne savais pas que Wren était si désireux de faire l'expérience jusqu'à ce que je le rencontre ce matin. »

Il parlait d'un ton convaincu, je sentis mes doutes s'évanouir. Je voulais tant le croire et le considérer toujours comme un ami que je ne réussissais pas à persévérer dans ma conviction qu'il m'avait trahi. Mais je me rappelai alors sa stupéfaction d'être surpris en flagrant délit lorsque j'avais pénétré dans la pièce : un aveu de culpabilité encore plus évident que celui que j'avais lu sur le visage de Sarah Blundy.

« Nous n'avons pas l'intention de porter cela à la connaissance du monde à votre insu et sans votre permission, continua-t-il, quand il s'aperçut qu'il n'avait toujours pas percé mes défenses. Et vous devez convenir que c'est une meilleure manière de procéder. Si nous... si vous faites un compte rendu de votre découverte de telle façon que cela implique que la transfusion a d'abord été tentée sur une femme, vous serez taxé d'imprudence et de légèreté. Si, au contraire, vous le préfacez d'un rapport relatant la transfusion entre des chiens, alors la désapprobation sera fortement amoindrie.

— Et c'est ce que vous étiez en train de faire ?

— Bien sûr, renchérit-il, encouragé par l'affaiblissement de ma colère. Je vous ai fait part de mes craintes si ces expériences étaient révélées au grand jour trop rapidement. Il faut procéder de cette manière, et le plus vite possible. Je suis désolé — vraiment désolé — que vous n'ayez pas été présent. Acceptez mes plus humbles excuses. Et je vous offre celles de Locke et de Wren, car ils n'ont jamais voulu être discourtois envers vous. »

Il fit un profond salut ; comme il ne portait pas de chapeau, il ôta sa perruque à la place. Mon visage s'éclaira d'un petit sourire devant l'absurdité du geste, mais j'étais décidé cette fois-ci à ne pas céder devant ce genre de manœuvre.

« Allons ! fit-il, découragé par ma réaction. Me pardonnez-vous ? »

J'acquiesçai à plusieurs reprises.

« Très bien », dis-je d'une voix éteinte, bien que ce fût le plus grand mensonge que j'eusse jamais fait. Mais j'avais toujours besoin de ses bons offices et, alors en mal d'amitié, je n'avais pas le choix, si je voulais préserver au moins l'apparence de la cordialité. « Cessons de parler de cette affaire ; autrement, nous allons nous quereller une fois de plus.

— De toute manière, où étiez-vous ? demanda-t-il. Nous vous avons vraiment cherché.

— Avec Mme Blundy, qui est malade et dont la condition empire. Et avec sa fille.

— Au château ? »

Je hochai la tête.

« Je n'avais pas envie d'y aller, mais la mère m'a supplié. Et ça m'a grandement rassuré. Si un être a jamais été capable de tuer, c'est cette fille. Je n'ai plus aucun doute, bien que je soupçonne qu'elle va nier les faits, et je serais encore plus tranquille si elle avouait spontanément. Il me semble évident qu'elle est allée demander de l'argent à Grove pour aider sa mère, le matin où je l'ai vue chez Tillyard, et qu'il l'a éconduite. Alors, elle l'a pris quand même : elle a tué Grove puis elle l'a volé chez lui. Il est horrible que le devoir filial puisse être à ce point perverti et déformé. »

Lower approuva de la tête.

« C'est elle qui vous a raconté cela ?

— Bien sûr que non ! Elle ne veut rien avouer. Mais elle veut accomplir encore une bonne action, peut-être à cause du remords... je ne vois pas d'autre raison possible. »

Je lui fis part en deux mots de l'offre du corps contre sa promesse de traiter la mère et de s'occuper d'elle. Lower eut l'air surpris mais — je dois l'avouer à regret — absolument enthousiasmé à l'idée de tirer profit de la situation.

« Comment va la mère ?

— Je doute qu'elle reste longtemps à votre charge. Voilà une autre chose dont je dois vous entretenir. Elle s'affaiblit et, si la fille est pendue, je crois que l'extinction de l'esprit chez l'une aura des répercussions fatales chez l'autre. »

Il eut l'air pensif pendant que je lui parlais de mes craintes et du seul remède qui, à mon avis, pourrait sauver la situation.

« Elle a besoin d'une nouvelle quantité de sang, Lower. Et venant d'une autre personne, de quelqu'un d'assez fort et en assez bonne santé pour contrer l'esprit de la fille. Et dans les plus brefs délais ! Si Sarah est jugée demain, sa mère va mourir après-demain. Il nous reste peu de temps.

— Vous en êtes persuadé ?

— Absolument. Elle a déjà décliné, en même temps que l'humeur de la fille : les signes sont manifestes. Je ne peux imaginer d'autre cause. »

Il poussa un grognement.

« Vous voulez dire que vous souhaitez que cela ait lieu aujourd'hui ?

— Oui. Pour elle, et au nom de notre amitié, je vous supplie de m'aider une dernière fois. »

Nous fîmes une fois encore le tour du jardin pendant qu'il évaluait mon raisonnement, comme si nous étions toujours amis.

« Je suppose que vous devez avoir raison. À moins que quelque chose ne nous échappe.

237

— Si cela nous échappe, alors nous ne pouvons pas le prendre en ligne de compte, fis-je remarquer. »

Lower émit un autre grognement. Puis il prit la profonde inspiration signalant qu'il était parvenu à une décision.

« Très bien. Je vais vous amener ce soir l'un des jardiniers du collège sur le silence duquel on peut compter.

— Pourquoi pas cet après-midi ?

— Parce que je veux voir la fille. Si je dois récupérer son corps, j'aurai besoin d'une lettre dûment signée, en présence de témoins, et le stipulant clairement. Ça prendra du temps et ça doit se passer avant le début du procès. Vous savez qu'elle sera brûlée ?

— C'est ce que m'a dit le magistrat.

— Les chances qu'elle soit utilisable sont faibles, sauf si je persuade sir John d'intervenir auprès du juge. »

Il fit un salut.

« Mais ne vous tracassez pas. Nous aurons tout fini en temps voulu. Rendez-vous à l'Angel après le dîner. Ensuite, nous nous occuperons d'elle. »

Plongé dans la mélancolie, je passai le reste de la journée à faire de la correspondance. Maintenant que j'avais décidé de partir dès que mes obligations me le permettraient, j'avais hâte de m'en aller au plus vite. Seule la veuve Blundy me retenait désormais, vu ce qui se passait quand je ne m'occupais pas d'elle moi-même. Je ne me réjouissais pas du sort de Sarah Blundy ; je n'étais guère optimiste en ce qui concernait la mère et je n'avais plus confiance en mon ami. J'aurais voulu accepter ses protestations de fidélité, mais les graines du doute avaient été semées, et mon âme était troublée.

Je ne suis pas orgueilleux, je suis juste jaloux de mon honneur et de ma loyauté. Et Lower les avait mis en péril tous les deux. Il avait bafoué mes droits en accédant à la requête de Wren. Même s'il avait reconnu son erreur, l'offense demeurait, et cela n'avait fait qu'intensifier ma méfiance, déjà inspirée par la violence de son caractère.

En d'autres termes, j'étais d'humeur morose lorsque Lower entra d'un pas décidé à l'Angel, traînant derrière lui un pauvre bougre, à l'air maladif et au teint cadavérique, qu'il présenta comme l'un des apprentis jardiniers de son collège. Pour un shilling, il voulait bien donner son sang à Mme Blundy.

« Mais il ne fait pas l'affaire ! m'écriai-je. Regardez-le ! Je ne serais pas surpris qu'il soit en plus mauvaise santé que Mme Blundy. Il vaudrait mieux que ce soit elle qui lui donne son sang. Je voulais quelqu'un de fort et plein de vitalité.

— Il est extrêmement fort. Pas vrai ? » dit-il en s'adressant à l'homme pour la première fois.

Ce dernier, voyant que Lower s'était tourné vers lui, fit un sourire édenté et hennit comme un cheval.

« Sa grande vertu, expliqua Lower, tandis que l'homme buvait avidement une chope d'un litre de bière, c'est qu'il est sourd et muet. Le Dr Wallis a essayé en vain de lui apprendre à parler. Il ne sait pas non plus écrire. Cela signifie, comme vous pouvez vous en rendre compte, que l'on est assuré de sa discrétion. C'est important, convenez-en. La famille est déjà assez mal vue : si l'on apprenait qu'on maintient en vie la mère par de tels moyens, je ne serais pas surpris qu'on la brûle avec sa fille. Tiens, l'ami, prends-en une autre ! »

D'un signe, il commanda une autre chope, qui fut rapidement placée devant le pauvre hère.

« Il vaut mieux qu'il ne soit pas à jeun, dit-il. Je ne voudrais pas qu'il file quand il verra en quoi consiste l'expérience. »

Cela ne me plaisait guère, même si je percevais la justesse de l'argument. Le fait que je mette en doute la raison qui lui avait fait choisir une personne ne pouvant témoigner à propos de ce qui allait se passer en disait long sur mon changement d'attitude à son égard.

« Vous vous êtes rendu à la prison ? »

Il roula les yeux.

« Oui, Seigneur Dieu ! s'exclama-t-il. Et quelle journée !

— Avait-elle changé d'avis ?

— Pas le moins du monde. Nous avons rédigé une lettre adéquate — au fait, saviez-vous qu'elle sait lire, et aussi écrire ? — en présence d'un témoin. Ça, ça n'a posé aucun problème. Le problème fut le magistrat.

— Il s'est opposé à l'idée ? Pourquoi ?

— Parce que je n'ai pas réussi à le persuader qu'il devait la moindre faveur à la fille. C'est un satané ennui, si j'ose dire.

— Donc, c'est raté ? Pas de corps ? »

Il me regarda d'un air désespéré.

« Si je l'obtenais, je devrais la rendre au bûcher une fois que j'en aurais fini avec elle. Le magistrat ne m'accorderait qu'un droit de propriété temporaire. Même ça, ce serait mieux que rien. Je vais bientôt retourner chez lui et voir s'il y a un moyen de le persuader. »

Il jeta un coup d'œil au jardinier, qui avait déjà entamé son troisième litre de bière.

« Bien ! allons-y ! Mettons-nous au travail avant qu'il ne perde toute conscience. Savez-vous, demanda-t-il, tandis que nous tirions sur le malheureux pour le faire se lever, que je commence à en avoir plus qu'assez de cette famille ? Plus vite elles mourront, mieux ça vaudra. Oh ! sacredieu ! Oh, Cola, je suis désolé... »

Son explication et ses excuses étaient justifiées. L'imbécile avait dû commencer à boire avant même que Lower fût allé le chercher ; les trois litres avalés pendant que nous bavardions furent la goutte d'eau qui fit déborder le vase... Le sourire idiot se changeant en une grimace d'inquiétude, il glissa sur le sol et vomit sur les souliers de Lower. Celui-ci s'écarta d'un bond, contempla la scène avec dégoût, puis donna un coup de pied à l'infortuné pour s'assurer qu'il était bien inconscient.

« Et, maintenant, qu'est-ce qu'on fait ?

— Je ne vais pas l'utiliser, dis-je. Il faudrait qu'on le transporte là-bas nous-mêmes. C'est déjà assez difficile avec quelqu'un de coopératif.

— Il avait plutôt l'air à jeun quand on a quitté le collège. »

Je secouai la tête avec désapprobation.

« C'est votre faute, Lower. Vous saviez à quel point c'était important, et vous m'avez laissé choir.

— Je me suis excusé.

— Ça ne me sert de rien. Il nous faudra repousser le traitement jusqu'à demain. Et espérer qu'elle survivra jusque-là. Le retard peut la tuer.

— Je pense, de toute façon, que votre traitement s'en chargera, fit-il d'un ton glacial.

— C'est la première fois que je vous entends dire ça.

— Vous ne m'aviez pas posé la question. »

J'ouvris la bouche pour répliquer, mais je me retins. À quoi bon ? Pour des raisons que je n'arrivais pas à déceler, presque tout ce que nous nous disions était perçu comme une offense ou une insulte. Puisqu'il refusait d'expliquer sa conduite et que je ne voyais vraiment pas en quoi j'avais commis une faute, je ne pouvais rien faire.

« Je ne veux pas discuter avec vous. Vous vous êtes engagé à me fournir du sang, et je tiens à ce que vous respectiez votre promesse. Après cela, nous pourrons mettre fin à notre association ; il est clair que vous le souhaitez. L'amènerez-vous demain, après le procès ? »

Il fit un salut guindé et promit de ne pas me laisser choir à l'avenir. Après la fin du procès, je devais me rendre à la chaumière de Mme Blundy pour l'attendre. Il viendrait avec le jardinier, et nous appliquerions le traitement. Nous disposions encore d'assez de temps.

Chapitre dix-sept

À une heure de l'après-midi, le lendemain, devant la cour d'assises d'Oxford, le procès de Sarah Blundy pour le meurtre du Dr Grove commença. La foule l'attendait avec impatience ; non seulement le procès promettait de divertissants scandales, mais pas une seule sentence de mort n'avait été prononcée le jour précédent. À la fin de la journée, le juge ne porta pas sa toque noire ; au contraire, on lui présenta la traditionnelle paire de gants blancs pour signifier que ses mains étaient pures de tout sang. Mais une telle clémence était jugée dangereuse, la terrible majesté de la loi requérant le sacrifice. Une séance inaugurale, comme on dit, peut être empreinte de bienveillance, mais deux de suite seraient prises pour de la faiblesse. En outre, Wood, spectateur assidu des procès, qui me parla brièvement avant que les mouvements de la foule nous séparent, m'apprit que le juge s'en rendait compte : ce jour-là quelqu'un serait pendu. Nous savions tous les deux, me semble-t-il, qui ce serait.

Il y eut un murmure d'anticipation lorsque Sarah, terriblement pâle, fut amenée devant la cour pour faire face à la foule et écouter les charges lues d'une voix sonore. Elle, Sarah Blundy, oubliant la crainte de Dieu mais séduite et poussée par le diable, dans la quinzième année du règne de notre seigneur souverain, le roi, à New College, dans la cité d'Oxford, avait attaqué le révérend Robert Grove, son ancien maître et membre de ce collège, avec félonie, traîtrise et préméditation. Et ladite Sarah avait, avec félonie, traîtrise, préméditation et intention

243

criminelle, placé de l'arsenic dans une bouteille utilisée par ledit Robert Grove, à la suite de quoi celui-ci était mort d'empoisonnement. Si bien que ladite Sarah Blundy, de la manière et de la façon décrites plus haut, avec traîtrise, félonie, préméditation et intention criminelle, s'était rendue coupable de meurtre et d'assassinat, attentant ainsi à la paix de notre souverain seigneur, à sa couronne et à sa dignité.

Des chuchotements d'approbation (le juge leva la tête et lança un regard d'avertissement) montèrent brusquement de la populace à la lecture de l'acte d'accusation. Un certain temps s'écoula avant que l'ordre fût restauré — non pas qu'il y en eût jamais beaucoup dans un tribunal anglais. Puis le juge, dont l'aspect ne me parut pas particulièrement terrifiant, se tourna vers Sarah et lui demanda de plaider coupable ou non coupable.

Elle ne répondit pas, restant debout, la tête baissée.

« Allons, ma fille ! fit le juge. Vous devez répondre. Coupable ou non coupable, cela m'est complètement égal. Mais vous devez dire quelque chose, sinon, vous le regretterez. »

Elle se taisait toujours, et un silence haletant se fit dans l'auditoire attentif, tandis qu'elle se tenait là, la tête basse pour cacher sa terreur et sa honte. Une vague de sympathie monta en moi : qui ne serait pas réduit au silence s'il avait à faire face, tout seul, au terrifiant pouvoir de la justice ?

« Je vais vous dire ce que nous allons faire, déclara le juge, l'air soucieux, car il craignait que le déroulement du procès ne fût sur le point d'être perturbé. Nous allons énumérer les charges qui pèsent sur vous et les preuves accumulées contre vous. On verra si cela vous décide à évaluer vos chances d'échapper à la justice. Qu'en pensez-vous ? Monsieur ? Êtes-vous prêt ? »

Le procureur, homme d'un joyeux tempérament, choisi par le magistrat pour ce genre de besogne, se dressa d'un bond et fit un salut obséquieux.

« La réputation de bonté de Votre Honneur est tout à fait méritée », dit-il. Ce qui déclencha les applaudissements de la foule qui indiquait ainsi qu'elle partageait ce sentiment.

Mon voisin, si coincé contre moi que je percevais les mouvements de sa respiration, se tourna et me chuchota à l'oreille que c'était la pure vérité ; à juste titre, la loi est plus sévère envers ceux qui défient son autorité en refusant de plaider coupable ou non : elle les écrase sous des poids jusqu'à ce qu'ils avouent ou qu'ils succombent à la pression exercée sur leur poitrine. Personne n'aimait cette méthode, mais c'était la seule solution pour faire céder les récalcitrants. En accordant à la fille une seconde chance, pour ainsi dire, le juge était exceptionnellement charitable. Mon voisin — de toute évidence un habitué des procès — fit remarquer qu'une telle bonté était véritablement inouïe.

Ensuite, le procureur commença à expliquer son dossier : il déclara qu'il n'était pas la victime du crime, mais qu'en matière de meurtre la victime ne pouvait évidemment pas venir elle-même à la barre — de là sa présence. Il ne s'agissait pas d'une lourde tâche, puisqu'il était assez aisé de voir qui avait commis cet acte ignoble.

À son avis, expliqua-t-il, le jury n'aurait aucune difficulté à aboutir à un verdict équitable : il était clair pour tous — c'était de notoriété publique et il n'y avait nul besoin de le rappeler — que Sarah Blundy était une catin, dont les parents étaient violents et intempérants. Elle était si loin de connaître sa vraie place, elle avait été si mal élevée et elle était tellement dénuée de moralité et de décence que l'idée de meurtre ne la choquait pas le moins du monde : tels sont les monstres que produisent les parents qui se détournent de Dieu, et le pays de son roi légitime.

Le juge — de toute évidence un homme peu cruel et qui se montrait scrupuleusement équitable — interrompit le procureur pour le remercier et le prier de continuer :

les beaux discours pourraient avoir lieu à la fin, si on y parvenait.

« Certainement, certainement. Bon, quant à son état de catin, il est bien attesté qu'elle avait séduit le pauvre Dr Grove et qu'elle l'avait subjugué. Nous avons un témoin à cet égard, une certaine Mary Fullerton (à ce moment-là, une jeune fille dans l'assistance sourit béatement et minauda), qui va déposer sous serment qu'un jour où elle apportait à manger au Dr Grove dans son appartement, la prenant pour la Blundy, il l'avait empoignée et s'était mis à la caresser de manière lascive comme si elle y était habituée. »

À cet instant, Sarah leva les yeux et lança un regard morne à Mary Fullerton, dont le sourire disparut sur-le-champ.

« En second lieu, nous avons la preuve que, sitôt connues ces accusations, le Dr Grove renvoya la jeune fille de son emploi, afin de se protéger de la tentation et de reprendre une vie vertueuse. Et qu'elle lui en avait amèrement voulu. Troisièmement, nous avons le témoignage de M. Crosse, apothicaire, stipulant que, le jour même où elle avait été renvoyée, Sarah Blundy lui avait acheté de l'arsenic à son officine. D'après elle, le Dr Grove lui en avait donné l'ordre, mais on n'a trouvé aucune note relative à une telle dépense dans les papiers du défunt. Quatrièmement, nous avons le témoignage du signor Marco da Cola, gentilhomme italien, dont l'intégrité n'est pas sujette à caution, qui vous expliquera qu'il avait mis en garde le Dr Grove contre les dangers de cette poudre et qu'il lui avait entendu dire qu'il ne l'utiliserait plus — quelques heures seulement avant qu'il n'en meure.

Tous les regards, y compris ceux de Sarah, tombèrent sur moi à cet instant précis, et je baissai les yeux pour éviter la tristesse de ses yeux. C'était vrai, absolument vrai, mais, à ce moment-là, j'aurais souhaité que ce ne fût pas le cas.

246

« Ensuite, nous avons le témoignage de M. Thomas Ken, théologien, selon lequel la fille a été vue à New College précisément ce soir-là, et il sera montré que, quoiqu'elle nie avoir été à cet endroit, elle refuse obstinément d'indiquer le lieu où elle se trouvait, et personne ne l'a révélé. Finalement, nous possédons une preuve irréfutable, puisque nous avons un témoin, M. John Prestcott, jeune homme de bonne famille, étudiant à l'université, qui va témoigner qu'elle lui a tout avoué, le soir du crime, et qu'elle lui a montré une bague qu'elle avait arrachée au cadavre. Bague identifiée comme étant la propre chevalière du Dr Grove. »

Toute la salle, me sembla-t-il, retint alors son souffle, chacun sachant que, dans ce genre d'affaires, le témoignage d'un homme de qualité ne courait aucun risque d'être mis en cause. Sarah le savait également : à ces mots, sa tête tomba encore plus bas sur sa poitrine et ses épaules s'affaissèrent, visiblement, elle abandonnait tout espoir.

« Monsieur, reprit l'homme de loi, le caractère de l'accusée, ses motifs, son statut pèsent tout autant dans la balance que les preuves précises. C'est pourquoi je n'ai aucun doute que, quelle que soit la manière dont plaide l'accusée — en fait, qu'elle parle ou qu'elle se taise —, le résultat sera le même. »

Le procureur regarda à l'entour d'un air rayonnant pour remercier l'assistance qui applaudissait ; il fit un signe majestueux de la main, puis se rassit. Le juge attendit que le silence se fût tant soit peu rétabli avant de tourner son attention vers Sarah.

« Eh bien ! mon enfant ? Qu'avez-vous à dire ? Vous connaissez, je crois, les conséquences que peuvent entraîner vos déclarations ? »

Sarah semblait sur le point de s'effondrer, et quoique j'eusse désormais fort peu de sympathie à son égard, j'avais le sentiment qu'il eût été généreux de lui fournir un siège.

« Allons ! ma fille, s'écria quelqu'un depuis la salle. Parle ! Tu es devenue muette ou quoi ?

— Silence ! tonna le juge. Eh bien ? »

Sarah leva la tête, et, pour la première fois, je pus voir clairement dans quel triste état elle se trouvait. Les yeux rougis à force d'avoir pleuré, elle était pâle, et la prison avait poissé ses cheveux. Elle avait sur la joue un gros bleu dû à la rossée infligée par le geôlier après qu'elle m'eut agressé. Sa bouche trembla lorsqu'elle essaya de parler.

« Quoi ? Quoi ? fit le juge en se penchant en avant et en portant une main à l'oreille. Il vous faudra parler plus fort que ça, vous savez ?

— Coupable », murmura-t-elle, avant de s'affaisser sur le sol et de perdre connaissance, tandis que l'auditoire se mettait à huer et à siffler, exprimant sa déception d'être frustré de son divertissement. Je tentai de m'approcher de Sarah, mais la masse des corps m'empêcha d'esquisser le moindre mouvement.

« Silence ! hurla le juge. Vous tous ! Du calme ! »

Finalement, l'assistance finit par se calmer, et le juge regarda autour de lui.

« La fille a plaidé coupable, annonça-t-il. Ce qui est une grande bénédiction, car nous pouvons désormais avancer rapidement. Messieurs les jurés, y a-t-il une objection de votre part ? »

L'ensemble des jurés secouèrent la tête d'un air sombre.

« Quelqu'un d'autre ici présent a-t-il quelque chose à dire ? »

Il y eut un remous dans la foule lorsque tous se tournèrent pour voir si quelqu'un désirait parler. Puis je vis que Wood s'était levé ; sa propre témérité et les huées qui l'accueillirent le rendaient rouge de confusion.

« Du calme, s'il vous plaît ! s'exclama le juge. Ne nous précipitons pas ! Je vous en prie, monsieur, dites ce que vous savez. »

Le pauvre Wood... Il n'avait aucun talent d'avocat, et il ne possédait même pas l'assurance d'un homme comme Lower, encore moins celle de quelqu'un comme Locke. Cependant, ce fut la seule personne qui défendit la fille et qui essaya de dire quelque chose en sa faveur. Sa tentative était vouée à l'échec, Démosthène en personne n'aurait guère pu mener à bien cette tâche ; d'ailleurs, je suis sûr que Wood agissait plutôt par générosité d'esprit que parce qu'il avait vraiment foi en la cause qu'il soutenait. Son intervention n'aida pas le moins du monde la jeune fille : ébloui par les feux des regards braqués sur lui, il se raidit et devint incohérent, se contentant de rester planté là, balbutiant à mi-voix des propos que personne ne parvenait à saisir. La foule y mit un terme : des huées montèrent des derniers rangs, puis ce furent des sifflets si stridents que même le plus grand orateur n'aurait pu se faire entendre. Locke, me sembla-t-il, mit fin au désastre en le forçant à se rasseoir avec une douceur surprenante. Le désespoir et la défaite humiliante se lisaient sur le visage du pauvre homme ; je le plaignais de subir un tel outrage, tout autant que je me réjouissais que l'incident fût clos.

« Je vous remercie de votre éloquence, dit le juge, en jouant de manière éhontée pour la galerie, incapable qu'il était de résister au plaisir de l'humilier encore plus, et je vais prendre en compte vos déclarations. »

Puis il sortit de sa poche la toque de feutre noir et la plaça sur sa tête ; son geste fut salué par un frémissement de la foule haletante, dont les sentiments étaient passés de la sympathie à la plus extrême cruauté.

« Pendez-la ! hurla une voix du fond de la salle.

— Du calme ! » s'écria une fois de plus le juge.

Mais c'était trop tard. Suivant l'exemple de la première voix, d'autres s'élevèrent, puis d'autres encore ; en quelques secondes, de toute la salle montait l'écho de cette soif de sang qui s'empare des soldats sur le champ de bataille ou des chasseurs lorsque leur proie est acculée.

« Pendez-la, tuez-la ! » scandait la salle au rythme des battements de pieds et des sifflets.

Le juge mit plusieurs minutes à rétablir l'ordre.

« Ça suffit, maintenant ! s'exclama-t-il d'un ton sévère. Bon ! A-t-elle repris ses esprits ? Peut-elle m'entendre ? demanda-t-il au greffier qui avait cédé sa chaise pour la faire asseoir.

— Je le crois, Votre Honneur, répondit ce dernier, bien qu'il la tînt à bras-le-corps et qu'il l'eût giflée plusieurs fois pour lui faire reprendre conscience.

— Bien. Sarah Blundy, écoutez-moi attentivement. Vous avez commis un crime ignoble, et la sentence prévue par la loi pour une femme qui tue avec une telle félonie est inévitable. Vous serez brûlée sur le bûcher. »

Il s'arrêta afin de parcourir du regard l'auditoire et voir comment était reçue la sentence. L'auditoire ne parut pas satisfait. Quoique la sentence parût inévitable, les Anglais ne tiraient pas grand plaisir du bûcher, et une certaine morosité s'abattit sur la salle.

« Cependant, reprit le juge, étant donné que vous avez plaidé coupable, épargnant ainsi à la cour bien des difficultés, nous souhaitons nous montrer clément. Vous allez jouir du privilège d'être pendue avant que ne soit consumé votre corps ; cela afin d'amoindrir la souffrance que vous devrez endurer. Tel est votre châtiment, et que Dieu vous fasse miséricorde ! »

Il déclara la séance levée, ravi que son après-midi ait été si court et si satisfaisant. L'assistance soupira comme si elle se réveillait d'un rêve passionnant, s'ébrouant avant de se diriger vers la sortie, tandis que deux huissiers transportaient Sarah, désormais inconsciente, hors de la salle pour la reconduire au château fort. Tout le procès n'avait pas duré une heure.

Chapitre dix-huit

Mon abattement empira fortement lorsque je vis Mme Blundy, quelques heures plus tard, car la bataille s'était livrée et avait été perdue sous mes yeux.

« Je suis désolée, docteur. »

Sa voix était encore plus faible qu'auparavant ; ce n'était guère plus qu'un gémissement, tant la douleur la transperçait. Elle était brave et faisait de son mieux pour cacher ses souffrances, de crainte que je ne prisse l'expression de son calvaire pour un reproche.

« C'est moi qui devrais m'excuser, dis-je, après l'avoir examinée et m'être rendu compte de l'aggravation de son état. Vous n'auriez jamais dû être laissée toute seule si longtemps.

— Comment va Sarah ? » demanda-t-elle.

C'était la question que je redoutais. J'avais décidé à l'avance d'éviter de lui révéler que non seulement elle avait été déclarée coupable, mais qu'elle avait avoué son forfait.

« Elle va bien. Aussi bien que possible.

— Et quand va avoir lieu le procès ? »

Je poussai un soupir de soulagement : elle avait perdu le sens du temps et oublié quel jour on était ; cela rendait ma tâche bien plus facile.

« Bientôt. Je suis certain que tout va bien se passer. Concentrez-vous sur vos propres ennuis ; c'est la meilleure façon de l'aider, parce que pour garder la tête froide elle doit éviter de penser à autre chose qu'à son procès. »

Elle se contenta de cette réponse, et, pour la première fois de ma vie, j'eus le sentiment qu'il valait mieux, parfois, mentir que dire la vérité. Comme tout le monde, je suppose, dès le plus jeune âge, on m'avait fait entrer dans la tête l'idée que le respect de la vérité constituait la première vertu d'un homme de qualité ; ce n'est pas vrai. Il arrive qu'il soit de notre devoir de mentir, quelles que soient les conséquences dont nous puissions avoir à pâtir. Mes mensonges l'apaisèrent ; la vérité aurait fait de ses dernières heures un véritable martyre. Je suis content de lui avoir épargné cela.

Il n'y avait personne pour m'aider, je dus me débrouiller par moi-même. Tout en m'activant, j'attendais avec impatience l'arrivée de Lower, afin d'accomplir la tâche prévue. Il était en retard et je m'inquiétais. Quel travail lugubre et déprimant que celui qui consiste à laver, à essuyer et à donner à manger, lorsqu'on sait qu'il ne s'agit que d'une mise en scène destinée à apporter un certain réconfort en attendant l'inévitable. L'esprit de la fille, force plus grande à tous égards, entraînait la mère dans sa chute. Le visage de la vieille femme était livide, elle avait mal aux articulations et ressentait des douleurs aiguës dans les intestins ; elle tremblait et avait tour à tour chaud et froid.

Quand j'eus fini, elle se mit à frissonner, puis se recroquevilla dans son lit, claquant des dents bien que j'eusse allumé un feu et qu'il fît, pour la première fois, presque chaud dans la pièce.

Que faire ? J'essayai de partir à la recherche de Lower pour lui rappeler ses obligations : cela produisit le premier geste de la part de la vieille femme depuis mon arrivée. Elle me saisit le poignet avec une fermeté étonnante et refusa de me lâcher.

« Ne partez pas, je vous en prie ! chuchota-t-elle entre deux frissons. J'ai peur. Je ne veux pas mourir seule. »

Je n'eus pas le cœur de m'en aller, quoique je n'eusse pas la moindre envie de rester : tant que Lower n'était pas là, ma présence ne ferait pas la moindre différence. Malgré la valeur de mon expérience, malgré l'espoir qu'elle promettait pour l'avenir, lui et la fille l'avaient réduite à néant ; cette dernière n'allait pas être responsable de la disparition d'une seule vie...

Aussi restai-je, repoussant la pensée, qui devenait de plus en plus une certitude, que Lower allait me laisser choir au moment où j'avais le plus besoin de son aide. J'alimentai le feu, brûlant plus de bois en une seule nuit que les Blundy en six mois ; puis je demeurai assis par terre, emmitouflé dans mon manteau, tandis qu'elle sombrait lentement dans le délire, en émergeant par intermittence.

Ah ! quand elle était consciente, quelles folies elle débitait sur son mari et sur sa fille... Réminiscences, blasphèmes, formules pieuses, mensonges, tout se mêlait, au point que j'avais du mal à m'y retrouver. J'essayais de ne pas écouter, faisant de mon mieux pour éviter de condamner ses propos, car je savais qu'en de pareils moments les démons, qui nous guettent tous durant notre vie, saisissent leur chance et parlent par notre bouche, prononçant des mots que nous ne reconnaîtrions pas si nous étions en pleine possession de nos moyens. C'est pour cela que nous pratiquons les derniers rites, pour exorciser l'âme de ces démons et ainsi purifier le corps ; c'est pourquoi la religion protestante est si cruelle, elle qui nie à l'homme cet ultime réconfort.

Et je ne pouvais toujours pas comprendre ni la mère ni la fille, n'ayant de ma vie jamais rencontré un tel mélange de douceur et de perversité. Je cherchais toujours à analyser ce mélange au moment où, épuisés par ses divagations, d'abord la vieille femme, puis moi-même, nous nous assoupîmes dans la pièce où régnait une atmosphère confinée et étouffante. Je rêvai de mon ami, et de temps en temps pendant la nuit, lorsqu'un son ou un bruit me troublait, je me réveillais en pensant qu'il était arrivé. Mais, chaque fois, je m'apercevais que ce n'était qu'une chouette ou quelque animal, ou encore le craquement d'une bûche éclatant dans le feu.

Il faisait encore nuit quand je sortis du sommeil : il était environ six heures, certainement pas plus tard. Le feu s'était presque éteint, et la pièce était redevenue glaciale. Je le rallumai aussi vite que je le pus ; l'exercice m'aida à détendre mes membres engourdis par la nuit. Ce n'est qu'à ce moment-là que j'examinai ma patiente. Sa condition ne semblait guère avoir changé ; peut-être s'était-elle légèrement améliorée, toutefois la malade n'était pas en état de supporter une nouvelle épreuve.

Bien que ma confiance en Lower se fût émoussée, j'aurais voulu qu'il fût présent pour m'aider et me donner des conseils. Mais je ne pouvais me dissimuler qu'il m'avait laissé choir : j'étais tout seul et pressé pour agir. Je ne sais combien de temps je demeurai dans l'indécision, espérant que l'unique solution qui me restait ne s'avérerait pas nécessaire. J'hésitai trop longtemps ; mon esprit ne devait pas bien fonctionner, car je fixais sur ma malade un regard vide jusqu'à ce qu'un murmure lointain venant de l'extérieur me fît reprendre mes esprits. Je me décidai à agir quand je compris ce que c'était : des bruits de voix, un concert de voix qui croissait en volume.

Avant même d'ouvrir la porte pour m'en assurer, je savais que cela venait du château. La foule s'assemblait. Je voyais les premiers doigts minces de l'aurore dans le ciel. Il restait peu de temps, je n'avais plus le choix ; je ne pouvais pas attendre une seconde de plus.

Je préparai mes instruments avant de réveiller Mme Blundy, disposant les tuyaux de plume, les rubans et le long tube en argent, de telle sorte qu'il fût possible de les manipuler d'une seule main. J'enlevai mon manteau, retroussai l'une de mes manches et plaçai le tabouret dans la meilleure position.

Puis je la réveillai avec douceur.

« Maintenant, madame, nous devons commencer. Vous m'entendez ? »

Elle fixa le plafond, puis hocha la tête.

« Je vous entends, docteur, et je suis entre vos mains. Est-ce que votre ami est arrivé ? Je ne le vois pas.

— Nous devons commencer sans lui. Cela ne fera aucune différence. Il vous faut du sang, et le plus vite possible ; peu importe d'où il vient. Bon, donnez-moi votre bras. »

Ce fut bien plus difficile que la première fois ; il était diablement malaisé de trouver un vaisseau adéquat dans son corps émacié, et je perdis du temps à tâtonner, retirant le tuyau une demi-douzaine de fois avant d'être satisfait. Elle supportait tout cela avec patience, comme si elle ne se rendait guère compte de ce qui se passait et qu'elle fût insensible à la douleur aiguë que je lui infligeais dans ma hâte. Ensuite, je me préparai, pratiquant une incision dans ma chair avant d'y planter le tuyau de plume aussi vite que possible, tandis que son sang dégouttait le long de son bras.

Lorsque le flux du sang s'écoulant de mon bras fut régulier, je m'installai dans une meilleure position, puis je pris le tube d'argent et l'insérai dans le tuyau. Le sang le traversa vivement et jaillit en un jet rouge et chaud à l'autre bout, éclaboussant la literie pendant que je maniais le tube pour l'ajuster au tuyau planté dans son bras.

Enfin, la jonction se fit, et, lorsque je vis qu'il n'y avait aucune obstruction, je commençai à compter. Quinze minutes, me dis-je, tout en réussissant à faire un sourire à la vieille femme.

« C'est presque terminé, fis-je. Ça ira mieux maintenant. »

Elle ne me rendit pas mon sourire. Je continuai à compter, sentant le sang jaillir par saccades de mon bras et ma tête se mettre à tourner, tandis que je m'efforçais de rester calme. Au loin, seconde par seconde, le bruit en provenance du château s'intensifiait. J'avais compté près de dix minutes lorsqu'un énorme rugissement se fit entendre, suivi par un silence total pendant que j'extirpais les tuyaux de nos bras et bandais les plaies pour arrêter le flot de sang. Ce ne fut pas facile : dans mon cas, j'avais percé un gros vaisseau et je perdis un surplus de sang avant de pouvoir refermer la blessure avec un bandage ; le sang eut le temps de le traverser, créant une large tache, avant que je fusse assuré d'avoir réussi à l'étancher.

Enfin, tout fut terminé ; je ne pouvais rien faire de plus. Je pris une profonde inspiration pour calmer mon vertige tout en rangeant mes instruments dans la trousse, espérant avoir fini à temps. Puis le bruit en provenance du château recommença et je me retournai pour regarder ma patiente. Ses lèvres avaient pris une teinte bleutée et, alors que les tambours roulaient dans le lointain, je saisis sa main et découvris que les doigts s'étaient également décolorés. Les tambours se firent de plus en plus sonores, et elle se mit à trembler, à hurler violemment de douleur, suffoquant de manière désespérée. Puis, comme les rugissements de la foule montaient et devenaient presque assourdissants, elle cambra les reins et lança d'une voix claire et forte, dénuée de toute trace de souffrance : « Sarah ! Mon Dieu ! Ayez pitié de moi ! »

Puis ce fut le silence. Le bruit en provenance du château s'évanouit, les râles, les halètements qui montaient de la gorge frêle de la femme cessèrent, et je sus que je tenais la main d'un cadavre. Pour toute compagnie, je n'avais plus qu'un effroyable coup de tonnerre au-dehors et le bruit de la pluie battante qui tambourinait sur le toit.

Trop tard : le corps affaibli de la mère n'avait pu supporter la violence du choc lorsque l'âme de la fille avait été arrachée de son corps ; en s'envolant du corps, l'âme de la fille avait emporté la vie de la mère. Mon sang n'avait pas eu le temps de lui donner la force dont elle avait besoin. Mon indécision et l'absence de Lower avaient rendu inutiles tous mes efforts.

Je ne sais combien de temps je restai assis là à lui tenir la main, espérant que je m'étais trompé et qu'elle était seulement évanouie. Je percevais vaguement une nouvelle rumeur en provenance du château, mais je n'y prêtais guère attention. Ensuite, je lui fermai les yeux, peignai ses cheveux, puis arrangeai les minables couvertures aussi bien que je le pus. Finalement, bien qu'elle n'eût pas la même religion que moi et qu'il fût possible qu'elle n'eût fait aucun cas de mes efforts, je m'agenouillai près du lit et priai pour leurs deux âmes. Je crois avoir prié pour moi également.

Je quittai à jamais cette triste masure environ une heure plus tard, je suppose. Je n'étais pas d'humeur à réprimander Lower ; en revanche, une faim de loup se mêlait à mon désespoir ; aussi me rendis-je à une taverne afin de me sustenter pour la première fois depuis plus d'une journée. Plongé dans mes noires pensées, j'écoutais vaguement les conversations autour de moi : pleines d'entrain et de gaieté, elles contrastaient tant avec mon état d'esprit que je me sentis encore plus étranger qu'auparavant.

À ce moment-là, je détestai les Anglais à cause de leur hérésie, pour la manière dont ils transformaient une pendaison en fête et la faisaient coïncider avec un jour de marché afin d'en faire profiter les commerçants. J'abhorrai leur bigoterie et leur suffisance ; je haïs Lower pour son mauvais caractère et la façon dont il m'avait méprisé, trahi et abandonné. C'est alors que je décidai d'abandonner sur-le-champ cette horrible petite ville ainsi que ce cruel et sinistre pays. Je n'avais plus rien à y faire. Ma patiente maintenant était morte. J'avais la mission dont m'avait chargé mon père, mais elle n'avait plus lieu d'être. J'avais mes amis, mais il était désormais clair qu'ils ne méritaient plus guère ce nom. Aussi était-il temps de lever l'ancre.

Cette décision me permit de me sentir mieux. Je pouvais boucler mes bagages et partir le jour même si nécessaire, mais je devais d'abord informer quelqu'un de la mort de Mme Blundy. Je ne savais pas exactement ce qu'il fallait faire du corps, j'étais cependant décidé à ce qu'elle ne fût pas enterrée comme une miséreuse. Je demanderais à Lower de me rendre ce dernier service : accepter un peu des maigres fonds qui me restaient pour l'enterrer avec toute la solennité requise.

Cette résolution me rasséréna, à moins que ce ne fût la nourriture et l'alcool. Je relevai la tête, remarquant pour la première fois tout ce qui se passait autour de moi. Je me rendis compte qu'on parlait de la pendaison.

Je ne compris pas ce qui s'était passé précisément, mais il était évident qu'il y avait eu un scandale. Voyant M. Wood à l'autre bout de la salle, j'allai lui demander comment il se portait et s'il savait qui était arrivé.

Comme nous ne nous étions rencontrés qu'en de rares occasions par le passé, il était sans doute impoli de l'aborder, mais j'avais une folle envie de savoir. Wood ne se fit pas prier et me mit au courant.

Ses yeux brillaient de plaisir à l'idée de parler du scandale. D'un air tout à fait malséant de jubilation contenue, il me convia à m'asseoir à sa table afin de me faire un récit détaillé.

« C'est fini ? » demandai-je.

Je pensai qu'il avait peut-être bu, bien qu'il fût encore très tôt, car ma question le fit éclater de rire.

« Oh, oui ! C'est fini. Elle est morte.

— J'en suis désolé pour vous. Ne travaillait-elle pas pour votre famille ? Cela a dû être fort pénible. »

Il hocha la tête.

258

« En effet. Surtout pour ma pauvre mère. Mais il faut que la justice passe. Et elle est passée. »

Il rit de bon cœur et j'eus envie de le frapper pour le punir de son manque de charité.

« Est-elle morte dignement ? Dites-le-moi, je vous en prie ! demandai-je. Je suis bouleversé parce que la mère vient également de mourir ; j'étais à ses côtés pendant ses derniers moments. »

Bizarrement, cela le troubla énormément, beaucoup plus que la pendaison de sa servante.

« C'est très triste, vraiment, dit-il d'un ton calme en recouvrant tout d'un coup sa sérénité. Je la connaissais et la trouvais à la fois intéressante et gentille.

— Je vous en prie, répétai-je, dites-moi ce qui est arrivé. »

Alors Wood se lança dans son récit. Même si elle avait déjà commencé à être enjolivée, c'était une horrible histoire faisant apparaître sous un mauvais jour tous les participants, sauf Sarah Blundy elle-même, la seule qui s'était comportée avec dignité et décence. Selon le récit de Wood, tous les autres s'étaient déshonorés.

Il me dit qu'il s'était rendu dans l'avant-cour du château juste après quatre heures afin d'être bien placé. Il n'était pas le premier, loin de là, et s'il avait attendu ne serait-ce qu'une demi-heure de plus, il n'aurait pratiquement rien vu. Longtemps avant le début de la cérémonie, la cour s'était remplie d'une foule calme et grave, tournée vers l'arbre d'où pendait déjà la corde accrochée à une forte branche et contre lequel une échelle était appuyée. À quelques mètres de là, des employés de la prison empêchaient les badauds de s'approcher du bûcher où devait se consumer le corps de la fille après la pendaison. Certains ramassaient des bûches comme souvenirs, d'autres pour faire du feu chez eux ; en plusieurs occasions, par le passé, il avait fallu remettre le châtiment parce qu'il n'y avait plus assez de bois pour brûler le corps.

Puis, exactement au point du jour, une petite porte s'ouvrit, et Sarah Blundy, lourdement enchaînée, les cheveux tirés en arrière et frissonnant dans un léger vêtement de coton, fut amenée. La foule, dit-il, devint encore plus calme devant ce spectacle, car c'était une jolie fille et il était difficile de croire qu'un être d'apparence aussi délicate pût mériter un tel châtiment.

Puis Lower se poussa en avant et murmura quelques mots au bourreau avant de faire une profonde révérence à la fille tandis qu'on l'emmenait.

« A-t-elle dit quelque chose ? demandai-je. A-t-elle confirmé sa culpabilité ? »

Étrangement, il était important pour moi à ce moment-là d'entendre qu'elle était vraiment coupable. Son aveu au tribunal m'avait grandement rassuré : il constituait le dernier élément dont j'avais besoin ; on n'avoue pas un crime de cette gravité si on n'est pas absolument coupable, parce que c'est abandonner tout espoir d'échapper à la mort. Ce n'est pas moins qu'un suicide, le plus grand des péchés.

« Je ne crois pas, dit-il. Mais je n'ai pas pu tout entendre. Elle parlait très doucement et, quoique j'aie été tout près, j'ai perdu une grande partie de ses propos. Elle a reconnu qu'elle était l'une des grandes pécheresses du monde et a prié qu'on lui pardonne, même si elle savait qu'elle ne le méritait pas. Ça a été une déclaration très courte, qui a été bien reçue. Puis un pasteur a voulu prier avec elle, mais elle a refusé en disant qu'elle n'avait pas besoin de ses prières. C'est l'un des hommes placés par le roi et dont les opinions sont très loin de celles de Sarah et de ses semblables. Bien sûr, cela a provoqué des remous dans la foule. Certains ont même eu l'air mécontents, mais un bon nombre — surtout la racaille — a approuvé son courage. »

D'après lui, il n'y avait là rien de très inhabituel. C'était la mission de l'Église de s'imposer à de tels moments, et libre aux condamnés — qui, après tout, n'avaient pas grand-chose à perdre — de faire un dernier geste de défi s'ils en avaient envie. Sarah pria toute seule, agenouillée dans la boue, avec une sérénité et une dignité qui provoquèrent un murmure de sympathie dans la foule. Puis elle se releva et fit un signe de tête au bourreau. Ses mains étant attachées, on l'aida à monter à l'échelle jusqu'à ce que son cou fût au niveau de la corde. Alors le bourreau l'arrêta et commença à faire le nœud.

Elle bougea la tête pour avoir le plus d'aise possible, et tout fut prêt. Elle avait refusé qu'on lui bandât les yeux ou qu'on lui couvrît la tête, et la foule se tut en voyant les yeux se fermer et les lèvres remuer afin que le dernier son qui en sortît fût le nom de Dieu. Ensuite, les tambours se mirent à rouler... finalement le bourreau se pencha en avant et, d'un geste, la fit tomber de l'échelle.

Alors l'orage éclata et, en l'espace de quelques minutes, une eau boueuse envahit tout ; les trombes d'eau étaient si violentes qu'il était difficile de voir ce qui se passait.

Wood fit une pause et avala une autre gorgée.

« Je déteste les pendaisons, lâcha-t-il en s'essuyant la bouche sur sa manche. Je vais y assister, bien sûr, mais j'en ai horreur. Je ne connais personne qui pense autrement ou qui pourrait les aimer après en avoir vu une. La façon dont le visage se tord et dont la langue sort de la bouche est si hideuse qu'on comprend pourquoi on insiste en général pour que la tête soit couverte. Et l'odeur également ! Et la manière dont les bras et les jambes se tordent et sont agités de soubresauts ! » Il frissonna. « N'en parlons plus ! Car ça n'a pas duré longtemps, et quand tout a été fini, Lower a réclamé son dû. Saviez-vous qu'il avait acheté le cadavre et qu'il était parvenu à une sorte d'accord avec le juge afin de l'obtenir, lui, et pas le professeur ? »

Je fis oui de la tête. Je m'en doutais.

« Ça s'est passé de la pire manière, car l'université l'ayant appris, le professeur titulaire de la chaire royale a considéré qu'on empiétait sur ses prérogatives. Donc, il s'est lui aussi avancé pour réclamer son dû. Il y a eu une bousculade dans la boue. Vous vous rendez compte ? Deux surveillants de l'université se battant pour s'approprier le corps, retenus par une demi-douzaine d'amis de Lower, lequel a appelé Locke à la rescousse pour ramasser le cadavre et l'emporter hors de la cour. Je ne crois pas que beaucoup aient compris ce qui se passait, mais ceux qui s'en sont aperçus se sont mis en colère et ont commencé à jeter des pierres. Il y a presque eu une émeute, seulement évitée parce que la pluie en a fait fuir plus d'un. »

Ce récit donna le coup de grâce à mon amitié avec Lower. Je savais ce qu'il dirait, qu'un corps est un corps, mais son action montrait une dureté qui me chagrina beaucoup. Je crois que c'est parce qu'il m'avait abandonné afin de promouvoir sa carrière car, entre, d'une part, m'aider à traiter la mère et, d'autre part, obtenir la fille afin de disséquer son corps, il avait fait le second choix. Maintenant, il pourrait écrire son livre sur le cerveau, pensai-je amèrement. Grand bien lui fasse !

« Donc, Lower a eu gain de cause ?

— Pas exactement. Il a emmené le corps chez Boyle où il doit pratiquement soutenir un siège. Les surveillants se sont plaints au magistrat, déclarant que s'ils ne pouvaient récupérer le corps personne d'autre ne pouvait l'avoir non plus. Le magistrat a désormais changé d'avis et le réclame. Pour l'instant, Lower a refusé de le rendre.

— Pourquoi ?

— Je pense qu'il est en train de faire autant de travail sur le cadavre qu'il le peut en attendant.

— Et M. Boyle ?

— Heureusement, il est à Londres. Il serait épouvanté d'être involontairement embarqué dans une telle affaire. » Il se leva. « Je rentre chez moi. Veuillez m'excuser... »

Je m'emmitouflai du mieux que je le pus avant de braver l'averse dans la Grand-Rue, sur le chemin de l'échoppe de l'apothicaire. J'y trouvai M. Crosse, en compagnie du jeune garçon qu'il utilisait pour mélanger les ingrédients, de faction devant la porte, fermement décidé à ne laisser entrer personne sans la permission de Lower. Y compris moi... J'eus du mal à y croire lorsqu'il appuya sa main contre ma poitrine et secoua la tête.

« Je suis désolé, monsieur Cola. Mais Lower est inflexible. Ni vous ni aucun de ces messieurs n'a la permission de l'interrompre pendant qu'il travaille.

— C'est absurde, m'écriai-je. Que se passe-t-il ? »

Crosse haussa les épaules.

« Je crois que M. Lower a accepté de rendre le corps au bourreau afin qu'il puisse être brûlé comme le veut la sentence. Jusqu'à l'arrivée de cet homme, il ne voit aucune raison de ne pas conduire des expériences à sa guise. Il a assez peu de temps ; c'est pourquoi il insiste pour ne pas être dérangé. Je suis persuadé qu'ordinairement il aurait été ravi d'avoir votre collaboration. »

Il ajouta que ce qu'il avait appris de notre querelle l'avait attristé et qu'il considérait toujours comme mon ami. Tout cela était dit avec la plus grande courtoisie.

Ainsi donc, comme n'importe quel quidam, je dus attendre debout le bon plaisir de Lower ; Crosse m'accorda au moins la faveur de me faire attendre à l'intérieur, m'épargnant d'avoir à faire le pied de grue dehors jusqu'à l'arrivée du bourreau venu réclamer son butin.

Puis Lower descendit, l'air épuisé, les mains et le tablier encore maculés de sang. Sa présence dans la maison produisit un frisson au sein de la foule.

« Êtes-vous prêt à vous soumettre aux ordres du magistrat ? » demanda le bourreau.

Lower acquiesça d'un signe de tête puis saisit le bourreau par la manche au moment où il s'apprêtait à conduire ses assistants à l'étage.

« J'ai pris la liberté de commander un cercueil pour le corps, dit-il. Ce serait malséant de la transporter dans l'état où elle se trouve à présent. Il devrait arriver sous peu et il vaudrait mieux attendre. »

Le bourreau lui assura qu'il avait déjà eu l'occasion de voir bien des spectacles horribles et que celui-ci ne le troublerait pas.

« Je pensais à la foule », expliqua Lower, tandis que le bourreau disparaissait dans l'escalier.

Lower le suivit et, comme personne ne m'en empêchait, j'emboîtai le pas à Lower.

Un regard suffit au bourreau pour changer d'avis : en fait, il devint livide. Car Lower avait abandonné la délicatesse qui caractérisait normalement ses dissections. Dans sa hâte d'enlever les organes dont il avait besoin pour son travail, il avait dépecé le corps, l'avait éventré sauvagement, avait détaché la tête et l'avait sciée pour prendre le cerveau, défigurant le visage, avant de jeter les morceaux par terre dans une toile cirée. Ces yeux superbes qui m'avaient tant captivé la première fois où je l'avais vue avaient été arrachés de leurs orbites ; les tendons et les muscles pendaient des bras comme s'ils avaient été mis en pièces par une bête sauvage. Des couteaux et des scies ensanglantés traînaient dans toute la pièce, ainsi que des tas de longues mèches brunes et brillantes, coupées à la va-vite pour attaquer le crâne. Il y avait du sang partout et l'odeur qu'il dégageait était pestilentielle. Dans un coin se trouvait un grand seau plein du sang qui s'était échappé du corps, à côté de bocaux de verre débordant de trophées. La puanteur était indescriptible. Dans un autre coin, en un petit tas, on voyait la tunique de coton qu'elle avait portée, toute tachée et souillée après son dernier supplice.

« Dieu du ciel ! s'exclama le bourreau en regardant Lower avec horreur. Je devrais montrer ceci à la foule. Vous rejoindriez la fille sur le bûcher, ce qui est tout ce que vous méritez. »

Lower haussa les épaules, d'un air d'épuisement et d'indifférence.

« C'est pour le bien commun, affirma-t-il. Je ne ressens pas le besoin de m'excuser, ni auprès de vous, ni de personne. C'est vous et cet ignorant de magistrat qui devriez vous excuser. Pas moi. Si j'avais eu davantage de temps... »

Je restai dans un coin, sentant les larmes me monter aux yeux tant j'étais triste de voir s'effondrer tous mes espoirs et toute ma confiance en Lower. Je ne pouvais croire que cet homme que j'avais appelé mon ami pouvait agir de cette manière brutale, révélant par là un aspect de son caractère qu'il avait auparavant si bien dissimulé. Une fois l'âme envolée, le corps ne provoque en moi aucun sentiment particulier : j'estime qu'il est tout à fait bienséant et honorable de l'utiliser pour la recherche scientifique. Mais on doit le faire avec humilité, avec le respect dû à ce qui a été créé à l'image de Dieu. Pour promouvoir sa carrière, Lower était descendu au niveau d'un boucher.

« Eh bien ! fit-il en me regardant pour la première fois. Que faites-vous ici ?

— La mère est morte, lui dis-je.

— Je suis désolé de l'apprendre.

— Vous pouvez l'être, car c'est votre faute. Où étiez-vous hier soir ? Pourquoi n'êtes-vous pas venu ?

— Ça n'aurait servi à rien.

— Si. Si elle avait eu assez d'esprit vital pour diluer celui de la fille. Elle est morte au moment précis où son enfant a été pendue.

— Foutaises ! Ce sont de pures foutaises ! Des superstitions non scientifiques ! s'exclama-t-il, ébranlé par mon désir de lui demander des comptes. Et rien d'autre.

— Vous n'en savez rien. C'est la seule explication. Vous êtes responsable, et je ne peux pas vous le pardonner.

— Eh bien, tant pis ! rétorqua-t-il. Tenez-vous-en à votre explication. Croyez à ma responsabilité si vous le souhaitez. Mais, pour l'heure, cessez de me tracasser !

« — J'exige de connaître vos raisons.

— Allez-vous-en ! s'écria-t-il. Je ne veux vous donner
ni raison ni explication. Vous n'êtes plus le bienvenu ici,
monsieur. Allez-vous-en, je vous dis ! Monsieur Crosse,
voulez-vous raccompagner cet étranger ? »

La dispute dura un peu plus longtemps, en fait, mais
ce furent, en substance, les dernières paroles qu'il
m'adressa. Depuis lors, je n'ai reçu absolument aucune
nouvelle de lui. C'est pourquoi je suis toujours incapable
d'expliquer comment sa gentillesse s'est changée en
méchanceté et sa générosité en extrême cruauté. L'enjeu
en valait-il la chandelle ? Passa-t-il sur moi son sentiment
de dégoût devant ce qu'il avait fait afin d'éviter d'avoir
à se le reprocher ? Mais je me persuadai bientôt d'une
chose : c'est volontairement qu'il n'était pas venu m'aider
à soigner Mme Blundy. Il voulait que mon expérience
échouât, parce que alors je ne pourrais chanter victoire.

Je suis à peu près certain aujourd'hui qu'il savait déjà
ce qu'il comptait faire. Peut-être avait-il déjà commencé
à rédiger cette communication qui, une année plus tard,
parut dans les *Transactions de la Société royale* sous le
titre : « Compte rendu de la transfusion du sang », par
Richard Lower. Elle relatait en détail les expériences pratiquées avec Wren sur les chiens ; suivait un autre rapport
décrivant une transfusion entre deux individus. Quelle
générosité de signaler l'aide de Wren ! Quelle franchise
de reconnaître sa dette envers Locke ! En voilà un homme
de bien !

Pas un mot sur moi ; et je suis sûr que Lower avait
déjà décidé à l'époque que je ne serais pas cité. Tout ce
qu'il avait dit précédemment à propos de sa crainte d'être
coiffé sur le poteau, sur les étrangers et le dégoût qu'ils

lui inspiraient tous, tout cela me revint en mémoire. Je me rendis compte que quelqu'un de moins naïf que moi eût été dès longtemps sur ses gardes.

Pourtant, je reste encore choqué de constater jusqu'où il était prêt à aller pour me voler ma gloire : afin de s'assurer que personne ne prêterait foi à mes allégations, il propagea des calomnies parmi ses amis, affirmant que j'étais un charlatan, un voleur et des choses pires encore. Il m'avait empêché de justesse, croyait-on, de lui voler son idée, alors que c'était le contraire qui s'était passé, et ce n'était que par un bienheureux hasard que ma duplicité avait été révélée au dernier moment.

Le jour même, je quittai Oxford pour Londres, et, une semaine plus tard, je m'embarquai sur un navire marchand anglais en partance pour Anvers ; ensuite, je trouvai un autre bateau qui me conduisit à Livourne. Dès juin, j'étais de retour chez moi. Je n'ai jamais quitté mon pays depuis, et il y a longtemps que j'ai abandonné la philosophie pour les activités plus respectables d'un gentilhomme. Cela me fait mal de retourner, même par le souvenir, vers cette sombre et triste époque de ma vie.

Je fis encore une dernière démarche avant de m'en aller. Ne pouvant le demander à Lower, j'allai voir Wood qui acceptait toujours de me recevoir. Il m'apprit que les restes de Sarah avaient été brûlés cet après-midi-là, tandis que j'étais en train de faire mes bagages, et que tout était enfin terminé. Il n'y avait eu que lui et le bourreau près du bûcher qui brûlait furieusement. Cela l'avait bouleversé d'assister à cette fin, cependant, il pensait lui devoir cette dernière attention.

Je lui donnai une livre afin qu'il s'occupât de l'enterrement de Mme Blundy et qu'elle pût échapper à la fosse commune.

Il accepta de faire le nécessaire à ma place. Je ne sais pas s'il a tenu sa promesse.

LE GRAND PACTE

Les idoles de la caverne sont celles de l'homme considéré individuellement ; chacun d'entre nous possède son antre personnel qui brise et corrompt la lumière de la nature par suite des différences d'impression qui se produisent dans un esprit prévenu et déjà affecté.

Francis Bacon, *Novum Organum*, section II, aphorisme V

Chapitre premier

On découvre avec une certaine surprise, voire une
certaine gêne, qu'on a du mal à se rappeler les visages
et les événements surgis, comme autant de fantômes,
de la grisaille du passé. C'est l'expérience que j'ai faite
en lisant le manuscrit de cet étrange petit Vénitien,
Marco Cola, que m'a récemment envoyé Richard
Lower. Je n'avais pas imaginé qu'il était doué d'une
mémoire aussi impressionnante, bien que sélective.
Peut-être prit-il des notes au fur et à mesure dans le
dessein d'amuser ses compatriotes à son retour. Ces
récits de voyageurs sont assez appréciés, ici ; il est
possible qu'il en aille de même à Venise, quoiqu'on
dise que les Vénitiens sont des êtres bornés et convaincus qu'au-delà d'un périmètre de dix lieues autour de
leur cité plus rien n'offre d'intérêt.

Ainsi que je viens de le dire, le manuscrit fut une
surprise ; son arrivée comme son contenu, car il y avait
un certain temps que je n'avais reçu des nouvelles de
Lower. Nous nous fréquentions un peu, lui et moi, au
début de notre carrière à Londres ; mais, ensuite, nos
chemins ont divergé. Je fis un beau mariage, ma femme
m'apporta une belle dot et je commençai à fréquenter
des hommes du plus haut rang. Lower n'eut pas la
même fortune, probablement parce qu'il ne sut pas se
faire apprécier de ceux qui auraient pu le mieux l'aider.
Je ne sais pas pourquoi. Certes, il était d'un tempérament irascible, ce qui ne sied jamais à un médecin.
Peut-être s'intéressait-il trop à sa philosophie et pas

assez à sa bourse pour se faire remarquer dans le monde. Mais, grâce à ma fidélité et à ma patience, il compte toujours la famille Prestcott au nombre de ses rares clients.

Je crois savoir qu'il a déjà envoyé le récit de Cola à Wallis, quoique ce dernier soit désormais bien vieux et aveugle, et j'espère tous les jours apprendre ce qu'il en pense. Il m'est aisé d'imaginer ce que ce sera : Wallis *triumphans*, ou quelque variation sur ce sujet. C'est seulement pour redresser les erreurs que je prends la peine de rédiger la véritable version des faits. Ce sera un compte rendu décousu, étant souvent interrompu par mes affaires, mais je vais faire de mon mieux.

Il me faut commencer par dire que j'aimais beaucoup Cola ; il avait une allure saugrenue, mais il se présentait comme un galant homme. Pendant son bref séjour à Oxford, il amusa beaucoup par ses habits voyants et le parfum qu'il laissait flotter derrière lui. Il faisait constamment des pirouettes et des révérences, se lançait dans des compliments bizarres, contrairement à la plupart des Vénitiens qui, d'après ce que l'on dit, se targuent de leur gravité et regardent d'un mauvais œil l'exubérance anglaise. Je ne cherche pas à comprendre sa dispute avec Lower ; comment on peut en venir aux mains à propos de telles broutilles m'échappe. Il y a, à n'en pas douter, quelque chose d'indigne dans le spectacle de deux hommes de qualité se battant pour le droit d'être considérés comme le plus manuel des deux : Lower ne m'en a jamais parlé le moins du monde et je ne peux juger s'il a, oui ou non, quelque chose à se reprocher. Au-delà de la hargne et de la stupidité de toute cette histoire, le Vénitien possédait cependant bien des qualités, et il est dommage que je ne l'aie pas rencontré dans des circonstances plus agréables. J'aimerais pouvoir bavarder avec lui, aujourd'hui, car j'aurais beaucoup de choses à lui demander. Surtout, je ne comprends pas pourquoi il ne signale nulle part dans ses Mémoires — et c'est là la plus flagrante de ses omissions — qu'il avait connu mon père. C'est étrange, étant donné que nous avons longuement parlé de lui chaque fois que nous nous sommes rencontrés, et Cola en disait beaucoup de bien.

Telle est mon impression du Vénitien, fondée sur ce que je vis personnellement. Je devine que le Dr Wallis va brosser de lui un portrait différent. Je n'ai jamais saisi pourquoi ce vénérable ecclésiastique prit tellement l'homme en aversion, cependant, je suis relativement certain qu'il n'avait aucune bonne raison. Wallis avait d'étranges obsessions et nourrissait, bien sûr, une profonde haine envers tous les papistes, mais il se trompait souvent du tout au tout : en l'occurrence, ce fut le cas.

On sait que, jusqu'au moment où M. Newton l'éclipsa, le Dr Wallis était considéré comme le meilleur mathématicien jamais produit par notre pays, et cette réputation a jeté un voile sur ses activités occultes et sur sa méchanceté de caractère. Franchement, je n'ai jamais été persuadé que ce qu'ils font tous les deux soit si merveilleux : je sais faire des additions et des soustractions pour tenir à jour les comptes relatifs à mes propriétés ; je peux également parier sur un cheval et calculer mes gains, et je ne vois pas pourquoi quiconque devrait en savoir davantage. Quelqu'un tenta un jour de m'expliquer les théories de M. Newton, mais elles me semblèrent absurdes. Il s'agissait, je crois, de prouver que les choses tombent. Ayant fait une mauvaise chute de cheval la veille, je répliquai que toutes les preuves dont j'avais besoin se trouvaient sur mon arrière-train. Quant à savoir le pourquoi, il est évident que les choses tombent parce que Dieu leur a donné du poids.

Même s'il s'y connaissait dans ce domaine, le Dr Wallis était mauvais juge des caractères et il pouvait affreusement se tromper ; Cola en fit les frais. Parce que le pauvre homme était papiste et s'efforçait désespérément de se faire bien voir, le Dr Wallis supposa qu'il avait de noirs desseins. Personnellement, je prends les gens comme ils sont, et Cola ne m'a jamais fait aucun mal. Peu me chaut qu'il soit papiste : s'il préfère brûler en enfer, je ne peux rien faire pour le sauver.

Malgré sa courtoisie, cependant, il était clair — à mes yeux, du moins — qu'à bien des égards Cola était un sot. Ma théorie est que trop de savoir déséquilibre l'esprit. Tant d'efforts sont dépensés pour y faire entrer des connaissances, qu'il n'y reste aucune place pour le simple bon sens. Lower, par exemple, était d'une intelligence extrême, mais il n'a pas fait son chemin ; tandis que moi, qui ne possède que peu d'instruction, je jouis d'une position élevée : je suis juge de paix, ainsi que membre du Parlement. Je vis dans cette vaste demeure, construite tout exprès pour moi ; je suis entouré de domestiques, et quelques-uns d'entre eux exécutent même mes ordres... Une belle réussite, à mon avis, pour quelqu'un qui est né, sans qu'il y soit pour rien, dans le plus grand dénuement et qui a échappé de justesse au sort de Sarah Blundy.

Cette jeune personne, voyez-vous, était une catin et une sorcière, en dépit de sa joliesse et de ses étranges manières qui ont tant captivé Cola. Aujourd'hui, ayant atteint l'âge mûr et m'étant rapproché de Dieu, je suis stupéfait d'avoir agi à la légère à ce point et d'avoir placé mon âme en péril par mes relations avec elle. Cependant, parce que je suis un homme juste, je dois révéler l'absolue vérité : quels qu'aient été ses autres méfaits, et même si sa condamnation à mort a été juste, Sarah Blundy n'a pas tué le Dr Robert Grove. Je le sais parfaitement, car je connais le vrai coupable. Si Cola avait prêté une plus grande attention à la Bible, il se serait rendu compte que la preuve se trouvait dans les carnets qu'il transportait avec lui pour y noter les paroles d'autrui. Il rapporte qu'au dîner de New College Grove se disputa avec Thomas Ken, lequel sortit avec fracas en marmonnant « Romains 8, 13 ». Cola s'est rappelé la référence, l'a notée, tout en passant complètement à côté de sa signification ; en vérité, il rata la signification de toute la scène, puisqu'il ne comprit pas pourquoi il avait été invité, en fait. En effet, que dit ce passage ? Contrairement à lui, j'ai pris la peine de le chercher, et cela a confirmé la croyance que j'ai toujours eue : « Car si vous vivez selon la chair, vous devez mourir. » Mon ami Thomas était convaincu que Grove vivait en effet pour les plaisirs charnels, et celui-ci est mort quelques heures plus tard. Si j'avais été plus savant, j'aurais appelé cela une remarquable prophétie.

Connaissant fort bien les qualités et les défauts de Grove, j'admets volontiers que Thomas avait été poussé à l'action par d'excessives souffrances. Enfant, j'avais moi-même beaucoup souffert de ses piques, à l'époque où me faire classe faisait partie de ses obligations chez sir William Compton ; même si je le connaissais assez bien pour deviner la bonté que recelait son cœur (lorsque je fus assez grand pour ne plus être battu par lui, car ses bras possédaient une force redoutable), je savais à quel point ses traits d'esprit pouvaient blesser. Thomas — le pauvre Thomas, si honnête, si lent ! — était une cible trop facile pour ses sarcasmes. Grove raillait mon ami avec une telle cruauté que je pourrais aller jusqu'à dire que c'est Grove lui-même qui fut responsable de son propre sort.

Et moi ? Il me faut relater mes voyages ; pas un seul, mais plusieurs, tous entrepris dans le but d'acquérir à la fois la prospérité et — je l'espère — le salut. Une partie de ce que je vais raconter est déjà connue de tous. Une autre ne l'est que de moi et va causer une grande consternation parmi les athées et les railleurs. Je me doute que les érudits mépriseront mes propos et se gausseront de ma manière de présenter les faits, sans voir la vérité sous-jacente. C'est leur affaire, car je vais révéler la vérité, que cela leur plaise ou non.

Chapitre deux

J'ai le dessein d'exposer clairement le cours des événements sans me préoccuper des stupidités auxquelles se laissent aller les soi-disant auteurs qui s'efforcent de gagner une gloire fallacieuse. Que Dieu me garde de la honte de publier un livre pour de l'argent ou qu'un mien parent déroge à ce point. Comment savoir entre quelles mains le livre peut tomber ? À mon avis, aucun livre de valeur n'a jamais été écrit pour le gain ; il arrive que je sois obligé qu'on me fasse la lecture afin de passer une soirée, et, alors, je trouve généralement la chose tout à fait absurde. Toutes ces inventions compliquées, tous ces sens cachés ! Dites ce que vous avez à dire, puis taisez-vous ! Telle est ma devise. Les livres seraient meilleurs — et bien plus courts — si les auteurs écoutaient mes conseils. Il y a davantage de sagesse dans un honnête manuel d'agriculture ou de pêche que chez le plus malin des philosophes. Si j'en avais le pouvoir, je les ferais tous monter sur un cheval à l'aube et galoper pendant une heure à travers la campagne. Cela chasserait peut-être de leur esprit dérangé un peu de cette absurdité.

Donc, je vais m'expliquer simplement et franchement, et je n'ai pas honte de dire que mon récit sera le reflet de mon caractère. J'étais à Oxford dans le but d'étudier le droit ; cela parce que, quoique je fusse l'aîné et le seul fils de la famille, j'allais devoir gagner ma vie, tant nous avions sombré dans le malheur. Les Prestcott étaient une très vieille famille, mais qui avait considérablement souffert pendant les guerres. Mon père, sir James Prestcott, s'était joint au roi quand ce noble personnage brandit son étendard à Northampton, en 1642, et il combattit courageusement pendant la guerre civile. Les dépenses furent énormes, car il entretenait à ses frais toute une troupe de cavaliers ; il en fut bientôt réduit à hypothéquer ses terres pour lever des fonds, sûr que ce serait là un sage investissement en prévision de l'avenir. En ce temps-là, personne n'envisageait sérieusement que les combats pouvaient se terminer autrement que par un triomphe. Mon père, comme beaucoup d'autres, ne prenait pas en compte la rigidité du roi et l'influence croissante des fanatiques du Parlement. La guerre se prolongeait, le pays souffrait, et mon père s'appauvrissait.

Le désastre survint lorsque le Lincolnshire — où se trouvait une grande partie des terres de la famille — tomba complètement aux mains des têtes rondes ; ma mère fut brièvement emprisonnée et une bonne part de nos revenus confisquée. Même cela n'ébranla pas la détermination de mon père, et, lorsque le roi fut capturé en 1647, se rendant compte que la cause était perdue, il fit la paix, dans la mesure du possible, avec les nouveaux dirigeants du pays. À son avis, Charles Ier avait perdu son royaume par ses inepties et ses erreurs, et on ne pouvait plus rien faire. Mon père était quasiment tombé dans l'indigence, mais il avait, à tout le moins, quitté le champ de bataille couvert d'honneur et content de reprendre le cours de sa vie.

Jusqu'à l'exécution. Je n'avais que sept ans en ce terrible jour d'hiver de 1649, cependant je me souviens encore de l'annonce de la nouvelle. Tout homme encore vivant aujourd'hui peut se rappeler avec précision ce qu'il faisait lorsqu'il apprit que le roi avait été décapité devant une populace en liesse. Rien ne me rappelle davantage le passage des ans que de rencontrer un adulte qui n'a pas pour souvenir le plus vivace l'horreur que produisit cette nouvelle. Jamais dans toute l'histoire de l'univers n'avait été commis un tel crime, et je revois, comme si c'était hier, le ciel s'assombrir et la terre basculer au moment où le courroux céleste se déchaîna sur le pays. Il plut ensuite pendant des journées entières, le ciel lui-même pleurant les péchés de l'humanité.

À l'instar de tout le monde, mon père n'avait pas cru que cela se produirait. À tort. Il avait toujours une trop bonne opinion de ses semblables : là réside peut-être la cause de sa chute. Un assassinat, peut-être : ces choses arrivent. Mais un procès ? Exécuter au nom de la justice l'homme dont précisément celle-ci émanait ? Conduire à l'échafaud comme un criminel le roi consacré ! On n'avait pas assisté à un tel simulacre sacrilège et blasphématoire depuis que le Christ lui-même avait souffert sur la croix. L'Angleterre était tombée bien bas : personne n'avait imaginé dans ses pires cauchemars qu'elle pourrait s'enfoncer si profondément dans le soufre. Dès cet instant, mon père offrit son entière loyauté au jeune roi Charles II et jura de consacrer sa vie à mener à bien sa restauration.

Cela se passait juste avant son premier exil et avant qu'on me fasse quitter ma famille pour mon éducation. Il me convoqua solennellement dans sa chambre, où je me rendis dans un état de grande excitation, persuadé d'avoir fait une bêtise, mon père n'étant pas homme à s'intéresser beaucoup à ses enfants, trop occupé qu'il était par des affaires de plus grande importance. Or, il m'accueillit avec bonté, me permit même de m'asseoir, avant de m'annoncer ce qui s'était passé dans le monde.

« Je vais devoir quitter le pays pendant un certain temps, pour arranger nos affaires, me dit-il. Et votre mère a décidé que vous iriez chez mon ami, sir William Compton, afin que des précepteurs se chargent de votre instruction, pendant qu'elle retournera dans sa famille. Vous devez vous rappeler une chose, Jack. Dieu a fait de ce pays une monarchie et, si nous bafouons cela, nous bafouons Sa volonté. Servir le roi, le nouveau roi, c'est servir tout autant votre pays que Dieu. Abandonner votre vie pour ce principe n'est rien, abandonner votre fortune encore moins. Mais n'abandonnez jamais votre honneur, car il ne vous appartient pas. C'est comme votre rang dans l'univers, un don du Seigneur que je sauvegarde pour vous et que vous devez sauvegarder pour vos enfants. »

Bien que j'eusse déjà sept ans à cette époque, il ne m'avait jamais parlé auparavant avec un tel sérieux ; c'est donc avec l'air de gravité que peut adopter un enfant que je jurai qu'il aurait des raisons d'être fier de moi. Je réussis en outre à ne pas pleurer et je me rappelle vivement l'effort que cela me coûta. C'était étrange : alors que je n'avais jamais beaucoup vu ni lui ni ma mère, son départ imminent me causa un grand chagrin. Trois jours plus tard, nous quittâmes tous les deux la maison, où nous ne revînmes jamais en tant que propriétaires. Il est possible que les anges gardiens qui, paraît-il, veillent sur nous le savaient déjà et jouaient une musique mélancolique qui attristait mon âme.

Mon père n'eut pas grand-chose à faire pendant les cinq années suivantes. La grande cause était perdue, et il était, de toute manière, trop pauvre pour y participer. Son infortune était si grande qu'il fut forcé de quitter le pays pour gagner sa vie comme soldat, de même que tant d'autres gentilshommes royalistes. Il se rendit d'abord aux Pays-Bas, puis servit Venise, se battant en Crète contre les Turcs pendant le long et terrible siège de Candie. Mais, lorsqu'il revint en Angleterre en 1657, il devint immédiatement un pilier du groupe de patriotes qu'on appela plus tard le « Noyau scellé » et qui travaillait sans répit à faire revenir d'exil le roi Charles. Il mit sa vie en péril, avec joie cependant. On pouvait lui ôter la vie, affirmait-il, mais son pire ennemi reconnaîtrait qu'il était un homme droit et honnête.

Hélas, mon cher père se trompait. Plus tard, on l'accusa de la plus ignoble traîtrise, et il ne put jamais se laver de ces mensonges pernicieux. Il ne sut jamais qui l'avait accusé, ni même de quoi on l'accusait, si bien qu'il ne put pas se défendre ni réfuter les allégations. Finalement, il quitta l'Angleterre de nouveau, chassé de son pays par les calomniateurs venimeux, et il mourut de chagrin avant d'avoir pu être réhabilité. Je vis jadis dans mon domaine un cheval, un magnifique animal, rendu fou par les attaques incessantes des mouches qui bourdonnaient autour de lui. Il courait pour échapper à ses bourreaux, sans savoir où ils étaient : quand, d'un coup de queue, il chassait une mouche, dix autres la remplaçaient. Il galopa à travers une vaste prairie, tomba et se cassa une jambe ; le palefrenier l'acheva, le cœur gros, pour lui éviter de plus grandes souffrances. Ainsi sont détruits ceux qui sont grands et nobles par les petits et les médiocres.

Je n'avais que dix-huit ans quand mon père mourut dans son exil solitaire, et cette mort m'a marqué à jamais. Le jour où je reçus la lettre m'apprenant son enterrement dans la fosse commune, je m'abîmai dans le chagrin, avant qu'une violente colère s'empare de mon âme. La fosse commune ! Dieu du ciel ! Aujourd'hui encore, ces mots me donnent la chair de poule. Que ce soldat courageux, cet Anglais hors pair, finît ainsi, rejeté par ses amis et oublié par sa famille, qui refusa même de payer son enterrement, traité avec mépris par ceux pour qui il avait tout sacrifié, c'était plus que je n'en pouvais supporter. Finalement, je fis tout ce qui était en mon pouvoir : si je ne découvris pas l'endroit où il reposait, et ne pus donc rien faire pour son corps, je lui fis construire dans mon église le plus beau cénotaphe de tout le comté, où je conduis tous mes visiteurs afin qu'ils le contemplent et méditent sur la destinée de mon père. Cela m'a coûté une véritable fortune, mais je n'en regrette pas un seul penny.

Tout en sachant que les biens de ma famille avaient fortement diminué, je ne me rendais pas compte à quel point nous avions souffert, supposant qu'à vingt et un ans je recevrais de plein droit les titres des propriétés censées avoir été protégées de l'emprise du gouvernement par une série de procédés juridiques. Je savais, bien sûr, que ces terres me reviendraient grevées de tant de dettes que je mettrais des années à recouvrer une position éminente dans le comté, mais c'était là une tâche que j'entreprendrais avec plaisir. J'étais même disposé à endurer plusieurs années au barreau, si nécessaire, pour accumuler les richesses que les avocats n'ont aucun mal à acquérir. Quoi qu'il en fût, le nom de mon père serait perpétué. La fin de la vie d'un homme n'est que la mort, et cela nous arrive à tous en temps voulu, nous avons pourtant la chance que notre nom et notre réputation nous survivent. La disparition des domaines, voilà la véritable extinction, car une famille sans terre n'est rien.

La jeunesse a les idées simples : elle suppose que tout ira bien ; devenir adulte, c'est s'apercevoir que la divine providence ne se comprend pas si aisément. Les conséquences de la déchéance de mon père ne m'apparurent pas avant que je fusse sorti de ma réclusion à l'intérieur d'une maison où, même si je n'y étais pas heureux, j'étais au moins protégé des bourrasques secouant le vaste monde. On m'envoya à Trinity College, à Oxford ; bien que mon père eût été un ancien de Cambridge, mon oncle (qui s'occupa de moi lorsque je quittai la maison de sir William) décida que je n'y serais pas bien reçu. Cette décision ne m'épargna nullement : je fus tout autant rejeté et méprisé à cause de ma famille dans cette université que je l'aurais été dans l'autre. Je n'avais aucun ami, vu que personne ne pouvait résister au plaisir de se montrer cruel, et que moi je ne pouvais tolérer les insultes. Ni fréquenter les personnes de mon rang, car, bien que je me fusse inscrit comme « homme de qualité non boursier », la ladrerie pleurnicharde de mon oncle ne m'allouait même pas assez de fonds pour vivre comme un étudiant au pair. En outre, il ne m'accordait aucune liberté : j'étais le seul de ma condition à devoir donner à mon répétiteur le peu d'argent que je possédais ; et pour obtenir cette somme je devais supplier mon oncle. Soumis à la discipline appliquée aux étudiants non boursiers, je n'avais pas le droit de quitter la ville sans autorisation ; j'étais même obligé d'assister aux cours alors que les hommes de qualité en sont dispensés.

Je suis persuadé qu'au vu de mes manières beaucoup pensent aujourd'hui que je suis un rustaud, ce qui n'est pas du tout le cas ; ces années m'ont appris à dissimuler mes désirs et mes haines. Aussi qu'il me faudrait endurer plusieurs années d'humiliation et de solitude, mais je ne pouvais pas faire grand-chose pour changer cela. Je n'ai pas accoutumé de vitupérer inutilement une situation que je ne peux pas modifier.

Néanmoins je remarquai ceux qui n'avaient pas de cœur et me promis que, le moment venu, je leur ferais payer leur dureté. Beaucoup l'ont appris à leurs dépens.

De toute façon, je ne sais même pas si les tentations du monde me manquèrent beaucoup. J'ai toujours été plus intéressé par mes proches, mon enfance ne m'ayant guère préparé à des fréquentations plus variées. On me disait revêche et acariâtre, et plus on me faisait cette réputation plus on m'évitait ; je ne quittais ma solitude que pour sortir parmi les habitants de la ville. Je passai maître ès déguisements, abandonnant la cape pour déambuler de par les rues, comme un vulgaire citadin, avec une telle assurance que pas une seule fois les surveillants ne m'arrêtèrent pour me reprocher ma tenue vestimentaire incorrecte.

Même ces excursions restaient limitées car, une fois ôtée ma cape, il en allait de même de mon crédit, et il me fallait payer mes plaisirs en espèces sonnantes et trébuchantes. Heureusement que l'envie de me divertir ne s'emparait de moi que rarement. La plupart du temps, je m'absorbais dans mes études et me consolais en menant toutes les enquêtes possibles sur des sujets plus élevés. Cependant, mon espoir d'apprendre rapidement comment gagner de l'argent fut tristement déçu : durant tout mon séjour à l'université, je n'appris rien sur le droit, et mes camarades se moquèrent un peu de ma naïveté à ce sujet. Ce n'était pas la jurisprudence qui manquait ! Je nageais dans le droit canon et les principes de saint Thomas d'Aquin ou d'Aristote. Je finis par avoir une vague connaissance du Code justinien et j'acquis quelques notions de l'art de la controverse. Mais je cherchai en vain un cours sur la manière de lancer un procès au palais de justice, de contester un testament ou de mettre en question les dispositions prises par un exécuteur testamentaire.

Et, tandis que je poursuivais mes études de droit, je décidai également de mettre en œuvre la vengeance directe que mon père n'avait pu exercer ; non seulement son âme le réclamait, mais, à mon sens, c'était la façon la plus rapide de résoudre les problèmes financiers de ma famille : une fois qu'elle serait persuadée de l'innocence du père, j'étais convaincu que Sa Majesté dédommagerait le fils. Au début, je pensais que la tâche serait aisée : avant de s'enfuir, mon père avait cru que le secrétaire d'État John Thurloe avait propagé les calomnies contre lui afin de semer la discorde dans les rangs royalistes, et je ne mis jamais en doute la justesse de cette hypothèse. Elle s'accordait fort bien avec le tempérament de cet homme sombre et sinistre, qui a toujours préféré le couteau dans le dos au combat franc et loyal. Mais j'étais trop jeune pour faire quelque chose et, en outre, je supposais que, tôt ou tard, Thurloe serait jugé et que la vérité se ferait jour. Je le répète, la jeunesse est naïve, et la foi aveugle.

Car Thurloe ne passa pas en jugement, n'eut pas à fuir le pays, et pas un seul penny de sa fortune mal acquise ne lui fut retiré. L'opposition entre les fruits de la traîtrise et ceux de la loyauté était manifeste. Le jour où, près de la fin de 1662, j'eus la confirmation qu'il n'y aurait pas de procès, je compris que toute vengeance devrait venir de mes propres mains. Le mauvais génie de Cromwell pouvait échapper à la loi, pensais-je, mais il ne pourrait échapper à la justice. Je montrerais au monde entier que certains, dans ce pays avili et corrompu, connaissaient toujours le sens du mot honneur. La pureté de la jeunesse permet de penser en ces termes nobles et simples. Voilà une clarté que l'expérience nous ôte, et cette perte nous appauvrit tous.

Chapitre trois

Le début de la campagne qui m'occupa complètement pendant les neuf mois suivants et qui se termina par la réhabilitation la plus totale date de ce jour. Je n'avais pratiquement aucune aide ; je sillonnai le pays en tous sens, à la recherche des preuves dont j'avais besoin, jusqu'à ce que je comprisse ce qui s'était passé et que je fusse en position d'agir. Je fus insulté et humilié par ceux qui ne me croyaient pas ou qui possédaient de bonnes raisons pour me détourner de ma mission. Je continuai, néanmoins, soutenu par mon sens du devoir et par l'amour pour le meilleur des pères possible. Je fus témoin des abîmes de turpitude chez ceux qui recherchent le pouvoir et je me rendis compte que, une fois sapé le principe de naissance, le désintéressement, base nécessaire à tout bon gouvernement, est fatalement compromis. Si tout le monde peut gagner le pouvoir, tous vont chercher à l'obtenir, et le gouvernement ne devient plus qu'un champ de bataille où les principes sont sacrifiés à l'intérêt. Les plus vils s'imposeront, car les meilleurs fuiront la fange du caniveau. Je ne réussis qu'à remporter une petite victoire dans une guerre déjà perdue.

Ces pensées étaient loin d'être à ma portée à cette époque, quand j'errais de par les rues, suivais les cours, ou me trouvais à la prière, ou bien encore lorsque je demeurais éveillé la nuit dans mon lit, tandis que les trois autres étudiants qui partageaient avec moi la chambre du répétiteur ronflaient ou respiraient bruyamment. Je n'avais en tête qu'une unique résolution : le jour viendrait où je saisirais John Thurloe par la peau du cou avant de lui trancher la gorge. Pourtant, j'avais la ferme conviction que la simple vengeance ne suffisait pas ; peut-être ces cours de droit s'étaient-ils infiltrés dans mon esprit, ou peut-être le grand respect des principes qu'avait mon père s'était-il glissé en moi à mon insu... Qu'aurait-il fait, lui ? Qu'aurait-il souhaité ? C'était là mon constant souci. Frapper sans preuves équivaudrait à une fausse vengeance ; j'étais sûr qu'il n'aurait pas voulu que son fils unique fût pendu comme un vulgaire criminel, souillant ainsi un peu plus le nom de la famille. Thurloe était encore trop puissant pour qu'on pût l'attaquer directement. Il me faudrait tourner autour de lui, tel un chasseur traquant un cerf retors, avant de pouvoir lui infliger le coup décisif, le coup fatal.

Pour mettre de l'ordre dans mes pensées, je discutais régulièrement de mes problèmes avec Thomas Ken. À l'époque, c'était, sinon mon seul ami, en tout cas l'un des rares, et je lui accordais une confiance absolue. Il lui arrivait d'être fort ennuyeux, mais nous avions besoin l'un de l'autre, chacun comblant un manque mutuel. Nous nous connaissions par nos familles avant qu'il ne fût envoyé à Winchester et, de là, à New College pour faire carrière dans l'Église. Son père était un avocat que le mien avait souvent consulté lorsqu'il avait entrepris de s'opposer à ces envahisseurs londoniens rapaces qui, avant la guerre, s'étaient abattus sur les plaines marécageuses dans le dessein de les assécher. Mon père voulait protéger non seulement ses propres intérêts, mais également ceux des familles qui, depuis des temps immémoriaux, se servaient de ces terres comme pâturages. Ce ne fut pas facile, ces voleurs assoiffés de sang, et qui souhaitaient s'emparer de la terre des autres, agissant sous l'égide de la loi. Seul un avocat peut contrer un autre avocat ; c'est ainsi que ce Henry Ken conseilla mon père à maintes reprises, toujours avec honnêteté et efficacité. La diligence de l'un, la compétence de l'autre, alliées à la résistance farouche des fermiers et des éleveurs dont le gagne-pain était menacé, permirent de ralentir la progression de l'assèchement — les frais étant plus élevés et les profits plus réduits que prévus.

C'est pourquoi nous nous liâmes tout naturellement d'amitié, Thomas et moi. Il est notoire qu'une fois noué le lien de fidélité et de gratitude entre hommes du Lincolnshire est infrangible. Il faut reconnaître, cependant, que nous formions un étrange assemblage. Il avait un tempérament d'ecclésiastique austère, sobre, constamment en prière et perpétuellement à la recherche d'âmes à sauver. Il faisait du pardon une religion, et bien qu'il soit aujourd'hui un fervent anglican qui prétend l'avoir toujours été, je sais qu'à l'époque il penchait du côté des dissidents. Naturellement, cela le rendait suspect en ces temps où la haine passait pour de la force d'âme et où l'étroitesse d'esprit était un signe de loyauté. J'avoue avec une certaine honte aujourd'hui que je prenais alors plaisir à le décontenancer, car plus il priait, plus je riais, et plus il étudiait, plus j'ouvrais des bouteilles pour le faire rougir. En vérité, Thomas aurait adoré boire et courir la gueuse, tout comme j'avais du mal à lutter contre la terreur religieuse qui, au cœur de la nuit, s'emparait de mon être. Et, parfois, lors d'un éclat de colère, dans un éclair de cruauté au milieu de ses propos, l'observateur attentif s'apercevait que sa bonté et la douceur de sa nature n'étaient pas des dons naturels de Dieu, mais des trophées durement gagnés au cours d'une bataille acharnée avec les ténèbres enfouies au fond de son âme. Comme je l'ai dit, Grove eut le tort de tant le persécuter qu'une nuit la bataille fut temporairement perdue.

Quoi qu'il en soit, je trouvais Thomas toujours patient et compréhensif, et nous étions utiles l'un à l'autre, comme peuvent l'être quelquefois des personnes de caractères opposés. Je le conseillai sur ses hésitations théologiques — à bon escient, apparemment, puisque aujourd'hui il est évêque. Et il m'écouta avec une immense patience quand je décrivis pour la cinquantième fois comment j'allais m'emparer de John Thurloe et lui trancher la gorge.

Je l'entendis souffler bruyamment avant de débattre à nouveau avec moi.

« Je dois te rappeler que la charité est l'un des dons de Dieu, et que la charité est une force et non pas une faiblesse, dit-il.

— Balivernes que cela ! m'exclamai-je, je n'ai pas l'intention de pardonner à quiconque et je ne me sens pas non plus le moins du monde charitable. La seule raison pour laquelle il est en vie, c'est que je n'ai pas la preuve dont j'ai besoin pour éviter d'être accusé de meurtre. »

Puis je lui racontai une nouvelle fois toute l'histoire.

« L'ennui, conclus-je, c'est que je ne sais que faire. Qu'en penses-tu ?

— Tu veux mon avis mûrement réfléchi ?

— Bien sûr.

— Accepte la volonté de Dieu, continue tes études et deviens avocat.

— Ce n'est pas ce que je voulais dire. Ma question signifiait : comment est-ce que je dois m'y prendre pour trouver cette preuve ? Si tu es mon ami, oublie un peu, je t'en prie, tes arguties de théologien et aide-moi.

— J'avais bien compris. Tu veux que je te donne de mauvais conseils qui ne peuvent que mettre ton âme en péril.

— Précisément. C'est exactement ce que je veux. »

Thomas soupira bruyamment.

« À supposer que tu découvres une preuve ? Que feras-tu alors ? Vas-tu passer à l'acte et commettre un meurtre ?

— Cela dépendra des preuves. Mais idéalement, oui. Je tuerai Thurloe, comme il a tué mon père.

— Personne n'a tué ton père.

— Tu sais ce que je veux dire.

— Tu soutiens qu'on a trahi ton père et qu'on l'a faussement déshonoré. La justice n'est pas passée. Ne vaudrait-il pas mieux redresser les torts en s'assurant que la justice passe cette fois-ci ?

— Tu n'ignores pas ce que ça coûte d'intenter un procès à quelqu'un. Comment suis-je censé payer ?

— Je ne signale cela que comme un moyen. Peux-tu me donner ta parole que, si c'est possible, tu choisiras cette solution plutôt que de te faire justice toi-même ?

— Si c'est possible, ce dont je doute, alors d'accord !

— Bien, fit-il d'un ton soulagé. Dans ce cas, nous pouvons commencer à établir nos plans de campagne. Sauf, bien sûr, si tu en as déjà un. Dis-moi, Jack, je ne te l'ai jamais demandé, vu que ta mine décourage toujours ce genre de question, mais en quoi la traîtrise de ton père était-elle censée consister ?

— Je ne le sais pas. Cela semble stupide, mais je n'ai jamais réussi à le découvrir. Mon tuteur, sir William Compton, ne m'a jamais reparlé depuis ; mon oncle refuse même de prononcer le nom de mon père ; ma mère secoue la tête d'un air chagrin et réfute même les questions les plus directes. »

Thomas plissa les yeux en entendant cette réponse sans détour.

« Tu as ton criminel, mais sans savoir encore précisément quel crime il a commis ? C'est une situation inhabituelle pour un homme de loi, non ?

— Peut-être. Mais nous sommes dans une époque inhabituelle. Je considère que mon père était innocent. Nies-tu que c'est ce que je dois faire ? Et que, du point de vue de la religion ou de la loi, je n'ai pas le choix en la matière ? Sans parler du fait que je sais combien mon père était tout à fait incapable de commettre une telle vilenie.

— J'admets que c'est un point de départ indispensable.

— Et tu admets également que John Thurloe, en tant que secrétaire d'État, était responsable de tout ce qui concernait l'élimination de quiconque défiait la position de Cromwell ?

— Oui.

— Alors Thurloe ne peut qu'être coupable, conclus-je simplement.

— Pourquoi donc as-tu besoin de preuves si ta logique juridique est si précise ?

— Parce que nous vivons en des temps troublés où la loi tire les marrons du feu pour les puissants, lesquels l'emprisonnent dans un enchevêtrement de règlements qui leur permettra d'échapper au châtiment. Telle est la raison. Et parce qu'on a tant vilipendé le caractère de mon père qu'il est impossible de faire comprendre aux gens ce qui est évident. »

Thomas salua mes propos d'un grognement. Ne connaissant rien au droit, il croyait que cela avait quelque chose à voir avec la justice. Comme moi-même jusqu'à ce que je l'eusse étudié.

« Si je dois remporter une victoire juridique, repris-je, je dois prouver que le caractère de mon père l'empêchait de trahir. Pour le moment, on lui donne le rôle du traître, et il me faut découvrir qui lui a fait cette réputation, et dans quel but. Ce n'est qu'alors qu'un tribunal écoutera.

— Et comment penses-tu t'y prendre ? Qui pourra te l'apprendre ?

— Pas grand monde, et la plupart de ces gens se trouvent à la cour. C'est déjà un problème, étant donné que je n'ai pas les moyens de m'y rendre. »

Le brave Thomas acquiesça d'un signe de tête pour me signifier sa sympathie.

« J'aurais grand plaisir à t'aider si tu m'y autorises.

— Ne sois pas ridicule ! Tu es encore plus pauvre que moi ! Dieu seul sait que je te suis reconnaissant de ton offre, mais je crains que mes besoins ne dépassent tes ressources, et de loin ! »

Il secoua la tête et se gratta le menton, ainsi qu'il le faisait toujours avant de se lancer dans des confidences.

« Mon cher ami, ne t'en fais pas. Mes perspectives d'avenir sont bonnes et s'améliorent de jour en jour. La paroisse d'Easton Parva va être disponible grâce au don de lord Maynard dans neuf mois. Il a demandé au directeur et à treize professeurs de recommander un candidat, et le directeur a déjà suggéré que je ferais un candidat plus qu'acceptable, du moment que je déclare adhérer totalement à la doctrine. Ce sera pénible, mais je vais serrer les dents, et alors je recevrai quatre-vingts livres par an. Si, bien sûr, je réussis à l'emporter sur le Dr Grove.

— Qui donc ? demandai-je, tout surpris.

— Le Dr Grove. Tu le connais ?

— Très bien. Et j'ai encore quelques bleus pour le prouver. Il était vicaire chez sir William Compton quand on m'a envoyé dans la famille de celui-ci. Il m'a servi de précepteur pendant des années. Je lui dois tout ce que je sais. Que vient-il faire dans cette histoire ?

— Il a désormais repris sa place de maître à New College, et il veut mon bénéfice, expliqua Thomas, bien que rien ne lui permette de réclamer un avancement, à part le fait qu'il n'en a jamais reçu. Franchement, je suis bien plus compétent. Une paroisse a besoin d'un pasteur jeune et solide. Grove est un vieil imbécile qui s'anime seulement lorsqu'il pense aux torts qu'il a subis dans le passé. »

J'éclatai de rire.

« Quand il désire quelque chose, je n'aimerais pas me trouver sur son chemin.

— Je ne lui en veux pas vraiment, dit Thomas, comme si je devais être rassuré sur ce point. Je serais ravi qu'on lui procure un bénéfice confortable s'il y en avait deux de disponibles. Mais il n'y en a qu'un ! Que puis-je faire ? J'ai davantage besoin de ce bénéfice que lui. Jack, puis-je te confier un secret ?

— Je suis tout ouïe...

— Je souhaite me marier.

— Ah ! fis-je. C'est donc ça, hein ? Et combien a la dame ?

— Soixante-quinze livres par an, ainsi qu'un manoir dans le Derbyshire.

— Jolie somme ! Et il te faut un bénéfice pour persuader le père. Je vois le problème.

— Ce n'est pas tout, reprit-il, l'air vraiment malheureux, je n'ai évidemment pas le droit de me marier tant que je suis maître dans ce collège et je ne peux quitter mon poste avant d'avoir le bénéfice. Le pire, conclut-il avec tristesse, c'est que la fille me plaît.

— Comme c'est dommage ! Qui est-ce ?

— La fille du cousin de ma tante. Un lainier de Bromwich. Un homme qui a pignon sur rue. Et la fille est obéissante, douce, travailleuse et rondelette.

— Tout pour plaire chez une épouse. Et toutes ses dents, j'espère ?

— Oui, presque toutes. Et elle n'a pas eu la petite vérole, non plus. J'ai l'impression que cela pourrait bien marcher, et son père ne m'a pas découragé. Mais il n'a pas caché qu'il ne pourrait soutenir cette alliance si mon apport n'équivalait pas à la dot de sa fille. Ce qui veut dire un bénéfice, et, puisque je n'ai pas d'autres relations, un bénéfice qui vienne de New College ou qui soit obtenu grâce à son influence. Easton Parva est le seul qui ait des chances de devenir vacant dans les trois années à venir.

— Je vois, dis-je. C'est très sérieux. Tu as fait campagne ?

— Autant que possible. J'ai parlé à tous les professeurs et j'ai été bien reçu. En fait, beaucoup m'ont fait comprendre que je pouvais compter sur leur appui. Je suis certain du résultat. Et le fait que les usuriers veulent bien m'avancer de l'argent indique que mes espoirs ne sont pas sans fondement.

— Quand sera prise la décision ?

— En mars ou en avril.

— Alors, je te conseille de t'installer dans la chapelle, à tout hasard. Récite les trente-neuf articles dans ton sommeil. Porte un toast à l'archevêque de Cantorbéry et au roi chaque fois que tu bois un verre de vin. Que pas un souffle dissident ne s'échappe de tes lèvres ! »

Il soupira.

« Ce sera difficile, mon cher ami. Je ne pourrai m'y résoudre que pour le bien du pays et de l'Église. »

J'applaudis à son sens du devoir. Ne me croyez pas égoïste, mais j'étais très désireux que Thomas obtînt ce poste, ou qu'à tout le moins il fût le favori le plus longtemps possible. Si le bruit courait qu'il n'allait pas obtenir le bénéfice, les prêteurs refermeraient brusquement leurs coffres, et ce serait un désastre pour lui-même autant que pour moi.

« Je te souhaite beaucoup de chance, par conséquent, lui dis-je. Et je te recommande derechef la prudence. Tu as tendance à ne pas cacher ce que tu penses, et il n'existe pas d'habitude plus dangereuse lorsqu'on désire faire carrière dans l'Église. »

Thomas hocha la tête, puis plongea la main dans sa poche.

« Tiens ! mon bon ami. Prends ça ! »

C'était une bourse contenant trois livres. Comment dire ? J'étais bouleversé : autant de gratitude devant sa générosité que de déception en découvrant la maigreur de ses moyens. Rien que pour commencer il m'eût fallu dix fois plus, et trente fois plus eussent été aisément dépensés. Pourtant, ce charmant garçon m'avait donné toute sa fortune et avait risqué de mettre en péril son avenir par ce don. Vous voyez à quel point je lui étais redevable ? Rappelez-vous ceci, c'est important : je prends autant au sérieux mes dettes que les torts qu'on m'a fait subir.

« Je ne sais comment te remercier. Non seulement pour l'argent, mais parce que tu es la seule personne qui croie en moi. »

Thomas fit courtoisement un geste de dénégation.

« J'aimerais pouvoir faire plus. Passons aux choses sérieuses ! À qui pourrais-tu t'adresser pour apprendre ce qui est arrivé à ton père ?

— Il n'y a qu'un tout petit nombre de gentilshommes qui pourraient savoir quelque chose. Sir John Russell était l'un de ceux-là, Edward Villiers en était un autre. Et il y avait lord Mordaunt, qui a si bien aidé le roi à remonter sur le trône qu'il a obtenu, entre autres, une baronnie et une lucrative sinécure à Windsor pour services rendus. Sans compter, bien sûr, ce que j'arriverai un jour à tirer de sir William Compton.

— Windsor n'est pas loin d'ici, fit remarquer Thomas. À peine à un jour de voyage, et à deux jours si on s'y rend à pied. Si on peut le trouver là, ce serait la manière la moins onéreuse de commencer.

— Et s'il ne veut pas me recevoir ?

— Tu peux toujours demander. Je te recommande de ne pas écrire à l'avance. C'est impoli, mais ça évite qu'il soit prévenu de ton arrivée. Va le voir ! Ensuite, nous pourrons décider ce que nous ferons après. »

« Nous »... Comme je l'ai dit, sous le masque de l'ecclésiastique, il y avait un homme qui rêvait du genre d'excitation qu'un peu de pain et de vin ne pourraient jamais apporter.

Chapitre quatre

Fort bien ! Mais avant de partir je fis la connaissance des Blundy, mère et fille, qui jouent un si grand rôle dans le récit de Cola. Ce faisant, je déclenchai une suite d'événements au cours desquels je me fis la plus redoutable des ennemies, que je mis toute ma force et toute mon ingéniosité à vaincre.

Je ne sais pas qui va lire ces gribouillis. Personne, peut-être, à part Lower ; mais je me rends compte que dans les pages qui vont suivre je vais raconter des actions dont je n'ai guère lieu d'être fier. De certaines d'entre elles je ne sens pas le besoin de m'excuser ; d'autres ne peuvent plus être rectifiées ; d'autres encore peuvent au moins être expliquées. Mon commerce avec Sarah Blundy était dû à mon innocence et à ma nature de jeune homme confiant : sans cela, elle n'aurait pu me prendre dans ses rets et presque me détruire entièrement. Je suis obligé d'en voir la cause dans l'éducation reçue durant mon enfance. Jusqu'à l'âge de huit ans, je fus élevé pendant un certain temps par une grand-tante du côté de ma mère : une dame agréable, mais une vraie campagnarde, qui passait son temps à concocter des breuvages, à faire des plantations et à donner des médecines à toute la région. Elle possédait un merveilleux livre, relié en vélin, que lui avait légué sa grand-mère ; il était devenu grisâtre à force d'être feuilleté et il regorgeait de recettes d'infusions qu'elle préparait elle-même avant de les distribuer à tout venant, aux seigneurs comme aux manants. Elle croyait fermement à la magie, méprisant les prédicateurs modernes (c'est ainsi qu'elle les appelait, car elle était née à l'époque où la grande Élisabeth était encore considérée comme une beauté) qui dédaignaient ce qui lui paraissait l'évidence même. Des bouts de papier froissés, l'interprétation de la forme des nuages, ainsi que la divination fondée sur les clefs et la Bible firent partie de mon éducation.

Je dois dire qu'à ce jour je n'ai jamais rencontré un homme qui, malgré les prélats, ne croie pas vraiment aux esprits ou qui doute que ceux-ci aient la plus profonde influence sur notre vie. Quiconque a souffert d'insomnie a entendu les fantômes passer dans l'air nocturne, tous les hommes ont été tentés par le mal, et beaucoup ont été sauvés par les bons habitants de cet espace éthéré qui entoure notre monde et nous relie au ciel. Même si l'on applique leurs propres critères, les revêches prélats ont tort : ils s'appuient fermement sur l'Écriture, laquelle affirme clairement l'existence de ces créatures. Saint Paul ne parle-t-il pas du « culte des anges » (Colossiens 2, 18) ? Et que croient-ils que le Christ fit entrer dans les cochons gadaréniens ?

Naturellement, il est difficile de distinguer les anges des esprits du mal, car ces derniers savent se déguiser ; ils trompent souvent les hommes — et plus fréquemment les femmes — en se faisant passer pour ce qu'ils ne sont pas. Il faut exercer la plus grande prudence quand on entre en contact avec des créatures de ce genre, car nous nous plaçons entre leurs mains, en devenant leurs débiteurs. Tout comme un seigneur ou un maître se rappelle les dettes, il en va de même de ces êtres, qu'ils soient bons ou mauvais. En me rendant chez la vieille Blundy, je prenais des risques que, dans ma sagesse d'homme mûr, je fuirais aujourd'hui. En ces temps-là, j'étais trop insouciant et impatient pour être prudent.

La vieille Blundy était une lavandière, fort maligne disait-on, et même sorcière selon certains. J'en doute : je n'ai perçu aucune odeur de soufre en sa présence. J'avais jadis rencontré une vraie sorcière, à en croire les gens, qui fut brûlée dans les environs en 1654, et la vieille empestait vraiment ! Je crois, aujourd'hui, que cette pauvre femme était probablement innocente des accusations qui la conduisirent au bûcher ; le diable est trop rusé pour rendre ses servantes si aisément identifiables. Il les fait jeunes, belles et attirantes, si gracieuses qu'un œil d'homme ne pourra jamais les repérer. Semblables à Sarah Blundy, en fait.

Néanmoins, la mère était une étrange bonne femme — la description qu'en fait Cola est fantastiquement erronée. Bien sûr, elle n'était pas au meilleur de sa forme quand il l'a rencontrée, mais, contrairement à lui, je n'ai jamais vu le moindre signe de sympathie compatissante, ni de gentillesse ou de bonté. Et elle posait constamment des questions ! Ce que je souhaitais était assez simple, finis-je par lui dire : Qui avait trahi mon père ? Pouvait-elle m'aider ou non ?

Tout dépendait, affirma-t-elle. Avais-je des soupçons ? Cela influait sur la méthode qu'elle choisirait. Et sur ce qu'elle refuserait de faire.

Je la priai de s'expliquer. Elle déclara qu'il y avait des problèmes très difficiles à résoudre quand on cherchait à invoquer des esprits particulièrement puissants ; c'était faisable, mais dangereux. Bien que je lui eusse répondu que j'acceptais d'en prendre le risque, elle précisa qu'il ne s'agissait pas de dangers spirituels : elle craignait d'être arrêtée et accusée de nécromancie. Après tout, elle ne savait rien de moi. Comment pouvait-elle être sûre que je n'étais pas envoyé par un magistrat pour lui tendre un piège ?

Je protestai de mon innocence, mais elle refusa de se laisser fléchir. Elle répéta sa question : Connaissais-je ou non l'identité de l'objet de ma quête ? Même vaguement ? Je répondis par la négative.

« Dans ce cas, nous ne pouvons faire rouler des noms dans l'eau, donc, il nous faudra regarder...

— Dans une boule de cristal ? ricanai-je, car, ayant entendu parler de ces babioles, je restais sur mes gardes pour éviter d'être dupé.

— Non, répliqua-t-elle avec sérieux. ce sont des balivernes qu'utilisent les charlatans. Les boules de verre ne possèdent aucune vertu. Une coupe pleine d'eau fera aussi bien l'affaire. Vous voulez qu'on commence ? »

J'acquiesçai gravement d'un signe de tête. Elle traîna les pieds jusqu'au puits qui se trouvait dehors et en ramena un peu d'eau ; je déposai mon argent sur la table, sentant la sueur commencer à me picoter la paume des mains.

Elle ne s'embarrassa pas des formules abracadabrantes utilisées d'ordinaire par certains praticiens : pas de chambre obscure, ni incantation ou brûlage d'herbes. Elle posa simplement la coupe sur la table, me fit asseoir en face et me demanda de fermer les yeux. Je l'entendis verser l'eau avant de prier Pierre et Paul, invocations papistes qui sonnaient bizarrement sur ses lèvres.

« Et maintenant, jeune homme, siffla-t-elle dans mon oreille quand elle eut fini, ouvrez les yeux et contemplez la vérité ! Soyez franc et sans peur : cette chance ne se présentera peut-être pas deux fois. Scrutez l'eau de la coupe et voyez ! »

Suant à grosses gouttes, j'ouvris lentement les yeux et me penchai en avant, scrutant l'eau calme et immobile sur la table. Elle chatoya légèrement, comme troublée par un léger remous, mais rien ne bougeait ; puis je la vis s'assombrir, changer de consistance et prendre l'aspect d'un rideau ou d'une tenture. Quelque chose commença à émerger de derrière ce tissu. D'abord, un jeune homme aux cheveux blonds que je n'avais jamais vu auparavant, quoiqu'il me semblât vaguement familier. Il ne demeura là qu'un instant avant de disparaître. Mais ce fut suffisant : ses traits sont restés à jamais gravés dans ma mémoire.

Ensuite, le rideau frémit de nouveau, et une autre silhouette apparut. Un vieil homme, cette fois-ci, les cheveux rendus gris par l'âge et les soucis, courbé sous le poids des ans, avec un air triste à vous briser le cœur. Je ne parvenais pas à discerner les traits du visage, couvert qu'il était par une main, comme si, pour ainsi dire, l'apparition se frottait la face de désespoir. Je retins mon souffle, désirant ardemment en voir davantage. Et c'est ce qui se passa peu à peu : la main s'écarta lentement, et je découvris que le vieillard désespéré était mon père.

Je poussai un cri d'angoisse devant cette vision. D'un geste rageur, je fis voler la coupe hors de la table, l'envoyant se fracasser contre le mur humide à l'autre bout de la pièce. Je me mis sur pied d'un bond, crachai une insulte à l'adresse de la vieille et m'enfuis de cette répugnante masure aussi vite que je le pus.

Il me fallut trois jours pour me remettre, grâce aux soins attentifs de Thomas et à la bouteille...

J'espère ne pas paraître trop crédule si je dis que cette étrange rencontre constitua ma dernière entrevue avec mon père ; je suis convaincu que son âme se trouvait là, et que l'esclandre que je créai joua un grand rôle dans les événements qui suivirent. Je ne me souviens pas très bien de lui puisque après l'âge de six ans je le vis très peu : à cause de la guerre j'allai d'abord vivre chez une grand-tante — dont j'ai déjà parlé —, puis, pendant quelques années, chez sir William Compton, dans le Warwickshire, époque durant laquelle le Dr Grove fut mon précepteur.

Mon père fit tout pour surveiller mes progrès, même si ses obligations l'empêchèrent de venir souvent. Une seule fois, je passai plus d'une journée en sa compagnie, et cela eut lieu juste avant qu'il ne fût forcé de s'exiler pour la seconde et dernière fois. Il était tout ce qu'un enfant peut espérer trouver en un père : sévère, rigoureux, et parfaitement conscient des obligations existant entre un père et son héritier. Il ne m'apprit pas grand-chose directement ; pourtant je savais que, si je pouvais devenir ne serait-ce qu'à moitié le sujet qu'il était, le roi (s'il revenait jamais) pourrait me compter parmi ses meilleurs et plus fidèles serviteurs.

Ce n'était pas l'un de ces soi-disant aristocrates efféminés qu'on voit aujourd'hui se pavaner et minauder à la cour. Il ne se parait pas de beaux atours (même s'il pouvait avoir belle apparence lorsqu'il le voulait) et méprisait les livres. Il ne brillait pas par sa conversation, ne gâchant pas ses journées à bavarder quand des choses pratiques l'attendaient. En un mot, c'était un soldat, et personne ne savait plus magnifiquement mener une charge. Il perdait pied parmi les intrigues et les trahisons où doit exceller un courtisan. Trop honnête pour dissimuler, trop franc pour chercher à se faire bien voir. Cela le distinguait des autres, et, si c'était un défaut fatal, je ne peux pas considérer que cela le diminuait le moins du monde. Sa fidélité à sa femme était aussi irréprochable que celle imaginée par les poètes, et son courage était cité en exemple dans l'armée. À Harland House, notre principal domaine dans le Lincolnshire, il était le plus heureux des hommes : lorsqu'il le quittait il se montrait aussi triste que si sa femme était morte. Et ce à juste titre, car la terre de Harland Wyte se trouvait dans la famille depuis des générations. Elle faisait partie de notre famille, pour ainsi dire ; il en connaissait et en aimait le plus petit recoin.

Voir son âme souffrir de telles tortures me redonna du cœur à l'ouvrage ; en effet, il était clair qu'il était tourmenté par l'injustice dont il pâtissait toujours. Aussi, quand j'eus suffisamment recouvré mon énergie, je concoctai une histoire à propos de la maladie d'une tante dont je pouvais espérer un héritage, afin d'obtenir de mon répétiteur la permission de quitter la ville. Un beau matin, je partis en direction de Windsor. Je pris la diligence jusqu'à Reading : l'université ne possédant pas le monopole de cette route, les prix en étaient abordables ; puis je fis à pied les quinze miles restants. Je dormis à la belle étoile : il faisait toujours juste assez chaud, et cela m'évitait des dépenses inconsidérées ; cependant, afin de brosser mes vêtements et de me débarbouiller pour ne pas faire trop mauvaise figure, je pris mon petit déjeuner dans une taverne. Le tavernier m'informa que lord Mordaunt — qui, appris-je, était fort mal vu dans la ville à cause de la modestie de ses dépenses — se trouvait sur les lieux en tant que gouverneur du château et qu'il était revenu de Tunbridge Wells depuis trois jours seulement.

Il ne servait à rien de traîner ; parvenu à ce point, il eût été stupide d'hésiter. Comme l'avait dit Thomas, au pire, j'essuierais un refus. Aussi me dirigeai-je vers le château d'un pas assuré, avant de passer les trois heures suivantes à faire antichambre, tandis qu'une armée de laquais relayait ma demande d'audience.

Heureusement que j'avais pris un petit déjeuner ! Ce ne fut que longtemps après l'heure du déjeuner que je reçus une réponse. Entre-temps, je fis les cent pas, attendant que les puissants voulussent bien condescendre à me répondre, me jurant que je ne me comporterais jamais de la sorte envers ceux requérant ma protection, le jour où la roue tournerait en ma faveur. Promesse, je dois l'avouer, que je brisai dès la première occasion, ayant alors compris le sens de cette longue attente : elle sert à dresser les barrières nécessaires et à faire naître une déférence indispensable chez ceux qui briguent des faveurs. De plus, cette attente possède l'avantage de décourager ceux dont les intentions sont les moins fermes. Je fus enfin récompensé lorsqu'un domestique, plus cordial cette fois-ci que précédemment, ouvrit cérémonieusement la porte et fit une révérence en m'annonçant que lord Mordaunt acceptait de m'accorder un entretien. Si je voulais bien le suivre...

Ayant espéré que la simple curiosité provoquerait précisément cette réaction, je me réjouis d'avoir deviné juste. Que quelqu'un eût l'audace de se présenter sur le perron d'un aristocrate de cette façon devait être rare, me disais-je.

Je ne savais pas grand-chose de l'homme que j'étais venu voir, sauf que tout le monde s'attendait qu'il devînt un personnage très important du gouvernement, secrétaire d'État au moins, et que sa baronnie fût transformée en comté grâce à la faveur que lui accordait lord Clarendon, le lord Chancelier et l'homme le plus puissant du royaume. Mordaunt avait conspiré avec courage en faveur du roi. C'était un homme à la fortune immense, issu d'une des plus grandes familles du pays, marié à une femme connue pour sa vertu, et qui possédait le genre de prestance physique qui assure à tout homme une place de choix. Son dévouement au service du roi était d'autant plus remarquable que les membres de sa famille s'étaient le plus possible tenus à l'écart de la lutte, ayant l'art de ne pas s'engager et de s'en tirer toujours sans que leur fortune en souffrît le moins du monde. Mordaunt était réputé pour la prudence de ses conseils, mais aussi pour sa témérité, en cas de besoin, ainsi que pour sa réticence à l'égard des factions et des médiocres querelles. Voilà, du moins, l'impression qu'il donnait de prime abord. Sa seule faiblesse : son impatience et sa brusquerie envers ceux qu'il jugeait incompétents. Grave défaut, la cour étant remplie de cette sorte de gens, et, du moins, de personnes en voulant à tout ami de Clarendon.

Je passai par toute une suite de pièces avant d'être finalement conduit en sa présence : tout cela était bien cérémonieux et, à mon avis, inutilement pompeux. La dernière pièce, petite, mais de taille suffisante, était meublée d'un secrétaire couvert de liasses de papiers et d'une bibliothèque pleine de livres. Je fis une révérence et attendis qu'on m'adressât la parole.

« Vous êtes bien le fils de sir James Prestcott, n'est-ce pas ? »

Je fis oui de la tête. C'était un homme de stature moyenne, au visage agréablement taillé, gâté seulement par un nez trop petit. Il avait belle allure, la jambe bien faite, surtout ; il se mouvait avec grâce et il se dégagea de la pompe des présentations dès que l'entretien commença. Il se mit alors à converser avec une extrême amabilité qui démentait les rumeurs d'orgueil et de hauteur. Je sortis de là plein d'admiration pour la sagacité de l'homme, qui me parut être un frère d'armes digne de mon père, et je me dis que chacun avait été également honoré par la confiance et l'amitié de l'autre. Le contraste avec un homme comme Thurloe n'aurait pu être plus grand, pensai-je : l'un grand, le teint clair, l'air avenant, le port et les manières évoquant ceux d'un Romain de l'Antiquité, l'autre rabougri et contrefait, agissant dans l'ombre, ne faisant jamais rien en plein jour, utilisant toujours des moyens dissimulés.

« C'est une approche inhabituelle, frisant l'impolitesse, déclara-t-il avec sévérité. J'imagine que vous avez une bonne raison ?

— La meilleure du monde, monseigneur. Je regrette beaucoup de vous déranger ; hélas, je n'ai personne vers qui me tourner. Vous êtes le seul à pouvoir m'aider, si vous le souhaitez. Je ne peux rien offrir en retour, mais j'ai de petits besoins. Je désire un peu de votre temps, c'est tout.

— Vous ne pouvez être assez naïf pour espérer une position. Je ne pourrais pas vous aider à cet égard.

— Je suis venu parler à ceux qui connaissaient mon père. Pour laver son honneur. »

Il considéra ma déclaration avec beaucoup d'attention, en digérant toutes les implications, avant de répondre avec une douceur doublée de prudence.

« Cela est très louable de la part d'un fils et compréhensible chez un enfant dont la fortune en dépend. Je crois cependant que ce sera un combat difficile. »

Jadis, quand j'entendais ce genre de commentaires, j'avais tendance à exploser de rage et à répliquer par toutes sortes d'invectives ; dans ma jeunesse, je suis souvent rentré à la maison avec un œil au beurre noir et le nez en sang. Je savais qu'une telle réaction ne me servirait à rien en l'occurrence : j'avais besoin d'aide et je ne pouvais l'obtenir que par la politesse et la déférence. Aussi ravalai-je ma colère et gardai-je l'air serein.

« C'est un combat que je dois livrer. J'ai la conviction que mon père était totalement innocent, mais je ne sais même pas de quoi on l'accusait. J'ai le droit de savoir et le devoir de récuser les accusations.

— Sans aucun doute, votre famille...

— Ils ne savent pas grand-chose et en disent encore moins. Veuillez m'excuser de vous interrompre, monsieur, il me faut savoir de première main ce qui s'est passé. Vous étiez l'un des personnages clefs du Grand Pacte de Sa Majesté, et connaissant votre grande réputation d'intégrité, j'ai pensé m'adresser d'abord à vous. »

Quelques onces de flatterie discrète sont susceptibles d'huiler les rouages des rapports humains, me semble-t-il ; même lorsqu'on sait à quoi s'en tenir, ce genre de formules indique une reconnaissance de dette. Seulement, les compliments ne doivent pas être trop grossiers ni créer de fausse note trop discordante.

« Pensez-vous, vous aussi, que mon père était coupable ? »

Mordaunt réfléchit, l'air toujours quelque peu surpris que cette discussion ait véritablement lieu. Il me fit patienter un bon bout de temps, afin de me permettre de bien apprécier la bonté dont il faisait preuve, avant de s'asseoir et d'indiquer qu'il m'autorisait à faire de même.

« Est-ce que je pense que votre père était coupable ? répéta-t-il, l'air pensif. Je le crains, jeune homme. J'ai vraiment essayé de croire à son innocence. Ce brave camarade le méritait, bien que nous n'ayons été que rarement d'accord. Voyez-vous, je n'ai jamais eu moi-même de preuve directe de sa traîtrise. Êtes-vous au courant de la manière dont nous agissions alors ? Vous en a-t-il parlé ? »

Je lui expliquai que j'avançais à tâtons, en quelque sorte ; après avoir atteint l'âge où je pouvais comprendre ce genre de choses je n'avais vu mon père que rarement , et alors il avait été aussi discret avec sa famille qu'avec, à n'en pas douter, tout le monde. Comme subsistait toujours le risque que les soldats vinssent nous chercher, il voulait nous en apprendre le moins possible, dans notre intérêt aussi bien que dans le sien.

Mordaunt hocha la tête, puis réfléchit un moment.

« Il vous faut comprendre, répondit-il doucement, que c'est avec beaucoup de réticence que je conclus que votre père était effectivement un traître. » Je fis alors un signe de protestation, mais il leva la main pour me calmer. « Je vous en prie, laissez-moi finir. Cela ne signifie pas que je ne serais pas heureux qu'on me prouve le contraire. Il m'avait toujours paru être un homme de bien, et je fus choqué de découvrir que c'était un faux-semblant. On dit que le visage reflète l'âme d'un homme et qu'on peut y lire tout ce qui est inscrit dans son cœur. Ce n'était pas son cas. Chez votre père, j'avais mal lu. Par conséquent, si vous pouvez prouver que c'est faux, je vous en serai reconnaissant. »

Je le remerciai de sa franchise : c'était la première fois que j'étais témoin d'une telle passion de la justice. Si je parvenais à persuader cet homme, j'aurais alors un dossier digne d'être défendu, me dis-je, lui jugerait avec équité.

« Bon, continua-t-il, comment pensez-vous vous y prendre au juste ? »

Je ne me rappelle pas mes propos exacts, mais j'ai bien peur qu'ils furent d'une touchante naïveté. Il s'agissait de trouver le véritable traître et de le forcer à avouer. J'ajoutai que j'étais déjà certain que John Thurloe était à l'origine de tout et que j'avais l'intention de le tuer dès que j'en aurais la preuve. Quelle que soit la forme que prirent mes propos, ils firent pousser un petit soupir à Mordaunt.

« Et comment comptez-vous échapper vous-même à la pendaison ?

— Je suppose que je dois discréditer les témoignages à charge.

— De quels témoignages parlez-vous ? »

Je courbai la tête en avouant ma profonde ignorance.

« Je ne sais pas. »

Lord Mordaunt me regarda attentivement pendant un certain temps, sans que je puisse deviner si c'était avec pitié ou mépris.

« Peut-être, dit-il au bout d'un moment, cela vous aide-rait-il si je vous parlais un peu de cette époque et de ce que je sais de ces événements. Je ne vous ferai pas ce récit parce que je pense que vous avez raison, mais vous avez le droit de savoir ce qui s'est raconté.

— Merci, monsieur », fis-je simplement. Ma gratitude envers lui était sincère et entière.

« Vous êtes trop jeune pour vous rappeler grand-chose et vous étiez, certainement, trop jeune pour comprendre, commença-t-il ; jusqu'à la dernière seconde, la cause de Sa Majesté semblait, dans le pays, vouée à l'extinction. Quelques personnes continuaient à lutter contre la tyran-nie de Cromwell, mais uniquement parce qu'elles pen-saient qu'il était juste de le faire, et non pas dans l'espoir de triompher. Le nombre des personnes lassées du despo-tisme augmentait de jour en jour, mais elles étaient trop effrayées pour agir sans être dirigées. Cette direction fut prise en main par une poignée de loyaux sujets, et parmi eux se trouvait votre père. On leur donna le nom de "Noyau scellé", tant ils étaient étroitement liés les uns aux autres, par leur amour mutuel et par celui qu'ils por-taient au roi. Ils n'accomplirent rien de concret, sinon garder vivant l'espoir au cœur des hommes. Sans doute s'activaient-ils : il ne se passait pas un mois sans une action ou une autre, un soulèvement ici, un assassinat là.

S'ils avaient réussi, Cromwell serait mort une douzaine de fois, longtemps avant de s'éteindre dans son lit. Mais rien d'important n'arriva, et l'armée de Cromwell était toujours là, vaste bloc se dressant devant quiconque souhaitait le changement. Tant que cette armée ne serait pas vaincue, le chemin de la restauration serait à jamais bouché, et l'on ne défait pas la plus efficace armée du monde avec des vœux pieux et des coups d'épingle. »

Je suppose que je dus froncer les sourcils en l'entendant critiquer la lutte de ces hommes héroïques et isolés. Il le remarqua et sourit d'un air de regret.

« Je ne les rabaisse pas, fit-il doucement, je dis la vérité. Si vous croyez en votre mission, vous avez besoin de tous les renseignements, agréables ou non.

— Veuillez m'excuser. Vous avez raison, bien sûr.

— Le "Noyau scellé" n'avait aucun argent, parce que le roi n'en avait pas. L'or peut acheter la fidélité, mais la fidélité seule ne peut acheter des armes. Les Français et les Espagnols étaient fort pingres envers Sa Majesté, lui accordant juste de quoi vivre dans son exil, sans lui donner les moyens de faire quoi que ce soit. Nous ne perdions cependant pas espoir et on m'avait confié la tâche d'organiser les hommes du roi en Angleterre afin qu'ils puissent passer à l'action si les circonstances venaient à changer. Je n'aurais pas dû être connu des services de Thurloe, étant trop jeune pour avoir combattu pendant la guerre ; j'avais passé cette période en Savoie, pour mes études. Néanmoins, mon identité fut rapidement révélée : on m'avait trahi, et seul un membre du "Noyau" avait pu le faire, quelqu'un qui était au courant de mon rôle. Les hommes de Thurloe me ramassèrent, en même temps que plusieurs autres, au moment précis où ils savaient que nous avions sur nous des documents compromettants.

— Excusez-moi, fis-je, osant naïvement l'interrompre une seconde fois, bien que j'eusse vu à quel point la première interruption lui avait déplu, mais cela se passait à quelle époque ?

— En 1658. Je ne vais pas vous ennuyer avec les détails, mais mes amis, et surtout mon épouse bien-aimée, se ruinèrent en pots-de-vin et déconcertèrent tant les juges qui m'interrogèrent que je fus relâché et que je m'échappai avant qu'ils n'aient eu le temps de se rendre compte de la gravité de leur erreur. Les autres n'eurent pas cette chance. Ils furent torturés et pendus. Plus grave — car cela voulait dire que tous mes efforts pour la cause du roi n'avaient servi à rien —, la nouvelle organisation, fruit de nos plus grands efforts, fut réduite à néant avant même qu'elle se soit mise au travail. »

Il s'arrêta de parler, eut la bonté d'ordonner à un domestique de m'apporter des gâteaux et du vin, puis me demanda si j'avais déjà entendu ce récit. Ce n'était pas le cas, et je le lui dis. J'eus envie d'ajouter que je trouvais passionnant d'écouter ce récit d'aventures périlleuses et téméraires, et que je regrettais de ne pas avoir été plus âgé afin d'affronter les dangers en sa compagnie. Heureusement que je m'en abstins ! Il eût à raison trouvé ces propos infantiles. Au lieu de cela, je me concentrai sur la gravité des événements qu'il décrivait et posai quelques questions à propos de ses soupçons.

« Je n'en avais aucun. Je pensai seulement que j'avais eu une extraordinaire malchance. Il ne me vint jamais à l'esprit que mon malheur avait été délibérément causé. De toute façon, mes réflexions sur le sujet furent balayées quelques mois plus tard lorsque nous apprîmes la merveilleuse nouvelle de la mort de Cromwell. Vous vous souvenez de cela, au moins ? »

Je souris.

« Oh ! oui, bien sûr. Qui ne s'en souvient pas ? Je crois que ça a été le plus beau jour de ma vie, et j'ai alors repris espoir pour le pays. »

Mordaunt hocha la tête.

« C'est ce que nous avons tous fait. C'était un don de Dieu, et nous eûmes enfin le sentiment que la Providence était avec nous. Nous reprîmes immédiatement confiance, nous eûmes de nouveau du cœur à l'ouvrage, même si le fils de Cromwell, Richard, fut déclaré Protecteur à la place de son père. Alors l'espoir d'un projet se leva ; sans même que personne en ait pris la tête, on vit la possibilité de faire chanceler le régime. Il allait y avoir tout de suite des soulèvements dans plusieurs parties du pays, soulèvements dus à des forces trop importantes pour qu'on puisse ne pas en tenir compte. L'armée du Commonwealth devrait se scinder pour y faire face et cela, espérait-on, ouvrirait la voie à un prompt débarquement des forces du roi dans le Kent et à une rapide marche sur Londres. Est-ce que cela aurait réussi ? Peut-être que non, mais je sais que les hommes qui participèrent à ce projet firent tout leur possible. On sortit des cachettes les armes mises en réserve pendant des années en prévision de ce jour ; des hommes de toutes conditions déclarèrent dans le plus grand secret qu'ils étaient disposés à s'enrôler. Grands et petits propriétaires hypothéquèrent leurs terres et fondirent leur argent pour nous fournir des fonds. L'enthousiasme et l'espoir étaient si puissants que même les plus incrédules furent transportés par ce vent d'euphorie, sûrs que l'heure de la délivrance était arrivée. Et, une fois de plus, nous fûmes trahis. Partout où devaient se produire des soulèvements des troupes surgirent. Elles savaient, comme par magie, où se trouvaient les armes et où était caché l'argent. Elles savaient qui avait été nommé officier et qui détenait les plans et les listes de nos forces. Toute l'entreprise — presque un an d'efforts — fut jetée à bas et réduite à néant en moins d'une semaine. Une seule région réagit assez rapidement : sir George Booth, dans le Cheshire, rameuta ses troupes et fit son devoir. Mais il dut faire face tout seul à l'attaque de l'armée entière, menée par un général qui était le meilleur stratège après Cromwell lui-même. Un massacre total et sans merci ! »

Son récit fut suivi d'un profond silence tandis que je demeurais abasourdi par ce que j'avais entendu. En vérité, je n'avais pas soupçonné quelque chose d'aussi choquant.

Évidemment, je connaissais l'échec du soulèvement de sir George, mais je n'avais jamais imaginé que sa défaite avait été causée par une trahison. Non plus que c'était là le crime dont mon père était accusé. S'il en avait été responsable, je me serais pendu. Mais rien encore dans ce récit ne me faisait croire à sa culpabilité.

« Nous n'avons accusé personne à la légère, reprit Mordaunt lorsque je le lui fis remarquer, et votre père mena l'enquête destinée à démasquer le coupable. Son indignation et sa révolte étaient terribles à voir. Et pourtant il s'avéra qu'il cachait son jeu ; nous finîmes par recevoir des documents émanant du gouvernement, lesquels révélaient sans l'ombre d'un doute que le traître était votre père. Quand on lui mit les preuves sous les yeux, au début de 1660, il s'enfuit à l'étranger.

— Par conséquent, l'affaire n'a jamais été résolue ? Il n'a pas eu l'occasion de réfuter officiellement les charges ?

— Il aurait pu le faire, s'il était resté en Angleterre, rétorqua Mordaunt, en fronçant les sourcils devant le soupçon de scepticisme qui perçait dans ma voix. Mais les documents, me semble-t-il, étaient irréfutables. Une série entière de lettres rédigées dans un code qu'il était seul à utiliser ; des notes prises au cours de réunions avec des membres haut placés du gouvernement, et qui contenaient des informations que lui seul pouvait posséder ; des récépissés de sommes reçues...

— Non ! hurlai-je presque. Je refuse de le croire. Vous me dites, vous osez me dire que mon père a vendu ses amis pour de l'argent ?

— Je vous dis ce qui saute aux yeux », répondit Mordaunt d'un ton sévère.

Je compris que j'avais été outrecuidant. Sa faveur étant désormais suspendue à un fil fort ténu, je me hâtai de le prier d'excuser mon impolitesse.

« La principale accusation contre lui émanait du gouvernement, et vous y avez cru ?

— De documents gouvernementaux, pas du gouvernement. John Thurloe n'était pas la seule personne à avoir des espions.

— Vous n'avez jamais pensé que ces papiers vous avaient été envoyés délibérément ? Afin d'accuser un innocent et de semer la discorde ?

— Bien sûr que si », fit-il sèchement. Je me rendis compte que je commençais à le lasser. « Nous avons agi avec beaucoup de circonspection. Et, si vous ne me croyez pas, vous devriez aller voir ses autres anciens amis : ils vous diront honnêtement ce qu'ils savent eux aussi.

— C'est ce que je vais faire. Mais comment trouver ces hommes ? »

Lord Mordaunt me regarda d'un air désapprobateur.

« Vous avez besoin qu'on vous aide. À Londres, mon garçon. Ou plutôt, vu l'époque de l'année, à Tunbridge Wells. Là où ils se disputent les postes, comme tout le monde.

— Et puis-je revenir vous voir ?

— Non. En outre, je ne veux pas que l'on apprenne que vous êtes venu ici. Je vous suggère de vous comporter avec discrétion et de bien faire attention à qui vous parlez ; il s'agit d'une affaire délicate, dont ces hommes se souviennent avec amertume. Je ne souhaite pas qu'on sache que je vous ai aidé à rouvrir de vieilles blessures qu'on ferait mieux d'oublier. C'est uniquement à cause du souvenir de ce que j'avais cru être la personnalité de votre père que j'ai accepté de vous parler aujourd'hui. Et je désire quelque chose en retour.

— Tout ce qui est en mon pouvoir.

— Je crois votre père coupable d'un crime monstrueux. Si vous découvrez la moindre preuve indiquant que je me trompe, faites-m'en part sur-le-champ, je ferai tout ce qui est en mon pouvoir pour vous aider. »

J'acquiesçai d'un signe de tête.

« Et si vous découvrez que mes déductions sont justes, vous m'en avertirez également. Alors, je pourrai avoir l'esprit tranquille. Je suis hanté par la possibilité qu'un homme de bien ait été injustement accusé. Si vous pouvez être persuadé de sa culpabilité, alors je l'accepterai. Sinon...

— Quoi ?

— Un homme de bien a souffert, et un coupable a échappé au châtiment. Ce serait un tort qu'il faudrait redresser. »

Chapitre cinq

Le trajet jusqu'à Tunbridge Wells me prit quatre jours, car je contournai Londres au lieu de traverser la ville, et je ne le regrettai pas un seul instant, malgré mon désir d'avancer rapidement. Les nuits étaient encore chaudes, la solitude emplissait mon cœur d'une paix que j'avais rarement connue. Je réfléchis beaucoup à ce que Mordaunt avait dit, me rendant compte que j'avais fait des progrès. Je savais de quoi on avait accusé mon père et j'avais appris la manière dont on avait propagé ces accusations : par de faux documents venant des services de Thurloe. Mettre la main dessus ferait partie de ma mission. Plus grave : je savais qu'un traître, bien placé et bien informé, avait effectivement existé. S'il ne s'agissait pas de mon père, il fallait chercher parmi un nombre restreint de personnes : seule une petite poignée d'hommes avait pu trahir si complètement les conjurés de 1659. J'avais vu son visage dans l'eau de la coupe de la vieille Blundy ; il me fallait désormais apprendre son nom. Je savais comment et pourquoi cela s'était passé... Avec de la chance, je découvrirais l'auteur des faits.

Beaucoup de monde se déplaçant, j'aurais pu faire des connaissances, je repoussai pourtant toutes les offres de compagnie, dormant dans les bois, la nuit, enveloppé dans ma couverture, et achetant la nourriture dont j'avais besoin dans les villages et les bourgades que je traversais. Ce goût de la solitude ne m'abandonna que lorsque j'atteignis les abords de Tunbridge Wells et remarquai la foule des carrosses et des voitures, les files ininterrompues de

313

chariots apportant des victuailles aux courtisans, le nombre croissant de colporteurs, de musiciens et de domestiques itinérants qui se rendaient sur les lieux dans l'espoir de gagner quelque argent. Pendant les derniers jours, j'eus malgré moi une compagne, une jeune catin du nom de Kitty qui s'attacha à moi et m'offrit ses services en échange de ma protection. Venant de Londres, elle avait été attaquée la veille et ne souhaitait pas que se renouvelât l'expérience. Elle avait eu de la chance la première fois, n'ayant subi aucun dommage visible, mis à part quelques bleus, mais, désormais, elle avait peur. Si elle avait perdu une dent ou si on lui avait cassé le nez, ses gains en auraient gravement souffert, vu qu'elle ne connaissait pas d'autre métier.

Cette créature exerçant sur moi une étrange fascination, j'acceptai de la protéger ; pour un petit provincial, ce symbole de la corruption de la ville constituait une nouveauté. Elle ne ressemblait pas aux catins des récits lascifs ; en fait, elle se tenait bien mieux que maintes gentes dames que je rencontrai par la suite, et n'était, à mon avis, pas moins vertueuse. Elle avait à peu près mon âge. C'était la fille bâtarde d'un soldat, que sa mère avait abandonnée par peur du châtiment. Je ne sais comment elle avait été élevée, mais elle n'en était que plus sage et plus rusée. Elle n'avait pas la moindre idée de ce qu'était l'honnêteté, toute sa morale consistant à payer son dû : si vous l'aidiez, elle ou les siens, Kitty savait qu'elle vous était redevable. Si vous lui faisiez du mal, elle se vengeait. C'était là tout son univers moral, et ce qui manquait en matière de charité chrétienne était plus que compensé par le côté pratique de ce système. Voilà, en tout cas, un code de conduite qu'étant donné sa simplicité elle pouvait facilement respecter.

Je dois ajouter que je ne jouis pas de ce qu'elle avait à offrir la nuit qui précéda notre arrivée à Tunbridge : la peur de la vérole et le souci de ce que j'allais faire le lendemain me coupaient tout désir. Nous dînâmes ensemble, bavardâmes, avant de nous endormir sous la même couverture et, même si elle se moqua de moi, je crois qu'elle fut ravie qu'il en fût ainsi. Nous nous quittâmes en bons termes juste avant d'entrer en ville, et je demeurai en arrière de peur d'être aperçu en sa compagnie.

Pas plus que mon père je n'ai aimé la cour ni les manières de courtisan ; en fait, j'ai toujours évité la corruption qu'entraîne ce genre de fréquentations. Quoique je ne sois guère puritain, je pense qu'un gentilhomme doit observer une certaine décence, alors que la cour de cette époque-là avait vite cessé de faire semblant de s'embarrasser des solides valeurs qui donnent envie de vivre dans un pays. Tunbridge Wells me choqua énormément. Je m'attendais bien (car les rumeurs circulaient déjà à vive allure et en grand nombre) que les dames de la cour apparussent en public sans masque et coiffées de perruques, avec du parfum et du fard, mais je fus atterré en découvrant qu'il en allait de même pour la garde à cheval.

Ces choses ne me préoccupaient pourtant guère : je n'étais pas là pour faire de l'effet, pour me battre en duel, pour brocarder les autres par mes traits d'esprit acérés, ni pour me hisser jusqu'à une position à force de bassesses. D'ailleurs, je ne possédais pas les ressources qui me l'eussent permis. Afin d'obtenir un poste rapportant cinquante livres par an, un de mes amis avait dû lâcher sept cent cinquante livres en pots-de-vin, empruntées avec intérêts, ce qui fait qu'il doit aujourd'hui voler plus de deux cents livres au gouvernement pour vivre décemment tout en payant ses dettes. J'avais à peine de quoi acheter la charge de chasseur de rats de Sa Majesté, alors, ne parlons pas d'en acquérir une digne de mon rang. Et, puisque j'étais le fils de mon père, tout l'or du monde ne m'eût pas permis d'obtenir ce misérable emploi.

À mon arrivée, je ne pus séjourner dans la ville, c'était trop coûteux ; on savait que l'endroit ne serait pas longtemps à la mode et que la cour porterait bientôt ailleurs son attention frivole. C'était une affreuse bourgade sans distraction aucune à part les eaux, mais elle était « en vogue » cette année-là. On y trouvait tous les fats et les sots, racontant à qui mieux mieux qu'ils se sentaient vraiment en meilleure santé depuis qu'ils buvaient la boue nauséabonde, alors que leur temps se passait à jouer des coudes pour approcher les personnages influents. Autour d'eux se pressaient comme des mouches les commerçants bien décidés à leur soutirer le plus d'argent possible. Je ne sais pas lequel des deux camps était le pire : les deux me révulsaient. Les prix étaient exorbitants, et pourtant la moindre chambre était louée aux courtisans disposés à payer cher le privilège de côtoyer Sa Majesté ; un grand nombre d'entre eux dormaient sous des tentes, sur le terrain communal tout proche. Pendant mon bref séjour, je n'entrai même pas dans le champ de vision du roi. J'avais trop honte de mes habits pour me rendre à une réception royale et je craignais trop d'être insulté si mon nom venait à être connu. Ayant une mission à accomplir, je ne souhaitais pas que ma vie fût abrégée par l'épée d'un petit-maître. Au cas où j'aurais reçu publiquement une insulte, il m'aurait fallu jeter le gant. J'étais assez avisé : je savais que j'aurais perdu presque à coup sûr.

Aussi bien, évitant tous les endroits à la mode et ceux qui y fréquentaient, je me contentai des petites tavernes aux abords de la ville, où se rendaient les valets de pied et les laquais après leur travail, afin de jouer, de boire et d'échanger des ragots sur les grands et les puissants. Je rencontrai une seule fois ma compagne de voyage, trop gentille pour me reconnaître publiquement, bien qu'elle m'eût gratifié d'un clin d'œil insolent au moment où elle était passée au bras d'un grand seigneur qui n'avait pas honte de montrer sa lubricité en public.

Par les domestiques, j'appris bientôt que j'avais perdu mon temps au sujet de mon entrevue avec mon tuteur sir William Compton, car il n'était pas là. Ses espérances avaient été complètement réduites à néant par sa dispute avec le lord Chancelier à propos de droits de chasse dans la forêt de Wychwood qu'ils revendiquaient tous les deux et, tant que Clarendon tenait les rênes du pouvoir, Compton n'avait aucune chance d'obtenir une position. Il le savait parfaitement, semblait-il, aussi avait-il décidé de faire des économies et de rester sur ses terres, sans même prendre la peine de venir à la cour.

Cependant, deux autres personnages appartenant au cercle magique étaient présents : mais j'appris bientôt que, quoique Edward Villiers et sir John Russell eussent été de solides camarades dans l'adversité, les plaisirs de la victoire les avaient davantage séparés que les intrigues de Thurloe. Villiers se trouvait dans le parti de lord Clarendon, où il avait été attiré par lord Mordaunt, tandis que sir John, membre de la grande famille du duc de Bedford, s'était mis avec l'opposition, dont le seul ciment était la haine de Clarendon. Telle est la nature du pouvoir : de braves hommes, loyaux, généreux et courageux sur le champ de bataille, se chamaillent comme des enfants lorsqu'ils deviennent courtisans.

Néanmoins, c'étaient là deux hommes que je pouvais tenter d'approcher, et j'eus l'impression que cette soirée passée à recueillir des commérages à la taverne n'avait pas été perdue. J'étais tenté d'approcher Villiers — il avait le plus clairement l'oreille des hommes au pouvoir —, mais, après y avoir quelque peu réfléchi, je résolus de commencer par un gibier plus facile. Dès le lendemain matin, je partis rendre mes hommages à sir John Russell. Je regrette de l'avoir fait. Je préférerais passer cet incident sous silence : cela présente sous un mauvais jour quelqu'un qui est né gentilhomme, mais je suis d'humeur à ne rien cacher — « pas même les verrues », comme disait Cromwell. Sir John refusa de me recevoir. Et s'il n'y avait eu que ça ! Il me congédia d'une manière calculée pour m'humilier, alors que je ne lui avais fait aucun mal, ni à lui ni aux siens. Quelques mois plus tard, je découvris enfin pourquoi mon seul nom l'avait fait agir de la sorte.

Voici ce qui se passa : j'arrivai à sept heures du matin et entrai par le rez-de-chaussée de son hôtellerie pour demander à l'aubergiste d'envoyer son valet solliciter une audience de ma part. Ce n'est pas la procédure qui sied, j'en conviens, mais quiconque a jamais fait antichambre lorsque la cour est en déplacement sait que le protocole n'est pas alors aussi rigide. Tout autour de moi se trouvaient plusieurs dizaines de personnes, certaines attendant pour requérir des faveurs, d'autres prenant leur petit déjeuner avant de partir faire antichambre ailleurs. La pièce grouillait de courtisans de moindre rang qui essayaient de poser le pied sur le premier degré de l'échelle glissante qui mène aux emplois et aux positions élevés. En un sens, c'était également mon cas ; je m'installai donc, disposé à prendre mon mal en patience. Dans la solitude totale du quémandeur au milieu d'une foule d'autres quémandeurs, j'attendis la réponse une demi-heure, puis une heure, puis une autre demi-heure. Un peu après dix heures, deux hommes descendirent l'escalier et se dirigèrent vers moi. Le bavardage cessa ; tous, s'imaginant que j'avais négocié avec succès la première étape de ma requête, s'apprêtaient à contempler le spectacle avec un mélange de curiosité et d'envie.

Un silence total s'étant fait dans la pièce, chacun put entendre le message qu'on me faisait parvenir : en effet, le valet parla assez fort pour qu'il en fût bien ainsi.

« Vous êtes John Prestcott ? »

Je fis oui de la tête et commençai à me lever.

« Le fils de James Prestcott, l'assassin et le traître ? »

Je sentis mon estomac se tordre tandis que je me rasseyais, le souffle coupé sous le choc, sachant que le pire était à venir et que je ne pouvais rien faire pour parer le coup.

« Sir John Russell présente ses compliments et me charge de vous dire que le fils d'un chien est un chien. Il m'a ordonné de vous demander respectueusement d'emporter votre traîtrise loin de cette maison et de ne plus avoir l'insolence de chercher à le revoir. Sinon, il vous fera donner la bastonnade. Quittez ces lieux si vous ne voulez pas être jeté sur le pavé comme aurait dû l'être votre ignoble père ! »

On aurait entendu une mouche voler. Je sentais de multiples paires d'yeux qui me transperçaient tandis que je saisissais mon chapeau et titubais en direction de la porte, la tête vide, ne percevant que des impressions fugitives : regard attristé et presque compatissant de la part du premier domestique, dureté du second, qui prenait plaisir à m'humilier. L'air cruel et triomphal de certains solliciteurs, la mine fort intéressée d'autres, qui se voyaient déjà racontant cette histoire à qui voudrait l'entendre les semaines suivantes. Et le sang cognant dans mes tempes au moment où la rage et la haine coulaient à flots dans mon âme : j'avais l'impression que mon crâne allait exploser sous la tension. Aucune autre sensation jusqu'à la porte ; d'ailleurs, je ne me souviens pas de la manière dont je regagnai la tristesse anonyme de mon petit lit au-dessus des écuries de la taverne.

Combien de temps demeurai-je là, je ne le sais pas au juste : je suppose — étant donné que je partageais cet endroit avec une demi-douzaine d'autres personnes — qu'il dut y avoir des allées et venues dont je ne me rendais absolument pas compte. Je me rappelle seulement que, lorsque je repris mes esprits, j'avais les joues rugueuses de barbe, les jambes flageolantes. Il me fallait me raser avant de pouvoir à nouveau montrer mon visage au monde. L'eau du puits était glaciale, mais je présentais une apparence raisonnablement civilisée en traversant la cour pour me rendre à l'auberge. J'avais à moitié oublié ce qui s'était passé : je revis toute la scène en un éclair tandis que je passai la porte. Silence de mort, suivi d'un ricanement. Je m'approchai du comptoir pour commander une bière ; l'homme qui se trouvait près de moi me tourna le dos avec cette cruauté innée chez les gens vulgaires, même si, vu l'exemple que leur avaient donné leurs supérieurs, ce n'était pas aussi surprenant que ça.

Il est difficile de revivre ce genre d'humiliations, et, même aujourd'hui, je m'aperçois que ma main tremble au moment où je trempe ma plume dans l'encrier pour écrire ces mots. Tant d'années ont passé, années empreintes de grâce et d'agrément... Malgré tout, ce souvenir me blesse toujours profondément, et la colère revient. On dit que le cœur d'un gentilhomme est plus sensible à ce genre de blessure que celui des gens du peuple, son honneur étant plus délicat, et c'est peut-être vrai. Je serais resté si cela avait pu servir à quelque chose. L'incident avait ruiné mes espérances ; toute chance de recevoir un accueil courtois de la part d'Edward Villiers était exclue, et je refusais de m'exposer à une seconde rebuffade. Il n'y avait pas d'autre solution que de partir au plus vite, mais, auparavant, j'étais décidé à connaître le visage de sir John Russell afin de constater s'il ressemblait à celui aperçu dans la coupe de Mme Blundy. Cela n'avait pas été le cas de celui de Mordaunt, ce qui m'avait empli de joie ; je savais déjà que le visage de Villiers ne lui ressemblait pas non plus. J'espérais que sir John, qui en avait déjà assez fait pour devenir mon ennemi juré, allait en aggravant sa faute rendre ma tâche plus aisée.

Hélas ! les choses ne devaient pas se passer de la sorte : je demeurai plusieurs heures à guetter devant l'hôtellerie et (aussi discrètement que possible pour ne pas être reconnu) en face des lieux à la mode, où l'on donnait des réceptions, écoutant, patiemment, sans bouger, le bruit des fêtes qui se déroulaient à l'intérieur, trempé jusqu'aux os par les premières pluies d'automne. Je fus enfin récompensé, pour ainsi dire, grâce à un pourboire donné à un marchand de quatre-saisons afin qu'il me désignât sir John lorsqu'il émergerait ; alors que j'étais sur le point d'abandonner la partie, le marchand me donna un coup de coude dans les côtes et me siffla à l'oreille :

« Le v'là dans tout' sa splendeur. »

Je regardai, espérant vaguement voir une figure presque familière descendre l'escalier.

« Où ? fis-je.

— Là ! C'est lui », chuchota le marchand en désignant un homme replet, au visage rose orné d'une moustache à l'ancienne peu fournie. Excessivement déçu, je regardai ce personnage — qui n'avait l'air ni familier ni sournois — pénétrer dans un carrosse en attente. Ce n'était pas celui que la Blundy m'avait montré.

« Allez-y ! s'exclama l'homme. Présentez-lui votre lettre !

— Ma quoi ? demandai-je, ayant complètement oublié que c'était théoriquement la raison pour laquelle j'avais voulu savoir qui c'était. Ah, çà ! Plus tard, peut-être...

— Vous avez peur, hein ? Je sais. Mais laissez-moi vous dire, mon jeune monsieur, vous ne réussirez à rien avec cette bande si vous n'êtes pas plus tenace. »

Je décidai de suivre ce conseil, non sollicité mais probablement judicieux, en faisant mes bagages et en quittant cette ville : ce que je cherchais ne s'y trouvait assurément pas.

Chapitre six

C'est le milieu de l'après-midi, et l'on m'annonce (notez comment les choses se passent aujourd'hui : « on m'annonce ») que nous partons pour mon domaine à la campagne. Il me reste peu de temps pour poursuivre mon récit. Je me suis déjà fait raser la tête à cause de cette satanée et ridicule perruque, j'ai reçu la visite du tailleur, on s'affaire partout. Tant de choses à préparer et à mettre au point, et aucune ne m'intéresse. Ces médiocres et ennuyeux détails ne concernent guère mon histoire, mais je remarque une tendance en moi qui revient de plus en plus fréquemment : je retombe en enfance, probablement, car je m'aperçois que je me rappelle ce qui s'est passé à cette époque lointaine plus aisément que mes actes d'avant-hier.

Pour revenir à mon récit, je retournai à Oxford, le cœur plein d'amertume et avec une détermination encore plus ferme de vaincre mes ennemis cachés. J'étais parti depuis plus de deux semaines ; entre-temps, Oxford s'était remplie d'étudiants et n'était plus la petite ville calme et provinciale qu'elle est pendant la plus grande partie de l'année. Heureusement, cela voulait également dire que les personnes susceptibles de m'aider résidaient sur place désormais. L'une d'entre elles était Thomas, bien sûr, dont l'art de disséquer la théologie ainsi que la logique, don acquis à force de l'enseigner à ses étudiants, avec une habileté surprenante, était d'une importance vitale ; il était capable de feuilleter une pile de documents et d'en extraire un sens plus prestement que quiconque. L'autre était un petit homme. Il s'appelait Anthony Wood.

« Voici, dit Thomas, en me le présentant dans sa chambre, la réponse à tous tes problèmes. M. Wood est un grand érudit, tout disposé à t'aider dans tes recherches. »

Cola le décrit brièvement, et c'est l'une des rares occasions où je ne trouve guère à redire à sa narration ; je n'ai jamais rencontré créature plus ridicule qu'Anthony Wood. Il était bien plus âgé que moi. À environ trente ans, il avait déjà le dos voûté et les joues creuses du rat de bibliothèque. Ses habits étaient monstrueux (si vieux et si rapiécés qu'il était difficile de se rendre compte à quel point ils étaient démodés) ; ses bas étaient reprisés, et il avait accoutumé de rejeter la tête en arrière et de hennir comme un cheval quand quelque chose l'amusait. C'était un désagréable bruit de crécelle, si bien qu'en sa présence tout le monde devenait sérieux de crainte de dire quelque chose de spirituel qu'il saluerait de son rire. Cela, allié à l'inélégance de tous ses mouvements — tics, gestes saccadés, incapacité à rester en place plus de quelques secondes —, m'irrita dès le premier abord, et j'eus vraiment du mal à ne pas perdre patience.

Thomas m'ayant assuré de son utilité, je m'abstins de me moquer de lui. Malheureusement, une fois noué, le lien s'avéra difficile à rompre. Comme tous les savants, Wood est pauvre et cherche constamment des protecteurs : ces gens semblent tous croire que les autres doivent financer leur passe-temps. Je ne lui ai jamais offert ma protection, mais cela ne l'a pas découragé. Il vient toujours me faire sa cour dans l'espoir qu'une pièce tombera de ma poche dans sa main maculée d'encre et il ne cesse de me rappeler les services qu'il m'a rendus pendant toutes ces années lointaines. En fait, il est venu ici il y a quelques jours seulement, raison pour laquelle le souvenir de sa visite est si frais dans ma mémoire, quoiqu'il n'eût rien dit d'important. Wood est en train d'écrire un livre, rien de neuf à cela : il écrit le même livre depuis que je le connais, et il n'est pas sur le point de le terminer. C'est l'un de ces petits hommes tout en nerfs qui semblent ne jamais vieillir, si ce n'est qu'ils se voûtent un peu plus et que leur visage acquiert quelques rides de plus. Quand il entre dans la pièce, j'ai l'impression que la moitié de ma vie n'a pas eu lieu et ne s'est déroulée que dans un rêve. Seules mes douleurs me la remettent en mémoire.

« M. Wood est un excellent ami, m'expliqua Thomas quand il découvrit le regard de dégoût que je posais sur l'homme. Nous faisons de la musique ensemble chaque semaine. Sa passion de l'histoire est gigantesque, et il a accumulé, ces dernières années, un grand nombre de renseignements sur les guerres.

— C'est fascinant, fis-je sèchement. Mais je ne vois pas en quoi cela peut m'aider. »

Wood se mit alors à parler de cette voix haut perchée et flûtée — il s'exprime avec clarté, précision et préciosité, comme s'il rédigeait un essai, mais cela n'offre guère plus d'intérêt.

« J'ai eu l'honneur de rencontrer une foule de personnes, dit-il, qui se sont distinguées dans la guerre et dans les affaires publiques. J'ai une solide connaissance de la tragique histoire de notre pays que je serais ravi de placer à votre disposition afin de déterminer ce qui est advenu à votre père. »

Je jure qu'il parla de la sorte du début à la fin, toutes ses phrases étant aussi parfaites que lui-même était grotesque. Je ne savais comment prendre cette offre, mais Thomas me déclara que je devais certainement l'accepter, M. Wood étant renommé pour la finesse de son jugement et l'immensité de son savoir. Si j'avais besoin de connaître quoi que ce fût sur un événement ou une personnalité, il me fallait sans aucun doute le lui demander en tout premier lieu : cela me ferait gagner beaucoup de temps.

« Très bien, répondis-je. J'insiste cependant sur le fait que vous ne devez révéler à personne mes recherches. Bien des gens deviendraient mes ennemis s'ils apprenaient de quoi je m'occupe en ce moment. Je souhaite les prendre au dépourvu. »

Wood accepta avec réticence. Je lui dis que je lui exposerais tous les faits et tous les détails en temps voulu afin qu'il pût compléter ce que je trouverais par ce qu'il savait lui-même. Puis Thomas le poussa hors de la pièce avec courtoisie. Je regardai mon ami d'un air réprobateur et ironique.

« Thomas, je sais bien que je ne peux pas faire la fine bouche...

— Tu as tort, mon ami. Le savoir de Wood peut s'avérer fondamental pour toi un de ces jours. Ne l'écarte pas à cause de son aspect. J'ai aussi pensé à quelqu'un d'autre qui pourra t'être utile. »

Je poussai un grognement.

« Vraiment ? Qui donc ?

— Le Dr John Wallis.

— Qui ?

— Wallis. Il occupe la chaire de géométrie créée par sir Henry Savile et il jouissait de la profonde confiance du Commonwealth en vertu de son adresse à déchiffrer les codes. À ce qu'on dit, il a révélé aux services de Thurloe maintes lettres secrètes envoyées par le roi.

— On aurait donc dû le pendre...

— Et aujourd'hui, selon la rumeur, il fait de même pour le compte du gouvernement de Sa Majesté. Lord Mordaunt t'a dit que les documents incriminant ton père utilisaient un chiffre : si tel est le cas, alors le Dr Wallis pourrait être compétent en la matière. Si tu peux le persuader de t'aider... »

Je hochai la tête. Peut-être que, pour une fois, l'une des idées de Thomas allait m'être utile.

Avant même que M. Wood ou le Dr Wallis eussent pu beaucoup m'aider, j'eus l'occasion de payer une partie de ma dette envers Thomas en le tirant d'un mauvais pas des plus absurdes. Les circonstances étaient extrêmement amusantes, bien que quelque peu inquiétantes. Tout le monde savait que le vieux Tidmarsh, le quaker, tenait un grotesque conventicule dans sa petite maison près du fleuve. Illégalement, bien sûr, et compte tenu des ennuis déjà causés par ces fous, on aurait dû les écraser sans merci. Mais non ! De temps en temps, on en arrêtait quelques-uns, puis on les relâchait, libres de reprendre leurs mœurs infâmes. En fait, ils semblaient en être fiers, commettant le blasphème de comparer leurs souffrances à celles de Notre-Seigneur Lui-même. Certains, me suis-je laissé dire, avaient même l'arrogance d'affirmer qu'ils étaient le Seigneur, courant partout en secouant la tête et en prétendant pouvoir guérir. En ces temps-là, le monde était plein de ces fous. L'emprisonnement n'est pas la meilleure manière de traiter de telles gens : les demi-mesures ne font qu'exacerber leur orgueil. Soit on les laisse tranquilles, soit on les pend, si vous voulez mon avis. Ou encore mieux : qu'on les expédie en Amérique, où ils crèveront de faim !

Quoi qu'il en soit, quelques jours plus tard, alors qu'un soir je passais près du château fort, j'entendis un grand vacarme ainsi que le bruit d'une course éperdue. Pour une fois, il semblait que le magistrat eût décidé d'agir. On voyait des sectaires partout, sautant par les fenêtres, courant dans tous les sens, comme des fourmis dont on eût dérangé le nid. D'ailleurs, ne laissez jamais ces gens vous raconter que lorsqu'on les arrête ils restent assis et chantent des psaumes. Ils ont aussi peur que tout le monde.

Je demeurai sur place et m'amusai du spectacle jusqu'au moment où j'aperçus mon ami Thomas qui tombait presque d'une des fenêtres de la maison de Tidmarsh et s'enfuyait par une ruelle.

Je me mis à ses trousses sur-le-champ, comme l'eût fait n'importe quel ami. Pouvait-on être bête à ce point ? Ne risquait-il pas sa carrière en s'adonnant à sa ridicule religion au moment précis où l'on exigeait l'orthodoxie la plus stricte ?

L'exercice physique n'étant pas son fort, je le rattrapai facilement. Il s'évanouit presque, le pauvre, quand je le saisis par l'épaule et le forçai à faire halte.

« Que fais-tu donc, grands dieux ?

— Jack ! s'exclama-t-il, en poussant un profond soupir de soulagement. Dieu merci ! J'ai cru que c'était le guet.

— Je regrette que cela ne le soit pas. Tu es fou ou quoi ?

— Non. Je... »

L'explication qu'il allait me fournir pour justifier sa sottise fut cependant interrompue par l'apparition de deux hommes du guet. Nous nous trouvions dans une impasse, et la fuite ne nous tirerait pas d'affaire.

« Tais-toi ! Appuie-toi sur mon épaule et laisse-moi faire, lui chuchotai-je au moment où ils s'approchaient.

— Bonsoir, messieurs, lançai-je, articulant avec difficulté comme quelqu'un de bien plus ivre que je ne l'étais.

— Qu'êtes-vous en train de faire tous les deux ?

— Ah ! fis-je, nous avons encore enfreint le couvre-feu ?

— Vous êtes étudiants ? De quel collège, s'il vous plaît ? »

Il dévisagea Thomas qui jouait très mal son rôle d'ivrogne. Avec un peu d'expérience de l'ébriété, il s'en serait mieux tiré.

« Où étiez-vous durant ces deux dernières heures ?

— À la taverne, avec moi, répondis-je.

— Je ne vous crois pas.

— Comment osez-vous mettre ma parole en doute ? rétorquai-je avec force. Où croyez-vous que nous étions ?

— En train d'assister à une réunion illégale.

— Vous plaisantez ? dis-je en donnant une belle démonstration d'hilarité devant l'absurdité d'une telle idée. Ai-je l'air d'un fanatique ? On est peut-être ivres, mais je suis ravi de dire que ce n'est pas de la parole de Dieu.

— C'est de lui que je parlais. (Il désignait un Thomas qui pâlissait à vue d'œil.)

— Lui ? m'écriai-je. Oh, grands dieux, non ! Il a bien connu l'extase ce soir, mais il ne s'agit pas du tout d'extase divine. Je suis sûr, néanmoins, que la dame concernée pourrait jurer de sa dévotion. Ne vous laissez pas tromper par sa mine d'ecclésiastique. »

Mes propos firent rougir Thomas, ce qui fut heureusement interprété comme de la honte.

« Quant à moi, j'ai joué aux cartes avec un joli succès.

— Vraiment ?

— Oui. Et je suis d'excellente humeur. J'aimerais partager ma bonne fortune avec le monde entier. Tenez, monsieur ! Prenez ce shilling et buvez à ma santé. »

Il saisit la pièce et la regarda pendant une fraction de seconde : sa cupidité fut plus forte que son sens du devoir.

« Et si vous pourchassez les quakers, repris-je d'un ton joyeux une fois qu'il eut fait disparaître la pièce dans sa poche, il n'y a pas plus de trois minutes, j'ai vu deux hommes d'aspect patibulaire s'enfuir dans la rue là-bas. »

Un large sourire découvrit ses gencives.

« Merci, mon jeune monsieur, cependant le couvre-feu est en vigueur... Si je vous retrouve ici à mon retour...

— N'ayez crainte. Courez vite, ou vous allez les manquer. »

Je poussai un énorme soupir de soulagement tandis qu'ils partaient à toutes jambes ; puis je me tournai vers Thomas, clairement sur le point de se trouver mal.

« Tu me dois un shilling. Bien, filons d'ici ! »

Nous rentrâmes en silence à New College ; je devais lui parler, mais je ne pouvais le faire dans le petit logement que je partageais avec mon répétiteur, lequel était sans doute déjà couché. Occupant un poste d'une certaine importance dans un collège riche, Thomas, lui, était libre d'aller et venir sans se préoccuper des couvre-feux qui empoisonnaient ma vie. Bien que sa chambre fût fort exiguë, il n'avait pas à la partager avec ses étudiants ; c'était là un nouveau luxe, qui avait causé bien des commentaires lorsqu'il fut introduit.

« Tu dois avoir perdu la tête, mon ami, lui déclarai-je avec véhémence, une fois la porte refermée. Que diable faisais-tu donc ? Donne libre cours à tes sentiments en privé, si tu ne peux t'en empêcher... Mais en public ! Et risquer la prison quand tu cherches à acquérir un bénéfice et une épouse, c'est de la folie pure !

— Je n'étais pas...

— Non, bien sûr. Tu te trouvais par hasard au milieu de cette bande de quakers, sans savoir qui ils étaient... Et tu as sauté par la fenêtre et pris tes jambes à ton cou juste pour faire de l'exercice !

— Non. J'étais là délibérément. Mais avec une bonne raison.

— Aucune raison n'est assez bonne pour courir ce risque.

— Je suis allé parler à quelqu'un. Pour gagner sa confiance.

— Dans quel but ?

— Parce que je crains de ne pas obtenir ma paroisse, en fin de compte.

— C'est en effet ce qui va se passer si tu te conduis de la sorte.

— Veux-tu m'écouter ? me supplia-t-il. Grove fait pression avec succès sur certains membres du corps professoral que je croyais être de mon côté. Et, maintenant, il est en train de parler au directeur.

— Que peut-il bien dire ?

— C'est simple. Qu'il est vieux et sans épouse, alors que moi je vais sans doute me marier et fonder une famille. Que comparés aux miens ses besoins sont simples, et qu'il donnera un tiers de son revenu annuel au collège.

— Il peut faire ça ?

— S'il l'obtient, il pourra faire tout ce qu'il voudra ; l'argent lui appartiendra. Il calcule qu'il vaut mieux avoir deux tiers de quatre-vingts livres que rien du tout. Et Woodward gère très bien les fonds du collège.

— Et tu ne peux pas faire une aussi belle offre ?

— Bien sûr que non, répondit-il avec amertume. Je souhaite me marier. Le père de la fille accepte tout juste de soutenir le mariage si j'ai la somme entière. À sa place, quelle serait ta réaction si je disais que j'en ai fait cadeau pour un tiers ?

— Trouve une autre épouse, suggérai-je.

— Jack, elle me plaît. C'est un beau parti, et ce bénéfice me revient.

— Je vois ton problème. Mais quel est le rapport avec le saut par la fenêtre ?

— Grove n'est pas digne d'avoir la charge d'un troupeau de fidèles. Il va jeter l'opprobre sur l'Église et traîner sa réputation dans la poussière. Je le sais parfaitement, mais tant qu'on ne lui accordait pas de bénéfice ce n'était pas mon affaire.

— Je ne te suis toujours pas.

— C'est un débauché. J'en suis convaincu. Il a des relations coupables avec sa servante et jette ainsi le discrédit sur le collège et l'Église. Une honte ! Si sa perfidie est prouvée, le collège ne mettra pas sa réputation en péril en lui offrant une paroisse. J'essaie de découvrir la vérité.

— Dans une assemblée de quakers ? demandai-je d'un ton incrédule. » Cette histoire allait de mal en pis.

« Cette servante y vient parfois, et on dit qu'elle a de l'importance pour eux, en fait. Elle jouit d'une grande réputation parmi eux, pour une raison ou une autre. J'ai pensé que si j'assistais à leurs réunions je pourrais gagner sa confiance... »

Je crains d'avoir éclaté de rire à ce moment.

« Ah ! Thomas, il n'y a que toi pour essayer de séduire une fille à genoux. »

Son visage s'empourpra.

« Ce n'est pas du tout ce que je cherchais à faire.

— Non, bien sûr que non. Et d'abord qui est cette créature ?

— Une fille du nom de Blundy. Sarah Blundy.

— Je la connais. Je croyais que c'était une très brave fille.

— Cela ne fait que montrer les limites de ton don d'observation. Le père a été fusillé pour mutinerie ou quelque chose comme ça, la mère est une sorcière et la fille vit dans une société diabolique, se donnant au premier venu depuis l'âge de dix ans. J'ai entendu parler de ces gens et de leurs errements. Je te le dis, je frissonne rien qu'à l'idée de lui parler.

— Je suis certain que chanter des psaumes et prier pour être délivré du mal accomplira des miracles, et que tu la gagneras à ta cause. Es-tu certain de ce que tu dis ? J'ai rencontré la fille et la mère. Pour une fille de sorcière, elle est très jolie, et pour une traînée sans foi ni loi, elle est extraordinairement polie.

— Je ne me trompe pas.

— Tu lui as parlé ?

— Je n'en ai pas eu l'occasion. Elles sont très étranges, ces réunions. Nous nous sommes tous assis en cercle, avec cette fille, la Blundy, au milieu.

— Et ?

— Et rien. Il semble qu'ils attendaient tous qu'elle dise quelque chose, mais elle est juste restée assise là. Ça a duré environ une heure. Nous avons entendu des cris à l'extérieur, et tout le monde s'est mis à courir, comme pris de panique.

— Je vois. Même si ce que tu crois est vrai, tu n'as guère de chances de réussir à le lui faire avouer. Pourquoi le ferait-elle ? Cela ne la gêne pas, de toute évidence, et elle doit avoir besoin de l'argent. Pour quelle raison risquerait-elle de perdre son emploi pour te faire plaisir ?

— Je pense qu'elle doit secrètement le mépriser. J'ai pensé qu'en lui promettant que ça n'entraînerait aucune conséquence elle verrait où se trouve son devoir.

— Quelques pièces l'influenceraient davantage. Thomas, es-tu sûr que ce n'est pas une erreur ? Le Dr Grove était mon précepteur, tu t'en souviens, et, pendant ces quatre années, je n'ai jamais détecté chez lui le moindre signe de lascivité. »

Je suis convaincu que Thomas était persuadé de son désintéressement. Il souhaitait sincèrement que les fidèles d'Easton Parva eussent le meilleur pasteur possible et il était persuadé qu'il était cette personne. Naturellement, il désirait également le bénéfice, l'épouse, ainsi que la dot qu'elle apportait, mais cela uniquement afin de l'aider à mieux servir son troupeau. Il était motivé par la morale, et non par la cupidité. C'est pourquoi les choses se passèrent si mal à la fin. Le simple amour-propre cause plus de mal que la vertu réduite au désespoir.

Pour ma part, c'est l'amour-propre qui guida mes actions. J'avais besoin de rentrées d'argent, il fallait donc que Thomas en eût. En outre, il était mon seul ami à l'époque et j'éprouvais de la reconnaissance envers lui. Dans son intérêt autant que dans le mien, je décidai qu'il avait besoin du genre d'aide que j'étais le seul à pouvoir lui fournir.

« Écoute, mon ami, retourne à tes études et ne te mêle plus de ces choses, parce que tu n'en es pas capable. Je vais m'occuper pour toi de la jeune Blundy et lui tirer les vers du nez en un tournemain.

— Et comment t'y prendras-tu ?

— Je ne vais pas te le dire. Mais, si tu pries pour le pardon de mes péchés, tu as du pain sur la planche pour les semaines à venir. »

Comme d'habitude, il eut l'air choqué par mes propos irrévérencieux — précisément ce que j'espérais. Il était si facile de le scandaliser ainsi. Riant de bon cœur, je le laissai dormir. Je regagnai mon collège, escaladai le mur sans qu'on me vît et rentrai à pas de loup dans la chambre de mon répétiteur qui ronflait.

Chapitre sept

J'allai voir John Wallis, mathématicien et homme de
Dieu, comme Thomas m'y avait poussé. À cette époque,
je ne savais pas grand-chose de ce grand prélat, sinon
qu'il n'était guère aimé, mais j'attribue cela au fait qu'il
avait été imposé à Oxford par Cromwell. Son impopula-
rité était surtout due au fait que, après la purge générale
des puritains au retour du roi, Wallis avait non seulement
gardé son poste mais reçu en plus des signes de la faveur
officielle. Nombreux furent ceux qui, ayant souffert pour
le roi sans être récompensés de la sorte, en devinrent fort
amers.

Avec une certaine outrecuidance, je lui rendis visite
chez lui : sa richesse lui permettait d'avoir un appartement dans son collège, une grande maison dans Merton
Street, ainsi que, d'après ce qu'on disait, un hôtel à
Londres. Son valet supposa que j'étais un étudiant à la
recherche d'un cours particulier, et c'est seulement en
insistant que j'obtins une audience.

Wallis me reçut sur-le-champ, faveur qui m'impres-
sionna beaucoup ; précédemment, de moindres lumières
de l'université m'avaient fait attendre pendant des heures
sans raison. L'espoir au cœur, je parus donc devant lui.

Je suppose que tout le monde a à l'esprit une image de
ce genre de personne. L'ecclésiastique, les joues rouges à
cause de la bonne chère ; le philosophe naturel, distrait,
pas très net, la tunique mal boutonnée et la perruque de
travers. Si ce genre de personne existe, eh bien ! le révérend John Wallis n'en faisait pas partie. C'était quelqu'un

qui, me semble-t-il, n'avait jamais rien négligé ni oublié de sa vie. L'une des personnes les plus froides et les plus effrayantes que j'aie jamais rencontrées. Quand j'entrai, il resta parfaitement immobile, le regard fixé sur moi, ne m'indiquant que par un petit signe de tête que je devais m'asseoir. Lorsque j'y repense, aujourd'hui, je me dis que l'immobilité peut être très éloquente. Par exemple, Thurloe demeurait lui aussi impassible, mais le contraste n'eût pu être plus grand. Comme c'est étrange que ce soit moi qui dise que le calme de Thurloe dégageait une certaine humilité. Wallis, lui, avait l'immobilité d'un serpent guettant sa proie.

« Eh bien, monsieur ? » fit-il après un bon moment, d'un ton à la fois doux et glacial. Je notai son petit zézaiement, ce qui le faisait encore plus ressembler à un serpent. « C'est vous qui vouliez me voir, et non le contraire.

— Je suis venu vous demander un service, monsieur. À propos d'une affaire personnelle.

— J'espère que ce ne sont pas des cours que vous désirez.

— Oh, Seigneur Dieu, non !

— Ne blasphémez pas en ma présence.

— Mes excuses, monsieur. Mais je ne sais par où commencer. On m'a affirmé que vous pourriez peut-être m'aider.

— Qui vous a dit cela ?

— M. Ken, titulaire d'une maîtrise de l'université et...

— Je connais M. Ken. Un prêtre dissident, n'est-ce pas ?

— Il essaie désespérément d'être obéissant.

— Je le lui souhaite. Il se rend compte, sans nul doute, que par les temps qui courent nous ne pouvons pas nous permettre autre chose que l'obéience la plus absolue.

— Oui, monsieur. »

Je notai le « nous ». Il n'y avait pas si longtemps, après tout, que lui-même avait été, aussi, un prêtre dissident et

335

qu'il en avait tiré un excellent parti. Wallis restait toujours impassible sans chercher à m'aider le moins du monde.

« Mon père était sir James Prestcott...

— J'ai entendu parler de lui.

— En ce cas, vous savez également qu'il fut accusé d'actes odieux, qu'il n'a pas commis, je le sais. Je suis convaincu que sa chute a été due à un complot ourdi par John Thurloe afin de cacher l'identité du véritable traître, et j'ai l'intention de le prouver. »

Wallis restait toujours immobile, ne faisant aucun signe, ni d'encouragement ni de désapprobation. Il demeurait assis là, me dévisageant sans ciller ; je me sentis tout nigaud, et une bouffée de chaleur monta en moi. Très gêné, je me mis à transpirer et à bégayer.

« Comment comptez-vous le prouver ? demanda-t-il après un certain temps.

— Quelqu'un doit bien connaître la vérité. J'avais espéré, vu que vous étiez lié aux services de M. Thurloe... »

Ici Wallis leva la main.

« Je vous arrête, monsieur. Vous vous faites une idée indue de mon importance, je crois. J'ai déchiffré des lettres pour le Commonwealth lorsque j'y étais contraint et lorsque j'étais sûr que ma fidélité naturelle envers la cause du roi ne serait en rien compromise.

— Bien sûr, marmonnai-je, admirant presque la fluidité avec laquelle ce mensonge éhonté coula de ses minces lèvres. Donc, on m'a mal renseigné et il vous est impossible de m'aider.

— Je n'ai pas dit cela, reprit-il. Je ne sais pas grand-chose, mais peut-être puis-je découvrir bien des choses, si je le souhaite. Quels documents de votre père appartenant à cette époque possédez-vous ?

— Aucun. Et je ne pense pas non plus que ma mère en possède. Pourquoi les voulez-vous ?

— Pas de coffret ? Pas de livres ? Aucune lettre ? Vous devez découvrir où il se trouvait à chaque instant. Car si l'on prétendait qu'il se trouvait à Londres en train de communiquer avec Thurloe alors que vous pouvez prouver qu'il était ailleurs, vous marquez de nombreux points. N'y avez-vous pas pensé ? »

Je baissai la tête comme un écolier récalcitrant et avouai que non. Wallis continua à me presser de questions totalement absurdes sur certains livres en particulier, mais je ne me rappelle pas les détails. Ma méthode se voulait plus directe, et se fondait sur la confrontation et non sur des arguties à propos de livres et de documents. Peut-être les talents de M. Wood s'avéreraient-ils utiles en fin de compte.

Le Dr Wallis hocha la tête, d'un air satisfait.

« Écrivez aux vôtres et enquérez-vous de ce qu'ils ont en leur possession. Apportez-moi tous les documents et je les examinerai. Et je pourrai alors faire le lien avec ce que je sais.

— C'est très aimable à vous. »

Il secoua la tête.

« Que non pas. S'il y a un traître à la cour, il vaut mieux le savoir. Mais soyez assuré, monsieur Prestcott, que je ne vous aiderai que si vous pouvez apporter la preuve que vous avez raison. »

L'hiver était fort avancé. Le temps pressait et ma mission m'accaparait l'esprit, le souvenir de mon père m'incitant à agir. Aussi commençai-je à préparer mes voyages et, dès lors, je me déplaçai presque sans interruption pendant les mois suivants, jusqu'au moment où tout fut résolu. Je me déplaçai pendant l'un des hivers les plus rigoureux dont je me souvienne, et je fus encore sur les routes jusqu'au printemps, poussé par mon désir de connaître la vérité. Je me déplaçais seul, sans grand-chose d'autre que mon manteau et mon sac, à pied la plupart du temps, marchant péniblement le long des routes et des sentiers, contournant les énormes flaques qui détrempent tous les chemins à cette époque de l'année, trouvant le repos où je le pouvais dans les bourgs et les villages, ou sous les arbres et les haies quand il n'y avait pas d'autre solution. Ce fut une période de grande inquiétude, de peur extrême ; jusqu'au dernier moment, je doutai souvent du succès, craignant que mes nombreux ennemis ne fussent invicibles. Et, cependant, je me rappelle cette époque avec tendresse, bien que ce soit peut-être dû à l'habitude qu'ont les vieillards de peindre en rose leurs souvenirs de jeunesse.

Avant de partir, il me fallait honorer la promesse que j'avais faite à Thomas de l'aider. Il était facile de rencontrer Sarah, mais lier conversation avec elle était plus malaisé. Elle quittait son logis à six heures du matin pour se rendre chez les Wood, dans Merton Street, où elle travaillait comme servante, sauf le lundi, consacré au Dr Grove. Elle y restait jusqu'à sept heures du soir. On lui donnait quatre heures tous les dimanches et une journée entière toutes les six semaines. Le mercredi, elle allait faire le marché pour la famille à Gloucester Green, notamment, un terrain vague aux abords de la ville où les fermiers avaient le droit de vendre leurs produits. Elle achetait ce dont la famille avait besoin et — Mme Wood étant notoirement avare — devait porter elle-même les provisions, puisqu'on ne lui donnait pas d'argent pour louer les services d'un porteur.

Voilà, me dis-je la meilleure occasion. Je la suivis à distance jusqu'au marché, attendis pendant qu'elle faisait ses achats, puis m'arrangeai pour la rencontrer au moment précis où elle passait, lourdement chargée de deux énormes paniers pleins de provisions.

« Mademoiselle Blundy, n'est-ce pas ? m'exclamai-je, le visage rayonnant de plaisir. Vous ne vous souvenez pas de moi, sans doute. J'ai eu la chance de consulter votre mère il y a quelques mois. »

Elle rejeta sa chevelure en arrière, me regarda, l'air intrigué, puis hocha la tête lentement.

« C'est exact, répondit-elle finalement. En effet. Je suis certaine que vous n'avez pas perdu votre argent.

— Ça a été très utile, merci. Extrêmement utile. Je crains de ne pas m'être comporté aussi correctement que je l'aurais dû. À l'époque, j'étais bouleversé et très soucieux, et cela a dû se voir dans mes mauvaises manières.

— C'est vrai. Oui.

— Je vous en prie. Permettez-moi de me rattraper un peu. Laissez-moi porter vos paniers, ils sont bien trop lourds pour vous. »

Sans faire semblant de protester le moins du monde, elle me les tendit tous les deux immédiatement.

« C'est gentil, dit-elle avec un soupir de soulagement. C'est le jour de la semaine que j'aime le moins. Du moment que je ne vous détourne pas de votre chemin.

— Pas le moins du monde.

— Comment savez-vous où nous allons ?

— Cela n'a aucune importance, répondis-je en toute hâte pour couvrir ma gaffe. Je n'ai rien, absolument rien à faire, et je porterais ces paniers jusqu'au sommet de Heddington Hill... c'est un tel plaisir d'être en votre compagnie. »

La jeune femme rejeta la tête en arrière et éclata de rire.

« Alors, en effet, vous ne devez pas avoir grand-chose de prévu. Heureusement, je ne vais pas trop abuser de votre sollicitude. Je ne vais pas plus loin que Merton Street. »

Les paniers étaient redoutablement lourds, et j'en voulais un peu à cette fille de me les avoir si volontiers donnés tous les deux. Un seul eût été amplement suffisant. Le pire, c'est qu'elle me regardait, avec une ironie à peine dissimulée, peiner sous le poids qu'elle portait, elle, tout naturellement.

« Êtes-vous bien traitée chez ces gens ? » demandai-je chemin faisant. Je suais et soufflais, tandis qu'elle avançait d'un pied léger.

« Mme Wood est une bonne maîtresse, concéda-t-elle. Je n'ai rien à redire. Pourquoi ? Alliez-vous m'offrir un emploi ?

— Oh ! non. Je ne peux pas m'offrir une servante.

— Vous êtes étudiant, n'est-ce pas ? »

Je fis oui de la tête. Vu que ma cape claquait au vent et que ma toque menaçait toujours de se retrouver dans le ruisseau, il ne s'agissait pas là d'une remarque particulièrement perspicace.

« Vous visez l'Église ? »

J'éclatai de rire.

« Juste ciel, que non pas !

— Vous êtes contre notre Église ? Aurais-je affaire à un catholique dissimulé ? »

Je rougis de colère à ces mots mais me rappelai que je n'étais pas en train de perdre ma matinée pour mon plaisir.

« Loin s'en faut ! Je suis peut-être pécheur, mais pas à ce point. Mon manque d'orthodoxie vient d'une tout autre direction. Bien que je ne pèche pas par action.

— Je vous félicite. »

Je poussai un soupir.

« Moi, je ne me félicite pas. Il y a un groupe de gens très pieux que je voudrais fréquenter, mais ils n'ont même pas voulu envisager de m'accepter parmi eux. Je ne peux guère le leur reprocher...

— De qui parlez-vous ?

— Je ferais mieux de me taire.

— En tout cas, vous pouvez me dire pourquoi vous êtes si mal accueilli.

— Quelqu'un comme moi ? Qui voudrait d'une personne qui s'est conduite comme un monstre ? Je le sais et je m'en repens, je ne peux pourtant effacer ce que j'ai été.

340

— J'avais toujours cru que de nombreux groupes accueillaient les pécheurs. Cela n'a aucune utilité de n'accueillir que ceux qui sont purs. Ils sont déjà sauvés.

— C'est ce qu'ils font croire, bien sûr, répondis-je, d'un ton ostensiblement très amer. En vérité, ils se détournent de ceux qui ont vraiment besoin d'eux.

— Ils vous l'ont dit ?

— Cela n'a pas été nécessaire. À leur place, je n'accepterais pas quelqu'un comme moi. Et, s'ils le faisaient, je suis persuadé qu'ils auraient constamment peur que je ne sème la perturbation.

— Vous avez mené une si mauvaise vie ? C'est dur à imaginer, vous ne pouvez guère être plus âgé que moi.

— Vous avez dû être élevée dans une famille pieuse et vertueuse, fis-je remarquer. Mais moi, je n'ai pas eu cette chance.

— C'est vrai, j'ai eu la chance d'avoir de bons parents. Soyez certain qu'un groupe qui vous rejetterait ne vaudrait pas la peine d'en faire partie. Allons, monsieur, dites-moi à qui vous pensez. Je serai peut-être capable de faire cette démarche pour vous. De demander si on veut bien vous accepter, si vous n'osez vous-même. »

Je la regardai avec joie et gratitude.

« Vraiment ? Je n'osais pas. Il s'agit d'un prédicateur répondant au nom de Tidmarsh. J'ai entendu dire que c'est un saint homme et qu'il a rassemblé autour de lui les rares habitants d'Oxford qui ne soient pas encore corrompus. »

Elle s'arrêta pour me dévisager.

« Mais il s'agit d'un quaker, répondit-elle avec calme. Vous rendez-vous bien compte de ce que vous êtes en train de faire ?

— Que voulez-vous dire ?

— Les quakers sont certes les créatures de Dieu, mais Il leur envoie de grandes épreuves. Si vous devenez l'un d'eux, vous perdrez tous les privilèges que vous accorde la naissance. Vous serez emprisonné, battu ; on vous cra-

341

chera dessus dans la rue. Il se peut même que vous ayez à donner votre vie. Si vous étiez épargné, vos amis et votre famille vous éviteraient et le monde vous mépriserait.

— Vous refusez de m'aider.

— Il faut que vous sachiez à quoi vous vous exposez.

— En êtes-vous ? »

Un bref soupçon passa sur son visage, puis elle haussa les épaules.

« Non, fit-elle. Je n'en suis pas. On ne m'a pas appris à chercher les ennuis. Je pense que c'est autant un péché d'orgueil que de porter de beaux atours. »

Je secouai la tête.

« Je ne prétends pas vous comprendre. Mais j'ai terriblement besoin d'être aidé.

— Adressez-vous ailleurs. Quand Dieu ordonne, il vous faut obéir. Assurez-vous d'abord que vous savez ce qu'Il veut. Vous êtes un jeune gentilhomme, et cela apporte beaucoup d'avantages. Ne les rejetez pas sur un caprice. Réfléchissez et priez avec ferveur d'abord. Le chemin qu'ils empruntent n'est pas le seul menant au salut. »

Nous avions marché dans St. Aldate's Street avant de déboucher dans Merton Street, et nous étions arrêtés devant la porte de sa maîtresse au moment où elle lança cette dernière injonction. J'imagine qu'elle essayait seulement de se protéger, mais, même dans ce cas, son conseil m'aurait paru sage. Si j'avais été un jeune homme impétueux sur le point de commettre une grave erreur, son avis m'aurait fait réfléchir.

Je m'éloignai, quelque peu mal à l'aise ; je comprends pourquoi aujourd'hui. Je la trompais et elle me le rendait par de la bonté. Cela me troubla beaucoup jusqu'à ce que je comprisse, plus tard, à quel point sa fourberie était plus grande que la mienne.

Chapitre huit

Il ne me fut pas difficile d'organiser plusieurs rencontres fortuites avec elle pendant les semaines suivantes, et je gagnai lentement son amitié. Je lui déclarai que j'avais décidé de suivre son avis mais que mon âme était toujours tourmentée. Tous les sermons du monde ne pouvaient me réconcilier avec l'Église établie. J'avais appris que son père avait été un extrémiste de la pire espèce, si occupé à prôner le meurtre des propriétaires et l'instauration d'une république qu'il n'avait pas eu le temps de s'occuper du Christ. Par conséquent, il me fallait changer ma méthode d'approche.

« Quand je pense à tous les espoirs qui existaient dans le monde il y a seulement quelques années, dis-je, j'ai le cœur lourd. Les aspirations communes sont aujourd'hui rejetées, méprisées, et le monde est la proie de la cupidité et des intérêts personnels. »

Elle me fixa d'un air solennel comme si je venais de proférer une profonde vérité, puis elle hocha la tête. Nous marchions dans St. Giles Street ; j'avais réussi à la rencontrer alors qu'elle revenait d'une gargote où elle était allée chercher le dîner des Wood. La délicieuse odeur se dégageant de ce repas tout chaud me faisait venir l'eau à la bouche. Je voyais qu'elle aussi avait faim.

« Que faites-vous une fois que vous aurez livré ceci ?

— J'aurai fini ma journée. »

Il faisait déjà nuit, et le fond de l'air était devenu froid.

« Venez avec moi. Mangeons ensemble. Je vois que vous êtes autant affamée que moi et vous me feriez une faveur en me tenant compagnie. »

Elle eut un sourire.

« C'est gentil à vous, Jack, mais vous auriez tort de vous montrer avec moi. Ni votre réputation ni la mienne n'en sortiraient grandies.

— Quelle est votre réputation ? Je ne la connais nullement. Je ne vois qu'une jolie femme qui a le ventre creux. Mais si cela vous préoccupe, on peut aller quelque part où, à côté de la clientèle, nous aurons l'air de saints.

— Et comment se fait-il que vous connaissiez ce genre d'endroits ?

— Ne vous ai-je pas dit que j'étais un pêcheur ? »

Elle me regarda droit dans les yeux.

« Je n'en ai pas les moyens... »

Je fis un geste de la main.

« Nous pourrons discuter de ça par la suite, lorsque vous aurez le ventre plein. »

Elle hésitait toujours. Je me penchai au-dessus du plat qu'elle transportait et en humai l'odeur avec délices.

« Ah ! l'odeur de ce jus baignant les morceaux de viande ! m'exclamai-je avec appétit. Imaginez-vous devant une assiettée de ce mets, accompagnée d'un bon pain croustillant et d'une chope ! Une assiette pleine à ras bord, le fumet montant dans l'air, le jus...

— Arrêtez, s'écria-t-elle en éclatant de rire. D'accord ! Je viens à la condition que vous cessiez de parler de nourriture.

— Promis ! Alors, livrez votre repas et venez avec moi. »

Nous nous rendîmes dans un petit endroit situé aux abords de la ville, après Magdalen College, de l'autre côté du fleuve. Aucun membre de l'université, non plus qu'aucun étudiant, ne mangeait jamais là : c'était trop loin et trop mal famé. En outre, la nourriture y était exécrable : la mère Roberts était aussi mauvaise cuisinière que son aspect était repoussant ; la chère ressemblait à la patronne, grasse et dégageant une odeur nauséabonde. Sarah eut l'air mal à l'aise dans la petite salle quand on lui servit le gruau, mais elle l'avala avec l'appétit de quelqu'un qui mange rarement à sa faim. Le principal atout de la mère Roberts était sa bière forte et bon marché, et je regrette que cette époque soit passée. Aujourd'hui que ce sont des commerçants qui font la bière et qu'ils essaient d'empêcher les femmes de vendre celle qu'elles brassent, je crois que la grande époque de notre pays a disparu.

La plus grande vertu de cette bière c'est que, après que Sarah en eut bu un bon litre, elle était devenue bavarde et disposée à répondre à mes questions. Je reproduis ici ce que je me rappelle de la conversation. Poussée par moi, elle me raconta que non seulement elle travaillait pour la famille Wood mais elle avait également trouvé un emploi chez le Dr Grove. Elle ne faisait pas grand-chose pour lui : juste nettoyer son appartement, allumer le feu et préparer son bain une fois par trimestre (car il était extrêmement propre). Et il était très généreux. Le seul ennui, ajouta-t-elle, était qu'il désirait l'amener dans le sein de l'Église établie.

Je répondis que ce Grove devait être tant soit peu hypocrite, vu qu'il avait la réputation d'être en secret un papiste. Si j'avais pensé que cela lui délierait la langue, je m'étais trompé, car elle fronça les sourcils et secoua la tête avec force. S'il en était ainsi, dit-elle, elle n'en avait jamais vu le moindre signe, ni chez lui, ni dans ses façons.

« Et il vous fait trimer ? »

Au contraire, affirma-t-elle. Il l'avait toujours traitée avec la plus grande bonté, bien qu'elle l'eût vu être très désagréable avec d'autres. Son principal souci était qu'il allait obtenir bientôt un bénéfice à la campagne. Il lui avait appris, quelques jours auparavant, que c'était presque une certitude.

Cela me troubla beaucoup : je savais déjà que Grove était irréprochable quant à son orthodoxie (en fait, il était sans doute plus orthodoxe que Thomas lui-même), et il semblait peu probable que les soupçons de mon ami à propos de ses mœurs eussent le moindre fondement. Il était impossible de persuader la fille de le dénoncer injustement pour de l'argent. Elle avait l'air honnête.

« Il ne peut guère avoir la compétence requise pour diriger une paroisse, dis-je. Cela vient sans doute de ce qu'il est dans l'université depuis très longtemps. Autrement, il se garderait d'avoir une jeune et jolie fille pour faire son ménage. Les commérages sont inévitables.

— Il n'y a aucune raison de faire des commérages... Alors, à quoi est-ce que ça servirait ?

— Je ne sais pas. L'absence de raison n'a jamais découragé les ragots, à mon avis. Parlez-moi de votre réputation, dont je devrais tant me méfier », repris-je, tout en songeant que si je pouvais prouver que Grove protégeait une sectaire, cela pourrait suffire.

Alors elle me parla un peu de la carrière de son père pendant la guerre, décrivant quelqu'un qui m'apparut comme le monstre le plus atroce du monde — mutin, athée, agitateur. À en juger par ce récit, je compris que sa seule qualité résidait dans son évident courage. Elle ne savait même pas où il était enterré : c'était un trop odieux personnage pour qu'on eût permis son enterrement en terre sainte. Nous partagions ce malheur, hélas !

Elle commençait déjà à m'ensorceler, me semble-t-il, car je me sentais étrangement attiré par elle, en dépit d'une liberté de langage qui eût dû me mettre en garde. Nous avions un nombre extraordinaire de points communs : elle travaillait pour Grove, j'avais été son élève ; nos deux pères avaient mauvaise réputation, et, quoique celle du mien fût injustifiée, je savais ce que cela signifiait de souffrir ce genre de malédiction. Et, à la différence de beaucoup de sectaires, elle n'avait pas le regard brûlant et l'absence d'humour des fanatiques. Elle n'était pas non plus disgracieuse, contrairement à la plupart de ceux dont l'âme est attirée par Dieu uniquement parce qu'aucun mortel ne veut de leurs corps. Elle mangeait avec une délicatesse naturelle surprenante, et même après avoir bu elle savait se tenir. J'avais parlé avec peu de femmes dans ma vie, car elles étaient ou bien trop protégées ou trop vulgaires pour qu'on pût converser avec elles. Mon expérience avec la putain rencontrée sur la route de Tunbridge et la manière dont elle s'était gaussée de moi m'étaient restées sur le cœur.

J'avais déjà commencé à la désirer au moment où nous nous levâmes de table, pensant naturellement que le fait qu'elle avait accepté de dîner seule avec moi dans un tel endroit, ajouté à sa conversation sans retenue, signifiait qu'elle éprouvait pour moi des sentiments similaires. Je savais qu'il existait des gens de son acabit, en tout cas, et j'avais entendu des récits décrivant leur libertinage. J'étais d'autant plus ardent qu'elle ne pouvait m'être d'aucune utilité : il n'y avait pas une once de vérité dans les idées de Thomas sur Grove, et elle n'aurait pas raconté des mensonges. Quel nigaud de penser de la sorte, car le piège qu'elle me tendait était sur le point de refermer ses mâchoires sur moi, comme, sans aucun doute, il avait dû déjà le faire maintes fois sur d'autres. Je croyais être charmeur et séducteur, lui faire l'honneur de ma condescendance, alors qu'elle exploitait ma jeunesse et ma nature confiante, me faisant entrer dans le péché ; elle avait la ferme intention d'utiliser ma faiblesse à ses propres fins diaboliques.

Il était bien après huit heures quand nous quittâmes les lieux, et il faisait déjà nuit, aussi lui dis-je que nous ferions mieux de traverser la prairie de Christ Church pour éviter les patrouilles.

« Il y a quelques semaines, dis-je, j'ai été surpris par le couvre-feu. Je ne peux me permettre d'être arrêté encore une fois. Venez avec moi, vous serez davantage en sécurité. »

Elle accepta sans hésiter et nous coupâmes par le Jardin botanique avant de pénétrer dans la prairie ; c'est alors que je glissai mon bras autour de sa taille. Elle se raidit quelque peu mais ne protesta pas. Lorsque nous fûmes parvenus au milieu du champ, m'étant assuré qu'il n'y avait personne alentour, je fis halte, la pris dans mes bras et tentai de l'embrasser. Elle se mit tout de suite à se débattre, aussi la serrai-je fermement pour lui montrer que, même si une certaine résistance était prévisible, elle ne devait pas en faire trop. Mais elle continua à se démener en détournant le visage, puis commença à me frapper avec le plat de la main et à me tirer les cheveux, au point que je perdis toute patience. Je lui fis un croc-en-jambe et la jetai par terre. Malgré tout, elle continuait à lutter, si bien que, fou de rage, je fus contraint de la gifler.

« Comment oses-tu, m'exclamai-je avec indignation quand elle eut momentanément cessé de se débattre. Un repas n'est pas assez cher payé pour toi ? Tu espères recevoir sans rien donner ? Qui crois-tu être ? As-tu l'intention de me rembourser autrement ? »

Comme elle recommençait à se démener, je la plaquai contre le sol froid et humide ; je soulevai ses jupes et me préparai. J'avais le sang en feu désormais : son refus m'irritant et m'excitant tout à la fois, je ne lui fis aucun quartier. Je ne sais si je lui fis mal, mais, si c'est le cas, ce fut sa faute. Quand j'eus terminé, j'étais satisfait, et elle était calmée. Elle roula de côté sans protester et resta couchée sur l'herbe froide.

« Voilà, lui dis-je. Pourquoi tout ce vacarme ? Une fille de ton espèce ne peut pas avoir été surprise. Ou pensais-tu que je voulais te nourrir pour ta conversation ? Allons donc ! Si j'avais voulu discuter, je serais sorti avec l'un de mes camarades et pas avec une servante que je ne peux fréquenter qu'en cachette. »

Je la secouai d'un geste bon enfant, de joyeuse humeur de nouveau.

« Ne fais pas tant de manières ! Voici deux pence de plus. Ne le prends pas mal, tu n'es pas une vierge qui a perdu son trésor. »

Alors la harpie se retourna et me gifla fortement avant de me griffer le visage avec ses serres, de me tirer les cheveux si violemment que quelques-uns lui restèrent dans la main. N'ayant jamais été traité de ma vie de la sorte, le choc me coupa le souffle. Il fallait lui donner une leçon, bien sûr, c'est ce que je fis, sans grand plaisir. Je n'ai jamais aimé battre les gens, pas même les domestiques lorsqu'ils le méritent. C'est l'une de mes grandes faiblesses, et je crains que cela ne les conduise à moins me respecter qu'ils ne le devraient.

« Voilà ! fis-je, tandis qu'elle se recroquevillait dans l'herbe, la tête dans les mains. La prochaine fois, je n'accepterai pas ce genre de sottises. (Je dus me pencher pour lui parler à l'oreille afin de m'assurer qu'elle m'entendait. Je remarquai qu'elle ne pleurait pas.) À l'avenir, tu me traiteras avec le respect qui m'est dû. Bien, pour prouver qu'on reste bons amis, prends cet argent, et oublions toute cette histoire. »

Elle ne voulait pas se lever, je la quittai donc pour lui montrer que je n'étais pas sensible à ses simagrées. En outre, je devais rentrer dans ma chambre, et ce n'était pas vraiment comme si elle ne connaissait pas le chemin du retour. La soirée n'avait pas été aussi profitable que je l'avais imaginé, en ceci que le problème concernant le Dr Grove n'était toujours pas résolu. Elle avait cependant connu une fin agréable. Je notai du coin de l'œil que la donzelle avait une étrange expression, presque un sourire, me sembla-t-il, au moment où je m'apprêtais à partir. Ce sourire demeura dans mon esprit pendant un bon moment.

Chapitre neuf

Je n'aurais plus pensé à cette affaire si un songe cette nuit-là ne m'avait grandement troublé. Je montais un escalier au haut duquel se trouvait une porte en chêne bien fermée. Elle m'impressionnait, mais, ramassant toutes mes forces, je réussis à l'ouvrir. Cela aurait dû être la chambre, en fait, je me retrouvai dans une cave sombre et humide.

Le spectacle qui m'attendait à l'intérieur était terrifiant : mon père était couché sur un lit, aussi nu que Noé et couvert de sang. Tout de blanc vêtue et arborant son étrange sourire, Sarah Blundy se dressait au-dessus de lui, un couteau à la main. Lorsque j'entrai, elle se tourna tranquillement vers moi.

« Ainsi meurt un homme d'honneur », chuchota-t-elle.

Je secouai la tête et pointai vers elle un doigt accusateur.

« Tu l'as tué !

— Oh ! non ! »

Elle fit un signe de tête dans ma direction. Baissant les yeux, je découvris dans ma propre main le poignard ensanglanté qu'elle tenait encore à peine un instant avant. J'essayai de le lâcher, mais il ne voulait pas quitter ma main.

« Vous voyez ? Vous êtes à jamais souillé désormais », dit-elle.

Ce fut là la fin du rêve, ou alors s'il eut une suite je ne peux me la rappeler. Je me réveillai tout effrayé et j'eus un certain mal à me débarrasser du voile sombre qu'il avait jeté sur mon esprit. Étrange, car je n'avais jamais fait grand cas de ce genre d'illusions, ayant toujours ri de ceux qui leur prêtaient attention.

Je demandai son avis à Thomas quand je le rencontrai. Nous allâmes prendre un verre dans une taverne ; il traita l'affaire sérieusement, comme à l'accoutumée. Le sens du songe, m'expliqua-t-il, dépendait de différents paramètres. En quoi consistait-il exactement ?

Naturellement, j'en enlevai l'arrière-plan : il condamnait la fornication avec une exceptionnelle vigueur et je ne souhaitais pas me disputer avec lui à propos de bagatelles.

« Dis-moi, es-tu plutôt dominé par l'humeur colérique ? commença-t-il quand j'eus terminé mon récit.

— Non, fis-je. Plutôt la mélancolie.

— Je suppose que tu ne sais pas grand-chose des rêves ? »

J'admis le fait.

« Tu devrais les étudier. Personnellement, je trouve que ça relève de la superstition stupide, mais il ne fait aucun doute que le vulgaire croit qu'on peut en tirer toutes sortes d'enseignements. Un jour, on condamnera peut-être de telles sottises ; bien sûr, aucun prêtre qui se respecte ne doit prêter la moindre attention à ces balivernes. Néanmoins, cette époque n'étant pas arrivée, nous devons rester sur nos gardes... Vois-tu, continua-t-il, entraîné par son sujet et en calant son maigre derrière sur son siège — comme chaque fois qu'il s'apprêtait à se lancer dans un long discours —, les songes viennent de plusieurs sources agissant de concert. Il y a généralement une source dominante, c'est celle que nous devons isoler afin d'identifier la vraie nature de l'apparition. L'une des autres sources est constituée par les vapeurs montant de l'estomac au cerveau et qui échauffent celui-ci ; cela se produit quand on a trop mangé, ou trop bu. C'est ce qui s'est passé avant ton rêve ?

— Pas du tout, lui dis-je en revoyant le repas pris chez la mère Roberts.

— Une autre raison est due au déséquilibre dans la constitution humorale, mais, puisque tu me dis que c'est la mélancolie qui domine en toi, nous devons éliminer cette cause également ; ton rêve est de toute évidence un de ceux où l'humeur colérique exerce son influence, cette humeur ayant tendance à produire des cauchemars à cause de sa couleur sombre... Alors il ne reste que l'influence spirituelle. En d'autres termes, il s'agirait d'une vision inspirée par les anges pour te mettre en garde, ou par le diable pour te tourmenter ou t'induire en tentation. Dans les deux hypothèses, le rêve n'est pas favorable : la fille est fortement associée à la mort d'un homme, d'un père. Un rêve de meurtre constitue un terrible signe : il présage des temps difficiles ou de l'emprisonnement. Qu'y avait-il d'autre déjà ?

— Le couteau, la fille, le lit, mon père.

— Le couteau est un mauvais présage lui aussi. Était-il étincelant et aiguisé ?

— Probablement.

— Un couteau signifie qu'un grand nombre de personnes qui te veulent du mal sont liguées contre toi.

— Ça, je le sais déjà...

— Il annonce également que si tu as un procès en cours tu risques de le perdre.

— Et le lit ? demandai-je, de plus en plus chagriné par l'avenir qu'il dessinait sous mes yeux.

— Un lit, bien sûr, concerne tes perspectives de mariage. Le fait qu'il soit occupé par le cadavre de ton père n'est pas du tout de bon augure. Tant qu'il demeure là tu ne te marieras pas ; son corps t'en empêche.

— Ce qui signifie qu'aucune personne de qualité ne voudra toucher le fils d'un traître comme moi, m'exclamai-je, ça non plus je n'ai guère besoin qu'un messager divin me l'apprenne. »

Thomas plongea son regard dans sa chope.

« Et puis il y a la fille, dont la présence me mystifie, dit-il, parce que le rêve indique clairement qu'elle est à la fois ton fléau et ton juge. Et cela ne peut être. Après tout, tu la connais à peine, et je ne vois aucune raison que tes difficultés présentes lui soient imputées. Peux-tu me fournir une explication ? »

Même si j'en savais plus que ce que je pouvais sans gêne raconter à Thomas, je ne parvenais pas à expliquer cette affaire. Je le peux, à présent, car j'y ai réfléchi très longuement. Il est évident que la visite initiale que je rendis à la veuve Blundy avait créé un déséquilibre dans mon esprit, une obsession dans laquelle j'étais empêtré. En jouissant de la fille, je m'étais laissé stupidement prendre au piège. Que j'y aie été poussé par un diable, qu'elle m'ait séduit pour me faire tomber en son pouvoir sont choses maintenant également manifestes.

En fait, le message du rêve était très simple, si seulement j'avais eu l'intelligence de le saisir. Car il révélait clairement que le piège tendu par la donzelle visait à me détourner de ma quête, ce qui signifiait que, si je ne rétablissais pas la réputation de mon père, cela équivaudrait à un meurtre. Une fois compris cela, je fus encouragé et raffermi dans ma résolution.

Naturellement, cette illumination ne fut pas instantanée : je n'ai jamais affirmé être un penseur très malin dans ce genre de domaine. J'ai appris, comme tous les hommes doivent le faire, par l'expérience et par l'utilisation du bon sens : tôt ou tard, il ne reste plus qu'une explication, laquelle rend compte de tout. Pendant tout ce temps, ma seule crainte était que cette fille eût la mesquinerie de déposer une plainte auprès des surveillants de l'université, qui voyaient d'un mauvais œil que les étudiants fréquentent les putains de la ville, et que l'enquête ne me force à demeurer en ville. Puisque je devais me défendre, l'attaque me semblait la meilleure défense.

Après avoir quitté Thomas, alors que je me trouvais au carrefour Carfax, je tombai sur une solution extrêmement ingénieuse. En bref, je graissai la patte à Mary Fullerton, marchande de légumes au marché et l'une des créatures les plus fielleuses, les plus malhonnêtes et les plus misérables que je connusse, afin qu'elle confirmât mes dires en racontant comment, un jour qu'elle livrait des fruits chez le Dr Grove, elle avait été prise pour Sarah. Dès qu'elle était entrée dans la pièce (lui ordonnai-je de dire), Grove était passé derrière elle et avait commencé à lui caresser les seins. Quand elle avait protesté (ici, elle affirma qu'elle était vertueuse, ce qui n'était sans doute pas le cas), Grove s'était exclamé : « Quoi, ma fille ? Tu ne veux plus aujourd'hui ce que tu désirais tant hier ? » Mieux encore, je cherchai Wood pour lui raconter que le Dr Grove se comportait fort mal avec sa servante. Il était certain qu'en l'espace d'un jour ou deux la rumeur se serait répandue et qu'elle reviendrait bientôt aux oreilles des professeurs de New College, tant Wood était passé maître dans l'art du commérage.

Donc, que la catin se plaigne si elle veut ! pensai-je. Personne ne la croira et elle ne fera qu'attirer sur sa tête le scandale et la honte. Lorsque j'y repense aujourd'hui, je suis moins enthousiaste. Ma ruse ne fit pas tomber le bénéfice dans les mains de Thomas, et même si elle a pu contrecarrer la vengeance terrestre de Sarah Blundy, elle provoqua sa rage et la poussa au comble de la perfidie.

Je ne savais rien de tout cela quand je quittai Oxford quelques jours plus tard — délicieux répit, car j'avais toujours détesté cette ville et je n'y ai pas remis les pieds depuis plus de dix ans —, croyant, au contraire, avoir joui de la fille, protégé mes arrières et aidé mon ami tout à la fois. Cette satisfaction ne dura pas très longtemps après que j'eus traversé la frontière du Warwickshire, sur le chemin de la maison de ma mère ; une fois encore, je ne pris pas garde au premier signe néfaste. Je voyageai en voiture jusqu'à Warwick, et ayant décidé de faire les quinze miles restants à pied afin d'économiser de l'argent, je partis d'un bon pas. Je m'arrêtai environ une heure après, bus un peu d'eau et mangeai un morceau de pain ; c'était un endroit désert et je m'assis pour me reposer au bord de la route sur le talus herbeux. Au bout d'un moment, entendant un bruissement dans les buissons, je me levai pour voir d'où cela provenait. À peine avais-je fait quatre pas dans le sous-bois que, poussant un cri diabolique, un putois surgit et me griffa la main, me causant une profonde entaille qui saigna abondamment.

L'effroi me fit faire un bond en arrière. Je trébuchai contre une racine, mais l'animal ne poussa pas plus avant son avantage. Il disparut sur-le-champ, comme par magie... Sans l'écoulement de sang, j'aurais juré avoir imaginé la scène. Je me dis, bien sûr, que c'était ma faute, qu'ayant probablement approché de trop près sa nichée j'en avais payé le prix. C'est seulement quelque temps après que je me rendis compte que, quoique j'eusse été un familier de cette région du monde depuis de nombreuses années, je n'avais jamais entendu dire que cette espèce vivait dans les parages.

Plus tard, naturellement, je compris mieux l'origine de la bête, mais à l'époque je crus que la faute était mienne. Après avoir pansé ma plaie, je poursuivis mon voyage et parvins trois jours plus tard dans la famille de ma mère. Notre misère l'avait contrainte à lui demander asile : on l'avait reprise, mais pas comme des parents eussent dû le faire. Ma mère leur avait terriblement déplu en épousant l'homme de son choix, et ils ne lui laissaient pas oublier qu'à leur avis son chagrin était le châtiment de sa désobéissance.

Par conséquent, ils la traitaient à peine mieux qu'une servante. Bien sûr, ils lui permettaient de manger à la grande table — ils observaient l'ancienne coutume, aujourd'hui presque oubliée, de manger au milieu de toute la maisonnée —, mais ils s'arrangeaient pour qu'elle s'assît tout au bout et lui faisaient subir des affronts quotidiens. Ces gens étaient le modèle même de ce que l'on appelle aujourd'hui des « girouettes » — ils se seraient bien entendus avec le Dr Wallis s'ils s'étaient jamais rencontrés. Sous Cromwell, cette famille chantait ses psaumes et louait le Seigneur. Sous Charles, elle achetait les vêtements sacerdotaux du vicaire et lisait le livre du rituel anglican chaque soir. La seule chose à laquelle elle ne se serait pas abaissée, je pense, c'était le papisme, car elle haïssait Rome avec ferveur et guettait constamment tout signe maléfique de catholicisme.

J'ai toujours aimé cette demeure, mais je crois qu'on l'a aujourd'hui modifiée, qu'un des innombrables imitateurs de sir Christopher l'a modernisée. Désormais, les pièces sont régulières, bien proportionnées ; il est vrai que la lumière coule à flots par les fenêtres modernes, que les cheminées tirent bien et qu'il y a un minimum de courants d'air. Pour ma part, je déplore qu'en Europe on obéisse avec empressement à tous ceux qui font la pluie et le beau temps en matière d'élégance. Quelque chose sonne faux dans cette symétrie. Jadis, la maison d'un gentilhomme représentait l'histoire de sa famille : on pouvait déceler dans sa configuration les époques où celle-ci avait eu des fonds et avait pu s'agrandir et celles où elle était tombée dans la pauvreté. Ces cheminées de guingois, ces corridors et ces avant-toits serrés les uns contre les autres procuraient le charme d'un agréable désordre. On aurait pensé, après les tentatives de Cromwell pour nous imposer l'uniformité par la force de ses armées, que cela suffisait. Mais, comme d'habitude, je ne suis pas là-dessus en harmonie avec l'époque. Les vieilles demeures sont détruites les unes après les autres et remplacées par des maisons de papier, qui, probablement, ne dureront pas davantage que les nouvelles familles arrogantes et cupides qui les font bâtir. Vu la hâte avec laquelle elles sont construites, elles risquent d'être emportées tout aussi rapidement, et avec tous leurs habitants.

« Comment supportez-vous une telle humiliation, madame ? » demandai-je à ma mère quand je lui rendis visite dans sa chambre un soir. J'étais là depuis quelques semaines et je ne pouvais plus endurer la piété tatillonne, l'outrecuidance de ces gens. Devoir subir leur arrogance jour après jour aurait fait perdre patience à un saint. Sans parler de leurs intolérables reproches et de leurs bontés accordées à regret.

Elle haussa les épaules en levant les yeux de son ouvrage. Elle avait accoutumé de passer le temps ainsi, brodant des tapisseries qui, disait-elle, m'appartiendraient quand j'aurais trouvé une épouse ainsi qu'un revenu. « Tu ne dois pas être injuste envers eux, ils sont plus que généreux avec moi. Ils ne me devaient rien, après tout.

— Votre propre frère ? m'écriai-je. Bien sûr qu'il a des obligations envers vous, comme cela aurait été le cas de votre mari si les rôles avaient été inversés. »

Elle ne répondit pas tout de suite, se concentrant sur sa broderie, tandis que je fixais le grand feu de bûches.

« Tu as tort, Jack, dit-elle finalement, ton père s'est très mal conduit envers mon frère.

— Je suis sûr que c'était entièrement la faute de mon oncle.

— Non. Tu sais à quel point je révérais ton père, sache aussi qu'il lui arrivait quelquefois d'être emporté et imprudent. Ce fut le cas, en l'occurrence. Il avait entièrement tort mais refusa de l'admettre ou de faire amende honorable.

— Je ne peux pas le croire.

— Tu ne sais pas de quoi je parle, dit-elle, avec patience. Je vais te donner un simple exemple. Pendant la guerre, avant que ton père parte se battre à l'étranger, le roi envoya des receveurs auprès de toutes les grandes familles pour lever des impôts. Mon frère fut durement et injustement taxé. Naturellement, il écrivit à mon mari pour le prier d'intercéder en sa faveur afin que le montant soit réduit. Celui-ci répondit par une lettre insultante dans laquelle il disait que, étant donné que tant d'hommes donnaient leur vie, il n'avait pas l'intention d'aider mon frère à garder son argent. Un bien maigre service à rendre à sa famille. Et quand, à son tour, le Parlement leva l'impôt, mon frère dut vendre une belle parcelle de terre tant il était appauvri désormais. Il n'a jamais pardonné à ton père.

— Je serais venu à la tête d'une troupe de cavaliers pour prendre l'argent moi-même. Les besoins du roi sont plus pressants que tout autre. Si davantage de gens l'avaient compris, le Parlement aurait été vaincu.

— Le roi se battait pour protéger le droit, pas seulement dans le but de rester sur le trône. À quoi aurait servi son triomphe si tout ce pour quoi il luttait était détruit par la même occasion ? Sans les familles du royaume, le roi n'était rien ; le fait de préserver notre fortune et notre influence comptait autant pour la cause du roi que se battre pour lui.

— Comme c'est commode ! ricanai-je.

— Certes. Et quand ce roi est revenu, ton oncle était là pour reprendre son poste de magistrat et rétablir l'ordre. Sans mon frère, qui aurait régi cette province et se serait assuré que notre peuple accueillerait le roi à son retour ? Ton père était sans un penny et dépourvu de toute influence.

— Je préfère avoir comme père un héros sans le sou plutôt qu'un couard riche.

— Malheureusement, aujourd'hui, tu peux revendiquer comme ascendant un traître sans le sou et tu vis de la charité du riche couard.

— Ce n'était pas un traître. Vous, en particulier, ne pouvez y croire.

— Tout ce que je sais est qu'il a acculé sa famille à la ruine et qu'il a fait de sa femme une mendiante.

— Le roi lui a donné vie et honneur. Que pouvait-il faire d'autre ?

— Épargne-moi tes enfantillages, rétorqua-t-elle avec vivacité. La guerre n'est pas un conte de chevalerie. Le roi a pris davantage qu'il n'a donné. C'était un idiot, et ton père a été encore plus idiot de le soutenir. Pendant des années, j'ai dû jongler avec les créanciers, soudoyer les soldats et vendre nos terres pour qu'il puisse jouer à l'homme d'honneur. J'ai vu nos fonds s'amenuiser afin que ton père rivalise avec ces nobles qui jouissaient de revenus dix fois supérieurs aux siens. Je l'ai vu rejeter un accord avec le Parlement parce que l'homme envoyé pour négocier avec lui était un marchand de fournitures pour bateaux et non un gentilhomme. Cette manifestation d'amour-propre en particulier nous a coûté cher, crois-moi. Et lorsque nous fûmes réduits à la misère, j'ai dû venir chez mon frère avec pour tout bagage les vêtements que j'avais sur le dos et m'en remettre à sa bonté. Il m'a recueillie, m'a nourrie et logée tandis que ton père dissipait les restes de notre fortune. Il paie tes études pour que tu puisses gagner ta vie, et il a promis de t'établir à Londres dès que tu seras prêt. Pour toute récompense, il reçoit de toi mépris et commentaires déplacés. Tu lui reproches de ne pas posséder le sens de l'honneur de ton père ? Mais, dis-moi, Jack, y a-t-il de l'honneur à être enterré dans la fosse commune ? »

Je me rejetai en arrière sur mon siège, abasourdi par sa véhémence et amèrement déçu. Mon pauvre père, trahi aussi par l'unique personne qui lui devait une totale obéissance. Mon oncle avait même réussi à ébranler cette dernière. Je ne le lui reprochais pas : comment une femme aurait-elle pu résister à de telles pressions lorsqu'elles étaient appliquées sans relâche ? J'en faisais grief à mon oncle, lui qui avait profité de l'absence de mon père pour le noircir aux yeux de la personne qui eût dû défendre sa réputation jusqu'au bout.

« On dirait que vous êtes sur le point de déclarer que c'était bien un traître, dis-je finalement, une fois que ma tête eut cessé de tourner. Ça, je ne peux m'y résoudre.

— Je n'en sais rien. Aussi j'essaie de croire ce qui est le mieux. Durant l'année précédant sa fuite, je ne le voyais que très rarement. Je n'étais pas au courant de ce qu'il faisait.

— Peu vous importe qui l'a trahi ? Cela ne vous trouble pas que John Thurloe soit libre malgré sa culpabilité, alors que votre époux est mort parce qu'on l'a trahi ? Vous n'en demandez pas vengeance ?

— Non, en effet. Ce qui est fait est fait.

— Dites-moi ce que vous savez, même si c'est très peu. Quand l'avez-vous vu pour la dernière fois ? »

Elle resta longtemps à regarder le feu qui pâlissait dans l'âtre tandis que le froid commençait à nous transpercer. La maison avait toujours été glaciale, et même l'été il fallait porter un épais manteau si l'on sortait des pièces principales. Or, nous étions au début de l'hiver, les feuilles étaient tombées, le vent se mettait à souffler et le froid s'emparait à nouveau de la maison.

Elle se fit quelque peu prier avant de répondre à mes questions sur les papiers, les lettres et les documents concernant ce qui s'était passé, car j'avais toujours à l'esprit la demande de Wallis et, dans la mesure du possible, je souhaitais lui plaire. Elle refusa à plusieurs reprises, changeant le sujet et tentant de me mener dans des chemins de traverse ; chaque fois, j'insistai. Elle finit par céder, se rendant compte que ce serait plus simple que de résister. Mais sa mauvaise volonté était patente, et je ne le lui ai jamais entièrement pardonné. Il me fallait avant tout savoir ce qui était survenu aux alentours du mois de janvier 1660, juste avant la fuite de mon père, au moment où le complot ourdi contre lui atteignait son apogée. Où se trouvait-il ? Qu'avait-il dit et fait ? L'avait-elle seulement vu durant cette période ?

Elle répondit par l'affirmative ; en fait, il s'agissait de leur dernière rencontre.

« J'ai reçu un message par l'intermédiaire d'un ami de confiance me disant que ton père avait besoin de moi, commença-t-elle. Puis il est arrivé ici à l'improviste, de nuit. Il n'a eu aucun entretien avec ton oncle et n'a passé ici qu'une seule nuit avant de repartir.

— Comment était-il ?

— Très grave et préoccupé, confiant pourtant.

— Avait-il un détachement avec lui ? »

Elle secoua la tête négativement.

« Un seul homme.

— Qui ? »

Elle écarta ma question d'un geste.

« Il a passé la nuit, comme je l'ai dit, mais il n'a pas dormi. Il s'est juste sustenté et a donné à manger à son camarade, puis il est venu me parler. Très discret, s'assurant que personne n'entendait nos propos, il m'a fait promettre de ne rien dire à mon frère. Et, avant que tu le demandes, je n'ai jamais rien révélé à personne. »

En mon for intérieur, je savais que j'étais sur le point de recevoir un message de la plus haute importance et que mon père avait souhaité que je l'entendisse ; autrement il eût fait jurer à ma mère d'observer un silence total.

« Continuez, la priai-je.

— Il m'a parlé avec ardeur. Il m'a dit avoir découvert un acte de trahison incroyable qui l'avait si affreusement bouleversé qu'il avait d'abord refusé d'en croire ses yeux. Maintenant convaincu, il avait l'intention de réagir. »

Je faillis pousser un cri de frustration en entendant ces mots. Quelle trahison ? Quelle réaction ? Quelle découverte ?

Ma mère secoua la tête.

« Selon lui, c'était trop grave pour être confié à une femme. Comprends, il ne m'avait jamais fait part du moindre de ses secrets, ni jamais fait aucune confidence.

Tu devrais t'étonner qu'il m'en ait tant dit et non pas qu'il m'en ait dit si peu.

— Et c'est tout ?

— Il a confié qu'il démasquerait et détruirait des hommes extrêmement néfastes ; c'était dangereux, mais il avait bon espoir de réussir. Puis il a désigné l'homme qui était demeuré assis dans un coin pendant tout ce temps.

— Son nom, madame ? Comment s'appelait-il ? » J'espérais au moins pouvoir me raccrocher à quelque chose. Mais elle secoua la tête une nouvelle fois. Elle l'ignorait.

« Ned, peut-être. Je ne sais. Il me semble que je l'avais déjà rencontré, avant la guerre. Ton père m'a dit qu'en fin de compte on ne pouvait faire confiance qu'aux siens, cet homme était l'un de ceux-là. Si les choses ne se passaient pas comme prévu, Ned viendrait m'apporter un paquet contenant tout ce qu'il savait. Je devais le garder avec soin et ne l'utiliser que lorsque je serais sûre de pouvoir le faire en toute sécurité.

— Et quoi encore ?

— Rien, fit-elle simplement. Ils sont partis peu après et je ne l'ai plus revu. Quelques semaines plus tard, j'ai reçu un message en provenance de Deal : il était contraint de quitter le pays pour très peu de temps, mais il allait revenir. Comme tu sais, il n'est jamais revenu.

— Et cet homme ? ce Ned ? »

Elle soupira profondément.

« Il n'est jamais venu et je n'ai jamais reçu de paquet. »

Même s'il était décevant que ma mère n'eût rien qui eût pu aider le Dr Wallis, ses informations constituaient une prime inespérée. Je n'avais pas prévu qu'elle possé-

362

dait ce genre de renseignements et j'avais fait appel à elle par simple acquit de conscience. Quoique ce soit dur pour un fils de l'admettre, il m'était de plus en plus difficile de rester courtois avec elle, tant elle s'était rapprochée de sa famille, qui n'avait, en fait, accepté mon père que parce qu'il possédait du bien.

Non, mon but en me rendant dans le Warwickshire était tout à fait différent : je voulais consulter les papiers concernant mon domaine du Lincolnshire, afin d'apprendre quand je pouvais espérer en prendre possession. Je savais que les choses s'étaient compliquées : mon père me l'avait rappelé à maintes reprises. Dès que les combats se firent plus acharnés et que sa confiance dans le roi s'émoussa, il se rendit compte qu'il y avait bien plus que sa vie qui était en danger : toute la famille risquait d'être détruite. C'est pourquoi il rédigea un contrat destiné à protéger le domaine.

Bref, et suivant en cela la pratique en vigueur depuis peu dans le pays, il fit administrer le domaine par un fidéicommissaire, pour son usage et, à sa mort, pour le mien. Dans le même temps un testament fut rédigé, faisant de mon oncle son exécuteur testamentaire et de sir William Compton mon tuteur, chargé de gérer les biens mobiliers et immobiliers. Cela paraît compliqué, mais aujourd'hui tout homme qui possède des biens le comprendra parfaitement puisque c'est devenu un moyen tout à fait habituel de protéger sa famille. À l'époque, cependant, une telle complexité était pratiquement inconnue : rien de tel qu'une guerre civile pour rendre les hommes ingénieux et enrichir les notaires.

Je ne pouvais pas demander à voir les papiers, qui étaient placés sous la garde de mon oncle. Il n'était guère probable qu'il acceptât ma requête. Je ne souhaitais pas non plus l'avertir que je m'y intéressais de crainte qu'il ne se mît en devoir de les détruire ou de les modifier en sa faveur. Je n'avais pas l'intention de permettre à mon oncle de m'escroquer, l'escroquerie étant chez lui une seconde nature.

Ainsi donc, cette nuit-là, après m'être assuré que tout le monde dormait, je fis mes recherches. Le bureau de mon oncle, où il gérait son domaine et tenait des réunions avec ses agents, n'avait pas changé depuis l'époque à laquelle il avait accoutumé de me convoquer pour me faire de longues tirades sur la conduite d'un bon chrétien vivant dans la crainte de Dieu ; j'y pénétrai sur la pointe des pieds, me rappelant inconsciemment que la porte grinçait, ce qui risquait de réveiller toute la maison. À la lueur de ma bougie, j'aperçus la lourde table de chêne sur laquelle on faisait les comptes à la Saint-Michel, et les coffres cerclés de fer où l'on gardait les bons et les registres.

« Ils ont l'air redoutables, n'est-ce pas ? Ne t'en fais pas, quand tu en seras responsable, tu les comprendras. Souviens-toi seulement des deux règles d'or du propriétaire : ne faire aucune confiance aux régisseurs et n'être jamais trop exigeant avec les métayers. Au bout du compte, tu y perdrais. »

C'est ainsi que me parla mon père, je m'en souviens, quand j'avais cinq ans, moins peut-être. J'étais entré dans son bureau à Harland Wyte, la porte en étant ouverte, tout en sachant que c'était interdit. Mon père était seul, au milieu de rames de papier : il y avait le sablier pour sécher l'encre, près de son coude, la cire chaude destinée à sceller les documents et la bougie fumant dans le vent. Je m'attendais vaguement à être battu ; il leva les yeux et me sourit, puis il me prit sur ses genoux et me montra les papiers. Quand il aurait davantage de temps, il commencerait mon éducation, dit-il, car un gentilhomme avait beaucoup à apprendre s'il voulait prospérer.

Ce jour n'arriva jamais, et la pensée me fit venir les larmes aux yeux lorsque je revis cette pièce de ma demeure, la demeure que j'aurais pu perdre à jamais et que je n'avais pas vue depuis plus d'une décennie. Cependant, je retrouvai son odeur, forte et bien particulière, mélange de cuir et d'huile, et je demeurai quelque temps plongé dans la mélancolie avant de me secouer et de me rappeler l'urgence de ma mission.

Mon oncle gardait les clefs du coffre dans l'armoire aux épées, et ce fut là que je les cherchai dès que j'eus repris mes esprits. Heureusement, ses habitudes n'avaient pas changé : la grosse clef de métal se trouvait à sa place. J'ouvris le coffre en un tournemain, m'installai au grand bureau, mis la bougie en place et commençai à compulser les documents, que je sortis un par un.

Je restai là plusieurs heures jusqu'à ce que la bougie s'éteignît. C'était un travail fastidieux ; la plupart des liasses n'offrant aucun intérêt, à peine ouvertes, je les écartais. Enfin, je trouvai les détails du contrat. Et également vingt livres, que je pris après quelque hésitation. Non pas que j'eusse souhaité me servir de cet argent souillé, mais je me dis que, de toute façon, il m'appartenait de droit et que je ne devais avoir aucun scrupule à l'utiliser.

Les mots ne peuvent réussir à exprimer l'horreur de ce que je découvris, car les documents présentaient avec une froide précision les détails de l'escroquerie la plus méprisable et la plus complète qui fût. Je vais dire les choses simplement, aucune fioriture ne pouvant en accroître l'effet : mon domaine tout entier avait été vendu par sir William Compton — l'homme désigné pour protéger mes intérêts — à mon oncle, censé avoir pour mission de sauvegarder l'intégrité de mes terres. Cette odieuse machination avait été perpétrée dès que mon pauvre père avait été enterré dans la fosse commune : l'acte de vente final était signé et daté de moins de deux mois après sa mort.

Bref, j'avais été totalement et définitivement dépossédé.

Je n'avais jamais aimé mon oncle, ayant toujours détesté sa suffisance et ses manières arrogantes. Mais comment soupçonner qu'il pût être capable d'une si monstrueuse perfidie ? Qu'il ait profité du désarroi de sa famille, qu'il ait tiré parti de la mort de mon père et de ma minorité pour poursuivre ses ignobles desseins et forcer ma mère à se rendre complice de la destruction des intérêts de son propre fils, voilà qui était bien pire que ce que j'aurais jamais pu imaginer. Il avait supposé que ma jeunesse et mon manque d'argent m'empêcheraient de riposter. Je décidai alors qu'il s'apercevrait bientôt de sa lourde erreur.

Il m'était surtout difficile de comprendre le rôle de mon tuteur, sir William Compton, un homme qui m'avait toujours traité avec la plus grande gentillesse. Si lui aussi avait conspiré contre moi, alors, j'étais vraiment seul. Malgré ces preuves formelles, je ne parvenais pas à croire qu'un homme dont mon père avait toujours parlé de la manière la plus élogieuse, à qui il avait même souhaité confier son héritier, eût pu agir avec une telle duplicité. C'était un homme rude et cordial, dont l'honnêteté constituait la colonne vertébrale de la nation, décrit par Cromwell lui-même comme « ce saint cavalier » ; sans doute avait-il dû être lui aussi trompé pour agir de la sorte. Si je pouvais déterminer dans quelles circonstances, cela ferait avancer ma quête. Il me faudrait l'interroger également très bientôt, mais je ne tenais pas à le faire avant de pouvoir mettre sous ses yeux des preuves supplémentaires. J'avais en effet été renvoyé de sa demeure de Compton Wynyates dès que mon père s'était enfui : je ne savais pas comment j'allais être reçu et, je dois l'avouer, je craignais son mépris.

Au moment où je rabattis le couvercle du coffret et le refermai à clef avant de retourner dans ma chambre à pas de loup, je savais que ma tâche s'était énormément compliquée et que j'étais désormais plus seul que jamais. Puisque, d'une manière ou d'une autre, j'étais trahi par tout le monde, même par mes proches, il ne me restait pour toute ressource que ma détermination. À chaque pas, semblait-il, ma tâche devenait plus ardue et plus redoutable : à présent il me faudrait non seulement découvrir l'homme qui avait trahi mon père, mais également confondre ceux qui s'étaient arrangés pour profiter si promptement de sa disgrâce.

Je n'avais pas encore entrevu que les deux quêtes pouvaient n'en faire qu'une, ni que, en comparaison de l'autre tempête sur le point d'éclater au-dessus de ma tête, ces problèmes paraissaient presque anodins.

Je reçus un signe annonciateur de ce qui m'attendait...

Environ deux heures avant l'aube, je m'endormis. Je le regrette : j'aurais dû quitter les lieux sur-le-champ, car si j'avais repris la route, j'aurais évité la plus effroyable expérience d'une nuit déjà particulièrement éprouvante. Je ne sais combien de temps je restai endormi, mais il faisait encore noir lorsqu'une voix me réveilla. Je repoussai le rideau du lit et aperçus clairement la silhouette d'une femme qui se penchait par la fenêtre vers l'intérieur de la chambre, comme si elle se tenait dehors, bien qu'on fût au premier étage. Même si je ne parvenais pas à deviner ses traits, l'abondante chevelure brune confirma tout de suite mes soupçons. C'était la jeune Blundy.

« Jeune homme, siffla-t-elle à plusieurs reprises, tu vas échouer. J'en fais mon affaire. »

Poussant un soupir qui évoquait davantage le vent que le souffle humain, elle disparut.

Dressé sur mon séant, grelottant de froid, je restai là pendant une heure au moins jusqu'à ce que je fusse persuadé que ce qui s'était passé n'était dû qu'à la fièvre d'un esprit dérangé par la fatigue. Je me rappelai tous les vénérables prêtres qui avaient affirmé que prêter foi à de telles chimères était présomptueux. Ils avaient tort. Si bien des soi-disant prophètes qui interprètent leurs rêves comme des messages divins sont des ignorants et des faibles d'esprit qui prennent leurs vapeurs pour des anges et leurs humeurs pour le Seigneur — ce dont je suis convaincu —, l'origine spirituelle de certains songes me semble indubitable. Pourtant, ils ne proviennent pas tous de Dieu ! Je m'allongeai dans mon lit pour tenter de me rendormir. Le vent qui secouait la fenêtre m'empêchait de m'assoupir. Je ne l'avais pas ouverte avant de me coucher ; cependant, elle avait été ouverte et maintenue ouverte, mais pas de mon fait.

Je modifiai mes projets lorsque je descendis le lendemain et partis aussi vite que la décence me le permit. Je ne fis pas mes adieux à ma mère et encore moins à mon oncle. Leur vue m'insupportait et je craignais de laisser échapper une remarque qui eût révélé ma decouverte de leurs machinations.

Chapitre dix

Je ne vais pas décrire les violentes émotions qui m'agitaient sur le chemin de la frontière séparant les comtés du Warwickshire et de l'Oxfordshire. Que mon âme brûlât du désir de vengeance devant être évident, je ne crois pas nécessaire de mettre sur le papier ce que tout homme dans ma situation a dû ressentir. Ma tâche se borne à décrire ce que je fis, et non la nature de mes sentiments : vu le caractère transitoire des émotions, ce serait là une triste perte de temps. Dans l'histoire de l'humanité, c'est l'action glorieuse qui a un sens et qui fournit des leçons à la postérité. Avons-nous besoin de connaître l'état d'esprit d'Auguste lorsqu'il apprit la nouvelle que grâce à la victoire d'Actium il avait étendu son empire sur l'ensemble du globe ? Est-ce que cela magnifierait la gloire de Caton de connaître ses sentiments au moment où il plongea le poignard dans son sein ? Les émotions ne sont que l'œuvre du diable, envoyées par lui pour nous faire douter et hésiter ; elles obscurcissent nos actions, bonnes ou mauvaises. Aucun homme sensé, à mon avis, n'y prêtera grande attention, car elles constituent une distraction, un abandon à une sensibilité féminine qui doit être cachée au monde si on ne peut la refouler dans le cœur. Notre tâche consiste à dominer nos passions, pas à disserter sur leur intensité.

Donc, je dirai seulement que j'étais déconcerté par le fait que plus je progressais dans un domaine, plus je subissais des attaques dans un autre. Plus je pourchassais John Thurloe, plus les démons me pourchassaient : je ne m'étais pas débarrassé de l'inquiétude suscitée par les songes et les apparitions, et mon cerveau était si troublé que leur cause évidente restait cachée. Je réfléchissais sans résultat à cette contradiction tout en me dirigeant d'un pas lourd vers le sud, passant au cœur des régions où s'étaient déroulés les combats, notant, presque à chaque mile, les infinis ravages infligés au pays. Tant de bâtiments, tant de belles demeures restaient toujours en piteux état, leurs propriétaires n'ayant pas plus que mon père l'argent nécessaire à leur reconstruction. Manoirs incendiés ou démantelés pour en dérober les pierres, champs encore abandonnés et recouverts de mauvaises herbes, car les métayers ne travaillent que s'ils sont maintenus à leur place par une poigne de fer. Je m'arrêtai à Southam, en proie à une crise de cette mélancolie dont j'ai toujours été affligé, et dépensai quelque argent pour une saignée, dans l'espoir de retrouver tout à la fois équilibre et énergie. Ensuite, affaibli par la séance, je dépensai encore une certaine somme et me procurai un lit pour la nuit.

La Providence m'avait inspiré : j'entendis dire à table qu'un grand mage était passé par là le jour même, qu'il était doué de talents de guérisseur et compétent pour toutes les questions relatives à l'esprit. L'homme qui m'apprit la nouvelle — du ton de la plaisanterie qui dissimulait mal son effroi — m'informa que c'était un Irlandais protégé de tout péril par un ange gardien. L'un des *adepti* pouvant guérir par la simple imposition des mains sur la partie du corps concernée et conversant constamment avec toutes sortes d'esprits, qu'il pouvait voir comme se voient entre eux les hommes ordinaires.

En outre, cet homme se dirigeait lui aussi vers le sud, avec Londres pour destination finale, bien décidé à offrir ses services au roi lui-même. Je crois savoir que ce projet n'aboutit pas ; son don de guérir par le contact (véritable don, j'en ai été moi-même témoin, et plusieurs personnes peuvent l'attester) fut jugé comme de la prétention : il soutenait, en effet, qu'il pouvait guérir les écrouelles de cette manière, alors que chacun sait que c'est un privilège royal, et cela depuis des temps immémoriaux. En tant qu'Irlandais, de surcroît, il était considéré comme un agitateur : il fut contraint de quitter Londres peu après son arrivée.

Je pris la route dès le lendemain, sûr qu'en partant de bon matin mes jambes de jeune homme me permettraient de rattraper le dénommé Valentine Greatorex pour le consulter sur mes problèmes. Je savais, quoi qu'il arrive, que je n'aurais pas à supplier ; l'argent pris dans le coffre de mon oncle se trouvait toujours dans ma ceinture et, pour une fois, je pourrais payer le prix qu'on me demanderait.

Je le rattrapai quelques heures après, dans un village sis juste après la frontière de l'Oxfordshire ; il était descendu dans une auberge où je louai moi-même une chambre avant de lui faire porter un message afin d'obtenir un entretien. Il me fut immédiatement accordé.

Je montai le voir le cœur battant : si j'avais déjà vu un sorcier, c'était la première fois que je rencontrais un Irlandais. Je savais, évidemment, que les Irlandais étaient d'horribles gens, sans foi ni loi, et atrocement cruels. Me revenaient à l'esprit les récits des massacres récemment perpétrés sur les pauvres protestants ; la façon dont ils continuaient à se battre, malgré le châtiment que Cromwell leur avait infligé à Drogheda, et ailleurs, prouvait que leur cruauté sanguinaire faisait d'eux des êtres à peine humains. Je crois bien que la seule fois où Cromwell jouit du soutien sans limites des Anglais, ce fut lorsqu'il partit soumettre ces créatures assoiffées de sang.

M. Greatorex, cependant, ne correspondait ni à l'idée que je me faisais d'un sorcier, ni à ma vision d'un Irlandais. Je l'avais imaginé vieux, voûté, les cheveux couleur de feu et les yeux hagards et perçants. En fait, il avait à peine douze ans de plus que moi, un port d'aristocrate, des gestes nets, précis, et un air solennel qui eût parfaitement convenu à un évêque. Tant qu'il ne parlait pas, il pouvait passer pour un commerçant prospère de n'importe quelle bourgade du pays.

Cependant, sa voix était extraordinaire ; je n'en avais jamais entendu de semblable auparavant, bien que je sache aujourd'hui que la douceur de l'expression et la musicalité de la parole sont caractéristiques de ces gens dont le ton mielleux cache la vraie nature. Comme il me pressait de questions, ses paroles glissaient doucement sur moi, me calmant au point que je n'eus plus conscience de rien dans cette pièce, sauf de sa voix et de la douceur de son regard. Je compris, me semble-t-il, ce que ressent un lapin pétrifié par le regard d'un serpent, et comment Ève fut disposée à faire n'importe quoi pour plaire au serpent et recevoir de lui d'autres paroles de réconfort.

Qui étais-je ? D'où venais-je ? Comment avais-je entendu parler de lui ? Et sur quoi souhaitais-je le consulter ? Toutes ces questions étaient indispensables, pareilles à celles que m'avait posées la veuve Blundy afin de s'assurer que je n'avais pas été envoyé pour lui tendre un piège. Je répondis franchement, jusqu'au moment où je parvins à l'épisode de ma rencontre avec Sarah Blundy. À ce moment-là, Greatorex se pencha en avant sur son siège.

« Laissez-moi vous dire, monsieur, fit-il d'une voix douce, que c'est une grave erreur de me raconter des mensonges. Je n'apprécie pas qu'on me trompe. Je ne m'intéresse pas à vos mauvaises actions, même si je vois bien que vous vous êtes conduit avec cette fille de manière éhontée.

— Absolument pas ! protestai-je. Elle était consentante, il ne peut en être autrement, et elle a fait ensuite semblant du contraire pour me soutirer un peu plus d'argent.

— Que vous ne lui avez pas donné.

— J'ai été suffisamment généreux.

372

« — Et, maintenant, vous croyez qu'elle vous a jeté un sort. Racontez-moi vos rêves. »

Ce que je fis, sans oublier le putois. Il écouta patiemment pendant que j'énumérais toutes les preuves.

« Il ne vous est pas venu à l'esprit que la fille d'une sorcière pouvait être à l'origine de ces attaques ? »

Je répondis par la négative, mais, dès qu'il suggéra que Sarah Blundy était responsable, je me rendis compte que c'était évident et que mon incapacité à le comprendre faisait elle-même partie du sort qu'elle m'avait jeté.

« Et lui avez-vous parlé depuis ? reprit Greatorex. Vous allez peut-être trouver cela humiliant, mais la manière la plus sûre de régler cette sorte d'affaire est de faire amende honorable. Si elle accepte vos excuses, il se peut qu'elle annule la malédiction qu'elle a placée sur votre tête.

— Et si elle refuse ?

— Alors, il faudra prendre d'autres mesures. C'est pourtant ce qu'il faut faire tout d'abord.

— Je crois que vous avez peur d'elle. Vous ne pensez pas pouvoir vous mesurer à elle.

— Je ne sais rien de cette affaire. Si elle possède vraiment ce pouvoir, en effet, ce serait difficile. Je n'ai pas honte de l'admettre. Grande est la force des ténèbres. Voyez-vous, je me suis déjà affronté à ce genre de personne et j'ai eu autant de victoires que de défaites. Dites-moi un peu... que possède-t-elle de vous ? »

Je lui dis que je ne comprenais pas la question. Quand il s'expliqua, je lui décrivis la façon dont elle m'avait griffé le visage avec ses ongles et arraché des cheveux. À ces mots, il se dirigea vers moi. Avant que j'aie pu réagir, il sortit un couteau, me saisit par les cheveux et, en moins de temps qu'il n'en faut pour le dire, me fit une estafilade sur le dos de la main. Ensuite, sans autre forme de procès, il m'arracha une mèche de cheveux.

Je bondis en hurlant de toutes mes forces, l'agonisant de toutes sortes d'injures, la magie de sa voix totalement oubliée. Greatorex se rassit simplement comme si de rien n'était, attendant que revienne mon calme.

« Toutes mes excuses, fit-il, une fois que je me fus rasséréné, j'avais besoin de cheveux et de sang pris dans les mêmes circonstances qu'elle l'a fait, elle. Plus ça fait mal, plus la relique possède de la puissance. C'est pourquoi on attribue un tel pouvoir aux reliques des saints et pourquoi les restes des martyrs qui sont morts dans de grandes souffrances sont considérés comme les plus efficaces. »

Je me tins la tête de ma main ensanglantée, lui lançant des regards furieux.

« Inepties de papiste ! grognai-je. Et maintenant ?

— Maintenant ? Vous devez vous éloigner pendant quelques heures. Afin d'être certain que vous êtes vraiment ensorcelé, que ce n'est pas qu'une impression, et afin de découvrir quelles sont les forces qui agissent contre vous, il me faut faire votre horoscope. C'est la méthode la plus sûre, la seule, en fait, capable de pénétrer les ténèbres. Si seulement les tribunaux utilisaient davantage les gens comme moi, la justice serait bien mieux rendue. Mais à notre époque inepte, c'est mal considéré. Tant pis pour notre époque !

— Je me suis laissé dire qu'aucune sorcière n'a jamais été condamnée par les tribunaux. Le croyez-vous ?

— Certaines ont été punies par hasard. Mais la justice peut-elle arrêter ces gens s'ils ne le veulent pas ? Non, je ne peux soutenir cette thèse.

— Donc, ces femmes qu'on a brûlées récemment ? Elles étaient accusées à tort ?

— Pour la plupart. Pas de propos délibéré, j'en suis sûr. Il y a trop de preuves de la présence du diable parmi nous pour qu'on puisse nier leur existence. Tout homme sensé est forcé d'en conclure que les puissances du mal ont tenté de séduire les femmes chrétiennes en tirant parti des troubles qui ont tant agité l'âme des hommes. Une fois l'autorité mise à bas, Satan voit sa chance. De surcroît, le seul argument contre la sorcellerie c'est que, les femmes n'ayant pas d'âme, elles n'ont, partant, rien à troquer avec le diable. Mais cela est fermement contredit par toutes les autorités.

— Rien ne peut être fait, pensez-vous ? Ces êtres ne peuvent être mis en échec ?

— Pas par vous, les juristes.

— Comment savez-vous que je suis juriste ? »

Il sourit sans répondre à la question.

« Toute l'existence est un combat entre la lumière et les ténèbres. La plupart des luttes qui sont importantes pour l'humanité sont menées sans que la majorité des gens sachent même qu'elles ont lieu. Dieu a donné des pouvoirs spéciaux à ses serviteurs sur la Terre : mages, sorciers pratiquant la magie blanche, adeptes, appelez-les comme bon vous semble. Ce sont des hommes qui possèdent un savoir secret et qui sont chargés de se battre contre Satan de génération en génération.

— Les alchimistes, des gens comme ça ? »

Il eut un air de mépris.

« Jadis, peut-être, j'aurais pu parler de ces gens. Mais leurs talents et leur pouvoir faiblissent. Aujourd'hui, ils cherchent à expliquer les choses et non à explorer leur pouvoir. L'alchimie est devenue une activité mécanique, à base de breuvages et de potions, qui parviendra à expliquer comment sont faites les choses, mais qui perd de vue les grandes questions, c'est-à-dire à quoi elles servent.

— Vous êtes alchimiste ? »

Greatorex secoua la tête.

« Non. Astrologue et, si vous voulez, nécromancien. J'ai étudié l'ennemi et je connais ses pouvoirs. Ma compétence est limitée, mais je connais mes capacités. Si je peux vous aider, je le ferai. Sinon, je vous le dirai. »

Il se leva et me fixa de son regard perçant.

« Vous devez me fournir maintenant les renseignements dont j'ai besoin, ensuite vous me laisserez seul quelques heures. Il me faut l'heure exacte et le lieu de votre naissance. L'heure et le lieu de votre rapport avec cette fille ainsi que ceux du rêve et de la rencontre avec l'animal.

Je lui fournis tous ces détails, puis il m'envoya me promener dans le village, ce que je fis avec grand plaisir, sachant qu'une des batailles s'y était déroulée — bataille où mon père avait joué un rôle capital en conseillant si bien le roi que la journée s'était soldée par la capture des canons de l'ennemi et la mort d'un nombre important de ses soldats. Si le roi avait gardé mon père près de lui, au lieu de s'en remettre au jugement d'hommes mieux nés mais moins expérimentés, le résultat aurait pu être différent. Mais il s'appuya de plus en plus sur de lâches gratte-papier comme Clarendon, simplement désireux de se rendre au lieu de combattre.

Le nord de l'Oxfordshire est une campagne plate et luxuriante, parfaite pour l'agriculture et la cavalerie et dont on pouvait voir la richesse alors même que tout était mort — champs marron et inertes, arbres dépouillés de leurs feuilles par l'hiver. Les collines permettent aux troupes de se dissimuler, sans trop gêner leurs mouvements, et, vu la faible étendue des bois, on peut aisément les contourner. Je sortis du village et marchai le long du fleuve, m'imaginant comment les deux armées s'étaient lentement frayé un chemin à contre-courant, le roi sur une berge, le général Waller et les rebelles sur l'autre, se surveillant mutuellement tels des coqs dans l'arène, guettant la moindre erreur qui fournirait le plus petit avantage. Mon père donna le conseil qui changea le cours de la journée : il encouragea le roi à pousser l'avant-garde, tandis que l'arrière-garde progresserait plus lentement, ouvrant ainsi une brèche au milieu, à laquelle il savait qu'un homme comme Waller ne pourrait résister. En effet, Waller fit passer le petit pont de Cropredy à une grande partie de sa cavalerie et à tous ses canons. Ils étaient encore débandés, après avoir rompu les rangs pour traverser le pont, lorsque le valeureux comte de Cleveland, averti de la tactique, tomba sur eux à bras raccourcis et les mit en pièces.

Cela dut faire plaisir à voir : la cavalerie, fort différente de celle d'aujourd'hui, dissolue et parfumée, chargeant dans un ordre parfait, les sabres étincelant dans le soleil — car je me rappelle que mon père m'avait parlé de cette belle journée de plein été, sans le moindre nuage.

« Dis-moi, demandai-je à un paysan qui me croisa en me jetant un regard sournois et méfiant, comme tous les villageois qui rencontrent un étranger. Où est l'arbre sous lequel le roi a dîné le jour de la bataille ? »

Il me lança un regard noir et allait passer sans s'arrêter, mais je le saisis par le bras et insistai. Il fit un signe de la tête en direction d'un petit chemin.

« Il y a un chêne dans le champ au bout de ce sentier, dit-il. C'est là que le tyran a mangé. »

Je le soufletai en plein visage pour le punir de son impudence.

« Tiens ta langue ! Ne parle pas ainsi en ma présence ! »

Il haussa les épaules, n'attachant aucune importance à ma réprimande.

« Je dis la vérité, comme j'en ai le devoir et le droit.

— Tu n'as aucun droit, et ton seul devoir est d'obéir, rétorquai-je incrédule. Le roi se battait pour tous nous sauver.

— Et ce jour-là mes récoltes ont été piétinées, mon fils a été tué et ma maison pillée par ses troupes. Quelle raison aurais-je de l'aimer ? »

J'allais le frapper encore, mais, devinant mes intentions, il recula comme un chien trop souvent battu ; d'un geste, j'écartai de ma vue ce pauvre hère. Il avait assombri mon humeur : mon projet de me placer à l'endroit où le roi s'était tenu, de humer l'atmosphère de l'époque paraissait désormais moins attrayant... Après avoir hésité un instant, je retournai à l'auberge dans l'espoir que Greatorex avait fini son travail.

Ce n'était pas le cas ; il me fit attendre une bonne heure avant de descendre l'escalier avec les feuilles de papier où ses petits gribouillis étaient censés receler mon passé et tout mon avenir. Son humeur et son comportement avaient changé, afin sans doute de m'impressionner et de faire monter ses émoluments ; si auparavant il avait été serein, traitant mon récit, me semble-t-il, avec une certaine légèreté, le sourcil froncé, il arborait en cet instant un air extrêmement soucieux.

Je n'avais fait jusqu'alors aucun cas de l'astrologie, et je ne m'en suis guère préoccupé depuis. Je ne tiens pas à savoir ce que va m'apporter l'avenir — je le sais déjà plus ou moins. J'ai mon rang, et, en temps voulu, demain ou dans trente ans, je mourrai, lorsque ce sera la volonté de Dieu. L'astrologie peut servir seulement à ceux qui ne connaissent pas leur place, ou ce qu'elle sera à l'avenir ; la faveur dont elle jouit est la marque d'un peuple dans le désarroi et d'une société qui souffre. Voilà certainement la raison pour laquelle des hommes comme Greatorex étaient si recherchés pendant les troubles, car, à cette époque, on pouvait être grand aristocrate à un moment et moins que rien l'instant d'après. Sans aucun doute, si le principe de nivellement finit par prévaloir chez nous et que davantage d'hommes exigent d'être promus sur leur seul mérite, les diseurs de bonne aventure en tireront de plus grands bénéfices. À l'évidence, c'est pourquoi j'eus alors recours à cet homme et pourquoi je rejetai ses congénères quand je n'eus plus besoin d'eux. Je pense aujourd'hui que celui qui accepte vraiment la volonté de Dieu ne peut se soucier d'astrologie. Tout ce qui arrive vient de la Providence divine ; si on croit cela, on ne devrait pas vouloir en savoir davantage.

« Eh bien ? demandai-je une fois qu'il eut disposé ses papiers devant lui. Quelle réponse ?

— Elle est déconcertante et inquiétante, déclara-t-il avec un soupir théâtral. Et je ne sais guère comment l'interpréter. Nous vivons à une époque extrêmement étrange, et les cieux eux-mêmes attestent d'immenses prodiges. Je le sais personnellement : il existe un grand maître, bien plus puissant que je ne le serai jamais, qui pourra peut-être me l'expliquer si j'arrive à le trouver : j'ai quitté l'Irlande dans ce but précis, mais sans grand succès jusqu'à présent.

— Les temps sont en effet très durs, fis-je d'un ton sec. Mais au sujet de mon horoscope ?

— Il me trouble grandement, répondit-il en scrutant mon visage comme si on venait de me présenter à lui, et je ne sais guère que vous conseiller. Il semble que vous soyez né pour un grand dessein. »

Peut-être est-ce ce que prédisent tous les devins, je ne sais, mais j'eus l'impression qu'il disait la vérité, vraiment. Quel plus grand dessein y avait-il, après tout, que celui que j'avais entrepris ? La confirmation apportée par Greatorex m'affermissait beaucoup dans ma résolution.

« Vous êtes né le jour où fut livrée la bataille d'Edge-hill, continua-t-il. Une journée étrange et effrayante ; les cieux étaient sens dessus dessous, et les signes abondaient. »

Je ne lui fis pas remarquer qu'il n'était pas nécessaire d'être un adepte pour s'en rendre compte.

« Et vous n'êtes pas né très loin du champ de bataille. Ce qui signifie que votre horoscope a été affecté par les événements qui se déroulaient alentour. Vous savez, bien sûr, que l'horoscope du sujet interfère avec celui du pays où il est né ? »

Je hochai la tête d'un air entendu.

« Donc, vous êtes né sous le signe du Scorpion, votre ascendant étant la Balance. Bien, pour en venir à la question qui vous concerne, vous l'avez posée à deux heures exactement, et c'est pour cette heure que j'ai préparé l'horoscope. Le signe le plus clair qu'il y a eu sorcellerie, c'est si le seigneur de la douzième maison se trouve dans la sixième, ou si une planète, le seigneur de l'ascendant, est dans la douzième, ce qui peut arriver quand l'ascendant correct peut être intercepté ; dans ce cas, il s'agit sans doute de sorcellerie. Si le contraire est vrai, cependant — quand le seigneur de l'ascendant se trouve dans la douzième ou dans la sixième —, cela montre que le sujet a occasionné ses problèmes par son propre entêtement. »

Je poussai un profond soupir, commençant à regretter de m'être placé dans les mains d'un adepte des formules magiques. De toute évidence, Greatorex perçut mon mépris.

« Ne rejetez pas mes propos, monsieur. Vous pensez qu'il s'agit de magie ; il n'en est rien. C'est de la science à l'état pur, la seule méthode pour l'homme de pénétrer les secrets de l'âme, et même du temps. Tout est déduit par les calculs les plus précis, et s'il est vrai que l'infiniment petit est lié à l'infiniment grand, ce que doit croire tout chrétien, il est manifeste que l'étude de l'un doit révéler la vérité de l'autre. Le Seigneur n'a-t-il pas dit : "Qu'il y ait des luminaires au firmament du ciel pour séparer le jour de la nuit ; qu'ils servent de signes" ? (Genèse 1, 14.) L'astrologie n'est rien d'autre : déchiffrer les signes que Dieu, dans sa Providence, nous a donnés pour nous guider, si seulement nous voulons bien y prêter un peu d'attention. Simple en théorie, difficile dans la pratique.

— Je ne mets nullement en doute la véracité de la méthode, mais les détails m'assomment. Ce qui m'importe, avant tout, c'est la réponse. Suis-je, oui ou non, ensorcelé ?

— Laissez-moi répondre complètement, car une réponse partielle n'est pas une réponse. C'est la conjonction de votre horoscope personnel avec le transitionnel qui m'inquiète énormément, car ils sont étrangement en opposition. En fait, je n'ai jamais rien vu de tel jusqu'à présent.

— Et alors ?

— Le transitionnel indique clairement qu'une certaine forme d'envoûtement est présente, car Vénus, qui gouverne votre douzième maison, est très fermement établie dans la sixième.

— Donc la réponse est oui.

— Soyez patient, je vous en prie. Votre horoscope place également l'ascendant dans la douzième, ce qui indique que vous avez tendance à être l'auteur de vos propres malheurs. L'opposition de Jupiter et de Vénus vous incline à exagérer vos ennuis sans raison, et la conjonction de la Lune dans la neuvième maison et en Poissons vous porte aux chimères qui vous poussent à commettre des actes inconsidérés... Il faut donc agir avec prudence dans cette affaire, et le plus prudent serait de reconnaître vos torts. Car vous avez des torts, et sa colère est soutenue par la justice, quelle que soit la condition de cette fille. La meilleure solution n'est pas de chercher à résister, plutôt de demander pardon.

— Et si elle refuse ?

— Elle ne refusera pas si votre contrition est sincère. Je vais être encore plus clair. L'indicateur du charme qu'elle vous a jeté est en exacte opposition avec la conjonction de vos ennuis causés par Mars dans la seconde maison.

— Qu'est-ce que cela signifie ?

— Que les deux aspects de votre vie n'en font qu'un. Votre peur d'être ensorcelé et ce que vous m'expliquez de vos autres ennuis sont intimement liés, à tel point qu'il s'agit d'une seule et même chose. »

Je le regardai, tout abasourdi : il avait dit de mon horoscope la même chose que Thomas de mon rêve.

« Mais, comment est-ce possible ? Elle n'a pas connu mon père ; d'ailleurs, c'eût été impossible. Elle n'a pas le pouvoir d'influer sur des événements de cette importance. »

Il secoua la tête.

« Je décris la situation, je ne peux fournir d'explication. Mais je vous supplie de suivre mon avis. Cette fille — cette sorcière, selon vous — a plus de pouvoir que tout ce que j'ai jamais rencontré.

— Plus que vous.

— Beaucoup plus que moi, dit-il solennellement. Je n'ai pas honte de l'avouer. Je ne l'affronterais pas plus que je ne me jetterais du haut d'une immense falaise. Et vous ne devriez pas le faire non plus, car toute victoire serait illusoire, et la défaite sans appel. Les méthodes de lutte contre sa magie que je pourrais offrir n'ont guère de chances d'être efficaces, même si elles produisaient un effet temporaire.

— Donnez-les-moi quand même, que je sache quoi faire. »

Il réfléchit un moment, comme s'il se méfiait de mon brusque enthousiasme.

« Me jurez-vous solennellement que vous suivrez mes conseils et parlerez d'abord à la fille ?

— Bien sûr. Je ferai tout ce que vous voulez, répondis-je sans hésiter. Quel est ce charme ? Donnez-le-moi !

— Il faut que vous l'élaboriez vous-même. » Il me tendit une fiole contenant les cheveux et le sang qu'il venait de me prendre si violemment.

« C'est en argent, le métal de la Lune. Cela contient un simulacre de ce que la fille possède de vous. Ou bien vous récupérez ce qui vous appartient et vous le détruisez afin de désenvoûter ce sur quoi elle a jeté un sort, ou bien, à défaut, remplissez cette fiole de son urine ou de son sang. Enterrez cette dernière quand la Lune est à son déclin ; tant qu'elle restera cachée, la fille n'aura aucun pouvoir sur vous. »

Je pris la fiole et la rangeai soigneusement dans mon sac.

« Merci, monsieur. Je vous suis reconnaissant. Bien, qu'est-ce que je vous dois ?

— Je n'ai pas fini. Il y a quelque chose de bien plus grave.

— J'en ai assez entendu, merci. J'ai eu ma potion et je ne désire plus rien de vous.

— Écoutez, mon ami, vous n'avez pas de cervelle et vous ne savez pas écouter ceux qui possèdent plus de sagesse que vous. Faites-le pour une fois, car l'enjeu est énorme.

— Très bien ! Allez-y !

— Je vous répète que la fille au centre de vos préoccupations n'est pas une sorcière ordinaire, si c'en est une. Vous m'avez demandé tout à l'heure si je craignais de m'affronter aux sorcières, et la réponse est non ; en général, je n'en ai pas peur. Mais, en l'occurrence, si. N'ayez aucun commerce avec cette créature, je vous en supplie. Et il y a encore autre chose.

— Quoi donc ?

— D'aucuns peuvent vous dérober votre fortune ou votre gagne-pain, voire vous ôter la vie. Mais votre plus grand ennemi, c'est vous-même : vous seul avez le pouvoir de détruire votre âme. Avancez prudemment. Certaines personnes voient leur destin tracé dès leur naissance, moi, je soutiens que rien n'est absolument préétabli et que nous pouvons choisir un chemin différent si nous le souhaitons. Je vous ai annoncé ce qui peut arriver, non ce qui doit arriver.

— Des sottises, dans le but de m'effrayer et d'obtenir plus d'argent.

— Écoutez-moi, rétorqua-t-il en se penchant en avant et en me fixant avec intensité, utilisant tous ses pouvoirs pour me plier à sa volonté, la conjonction de votre naissance est étrange et effrayante, prenez-y garde. Je n'ai vu ce cas qu'en une occasion auparavant. Je ne souhaite pas que cela se reproduise.

— C'était quand ?

— Dans un livre qu'on m'a permis de consulter une seule fois. Il appartenait à Placidus de Tito et était dans sa famille depuis Julius Maternus lui-même, peut-être, le plus grand mage de tous les temps. Il contenait de nombreux horoscopes établis à diverses périodes. On y trouvait les horoscopes d'Auguste et de Constantin, et ceux de très nombreux papes. Ceux de soldats, d'ecclésiastiques, de médecins et de saints. Mais un seul ressemblait au vôtre. Vous devez le considérer comme un avertissement, si vous le pouvez et si vous le désirez. Laissez-moi vous répéter que, si vous passez outre à mes mises en garde, vous mettez en péril beaucoup plus que votre vie.

— Et c'était l'horoscope de qui ? »

Il me regarda avec gravité, comme s'il craignait de parler.

« C'était celui de Judas l'Iscariote », confia-t-il à voix basse.

J'avoue volontiers que je quittai cet homme ébranlé jusqu'au tréfonds de mon âme, terrifié par ses propos et absolument sous son joug. Je dirai même que je mis très longtemps à recouvrer mon équilibre et à rejeter la plupart de ses paroles comme de stupides balivernes. Je reconnais pleinement son habileté : il avait mêlé quelques connaissances à une bonne dose d'outrecuidance, forgeant ainsi une arme fort puissante et capable de soutirer aux naïfs de belles sommes d'argent. Au bout d'un certain temps, je fus même capable de rire de la façon dont il s'était imposé à moi, car je l'avais tout à fait cru. Percevant ma crainte et mon inquiétude, il avait exploité mes soucis pour s'enrichir.

Comment il s'y prit, comment agissent cette sorte de gens, cela apparaît clairement quand on y réfléchit un peu. Ses questions lui apprirent tout ce qu'il avait besoin de savoir, ensuite, il enveloppa le tout dans un discours de magicien, y mêlant des conseils de bon sens, semblables à ceux qu'aurait pu me prodiguer ma mère. Ajoutez à cela des références absconses à des textes occultes et vous obtenez la parfaite escroquerie — il est facile de succomber et il faut faire un grand effort pour résister.

Je résistai, même si je décidai qu'on pouvait trouver quelques pépites au milieu de la gangue. Tout d'abord, la simple idée de demander pardon à cette fille me révoltait ; mais je revins à de meilleurs sentiments tandis que je poursuivais ma route d'un pas chancelant en direction d'Oxford. Mon dessein n'était-il pas, après tout, de laver l'honneur de ma famille et de récupérer mon bien ? Si cette fille était d'une manière ou d'une autre liée à cette affaire, plus tôt sa néfaste influence serait écartée, mieux cela vaudrait. En fait, je ne croyais guère à la magie de l'homme ; il ne m'avait rien dit de particulièrement remarquable et il s'était beaucoup trompé. Il se pouvait que je dusse recourir à ses charmes, mais je n'y croyais pas vraiment. Quoique ce fût très pénible, parler à la fille constituait la méthode la plus efficace et la plus directe de résoudre le problème.

Néanmoins, ayant résolu de discuter d'abord de mon enquête avec Thomas, je lui rendis visite dès mon retour pour voir comment progressait sa campagne. Devant la profondeur de sa tristesse, je ne lui parlai pas de mes problèmes tout de suite. Ma stratégie n'avait pas été aussi efficace que je l'avais imaginé, le Dr Grove ayant renvoyé Sarah Blundy dès que les rumeurs à propos de sa moralité avaient commencé à se propager. Son geste avait été considéré comme un signe de sacrifice délibéré plutôt que comme un aveu de culpabilité.

« On dit qu'il est probable qu'il obtiendra le bénéfice, dit Thomas d'un air morose. Sur les treize professeurs de premier rang, cinq lui ont déjà offert leur soutien, certains sur qui je comptais ne me regardent déjà plus en face. Jack, comment cela a-t-il pu se produire ? Tu sais mieux que quiconque quel homme il est. Pas plus tard que ce matin, j'ai demandé au directeur de me rassurer : il s'est montré très froid et peu amène.

— C'est dû au changement d'époque. Rappelle-toi que de nombreux vieux amis de Grove détiennent des postes influents proches du gouvernement. Même le directeur Woodward doit faire attention, par les temps qui courent, à ne pas déplaire aux puissants. Le Parlement lui a procuré sa place, et il doit régulièrement donner des signes d'orthodoxie, de peur d'être congédié par le roi... Mais ne désespère pas, repris-je avec entrain, sa triste mine et ses longs soupirs commençant à me porter sur les nerfs, la bataille n'est pas perdue. Il te reste encore quelques semaines. Continue à faire bonne figure, car il n'y a rien que les gens détestent tant que de voir à chaque repas un air réprobateur. Cela durcira encore davantage leur cœur à ton égard. »

Un autre profond soupir accueillit ces sages paroles.

« Tu as raison, bien sûr. Je vais faire de mon mieux pour donner l'impression que la pauvreté ne me gêne pas et que de voir gagner le moins méritant me réjouit.

— Exactement. C'est précisément ce que tu dois faire.

— Alors, distrais-moi un peu ! Fais-moi part de tes progrès. J'espère que tu as présenté mes hommages à ta mère ?

— En effet, répondis-je, bien que j'eusse oublié, et même si je n'ai pas eu grand plaisir à la revoir, j'ai appris beaucoup de choses intéressantes au cours de ce voyage. J'ai découvert, par exemple, qu'on a persuadé mon propre tuteur, sir William Compton, d'être de connivence avec mon oncle pour m'escroquer. »

Je parlais d'un ton aussi léger que possible, quoique l'amertume me serrât la poitrine tandis que je lui relatais la situation. À son habitude, il chercha une explication généreuse.

« Peut-être pensait-il que c'était la meilleure solution ? Si, comme tu le dis, le domaine était endetté, il y avait un risque que, à ta majorité, tu sois emprisonné pour dettes ; dans ce cas, ça a été une bonne action de sa part. »

Je secouai la tête avec véhémence.

« Il n'y a pas que ça, je le sais. Pourquoi était-il si empressé de croire que mon père, son meilleur ami, était coupable d'un tel crime ? Que lui avait-on dit ? Et qui le lui avait dit ?

— Peut-être devrais-tu le lui demander.

— C'est exactement ce que je compte faire. Mais d'abord je dois m'occuper d'autres affaires. »

Je trouvai Sarah Blundy tard dans la soirée, après une longue attente. J'avais pensé me rendre chez elle, mais je n'avais pas le courage de faire face à la mère et à la fille ensemble ; aussi me postai-je au bout de la ruelle, où j'attendis plus d'une heure avant qu'elle apparût.

Je n'ai pas honte d'avouer que mon cœur battait très fort au moment où je m'approchai d'elle et que l'attente m'avait mis de fort méchante humeur.

« Mademoiselle Blundy », fis-je, en lui emboîtant le pas.

Elle pivota sur ses talons et recula de quelques pas, des éclairs de la haine la plus virulente jaillissant de ses yeux.

« Éloignez-vous de moi ! cracha-t-elle violemment.

— Il faut que je vous parle.

— Nous n'avons rien à nous dire. Laissez-moi tranquille !

— Impossible. Il faut que je vous parle. Je vous en supplie, écoutez-moi. »

Elle secoua la tête, sembla sur le point de rebrousser chemin avant de reprendre sa route. Quoique cela me coûtât, je passai prestement devant elle pour l'empêcher d'avancer, tout en prenant un air extrêmement suppliant.

« Mademoiselle Blundy, par pitié. Écoutez-moi ! »

Peut-être l'expression de mon visage fut-elle plus convaincante que je ne le croyais, car elle fit halte et attendit d'un air de défi mêlé, découvris-je avec joie, d'une certaine peur.

« Eh bien ? J'écoute. Parlez, puis laissez-moi en paix. »

Je pris une profonde inspiration avant de parvenir à prononcer quelques mots.

« Je suis venu implorer votre pardon.

— Comment ?

— Je suis venu implorer votre pardon, répétai-je. Je vous prie de m'excuser. »

Elle ne disait toujours rien.

« Acceptez-vous mes excuses ?

— Est-ce que je devrais ?

— Oui. J'insiste sur ce point.

— Et si je refuse ?

— Vous n'allez pas refuser. Vous ne pouvez pas refuser.

— Ce ne serait pas difficile.

— Pourquoi ? m'écriai-je. Comment osez-vous me parler ainsi ? Je suis venu ici en gentilhomme, bien que je n'aie pas été obligé de le faire ; je me suis abaissé à reconnaître mon erreur, et, malgré ça, vous osez m'éconduire ?

— Vous êtes peut-être né gentilhomme, et c'est votre infortune. Mais vous avez agi plus bassement que tous les hommes que j'ai connus. Vous m'avez violée, alors que je ne vous avais donné aucune raison d'agir de la sorte. Puis, vous avez répandu d'odieuses calomnies sur moi, et on m'a chassée de mon emploi, on m'a lancé des quolibets dans la rue et traitée de putain. Ma réputation est salie, et tout ce que vous offrez en compensation ce sont vos excuses, faites sans y croire et sans la moindre sincérité. Si elles venaient du fond de l'âme, je pourrais facilement les accepter, mais ce n'est pas le cas.

— Comment le savez-vous ?

388

— Je vois votre âme, répondit-elle, sa voix soudain réduite à un chuchotement qui me glaça le sang. J'en connais la nature et la forme. Je l'écoute siffler la nuit et j'en ressens la froideur glaciale le jour. Je l'entends brûler et j'en perçois la haine sous mes doigts. »

Avait-on besoin, moi ou quiconque, d'une plus franche confession ? Le calme avec lequel elle avoua son pouvoir me terrifia tellement que je fis de mon mieux pour ressentir la contrition qu'elle réclamait. Elle avait raison sur un point : je n'éprouvais pas grand-chose. Ses démons lui permettaient d'apercevoir la vérité.

« Tu m'infliges de grands tourments, dis-je, désespéré. Cela doit s'arrêter.

— Quels que soient vos tourments, ils sont moins grands que ceux que vous méritez tant que votre cœur ne changera pas. »

Elle sourit, et j'eus le souffle coupé en voyant l'expression de son visage. Toutes mes craintes étaient confirmées. Jamais tribunal n'avait entendu pareil aveu de culpabilité ! Je regrettai que personne ne fût présent pour assister à cette scène. La fille s'aperçut que j'avais compris : rejetant la tête en arrière, elle partit d'un grand éclat de rire.

« Laissez-moi tranquille, Jack Prestcott, sinon, vous allez subir un pire sort. Vous ne pouvez revenir en arrière ; ce qui est fait est fait. Dieu punit ceux qui commettent une transgression et refusent de se repentir.

— Tu oses invoquer le Seigneur ? Comment oses-tu seulement prononcer Son nom ? hurlai-je devant l'horreur du blasphème. Qu'as-tu à faire avec Lui ? Parle de ton maître, espèce de sorcière lubrique ! »

Ses yeux lancèrent des éclairs de rage et, s'approchant de moi, elle me gifla, saisit mon poignet et attira mon visage vers le sien.

« Jamais plus, siffla-t-elle d'une voix sombre qui semblait davantage être celle d'un de ses acolytes que la sienne propre, ne me parlez jamais plus sur ce ton ! »

Puis elle me repoussa, la poitrine soulevée par l'émotion, tandis que moi aussi je haletais sous le choc. Agitant le doigt vers moi en signe d'avertissement, elle s'éloigna, me laissant tout tremblant au milieu de la rue déserte.

Moins d'une heure plus tard, je fus saisi de violentes crampes à l'estomac ; je me tordais par terre, vomissant mes tripes avec une telle violence que je n'arrivais même pas à hurler de douleur. Ses attaques avaient repris.

Je ne pouvais parler à Thomas de cette affaire : il était incapable de me fournir la moindre aide. Je doute même qu'il ait cru aux esprits. Sans doute était-il d'avis que la meilleure réponse était la prière. Je savais, cependant, que ce ne serait pas suffisant ; j'avais rapidement besoin d'un charme pour contrecarrer les maléfices, mais je n'avais aucun moyen de m'en procurer un. Que devais-je faire ? Courir derrière la Blundy et lui demander si elle aurait la bonté d'uriner dans le flacon que m'avait donné Greatorex ? Cela n'avait guère de chances de réussir ; je n'avais pas non plus envie d'entrer par effraction dans sa masure et de la mettre à sac pour trouver le charme que, selon l'Irlandais, elle devait utiliser contre moi.

Je dois souligner un point : l'exactitude, jusqu'au moindre détail, de ma conversation avec la Blundy. Il ne pourrait en être autrement, ses paroles étant restées gravées dans ma mémoire des années après. Si j'insiste, c'est qu'elles contenaient la confirmation de tout ce que je savais et la justification de tout ce qui arriva par la suite. Sans l'ombre d'un doute. D'autre part, comment mal interpréter ses propos ? Elle me menaça d'un sort pire, or, il ne lui était guère possible de me faire du mal autrement que par ses maléfices. Je n'ai pas besoin de chercher à persuader ou à emporter l'adhésion à ce sujet : elle l'avoua très librement alors qu'elle n'était pas obligée de le faire, et ce ne fut plus qu'une question de temps pour qu'elle tînt ses promesses. À partir de ce moment-là, je sus que j'étais engagé dans une lutte qui ne se terminerait qu'avec la destruction de l'un ou de l'autre. Je le dis simplement : on doit comprendre que je n'avais pas le choix ; j'étais réduit au désespoir.

Au lieu d'aller voir Thomas, je rendis visite au Dr Grove, sachant qu'il croyait toujours au pouvoir de l'exorcisme. Il nous avait fait jadis une conférence à ce sujet, lorsqu'il avait entendu parler d'une affaire de sorcellerie à Kineton, tout près de chez nous ; j'avais environ quinze ans à l'époque. D'un ton solennel, il m'avait mis en garde contre tout trafic avec le diable et, étrangement, ce soir-là, il nous fit généreusement prier pour l'âme de ceux qui étaient soupçonnés de commercer avec les puissances des ténèbres. Il nous expliqua que l'invincibilité du Seigneur pouvait sans difficulté repousser Satan, si ceux qui s'étaient jetés dans ses bras le désiraient sincèrement, et que c'était l'un des principaux points de désaccord entre lui et les puritains : ceux-ci, en dénigrant les rites d'exorcisme, avaient non seulement rabaissé le clergé aux yeux de la population (qui, elle, continuait à croire aux esprits en dépit des affirmations de leurs pasteurs), mais lui avaient, en outre, retiré une arme puissante dans cette lutte sans fin.

Hormis la fois où, quelques mois auparavant, je l'avais aperçu alors que je marchais dans la Grand-Rue, il y avait presque trois ans que je ne l'avais vu. C'est pourquoi je fus très surpris lorsque je me retrouvai en sa présence. Le destin avait été généreux avec lui. Alors que je me souvenais d'un homme mangeant à peine à sa faim, la mine lugubre, portant des vêtements élimés et d'une taille trop grande pour lui, j'avais maintenant devant moi un personnage replet, de toute évidence désireux de rattraper le temps perdu en faisant bonne chère et en buvant tout son saoul. J'aimais beaucoup Thomas et je lui souhaitais tout le bien possible, mais je considérais qu'il avait tort de croire que Grove n'était pas qualifié pour conduire la paroisse d'Easton Parva. Je l'imaginais déjà faisant des embardées dans l'église, après un bon dîner et une bonne bouteille, prêt à sermonner ses ouailles sur les vertus de la tempérance. Et comme on l'aimerait ! Tout le monde aime qu'un personnage joue bien le rôle que la vie lui a réservé. La paroisse, pensais-je, serait plus heureuse avec Grove à sa tête qu'avec Thomas, même si elle se souciait moins, dans ce cas, de la crainte de l'implacable châtiment divin.

« Je suis heureux de vous trouver en bonne santé, mon révérend, lui dis-je, comme il me faisait entrer dans son appartement, aussi bourré de livres et jonché de papiers que celui qui lui avait été réservé à Compton Wynyates.

— C'est vrai, Jack, c'est bien vrai ! s'écria-t-il, car je n'ai plus à enseigner à de petits morveux de ton espèce. Et si telle est la volonté de Dieu, je n'aurai bientôt plus du tout à enseigner à quiconque.

— Je vous félicite d'avoir échappé à l'esclavage, répondis-je, tandis qu'il me faisait signe de pousser une pile de livres et de m'asseoir. Vous devez apprécier votre avancement. Passer de la condition de prêtre de famille à celle de maître de New College constitue une magnifique revanche ! Non pas que nous n'ayons pas tous été extrêmement ravis de votre infortune. Autrement, comment aurais-je pu avoir un précepteur aussi savant ? »

Grove salua mon compliment d'un grognement, soupçonnant confusément que je m'amusais à ses dépens.

« Il y a, en effet, une grande amélioration. Même si j'étais reconnaissant à sir William de sa bonté, car s'il ne m'avait pas recueilli dans sa maison, je serais mort de faim. Ce n'était pas une période de bonheur pour moi, je suis sûr que tu le sais. Mais il s'est avéré que ce n'était pas une époque heureuse pour toi non plus. J'espère que la vie d'étudiant est plus à ton goût.

— Oui, merci. Ou du moins, elle l'était. Aujourd'hui, j'ai de sérieux ennuis, et je vous supplie de m'accorder votre aide. »

Devant cette déclaration sans ambages, Grove prit un air soucieux et me pressa de lui confier de quoi il s'agissait. Je lui racontai tout.

« Et qui est cette sorcière ?

— Une fille répondant au nom de Sarah Blundy... Je vois que son nom vous est familier. »

À cette simple évocation, son visage s'était assombri et il eut l'air furieux ; je songeai que j'aurais dû me taire, mais, en fait, j'avais eu raison.

« Elle m'a causé beaucoup de chagrin récemment. Énormément de chagrin.

— Ah, oui, fis-je d'un ton évasif, j'ai entendu des commérages.

— Vraiment ? Puis-je te demander d'où ça venait ?

— Rien d'autre que des ragots de taverne. Cela venait d'un certain Wood. Je lui ai rétorqué que ses propos étaient honteux. J'ai été à deux doigts de le souffleter, je dois dire. »

Grove poussa un nouveau grognement, puis me remercia de ma bonté.

« Peu de gens auraient réagi si honorablement, lâcha-t-il simplement.

— Mais, voyez-vous, repris-je, poussant mon avantage, c'est une créature dangereuse, d'une façon ou d'une autre. Elle n'apporte que des ennuis.

— La sorcellerie est confirmée par l'astrologie ? »

Je hochai la tête.

« Je n'ai pas une confiance absolue en ce Greatorex, mais il m'a affirmé avec force que j'étais envoûté et que le pouvoir de cette fille était redoutable. Et il ne peut exister d'autre origine. Autant que je sache, personne n'a de raison de m'en vouloir le moins du monde.

— Et tu as été attaqué à la tête et au ventre, c'est bien ça ? Par des animaux ? Et tu as eu des apparitions en rêve ?

393

— Oui, à plusieurs reprises.

— Mais, si j'ai bonne mémoire, tu avais déjà ce genre de maux de tête quand tu étais enfant, non ?

— Tout le monde souffre de maux de tête. Je ne crois pas que les miens aient été particulièrement violents. »

Grove sembla soudain songeur.

« Ton âme est troublée, Jack, reprit-il gentiment. Cela me chagrine, car tu étais un enfant heureux, même si tu étais turbulent et indiscipliné. Dis-moi ce qui te tracasse au point que ton visage ait pris cet air courroucé.

— On m'a jeté un sort.

— À part ça... Tu sais bien que ce n'est pas tout.

— Ai-je besoin de vous le dire ? Vous êtes au courant des malheurs qui ont frappé ma famille, évidemment. Vous ne pouvez pas les ignorer ; vous êtes resté assez longtemps chez sir William Compton.

— Tu veux parler de ton père ?

— Naturellement. Ce qui me désespère le plus, c'est que ma famille, ma mère en particulier, souhaite oublier toute cette affaire. La mémoire de mon père est salie par cette accusation et personne, à part moi, ne semble se soucier de la défendre. »

J'avais mal jugé Grove. J'avais appréhendé de le revoir, comme si le temps ne s'était pas écoulé et que je fusse toujours un enfant, m'attendant vaguement à ce qu'il sortît sa férule. Heureusement qu'il était plus capable de me traiter en adulte que moi de penser comme tel ! Au lieu de me dire comment agir ou de m'admonester, ou encore de me donner des conseils que je n'étais pas disposé à recevoir, il parla peu, m'écoutant dans son appartement où nous étions assis et qu'envahissait le crépuscule, sans même se lever pour allumer une bougie quand la soirée se prolongea. Avant de parler de mes ennuis, ce soir-là, à New College, je ne m'étais pas rendu compte que j'en avais un si grand nombre.

Peut-être la religion de Grove me rendait-elle serein ? Bien qu'il ne fût pas papiste, il croyait cependant aux vertus de la confession et donnait en secret l'absolution à ceux qui la désiraient vraiment et à ceux auxquels il faisait confiance pour garder le silence. D'ailleurs, la pensée me traversa l'esprit que, si je le souhaitais, je pourrais à ce moment précis réduire ses chances à néant et assurer la place à Thomas. Il me suffisait de le supplier de m'entendre en confession puis de le dénoncer aux autorités comme catholique pratiquant sa religion en secret.

Je ne le fis pas, et ce fut peut-être un tort. Je me disais que Thomas était jeune et qu'une autre paroisse se libérerait tôt ou tard. Il est naturel (je le sais désormais) que la jeunesse soit pressée, mais l'ambition doit être tempérée par la résignation, l'enthousiasme par la déférence. Je ne le pensais pas à l'époque, bien sûr, mais j'aime à croire que je n'étais pas simplement mû par l'intérêt personnel lorsque je décidai d'éviter à Grove la disgrâce que j'aurais pu lui infliger si aisément.

Il y avait bien de l'intérêt personnel, comme je vais le révéler par la suite. En fait, je m'étonnai plus tard du mystère de la Providence qui me conduisit vers lui, car mon désespoir me mena au salut et transforma la malédiction qui pesait sur moi en instrument de mon triomphe. Il est admirable de constater que le Seigneur peut métamorphoser le mal en bien, utiliser une créature comme la Blundy afin de révéler un dessein caché, tout à fait à l'opposé des dommages qu'elle projetait d'infliger. Là résident les véritables miracles du monde, maintenant que l'ère des prodiges est passée.

Grove m'instruisait à nouveau, selon les meilleurs procédés de la dialectique, et je n'avais jamais eu de meilleurs cours. Si mes répétiteurs en titre avaient eu ce talent, peut-être même aurais-je pris plus au sérieux mes études de droit ; entre ses mains, je compris, ne serait-ce que passagèrement, à quel point l'argumentation est un breuvage qui peut monter à la tête. Par le passé, il avait réduit son enseignement aux faits, nous inculquant à force d'exercices les règles de la grammaire et ce genre de chose. Aujourd'hui, enfin parvenu à l'âge où la pensée rationnelle est possible (état sublime, accordé seulement à l'homme, et nié par la volonté divine aux enfants, aux animaux et aux femmes), il me traitait comme tel en matière d'instruction. Il utilisait avec raison la dialectique du rhéteur pour examiner l'argument : il négligea les faits qui pesaient trop sur mon esprit pour se concentrer sur ma présentation et me forcer à poursuivre ma réflexion.

Il souligna (son argumentation était trop serrée pour que je me rappelle les différentes étapes de son raisonnement et je n'en donne ici qu'un résumé) que j'avais présenté un *argumentum in tres partes* ; correct quant à la forme, dit-il, mais auquel il manquait la résolution nécessaire, incomplet donc en ce qui concernait le déroulement et, par conséquent, la logique. (Au moment où j'écris ces mots, je me rends compte que j'avais dû prêter plus d'attention à mes cours que je ne le croyais, car la nomenclature du savant me revient en mémoire avec une surprenante facilité.) Ainsi, le *primum partum* était la disgrâce de mon père. Le *secundum* était ma pauvreté après qu'on m'eut déshérité. Le *tertium* était la malédiction qu'on m'avait jetée. La tâche du logicien, expliqua-t-il, consistait à résoudre le problème et à unifier les parties pour en faire une seule proposition qui puisse être formulée et soumise à examen.

« Par conséquent, réfléchis encore. Prends la première et la seconde partie de ton argumentation. Quels sont les liens qui les rattachent l'une à l'autre ?

— Il y a mon père. Qui a été accusé et qui a perdu sa terre. »

Grove hocha la tête ; il découvrait avec plaisir que je me rappelais au moins les bases de la logique et que j'étais disposé à présenter les éléments comme il fallait.

« Il y a moi, qui ai souffert en tant que fils. Il y a sir William Compton, qui était l'exécuteur testamentaire du domaine et le camarade de mon père dans le "Noyau scellé". C'est tout ce que je vois pour le moment. »

Grove approuva d'un signe de tête.

« Ça va. Mais il te faut aller plus loin, car tu as soutenu que sans l'accusation, la première partie, ta terre n'aurait pas été perdue, la seconde partie. N'est-ce pas ainsi ?

— Si.

— Bien. Était-ce un rapport de cause à effet indirect ou direct ?

— Je ne saisis pas...

— Tu postules un accident mineur : que la seconde partie a été une conséquence indirecte de la première, sans examiner la possibilité que, peut-être, le lien était inverse. Tu ne peux pas argumenter, naturellement, que la perte de la terre a causé la disgrâce de ton père, car ce serait temporellement impossible, et partant absurde. Mais tu pourrais peut-être argumenter que la *perspective* de perdre la terre a conduit à l'accusation et que cela, à son tour, a mené à la perte réelle : l'*idée* de l'aliénation a engendré la *réalité* par le *medium* de l'accusation. »

Interloqué, je le fixai du regard : ses paroles allaient droit au but. Il avait donné forme au soupçon qui m'avait harcelé depuis la nuit passée dans le bureau de mon oncle. Était-ce possible ? L'accusation qui avait détruit mon père n'avait-elle été provoquée que par la cupidité ?

« Êtes-vous en train de me suggérer... ?

— Je ne dis rien du tout. À part que tu dois reconsidérer tes arguments avec plus de soin.

— Vous me trompez. Vous connaissez quelque chose que j'ignore. Vous ne me pousseriez pas dans cette direction si vous n'aviez pas une bonne raison.... Je vous connais très bien, mon révérend. Et votre argumentation suggère que je dois prendre en compte l'autre forme d'accident évidente.

— C'est-à-dire ?

— Que le lien entre les deux états d'accusation et d'aliénation, c'est que mon père était réellement coupable. »

Grove rayonna.

« Excellent, jeune homme ! Je suis vraiment fier de toi : tu penses avec le détachement du véritable logicien. Bon, tu en vois un autre ? Nous pouvons, me semble-t-il, mettre de côté un malheur dû au hasard, ce qui serait l'argument de l'athée. »

Je réfléchis longuement, content d'avoir plu et souhaitant m'attirer de nouveaux compliments ; cela ne m'était arrivé que rarement pendant les cours et je trouvais que c'était une expérience étrange et qui réjouissait le cœur.

« Non, fis-je finalement. Ce sont les deux principales catégories à considérer. Tout le reste ne peut être qu'une sous-catégorie d'une alternative. » Je marquai une pause. « Loin de moi l'idée de diminuer l'importance de cette discussion, mais même le meilleur des arguments a besoin de s'appuyer sur des faits. Et je suis persuadé que, tôt ou tard, vous allez me faire remarquer qu'ils manquent dans certains domaines fondamentaux.

— Tu commences enfin à parler en vrai juriste. Et pas comme un philosophe.

— Sans nul doute cette affaire relève du droit. La logique ne peut nous faire progresser que jusqu'à un certain point. Il doit y avoir un moyen de distinguer entre les deux propositions : ou mon père est coupable ou bien il ne l'est pas. Et cela ne peut pas se faire qu'en recourant à la seule métaphysique. Alors, dites-moi. Vous avez une idée des circonstances...

— Oh, non ! Là-dessus, je dois te détromper complètement. Je n'ai rencontré ton père qu'une seule fois, et, à part le fait qu'il m'a paru robuste et bel homme, je ne peux guère le jauger ni le juger. Et je n'ai été mis au courant de sa disgrâce qu'en entendant — tout à fait inopinément — sir William annoncer à sa femme qu'il se sentait contraint de révéler ce qu'il savait.

— Comment ? m'exclamai-je, faisant un bond en avant sur mon siège avec une telle violence que j'effrayai, me sembla-t-il, mon interlocuteur. Qu'avez-vous entendu ? »

Grove me fixa, l'air sincèrement stupéfait.

« Mais tu ne peux pas l'ignorer ? Sir William est la personne qui a rendu publiques les accusations ! Tu habitais la maison, à l'époque ? Tu as certainement eu vent de ce qui se tramait ?

— Pas le moins du monde. Quand cela se passait-il ? »

Il se plongea dans ses souvenirs.

« Début 1660, je crois. Je ne me le rappelle pas très précisément.

— Que s'est-il passé ?

— Je me trouvais dans la bibliothèque, en train de chercher un livre — tant que j'ai habité chez lui, sir William m'a laissé emprunter librement ses livres. Il n'avait pas une excellente bibliothèque, mais c'était pour moi une petite oasis dans le désert, et je m'y désaltérais souvent. Tu te souviens de la pièce, sans aucun doute : la plus grande partie donne à l'est, mais elle fait un coude à une extrémité où s'ouvre le bureau dans lequel sir William conduisait toutes les affaires du domaine. Je ne l'y ai jamais dérangé, parce qu'il se mettait horriblement en colère chaque fois qu'il s'occupait d'affaires d'argent ; cela lui rappelait trop cruellement le mauvais état de ses finances. Tout le monde savait que pendant plusieurs heures il valait mieux ne pas l'approcher... Ce jour-là, sa femme n'y prit pas garde, et c'est pourquoi je puis te faire ce récit. Je ne vis pas grand-chose et n'entendis pas tout, mais, par l'entrebâillement de la porte, j'aperçus la bonne dame à genoux devant son mari, l'implorant de réfléchir mûrement à ce qu'il allait faire.

« "Ma résolution est prise, déclara-t-il, avec une certaine douceur, bien qu'il n'eût pas l'habitude qu'on mît en question ses faits et gestes. On a trahi ma confiance et on a vendu ma vie. Il est déjà difficile d'imaginer qu'un homme puisse agir de la sorte, mais, de la part d'un ami, c'est intolérable. Un châtiment s'impose.

« — En êtes-vous sûr ? demanda lady Compton. Une telle accusation contre un homme comme sir James, votre ami depuis vingt ans et dont vous avez élevé le fils presque comme si c'était le vôtre, ne peut être portée à la légère. Et il vous faut garder à l'esprit qu'il va — fort logiquement — vous défier en duel. Et que vous perdrez ce combat.

« — Je n'ai pas l'intention de me battre contre lui, répondit sir William, avec une immense douceur cette fois-ci, car il voyait l'inquiétude de sa femme. Je reconnais mon infériorité dans le domaine des armes. Il n'y a pas l'ombre d'un doute : mes accusations sont absolument fondées. L'avertissement de sir John Russell ne laisse aucune incertitude à ce sujet. Les lettres, les documents, les notes sur les réunions qu'il a obtenus de Morland... Je peux en confirmer un grand nombre d'après ce que je sais moi-même. Je connais son écriture et son chiffre." Puis la porte se referma et je n'entendis plus rien. Lady Compton passa les jours suivants dans la plus grande détresse, et sir William se montra plus soucieux qu'à l'accoutumée. À la fin de la semaine, il partit pour Londres dans le plus grand secret ; j'imaginai qu'il était allé communiquer ses soupçons et ses preuves à l'entourage du roi. »

Je faillis éclater de rire en entendant ce récit, car je me rappelais fort bien cette époque. Sir William était parti au grand galop un beau matin. La maisonnée avait, en effet, été très morose les jours précédents, comme un corps rendu malade par la tête qui le gouverne. Je me souviens qu'avant son départ sir William m'avait annoncé que je devrais bientôt m'en aller. Il était temps pour moi, avait-il déclaré, de retourner dans ma famille, maintenant que j'étais assez grand pour m'occuper de mes propres affaires. Mon enfance était désormais terminée.

Trois jours plus tard, soit le lendemain du jour où sir William était parti à l'aube, je fus placé dans un chariot avec tous mes bagages et envoyé chez mon oncle. Je n'avais rien su de la tempête qui s'était préparée sous mon nez.

La façon dont je quittai Compton Wynyates est une digression, et il me faut revenir à mon entrevue avec le Dr Grove. Il n'accepta pas de m'aider sur le sujet qui m'avait conduit chez lui. Il refusait de pratiquer un exorcisme : la Blundy avait plongé dans son âme avant moi et l'avait rendu si soucieux de ses propres intérêts qu'à ce moment délicat de sa carrière il craignait de prêter le flanc à la critique. J'eus beau insister, je ne parvins pas à le persuader ; il promit seulement de reconsidérer la question si je pouvais lui apporter une preuve plus convaincante de l'envoûtement. Entre-temps, il me proposa de prier avec moi. Je ne souhaitais pas l'offenser, mais je n'avais aucune envie de passer une soirée à genoux ; en outre, la nouvelle qu'il m'avait apprise m'ayant galvanisé, j'étais résolu à mettre de côté pour quelque temps toute préoccupation céleste.

L'important c'était que, possédant désormais un autre maillon de la chaîne des fourberies, je questionnai le révérend de plus près. « Des documents qu'il avait reçus de la part de Morland par l'intermédiaire de sir John Russell. » Sir John avait donc simplement fait suivre ces matériaux qui venaient de quelqu'un d'autre. Ravi de répandre la rumeur, semblait-il, mais il n'en était pas à l'origine. Était-ce là une déduction logique ? Oui d'après le Dr Grove, même s'il était sûr que Russell avait agi de bonne foi. Mais il ne pouvait pas m'aider davantage en ce qui concernait la source. C'était enrageant : un seul mot de Russell m'aurait épargné bien des ennuis, mais je savais, à en juger par la manière dont il s'était comporté à Tunbridge, que je n'entendrais jamais ce mot de sa bouche. À l'instant où je quittai l'appartement de Grove à New College, je me dis qu'il était temps de rendre visite à M. Wood.

Dans ma hâte et mon agitation, j'avais oublié un détail important : au moment où la lourde porte cloutée de la maison de Wood dans Merton Street était lentement tirée, je me rappelai que Sarah Blundy était employée par la famille. À mon grand soulagement, cependant, ce ne fut pas elle qui ouvrit mais la mère de Wood, laquelle ne parut pas du tout contente de me voir, bien qu'il ne fût pas tard.

« Pourriez-vous présenter les compliments de Jack Prestcott à M. Wood et lui demander s'il aurait la bonté de lui accorder un entretien », dis-je.

Je voyais bien qu'elle avait plutôt envie de me prier de m'en aller et de ne revenir qu'après avoir obtenu un rendez-vous, mais, se laissant fléchir, elle me fit signe d'entrer. Peu après, Wood descendit pour me recevoir, l'air peu amène.

« Monsieur Prestcott, dit-il après l'échange des saluts, votre visite me surprend. J'aurais préféré avoir davantage de temps pour me préparer à cet honneur. »

Je fis semblant de ne pas avoir entendu la réprimande et répondis qu'il s'agissait d'une affaire urgente. Je n'étais en ville que pour très peu de temps. Comme à l'accoutumée, Wood fit des embarras, grommelant qu'il avait à traiter moult affaires urgentes, puis il finit par me mener dans son appartement.

« Je suis surpris de ne pas trouver ici la jeune Blundy, dis-je, tandis que nous montions l'escalier. Elle travaille bien comme servante pour vous, n'est-ce pas ? »

Wood eut l'air mal à l'aise.

« Nous avons discuté de cette histoire et avons décidé qu'il valait mieux la renvoyer. C'est probablement la décision la plus sage, et cela vaut mieux pour la réputation de ma famille. Mais je ne suis pas satisfait, en fait.

Ma mère l'aimait beaucoup. Énormément, même ; je n'ai jamais compris pourquoi.

— Peut-être était-elle ensorcelée », hasardai-je d'un ton aussi léger que possible.

Wood me lança un regard qui indiquait qu'une semblable idée lui avait traversé l'esprit.

« Peut-être, répondit-il lentement. C'est étrange à quel point nous finissons tous par devenir les esclaves de nos domestiques.

— De certains domestiques. Certains maîtres. »

Un regard furtif et soupçonneux montra qu'il avait compris la critique mais qu'il voulait changer de sujet.

« Vous n'êtes pas venu ici pour discuter de la difficulté qu'il y a à engager de bonnes servantes, je suppose ? »

Je lui parlai de mon problème et effleurai l'entretien que j'avais eu avec le Dr Grove.

« Je sais que ces documents, probablement les mêmes dont m'a parlé lord Mordaunt, furent rendus publics par sir William. Je sais maintenant qu'il les a obtenus d'un homme appelé Morland, par l'intermédiaire de sir John Russell. Mais qui est Morland ?

— Cela, à mon avis, répondit-il en courant dans tous les sens comme une souris égarée, fouillant dans une pile de papiers après l'autre jusqu'à ce qu'il eût trouvé celui qu'il cherchait, cela, à mon avis, n'est pas un grand mystère. Il doit s'agir de Samuel Morland.

— Et c'est... ?

— Je crois qu'aujourd'hui il est devenu sir Samuel. Ce qui est en soi tout à fait remarquable et donne beaucoup à réfléchir. Au vu de son passé, il a dû rendre un service insigne pour être ainsi honoré. Démasquer un traître dans les rangs des partisans du roi pourrait fort bien justifier cette faveur...

— Ou faire passer de faux documents étayant cette hypothèse.

— Ah, en effet ! fit Wood en reniflant. En effet, Morland était connu pour ce qu'on pourrait appeler ses talents de calligraphe. Il a travaillé quelque temps au bureau de Thurloe, il me semble, et, si j'ai bonne mémoire, il a même essayé de lui succéder quand Thurloe a été remercié pendant les derniers jours de la république. Alors, autant qu'il m'en souvienne, il s'est mis du côté des royalistes. Son sens de l'à-propos a été impeccable.

— Par conséquent, l'idée des faux documents ne vous paraît pas absurde. »

Wood secoua la tête.

« Votre père était coupable ou pas. S'il ne l'était pas, ça signifie qu'on a utilisé un procédé ou un autre pour créer l'illusion de sa culpabilité. La seule façon pour vous de découvrir la vérité, à mon avis, c'est d'aborder Morland. Il habite quelque part à Londres, j'imagine. M. Boyle m'a expliqué qu'il s'occupe d'engins hydrauliques pour des systèmes de drainage, ou des choses de ce genre. On dit que c'est très ingénieux. »

Je faillis tomber à genoux pour remercier ce petit homme ridicule, et j'eus la grâce de reconnaître que Thomas avait eu raison de me le recommander. Je quittai la maison sitôt que je le pus sans être impoli. Le lendemain matin, après une nuit d'insomnie due à mon impatience fiévreuse, je pris la diligence pour Londres.

Chapitre onze

Je n'avais jamais été dans une grande métropole, auparavant. Oxford était de loin la ville la plus imposante où j'avais jamais mis les pieds. La plus grande partie de ma vie s'était passée soit dans des domaines à la campagne, où la plus importante localité était un village de quelques centaines d'âmes, soit dans des bourgades, telles que Boston ou Warwick, dont le nombre d'habitants n'excédait pas quelques milliers. Londres (paraît-il, bien qu'à mon avis personne ne le sache avec certitude) en contenait alors environ un demi-million. La ville s'étendait sur la campagne comme une vaste pustule sanguinolente sur la face de la terre, contaminant le sol et empoisonnant tous ceux qui y vivaient. Je fus tout d'abord fasciné lorsque je relevai le rideau de cuir pour regarder par la vitre de la diligence, mais cette stupéfaction se changea en dégoût quand je découvris la misère choquante de la vie qu'on y menait. Je ne suis pas — on a dû déjà s'en apercevoir clairement — un grand amateur de livres, mais un vers d'un poème que j'avais été forcé d'analyser par le Dr Grove dans ma jeunesse m'est resté en tête. Je ne me rappelle pas le nom du poète, de toute évidence un homme sage et austère : « Je ne puis vivre en ville, n'ayant pas appris à mentir. » Il en sera toujours ainsi : l'honnêteté du paysan est désavantagée en ville, où on loue la duplicité, tandis que la franchise est méprisée, où chacun ne s'intéresse qu'à soi et où la générosité déclenche l'hilarité.

Avant de m'enquérir de sir Samuel Morland, je décidai qu'il me fallait d'abord me délasser un peu et me préparer à l'entrevue qui m'attendait. Je pris donc mon bagage et avançai en direction du nord le long de la grande artère qui relie Londres à Westminster — mais il y a tant de constructions en cours qu'il sera sous peu complètement impossible de discerner où finit une ville et où commence l'autre — afin de trouver un endroit où l'on servît à boire et à manger. J'arrivai bientôt sur une *piazza* (comme on l'appelle, bien que *place* aurait dû être assez bon pour un Anglais) qui, paraît-il, peut rivaliser avec les plus belles d'Europe. Elle ne me sembla pas aussi splendide que ça, les bâtiments pâtissant de la saleté créée par les détritus des marchandes de légumes piétinés alentour. Il y avait bien quelques gargotes, mais les prix étaient si élevés que je reculai d'horreur devant l'outrecuidance des commerçants. En tournant au coin, je tombai dans une autre rue, beaucoup plus calme ; c'était de nouveau une fausse impression, Drury Lane étant considéré comme l'endroit le plus vil et le plus dangereux de toute la ville, regorgeant de catins et de brigands. Tout ce que je vis, moi, ce fut le théâtre, sur le point d'ouvrir, et les acteurs portant l'uniforme qui leur assurait la protection de la loi ; mais, Dieu, qu'ils avaient l'air ridicules !

Partant de Covent Garden, je me dirigeai vers Londres, ne faisant un détour que pour emprunter une ruelle près de la cathédrale St. Paul afin de laisser mes affaires dans une petite taverne minable qui m'avait été recommandée comme étant bon marché et pour l'honnêteté des aubergistes. C'était vrai. Hélas ! le calme et la propreté n'étaient pas au nombre des vertus du lieu. Les poux pullulaient dans les couvertures, et je pus deviner que mes futurs compagnons de lit ne brillaient pas par leur raffinement. Ayant moi-même des poux dans les cheveux, je décidai qu'il était inutile de dépenser mon argent pour loger dans une meilleure auberge. Ensuite, je commençai à m'enquérir de sir Samuel Morland. Je ne mis pas longtemps à obtenir son adresse.

C'était une antique demeure, sise dans une vieille rue près d'une église, Bow Church, sans doute l'une de celles qui furent entièrement détruites par l'incendie, quelques années plus tard, car c'était une ancienne construction de bois couverte d'un toit de chaume et qui aurait eu bien meilleure allure si on l'avait entretenue ne serait-ce qu'un peu. Naturellement, voilà un autre problème particulier aux villes : quand les propriétaires n'habitent pas eux-mêmes leurs maisons, personne ne prend soin des bâti-ments, lesquels moisissent, se délabrent, déparent les cités et deviennent des nids de vermine. La ruelle était étroite et sombre, à cause des étages en surplomb, et les commer-çants, dont les boutiques s'alignaient sur toute la longueur de la voie, produisaient un vacarme assourdissant. Je cherchais, comme on me l'avait indiqué, l'enseigne du bœuf. Celle-ci était si décolorée que je parcourus la ruelle deux fois dans les deux sens avant de me rendre compte que le morceau de bois cassé pendu au-dessus d'une porte avait jadis porté une telle image.

Lorsque la porte s'ouvrit, au lieu de me demander ce que je désirais, on m'invita à entrer sans plus de céré-monie.

« Votre maître est-il chez lui ? » demandai-je au valet qui m'avait ouvert.

Devant moi se tenait le serviteur le plus disgracieux qu'il m'eût été donné de voir : il était crasseux et portait des vêtements d'une saleté repoussante.

« Je n'ai pas de maître, me répondit-il, l'air surpris.

— Excusez-moi. J'ai dû me tromper d'adresse. Je cherche sir Samuel Morland.

— C'est moi, répliqua-t-il, si bien que ce fut à mon tour d'être étonné. Qui êtes-vous ?

— Je m'appelle... euh ! Grove...

— Ravi de faire votre connaissance, monsieur Grove.

— Tout le plaisir est pour moi. Je suis envoyé par mon père. Nous sommes propriétaires de marais dans le Dorset et j'ai entendu vanter votre ingéniosité en ce qui concerne le drainage... »

Je n'eus pas le loisir de finir mon histoire, car Morland s'empara de ma main et la secoua avec force.

« Excellent ! s'exclama-t-il. Excellent, vraiment ! Et vous désirez voir mes machines, n'est-ce pas ? Les utiliser pour assécher vos terres ?

— Eh bien...

— Si elles fonctionnent ? Je vous comprends parfaitement, jeune homme. Et si l'inventeur était un escroc ? Il vaut mieux tâter le terrain, pour ainsi dire, avant d'engager des fonds. Vous êtes tenté parce que vous avez ouï parler de l'ingéniosité des Hollandais, qui ont multiplié par cent la fertilité de leurs terres en transformant des marécages en riches pâturages, mais vous n'y croyez qu'à moitié. Vous avez ouï parler d'assèchement de marais et de la manière dont on a utilisé les pompes, mais vous ne savez pas si elles conviendraient. C'est bien le cas, pas vrai ? Ne prenez pas la peine de le nier. Vous avez de la chance que je ne sois pas soupçonneux et que je montre librement mes dessins à tous ceux qui souhaitent les voir. Venez donc, continua-t-il avec entrain, en me saisissant le bras derechef et en me tirant vers une porte. Venez par ici ! »

Plutôt interloqué, je me laissai traîner de la petite entrée vers une grande pièce. Je devinai que la maison avait jadis appartenu à un lainier et qu'on l'avait utilisée pour entreposer des balles de laine. Elle était, en réalité, plus vaste que ne le laissait croire la façade — ces marchands crient toujours misère et dissimulent leur richesse au public. On y humait un air délicieusement frais grâce aux larges portes ouvertes à l'autre bout qui laissaient également entrer tant de lumière que, l'espace d'un instant, je fus tout ébloui.

« Qu'en pensez-vous ? Impressionnantes, hein ? » dit-il, prenant mon hésitation pour de la stupéfaction.

Quand j'y vis clair de nouveau, cependant, je fus en effet stupéfait, n'ayant de ma vie jamais contemplé un tel bric-à-brac. Une douzaine de bureaux débordant d'étranges instruments, de flacons, de tonnelets et d'outils. Des bouts de bois et des morceaux de métal étaient empilés contre les murs, et le plancher était recouvert de copeaux et de lambeaux de cuir baignant au milieu de flaques d'un liquide graisseux. Deux ou trois serviteurs, probablement des ouvriers capables de fabriquer les machines d'après ses dessins, étaient au travail devant des établis, limant du métal et rabotant du bois.

« Extraordinaire ! m'exclamai-je, puisqu'il était clair qu'il voulait m'entendre exprimer mon admiration.

— Regardez ! fit-il avec enthousiasme, m'évitant ainsi d'avoir à continuer à parler. Que pensez-vous de ça ? »

Nous nous tenions devant une table de chêne finement sculptée, où se trouvait une petite machine tout à fait étonnante, pas plus grosse qu'une main d'homme, en cuivre gravé, magnifiquement travaillé. Sur le dessus, il y avait onze petites roues sur lesquelles étaient gravées des nombres. Au-dessous, dans le corps de la machine, on voyait une longue plaque qui, de toute évidence, cachait d'autres cadrans, car de petits trous pratiqués dans la surface révélaient d'autres nombres.

« C'est beau, fis-je. Mais qu'est-ce que c'est ? »

Mon ignorance le fit rire de bon cœur.

« C'est une machine à calculer, expliqua-t-il avec fierté, la plus belle du monde. Elle n'est pas unique, hélas ! Un petit Français en possède une, mais (il baissa la voix et chuchota sur le ton de la confidence) la sienne ne marche pas très bien. Pas comme la mienne.

— À quoi vous sert-elle ?

— À calculer, bien sûr. Le principe est le même que celui des "osselets" de Napier, en beaucoup plus ingénieux. Les deux rouages enregistrent les nombres de un à dix mille, ou à partir d'un demi-penny si on s'en sert pour la finance. La poignée met en mouvement le mécanisme, grâce à une série de dents, afin de le faire tourner dans le bon sens. Dans le sens des aiguilles d'une montre pour additionner, dans le sens contraire pour soustraire. Ma prochaine machine, qui n'est pas encore tout à fait au point, sera capable de calculer les racines carrées et cubiques, et même de servir à la trigonométrie.

— C'est très utile, dis-je.

— En effet. Bientôt, tous les bureaux de comptabilité du pays en auront une, si je peux leur faire part de son existence. Cela fera de moi un homme riche, et la science expérimentale accomplira toute une série de bonds en avant dès qu'elle ne restera plus l'apanage des seuls adeptes des mathématiques. J'en ai envoyée une il y a quelque temps au Dr Wallis, d'Oxford, c'est le meilleur expert du pays en ce domaine.

— Vous connaissez le Dr Wallis ? Je le connais également.

— Oh, oui ! Bien que je ne l'aie pas vu récemment. » Il se tut et sourit intérieurement. « On pourrait dire que nous avons été jadis sur le point de faire des affaires ensemble.

— Je lui transmettrai vos salutations, si vous le souhaitez.

— Je ne suis pas certain qu'elles lui feraient grand plaisir. Merci de votre offre, malgré tout. Mais ce n'est pas pour cette raison que vous êtes ici. Venez dans le jardin. »

Nous quittâmes donc ces machines à calculer, Dieu soit loué ! et je le suivis à l'air libre. Il fit halte devant ce qui avait l'air d'un large tonneau d'où sortait un long tuyau montant très haut. Il contempla la chose d'un air triste et nostalgique avant de secouer pesamment la tête et de soupirer.

« C'est ce que vous vouliez me montrer ?

— Non, dit-il tristement. Ça, j'ai dû y renoncer à regret.

— Pourquoi donc ? Ça ne marche pas ?

— Bien au contraire. Ça marche trop bien ! Il s'agissait d'une tentative d'utiliser la puissance de la poudre à canon pour résoudre le problème du pompage. Un sérieux

410

problème d'extraction minière, vous voyez. La distance des mines sous la terre de nos jours — parfois à plus de quatre cents pieds — signifie que l'effort requis pour extraire l'eau, c'est-à-dire la faire monter d'autant, est redoutable. Connaissez-vous le poids d'un tuyau plein d'eau de quatre cents pieds de haut ? Bien sûr que non. Si vous le saviez, vous seriez stupéfait de l'ingéniosité de l'homme qui songe seulement à effectuer une telle opération. Mon projet consistait à placer sur le sol un récipient scellé plein d'air, à le faire descendre dans l'eau et à le relier à un autre tuyau qui ressortirait à l'air libre. »

Je hochai la tête, quoique j'eusse cessé de le suivre.

« Dans le récipient, on fait exploser une petite quantité de poudre à canon, ce qui produit une hausse de la tension à l'intérieur. L'air s'engouffre dans le tuyau et force l'eau à remonter dans l'autre. Si on répétait l'opération assez souvent, on obtiendrait un jaillissement continu.

— Ça a l'air extraordinaire !

— En effet. Malheureusement, je n'ai pas encore trouvé la façon de pratiquer des explosions de la puissance et de la qualité voulues. Soit le tuyau éclate, ce qui est dangereux, soit on obtient une seule gerbe d'eau de cinquante pieds de haut qui s'arrête tout de suite. Je détiens un brevet, aussi je ne crains pas d'être devancé par des rivaux, mais, à moins de trouver une solution, il est bien possible qu'une excellente idée parte en fumée. J'ai pensé utiliser de l'eau chaude, parce que la vapeur d'eau requiert beaucoup plus d'espace — deux mille fois plus, le saviez-vous ? — et acquiert en même temps une force irrésistible. Or, si on pouvait forcer la vapeur à entrer dans le tuyau ou dans quelque machine à pomper, alors la puissance requise pour faire monter l'eau existerait.

— Alors quel est le problème ?

— Le problème consiste à faire aller la vapeur chaude dans la direction requise plutôt que dans une autre. »

Je ne comprenais pas un traître mot de ses explications, mais sa passion et son enthousiasme étaient tels que je ne voyais pas comment on aurait pu endiguer le flot de paroles qui jaillissait de sa bouche. En outre, ma patiente attention paraissait me faire apprécier de lui, ce qui rendait plus probable qu'il me fournirait les renseignements désirés. C'est pourquoi je le pressai de questions, affectant le plus vif intérêt vis-à-vis de tous ces sujets qui ne méritaient que dédain.

« Donc, vous n'avez pas de pompe qui fonctionne ? finis-je par demander.

— Des pompes ? Mais si ! J'en ai à revendre ! De toutes sortes. Des pompes à chaîne, et des pompes aspirantes, et des pompes à cylindre ! Ce que je n'ai pas encore c'est une pompe *efficace*, une pompe *élégante*, qui accomplira sa tâche avec grâce et simplicité.

— Bien. Et ces marais ? Qu'utilise-t-on là-bas ?

— Oh, ça ? fit-il d'un ton presque méprisant. C'est une autre affaire. Sans le moindre intérêt en ce qui concerne la technique. » Il me jeta un coup d'œil et se rappela pourquoi j'étais là. « Mais c'est un investissement d'autant plus profitable qu'il ne requiert aucune nouveauté technique. Le problème est simple, voyez-vous, et il est préférable qu'on apporte des solutions simples à des problèmes simples. Vous n'êtes pas d'accord ? »

J'acquiesçai.

« De nombreuses zones marécageuses, reprit-il, se trouvent au-dessous du niveau de la mer et devraient normalement se trouver sous la mer, comme la majeure partie des Pays-Bas, car, autrement, il faudrait qu'ils changent de nom ! »

Sa petite plaisanterie le fit glousser quelque temps et je l'imitai par politesse.

« Vous le savez, bien sûr. Or, il est assez facile d'empêcher l'eau de continuer à avancer en construisant des digues ; les Hollandais font cela depuis des siècles, aussi ça ne doit pas être très difficile. Le problème, c'est d'évacuer l'eau qui est déjà là. Comment faire ? »

J'avouai mon ignorance, ce qui lui fit grand plaisir.

« Le plus simple est de créer un canal : on en creuse un et l'eau s'écoule. Ou d'utiliser des tuyaux. Des tuyaux de bois placés sous terre qui recueillent l'eau et lui permettent de s'écouler. Ce système est à la fois coûteux et lent, c'est l'inconvénient. De surcroît, la terre alentour (vous vous en souvenez) est plus élevée, tout comme la mer. Alors, où l'eau peut-elle aller ? »

Je secouai la tête derechef.

« Nulle part ! s'écria-t-il avec véhémence. Elle ne peut aller nulle part, car l'eau refuse de suivre une pente ascendante. Tout le monde sait ça. Voilà pourquoi la plus grande partie des marais n'a toujours pas été complètement asséchée. Grâce à mes pompes, le problème peut être surmonté, et dans la lutte entre les souhaits de l'homme et les désirs de la nature, on peut forcer la nature à concéder une victoire. Car l'eau suivra une pente ascendante et sera emportée, ce qui rendra la terre utilisable.

— Excellent, dis-je, et très profitable.

— Oh, oui ! Ces messieurs qui ont formé une compagnie pour le drainage de leurs terres vont devenir très prospères, en effet. Et j'espère en tirer quelque profit moi-même, car je possède des terres dans cette région, à Harland Wyte. Monsieur ? Vous vous sentez bien ? »

C'était quasiment comme si l'on m'avait donné un violent coup dans l'estomac : l'évocation de Harland Wyte, la terre familiale, le cœur de tout le domaine de mon père, était si inattendue que j'en eus le souffle coupé, et je crains de m'être trahi par la façon dont je pâlis et eus du mal à reprendre haleine.

« Excusez-moi, sir Samuel, dis-je, il m'arrive d'avoir momentanément ce genre de vertiges. Cela va passer. » Je souris avec assurance et fis semblant d'avoir recouvré mes esprits. « Harland Wyte, dites-vous ? Je ne sais pas où c'est. Il y a longtemps que vous y possédez une terre ? »

Il eut un sourire malin.

« Quelques années seulement. Une excellente affaire d'ailleurs, car elle était offerte à bas prix, et j'en ai vu la valeur bien mieux que ceux qui la vendaient.

— J'en suis persuadé. Qui était le vendeur ? »

Il éluda la question, préférant s'étendre sur son habileté plutôt que sur sa turpitude.

« Je vais d'abord achever l'assèchement, ensuite, je la revendrai en faisant un beau bénéfice. Sa Grâce, le duc de Bedford, a déjà accepté de l'acheter, étant donné qu'il possède la majeure partie de la terre à l'entour.

— Je vous félicite de votre bonne fortune, dis-je, abandonnant les questions directes pour essayer une autre tactique. Monsieur, comment avez-vous connu le Dr Wallis ? Je vous pose cette question parce qu'il m'a donné des cours particuliers à l'occasion. Est-ce qu'il vous consulte sur ses expériences et dans le domaine des mathématiques ?

— Grands dieux, non ! s'exclama Morland avec une soudaine modestie. Quoique je sois moi-même mathématicien, j'admets volontiers qu'il me dépasse à tous égards. Notre rapport a été beaucoup plus terre à terre, car à une époque nous avons tous les deux été au service de John Thurloe. Naturellement, je soutenais secrètement la cause de Sa Majesté, tandis qu'en ce temps-là Wallis était tout à fait en faveur de Cromwell.

— Vous me surprenez. Aujourd'hui, il semble être un loyal sujet. De plus, quels services un prêtre doublé d'un mathématicien pouvait-il rendre à un homme comme Thurloe ?

— Nombreux et variés, répondit Morland en souriant de mon innocence. Le Dr Wallis était la personne la plus douée du pays pour élaborer et décrypter les codes. Insurpassable, à mon avis ; personne n'a jamais été plus fort que lui en cryptographie. Pendant des années, Thurloe a utilisé ses services : des paquets de lettres codées étaient envoyés à Oxford, et les traductions revenaient par la diligence suivante. C'était remarquable ! Nous avions presque envie de dire aux hommes du roi qu'ils ne devraient pas prendre la peine de coder leurs missives, car si nous les interceptions Wallis saurait toujours les déchiffrer. Puisqu'il a été votre répétiteur, vous devriez lui demander de vous en montrer quelques-unes : je suis sûr qu'il les a encore, bien que, naturellement, il ne se vante pas de posséder ces preuves de ses activités d'antan.

— Et vous connaissiez Thurloe également ? Ça a dû être extraordinaire. »

Il fut flatté du compliment et essaya de m'impressionner plus encore.

« En effet. J'ai été pratiquement son bras droit pendant trois ans.

— Vous lui êtes apparenté ?

— Oh, non ! On m'a envoyé en Savoie pour plaider la cause des protestants persécutés. J'y suis resté plusieurs années ; je surveillais aussi les exilés. Ainsi, je me rendais utile. On m'a fait confiance, et à mon retour on m'a offert le poste. Poste que j'ai gardé jusqu'à ma fuite quand on m'a surpris en train de passer des renseignements à Sa Majesté.

— Sa Majesté a donc de la chance avec ses serviteurs, fis-je, méprisant soudain la suffisance de cet homme.

— Pas avec tous, loin s'en faut ! Pour tout homme loyal comme moi-même, il y en avait un second qui l'aurait vendue pour un sac de souverains. C'est moi qui ai démasqué le pire d'entre eux en m'assurant que certains des documents produits par Wallis étaient vus par le roi. »

Je brûlais, je m'en rendais compte. Si seulement je pouvais rester calme afin de ne pas éveiller ses soupçons, je savais que je lui soutirerais des trésors inouïs.

« Vous avez suggéré que le Dr Wallis et vous-même n'étiez plus en bons termes. Est-ce à cause de ce qui s'est passé à cette époque ? »

Il se contenta de hausser les épaules.

« Ça n'a plus d'importance. Tout ça, c'est le passé.

— Mais si, racontez-moi ! » insistai-je. À peine les mots avaient-ils passé le seuil de mes lèvres que je sus que j'étais allé trop loin.

Les yeux de Morland se plissèrent, et son air d'excentrique plaisantin quitta son visage comme on vide une bouteille de vin suri.

« Peut-être qu'à Oxford vous avez acquis d'autres centres d'intérêt que vos études, jeune homme, dit-il calmement. Je vous conseille de retourner sur vos terres du Dorset et de vous en occuper, si ces terres existent vraiment. On court de grands dangers lorsqu'on se mêle d'affaires qui ne nous regardent pas. »

Il me saisit par le coude et tenta de me guider vers la porte d'entrée. Je dégageai mon bras avec force et me retournai pour lui faire face.

« Non ! m'exclamai-je, assuré qu'il ne serait pas de taille à m'empêcher de lui arracher les renseignements que je désirais si ardemment obtenir. Je veux savoir... »

La phrase resta en suspens. Morland frappa dans ses mains, et une porte s'ouvrit sur-le-champ : un homme à l'air brutal pénétra dans la pièce, un poignard placé bien en évidence dans la ceinture. Il resta coi, attendant les ordres.

Aurais-je pu avoir le dessus ? Pas impossible, mais ce n'était pas gagné d'avance. Il avait l'air d'un vieux soldat et devait sans aucun doute mieux savoir manier l'épée que moi.

« Veuillez excuser ma conduite, sir Samuel, dis-je, me dominant du mieux que je pouvais. Mais votre récit est fascinant. C'est vrai que j'ai entendu beaucoup d'histoires à Oxford et elles m'intéressent énormément, comme tous les jeunes gens. Veuillez pardonner l'enthousiasme et la curiosité de la jeunesse. »

Mes paroles ne l'amadouèrent pas. Ses soupçons étaient éveillés, et rien ne pouvait les apaiser. Durant les années où il avait mené un double jeu, il avait sans aucun doute appris la valeur du silence et rien n'eût pu le pousser à prendre des risques.

« Reconduisez ce monsieur », ordonna-t-il à son domestique.

Puis il me fit un salut courtois et se retira. L'instant d'après, je me retrouvai dans la rue bruyante, maudissant ma stupidité.

Désormais, il me fallait rentrer à Oxford. Ma quête touchait à sa fin, et les réponses aux questions qui restaient à résoudre se trouvaient dans ce comté. Mais il était trop tard pour repartir, la prochaine diligence n'étant prévue que pour le lendemain. Si j'avais été moins épuisé, les constantes démangeaisons produites par les puces de la paillasse qui servait de lit commun m'auraient irrité et le bruit que faisaient mes compagnons, dégoûté. En l'occurrence, je restai impavide une fois que j'eus bien attaché ma bourse à ma ceinture et placé ostensiblement mon poignard sous mon oreiller afin qu'on se rendît bien compte qu'on ne devait pas tenter de tirer parti de mon sommeil. Le lendemain matin, je me prélassai comme un oisif distingué, buvant tranquillement une pinte de bière avec mon pain et ne quittant les lieux que longtemps après le lever du soleil.

Comme je n'avais rien de mieux à faire, je jouai au voyageur curieux, visitant la cathédrale St. Paul — édifice de pierre scandaleusement délabré, ayant perdu beaucoup de sa magnificence à cause des déprédations des puritains, et cependant plus magnifique dans sa décrépitude que le bâtiment mal conçu qu'on est en train de construire pour le remplacer. Je regardai les libraires et les vendeurs de pamphlets rassemblés sur le parvis de St. Paul ; j'écoutai les crieurs et les agents de police en train de réciter la liste des crimes et délits, moisson de méfaits récoltée pendant la nuit. Il y avait tant de vols, d'agressions, d'émeutes qu'on avait l'impression que toute la ville avait dû veiller pour les commettre. Puis je me dirigeai vers Westminster, désireux de voir le palais : bouleversé, je contemplai la porte-fenêtre par laquelle le roi passa sur le chemin de son sanglant martyre, aujourd'hui recouverte d'un crêpe noir pour commémorer ce crime affreux ; je réfléchis un moment aux châtiments que la nation avait subis à cause de ce péché.

Ces distractions me fatiguèrent vite, cependant ; aussi achetai-je un autre morceau de pain à un vendeur ambulant, avant de regagner Covent Garden, qui me plut davantage que la veille. J'avais soif et j'étais en train de me demander si j'allais dépenser l'énorme somme requise en ces lieux pour boire une pinte de vin quand je sentis qu'on me touchait légèrement le bras.

N'étant pas assez nigaud pour ne pas comprendre ce qui était probablement sur le point de se passer, je pivotai sur mes talons et fis le geste de saisir mon couteau : à côté de moi se tenait une jeune femme élégamment habillée. Elle avait un beau visage, mais tellement dissimulé sous une perruque, des mouches, du rouge et du blanc que l'on pouvait à peine apercevoir les dons que Dieu lui avait prodigués. Le plus frappant, il m'en souvient, c'était le parfum entêtant qui couvrait à tel point son odeur naturelle qu'on avait l'impression de se trouver chez une fleuriste.

« Madame ? demandai-je froidement tandis qu'elle haussait un sourcil et souriait de mon inquiétude.

— Jack ! s'écria-t-elle. Ne me dis pas que tu m'as oubliée ?

— Vous avez l'avantage...

— Eh bien, tu ne te souviens pas de moi, mais moi je ne puis oublier de quelle façon tu m'as galamment protégée sous le ciel étoilé près de Tunbridge. »

Alors la mémoire me revint : la jeune prostituée ! Mais comme elle avait changé ! Et bien que sa condition se fût de toute évidence améliorée, à mes yeux elle n'avait pas changé en mieux.

« Kitty ! m'exclamai-je, me rappelant enfin son nom. Quelle belle femme tu es devenue ! Tu dois m'excuser de ne pas t'avoir reconnue, mais la transformation est si grande que tu ne peux m'en vouloir.

— Non, vraiment, répondit-elle en agitant avec affectation un éventail devant son visage. Même si ceux qui me connaissent vraiment ne me donnent pas du "dame". J'étais putain, aujourd'hui j'ai été promue maîtresse.

— Mes félicitations, fis-je, car il était évident qu'elle s'attendait à un compliment.

— Merci. C'est un brave homme, d'une très bonne famille et extrêmement généreux. Il n'est pas trop repoussant non plus ; j'ai eu la main heureuse, vraiment. Avec un peu de chance, il me donnera assez pour que je m'achète un mari avant de s'être lassé de moi. Mais dis-moi, que fais-tu là, en pleine rue, bouche bée comme un rustaud ? Tu n'es pas à ta place ici.

— Je cherchais de quoi manger.

— Ce n'est pas ce qui manque ici.

— Je ne peux... je ne veux pas dépenser ces sommes. »

Elle rit joyeusement.

« Mais moi je le peux et le veux ! »

Et, avec une audace qui me coupa le souffle, elle passa son bras sous le mien et me reconduisit sur la *piazza*. Nous entrâmes dans un café, le Will, où elle exigea un cabinet particulier et qu'on y apportât à manger et à boire. Loin d'être choqué par une telle demande, le serveur obtempéra obséquieusement comme en présence d'une grande dame. Quelques instants plus tard, nous étions installés au premier dans une pièce qui surplombait l'agitation du rez-de-chaussée.

« Personne ne va y trouver à redire ? lui demandai-je anxieusement, craignant que son seigneur et maître ne dépêchât quelques spadassins dans un accès de jalousie. Quand, après un certain temps, elle saisit ce que je voulais dire par là, elle éclata de rire.

« Oh, non ! fit-elle. Il me connaît trop bien pour me croire capable de gâcher mon avenir par ce genre d'imprudence.

— Puis-je connaître le nom de ton bienfaiteur ?

— Bien sûr. Tout le monde le sait. C'est lord Bristol, un favori du roi, amusant et bien placé, quoiqu'un peu âgé. Je l'ai soulevé à Tunbridge ; tu vois, j'ai une excellente raison de t'être reconnaissante. Je n'étais pas là depuis une journée que je reçus un message selon lequel il désirait me voir. J'ai fait tout ce qui était en mon pouvoir pour lui plaire et lui ai fait passer un bon moment, croyant que cela s'arrêterait là. Et ne voilà-t-il pas qu'il requiert ma compagnie lorsqu'il rentrera à Londres et m'offre une belle récompense en échange.

— Il est amoureux de toi ?

— Non ! Mais il a le sang chaud alors que sa femme est une vieille horreur ; de plus, il a une peur bleue des maladies. L'idée vient d'elle : elle m'a vue en premier dans la rue et a attiré son attention sur moi. »

Elle agita un doigt dans ma direction.

« Tu me sembles sur le point de me faire un sermon, Jack Prestcott. Retiens-toi, je t'en prie, si tu ne veux pas me contrarier. Tu es trop vertueux pour ne pas désapprouver fermement ma conduite, mais que voudrais-tu que je fasse ? Je vends mon corps en échange d'un peu de confort et de richesse. Nous sommes entourés de prêtres et de ministres qui vendent leur âme pour la même chose. Je suis en bonne compagnie, et une pécheresse supplémentaire au milieu d'une telle foule ne se remarquera guère. Je te le dis, Jack, la vertu est bien solitaire de nos jours. »

Que répondre à cette déclaration éhontée ? Je n'approuvais pas cette dépravation, mais je ne pouvais la condamner non plus, cela eût mis un terme à notre relation, et sa compagnie me plaisait malgré tout. Qui plus est, pour montrer sa bonne fortune, elle commanda la meilleure chère et le meilleur vin, me poussant à manger et à boire autant que mon estomac pouvait contenir et ma tête supporter. Pendant ce temps, elle me fit part des ragots de la ville et de l'ascension irrésistible de son amant à la cour, à tel point (d'après elle) qu'il était devenu un rival sérieux de lord Clarendon pour la faveur du roi.

« Bien sûr, Clarendon est puissant, dit-elle, affectant de connaître tout se qui se tramait secrètement au gouvernement. Mais chacun sait que son austère solennité rend fou le roi, tandis que la gaieté de lord Bristol amuse Sa Majesté. Et il s'agit d'un roi qui sacrifie tout sur l'autel des distractions. Voilà pourquoi lord Clarendon est vulnérable ; il ne faudra pas grand-chose pour l'évincer. Alors, je serai la seconde catin du royaume, après lady Castlemaine. Quel dommage que lord Bristol soit papiste ! Ça le gêne énormément, mais il se peut qu'on parvienne même à franchir cet obstacle.

— Tu penses qu'il y a quelque chance que cela se passe ainsi ? » demandai-je, fasciné malgré moi.

Il est étrange que les ragots concernant les puissants provoquent un tel intérêt.

« Oh, oui ! Je l'espère. Pour lord Clarendon, surtout.

— Je doute qu'il te remercie de ta sollicitude.

— Il le devrait, rétorqua-t-elle, prenant un air grave l'espace d'un instant. Vraiment. Car j'ai eu des échos inquiétants. Il a agacé bien des puissants, et certains sont moins pacifiques et moins généreux que lui. S'il ne perd pas le pouvoir, je crains que le pire ne lui arrive un de ces jours.

— Balivernes ! Il le perdra tôt ou tard ; rien n'est plus naturel, vu son âge. Cependant il sera toujours riche, puissant et privilégié. Les gens comme lui qui ne manient jamais l'épée et ne mettent jamais leur courage à l'épreuve survivent et prospèrent toujours, tandis que des hommes plus valeureux tombent en chemin.

— Oh ! oh ! Cela vient du fond du cœur, m'est avis ! C'est pour cette raison que tu es à Londres ? »

J'avais oublié que je lui avais parlé de ma quête et je fis oui de la tête.

« J'étais venu à la recherche d'un certain sir Samuel Morland. Tu as entendu parler de lui ?

— Il me semble. N'est-ce pas quelqu'un qui s'intéresse aux engins mécaniques ? Il aborde souvent des gens à la cour, essayant de solliciter leur influence à propos de tel ou tel projet.

— Est-ce qu'il a de puissants protecteurs ? Il vaut toujours mieux savoir à qui on a affaire. Ce serait inquiétant de s'apercevoir que l'homme auquel on souhaite s'attaquer est défendu par quelqu'un de beaucoup plus fort.

— Pas que je sache. Je crois qu'il a quelque chose à voir avec des projets d'assèchement de marais ; aussi est-il possible qu'il connaisse le duc de Bedford, mais je n'en sais pas plus. Tu veux que je cherche à me renseigner ? Ce serait assez facile, et j'aurais plaisir à te rendre ce service.

— Je t'en serais extrêmement reconnaissant.

— Alors, c'est tout l'encouragement dont j'ai besoin. Ce sera fait. Veux-tu venir chez moi ce soir ? Je suis aux ordres de lady Castlemaine le matin et à ceux de lord Bristol l'après-midi, mais je dispose de mes soirées à ma guise et je suis libre de recevoir qui je veux. C'est notre accord... Il me faut inviter du monde, ne serait-ce que pour lui signifier qu'il doit respecter notre contrat.

— Avec plaisir.

— Et maintenant, j'espère que tu es restauré et repu, car il est temps que je te quitte. »

Je me levai et fis une profonde révérence pour la remercier de sa bonté ; je m'enhardis même à lui baiser la main. Elle éclata d'un rire joyeux.

« Cessez donc, monsieur ! Vous vous laissez prendre aux apparences.

— Pas le moins du monde ! Tu es plus dame que nombre de celles que j'ai rencontrées. »

Elle rougit et se moqua de moi pour cacher le plaisir que lui procurait le compliment. Puis elle sortit majestueusement de la pièce, accompagnée par le petit serviteur noir qu'on lui avait offert et qui avait été présent pendant tout notre entretien. Son seigneur et maître était débonnaire et magnanime, affirma-t-elle, mais il était inutile d'encourir inutilement son déplaisir.

Il commençait déjà à faire sombre et froid, aussi passai-je quelques heures dans un café près de St. Paul à lire les journaux et à écouter les conversations des autres clients, ce qui m'emplit à nouveau de dégoût pour la ville et ses habitants. Que de fanfaronnades ! Que de vantardises ! Que de temps gâché à dire des sottises destinées uniquement à impressionner ses compagnons ou à se faire bien voir de ses supérieurs grâce à des faux-semblants ! En ville, les ragots constituent une marchandise qu'on achète et qu'on vend ; si on n'en possède pas, on en fabrique, comme les faux-monnayeurs fabriquent des espèces à partir de vil métal. À tout le moins, je ne fus pas dérangé, personne n'ayant, à ma grande joie, recherché ma compagnie. Alors que de nos jours certains ont l'habitude de fréquenter ces cafés, s'abaissant au contact de ce qu'ils nomment la « bonne compagnie », moi j'évite la vulgarité de ces lieux publics.

Le temps s'écoula trop lentement... enfin, l'heure de mon rendez-vous arriva. J'appréhendais cette entrevue, même si la différence de nos rangs respectifs aurait dû m'assurer une confortable supériorité. Mais Londres altère la notion de déférence. Ce que vous êtes est moins important que ce que vous paraissez ; un imposteur sans famille peut impressionner un gentilhomme d'ancienne lignée simplement grâce à ses habits et à son charme. Pour ma part, j'aimerais rétablir les règles sur lesquelles insistait notre grande reine : aucun commerçant ne devrait avoir le droit de se vêtir en gentilhomme et devrait être mis à l'amende pour toute insolente imitation, car il s'agit de fraude punissable, à l'instar des prostituées qui dissimulent leur nature.

Dans le cas de Kitty, le vice avait été fortement récompensé et, quoique j'eusse répugné à admettre que le bien peut sortir du mal, elle vivait d'une façon qui révélait qu'elle possédait sans conteste ce qu'aujourd'hui on nous apprend à appeler *goût*. Je suis ravi, je dois l'avouer, que nous, les Anglais, nous soyons encore assez robustes pour avoir besoin d'emprunter des mots aux Français pour désigner ce genre de frivolités. Alors que nombre de ses compagnes au service de Vénus auraient fait étalage de leurs trophées, elle vivait tout à fait simplement, entourée de meubles en chêne massif, au lieu de dorures en provenance de l'étranger ; d'ordinaires tentures recouvraient les murs pour conserver la chaleur, au lieu de tapisseries cossues. Le seul signe de vanité ostentatoire, c'était un portrait d'elle-même suspendu au mur auquel faisait impudemment pendant, sur le mur opposé, celui de son seigneur et maître, comme s'ils étaient mari et femme. Je trouvai cela choquant. Voyant ma désapprobation, elle m'assura qu'il s'agissait d'un présent et qu'elle n'avait pu faire autrement.

« Jack, fit-elle, après l'échange des civilités et une fois que nous fûmes assis, j'ai à te parler sérieusement quelques instants.

— Je t'en prie.

— Je dois te demander un grand service, s'il te plaît, en échange des renseignements que tu as requis.

— Il te suffit de demander, répondis-je, quelque peu piqué, un troc n'était pas nécessaire.

— Merci. Je souhaite que tu promettes de ne jamais révéler où nous nous sommes rencontrés.

— Bien sûr.

— Cela ne s'est pas passé ainsi. Tu as peut-être rencontré une jeune catin sur une route du Kent, mais il ne s'agissait pas de moi. Désormais, je viens d'une bonne famille désargentée du Herefordshire, amenée à Londres par lord Bristol en tant que parente éloignée de sa belle-famille. Mon identité et mon ancienne condition doivent rester ignorées de tous.

— Il semble qu'elles ne t'aient guère causé de tort.

— Non. Mais il en ira différemment lorsqu'il me retirera sa protection.

— Tu l'en crois capable ?

— Bien sûr. Sans méchanceté, je pense. Il me fera une rente annuelle, et j'ai déjà économisé une belle somme. Avant que je ne sois trop vieille, j'aurai les moyens de subvenir à mes besoins. Mais que se passera-t-il ensuite ? Il faut que je me marie, je suppose : je ne ferai pas un bon mariage si on apprend mon passé. »

Je fis la grimace.

« Tu as l'intention de te marier ? Tu as un prétendant ?

— Oh, des tas ! fit-elle avec un rire charmant. Même si aucun ne s'est déclaré ; ce serait trop audacieux. Une femme possédant du bien comme moi et qui est en liaison avec l'un des hommes les plus influents du royaume... Je suis une belle prise, sauf si quelqu'un détruit mes chances par des propos inconsidérés. Je ne peux pas dire, cependant, que le mariage me tente beaucoup.

— La plupart des femmes en rêvent, pourtant.

— Donner à mon mari ma fortune, si durement gagnée ? Ne pouvoir rien faire sans sa permission ? Risquer d'être déshéritée de mon propre argent à sa mort ? Ah, oui, quel rêve merveilleux !

— Tu te moques de moi », fis-je gravement.

Elle ne put réprimer son envie de rire.

« Sans doute. Mais ma position dans la maison de mon futur mari sera meilleure si je suis Katherine Hannay, fille de John Hannay, hobereau du Hereford, plutôt que Kitty, l'ancienne putain. »

Je dus avoir l'air accablé, car il n'était pas aisé d'acquiescer. Et si j'apprenais qu'elle devait se marier à un gentilhomme, même si je ne le connaissais pas ? N'était-il pas de mon devoir de l'avertir ? Pourrais-je rester coi alors qu'un homme mettrait son nom en péril et vivrait à jamais sous la menace du scandale ?

« Je ne te demande pas ton approbation, ni ton soutien, mais uniquement ton silence, dit-elle doucement.

— Eh bien ! répondis-je, il semble que nous vivons à une époque où les catins deviennent des dames et où les dames jouent les catins. La famille ne compte plus, et l'apparence prime tout. Je ne dis pas que tu ne ferais pas une aussi bonne épouse que mainte gente dame. Par conséquent, je te donne ma parole, mademoiselle Hannay de Hereford. »

Par ces mots, je lui donnai beaucoup et elle l'apprécia ; c'est vraiment le cœur lourd que je fus contraint de rompre ma promesse quelques années plus tard, quand j'appris qu'elle allait se marier avec sir John Marshall, un gentilhomme assez fortuné de Hampstead. Un véritable cas de conscience. Je finis cependant par conclure, à mon immense regret, qu'il était de mon impérieux devoir d'écrire à cet homme pour lui apprendre ce que je savais de la femme qui menaçait de s'emparer de son nom.

Heureusement, cela n'était pas encore à l'ordre du jour ; pour l'heure, Kitty m'était profondément reconnaissante, et autrement, elle ne m'eût pas aidé.

« J'espère que mes petites découvertes peuvent te payer pour cette nouvelle bonté. J'en doute beaucoup, mais je vais te faire part de ce que j'ai appris avant de te présenter à George Collop, qui a accepté de venir prendre quelques rafraîchissements.

— Qui est-ce ?

— Le receveur général du duc de Bedford. C'est un homme puissant qui gère l'une des plus grandes fortunes du royaume.

— Alors, j'espère qu'il est honnête.

— Oh oui. Et fidèle à l'extrême. Et compétent, de surcroît. C'est la raison pour laquelle il reçoit presque cent livres par an net, tous frais et dépenses payés. »

J'étais impressionné. Mon père avait toujours géré ses affaires lui-même ; il n'aurait pu offrir une telle somme à un seul serviteur.

« Et, de plus, il y a bien des gens qui lui offriraient volontiers le double, car il a rendu le duc encore plus riche qu'auparavant. On dit que Sa Grâce ose à peine s'acheter une nouvelle paire de chausses sans d'abord demander l'avis de M. Collop.

— Quel rapport y a-t-il entre lui et sir Samuel Morland ?

— Les marais. Il s'occupe de la participation du duc à l'assèchement des plaines marécageuses. Il en connaît plus en ce domaine que quiconque et, par conséquent, il en sait beaucoup sur sir Samuel.

— Je vois. Et qu'as-tu encore découvert d'intéressant ?

— Pas grand-chose. Ce Morland a acquis un certain nombre de pensions et de sinécures depuis le retour de Sa Majesté — il en avait revendiqué davantage qu'il n'en a obtenu. Il considère avoir rendu un si grand service qu'aucune récompense n'est trop forte. Mon seigneur et maître, cependant, ne fait pas grand cas de ses prétentions.

— Sois plus précise, Kitty. Il s'agit, il peut s'agir, d'une affaire judiciaire. Je ne peux rien laisser enveloppé dans d'obscures et vagues formules.

— Je l'ai appris de lord Bristol pas plus tard que cet après-midi. Tu sais certainement que c'était l'un des plus loyaux partisans du roi et qu'il a enduré des années de dénuement et d'exil à cause de sa fidélité. Il n'a aucune estime pour ceux qui changent de camp à la onzième heure. Il dit qu'il sait pertinemment que Morland a rencontré lord Mordaunt quand ils se trouvaient tous deux en Savoie. Il a pris part à l'arrestation de Mordaunt et d'autres conspirateurs, et a participé au procès à l'issue duquel Mordaunt a été acquitté. Lord Bristol m'a également indiqué que presque toutes les récompenses et les pensions de Morland ont été obtenues à la demande expresse de lord Mordaunt. Étrange d'accorder des faveurs à un homme qui est censé avoir tenté de vous faire pendre... Plutôt ce qu'on ferait pour un homme à qui vous lie une longue amitié. C'est ce que dit lord Bristol. »

Je l'avais regardé intensément pendant qu'elle parlait ainsi, et elle hocha la tête d'un air grave.

« À toi de tirer les conclusions. J'ai interrogé lord Bristol, mais il a refusé de donner des réponses claires, affirmant seulement que ce qui est évident est habituellement vrai également.

— Que voulait-il dire ?

— Il a déclaré ne pas pouvoir fournir une aide plus précise, car, s'il portait des accusations contre Mordaunt, cela aurait l'air d'une attaque contre Clarendon : les deux sont si étroitement associés que critiquer l'un revient à attaquer l'autre. Il te souhaite bonne chance et te supplie de suivre son conseil. Si tu cherches avec assez d'ardeur, tu trouveras la preuve de ce qu'il avance. Mais, Jack, qu'est-ce qui t'arrive ? »

Le soulagement que je ressentis à ces mots fut si grand que je dus me pencher en avant et me tenir la tête à deux mains tant je me sentais sur le point d'exploser de joie. Enfin, j'avais trouvé une personne désireuse de confirmer ce que j'avais toujours su être la vérité ; finalement m'arrivait l'indication dont j'avais besoin. Quelle bizarrerie de l'obtenir d'une telle source : que la solution, ou le début de la solution de mes ennuis, tombât de la bouche d'une catin... C'est ce qu'il advint, les anges du Seigneur pouvant prendre des formes aussi étranges que les suppôts du démon.

Je savais désormais qui avait fabriqué les accusations contre mon père, qui était réellement le traître. Doréna-vant, il me fallait découvrir pourquoi mon père avait été choisi parmi tous les candidats possibles à un tel traite-ment. J'étais près de pouvoir mettre sous les yeux de Thurloe sa propre turpitude et de justifier sa mort. Je tom-bai à genoux devant Kitty, couvrant sa main de baisers jusqu'à ce qu'elle me l'arrachât en éclatant de rire.

« Allons ! Allons ! s'exclama-t-elle joyeusement. Qu'ai-je dit pour provoquer une telle adulation ?

— Tu as mis un terme à des années d'angoisse et res-tauré la réputation de ma famille. Avec un peu de chance, tu auras également rétabli ma fortune et mes perspectives d'avenir. Si quelque chose mérite l'adulation, c'est sûre-ment ça.

— Merci, gentil monsieur. Même si je ne puis considé-rer avoir accompli un acte aussi méritoire. Je n'ai fait que te répéter les paroles de lord Bristol.

— En ce cas, je le remercie par ton intermédiaire. Il doit être le plus gentil et le meilleur des maîtres qu'un homme — ou une femme — puisse avoir. C'est peut-être outrecuidant de ma part, mais, si l'occasion se présente quelque part où cela peut être fait sans gêne, je te prie de lui transmettre l'expression de ma reconnaissance, et dis-lui bien que s'il a besoin d'un service je suis à son entière disposition.

— Je n'y manquerai pas. Tu vas rester longtemps à Londres ?

— Je dois partir dès demain.

— Dommage ! J'aurais aimé te présenter à lui. La pro-chaine fois, écris-moi à l'avance et je m'assurerai que tu seras reconnu publiquement par lui comme un ami.

— Je n'en demande pas tant ! Mais je serai flatté qu'on pense qu'il s'intéresse à moi.

429

— Ce sera fait. Sans aucun doute, dit-elle en entendant un retentissant bruit de bottes dans l'escalier, voici M. George Collop. »

C'était un homme de basse extraction : cela me sauta aux yeux dès l'instant où, en entrant, il fit une profonde révérence devant celle qu'il prenait pour une dame. Ses gestes étaient gauches et il parlait d'une manière commune, avec un fort accent du Dorset. Il semble que c'était un fils de métayer qui s'était imposé à l'attention de lord Bristol par ses talents. Parfait ! En revanche, il fallait en payer le prix, car se voir contraint d'écouter ce grasseyement devait être fort pénible. Cela en disait long sur ses qualités d'intendant, de toute évidence les seules qu'il possédait.

De nombreuses années passées dans l'intimité de la noblesse n'avaient guère contribué à adoucir ses manières ni à rendre son langage plus raffiné ; l'une de ces personnes d'origine humble qui tirent gloire de leur rudesse. C'est une chose de mépriser l'efféminement de la ville et de la cour, mais aller carrément à l'encontre des qualités fondamentales de la bonne éducation en est une autre. Sa façon de s'affaler de tout son poids sur un siège au point d'en faire plier les pieds, puis de tirer son mouchoir pour s'éponger la face après la montée des marches — un homme lourd et trapu, au visage rougeaud orné d'un nez marbré — révélait clairement que Collop ne se souciait pas le moins du monde des bonnes manières.

« Ce monsieur, monsieur... euh... Grove, commença Kitty en m'adressant un sourire, est fasciné par le projet concernant les marais. Aussi lui ai-je proposé de vous rencontrer, étant donné que personne n'en sait plus que vous là-dessus, vu que vous y surveillez les travaux de Sa Grâce.

— Pour sûr, fit-il laconiquement, considérant sa réponse suffisante.

— Le père de monsieur possède une terre fort marécageuse, et il se demandait si les machines de sir Samuel Morland pourraient être de quelque utilité. Il en a beaucoup entendu parler, sans réussir à séparer la vérité des affabulations.

— Eh bien... commença-t-il, avant de s'arrêter, perdu dans la contemplation d'une affaire aussi conséquente.

— Mon père, dis-je, pour soulager Kitty d'une partie du poids de la conversation, craint que ces machines n'entraînent de grandes dépenses inutiles. Il désire très ardemment connaître la vérité, mais trouve sir Samuel plutôt réticent en la matière. »

Collop s'anima brièvement, comme amusé en son for intérieur.

« Ça, c'est bien vrai ! Je ne peux pas vous aider, nous ne nous servons pas de ses machines.

— J'avais cru comprendre qu'il avait un rôle central dans ce projet.

— Ce genre d'homme joue les importants sans raison valable. En réalité, c'est seulement un investisseur. Sir Samuel possède trois cents arpents à Harland Wyte, qui vaudront dix fois le prix d'achat une fois la terre asséchée. Naturellement, c'est insignifiant comparé aux quatre-vingt-dix mille arpents que possède lord Bedford. »

La stupéfaction me coupa le souffle, ce que Collop remarqua avec plaisir.

« Oui, une sacrée entreprise. Environ trois cent soixante mille arpents en tout. Un sol aride qui, par l'ingéniosité de l'homme et la grâce de Dieu, produira en abondance. C'est déjà le cas, d'ailleurs.

— Elle n'est sûrement pas si aride que ça ? Et les habitants qui vivent déjà là ? Ils sont très nombreux, il me semble. »

Il haussa les épaules.

« Un certain nombre... Ils grattent la terre pour survivre. Mais on les déloge si nécessaire.

— Cela doit revenir extrêmement cher.

— En effet. Et peu nombreux sont ceux qui ont investi dans cette aventure, bien que le rendement soit si assuré

431

que les risques sont minimes, sauf lorsque les villageois et les propriétaires retardent les travaux.

— Donc, ce n'est pas assuré ?

— Tout obstacle peut être surmonté. Si les occupants protestent, on les expulse ; si les propriétaires refusent de coopérer, on trouve un moyen de contourner leurs objections. Certains de ces moyens sont honnêtes, d'autres (là ses yeux pétillèrent de malice), d'autres le sont moins.

— Mais un propriétaire n'a aucune raison d'émettre des objections ?

— Ne croyez pas cela ! Par médiocrité, par ignorance, on place des obstacles sur notre route depuis plus de trente ans. La plupart des problèmes ont été réglés depuis que la question Prestcott a été résolue. »

À ces mots, le rythme de mon cœur s'accéléra, et j'eus du mal à retenir un cri. Heureusement, Collop n'était pas observateur ! Me voyant bouleversé, Kitty l'amusa pendant dix bonnes minutes avec des menus potins de la cour.

« Mais je vous ai interrompu, cher monsieur, dit-elle d'un ton enjoué après un certain temps. Vous nous racontiez vos combats. Qui était l'homme dont vous avez parlé, Prestwick ? C'est bien ça ?

— Prestcott, corrigea Collop. Sir James Prestcott. Une épine dans notre chair, et pendant des années.

— Il ne voyait pas l'avantage qu'il y a à être riche, n'est-ce pas ? C'est étrange comment certains ont besoin d'être convaincus. »

Collop gloussa.

« Oh, non ! Il connaissait les bienfaits que procure la richesse. Le problème, c'était sa jalousie. »

Kitty le regarda d'un air étonné, et Collop fut trop heureux de l'éclairer, inconscient du fait qu'il s'incriminait et incriminait les autres de plus en plus, au fur et à mesure qu'il divulguait ses répugnants propos.

« Il ne profitait pas autant de la division des terres et craignait l'arrivée d'hommes plus puissants que lui dans une région que sa famille dominait depuis des générations. Il incita les habitants à endommager nos travaux. Nous construisions des digues, et la racaille sortait la nuit pour y pratiquer des trous afin d'inonder à nouveau la terre. Nous intentions des actions en justice contre eux, et lui, en tant que magistrat, les acquittait tous. Durant des années... Puis survinrent les troubles, et sir James partit en exil. Mais la guerre assécha également la source financière ; de toute manière, une partie se trouvait en plein sur l'emplacement d'un canal qu'il nous fallait creuser, et il refusait de nous la céder. Il aurait fallu dévier une rivière ou abandonner environ quinze mille arpents.

— Mais pourquoi ne pas avoir eu la sagesse d'offrir davantage ?

— Il aurait refusé quand même. » Collop agita le doigt, un sourire sardonique sur les lèvres. « C'est là qu'on voit la bonté du Seigneur. Que découvrons-nous finalement, alors que nous sommes au bord du désespoir ? Que pendant tout ce temps, le bon sir James est, en fait, un traître. Le cousin de Sa Grâce, sir John Russell, le tenait de sir Samuel Morland lui-même, et il nous a fourni tous les renseignements nécessaires pour forcer Prestcott à fuir derechef à l'étranger. Le fidéicommissaire de sa propriété fut obligé de vendre pour éviter la banqueroute... Nous avons pu creuser notre canal à l'endroit souhaité ! »

Je ne supportais plus son visage vulgaire et son air suffisant, et je craignais vraiment, si je le laissais parler davantage, de lui transpercer le corps sur-le-champ. Un voile rouge passa devant mes yeux et, tout étourdi, je me dirigeai vers la fenêtre. J'avais du mal à rassembler mes idées tant était violente la douleur qui m'enserrait les tempes ; je haletais, sentant la sueur perler à mon front et couler jusque sur mes habits. Être contraint d'écouter cet ignoble manant relater comment il avait utilisé la déchéance de mon père à son profit me révoltait. Je n'avais pas le cœur à me réjouir du fait que je touchais au but : la mise au jour de ces motifs bas et vulgaires me faisait trembler de douleur. Je savais désormais pourquoi sir John Russell avait refusé ne serait-ce que de jeter un regard sur moi à Tunbridge Wells ; il n'eût pu survivre à la honte.

« Vous n'êtes pas bien, monsieur ? » La voix de Kitty me parvenait, inquiète.

Elle avait dû percevoir la pâleur de mon visage comme je me tenais à la fenêtre pour essayer de reprendre mes esprits. Sa voix venait de très loin : elle dut répéter sa question plusieurs fois avant que les mots ne prissent un sens pour moi.

« Ce n'est rien, merci. Toujours cette migraine à laquelle je suis parfois sujet. Ce doit être l'air de la ville et la chaleur de votre appartement. Je n'y suis pas habitué. »

Collop eut au moins l'élégance d'offrir de se retirer immédiatement. J'entendis Kitty le remercier de sa visite avec courtoisie et solennité puis appeler un domestique pour le reconduire. Je mis un long moment, me semble-t-il — plusieurs minutes, mais cela aurait pu être aussi bien plusieurs heures —, à pouvoir quitter la fenêtre. Kitty avait eu le temps de se procurer une compresse froide. Elle me la plaça sur le front et me fit apporter un verre de vin glacé pour me revigorer. C'était, en fait, une femme naturellement bonne, l'une des meilleures qu'il m'ait été donné de connaître.

« Je dois te présenter mes excuses, finis-je par lui dire, je crains de t'avoir causé une sérieuse gêne.

— Pas du tout. Reste allongé jusqu'à ce que tu te sentes capable de bouger. Je n'ai pas tout à fait compris le sens de cette conversation, j'ai vu par contre que ce récit t'a beaucoup bouleversé.

— C'est le moins qu'on puisse dire ! C'est pis que je ne l'imaginais. J'aurais dû savoir, bien sûr, qu'il y avait à l'origine quelque chose d'aussi sinistre, mais il y a si longtemps que je cherche que cette révélation m'a pris totalement au dépourvu. À l'évidence, je ne suis pas homme à endurer les véritables crises.

— Voudrais-tu m'en parler ? » me demanda-t-elle en baignant mon front.

Elle se trouvait tout près de moi, et son parfum ne me déplaisait plus, produisant même sur moi l'effet exactement contraire : la chaleur de son sein contre mon bras suscitait au plus profond de mon être des sentiments cachés. Je saisis sa main qui reposait sur ma poitrine et l'attirai vers mon visage, mais, avant que j'eusse pu exprimer mes désirs plus clairement, elle se leva et regagna son siège. Son sourire triste me sembla plein de regrets.

« Tu as reçu un choc, dit-elle. Ne réagis pas en commettant un faux pas. Je crois que tu as assez d'ennemis puissants sans chercher à t'en faire de nouveaux. »

Elle avait raison, naturellement, quoique j'eusse pu répondre que, vu leur nombre, un de plus ne changerait pas grand-chose. Mais elle n'était pas d'accord. En fin de compte, je ne pouvais la traiter que comme une femme de qualité ; aussi abandonnai-je la partie, même si parvenir à mes fins m'eût apporté un soulagement bien nécessaire.

« Eh bien ? Vas-tu m'expliquer pourquoi tu as pâli à ce point ? »

J'hésitai, puis secouai la tête.

« Non, fis-je. L'enjeu est trop vital. Ce n'est pas que je refuse de me confier à toi, mais j'appréhende qu'on n'apprenne quoi que ce soit des progrès de mon enquête. Je veux éviter que quiconque soit prévenu. Je t'en prie, fais part de ma reconnaissance à lord Bristol et assure-le de mon intention de suivre ses conseils sans tarder. »

Elle accepta, refrénant sa curiosité avec dignité. Quant à moi, ayant terminé ce que j'avais à faire je me préparai à partir. Je la remerciai à maintes reprises de sa bonté ainsi que de son aide précieuse, puis lui souhaitai beaucoup de chance. Elle me donna un petit baiser sur la joue au moment de nous séparer ; c'était la première fois, je crois, qu'une femme agissait ainsi avec moi : ma mère, elle, ne m'avait absolument jamais touché.

Chapitre douze

Le voyage de retour à Oxford me donna le temps de réfléchir à tout ce que j'avais entendu et appris, même si la malchance qui me poursuivait depuis si longtemps continua de me harceler tout du long. Les chevaux se dégagèrent du harnais et le cocher dut leur courir après, puis, tout soudain, une tempête aussi violente qu'imprévisible transforma la route en une mer de boue ; le moment le plus effrayant, ce fut lorsque, l'un d'entre nous ayant relevé le rideau, un énorme corbeau pénétra dans la voiture et, pris de panique, virevolta en tous sens, battant des ailes et donnant des coups de bec contre les voyageurs — surtout contre moi — avant d'être étranglé et jeté par la portière. Je ne fus pas le seul à ne pas interpréter ces désagréments comme de simples incidents fortuits : cela inquiéta aussi un ecclésiastique qui se rendait également à Oxford. Il alla même jusqu'à signaler que les Anciens considéraient les corbeaux comme des oiseaux de mauvais augure, émissaires d'esprits néfastes. Je ne lui expliquai pas qu'il était plus près de la vérité qu'il ne le croyait.

Ces rappels constants des ténèbres, vers lesquels je revenais toujours, pesaient sur mon esprit. Je parvins à ne pas y prêter trop d'attention, préférant ressasser la longue série des noires actions que mon enquête avait mises au jour. À mon arrivée à Oxford, les faits étaient parfaitement ordonnés, et jamais dossier présenté devant un tribunal n'avait été aussi clair et évident. C'eût été une magnifique plaidoirie que je n'eus jamais l'occasion de prononcer. J'ai bien peur d'avoir provoqué une certaine consternation dans la diligence, tandis que nous nous traînions vers Oxford, car j'étais si abîmé dans mes pensées que je dus m'exprimer à haute voix à plusieurs reprises et faire de grands gestes pour souligner tel ou tel point en me parlant à moi-même.

Malgré mes fanfaronnades mentales, je savais que je n'étais pas au bout de mes peines. Une argumentation parfaite, impeccable dans sa conception et dans son développement, menant dans sa progression logique à une conclusion inéluctable, c'est parfait dans un débat où la puissance de la structure balaie tout devant elle. Elle est moins utile au tribunal, quoi que disent de leur art les rhétoriciens. Non, j'avais également besoin de témoignages et, qui plus est, venant de quelqu'un dont le rang fût aussi élevé que celui des gentilshommes que j'allais accuser. Après tout, je ne pouvais guère compter sur Morland ou lord Mordaunt pour dire la vérité, et sir John Russell avait nettement indiqué de quel côté il se trouvait. Thurloe ne me défendrait jamais, et le Dr Grove ne me serait d'aucune utilité.

Je devais me rendre chez sir William Compton. J'étais certain qu'il était toujours le plus droit et le plus honnête des hommes ; la pensée que mes soupçons à son égard n'étaient sûrement pas fondés m'était un immense soulagement. Il aurait été impossible de le persuader d'agir avec malhonnêteté ; s'il avait consenti à la vente de mes terres, c'était seulement lorsqu'on l'avait convaincu que le crime de mon père était si abject que ma famille ne méritait plus la moindre considération. Se croire trahi par un homme à qui on donne le nom d'ami avait dû être, en effet, une amère déconvenue. Si lui, le plus proche camarade de mon père, prenait celui-ci pour un traître, alors tout le monde allait faire de même. Voilà sans doute la raison pour laquelle il avait été choisi afin de disséminer la nouvelle.

Je ne pus aller le voir immédiatement : il faisait si mauvais temps que les routes étaient presque impraticables et, de plus, j'avais de pressantes obligations envers l'université. Ayant manqué la plus grande partie du semestre, je fus obligé de faire amende honorable et de pleurnicher comme un écolier avant d'obtenir la permission de repartir. On n'exigeait guère plus que ma présence, mais j'étais contraint d'en passer par là. En outre, une semaine ou deux de réflexion à tête reposée n'étaient pas une mauvaise chose, selon toute vraisemblance, même si, à l'époque, mon tempérament ardent me poussait évidemment à vouloir en terminer avec cette affaire au plus tôt.

Mes rares amis m'abandonnaient déjà, préoccupés par leurs menues affaires. Cela m'affligea beaucoup. Je fus surtout chagriné par le manque d'égards de Thomas qui, lorsque je lui rendis visite, ne me demanda pas comment j'allais ni comment progressait mon enquête. À peine étais-je entré dans sa chambre qu'il se lança dans d'amers propos, révélant un caractère d'une telle violence que je n'aurais pas dû être autant surpris par le dénouement qui devait suivre.

En bref, il devenait clair à ses yeux que ses prétentions sur le bénéfice allaient être balayées en faveur du Dr Grove. Les temps changeaient plus vite que prévu. Les nouvelles lois sur l'orthodoxie introduites par le gouvernement rendaient punissables presque toutes les déviations par rapport à la stricte adhésion au dogme anglican. Les congrégationalistes, les presbytériens, tous, sauf les quasi-catholiques (selon lui), devaient être écrasés et affamés et se voyaient niée toute possibilité d'avancement.

Personnellement, je considérais que cette législation n'avait que trop tardé. Les sectaires avaient prospéré sous Cromwell, et je ne voyais pas pourquoi ils devraient continuer à le faire désormais. Pendant vingt ans ou plus nous avions supporté la superbe de ces présomptueux qui, tant qu'ils en avaient le pouvoir, avaient expulsé et tourmenté ceux qui n'étaient pas d'accord avec eux. De quel droit ils se seraient plaints, maintenant qu'une juste vengeance s'abattait sur eux en retour ?

Thomas voyait les choses sous un autre jour, bien sûr. À son avis, la bonne santé du pays dépendait de son obtention de quatre-vingts livres par an et du bonheur conjugal que cette somme lui apporterait. Il ne se rendait pas compte du danger, et plus sa frustration s'aggravait, plus son hostilité au Dr Grove augmentait, passant imperceptiblement du désaccord à l'antagonisme, et, finalement, à la haine la plus vive et la plus féroce.

« Tout vient du collège, affirma-t-il, et en particulier du directeur. Ils sont si prudents, si décidés à ne vexer personne et à prévenir toute critique, quelle qu'en soit l'origine, qu'ils sont disposés à faire passer au second plan les intérêts de la paroisse et à installer un homme comme Grove.

— Tu es sûr de ce que tu avances ? Le directeur te l'a-t-il dit expressément ?

— Ce n'est pas nécessaire, répondit Thomas avec dédain. En fait, il est trop malin pour jamais dire les choses clairement.

— Peut-être n'a-t-il aucune influence en la matière ? suggérai-je. L'offre du bénéfice ne dépend pas du directeur.

— Son influence jouera un rôle déterminant. Lord Maynard a demandé l'avis du collège avant d'accorder la paroisse à quiconque, et cette opinion sera communiquée par l'intermédiaire du directeur. Lord Maynard vient bientôt au collège et nous devons tous dîner ensemble ; ensuite, les titulaires de chaire feront part de leur verdict. Jack, continua-t-il d'un ton désespéré, je ne sais que faire. Je n'ai aucun protecteur en vue. Contrairement à Grove, qui n'aurait qu'à demander pour obtenir la faveur d'un bon nombre de grandes familles.

— Allons ! Allons ! fis-je d'un ton enjoué, malgré l'agacement que produisait sur moi son indifférence à autrui. Tout ne va pas aussi mal que ça. Tu es toujours maître dans ce collège, et un homme érudit et honnête trouvera tôt ou tard une place dans la société. Cultive les puissants avec l'ardeur que tu mets à poursuivre tes études, car l'une est inutile sans l'autre. Tu sais bien que la fréquentation de ceux qui peuvent vous aider à avancer dans le monde est le seul moyen que les hommes de valeur ont à leur disposition pour s'y faire une place. Et toi, si tu me permets cette observation, tu as trop négligé ce monde-ci en faveur de l'autre. »

Ce n'était pas une critique consciente de ma part. Pourtant, Thomas regimba, tant il était sensible et vulnérable aux reproches mérités.

« Tu sous-entends que c'est ma propre faute si je vais être floué de la sorte ? Je suis coupable du fait que mon directeur offre à un autre une promotion qui m'est due ?

— Non. Pas le moins du monde. Même si une manière plus élégante de s'adresser à eux eût persuadé davantage de professeurs de soutenir ta cause. Je veux dire que tu n'as fait aucun effort pour cultiver les gens. Tu dois souvent entendre parler de personnes dont dépendent certains bénéfices. Leur as-tu écrit ? As-tu saisi les occasions de donner des cours particuliers à leurs fils quand ils viennent à Oxford ? As-tu jamais publié certains de tes sermons et les as-tu dédiés à ceux qui ont de l'influence ? As-tu fait les cadeaux et prodigué les attentions qui créent des obligations ? Non. Tu ne l'as pas fait. Tu t'es orgueilleusement contenté d'étudier, sûr que cela suffisait.

— Ça aurait dû suffire ! Je ne devrais pas avoir à faire des courbettes. Je suis un ministre de Jésus-Christ, pas un courtisan.

— Voilà bien ton arrogance et ta vanité ! De quel droit te juges-tu si supérieur aux autres ? Crois-tu que tes qualités sont si fortes, ta vertu si grande et ton savoir si vaste que tu puisses te dispenser de solliciter des faveurs comme tout un chacun ? Et si ta pureté et ta superbe ne viennent pas d'un orgueil déraisonnable, sois certain que c'est ainsi qu'elles apparaissent indubitablement aux autres. »

C'était là une réponse cruelle, pourtant elle était néces-saire : je savais que je l'avais blessé, mais je l'avais fait pour son bien. Thomas était un homme bon, qui ne connaissait pas les usages du monde ; il n'était donc pas fait pour l'Église d'Angleterre. Je ne dis pas cela par plai-santerie : l'Église est le reflet le plus fidèle des intentions de Dieu sur terre, et c'est Lui qui a organisé la société humaine. Thomas était contraint de solliciter le soutien des autres, comme ceux qui se trouvaient sous lui étaient obligés de le solliciter à leur tour. Comment une société civile pourrait-elle continuer à fonctionner sans un flux constant de faveurs d'une personne à une autre, de haut en bas ? Pensait-il que les puissants allaient se disputer l'honneur de lui offrir leur protection ? Son refus de jouer le jeu non seulement indiquait son manque d'humilité mais constituait, en définitive, un acte impie.

Peut-être eus-je tort de m'exprimer en ces termes ; je commis sans doute l'erreur d'insister. Mon acharnement poussa certainement Thomas à l'acte tragique qui joue un si grand rôle dans le récit de M. Cola. Mais cela se passe souvent ainsi dans la conversation, lorsque après avoir blessé quelqu'un on tente de se rassurer en irritant la plaie.

« Thomas, dis-je avec douceur, pensant que plus tôt il serait conscient de la vérité, mieux ça vaudrait, Grove est plus âgé que toi, et ses prétentions sont plus légitimes. Les treize hommes qui gouvernent le collège le connais-sent depuis des années, toi, tu es relativement nouveau. Contrairement à toi, il a pris bien soin de plaire à lord Maynard. Et il a offert au collège une partie de son béné-fice, ce que tu ne peux faire. J'aimerais qu'il en soit autre-ment, mais tu dois regarder la réalité en face : tu n'obtiendras pas ce poste tant que Grove vivra et y sera candidat. »

Si j'avais prévu l'issue de l'affaire, je n'aurais naturel-lement pas prononcé ces paroles... la douceur de ses manières était telle que je ne pensai pas un seul instant que, s'étant rendu compte de la situation, il allait être poussé à commettre une action aussi funeste. De plus, si j'étais resté en étroite relation avec lui, je ne crois pas que le Dr Grove serait mort. On sait comment un ressentiment étouffé croît dans l'âme ; je sais de quoi je parle.. L'eussé-je conseillé et calmé, le cœur de Thomas ne se serait pas empli d'une haine tellement immodérée qu'il décida de passer à l'action. Ou, en tout cas, j'aurais pu deviner ses desseins et le dissuader de les mettre à exécution.

Mais, à ce moment-là, me trouvant au fond d'une prison, je ne pus retenir sa main.

Je m'aperçois que je n'ai guère parlé du Dr Wallis depuis le récit de ma visite à son domicile de Merton Street, mais je dois le faire maintenant pour signaler la mauvaise foi de cet homme. Selon Morland, il était au moins en partie au courant du complot qui se tramait contre mon père : il m'avait donc menti sans vergogne à ce sujet. Il m'avait demandé de lui fournir des documents que mon père aurait eus en sa possession, alors qu'il avait sur son bureau tout ce dont il avait besoin. Décidé à le mettre face à sa duplicité, je lui écrivis une lettre polie dans laquelle je lui présentais mes compliments et sollicitais délicatement un entretien. J'essuyai un refus. Quelques jours plus tard, je résolus d'aller lui rendre visite.

À ce moment-là, il habitait New College : des travaux rendaient sa maison inconfortable, et son collège ne possédait aucun appartement digne de son rang. Sa femme avait été envoyée à Londres, où il avait l'intention de la rejoindre sans tarder dès la fin du trimestre. Je remarquai, non sans quelque malice, qu'il était désormais un proche voisin du Dr Grove ; je ne pouvais imaginer deux personnages moins susceptibles d'être en bons termes.

Wallis était de mauvaise humeur, car c'était manifestement un homme qui avait horreur de bousculer ses habitudes. Ayant été chassé de sa maison, pratiquement privé de ses domestiques, et étant obligé de fréquenter des gens qu'il n'aimait pas lorsque, n'ayant pas réussi à convaincre la cuisine de lui faire monter son repas, il était contraint de manger au réfectoire... cela n'arrangeait pas son humeur. Je m'en aperçus dès le seuil de sa porte, et je me préparai, par conséquent, à être fort mal reçu. Il fut tour à tour brutal, insultant et menaçant, à tel point que je regrettai d'être venu le voir.

En bref, il me reprocha ma lettre, me faisant remarquer qu'il ne me devait absolument rien. Que c'était avec réticence qu'il avait accepté de m'aider, et uniquement si je lui fournissais les documents nécessaires, et qu'il était extrêmement mécontent d'être harcelé de la sorte.

« Je vous ai déjà dit que je n'avais rien, répliquai-je. Si mon père possédait quoi que ce soit, cela a disparu. Il semble, en fait, que vous déteniez davantage de papiers que moi, puisqu'il paraît que c'est vous qui avez déchiffré les documents incriminant mon père.

— Moi ? fit-il, feignant la surprise. Qu'est-ce qui vous fait croire cela ?

— Sir Samuel Morland a pris certaines des lettres sur lesquelles vous aviez travaillé et les a transmises au roi. Elles montraient apparemment que mon père était un traître. Je pense que ces lettres codées ont été fabriquées sur ordre de Thurloe. J'aimerais les voir afin de pouvoir le démontrer.

— Est-ce Samuel qui vous a narré tout ça ?

— Il m'a raconté un tas de mensonges. Cette vérité, je l'ai découverte par moi-même.

— Dans ce cas, je vous félicite, dit-il, d'un ton soudain amical. Il semble que vous ayez été plus malin que moi, car, en aucune façon, je n'ai soupçonné que j'avais été dupé par Thurloe ou par Samuel.

— Acceptez-vous de me les donner ?

— Hélas, non, jeune homme ! Je ne les possède pas.

— C'est impossible. Morland m'a dit...

— Samuel est un grand affabulateur. Il est possible que ce que vous dites soit vrai et que Samuel m'ait trompé de la sorte. Cependant, je n'ai aucun des originaux.

— Où se trouveraient-ils, par conséquent ? »

Il haussa les épaules, mais ses gestes et son regard fuyant trahissaient son mensonge.

« S'ils existent, j'imagine qu'ils sont en la possession de Thurloe. Si vous êtes suffisamment patient, je vais me livrer à une enquête discrète... »

Avec moult expressions de reconnaissance de ma part et autant de protestations d'admiration hypocrites de la sienne, je quittai la pièce peu après, parfaitement convaincu que le Dr Wallis gardait ces lettres quelque part à portée de main.

Je restai alité pendant plusieurs jours après cette entrevue qui m'avait bouleversé. Connaissant la cause de mon mal, je savais pertinemment que faire appel à un médecin équivaudrait à jeter de l'argent par la fenêtre. Aussi demeurai-je couché jusqu'à ce que le pire fût passé et que j'eusse suffisamment repris mes esprits pour vaquer à mes occupations. Je passai la plupart du temps en prière ; ces exercices de piété m'apportaient un grand réconfort, apaisant mon âme et m'emplissant d'une force étrange et assez puissante pour me permettre de mener à bien la tâche que mon père m'avait assignée.

444

Le deuxième jour du mois de mars, je partis en direction de Compton Wynyates. Je quittai discrètement avant l'aube le lit de mon répétiteur, m'habillai sur le palier afin de ne pas déranger les autres étudiants qui dormaient à l'intérieur, m'emmitouflant dans mes vêtements les plus chauds et les plus épais. J'empruntai une paire de bottes à l'un de mes camarades, les ayant essayées en secret quelques jours auparavant. Je m'excusai à ce sujet plus tard, mais il fut, à juste titre, furieux contre moi, surtout que, comme c'étaient les seules chaussures qu'il possédait, il se retrouva dans le plus grand embarras jusqu'à ce qu'il parvînt à convaincre un savetier de lui en prêter. Mais j'en avais un criant besoin. Il n'avait pas fait un froid aussi intense depuis de nombreuses années, et sans de grandes et robustes bottes de cuir mes souffrances eussent été insupportables. Ensuite, je persuadai un négociant, qui se dirigeait vers le nord et transportait dans le Yorkshire une cargaison de gants et autres marchandises, de me laisser voyager à l'arrière de son chariot jusqu'à Banbury ; en échange, je poussais quand la voiture s'embourbait et le relayais pour conduire les chevaux lorsqu'il était fatigué.

Je marchai à partir de Banbury et arrivai à Compton Wynyates tard dans la soirée, longtemps après la tombée de la nuit. Je frappai des mains en passant par le vaste portail d'entrée pour appeler un serviteur afin qu'il annonçât mon arrivée. J'agissais d'un air bravache, mais j'étais fort nerveux, n'ayant aucune idée de l'accueil qui m'attendait. Je gardais à l'esprit celui que m'avait réservé sir John Russell ; je n'aurais pas supporté d'essuyer une telle rebuffade de la part de sir William.

Je fus tout de suite rassuré : il descendit promptement m'accueillir lui-même en me faisant de grandes démonstrations d'hospitalité. Quelle que fût l'inimitié qu'ait pu lui inspirer mon nom, celle-ci ne transparut pas.

« Quelle surprise, Jack ! s'exclama-t-il cordialement. Quel bon vent t'amène ? Le trimestre n'est pas encore terminé, et tu es toujours étudiant, n'est-ce pas ? Je suis étonné qu'on t'ait donné la permission de quitter la ville. À mon époque, on était plus strict !

— Il s'agit d'une autorisation exceptionnelle et j'ai un répétiteur accommodant.

— Bien ! Je suis content que tu sois là. Ça fait trop longtemps que nous ne nous sommes vus. Il y a un bon feu dans le salon : viens vite t'y réchauffer ! Il fait un froid de canard dans le vestibule ! »

Cet accueil me stupéfia et je m'en voulus d'avoir douté de sa bonté. Sir William était naturellement affable, à cet égard le type même du gentilhomme campagnard. Trapu, la face rubiconde, il avait une simplicité et une franchise qui faisaient de lui un modèle de fidélité envers les causes et les gens chers à son cœur.

J'avais trop froid et j'étais trop épuisé pour poursuivre ce sujet à ce moment-là. Je le laissai me conduire jusqu'à la cheminée et me faire asseoir devant l'ardente chaleur du foyer qui contrastait si agréablement avec tout le reste de la pièce se trouvant au-delà du rayonnement du feu. Un domestique me servit du vin chaud et une collation ; on me laissa tranquille jusqu'à la fin de mon repas. Sir William s'excusa sous prétexte d'avoir à s'occuper d'une petite affaire urgente, m'assurant qu'il serait de retour dans une demi-heure.

J'étais presque endormi quand il revint ; non qu'il eût mis très longtemps, mais la chaleur et le vin m'avaient engourdi l'esprit, me faisant prendre conscience de mon extrême fatigue. Bien au chaud et confortablement installé, j'étais cependant triste. Il n'y avait pas si longtemps, cette demeure avait été mienne et, malgré tout ce qui était arrivé, j'avais le sentiment que c'était toujours le cas. J'avais passé plus de temps dans la famille de sir William que dans la mienne ; cette maison, je la connaissais mieux que celle qui ne m'appartenait plus, même nominalement. Somnolent, en proie à des émotions contradictoires, je méditais sur toutes ces choses étranges, jusqu'à ce que le retour de sir William me forçât à me ressaisir quelque peu.

À ce stade de mon récit, il me faut revenir sur l'un des buts essentiels de ma narration, à tout le moins en ce qui concerne la raison qui m'a en premier lieu poussé à prendre la plume. Je me dois de commenter mes relations avec le signor Marco da Cola et la valeur de son récit. Comme je l'ai dit plus haut, je trouve que sa mémoire fonctionne bizarrement, car il discourt longuement sur des bagatelles et évite soigneusement des sujets bien plus importants. La raison de ce parti pris m'échappe et, si longtemps après, je ne m'en soucie guère. Je souhaite seulement corriger les passages de son compte rendu qui me mettent directement en scène.

Le premier concerne cette soirée chez sir William, puisque, lorsqu'il revint auprès du feu, Marco da Cola se trouvait en sa compagnie.

Je peux seulement supposer qu'il avait une bonne raison de falsifier l'histoire de son arrivée en Angleterre, car je peux attester qu'elle est erronée. Il est impossible qu'elle se soit déroulée comme il le dit : Cola n'a pas débarqué à Londres juste avant de se rendre plus ou moins directement à Oxford. Il se trouvait dans notre pays depuis une bonne dizaine de jours. Quel étrange petit bonhomme ! Ses vêtements, fort bizarrement coupés, violet et bleu lavande, ne pouvaient qu'attirer l'attention en ces lieux, et le parfum, qui le précéda de plusieurs longueurs dans la pièce, était tout à fait inoubliable. Par la suite, quand il vint me voir en prison en compagnie de Lower, je pus presque prévoir qui était mon visiteur longtemps avant que le geôlier ouvre la porte de ma cellule, tant l'odeur était entêtante.

Mais, contre toute attente, il me plut ; bien plus tard seulement je m'aperçus qu'il n'était pas seulement ce qu'il paraissait de prime abord. À première vue, petit et bien en chair, il avait l'œil vif et le rire facile. Tout l'amusait, tout attirait son attention. Il parlait peu, n'ayant pas une grande maîtrise de l'anglais (meilleure, cependant, que je ne l'avais d'abord cru) ; il restait assis en silence, opinant du bonnet et gloussant pour montrer qu'il appréciait notre conversation, comme si nous faisions les plaisanteries les plus drôles du monde et lancions les plus brillants traits d'esprit.

Une seule fois, au cours de cette première rencontre, j'eus le vague soupçon qu'il n'était pas aussi nigaud qu'il le paraissait : alors que sir William et moi-même étions en train de converser, j'aperçus un éclair dans ses yeux, et un éphémère éclat de malice passa sur son visage poupin et d'apparence naïve. Mais fait-on attention à de tels détails quand tout indique le contraire ? Ce n'était dû qu'à un jeu de lumières, au reflet des flammes dans l'obscurité de la pièce, rien de plus...

Puisqu'il ne souhaitait pas — ou ne pouvait pas — prendre virilement part à la discussion, sir William et moi-même fîmes tous les frais de la conversation. Peu à peu nous oubliâmes la présence de l'étranger à nos côtés. Sir William le présenta comme quelqu'un avec qui il faisait des affaires : en tant que chef du Service du matériel militaire (maigre récompense de ses efforts en faveur de la cause royale), il entrait en contact avec bon nombre de marchands étrangers, et, apparemment, le père de Cola était un homme puissant dans ce domaine. En outre, affirma sir William, lui et sa famille ayant fortement soutenu la noble cause pendant des années, ils désiraient, par conséquent, fournir certains des articles dont Sa Majesté avait besoin.

Je leur souhaitais bonne chance à tous deux, espérant qu'ils profiteraient l'un et l'autre de cette association. Si ce poste n'était guère prestigieux, il permettait d'acquérir une fortune considérable. Un chef du Service du matériel militaire qui ne ménageait pas sa peine et acceptait au passage tous les pots-de-vin et les petits bénéfices pouvait rapidement amasser une fortune considérable en gérant les fournitures de l'armée ; c'est pourquoi sir William n'était pas entièrement mécontent de son poste. À cette époque, il faut le préciser, il avait davantage besoin d'argent que d'honneur.

Je crois comprendre pourquoi la présence d'un tel homme devait être tenue secrète, même si la discrétion observée par Cola si longtemps après les faits me semble excessive. Sir William (comme je l'ai déjà indiqué) était en froid avec lord Clarendon, et quiconque avait encouru le déplaisir du lord Chancelier devait faire montre de grande prudence dans l'exercice de ses fonctions. Peu importait que lord Clarendon eût lui-même joyeusement pillé le Trésor dès le retour du roi ; ses ennemis devaient se méfier, car ce qui était encouragé chez les amis de Clarendon était utilisé pour abattre ses adversaires. Plus il était isolé, plus les attaques livrées contre ceux qui voulaient se débarrasser de lui augmentaient en violence. Le plus ordinaire des comportements pouvait se transformer en arme, Clarendon n'étant pas homme de loi pour rien. En un clin d'œil, toute prébende pouvait se métamorphoser en pot-de-vin et en corruption. Plus d'un homme honnête furent ainsi éjectés de leur poste...

« Et maintenant, Jack, dit sir William, après que nous eûmes conversé un certain temps, tu dois me permettre de te parler avec la plus extrême gravité. Et je te prie de m'écouter jusqu'au bout. »

Je hochai la tête, quelque peu surpris.

« Tu n'es que trop conscient, j'en suis sûr, des événements très graves qui m'ont opposé à ton père. J'insiste sur le fait que je ne t'y associe pas le moins du monde, bien que tu sois son fils. Tu seras toujours reçu ici comme un ami. »

Même si j'étais sans conteste du côté de mon père, je me rendis compte de la profonde bonté de cette déclaration, si elle était vraiment sincère. J'étais enclin à penser que c'était le cas, sir William ne sachant pas dissimuler ni jouer cruellement avec les sentiments d'autrui. Cela faisait de lui un ami fidèle et un piètre conspirateur. La

simplicité de son âme l'empêchait de soupçonner la vilenie chez les autres et il devenait l'instrument idéal pour
ceux qui souhaitaient falsifier la vérité pour parvenir à
leurs fins.

« Je vous remercie de ces bonnes paroles. Je ne m'attendais pas à un tel accueil de votre part, craignant que
la situation n'ait engendré une certaine amertume entre
nous.

— En effet, répondit-il d'un air sombre. Mais c'était
une erreur de ma part. Je voulais te chasser de ma vue,
parce que je ne pouvais pas supporter les souvenirs que
ta présence faisait renaître. Je vois aujourd'hui que c'était
une attitude cruelle. Tu ne m'as jamais fait de mal, et tu
as souffert plus que quiconque. »

Ces propos me firent monter les larmes aux yeux : cela
faisait longtemps que personne ne m'avait parlé avec une
telle bienveillance. Je connaissais les limites de sa générosité, puisqu'il croyait fermement à la culpabilité de mon
père et, étrangement, je me prenais à le respecter justement pour cette raison. Accueillir avec chaleur l'enfant
d'un homme qui, croit-on, vous a fait tant de mal doit
être bien difficile.

« Ça, c'est vrai, répondis-je. Et je crois qu'on a commis
envers moi une grave injustice. C'est là la raison de ma
visite. Vous étiez le fidéicommissaire de mon héritage, et
pourtant je n'ai plus d'héritage, mes terres sont aux mains
d'un autre et je n'ai plus de position sociale. Vous avez
pu juger que tout lien de loyauté entre vous et mon père
était rompu, mais vous étiez toujours le garant de mon
héritage. Alors, comment se fait-il que je sois aujourd'hui
ruiné ? Je vois à votre mine que cette question vous
dérange ; je ne souhaite pas le moins du monde lancer la
moindre accusation, convenez pourtant qu'il s'agit d'une
question légitime. »

Il hocha la tête d'un air grave.

« En effet. Ce qui m'étonne, ce n'est pas que tu poses
la question, mais plutôt que tu ne connaisses pas déjà la
réponse.

— Il ne me reste plus rien. C'est exact ?

— Ta fortune a été sérieusement diminuée, c'est vrai, mais elle n'a pas été réduite à néant. Il en reste assez pour que tu la reconstruises, si tu as du cœur à l'ouvrage. Et il n'existe pas de meilleur endroit pour se faire un nom que l'École de droit de Londres, et de profession plus propice à l'acquisition d'une grande fortune que le barreau. Lord Clarendon, affirma-t-il avec un sourire de mépris, l'a démontré sans conteste.

— Mais le domaine a été vendu, bien qu'il eût été rendu inaliénable. Comment cela a-t-il été possible ?

— Parce que ton père a insisté pour qu'il serve de garantie pour ses dettes.

— Il n'avait pas la possibilité de le faire.

— Non. Mais moi, si. »

Je le fixai pendant cet aveu ; il avait l'air mal à l'aise sous le poids de mon regard.

« Je n'avais pas le choix. Ton père est venu me supplier. Il m'a soutenu que c'était mon devoir d'ami et de camarade de l'aider. Ayant aliéné ses terres afin qu'elles ne puissent être confisquées en cas de malheur, il découvrit qu'il ne pouvait pas non plus s'en servir pour lever des fonds. Il insista avec force pour que j'agisse de sa part et que je donne mon accord au prêt. Il me suffisait de signer les papiers.

— Et c'est ce que vous avez fait.

— Oui. Pour m'apercevoir, un peu plus tard, qu'il n'avait pas agi avec une totale franchise à mon égard. Ni à l'égard de ses créanciers, car il avait contracté plusieurs emprunts en même temps, hypothéquant son domaine plusieurs fois. Après la débâcle, je me retrouvai responsable des dettes en tant que fidéicommissaire. Si j'avais été riche moi-même, j'aurais pu fournir une aide, mais tu connais, je crois, ma situation. Et, pour être franc, à l'époque je n'étais pas d'humeur à être généreux.

— Ainsi, le domaine a été perdu.

— Non. Même alors nous avons fait tout ce qui était en notre pouvoir pour le garder dans ta famille. Ton oncle l'a acheté, et j'ai insisté pour qu'on ajoute une clause stipulant que, si tu te trouvais un jour à même de payer comptant, il devrait te revendre le domaine. Nous parvînmes également à un accord avec les créanciers ; accord très généreux, je dois dire, puisqu'ils acceptèrent beaucoup moins que leur dû : seules quelques terres du domaine familial furent vendues.

— Y compris Harland Wyte, la terre qui aura le plus de valeur quand elle sera drainée. Comment se fait-il qu'elle ait été vendue à l'homme qui le premier a accusé mon père ? »

Surpris par l'étendue de mes connaissances, sir William ne répondit pas tout de suite.

« Non, fit-il, après quelques instants. Sir Samuel n'a pas agi dans un esprit de grande générosité, je le concède, mais avions-nous guère le choix ? Tu dois te rappeler que les révélations concernant ton père, au début, n'étaient connues que de très peu de monde, et il était impératif que les choses en restent là. Dès l'instant où ils auraient eu vent de l'affaire, ses créanciers se seraient immédiatement abattus sur nous. Nous avions besoin de temps et du silence de Morland. Je suis obligé de dire qu'il fit payer cher son accord. La vente de Harland Wyte à un prix avantageux pour lui nous fournit un sursis de huit semaines. »

Accablé, je courbai tristement la tête, car je ne doutais pas qu'il m'eût dit l'absolue vérité, de son point de vue. Je lui en étais reconnaissant du fond du cœur : j'avais trouvé tant de duplicité ces derniers mois que je ne m'attendais plus à rencontrer un honnête homme, et je crains d'avoir été, à l'époque, excessivement enclin à la méfiance. En un sens, sir William avait été trahi tout autant que mon père, sa bonté ayant été abusée et utilisée à des fins pernicieuses. Je devrais le lui dire tôt ou tard, lui dévoiler toute cette scandaleuse histoire et lui montrer ce qu'il avait fait en toute innocence et avec les meilleures intentions du monde. Cela me tracassait, car il en aurait le cœur brisé. Et je savais également qu'autant que ces individus malfaisants je devrais, moi aussi, attiser le feu de sa colère afin qu'il luttât pour corriger les injustices auxquelles il avait participé.

Je n'avais aucun intérêt à poursuivre la conversation plus avant ce soir-là ; je ne voulais pas avoir l'air trop impatient et, de surcroît, j'étais absolument épuisé. Par conséquent, je renfilai bientôt mon manteau, pris une bougie et, quittant la chaleur de l'âtre, je me dirigeai vers la chambre que j'avais toujours occupée. Elle était déjà préparée à mon intention : probablement sir William avait-il réveillé un domestique à mon arrivée. On avait même allumé un maigre feu dans la cheminée, lequel offrait plus de réconfort que de chaleur. Je frissonnai de froid dans cette petite chambre, mais, lorsque je m'agenouillai pour prier, je remerciai Dieu de ne pas être dans l'une de ces immenses chambres réservées aux invités de marque. Ce gentilhomme italien, pensai-je, allait terriblement souffrir cette nuit-là. Mes dévotions terminées, dans l'état d'esprit serein qui est habituellement celui des hommes pieux lorsqu'ils louent Dieu avec une véritable humilité, j'avais presque envie de m'envelopper aussi chaudement que possible et de me coucher sur-le-champ. Le voyage m'avait couvert de poussière, et je décidai sans grand enthousiasme de me débarbouiller d'abord. Une cuvette pleine d'eau avait été placée sur la commode près de la haute fenêtre et, une fois que j'eus fermé hermétiquement cette dernière, je fendis la fine couche de givre et me plongeai le visage dans l'eau glaciale.

C'est alors qu'on me rappela que mon infortune était une hydre aux multiples têtes. Même après toutes ces années, je ne peux me résoudre à décrire les images obscènes qui m'apparurent dans cette cuvette éclairée seulement par la bougie vacillante reposant sur la commode. Ces images obscènes n'auraient pu être imaginées que par le plus servile suppôt de Lucifer ; tourmenter l'âme d'un chrétien après ses prières était un acte particulièrement odieux. Les bruits qui retentissaient dans ma tête pendant que je me penchais avidement au-dessus de cette cuvette, tentant désespérément de m'arracher au spectacle et, pourtant, incapable de bouger un seul muscle, me faisaient pousser des cris d'horreur et d'effroi. Cependant (je dois l'avouer), j'étais fasciné par les scènes que je contemplais. Même un être pur et innocent se voyait soumis à la perversité la plus brutale et forcé de tirer plaisir de la violence exercée sur lui. Je vis l'image de mon père — pas lui, en réalité, mais un démon ayant pris ses traits — allongé, tandis que Sarah Blundy lui apportait la jouissance de la façon la plus répugnante possible. Toutes sortes de démons se livraient à des ébats lascifs sous mes yeux, sûrs que je les voyais et que je jouissais de la torture qu'ils m'infligeaient. Je ne pouvais ni parler ni faire le moindre mouvement pour m'éloigner de ces horreurs, parce que je ne m'y attendais plus. Je m'étais relâché, croyant que les attaques avaient cessé, que la jeune Blundy s'était peut-être adoucie ou qu'elle avait renoncé à sa vengeance. J'avais désormais toutes les preuves nécessaires indiquant qu'elle avait simplement préparé un assaut encore plus cruel. Et cela ne concernait pas seulement ma personne, puisque ses maîtres diaboliques possédaient le pouvoir d'atteindre ceux qui auraient dû rester inaccessibles et insensibles à la douleur.

Je dus faire un effort surhumain pour m'arracher à ce spectacle monstrueux, jeter la cuvette par terre et me réfugier dans un coin de la chambre, où je me blottis, haletant de peur, incapable de croire que c'était terminé. Je demeurai là la majeure partie de la nuit, recroquevillé, sans oser faire le moindre mouvement, terrorisé à l'idée que cela pût recommencer. Les membres gourds, glacé jusqu'aux os, je finis par ne plus pouvoir tenir. Lorsque la douleur fut plus forte que la peur, je me redressai et sortis de ma cachette, puis passai un bon bout de temps à vérifier que les fenêtres étaient bien fermées. Puis je traînai la commode à travers la pièce pour barrer la porte, afin que même le diable eût du mal à la forcer. Ensuite, je tentai de dormir, appréhendant le moment où la bougie finirait par se consumer. Jusqu'alors, je n'avais jamais eu peur des ténèbres. Cette nuit-là, elles m'emplissaient de terreur.

Chapitre treize

Je ne m'étais pas encore remis de ma peur et de ma nuit blanche lorsque, le lendemain matin, Marco da Cola engagea la conversation. Je ne fus pas très disert, étant extrêmement préoccupé par l'attaque que je venais de subir, mais son insistance finit par m'obliger à être aussi courtois que possible. L'œil pétillant, le sourire béat, il commença par me dire qu'il croyait comprendre que mon père était sir James Prestcott.

Persuadé qu'il allait m'interroger sur la déchéance de mon père, je répondis avec la plus grande froideur. Au lieu de prendre une mine grave et affligée, comme en affichent ceux qui ont l'intention de vous plaindre avec condescendance, son visage s'anima considérablement en entendant ma réponse.

« C'est excellent, vraiment ! fit-il avec un accent si fort que cette phrase était à peine compréhensible. Vraiment excellent ! »

Il rayonnait de plaisir en me regardant.

« Puis-je vous demander pourquoi vous dites cela ? Ce n'est pas la réaction à laquelle j'ai été habitué depuis quelque temps.

— Parce que j'ai bien connu votre très admirable père, il y a quelques années. J'ai été très attristé d'apprendre ses malheurs. Permettez-moi de vous offrir mes sincères condoléances pour la perte d'un homme qui a dû être un père parfait.

— C'est bien vrai ! Je vous remercie. »

J'avais pris en aversion ce petit-maître étranger, étant, en général, fortement rebuté par ce genre de personnage. Cette fois-là, je me rendis compte qu'il me fallait réviser mon opinion. Rares étaient ceux qui avaient la bonté d'avouer qu'ils avaient connu mon père, et encore plus rares ceux qui le louaient !

« Il faut que vous me disiez comment vous l'avez rencontré. Je ne sais rien sur l'époque où il se trouvait à l'étranger, sauf qu'il a été obligé de vendre ses services comme soldat.

— Il les a vendus à Venise, qui lui en a été reconnaissante, car c'était un homme courageux. S'il y en avait davantage comme lui, l'Ottoman ne menacerait pas le cœur même de l'Europe.

— Donc, il était estimé par votre État ? Je m'en réjouis.

— Il était tenu en haute estime. Et il était autant apprécié des officiers que de la troupe ; courageux, mais ce n'était une tête brûlée. Quand il a décidé de rentrer chez lui, ceux parmi nous qui étaient en faveur de votre roi se consolèrent en pensant que cette perte pour nous serait un gain pour votre souverain. J'ai du mal à penser que l'homme que j'ai connu aurait pu commettre un acte répréhensible.

— Vous ne devez pas croire tout ce que vous entendez, affirmai-je. Je suis persuadé que mon père a été la victime d'un crime abominable. Avec un peu de chance, j'en détiendrai bientôt la preuve.

— Je m'en réjouis. Sincèrement. Rien ne pourrait me donner une plus grande satisfaction.

— Vous étiez vous-même soldat ? »

Il hésita un court instant avant de répondre.

« J'ai étudié la médecine récemment, entre autres disciplines. Ce n'est pas très militaire ! Je m'occupe surtout de recherches. J'admirais beaucoup votre père, cependant, son métier ne m'a jamais grandement attiré. »

Sur ce, le petit homme s'en alla ; je remerciai Dieu que le caractère de mon père eût été tel qu'il faisait invariablement une impression favorable sur tous ceux qui le rencontraient — quand ils n'étaient pas contaminés par la rumeur.

Sir William avait déjà quitté la maison ; il gérait son domaine avec zèle, ayant la ferme conviction qu'il était de son devoir de s'en occuper personnellement. En outre, il y prenait toujours grand plaisir et il eût été heureux de se donner totalement à son rôle de gentilhomme campagnard. Les bénéfices qu'apportait la cour, cependant, étaient irrésistibles et, au moins quatre fois par an, il était obligé de se rendre à Londres afin de diriger son service. Le reste du temps, il demeurait dans le Warwickshire et, chaque jour ou presque, par tous les temps, il prenait un ou deux de ses lévriers favoris et quittait la maison de bon matin pour faire des visites, dispenser des conseils et donner ses ordres. Il rentrait vers midi, le visage rougi par l'exercice, rayonnant de bonheur et de contentement, puis déjeunait avant de faire la sieste. Le soir, il s'occupait des papiers comme en génère tout domaine d'une certaine taille, puis contrôlait la manière dont sa femme gérait la maison. Il observait ce même rituel chaque jour, et je suis certain qu'il dormait profondément chaque nuit, assuré d'avoir accompli impeccablement toutes ses obligations. À mon avis, sa vie était absolument admirable et heureuse, tant qu'aucune intrusion intempestive ne venait en déranger le cours paisible.

C'est la raison pour laquelle je ne pus prolonger ma conversation avec lui avant le soir, au moment où, ses affaires réglées, il redevint l'hôte affable. Cola, une fois que lady Compton se fut retirée, aborda de nouveau le sujet de l'innocence de mon père. Sir William sembla très chagriné par ces propos.

« Je t'en supplie, Jack, fit-il tristement, oublie cette histoire. C'est moi qui ai reçu la preuve de la culpabilité de ton père, et je peux t'assurer sur ma vie que je n'aurais pas agi comme je l'ai fait si je n'en avais pas été totalement convaincu. Ce fut le jour le plus affreux de mon existence ; et j'aurais été heureux de mourir avant de découvrir ce secret. »

Pas plus que la veille, je ne sentis la colère monter en moi, contrairement à ce qui s'était passé précédemment à maintes reprises. Cet homme bon parlait avec la plus grande sincérité. Je savais également qu'il avait été une dupe innocente, qu'on l'avait trompé — comme mon père — et poussé à poignarder son meilleur camarade. À mon grand regret, je lui répondis en ces termes :

« Je crains, monsieur, de devoir bientôt vous obliger à supporter un plus grand désagrément. Car je me trouve à deux doigts de prouver ce que j'avance. Je suis persuadé que la preuve qui vous a convaincu a été concoctée et fabriquée par sir Samuel Morland afin de protéger le véritable traître. On vous l'a transmise parce que votre honnêteté était si incontestée qu'une accusation venant de votre bouche serait facilement crue. »

À ces mots, sir William devint d'une pâleur mortelle et ma déclaration tomba dans un silence total.

« Tu as des preuves ? demanda-t-il d'un ton incrédule. Je ne peux pas le croire ; il est impossible qu'un homme ait pu froidement fomenter un tel complot.

— Pour le moment, mon dossier est incomplet. Mais je suis certain que, lorsqu'il sera en bonne et due forme, je réussirai à convaincre John Thurloe d'authentifier les preuves. Et, dans ce cas, je ne doute pas que Morland dénonce son complice pour sauver sa tête. Mais j'aurai également besoin que vous confirmiez certains aspects de l'affaire. À mon avis, mon père a été choisi comme victime parce qu'il s'opposait à ce que la famille Russell réalise des bénéfices excessifs. Vous êtes la seule personne qui puisse affirmer que l'information émanait en premier lieu de sir John Russell, qui la tenait de Morland. Accepterez-vous de faire ces révélations ?

— De tout mon cœur ! s'exclama-t-il avec fougue. Et plus. Si ce que tu avances est vrai, je les tuerai tous les deux de mes propres mains. Mais, je t'en prie, n'aie pas mauvaise opinion de sir John pour le moment. J'ai observé son visage quand il m'a annoncé la nouvelle, et, manifestement, il était bouleversé.

— Alors, c'est un bon acteur.

— Et, pendant un certain temps, il s'est engagé, par l'intermédiaire de sa famille, auprès des créanciers de ton père afin que le domaine soit vendu au meilleur prix. S'il n'avait pas agi ainsi tu serais maintenant en fort mauvaise posture. »

Ce fut la goutte d'eau qui fit déborder le vase. L'idée que je devais être reconnaissant à cet homme me mit hors de moi ; la ruse employée pour camoufler la spoliation dont il s'était rendu coupable, sous l'apparence de la vertu et du désintéressement, me soulevait le cœur. J'avais un mal fou à me retenir de bondir et de me lancer dans une dénonciation de toute la famille Russell, et à m'abstenir de reprocher à sir William lui-même son aveuglement et sa sotte crédulité.

J'y parvins pourtant, même si je dus laisser Cola discuter avec lui pendant plus d'une demi-heure avant d'être assez sûr de moi pour prendre de nouveau la parole. Et alors, je pus seulement lui affirmer que j'étais certain, absolument certain de ce que j'avançais. Et que je le lui prouverais en temps voulu.

« Quelles preuves possèdes-tu déjà ?

— Un certain nombre, répondis-je, peu désireux de fournir de plus amples détails, car il aurait pu être consterné par la minceur de mon dossier. Pas en nombre suffisant, hélas. Je n'ai pas les lettres falsifiées, mais dès qu'elles seront en ma possession, je pourrai affronter Thurloe directement.

— Et où sont-elles ? »

Je secouai la tête.

« Tu ne me fais pas confiance ?

— Si, entièrement. Vous êtes ici-bas la seule personne que je puisse considérer presque comme un père, maintenant que le mien n'est plus. Je vous respecte et vous honore pour tout ce que vous avez fait pour moi. Mais pour rien au monde je ne voudrais vous accabler sous le poids de ce que je sais. Je suis fier de m'exposer au risque d'être attaqué par ces individus, parce qu'ils savent que je suis à leurs trousses, mais je ne veux pas, sans une bonne raison, faire courir de risques à d'autres personnes. »

Mes propos lui plurent, et il me dit que si mon père était innocent, comme je le croyais, alors j'étais un fils digne de lui. Puis la conversation s'engagea dans d'autres voies avec l'Italien, celui-ci se montrant extrêmement désireux de connaître les mœurs des pays étrangers. Il nous criblait de questions, sir William et moi, sur notre pays et la manière dont il était gouverné. Sir William donna de nombreux détails, ce qui m'apprit beaucoup à moi-même, car, quoique j'eusse su qu'il n'aimait pas lord Clarendon, j'avais cru que leur mésentente était avant tout personnelle. En fait, je reçus ma première grande leçon au sujet de la politique du pays : Clarendon, homme de peu, étendait tellement son emprise à partir de son domaine campagnard tout proche qu'il empiétait fortement sur des terres où dominait habituellement la famille Compton, dans tout l'Oxfordshire et jusqu'en plein Warwickshire.

« Il a eu l'audace d'insister, d'insister avec force, pour qu'aux dernières élections l'un des membres du Parlement représentant le comté du Warwick soit l'un de ses protégés, sous prétexte qu'il était vital qu'il y eût à la Chambre des communes des hommes œuvrant dans l'intérêt du roi. Comme si ma famille ne savait pas, n'avait pas toujours su, où se trouvait son devoir. Il est parvenu à un accord avec le lord lieutenant — le représentant de la couronne — de l'Oxfordshire, et il est en train de distribuer des pots-de-vin aux gentilshommes du Warwickshire.

— Il est en mauvaise santé à ce qu'on raconte, dit Cola. Si c'est le cas, il ne pourra pas garder son poste bien longtemps.

— Je ne peux que le souhaiter, répondit mon tuteur. Il a l'intention de détruire ma famille.

— Rien de surprenant à cela, fis-je tristement. Ses amis ont déjà détruit la mienne. »

Nous laissâmes tomber ce sujet, sir William ayant montré des signes d'abattement devant cette perspective, et, gentiment, Cola posa des questions à propos de la guerre récente. Sir William nous raconta les combats et les actes d'héroïsme dont il avait été témoin ; Marco da Cola évoqua la guerre que son pays avait faite à la Crète et sa courageuse résistance à la brutalité des Turcs. N'ayant aucune histoire de bravoure à relater, j'écoutai leurs récits, me réjouissant d'être accepté par eux et me sentant un homme parmi ses pairs. S'il pouvait toujours en être ainsi ! me disais-je, je serais heureux et comblé ! Un feu dans l'âtre, un verre et une plaisante compagnie, c'est tout ce dont un homme a besoin pour être vraiment heureux. Je possède tout cela, aujourd'hui : le présent est aussi agréable que l'avenir entrevu ce soir-là.

J'aurais pu demeurer longtemps dans cette maison et je dus faire un immense effort pour la quitter. Les tâches qui m'attendaient étaient redoutables, et la perspective de reprendre la lutte ne possédait aucun charme. Plus tôt je m'y remettrais, mieux ça vaudrait : c'est pourquoi, dès que Cola se retira dans sa chambre et que sir William retourna dans son bureau pour s'occuper de ses affaires, je descendis discrètement l'escalier et franchis le grand portail.

462

Il faisait complètement nuit : la lune ne brillait pas dans le ciel, où l'on ne voyait pas la moindre étoile. C'est seulement parce que je connaissais si bien les lieux que je réussis à trouver l'allée menant à la route : la petite torche que j'avais allumée au feu de l'âtre me permettait à peine de voir à quelques mètres devant moi. Le froid était intense, de surcroît, et mes pieds faisaient crisser l'épaisse couche de givre qui recouvrait le sol gelé. Les oiseaux de nuit voletaient alentour et les bêtes rôdaient sur leur territoire, à la recherche de proies ou tentant de survivre.

Je n'éprouvais aucune peur, pas même de l'appréhension. Il paraît que c'est inhabituel, car, souvent, on est averti d'un péril imminent : la nuque pique ou le cuir chevelu démange à l'approche du danger. Rien de tel cette fois-là. Tout ce qui me préoccupait était d'atteindre la grille et la route de Banbury ; je devais tellement me concentrer pour ne pas sortir du chemin et éviter les fossés qui se trouvaient — je m'en souvenais — de chaque côté que je n'avais pas le loisir de penser à autre chose.

Un bruit me fit oublier cette prudence, et, même alors, je ne réagis pas sur-le-champ, pensant qu'il s'agissait d'un renard ou d'un blaireau qui traversait le sentier devant moi, mais juste au-delà de la portée de ma torche. Ce n'est qu'au dernier moment que tous mes sens me hurlèrent que je courais un péril mortel, me forçant à faire un bond de côté pour échapper à l'affreux démon qui avait surgi de la terre pour entraver ma route.

Il avait pris la forme d'un homme, mais cette sorte d'apparition n'est jamais parfaite : un regard attentif peut toujours détecter le défaut qui indique qu'on a affaire à une imitation. En l'occurrence, c'était le mouvement, saccadé et irrégulier, qui révélait qu'il ne s'agissait pas d'un humain mais d'un monstre. Il avait tenté de prendre la forme d'un vieil homme mais, bossu et boiteux, il était couvert de pustules purulentes et de hideuses difformités.

Les yeux — je ne parvins jamais à comprendre comment cela était possible — avaient la noirceur de la poix tout en pétillant dans la nuit, me laissant apercevoir tout au fond les flammes de l'enfer. Les sons qu'il émettait pour essayer de m'enjôler et de me séduire afin de gagner ma confiance étaient particulièrement effrayants. D'ailleurs, il ne me semble pas qu'il utilisait un langage humain : c'est seulement dans ma tête, et non dans mes oreilles, que je l'entendais siffler comme un serpent et glapir comme une chauve-souris : « Non, Jack ! Il ne faut pas que tu partes déjà ! Je t'en prie, reste avec moi ! Viens avec moi ! »

Me rappelant les visions de la nuit précédente, je frissonnai en devinant ce qu'impliquaient ces mots et je me forçai à ne pas faire cas de ses demandes importunes. J'essayai de faire une croix de mes doigts et de les placer devant son visage... ce symbole de la souffrance du Seigneur ne provoqua qu'un ricanement méprisant. Je voulus réciter un Notre Père, mais j'avais la bouche si sèche et les lèvres si gercées que pas un son ne put passer mes lèvres.

Fou de terreur, je rebroussai chemin, sans quitter des yeux le monstre qui me harcelait, épouvanté à l'idée qu'à tout moment il risquait de m'attraper et de m'arracher l'âme du corps.

Je le suppliai de me laisser en paix : il ne me répondit que par un rire hideux et par un bruit de succion, comme lorsqu'un marécage engloutit un mouton ; je sentis un contact moite et glacial quand il étendit une main décharnée pour attraper mon bras. Je fis un bond en arrière, exécutant des moulinets avec mon poignard davantage pour indiquer mon intention de résister que pour me préparer à me défendre efficacement. Cependant, mon courage et mon refus de céder aux cajoleries de cette créature produisirent apparemment quelque effet, car le diable compte sur la soumission volontaire et ne peut facilement s'imposer à ceux qui ne se laissent pas séduire. Le monstre recula, émettant des gargouillis de surprise devant mes gestes sans ambiguïté et ouvrant une brèche dans laquelle je m'engouffrai ; j'utilisai la même main pour l'écarter encore plus — ce fut une erreur, car il exhalait une odeur nauséabonde dont j'eus du mal à me défaire — et passai à toute vitesse, courant le long du sentier jusqu'à la grille.

Je ne sais plus dans quel sens je me dirigeai : tout ce qui m'importait, c'était de m'éloigner le plus possible de cette créature difforme. J'atteignis enfin la rivière qui coule tout près de là et descendis jusqu'au bord de l'eau afin de laver ma main et d'effacer l'odeur qui me montait encore aux narines. Le souffle coupé par la peur et par ma course folle, je dus rester là, recroquevillé contre un bateau qu'on avait tiré sur la rive pour la nuit, le regard fixé sur l'eau pendant une heure ou plus. Finalement, je m'ébrouai, convaincu que le danger était sûrement passé. Je me remis en marche, rasséréné, restant cependant sur mes gardes en prévision de nouvelles agressions.

J'entendis les chiens environ une demi-heure plus tard. Ils me rattrapèrent bientôt, et après que l'on m'eut plaqué au sol, donné des coups de pied et brutalisé, je fus informé, à mon immense surprise, que sir William Compton avait été violemment attaqué. On me tenait pour responsable de ce méfait.

Chapitre quatorze

Il n'est pas utile, me semble-t-il, de m'attarder trop sur ces événements. On me traita atrocement et on lança contre moi des accusations ignobles. S'il est nécessaire et raisonnable que les criminels soient traités de telle façon, incarcérer et humilier les gentilshommes de cette manière brutale est impensable. La période que je passai à attendre mon procès fut des plus atroces ; la Blundy y vit l'occasion de profiter de ma faiblesse et manqua me rendre fou par les souffrances et les visions qu'elle ne cessa de m'envoyer jour et nuit.

Je m'attendais que cette sorcière lançât une nouvelle attaque, sans me douter qu'elle possédait une telle puissance et un tel désir de nuire. Je dus réfléchir un certain temps avant de saisir toute la malignité de ce qui s'était passé, mais une fois comprise, l'explication apparaît évidente. Il est clair que, m'ayant entendu quitter la maison, sir William décida de partir à ma recherche et qu'à ce moment-là un démon s'empara si parfaitement de son corps que mes yeux ne purent voir au-delà de l'apparence trompeuse. Une fois que je l'eus poignardé, le charme se dissipa et l'enveloppe diabolique s'évapora. Ce fut un assaut démoniaque, la sorcière s'étant désormais rendu compte qu'elle ne pouvait me détruire. Elle résolut alors de se servir d'autrui : me faire pendre devenait la solution idéale.

Une fois qu'on m'eut jeté en prison et enchaîné au mur, je compris tout de suite que, sauf chance extraordinaire, elle parviendrait à ses fins. J'avais poignardé sir William et l'avais presque fait passer de vie à trépas ; qui plus est, ayant survécu, il allait sans aucun doute affirmer que je l'avais attaqué de propos délibéré. Ma défense n'avait aucune chance de réussir : qui me croirait si je révélais la vérité ?

Pendant de nombreux jours, je ne pus qu'attendre, assis par terre dans mon affreuse cellule. Je recevais bien des visites ainsi que des messages, mais c'était d'un piètre réconfort. Mon cher oncle m'écrivit pour me signaler qu'il se lavait les mains de tout ce qui me concernait et qu'il n'apporterait aucune contribution à ma défense. Thomas fit de son mieux pour m'aider, en dépit de la désapprobation que je lisais sur son visage. Tout au moins lorsqu'il parvenait, au prix de grands efforts, à oublier que l'issue de son combat contre Grove à propos du bénéfice était imminente : quand lord Maynard viendrait dîner au collège.

Sur ces entrefaites arriva Lower, accompagné de Marco da Cola.

Je ne vais pas répéter le récit des demandes impudentes (et prématurées) que Lower m'adressa au sujet de mon cadavre, la description qu'en fait Cola étant relativement exacte. Durant la première visite, l'Italien fit semblant de ne pas me connaître et je lui rendis la pareille, puisque, manifestement, c'était là son souhait. Il revint seul l'après-midi, sous prétexte de m'apporter du vin, et nous eûmes une conversation à propos des événements de cette terrible nuit.

Pour sa part, affirmait-il, il ne parlait que par ouï-dire : il n'avait rien vu, ni entendu quoi que ce fût de notable. C'était seulement le soudain brouhaha — cris, gémissements des femmes, aboiements des chiens — qui l'avait réveillé et tiré du lit. Dès lors, son seul souci avait été de soigner la blessure de sir William : il lui avait prodigué des soins pendant toute la nuit, et c'était uniquement grâce à lui que celui-ci n'était pas mort. Il m'assura que sir William allait guérir, qu'il avait déjà accompli de si grands progrès qu'il se sentait autorisé à laisser lady Compton s'occuper de lui.

Ses propos me mettaient du baume au cœur. Même si je savais qu'il était trop tôt pour que mon message fût bien accueilli, je le priai d'informer sir William que je me réjouissais de le savoir hors de danger, que j'étais absolument innocent, et de lui demander s'il se rendait compte qu'on avait usurpé son corps. Cola s'engagea à transmettre mon message. C'est alors (ayant conçu mon projet d'évasion) que je réitérai ma requête, insistant pour que le Dr Grove vînt me voir le plus tôt possible.

Le lendemain soir, je fus surpris de voir arriver Wallis à sa place. Je devinai tout de suite que ce hasard heureux présentait de nouvelles possibilités. Il m'interrogea au sujet de sir William et me posa une quantité impressionnante de questions sottes et sans intérêt sur Marco da Cola, des questions si stupides que je ne vais pas prendre la peine de les transcrire ici. Évidemment, je lui en confiai le moins possible, mais j'entretins subtilement la conversation par de petites allusions et de discrètes suggestions jusqu'à ce que le vin eût fait perdre au gardien une bonne partie de sa lucidité. Puis je me jetai sur Wallis, l'attachai avec des bandelettes déchirées dans sa mince couverture — j'avoue que je serrai davantage les nœuds que je ne l'eusse fait pour Grove — et décampai. Il avait l'air si étonné et si indigné que je faillis éclater de rire. Mon évasion avait été tellement facile que j'avais du mal à croire à ma bonne fortune.

Maintenant que Wallis était bien à l'abri, j'avais une occasion inespérée d'explorer son appartement. Aussi traversai-je toute la ville en direction de New College ; j'utilisai sa clef pour ouvrir la grille principale. Là encore, ce fut si aisé que je crus être l'objet d'une protection particulière : la porte de son appartement n'était pas fermée à clef ; j'ouvris facilement le bureau : le dossier commodément étiqueté « Sr Ja Prescott » se trouvait dans le second tiroir ; une demi-douzaine de feuilles étaient si incompréhensibles que je supposai que c'étaient les missives codées que je cherchais. Je fourrai ces dernières sous ma chemise pour bien les protéger et, au comble de la joie, m'apprêtai à partir.

Sur le palier, prêt à redescendre, j'entendis le cri horrible, malgré sa faible intensité. Je me figeai sur place, d'abord convaincu que les diables me harcelaient derechef, alors que j'étais rassuré sur ce point, craignant que ma chance n'eût tourné et que le bruit n'attirât l'attention et ne révélât ma présence. Osant à peine bouger, je retins mon souffle et attendis ; mais la cour restait aussi calme et déserte qu'auparavant.

La perplexité m'envahit : il s'agissait d'un hurlement de grande souffrance qui venait indubitablement de l'appartement du Dr Grove, appartement qui se trouvait juste en face de celui de Wallis. En proie à une certaine agitation, je cognai contre la porte intérieure — la lourde porte extérieure n'étant pas fermée —, puis la poussai doucement et regardai dans la pièce.

Grove était toujours vivant, mais à peine... Le spectacle m'arracha le cœur et me tira des cris d'indignation. Les contorsions de son visage exprimaient la plus atroce souffrance ; les membres secoués de tremblements et de soubresauts, il faisait des bonds sur le sol, tel un dément en crise. Il me regarda lorsque j'allumai une bougie au feu de l'âtre et la tins au-dessus de son visage, mais je ne pense pas qu'il me reconnut. D'une main hésitante, il indiqua quelque chose sur la table qui se trouvait dans un coin de la pièce, puis, les lèvres écumantes, il retomba sur le plancher et expira.

Je n'avais jamais été témoin d'une telle agonie et priai Dieu avec ferveur qu'un tel spectacle ne m'écorchât jamais plus les yeux. Pétrifié d'horreur, je n'osais faire le moindre mouvement, craignant tout autant son retour à la vie que sa mort. Au prix d'un immense effort, je parvins à me secouer pour voir ce qu'il avait désigné de ce dernier geste pitoyable. La bouteille et le verre contenaient encore une bonne quantité de liquide. Je le humai avec précaution, il ne semblait pas indiquer un danger mortel. Pourtant, il paraissait à tout le moins probable qu'il s'agissait d'un empoisonnement.

C'est alors que j'entendis les pas dans l'escalier... La terreur s'empara de mon être aussi violemment que ma main du couteau qui se trouvait sur le bureau de Grove.

Les pas résonnaient de plus en plus fort ; ils s'arrêtèrent à mi-étage avant de continuer, puis de gravir la seconde volée. Cela ne pouvait guère être Wallis, me dis-je. Impossible qu'il se fût échappé. Je savais que je devrais tuer quiconque entrerait dans l'appartement.

Les pas se rapprochèrent et s'arrêtèrent sur le palier. Il y eut un long silence, puis on cogna à grands coups contre la porte. Je me trompe peut-être : les coups étaient probablement extrêmement légers, mais j'avais l'impression qu'ils auraient pu réveiller les morts dans leur tombe. Je demeurai là, dans l'obscurité seulement éclairée par les flammes vacillantes de l'âtre, et priai que le visiteur, pensant que Grove était absent, s'en allât. Mais j'étais si nerveux que tous mes efforts pour rester calme produisirent l'effet contraire : je frôlai un livre qui était sur la table et il s'écrasa par terre.

Mes prières et mes souhaits n'avaient désormais plus aucun sens. Rien ne se passa tout d'abord ; ensuite, j'entendis le loquet se soulever, le grincement bien reconnaissable d'une porte qui s'ouvre, puis un bruit de pas faisant crisser une lame disjointe du parquet en chêne.

Quand je vis que le visiteur possédait une lanterne et qu'il découvrirait bientôt ma présence et celle du cadavre, je sus que je ne pourrais plus me cacher : alors, j'étendis le bras et l'attrapai par la peau du cou, le contraignant à ressortir à reculons.

Mon adversaire n'avait pas beaucoup de force et, surpris et terrorisé, il n'opposa guère de résistance. En deux temps trois mouvements, je le plaquai sur le sol du palier, tout en empêchant la lanterne de mettre le feu au bâtiment, avant même de voir de qui il s'agissait.

« Thomas ! m'écriai-je, frappé de stupeur, lorsque la lueur de la lanterne joua sur son visage décomposé par la peur.

— Jack ? chuchota-t-il d'une voix rauque, encore plus surpris que moi. Que fais-tu là ? »

Je le relâchai immédiatement, brossai ses vêtements, m'excusant de l'avoir brutalisé.

« C'est très simple. Je suis en fuite. Toi, en revanche, tu as des explications à me fournir. »

Il baissa la tête et j'eus le sentiment qu'il allait se mettre à pleurer. Toute cette conversation était étrange : un prêtre et un fugitif, serrés l'un contre l'autre sur ce palier, se parlant à voix basse, alors qu'à quelques pieds de là, dans la pièce d'à côté, gisait un cadavre encore chaud.

De toute façon, sa mine l'eût fait pendre par n'importe quel tribunal du pays, même si le jury n'avait pas été au courant de la longue et pénible histoire à l'origine de ces événements.

« Dieu du ciel ! s'écria-t-il, aide-moi ! Que faire ? Tu sais ce que j'ai fait ?

— Parle moins fort, dis-je d'un ton aigre, je n'ai pas couru tous ces risques pour être repris à cause de tes gémissements. Il est trop tard. Tu as agi avec une bêtise incroyable, mais, maintenant, il n'y a plus rien à faire. C'est trop tard !

— Pourquoi ai-je agi ainsi ? J'ai aperçu le directeur et, sans même m'en rendre compte, je l'ai accosté et lui ai raconté un tas de mensonges sur la servante de Grove.

— Quoi ? Mais, Thomas, de quoi parles-tu donc ?

— De la Blundy. Cette fille. J'ai dit au directeur que Grove n'avait pas tenu sa promesse et que j'avais vu la fille se faufiler dans sa chambre ce soir. Puis je me suis rendu compte...

« — D'accord, d'accord ! N'entrons pas dans ces détails. Mais pourquoi es-tu venu ici ?

— Je voulais le voir avant qu'il ne soit trop tard.

— Il est trop tard.

— Mais je peux sûrement faire quelque chose, non ?

— Arrête tes enfantillages ! m'exclamai-je d'un ton acerbe. Bien sûr que non ! Ni toi ni moi n'avons le choix. Je dois m'enfuir, et toi, tu dois retourner dans ta chambre et dormir. »

Il restait toujours là, assis par terre, enserrant ses genoux dans ses bras.

« Thomas, fais ce que je te dis, lui ordonnai-je. Laisse-moi m'occuper de ça !

— C'est sa faute, gémit-il. Je n'en pouvais plus. Il me traitait si mal...

— Il ne recommencera plus ! Et, si tu te calmes, on survivra tous les deux assez longtemps pour te voir porter la mitre épiscopale. Mais pas si tu t'affoles et si tu ne sais pas tenir ta langue. »

Ne supportant plus de rester sur le palier plus longtemps, je le forçai à se relever. Nous descendîmes ensemble l'escalier à pas de loup. Parvenus au rez-de-chaussée, je le plaçai dans la direction de sa chambre.

« Rentre chez toi et essaie de dormir, mon ami. Donne-moi ta parole que tu ne feras rien et ne diras rien sans m'en parler d'abord. »

À nouveau, le pauvre garçon baissa la tête comme un gamin.

« Thomas ? Tu m'écoutes ?

— Oui, fit-il, relevant enfin les yeux vers moi.

— Répète après moi, et jure que tu ne parleras jamais de ce qui s'est passé ce soir. Ou tu nous feras pendre tous les deux !

— Je le jure, répondit-il d'une voix sombre. Mais, Jack...

— Ça suffit ! Laisse-moi m'occuper de tout ! Je sais exactement comment agir. Tu me fais confiance ? »

Il fit oui de la tête, soulagé.

« Tu feras ce que je t'ai dit de faire ? »

Il hocha la tête une nouvelle fois.

« Bien. Maintenant, va-t'en ! Au revoir, mon ami. »

Je le poussai dans le dos pour le forcer à avancer. J'attendis qu'il eût traversé la moitié de la cour, puis je remontai dans la chambre de Grove pour prendre sa clef afin de refermer la porte, ainsi que sa chevalière.

Le projet qui avait jailli tout formé dans mon esprit était si simple et si complet qu'il ne pouvait être dû qu'à une inspiration, car je dois admettre modestement que je n'aurais pu imaginer seul une solution aussi parfaite. Ce qui s'était passé était évident, et le document de Cola le confirme. C'était le jour où lord Maynard avait dîné au collège, et la grande lutte pour gagner ses faveurs avait eu lieu entre Grove et Thomas. Comme on pouvait s'y attendre, Thomas se montra moins brillant, moins intelligent, et ce fut pour lui une épreuve humiliante. Il n'avait jamais été très doué pour les débats publics, et il s'était tellement préparé pour cette entrevue qu'au comble de l'angoisse il avait à peine pu parler. Au contraire, Grove était prêt : il avait rencontré Cola et il savait que l'Italien serait le faire-valoir idéal pour mettre en avant son orthodoxie et son soutien indéfectible à l'Église.

L'Italien était donc à leur table, croyant discuter de philosophie alors que Grove démontrait qu'il méritait la paroisse en étant en désaccord avec tout ce qu'il disait. Rien ne fut plus facile, Grove ayant écarté Thomas du débat soit en ne faisant aucun cas de lui, soit en l'agonisant d'insultes, jusqu'au moment où, désespéré d'être constamment interrompu, Thomas était sorti de la salle afin, à mon avis, de cacher ses larmes. Je devine que, fou de désespoir, sans trop savoir ce qu'il faisait, il avait peu après dénoncé Grove au directeur. Puis, s'étant rendu compte que son mensonge — une véritable calomnie — serait découvert, il avait franchi un pas de plus et commis cet acte fatal.

C'était mal de la part d'un homme d'Église, et cependant je savais que Thomas était un être fondamentalement bon ; il me l'avait montré à plusieurs reprises. Et même si cela n'avait pas été le cas, nous étions liés et je devais l'aider. Non seulement par loyauté, mais parce qu'il était incapable de se sortir d'affaire tout seul. J'ai déjà évoqué la solidarité des gens du Lincolnshire.

C'est le fait qu'en l'aidant je servais mes propres intérêts qui me fit comprendre qu'un ange gardien se tenait à mes côtés et me parlait à l'oreille.

Je dois revenir à mon récit, cependant, pour indiquer que, lorsque je quittai l'appartement de Grove, sa chevalière dans ma poche, il était neuf heures à St. Mary ; j'avais huit heures avant que le gardien n'entre dans ma cellule et n'y découvre mon évasion. Libre de mes mouvements, je pouvais faire absolument tout ce que je désirais. À ce moment-là, mon désir était de tuer Sarah Blundy, ayant dès longtemps clairement compris que ce n'était que par la mort de l'un de nous deux que ce combat diabolique prendrait fin.

Je savais, évidemment, que c'était impossible. Je ne pouvais pas davantage la tuer de mes mains qu'elle ne pouvait me tuer. Il fallait que d'autres prissent cela en charge : tout comme elle m'avait tendu un piège afin de me faire pendre, moi aussi je pouvais lui rendre la pareille.

Juste un peu avant minuit, je crois, je franchis les fortifications — qui entouraient encore Oxford à cette époque — en évitant le guet. J'entendis sans doute le glas lugubre que sonnaient les grosses cloches de la ville tandis que je traversais en toute hâte les champs bordant la route de Londres, route que je n'osai emprunter avant d'avoir dépassé le village de Heddington. L'aube commençait déjà à poindre à l'horizon lorsque je parvins aux abords du village de Great Milton.

Chapitre quinze

J'attendis jusqu'à ce que la matinée fût bien avancée, passant le temps à observer la maison en cachette afin de voir combien de personnes y habitaient et par quels moyens je pourrais m'échapper si cela s'avérait nécessaire. Puis, le cœur battant, je me préparai intérieurement, m'approchai de la porte et frappai. Il faisait agréablement chaud dans le vestibule, lequel, de manière assez surprenante, était loin d'être opulent. Sachant, bien sûr, que Thurloe était devenu riche comme Crésus pendant toutes les années où il avait détenu le pouvoir en tant qu'homme fort de Cromwell, je fus déconcerté de le voir si modestement logé. Pendant tout mon séjour chez lui, je ne vis qu'un domestique, et, bien que la maison fût confortable, elle n'avait ni la taille ni la splendeur que j'avais imaginées. Je supposai que c'était là un nouvel exemple de l'arrogante humilité des puritains, qui font étalage de leur piété et de leur mépris des biens terrestres. Personnellement, je les ai toujours détestés à cause de cela : ils attrapent d'une main et prient de l'autre. Il est du devoir des hommes de qualité de vivre selon leur rang, même s'ils n'en ont pas le goût.

Le domestique, un vieil homme qui clignait des yeux comme une chouette soudain placée en pleine lumière, m'informa que son maître était dans ses livres et que je devais attendre dans le grand salon. Une visite distrairait M. Thurloe, affirma-t-il. Pas celle-ci, pensai-je en mon for intérieur, tout en me conformant à ses instructions...

J'entrai dans la vaste pièce chaude qui se trouvait dans l'aile est de la maison. Pas celle-ci !

Il arriva quelques minutes plus tard. C'était un homme émacié dont les longs cheveux rares entouraient un haut front dégagé. Il avait la peau très pâle, presque translucide et, à part les rides profondes autour des yeux, il semblait plus jeune qu'il ne l'était en fait. Maintenant que je savais ce qui s'était passé, comment il avait manipulé plusieurs personnes, bonnes ou méchantes, leur imposant sa volonté, j'avais assez envie de le poignarder, sans autre forme de procès. Il découvrirait qui était son agresseur assez tôt, me dis-je, lorsque les flammes de l'enfer commenceraient à lécher son âme.

J'étais décidé à agir, mais je sentais ma résolution fléchir au fur et à mesure qu'il avançait vers moi. Depuis des mois, au cours de mes insomnies, je m'étais imaginé dégainant l'épée de mon père et lui transperçant le cœur, tout en psalmodiant quelques paroles adéquates, alors qu'il expirait, le visage grimaçant de terreur, criant lâchement merci, bavant de peur, tandis que je me dressais, implacable, devant lui. Je n'avais pas d'épée, mais mon poignard ferait l'affaire.

Facile à imaginer, plus difficile à réaliser. Tuer un homme au cours d'une bataille, quand le sang est échauffé, est une chose ; l'occire dans un salon paisible, pendant que le feu pétille agréablement et dégage une délicieuse odeur de bûches de pommier, en est une autre. Je fus asssailli par le doute pour la première fois : tuer un homme sans défense, ne serait-ce pas me ravaler à son niveau ? Ma valeureuse action ne serait-elle pas rabaissée si je ne l'accomplissais pas dans les formes ?

Je n'aurais pas tant de scrupules aujourd'hui, même si, vu qu'il est peu probable que je me retrouve dans pareille situation (le Seigneur s'étant depuis montré bienveillant avec moi), c'est facile à dire et difficile à prouver. En fait, ce sont peut-être mes doutes et mon hésitation qui m'ont fait mériter cette indulgence divine.

« Bonjour, monsieur, soyez le bienvenu, dit-il d'un ton calme tout en m'examinant avec curiosité. Je vois que vous avez froid. Je vous en prie, laissez-moi vous offrir quelque chose à boire. »

J'avais envie de lui cracher au visage que je ne boirais jamais avec quelqu'un de son espèce. Mais j'avais la gorge nouée et, déconcerté et troublé, je restai coi. Il frappa dans ses mains et demanda au domestique d'apporter de la bière.

« Asseyez-vous, s'il vous plaît, monsieur, dit-il après un autre long silence et après m'avoir réexaminé soigneusement. » Avec ma politesse habituelle, j'avais bondi de mon siège pour saluer son entrée. « Et attention de ne pas vous empaler sur votre poignard ! »

Il prononça ces paroles avec un sourire ironique, alors que je rougissais et bégayais comme un écolier pris en train de lancer des projectiles.

« Comment vous appelez-vous ? Votre visage me semble familier, bien que, voyant si peu de gens aujourd'hui, je croie reconnaître de parfaits inconnus. »

Contrairement à ce que j'avais imaginé, il parlait d'une voix douce, aimable, instruite.

« Vous ne me connaissez pas. Je m'appelle Prestcott.

— Ah ! Et vous êtes venu me tuer, n'est-ce pas ?

— En effet », répondis-je sèchement, de plus en plus troublé.

Il y eut un autre long silence, tandis que Thurloe marquait la page de son livre, le refermait et le plaçait soigneusement sur la table. Puis il posa ses mains sur ses genoux et me regarda fixement.

« Eh bien ? Allez-y ! Je serais désolé de vous retenir inutilement.

— Vous ne voulez pas savoir pourquoi ? »

Il sembla presque déconcerté par la question et secoua la tête.

« Seulement si vous souhaitez me le dire. En ce qui me concerne, à côté de ma comparution devant le Seigneur,

que m'importe le comment ou le pourquoi des hommes ?
Prenez donc un peu de bière », ajouta-t-il en saisissant le
gros pot en faïence apporté par le domestique et en me
versant à boire.

Je refusai le verre d'un haussement d'épaules.

« C'est très important, dis-je avec humeur, me rendant
compte que je m'éloignais de plus en plus de la ligne de
conduite envisagée.

— Dans ce cas, je suis tout ouïe. Je ne vois pas quel
tort j'ai pu vous causer. Vous êtes évidemment trop jeune
pour avoir été mon ennemi...

— Vous avez tué mon père. »

Il eut l'air inquiet autant que surpris.

« Vraiment ? Je ne m'en souviens pas. »

Enfin, il parlait d'un ton qui me mettait en colère ; et
il me fallait être en colère, je le savais, si je désirais
accomplir ma mission.

« Sale menteur ! Bien sûr que vous vous en souvenez !
Il s'agit de sir James Prestcott, mon père.

— Oh ! fit-il d'un ton serein. Oui, bien sûr que je me
souviens de lui. Mais je croyais que vous vouliez parler
de quelqu'un d'autre : je n'ai jamais fait de mal à votre
père. J'ai bien essayé, à un certain moment, c'était l'un
des rares serviteurs du roi qui n'était pas un imbécile.

— C'est pourquoi vous avez causé sa perte. Comme
vous ne pouviez pas l'attraper, ni vous battre avec lui,
vous avez empoisonné les esprits avec des mensonges et
l'avez abattu de cette manière.

— Vous me tenez pour responsable ?

— Vous l'êtes.

— Très bien, si vous le dites », répondit-il calmement
avant de retomber dans son mutisme.

Une fois encore, il m'avait pris à contre-pied. Je ne
sais pas à quoi je m'étais attendu : une dénégation véhé-
mente ou, au contraire, une justification éhontée de ses
actions. Je n'avais certainement pas prévu que mes accusations sembleraient le laisser totalement indifférent.

478

« Défendez-vous ! m'exclamai-je avec emportement.

— Avec quoi ? Je n'ai ni votre poignard ni votre force ; aussi, si vous souhaitez me tuer, cela ne sera pas difficile.

— Je veux dire : défendez vos actions.

— Pourquoi ? Vous avez déjà décidé de ma culpabilité. Alors je crains que mes pauvres réponses ne vous fassent pas fléchir.

— Ce n'est pas juste ! m'écriai-je, tout en me rendant compte que c'était une expression d'enfant qu'un homme comme mon père n'aurait jamais utilisée.

— Peu de choses le sont, dit-il.

— Mon père n'était pas un traître !

— C'est possible.

— Soutenez-vous que vous n'avez pas causé sa perte ? Espérez-vous me faire avaler ce mensonge ?

— Je n'ai rien dit. Mais, puisque vous le demandez : non, je n'y suis pour rien. Évidemment, je ne peux guère vous forcer à me croire. »

Plus tard — trop tard pour que cela pût me servir à quelque chose —, je compris comment John Thurloe était parvenu à de telles hauteurs qu'il était la seule personne du pays à oser contredire Cromwell. Vous lui asseniez un coup, il se relevait et vous parlait d'un ton doux et gentiment raisonnable. Vous continuiez à frapper et il continuait à se relever, restant toujours aussi placide et imperturbable, si bien que, pris de honte, on le laissait parler. Puis, lorsqu'on était décontenancé, il parvenait insensiblement à vous faire adopter son point de vue. Il ne se mettait jamais en avant, ne vous imposait jamais ses opinions et, tôt ou tard, la colère et l'hostilité s'épuisaient à se heurter à son impassibilité.

« Vous avez causé la perte de beaucoup d'autres, et vous comptez me faire accroire que vous avez épargné mon père ?

— Quels autres ?

« Vous n'avez pas dit qu'il était innocent. Vous en avez eu l'occasion pourtant.

— Ce n'était pas à moi de faire en sorte que mes ennemis soient forts et unis. En outre, qui m'eût cru ? Pensez-vous qu'un certificat d'honnêteté de ma main aurait restauré sa réputation ? Si le parti du roi voulait se déchirer lui-même et pourchasser des fantômes, en quoi cela me regardait-il ? Plus il était affaibli, mieux c'était.

— Si affaibli que le roi est sur son trône et que vous êtes ici, dans l'obscurité, ricanai-je, conscient non seulement que ses arguments étaient bons, mais que je ne les avais même pas considérés auparavant, tant sa culpabilité m'était apparue évidente et manifeste.

— Seulement parce que le Protecteur est mort et qu'il a pensé... De toute façon, ça n'a aucune importance, continua-t-il d'une voix douce. Il y a eu un vide, et la nature a horreur du vide. Charles n'a pas repris son trône, il a été aspiré par des forces bien plus grandes que celles qu'il aurait pu rassembler tout seul. Reste à voir s'il est assez fort pour le garder.

— Vous avez dû être ravi, dis-je avec une ironie appuyée.

— Ravi ? répéta-t-il d'un air pensif. Non, bien sûr que non. J'avais œuvré dix ans pour rendre l'Angleterre stable et la libérer de la tyrannie, ce n'était donc pas agréable de voir ces résultats s'envoler aux quatre vents. Mais je n'ai pas été aussi mécontent que vous pourriez l'imaginer. Les armées étaient en marche et les factions que seul Cromwell aurait pu maîtriser se reformaient. C'était ou le roi ou la guerre. Je ne me suis pas opposé à Charles. Et j'aurais pu le faire, vous savez. Si j'avais voulu, il y a des années que Charles serait dans sa tombe. »

Il tint ces propos d'une façon si calme et si posée que pendant quelques instants je ne saisis pas toute l'horreur de ses dernières paroles. Puis j'eus un haut-le-cœur. Le petit homme avait gravement débattu — comme faisant partie d'une ligne de conduite politique — si son roi légitime, l'oint du Seigneur, devait vivre ou mourir : Charles, roi d'Angleterre par la grâce de Thurloe ! Et il ne disait que la pure vérité : j'étais sûr que lui et le Protecteur avaient discuté une telle question. S'ils avaient rejeté la mort, ce n'était pas qu'ils eussent reculé devant ce crime — ils en avaient déjà tant commis ! — mais parce que cela ne servait pas leurs intérêts.

« Cependant, vous ne l'avez pas voulu.

— En effet. Le Commonwealth a agi légalement et en a beaucoup souffert. Comme c'eût été plus facile si Charles, le père, avait succombé à une mystérieuse maladie, nous laissant les mains propres aux yeux du public, quelle que fût la manière honteuse dont nous nous étions comportés en secret ! Mais nous l'avons jugé et exécuté...

— Vous voulez dire "assassiné".

— ... et *exécuté*, au vu et au su de tous, sans jamais chercher à cacher nos actes. Il en est allé de même pour les autres traîtres — on les appelle de loyaux patriotes aujourd'hui, je suppose — qui ont été appréhendés. Nommez-m'en un seul qui ait été assassiné en secret, sans d'abord avoir été jugé en public. »

Tout le monde savait qu'il y en avait eu des milliers ; mais, comme on les avait fait disparaître secrètement, leurs noms étaient inconnus, bien sûr, et je le lui dis.

« Je vois. Ainsi, j'ai tué d'innombrables individus, sans que vous puissiez en nommer un seul. Vous étudiez le droit, n'est-ce pas, monsieur Prestcott ? »

Je lui répondis que, vu les malheurs de ma famille, c'était bien là mon occupation.

« Je me posais la question. J'ai été homme de loi moi-même, vous savez, avant d'entrer dans le service public. J'espère sincèrement que la condition de votre famille s'améliorera, car je ne crois pas que vous ornerez beaucoup la profession. Vous ne savez pas présenter un dossier.

— Nous ne sommes pas ici dans un tribunal.

— C'est vrai, acquiesça-t-il. Vous êtes dans mon salon. Mais, si vous le désirez, vous pouvez le transformer en salle d'audience et prononcer votre première plaidoirie. Je vous répondrai ; ensuite, à vous de juger ! Allons ! Allons ! C'est une proposition honnête. Vous serez à la fois le procureur, le juge et le jury, et, si vous l'emportez, le bourreau. Une telle occasion s'offre rarement à un homme de votre âge. »

Pour je ne sais trop quel motif, je ne poursuivis même pas mon interrogatoire. Il était trop tard désormais pour commettre l'action hardie que j'avais projetée au préalable. Je désirais maintenant qu'il reconnût ses torts et l'entendre avouer qu'il méritait le châtiment que je voulais lui infliger. C'est pourquoi j'acceptai sa proposition — et pourquoi, aujourd'hui encore, je crois qu'il eut tort. J'aurais été un bon avocat, quoique je remercie le ciel de ne pas avoir été réduit à exercer ce métier.

« Eh bien, commençai-je, ce qu'il y a c'est que...

— Non, non, non ! m'interrompit-il avec douceur. Nous sommes devant un tribunal, monsieur. Votre présentation est atroce. Ne débutez jamais une plaidoirie par "Eh bien, ce qu'il y a c'est que...". On ne vous apprend plus la rhétorique à l'université ? Bon, commencez comme il se doit : prenez toujours bien soin de vous adresser au juge avec déférence — même dans le cas d'un vieil imbécile — et au jury comme si vous étiez sûr qu'ils sont autant de Salomons, même si vous avez passé la matinée à les soudoyer. Recommencez ! Et pas de timidité ! Si vous voulez gagner, surtout ne soyez pas timide !

— Votre Honneur, messieurs les jurés », commençai-je.

Après toutes ces années, je demeure stupéfait par la manière dont je suivis ses instructions, sans rechigner.

« C'est bien mieux. Continuez ! Mais essayez de donner plus de conviction à votre ton.

— Votre Honneur et messieurs les jurés, dis-je en appuyant sur ces mots avec quelque ironie, car je ne voulais pas qu'il crût que je me livrais à cette comédie sans réticence. Vous siégez pour juger l'un des crimes les plus affreux de l'histoire de l'humanité : le prévenu que vous avez devant vous n'est pas inculpé d'un simple vol ou d'un meurtre commis sous l'emprise de la passion mais de la destruction froide et calculée d'un gentilhomme, trop bon et trop honorable pour qu'on ait pu lui faire du tort de toute autre manière. Ce gentilhomme, sir James Prestcott, ne peut vous parler des dommages qu'on lui a causés. Sa famille doit le faire à sa place, comme le veut la tradition, afin que soient apaisés ses cris d'outre-tombe réclamant que justice soit faite pour que son âme puisse reposer en paix.

— Très bien ! dit Thurloe. Bon début !

— En tant que juge, je dois demander au prévenu de se taire. Nous sommes dans un tribunal, il faut respecter les formes.

— Mille excuses.

— Je vous demande de ne pas condamner cet homme avant qu'aient été exposés tous les éléments du dossier ; c'est tout ce qu'il me suffit de faire pour que vous compreniez, sans l'ombre d'un doute, que cet homme est coupable. Je vais exposer les faits, en toute impartialité : toute fleur de rhétorique est inutile... L'honnêteté, la loyauté et le courage de sir James Prestcott étaient tels qu'il sacrifia tout pour la cause du roi et qu'il était prêt à donner encore davantage. Quand la plupart eurent renoncé, il est revenu d'exil afin d'œuvrer pour la restauration bénie dont nous jouissons tous aujourd'hui. Certains se sont joints à lui dans cette lutte, mais rares ont été ceux qui ont montré un tel enthousiasme — certains ne pensaient qu'à leur propre profit. Certains trahirent amis et cause pour leur propre avancement, et, chaque fois que John Thurloe rencontrait ce genre d'hommes, il les utilisait, puis les protégeait en s'assurant que les dommages causés seraient reprochés à d'autres. Son principal informateur, celui qui aurait dû être puni pour les méfaits qui ont causé la perte de mon père, s'appelle John Mordaunt. »

Je m'arrêtai alors, désireux de voir si la révélation soudaine de l'étendue de mes connaissances l'avait stupéfié. Il n'en était rien : il restait assis là, totalement impassible, sans montrer le moindre signe d'intérêt.

« Laissez-moi vous expliquer. Mordaunt était le puîné d'une famille noble qui se garda bien de prendre parti pendant la guerre, souhaitant au contraire voler au secours de la victoire. Mordaunt était censé pencher du côté du roi, mais il était trop jeune pour participer aux combats ; aussi, comme d'autres membres de sa famille, fut-il envoyé en sécurité à l'étranger. Il alla notamment en Savoie, où il rencontra Samuel Morland, un homme qui était déjà au service du Commonwealth. Mordaunt soutenait déjà la cause du roi, et Morland celle de Cromwell. On ne sait exactement à quel moment les deux hommes s'associèrent pour promouvoir leurs intérêts respectifs, mais je pense qu'en ce qui concerne les points essentiels l'accord était déjà conclu avant que sir Samuel ne revienne à Londres en 1656. Mordaunt revint lui aussi et commença à se bâtir une réputation parmi les royalistes. Son habileté, son intelligence et sa célèbre perspicacité étant considérablement aidées, me semble-t-il, par les informations que Morland ne cessait de lui fournir. Le prix auquel les royalistes payèrent son renom fut extrêmement élevé : Mordaunt l'achetait en trahissant tous les complots que fomentaient les hommes du roi.

« Une fois, les traîtres commirent une grave erreur : en 1659, Mordaunt fut arrêté au cours d'un coup de filet où furent pris tous les sympathisants royalistes. Il semble inconcevable qu'un homme aussi implacable que John Thurloe eût laissé échapper quelqu'un d'aussi important s'il avait réellement été un partisan du roi. Fut-il mené au gibet comme ses associés ? Fut-il attaché à une chaise et torturé afin de lui arracher ses importants secrets ? Fut-il, à tout le moins, placé sous bonne garde ? Nullement. On le relâcha au bout de six semaines — son épouse ayant soudoyé le jury, dit-on à l'époque.

« Je crois qu'il aurait fallu que le pot-de-vin soit conséquent pour qu'un juré accepte de prendre le risque de relâcher l'homme le plus dangereux d'Angleterre et de s'exposer au courroux de Thurloe. Mais, en fait, tout pot-de-vin était inutile : on donna des instructions aux jurés, qui s'exécutèrent sans monnayer leur vote. Mordaunt retourna dans l'arène ; sa réputation d'audace et de témérité en ressortit grandie, et sa position demeura incontestée.

« Dès lors, pour les royalistes la présence d'un traître devint une évidence, il fallait le démasquer. En conséquence, Thurloe commença à établir un plan pour que les soupçons se portent sur d'autres dans le but de sauvegarder sa source de renseignements. Aussi fit-il fabriquer une série de documents contenant des renseignements que mon père devait connaître afin de protéger le véritable traître. Ils utilisèrent un chiffre employé par mon père. Pourquoi l'avoir choisi lui, plutôt qu'un autre royaliste qui aurait pu faire tout aussi bien l'affaire ?

« Peut-être peut-on acquitter M. Thurloe sur ce chef, car je crois que la cupidité de Samuel Morland a joué un rôle en ce domaine, vu le grand profit qu'il a tiré de la disgrâce de mon père : il savait que la famille Russell le récompenserait généreusement s'il l'aidait à écarter les obstacles qui gênaient leur projet d'assèchement des marais. Aussi prit-il contact avec cette famille, leur proposant de les débarrasser de sir James Prestcott si on savait le remercier. Sir John Russell s'empara des renseignements fournis par Morland et commença à les disséminer aux quatre vents. Ses diatribes passionnées convainquirent sir William Compton et l'amenèrent à dénoncer et à faire chuter son meilleur ami.

« C'est ainsi que le second aspect du plan, l'anéantissement de la réputation de mon père joint à la perte de son domaine, fut mené à bien. Je ne sais pas s'il avait jamais imaginé que tant de gens puissants souhaitaient sa chute, ou plutôt qu'ils en avaient besoin : Thurloe, pour protéger le gouvernement ; Mordaunt et Morland, dont l'avenir dépendait de ce qu'on crût mon père coupable de leurs méfaits ; la puissante famille Russell, qui obtint la liberté d'exploiter les marais. Tout le monde profita largement de cet accord dont le coût était peu élevé. Il suffisait de sacrifier la vie et l'honneur d'un seul homme.

« Il est impossible de contrer des accusations portées de cette manière ; il n'y avait aucune charge, alors, comment les réfuter ? Aucune preuve ne fut fournie, alors, comment prouver qu'il y avait eu falsification ? Mon père se retira avec une dignité qu'on prit pour de la lâcheté. Il fuit la calomnie, l'emprisonnement sous de fausses accusations, voire le couteau de l'assassin. Cette fuite fut interprétée comme un aveu de culpabilité. Et, pendant tout ce temps, l'auteur de ses malheurs, la seule personne qui aurait pu laver son honneur, garda le silence. Qui d'autre aurait pu concevoir un tel projet ? Et qui d'autre avait les moyens de le mettre en pratique ? Seul John Thurloe, qui savait tout, voyait tout, et qui était le moteur de toutes ces activités occultes.

« Quant à moi, messieurs les jurés, je suis réduit à l'état de misère dans lequel vous me voyez. Je ne possède aucune ressource, aucune relation ni aucune influence, seules me restent ma force de conviction et mon indéfectible croyance dans le bien-fondé de ma cause et l'équité de ce tribunal. Je suis persuadé que cela suffira amplement. »

Est-ce là ce que je dis, mot pour mot ? Non, bien sûr que non... Je suis convaincu que le manque d'expérience me fit balbutier et que ma plaidoirie ne fut pas aussi cohérente que j'aime à le croire. Ceux de mes amis qui lisent affirment que c'est ce qui se passe dans les livres d'histoire : même les grands historiens écrivent ce que les personnages auraient dû dire plutôt que ce qu'ils ont réellement dit. C'est également mon cas : si j'ai embelli et poli mes propos au cours des ans, je ne m'en excuse pas. Je me rappelle la scène, cependant, comme si j'avais tenu un tel discours : retenu mais passionné, enthousiaste mais maîtrisé. Debout devant Thurloe, les yeux rivés sur son visage, étrangement désireux de le convaincre de la véracité de mes dires, tout en me rendant compte que j'étais tout aussi désireux de me persuader moi-même.

Il ne répondit pas tout de suite ; ça, je m'en souviens très bien. Il demeura impassible, les mains posées sur les genoux, hochant la tête sans mot dire. Après un court moment, le silence seulement brisé par le crépitement et le sifflement des bûches dans l'âtre, il commença à parler, sans remettre en question la fiction du procès.

« Je ne ferai pas preuve de condescendance envers mon savant accusateur en le complimentant pour son beau discours, prononcé avec sincérité comme seul un fils pouvait le faire. Je ne mets pas en doute l'honnêteté des propos ; le courage et la quête de justice sont également hors de cause, et il est louable qu'une personne aussi jeune se charge toute seule d'une aussi lourde mission.

« Cependant, nous sommes devant un tribunal, et les sentiments n'y ont pas leur place. C'est pourquoi je dois souligner que le dossier à l'appui de ma culpabilité est mince, et que les preuves apportées n'ont aucune valeur. La parole d'un père a beaucoup de poids auprès d'un fils, mais aucun auprès d'un tribunal. Si vous voulez transformer vos propres convictions en faits irréfutables, il vous faut faire reposer votre plaidoirie sur autre chose que les protestations d'un accusé. Me reprocher d'avoir causé la perte d'un innocent est grave, et on ne peut se contenter de l'affirmer sans preuve.

« Sir James Prestcott a été accusé de traîtrise, et cela a provoqué sa chute : je reconnais que c'est moi qu'on peut soupçonner en premier. Pendant de longues années, j'étais responsable de la sécurité du gouvernement et je ne nie pas que les méthodes utilisées ont été nombreuses et variées. C'était nécessaire, nous étions en butte à de nombreux complots ; il y en avait tant que je ne peux pas tous me les rappeler. À maintes reprises, des agitateurs tentèrent de soumettre de nouveau le pays aux horreurs de la guerre civile. Ma tâche consistait à empêcher une reprise des hostilités et je l'ai accomplie du mieux que je pus.

« Y eut-il un informateur, un traître parmi les hommes du roi ? Évidemment... Pas un... une multitude. Il y a toujours des gens disposés à vendre leurs amis, mais, souvent, je n'avais pas besoin de la marchandise qu'ils cherchaient à écouler. Les royalistes ont toujours été les plus naïfs des conspirateurs. Les soulèvements envisagés impliquaient tant de gens bavards qu'il aurait fallu être sourd comme un pot pour ne pas entendre. L'habileté satanique que l'on m'a attribuée était flatteuse, bien qu'imméritée : le plus souvent, mon succès a seulement été dû à la stupidité de ceux qui m'ont affronté.

« Quant à Samuel Morland, il n'était pas incompétent, mais, sa cupidité et sa déloyauté le rendant fort utile, il y avait longtemps que je voulais le renvoyer. Cela m'était impossible, car il tenait entre ses mains notre informateur le plus efficace à propos des agissements des hommes du roi et qu'il désignait sous le nom de M. Barrett.

« Parmi toutes les sources de renseignements, ce M. Barrett était de loin la meilleure. Il nous suffisait de demander, et M. Barrett nous apportait la réponse par l'intermédiaire de Samuel. Mais Samuel refusait de nous révéler l'identité de cet homme. Si je me passais des services de Samuel, je perdais également ceux de M. Barrett, et Samuel était assez malin pour se rendre compte que là résidait la raison pour laquelle je tolérais sa présence. Je me suis souvent demandé s'il donnait également des renseignements à la partie adverse ; je faisais donc bien attention à ce qu'il en sache le moins possible sur les opérations menées par notre bureau. Tant que cet échange n'était pas trop nettement à notre désavantage, je ne le décourageais pas.

« Qui était M. Barrett ? Vous avez parfaitement raison : ayant déduit qu'il s'agissait de John Mordaunt, je le fis arrêter afin de l'interroger personnellement et d'établir un contact direct qui éliminerait le besoin des services de Samuel. Mais Mordaunt nia tout : ou il flaira le piège, ou il était véritablement innocent ; ou bien sa fidélité envers Samuel était trop grande. Quoi qu'il en soit, je n'obtins rien de lui.

« Ce fut une erreur de ma part, car mon geste révéla mon hostilité envers Samuel, et, dès qu'il en eut l'occasion, il conspira contre moi et me fit temporairement renvoyer du bureau. Quand je récupérai mon poste, il passa au parti du roi par crainte de ma vengeance et dénonça votre père pour se faire accepter. Ainsi, voyez-vous, je ne cherche pas à contester votre thèse selon laquelle le traître était John Mordaunt et votre père fut sacrifié pour le protéger ; je contesterais, cependant, quelques détails si j'en avais le temps.

« Une affirmation, malgré tout, doit être contredite et ce parce que votre dossier contre moi repose entièrement dessus et que je peux prouver qu'elle est erronée : j'aurais causé la disgrâce de votre père, j'aurais organisé la fabrication des fausses preuves et leur dissémination. Je vous réponds clairement que non seulement je n'ai pas fait cela, mais que je n'aurais pu le faire, car, lorsque cela s'est passé, je n'avais plus aucun poste ni aucune influence dans le gouvernement.

« J'ai été renvoyé du service de la république à la fin de 1659, quand Richard Cromwell, ayant décidé qu'il ne pouvait plus survivre en tant que Protecteur, abandonna la partie. Dommage ! Il était loin d'être incompétent. Je l'ai accompagné dans sa chute et me suis retrouvé sans la moindre influence pendant de longs mois. C'est durant cette période que le matériau au sujet de votre père fut fabriqué et remis à sir John Russell, et ensuite à sir William Compton. Il s'agit d'un simple fait. J'ai souligné qu'il y avait un grave défaut dans votre raisonnement, et c'est celui-là. Quel que soit le bien-fondé de votre théorie générale, je ne peux guère être considéré comme responsable des événements. »

Mon erreur avait été élémentaire, et j'étais aussi assommé que si j'avais reçu un coup de marteau sur la tête. Malgré tout le sérieux de mon enquête, je n'avais pas réfléchi un seul instant au chaos qui avait accompagné les derniers jours du Commonwealth moribond, à l'incessante lutte pour acquérir des postes, ainsi qu'aux trahisons entre anciens associés cherchant à préserver de la destruction leur personne et leur système corrompu. Cromwell mourut, son fils le remplaça, lequel fut évincé et remplacé au Parlement par des cliques de fanatiques. Et, au milieu de tout cela, Thurloe perdit son emprise pendant un certain temps. Je savais tout cela, mais n'avais pas jugé que c'était important ; je n'avais pas vérifié les faits ni les dates. Et, à partir du moment où j'avais commencé à parler, Thurloe était resté assis calmement, attendant que mon éloquence s'épuisât, sachant qu'il pouvait d'un souffle mettre à bas tout le dossier échafaudé contre lui.

« Êtes-vous en train de me dire que c'est Morland, et lui seul, qui a causé la perte de mon père ?

C'est une possibilité, répondit Thurloe avec gravité. En fait, d'après les éléments que vous avez présentés, ce serait l'interprétation la plus évidente.

— Que dois-je faire ?

— N'étiez-vous pas venu ici pour me tuer plutôt que pour me demander des conseils ? »

Il savait qu'il avait sauvé sa peau. En fait, il m'avait appris que, par deux fois, quand j'avais vu Mordaunt et plus tard Morland, j'avais eu les coupables à portée de la main. J'avais quitté l'un deux en le remerciant et en lui présentant mes meilleurs souhaits. L'autre, je l'avais considéré comme un simple instrument, une petite crapule cupide, une source de renseignements, rien de plus. Je me sentais idiot et j'avais honte que cet homme eût pu s'apercevoir de ma bêtise et la mettre au jour si tranquillement.

« Il est temps de terminer cet entretien, reprit Thurloe. Me jugez-vous coupable, ou non ? Je vous ai dit que la décision vous appartenait. Je m'en remettrai à votre verdict. »

Je secouai la tête. Des larmes de frustration et de confusion me montèrent aux yeux.

« C'est insuffisant, monsieur, insista-t-il. Vous devez rendre un verdict.

— Non coupable, marmonnai-je.

— Pardon ? Je crains de ne pas avoir entendu.

— Non coupable ! hurlai-je. Non coupable ! non coupable ! non coupable ! Vous m'entendez, maintenant ?

— Parfaitement, merci. Maintenant que vous avez prouvé votre amour de la justice — et je me rends compte à quel point cela vous a coûté —, je vous prouverai le mien. Si vous voulez mon avis, je vais vous le donner. Dites-moi tout ce que vous avez fait, lu, dit, pensé et vu. Ensuite, je verrai si je peux vous aider d'une façon ou d'une autre. »

Il frappa dans ses mains derechef, et le serviteur réapparut : cette fois, il lui demanda d'apporter une collation ainsi que des bûches pour le feu. Alors je me mis à parler et à expliquer, commençant au tout début et laissant seulement de côté l'aide et l'assistance que m'avait fournies lord Bristol. Ayant promis de n'en rien dire, je ne souhaitais pas irriter un futur protecteur en revenant sur ma promesse. Je lui parlai même du sort que m'avait jeté Sarah Blundy et de ma résolution d'en finir avec le combat que nous nous livrions. Je ne poursuivis pas sur ce sujet, cela ne le regardait pas et je pouvais lire sur son visage son incrédulité à ce propos.

« La possibilité que vous avez d'accuser Mordaunt est une monnaie d'échange : bien des gens le détestent et il est très proche de lord Clarendon. Il vous faut vendre votre marchandise à ceux qui en ont besoin, et vous en tirerez un bon prix.

— À qui ?

— Sir William Compton, j'imagine, sera très désireux, à juste titre, de vous faire un procès après l'agression que vous avez commise contre lui. Il déteste lord Clarendon... il peut juger intéressant de renoncer à vous poursuivre si vous contribuez à la chute de quelqu'un qu'il considère comme un plus grand ennemi que vous. Et si Mordaunt, l'ami de Clarendon, est affaibli, Clarendon le sera lui aussi sérieusement. Il n'y a pas que sir William Compton qui vous serait extrêmement reconnaissant. Entrez en relation avec ces personnes et voyez ce qu'elles vous offrent en échange.

— Tout ça est bel et bon, dis-je, ayant un certain mal à reprendre espoir après tant de frustrations. Mais je suis un fugitif et je ne puis me rendre à Londres, ni même à Oxford, sans être arrêté. Alors, comment entrer en relation avec qui que ce soit ? »

Il écarta d'un haussement d'épaules la majesté de la justice royale. J'apprenais que des gens comme Thurloe faisaient fi de la loi. Si ses ennemis désiraient causer sa perte, ce n'était pas son innocence aux yeux de la loi qui lui sauverait la vie ; s'il était assez puissant, la plus lourde culpabilité ne le mettrait pas en danger. La loi était un instrument de pouvoir, rien de plus. Et il m'offrait un dangereux marché, un choix terrible. Je criai justice, mais Thurloe m'expliqua que la justice n'existait pas, que tout mouvement procédait d'un rapport de forces. Si je voulais reprendre pied, il me fallait abattre les ennemis d'autres personnes, exactement comme ils avaient fait tomber mon père. Je pouvais atteindre mon but, mais seulement en abandonnant mon premier motif. Je passai de nombreux jours à prier et à réfléchir avant d'accepter.

Lorsque j'eus accepté, Thurloe fit le voyage à Oxford, où il discuta l'affaire avec le Dr Wallis après leur rencontre au théâtre. En dépit de mon extrême méfiance, il m'affirma que c'était par son intermédiaire qu'on communiquerait le plus facilement avec les hommes du gouvernement susceptibles de m'aider. Malgré la façon dont j'avais traité Wallis en prison, Thurloe ne pensait pas qu'il serait difficile d'obtenir sa coopération, bien qu'il ne prît jamais la peine de m'expliquer pourquoi.

« Eh bien ? demandai-je anxieusement quand enfin il me fit chercher à son retour. Wallis va-t-il nous aider ? »

Il sourit.

« Peut-être bien, s'il y a échange de renseignements. Vous avez parlé d'un gentilhomme italien rencontré chez sir William Compton ?

— Da Cola, en effet. Un homme très courtois pour un étranger.

— C'est ça. Cola. Le Dr Wallis aimerait beaucoup savoir ce que vous pensez de lui.

— Oui, je le sais. Il m'en a déjà parlé, bien que je n'aie pas la moindre idée de la raison de la fascination que Cola exerce sur lui.

— N'attachez pas d'importance à cet aspect des choses. Accepterez-vous de déclarer sous serment ce que vous savez de cet homme ? Et de répondre à toute autre question qu'il pourrait poser, librement et franchement ?

— S'il est décidé à m'aider, d'accord, j'y suis disposé. Cela ne tire pas à conséquence. Qu'est-ce que j'obtiendrai en échange ?

— Il semble que le Dr Wallis a la possibilité de fournir des renseignements de tout premier ordre à propos du paquet que votre père avait eu l'intention d'envoyer à votre mère. Le paquet contenait tout ce qu'il savait de Mordaunt et de ses activités. Qui il avait vu, ce qu'il avait dit, ainsi que toutes les conséquences. Lorsque vous posséderez ces documents, vous aurez rapidement gain de cause.

— Il savait tout cela ? Et il n'a rien dit ?

— Ce n'est pas lui qui détient ces documents et, de plus, c'est un homme très mystérieux. Il ne donne jamais rien pour rien. Heureusement, vous avez désormais quelque chose à offrir. Il peut vous indiquer la personne qui vous permettra de les obtenir. Bon, acceptez-vous le marché ?

— Oui ! m'écriai-je avec enthousiasme. Évidemment ! De tout cœur ! Surtout s'il ne demande que des renseignements en échange. Pour un tel trésor, il pourrait exiger ma vie, et je la lui offrirais volontiers...

— Bien, dit Thurloe en souriant de plaisir. Marché conclu. Maintenant il nous faut écarter la menace de la loi et vous rendre votre liberté de mouvement. J'ai évoqué votre méfiance à l'égard de cette Sarah Blundy et la bague que vous avez prise sur le corps du Dr Grove. La fille a été accusée de son meurtre et placée en état d'arrestation.

— Enchanté de l'apprendre, répondis-je, le cœur saisi d'une nouvelle allégresse. Je vous ai dit comment j'ai découvert que c'est elle qui l'a tué.

— Vous allez témoigner contre elle, votre respect de la justice sera remarqué et on abandonnera les charges qui pèsent sur vous. Vous me donnez votre parole d'honneur que c'est bien elle qui a tué Grove ?

— Oui. »

C'était un mensonge, je le sais, et, au moment même où je parlai, je regrettai amèrement d'être obligé de mentir.

« Dans ce cas, tout ira bien. Mais seulement, je le répète, si vous acceptez de répondre à toutes les questions du Dr Wallis. »

Mon cœur était sur le point d'éclater de joie lorsque je contemplais mon triomphe dans tous les domaines sans exception. En vérité, pensai-je, il fallait que je sois béni des dieux pour avoir tant reçu en si peu de temps. Pendant quelques instants, je débordai d'enthousiasme, puis ma joie retomba.

« C'est un piège. Wallis ne va pas m'aider. Il s'agit d'un leurre destiné à me faire rentrer à Oxford. Où je serai jeté en prison et pendu.

494

— C'est un risque à courir mais, à mon avis, Wallis veut attraper un plus gros gibier que vous. »

Je poussai un grognement. Facile, me dis-je, d'être serein et détaché quand c'est de la pendaison de quelqu'un d'autre qu'il s'agit. J'aurais aimé voir comment il aurait envisagé sa propre marche vers le gibet.

L'étape suivante eut lieu quelques jours plus tard. J'avais finalement accepté, avec une certaine réticence, de prendre le risque de placer mon sort entre les mains de Wallis. Puis mon courage m'abandonna, et j'étais fort indécis lorsque Thurloe entra doucement dans la pièce où je me tenais la plupart du temps pour m'annoncer que j'avais une visite.

« Un certain Marco da Cola, dit-il avec un vague sourire. C'est étrange comment cet homme surgit dans les endroits les plus inattendus.

— Il est ici ? » La stupéfaction me fit bondir de mon siège. « Pourquoi donc ?

— Parce que je l'ai invité. Il séjourne tout près d'ici, et en l'apprenant je me suis dit que je devais à tout prix rencontrer ce gentilhomme. Il est tout à fait charmant. »

Je le priai instamment de faire venir Cola, car je voulais en savoir le plus possible. Thurloe suggéra qu'il pourrait servir d'intermédiaire idéal pour entrer en relation avec le magistrat d'Oxford ; je pense que même lui ne faisait pas autant confiance à Wallis qu'il l'affirmait.

J'espère ne pas avoir besoin de justifier ce que je lui dis. J'ai donné assez d'éléments prouvant comment j'avais échappé à la malédiction qui pesait sur moi, et à quel point mes ressources étaient limitées. J'avais supplié qu'on me libérât du sort que Sarah Blundy m'avait lancé, mais on avait rejeté ma requête. Elle m'avait poussé à attaquer mon propre tuteur. Les efforts des magiciens, des prêtres et des sages pour me désenvoûter avaient tous échoué, et — bien que je n'en aie pas autant parlé dans mon récit que j'aurais pu le faire — j'étais presque quotidiennement aux prises avec d'étranges événements ; la nuit, j'étais torturé par de fiévreuses apparitions qui m'empêchaient de dormir paisiblement. Sarah Blundy m'attaquait sans merci, peut-être dans l'espoir de me faire perdre la raison. J'avais maintenant la possibilité de prendre ma revanche une fois pour toutes et ne pouvais laisser cette occasion glisser entre mes doigts. En outre, il me fallait rester fidèle à Thomas.

Aussi expliquai-je à Cola que je m'étais rendu dans la masure de la fille le jour de mon évasion et que j'étais là lorsqu'elle était rentrée dans un état d'extrême agitation. Je lui racontai comment j'avais trouvé la chevalière de Grove dans sa robe, comment je l'avais immédiatement reconnue et la lui avais prise. Comment elle avait pâli quand je lui avais demandé de quelle façon elle se l'était procurée. Et comment je témoignerais de tout cela à son procès. Quand je parvins à la fin de mon récit, j'étais moi-même presque convaincu.

Cola accepta de raconter ma version des faits au magistrat, allant jusqu'à me rassurer en affirmant qu'il était persuadé que ma volonté de venir témoigner au nom de la justice, même si je prenais des risques, serait pour moi un atout.

Je le remerciai ; je ressentais, en fait, tant de gratitude envers lui que je ne pus m'abstenir de lui donner à mon tour quelques renseignements.

« Dites-moi, pourquoi le Dr Wallis s'intéresse-t-il tant à vous ? Êtes-vous amis ?

— Pas du tout. Je l'ai rencontré une fois, et il s'est montré très discourtois.

— Il souhaite m'entretenir à votre égard. Je ne sais pas pourquoi. »

Cola répéta qu'il n'en comprenait pas la raison, puis, changeant de sujet, il voulut savoir quand j'avais l'intention de revenir à Oxford.

« Le mieux serait d'attendre le début du procès. J'espère que le magistrat m'accordera la liberté sous caution, mais je me méfie.

— Par conséquent, vous verrez le Dr Wallis à ce moment-là ?

— Presque certainement.

— Bon. J'aimerais vous offrir ensuite l'hospitalité pour célébrer votre bonne fortune. »

Puis il partit. Je signale cela pour montrer que Cola omet bien des choses, même lorsqu'il rapporte des conversations. Dans l'ensemble, le reste de ses propos est exact, cependant. Le magistrat arriva dans une grande colère, voulant nous arrêter Thurloe et moi-même, jusqu'à ce qu'il entendît mon témoignage contre la Blundy. Alors, il se montra tout doux et très accommodant — même si je soupçonnai le Dr Wallis d'être déjà intervenu et de lui avoir appris qu'il était fort probable que sir William retirerait sa plainte, ce qu'il fit en effet quelques jours plus tard. Puis, j'attendis qu'on annonçât que le procès était sur le point de commencer et je retournai à Oxford.

En réalité, je n'eus pas à témoigner, la fille ayant avoué le crime — fait surprenant puisque, comme je l'ai dit, elle était innocente. Les preuves contre elle étant accablantes, il est possible qu'elle se fût rendu compte qu'il n'y avait plus rien à faire. Peu m'importait : j'étais simplement content qu'elle dût mourir et de ne pas avoir à me parjurer.

On la pendit le lendemain : je sentis sur-le-champ mon esprit se libérer de sa présence maligne, comme on sent le premier souffle d'une brise fraîche et pure après qu'un orage a dégagé l'atmosphère. À ce moment-là, je compris vraiment à quel point elle m'avait tourmenté et comment elle n'avait cessé de harceler mon âme.

Mon récit doit s'arrêter également : le reste ne concerne plus les événements racontés par Cola, et une grande partie de mon propre triomphe est déjà bien connue. Je ne revis jamais Cola : il quitta Oxford peu après. Wallis ayant été extrêmement satisfait de ce que je lui dis, il me fournit tous les renseignements dont j'avais besoin. Moins d'un mois après, ma réputation fut rétablie. Même si l'on considéra comme peu opportun de s'attaquer directement à Mordaunt, son ascension fut bloquée à jamais. Celui qui à une époque était en passe de devenir l'homme politique le plus puissant du pays, celui-là finit ses jours dans une obscurité sordide, abandonné par ses anciens amis, dont un assez grand nombre connaissait la vérité à son sujet. La faveur de maints personnages haut placés, au contraire, me fit obtenir les privilèges dus à ma naissance et à mon rang ; j'exploitai ma bonne fortune avec tant d'efficacité que je fus bientôt capable de reconstruire mon domaine. Et, avec le temps, je fis bâtir la demeure juste en dehors de Londres où mon oncle détesté vient me faire sa cour, dans l'espoir fou que je vais lui octroyer quelque faveur. Inutile de dire qu'il repart toujours bredouille.

Il y a bien des choses que je regrette dans ma vie et, si j'en avais l'occasion, beaucoup seraient accomplies différemment. J'avais une mission primordiale à mener à bien et je me sens rassuré qu'aucune charge sérieuse n'ait été retenue contre moi. Le Seigneur a été bienveillant à mon égard, et bien que personne ne le mérite, mon salut n'a pas été injustifié. Je ne posséderais pas autant de biens, ni une telle tranquillité d'esprit, si je n'avais pas joui de Sa miséricordieuse providence. Je place en Lui toute ma confiance et j'ai tenté de Le servir du mieux que je l'ai pu. La justification de mes actes réside dans les faveurs qu'Il ne cesse de m'accorder.

LE CARACTÈRE DE LA COMPLAISANCE

Les idoles du théâtre, propagées par les divers systèmes des philosophes et par les lois dénaturées de la démonstration, se sont implantées dans l'esprit humain. Jusqu'à présent toutes les philosophies ont été autant de pièces de théâtre et n'ont montré que des univers fictifs et théâtraux.

Francis Bacon, *Novum Organum,*
section II, aphorisme VII

Chapitre premier

Ayant reçu le recueil des notes du papiste Marco Cola, je me sens obligé de les commenter, de crainte que d'autres ne tombent sur ses abominables gribouillis et ne croient ce qu'il raconte. Permettez-moi donc de déclarer sans détour que ce Cola est un fieffé menteur, sournois et arrogant. La naïveté béate, l'enthousiasme juvénile, la franchise dont il se pare dans son récit ne constituent qu'une pose scandaleusement fallacieuse. Satan est un maître ès tromperies qui a enseigné ses tours à ses suppôts. « Vous avez, vous, le diable pour père, car il est menteur et père du mensonge. » (Jean 8, 44.) J'ai l'intention de révéler toute l'étendue de sa duplicité telle qu'elle apparaît dans ses soi-disant Mémoires, ce compte rendu prétendument véridique de son voyage en Angleterre. Ce Cola était le pire des hommes, l'assassin le plus barbare et le plus grand des imposteurs. Ce n'est que grâce à la divine providence que j'ai échappé à la mort, le soir où il a tenté de m'empoisonner ; par malheur, Grove prit la bouteille et mourut à ma place. J'avais vaguement prévu une telle tentative à son arrivée à Oxford, mais je m'étais plutôt attendu à un coup de couteau dans le dos : jamais je n'avais imaginé une attaque aussi lâche, et je fus pris complètement au dépourvu. Quant à cette fille, Sarah Blundy, je l'aurais sauvée si je l'avais pu, mais cela n'a pas été possible. Une innocente est morte, une autre des innombrables victimes de Cola, pourtant, il y en aurait eu bien davantage si je ne m'étais pas tu. Ce fut une décision difficile à prendre, mais je continue quand même à tenter de me disculper. Les risques étaient grands, et mes propres souffrances ne l'étaient pas moins.

Je dis cela calmement et en pesant mes mots, mais cela me coûte beaucoup, car le manuscrit m'a terriblement bouleversé. En fait, Lower n'avait pas eu l'intention de me l'envoyer ; cependant, lorsque j'appris son existence, j'exigeai de le voir et déclarai avec force que je n'accepterais pas un refus. Je comptais démontrer qu'il s'agissait d'un faux, étant donné que je ne parvenais pas à croire qu'il était authentique ; maintenant que je l'ai lu, je sais que ma première hypothèse était erronée. Contrairement à ce que j'imaginais et malgré les affirmations de ceux à qui j'avais toutes raisons de faire confiance, il est manifeste que Marco da Cola est toujours vivant.

Je ne comprends pas comment cela peut être. Il est certain que j'aimerais me tromper ; je fis de mon mieux pour m'assurer de sa mort et j'avais fermement cru avoir réussi dans mon entreprise : on m'avait assuré qu'on l'avait conduit jusqu'à la rambarde du bateau et poussé dans la mer du Nord afin de punir ses méfaits et de sceller ses lèvres à jamais. Le capitaine m'avait lui-même affirmé que le navire s'était mis en panne pendant plusieurs minutes, le temps que l'homme disparaisse sous les vagues. La nouvelle m'ayant apporté quelque réconfort pendant ces dernières années, je souffre de me le voir arraché si violemment, ce manuscrit montrant sans conteste que ceux à qui je faisais confiance m'ont menti et que mon triomphe a débouché sur une duperie. J'ignore pourquoi, mais il est trop tard désormais pour découvrir la vérité. Trop de ceux qui auraient pu la connaître sont morts, et aujourd'hui je sers de nouveaux maîtres.

Je pense que je dois m'expliquer ; je ne dis pas, notez-le, « me justifier », étant donné que dans toute ma carrière j'ai été cohérent. Je sais que mes ennemis ne sont pas d'accord ; je suppose que le caractère raisonnable de mes actions durant toute ma carrière publique (si j'ose dire) n'a pas été parfaitement clair pour des esprits mal informés. Comment, affirment-ils, un homme peut-il être anglican, presbytérien, loyal à Charles le martyr, puis devenir le premier cryptographe d'Oliver Cromwell, déchiffrer les lettres les plus secrètes du roi pour aider la cause du Parlement, puis retourner dans le giron de l'Église établie et, finalement, utiliser ses talents pour défendre à nouveau la monarchie après sa restauration ? N'est-ce pas là de l'hypocrisie ? N'est-ce pas servir son intérêt personnel avant tout ? Ainsi parlent les ignorants.

À cela, je réponds par la négative. Ce n'est pas vrai, et quiconque raille mes actions ne connaît pas grand-chose des difficultés qu'il y a à rééquilibrer les humeurs d'un État une fois qu'il a été malade. Certains disent que j'ai constamment changé de camp et toujours afin d'en tirer avantage. Mais pensez-vous vraiment que j'étais obligé de me contenter de la simple chaire de géométrie à l'université d'Oxford ? Si j'avais été réellement ambitieux j'aurais visé au moins un diocèse. Et ne croyez pas que je n'aurais pas réussi à l'obtenir, si tel avait été mon but. Je n'ai pas été mené par l'ambition personnelle, ayant visé à l'efficacité plutôt qu'à la grandeur. Je me suis toujours efforcé d'agir selon des principes modérés et de soutenir les pouvoirs en place. Dès ma prime jeunesse, lorsque je découvris les schémas secrets qui gouvernent les mathématiques et décidai de me consacrer à leur exploration, j'eus la passion de l'ordre, parce que c'est dans l'ordre que l'on trouve l'accomplissement du projet que Dieu a conçu pour nous tous. La joie que procure la solution élégante d'un problème de mathématiques et la douleur qu'inflige le spectacle de la destruction de l'harmonie naturelle de l'homme sont deux faces de la même médaille ; dans les deux cas je crois avoir servi la bonne cause.

Je ne désire ni gloire ni renom en récompense ; en fait, j'ai fui ces vanités et ai laissé les autres s'emparer des postes prestigieux de l'Église et de l'État, sachant que mon influence secrète pesait beaucoup plus lourd que la leur. Que les autres discourent ! Moi, j'avais pour tâche d'agir et je l'ai accomplie du mieux que j'ai pu ; j'ai servi Cromwell parce que sa poigne de fer pouvait restaurer l'ordre dans le pays et mettre un terme aux querelles des factions, à un moment où il était le seul capable de le faire, et j'ai servi le roi lorsque cette mission divine lui échut après la mort de Cromwell. Et je les ai servis tous les deux avec dévouement ; à travers eux c'est mon Dieu que je servais, comme en tout ce que j'ai fait.

Pour moi-même je n'avais d'autre désir que d'être laissé en paix afin d'approcher le divin au travers des mystères mathématiques. Mais comme je suis tout autant le serviteur de Dieu et du royaume que de la philosophie, j'ai souvent été contraint de mettre de côté mon intérêt personnel. Aujourd'hui qu'un autre va me dépasser, comme David a surpassé Saül, ou comme Alexandre a surpassé Philippe, je peux le faire facilement, alors qu'à l'époque c'était fort pénible. M. Newton affirme que s'il voit si loin c'est qu'il se tient sur les épaules de géants. J'espère que cela ne paraîtra pas vaniteux de ma part si je dis que mes épaules sont parmi les plus robustes qui soutiennent sa gloire, et j'ai toujours à l'esprit cette maxime de Didacus Stella : un nain monté sur les épaules d'un géant peut voir plus loin que le géant lui-même. Bien plus, j'aurais pu voir plus loin moi-même, lui enlevant par là un peu de son immense renommée, si mon devoir ne m'avait pas appelé vers d'autres tâches avec autant d'insistance.

Maintenant que tant d'années se sont écoulées, bien des gens s'imaginent que la restauration de la monarchie se fit sans encombre. Cromwell mourut, et dans la foulée le roi remonta sur le trône. Plût au ciel que les choses se fussent déroulées aussi aisément ! Rares sont ceux qui connaissent l'histoire secrète de cet événement majeur. Au début, je crus que, dans le meilleur des cas, le roi durerait six mois, une année s'il avait beaucoup de chance, avant que les passions des factieux n'éclatent à nouveau. Il me semblait que, tôt ou tard, il devrait se battre pour garder son héritage. Le pays avait été sens dessus dessous pendant près de vingt ans ; il y avait eu la guerre et les luttes intestines, on avait foulé aux pieds le droit de propriété, les dirigeants légitimes du pays avaient été tués ou mis à la porte, toute hiérarchie humaine bouleversée. « J'ai vu le méchant, le violent, se dresser comme un cèdre du Liban. » (Psaume 37, 35.) Ceux qui s'étaient accoutumés au pouvoir et aux richesses allaient-ils purement et simplement renoncer à ces babioles ? Pouvait-on vraiment s'attendre que l'armée, mal payée et mise au rancart, acceptât le nouveau roi sans broncher et le renversement de tout ce qu'elle avait lutté pour instaurer ? Et pouvait-on espérer que les partisans du roi resteraient unis alors que les occasions de dissensions se présentaient à eux en si grand nombre ? Il n'y a que les hommes sans pouvoir qui ne le désirent pas ; ceux qui s'y sont frottés rêvent d'une étreinte encore plus forte.

L'Angleterre était au bord du précipice, sous la menace d'ennemis venant de l'étranger ou se trouvant en son sein : la moindre étincelle risquait de ranimer l'incendie. Et dans ce baril de poudre les hommes les plus puissants du royaume se disputaient la faveur du roi alors qu'il ne pouvait y avoir qu'un gagnant. Clarendon, Bristol, Bennet, le duc de Buckingham, les lords Cavendish, Coventry, Ormonde, Southampton : il n'y avait pas de place pour tous dans la faveur de Sa Majesté et une seule personne pouvait diriger son gouvernement car aucun ne tolérerait de partager l'autorité. La bataille fut livrée dans le noir, mais nombreux furent ceux qui se virent entraînés dans son sillage ; je fus l'un d'entre eux et je me chargeai de jeter de l'eau sur le feu avant que tout ne fût consumé. Je me flatte d'avoir accompli ma mission avec succès, malgré les efforts de Marco da Cola. Au début de son manuscrit il déclare qu'il va omettre bien des choses, mais rien d'important. Voilà son premier grand mensonge. En fait, il n'ajoute rien d'important ; c'est ce que je vais devoir faire, moi, pour mettre au jour sa perfidie.

nouveau. Il me semblait que, toi ou moi, il devrait se
battre pour garder son héritage. Le père avait été sous
dessus dessous pendant près de vingt ans : il y avait eu la

Mon implication dans l'affaire, que ce dénommé Cola
essaie de cacher, commença deux ans avant qu'il eût
débarqué sur nos rivages, lorsque je me rendis à Londres
pour assister à une réunion qui se tenait à Gresham College et regroupait des adeptes de la philosophie naturelle.
Cette organisation, qui plus tard devint notre Société
royale, n'est plus aujourd'hui ce qu'elle était à l'époque,
malgré la présence de lumières comme M. Newton.
C'était alors un ferment de savoir, et seul quelqu'un qui
en a fait partie pourrait évoquer l'atmosphère de fièvre et
d'enthousiasme dans laquelle se passaient ces premières
réunions. Cet esprit a aujourd'hui disparu et je crains qu'il
ne revienne jamais. Qui est de nos jours à la hauteur du
groupe comprenant Wren, Hooke, Boyle, Ward, Wilkins,
Petty, Goddard et tant d'autres noms immortels ? Aujour-
d'hui, on dirait une troupe de fourmis ramassant sans
cesse des insectes et de vulgaires cailloux : ils ne font
qu'accumuler, sans réfléchir et en se détournant de Dieu.
Pas étonnant qu'on en arrive à les mépriser.

À l'époque, au contraire, ce n'était qu'optimisme
joyeux : le roi était remonté sur le trône, le pays avait
retrouvé la paix, et il y avait à explorer tout l'univers de
la philosophie expérimentale. On ressentait, je crois, ce
que ressentit l'équipage de Cabot quand il aperçut pour
la première fois le Nouveau Monde, et les perspectives
d'avenir étaient enivrantes. La réunion elle-même fut très
agréable, comme il seyait à l'occasion ; le roi en personne
était là et il présenta gracieusement une masse pour indiquer qu'il condescendait royalement à soutenir nos
efforts. La plupart de ses ministres les plus puissants vinrent également ; certains d'entre eux furent plus tard élus
et siégèrent parmi nous quand la Société royale fut officiellement formée, même s'il faut souligner qu'ils ne lui
apportèrent rien d'autre qu'un certain éclat.

Ensuite, une fois que Sa Majesté eut prononcé un joli discours, qu'on nous eut accordé à tous l'honneur de lui faire personnellement la révérence et que M. Hooke eut montré le fonctionnement d'une de ses machines les plus ingénieuses (et qui produisaient le plus d'effet) afin de captiver l'imagination royale, je fus abordé par un homme de taille moyenne, aux yeux noirs et vifs et à l'air méprisant. Il portait sur l'arête du nez un cache noir oblong qui couvrait (disait-on) une cicatrice, suite d'un coup d'épée reçu alors qu'il combattait pour feu le roi. Je n'en suis pas si sûr quant à moi : personne n'avait jamais vu cette glorieuse blessure, ce cache mettant davantage en relief sa fidélité qu'il ne dissimulait une balafre. À l'époque il s'appelait Henry Bennet, bien que le monde l'ait connu plus tard sous le nom de comte d'Arlington ; il venait d'être ambassadeur à Madrid (même si rares étaient ceux qui le savaient alors). J'entendis de vagues rumeurs selon lesquelles il prenait en charge le maintien de la stabilité du royaume, et j'allais sous peu en recevoir la confirmation. Bref, il me demanda de venir le voir le lendemain matin dans sa maison du Strand, car il souhaitait faire ma connaissance.

Je me présentai donc le lendemain, m'attendant vaguement à me retrouver au milieu du tumulte d'un lever solennel, entouré de solliciteurs et de quémandeurs cherchant tous à attirer l'attention d'un homme qui avait ses entrées à la cour. Il y avait, en effet, quelques personnes, mais en petit nombre et on ne s'occupait pas d'elles. J'en conclus que l'étoile de ce M. Bennet n'était pas encore au firmament ou que, pour des raisons qui lui étaient personnelles, il ne faisait pas étalage de ses relations, voire ne cherchait pas à ébruiter sa présence à Londres.

Je ne peux pas dire qu'il ait été d'un abord agréable ; en effet, la solennité de ses manières frôlait le grotesque, tant il insistait pour respecter la moindre nuance du protocole et afficher les degrés de la hiérarchie. Je crois que cela venait de son long séjour en Espagne, pays bien connu pour ce genre d'excès. Il prit la peine de m'expliquer qu'il avait fait apporter un fauteuil rembourré comme il seyait à ma dignité de docteur de l'université, les autres visiteurs devant apparemment se contenter d'un siège dur ou rester debout, selon leur rang. Il eût été imprudent de ma part de lui faire comprendre que je considérais absurde d'être à ce point à cheval sur l'étiquette : je ne savais pas ce qu'il voulait et le gouvernement s'apprêtait à envoyer des inspecteurs à l'université afin de renvoyer ceux des maîtres qui y avaient été imposés par le Commonwealth. Comme c'était mon cas, j'aurais eu tort d'irriter un homme tel que M. Bennet. Je désirais garder mon poste.

« Comment jugez-vous l'état du royaume de Sa Majesté ? » demanda-t-il à brûle-pourpoint.

Il n'était pas homme à perdre beaucoup de temps à mettre à l'aise ses invités ou à gagner leur confiance. C'est un procédé que j'ai souvent remarqué chez les puissants.

Je répondis que tous les sujets de Sa Majesté étaient naturellement ravis qu'elle soit dûment remontée sur le trône. Bennet poussa un grognement.

« Alors comment expliquez-vous que nous ayons dû à nouveau faire pendre une douzaine de fanatiques pour avoir comploté contre le gouvernement ?

— "Cette génération est une génération mauvaise." » (Luc 11, 29.)

Il jeta une liasse de feuilles dans ma direction.

« Qu'en pensez-vous ? »

Je les regardai avec attention, puis je reniflai dédaigneusement.

« Ce sont des missives chiffrées.

— Pouvez-vous les déchiffrer ?

— Non. Pas tout de suite.

— Mais pourriez-vous les lire ? En révéler le sens ?

— Sauf difficulté exceptionnelle, oui. J'ai une expérience considérable en la matière.

508

— Je suis au courant. Vous avez travaillé pour M. Thurloe, n'est-ce pas ?

— Je n'ai fourni aucune information qui aurait pu faire du tort à la cause du roi, quoiqu'il eût été en mon pouvoir de lui en faire énormément.

— Et êtes-vous aujourd'hui disposé à lui faire du bien ?

— Bien sûr. Je suis le fidèle serviteur de Sa Majesté. Je suis sûr que vous vous souvenez que j'ai pris de gros risques lorsque j'ai protesté contre le meurtre de feu le roi.

— Vous vous êtes donné bonne conscience en la matière, mais pas au point, autant qu'il m'en souvienne, de quitter votre poste, ni de refuser une promotion, répondit-il sèchement et d'un ton qui ne me laissait guère d'espoir de gagner ses faveurs. Mais peu importe. Vous serez ravi d'avoir l'occasion de démontrer votre fidélité indéfectible. Ramenez ces lettres demain matin une fois que vous les aurez déchiffrées. »

Sur ce, il me donna congé et je ne savais pas si je devais bénir le sort ou maudire ma malchance. Je rentrai à l'auberge où je descendais généralement durant mes séjours à Londres — avant d'acquérir ma maison de Bow Street à la mort du père de ma femme — et je me mis au travail. Je passai toute la journée et presque toute la nuit sur ces lettres. Le décodage est un art compliqué et c'était l'époque où il le devenait de plus en plus. Souvent il ne s'agissait que de deviner comment une lettre ou un groupe de lettres étaient remplacés par une autre lettre ou groupe de lettres : on déchiffre par simple substitution que (par exemple) « a » remplace « the » ; 4 signifie « king », d = l, f = d, h = on, g = i, v = s, c = n ; et il est assez facile d'en déduire que a4gvgcdhfh veut dire : « The king is in London [1]. » Vous noterez que le procédé (très utilisé par les royalistes pendant la guerre, des âmes

1. Le roi est à Londres. *(N.d.T.)*

simples, il faut bien l'avouer) consistant à substituer une lettre par une autre est peu complexe, alors que celui qui consiste à substituer parfois une lettre à une autre lettre, mais parfois à une syllabe ou un mot, est plus difficile. Néanmoins, il ne présente guère de problème. Ce qui est plus compliqué, c'est lorsque la valeur des lettres change constamment, selon une méthode proposée pour la première fois en Angleterre par lord Bacon, mais qui, paraît-il, avait été inventée, en fait, par un Florentin il y a plus de cent ans. Les Français en réclament aujourd'hui la paternité, ce peuple insolent ne supportant pas que quelque chose ne vienne pas de chez lui. Ils volent ce qui ne leur appartient pas ; j'en ai moi-même pâti lorsqu'un misérable petit clerc du nom de Fermat osa déclarer que mes découvertes sur les nombres premiers lui revenaient.

Je vais essayer d'expliquer le procédé. L'essence de la méthode c'est que l'expéditeur et le destinataire doivent avoir le même texte. Le message commence avec un groupe de chiffres : par exemple, 124,5 ; ce qui signifie que la clef commence page 124, au cinquième mot, de ce texte. Supposons que la page commence par « So Hatach went forth to Mordecai unto the street of the city, which was before the king's gate [1]. » (Esther 4, 6 ; texte déconcertant sur lequel j'ai prononcé un sermon explicatif qui va bientôt être publié.) Le cinquième mot, « to », constitue votre point de départ, et vous substituez « t » à « a », ce qui donne l'alphabet suivant :

abcdefghijklmnopqrstuvwxyz
tuvwxyzabcdefghijklmnopqrs

si bien que votre message : « The king is in London » devient « maxdbgzblbgehgwhg ». L'important c'est que, après un nombre de lettres donné, normalement 25, on passe au mot suivant, dans le cas présent « Mordecai », et on recommence, de telle sorte que m = a, n = b, etc. Il

1. Hatak s'en alla vers Mardochée, sur la place de la ville, qui était en face de la porte du roi. *(N.d.T.)*

existe des variations sur cette méthode, bien sûr, mais l'essentiel c'est de s'assurer que la valeur des lettres change assez souvent pour qu'il devienne presque impossible de la deviner si l'on ne possède pas le texte sur lequel elle se fonde. J'expliquerai plus tard pourquoi c'était important.

Je craignais donc que les missives qu'on m'avait confiées ne fussent de ce type ; j'aurais peut-être réussi à les déchiffrer tôt ou tard, mais pas dans le temps qui m'était imparti. Si je suis fier de mes talents, c'est avec quelque raison : un seul texte m'a résisté, et cela se passait dans des circonstances particulières, quoique importantes, circonstances dont je reparlerai plus tard. Mais chaque fois que l'on me donne une lettre chiffrée, je sais que je pourrais connaître une nouvelle fois l'amère expérience de l'échec ; je ne suis pas infaillible et il existe un nombre presque infini de combinaisons. J'ai moi-même conçu des codes qui sont illisibles si l'on ne possède pas les textes nécessaires au déchiffrement ; il est donc parfaitement possible que d'autres fassent aussi bien. En fait, je suis surpris de ne pas avoir connu davantage d'échecs, étant donné qu'il est plus facile de bâtir un code inviolable que d'ouvrir des brèches dans ses remparts. Heureusement, en ce qui concerne les lettres de M. Bennet, j'eus à nouveau de la chance : les auteurs étaient aussi naïfs dans leur approche que jadis les conspirateurs royalistes. Peu de gens, me semble-t-il, savent tirer des leçons de l'expérience. Chaque missive possédait un code différent mais facile à briser, et elles étaient toutes assez longues pour me permettre d'en déterminer le sens. Par conséquent, le lendemain, dès sept heures, je me présentai devant M. Bennet pour lui rendre mes travaux.

Il s'en saisit et jeta un coup d'œil sur le texte que j'avais recopié.

« Pourriez-vous me les résumer, mon révérend ?

— Il semble qu'il s'agisse d'un groupe de lettres destinées à un individu, résidant probablement à Londres.

Elles précisent toutes une date, le 12 janvier. Dans deux d'entre elles il est fait référence à des armes, mais pas dans les autres. L'une d'elles mentionne le royaume de Dieu, ce qui, j'imagine, écarte les papistes et indique que les auteurs appartiennent à la secte de la "Cinquième monarchie" ou à un groupe annexe. Des indices internes aux textes suggèrent que deux des lettres viennent d'Abingdon, ce qui révèle également une origine séditieuse. »

Il hocha la tête.

« Et vous en concluez... ?

— Qu'il faut faire une enquête.

— C'est tout ? Cela paraît quelque peu désinvolte.

— Les lettres elles-mêmes ne prouvent rien. Si je les avais écrites et que je fusse arrêté, je dirais pour ma défense qu'elles avaient toutes trait au mariage de mon cousin. »

M. Bennet grogna.

« Loin de moi l'idée de vous donner un conseil, monsieur, mais une trop grande hâte peut s'avérer inopportune. Je suppose que vous avez obtenu ces lettres par des moyens occultes ?

— Nous avons un informateur, c'est exact.

— Par conséquent, si vous lancez un coup de filet, votre informateur ne vous servira plus à rien, car il deviendra évident que vous saviez où chercher. Écoutez, monsieur, il est plus que probable que ces lettres indiquent qu'un soulèvement va se produire dans plusieurs régions du pays, mais qu'il sera guidé depuis la capitale.

— C'est ce qui m'inquiète.

— Utilisez votre informateur pour découvrir les provinces d'où doivent partir ces soulèvements, et envoyez-y des troupes dès le 11 janvier. Je suppose que le roi a des troupes sur lesquelles il peut compter ?

— On ne peut être absolument sûr que de quelques milliers de soldats.

512

— Utilisez-les. En ce qui concerne Londres, ne brusquez rien. Cherchez à savoir qui est impliqué et combien de personnes en tout ; mettez des troupes en alerte. Assurez-vous de la sécurité de la cour. Puis laissez le soulèvement avoir lieu. Coupé de tout soutien, il sera aisé de l'écraser, et vous détiendrez de solides preuves de trahison. Vous pourrez alors agir à votre guise. Et recevoir les éloges mérités, vu votre prompte réaction. »

Bennet se cala sur son siège et me regarda froidement.

« Mon but est de protéger le roi, non pas de recueillir des éloges.

— Bien sûr.

— Pour un ecclésiastique, vous semblez connaître parfaitement ce genre d'affaire. Il est possible que vous ayez été plus proche de M. Thurloe que je ne le soupçonnais. »

Je haussai les épaules.

« Vous m'avez demandé mon avis et je vous l'ai donné. Vous n'êtes pas obligé de le suivre. »

Comme il ne m'avait pas signifié mon congé, je demeurai assis, tandis qu'il regardait par la fenêtre avant de faire semblant de remarquer ma présence à nouveau.

« Allez-vous-en, monsieur, fit-il d'un ton sec. Laissez-moi tranquille. »

Je m'exécutai et quittai les lieux en me disant que je n'avais pas réussi à désarmer un homme qui pouvait me causer de graves ennuis et que je n'allais pas garder très longtemps mon poste à l'université. Je me résignai de mon mieux à cette éventualité ; j'étais assez riche du côté de ma mère et je ne craignais pas de mourir de faim ni de tomber dans la misère. Néanmoins, appréciant mon poste et le traitement qu'il me procurait, je n'avais aucun désir de l'abandonner.

J'avais joué mes cartes au mieux. La grande vertu du décodage des lettres c'est qu'il est extrêmement difficile à quiconque de dire si vous avez effectué votre travail correctement. En l'occurrence, le déchiffrement (ajouté à une certaine expérience personnelle) me permit de démontrer mon utilité potentielle à peu de frais. Car les lettres indiquaient clairement que le soulèvement qui préoccupait tant M. Bennet ne serait, en fait, qu'un tohu-bohu créé par quelques douzaines de fanatiques bruyants qui ne sauraient en aucun cas menacer le roi. Cette bande pouvait croire qu'avec l'aide de Dieu elle parviendrait à s'emparer de Londres, du pays et peut-être du monde entier, mais je devinai sans grande difficulté que leur prétendu soulèvement serait une farce.

Cependant, aiguillonné quelque peu par Bennet, comme je l'appris plus tard, le gouvernement prit l'affaire au sérieux et se mit à faire des cauchemars où ce qui restait de l'armée de Cromwell, amère et sans solde, se soulevait dans tout le pays. À la fin de janvier (en hiver il faut tout ce temps pour que les nouvelles aillent de Londres à Oxford) on apprit que la bande de fous appartenant à la Cinquième monarchie de Thomas Venner était tombée dans le piège qu'on lui avait très habilement tendu et avait été arrêtée, après avoir fomenté des troubles qui durèrent cinq heures en tout. De surcroît, quelques jours auparavant, le gouvernement ayant brusquement décidé de faire stationner un escadron de cavalerie à Abingdon et en une demi-douzaine d'endroits différents, on attribua à cette sage décision le fait que les anciens soldats de la ville n'avaient pas bougé. À mon avis, ils n'avaient jamais eu envie de faire quoi que ce fût, mais peu importe, cela produisit un certain effet.

Cinq jours après avoir appris toutes ces nouvelles, je reçus une lettre m'appelant à Londres. Je m'y rendis la semaine suivante : on me convoqua chez M. Bennet à qui on avait désormais permis de s'installer à Whitehall où il était beaucoup plus près de l'oreille du roi.

« J'imagine que vous avez entendu parler de la monstrueuse trahison que le gouvernement a réprimée avec succès le mois dernier ? » me dit-il.

Je fis oui de la tête.

« La cour a été extrêmement inquiète, reprit-il. Cela a ébranlé la confiance de beaucoup. Y compris celle de Sa Majesté qui ne peut plus s'accrocher à l'illusion qu'elle est universellement aimée.

— Je suis désolé de l'apprendre.

— Pas moi. La trahison est partout dans ce pays et ma mission consiste à la pourchasser. Maintenant au moins il y a une chance qu'on prenne au sérieux mes mises en garde. »

Je restai silencieux.

« La dernière fois que nous nous sommes rencontrés, vous m'avez donné certains conseils. Sa Majesté a été impressionnée par la vitesse avec laquelle le soulèvement a été réprimé et j'ai été content d'avoir discuté de ma ligne de conduite avec vous. »

Ce qui signifiait, en gros, qu'il s'en était attribué tout le mérite et que je devais garder à l'esprit qu'il me fallait passer par lui pour gagner la faveur du roi. C'était gentil de sa part de mettre les points sur les *i*. Je hochai la tête.

« Je suis ravi d'être utile. À vous et à Sa Majesté.

— Tenez ! » fit-il en me tendant un pli.

Il renfermait un document confirmant le fidèle et bien-aimé John Wallis dans son poste de professeur de géométrie à l'université d'Oxford et un autre nommant le même fidèle et bien-aimé John Wallis à la fonction de chapelain du roi assortie d'un traitement de deux cents livres par an.

« Je vous suis profondément reconnaissant et j'espère avoir l'occasion de vous remercier de ces bienfaits », dis-je.

Bennet eut un maigre et désagréable sourire.

« Vous l'aurez, mon révérend ! Et ce ne sera pas en prononçant beaucoup de sermons, croyez-moi ! Nous avons décidé de ne rien faire contre le croupion de républicains d'Abingdon, de Burford ou de Northampton. Nous désirons qu'ils soient laissés en liberté. Nous savons où ils sont, et "un tiens vaut mieux..." »

— Exactement. Mais ça ne sert pas à grand-chose, à moins d'être constamment tenu informé de leurs agissements.

— Tout à fait. Je suis convaincu qu'ils vont recommencer. Telle est la nature de ces gens qu'ils ne peuvent s'arrêter, car s'arrêter serait commettre un péché. Ils considèrent comme leur devoir de poursuivre l'agitation.

— Certains comme leur droit, monsieur, murmurai-je.

— Je ne veux pas m'engager dans un débat sur les droits et les devoirs. C'est de la trahison pure et simple, quelle qu'en soit l'origine. Vous êtes d'accord ou non ?

— Je crois que le roi a le droit d'être où il est et qu'il est de notre devoir de l'y maintenir.

— Vous allez donc faire ce qu'il faut pour ça ?

— Moi ?

— Vous. Je ne suis pas dupe, monsieur. Ces airs de philosophe ne trompent personne. Je sais exactement le genre de travail que vous avez accompli pour Thurloe.

— Je suis sûr qu'on vous a fait des comptes rendus exagérés. Mon rôle était celui d'un chiffreur, pas d'un agent secret. Mais peu importe. Si vous souhaitez que je fasse ce qu'il faut pour ça, comme vous dites, je serai ravi de vous servir. J'aurai besoin d'argent, néanmoins.

— Vous recevrez le nécessaire. Dans la limite du raisonnable, évidemment.

— Et permettez-moi de vous rappeler que les moyens de communication avec Londres ne sont pas très rapides.

— Vous aurez un mandat vous donnant l'autorisation d'agir comme bon vous semble.

— Cela comprend-il l'usage des garnisons voisines ? »

Il fronça les sourcils, puis reprit avec beaucoup de réticence :

« En cas d'urgence, si c'est indispensable.

— Et quelle sera ma position vis-à-vis des lords lieutenants des comtés ?

— Vous n'aurez pas à traiter avec eux. Vous ne communiquerez qu'avec moi. Avec personne d'autre, même pas le gouvernement. Est-ce bien compris ? »

Je hochai la tête.

« Très bien. »

Bennet sourit une seconde fois puis se leva prestement.

« Bon. Je suis très content, monsieur, que vous acceptiez de servir votre souverain de cette manière. Le royaume est loin d'être sûr, et les honnêtes gens doivent œuvrer pour empêcher les amères dissensions de resurgir. Je vous le dis, mon révérend, je ne sais pas si nous allons réussir. Pour le moment nos ennemis sont découragés et divisés. Mais si nous relâchons le moins du monde notre emprise, qui sait ce qui pourrait se passer ? »

Pour une fois je pouvais être d'accord avec lui sans réserve.

Je ne veux pas qu'on croie que j'endossai mon rôle avec enthousiasme et à la légère. Je n'allais pas lier mon sort à un homme qui risquait de m'entraîner dans sa chute s'il s'avérait que son pouvoir et sa position n'étaient pas fermement assurés. Je ne savais pas grand-chose sur ce M. Bennet ; c'est pourquoi, dès que j'eus fait enregistrer ma nomination comme chapelain royal auprès des bureaux compétents et envoyé à Oxford la confirmation de mon poste à l'université afin de confondre mes ennemis, je me mis en devoir d'en apprendre un peu plus sur lui.

Il avait sans aucun doute fourni de fortes preuves de sa fidélité au roi puisqu'il avait partagé son exil et qu'on lui avait confié des missions diplomatiques d'une certaine importance. Plus précisément, c'était un habile courtisan — trop habile, en fait, pour lord Clarendon ; le premier ministre du roi avait remarqué ses talents, mais au lieu de s'assurer de son soutien, il l'avait ressenti sur-le-champ comme une menace. L'inimitié s'aggrava et Bennet se rapprocha d'autres rivaux de Clarendon tout en guettant sa chance. Il attira également un cercle de jeunes gens qui passaient leur temps à se glorifier les uns les autres, et on parlait de lui comme d'un homme qui atteindrait aux plus hauts sommets ; à la cour, rien n'assure le succès autant que l'espérance d'un plus grand triomphe. En résumé, il était soutenu à la fois par des hommes placés sous lui et par des hommes au-dessus de lui ; cependant, tant que Clarendon jouissait de la faveur du roi, M. Bennet ne pouvait s'élever que lentement. Et personne ne savait combien de temps durerait sa patience.

Tant qu'on ne voyait pas nettement s'il continuerait à monter ou s'il tomberait au cours de sa tentative d'ascension, j'avais autant d'intérêt que lui à m'assurer que notre association demeurerait secrète. En outre, d'autres aspects de sa personnalité m'inquiétaient : son amour de l'Espagne étant notoire, l'idée d'aider un homme possédant de telles sympathies me chagrinait quelque peu. D'un autre côté, je souhaitais être utile, et Bennet constituait le seul intermédiaire grâce auquel mes talents et mes compétences pouvaient être exploités. Je ne considérais pas d'ailleurs que les manigances des puissants fussent de mon ressort. Qui régnait en maître à la cour, qui avait l'oreille du roi, cela ne m'importait guère pour le moment ; la sécurité du royaume (tant cette période était étrange) dépendait bien davantage des activités des gens de moindre condition qui allaient attirer mon attention. J'ai signalé les républicains dépités, les soldats, ainsi que les sectaires qui constituaient une vaste source d'opposition au gouvernement. Dès le retour du roi, ces gens ne cessèrent de s'agiter ; ils n'acceptaient pas sans broncher la volonté manifeste de Dieu, alors que leur profession aurait dû les inciter à le faire. Le soulèvement de Venner ne fut qu'un pétard mouillé : il était piètrement financé, mal organisé, mal dirigé. Comme il n'y avait aucune raison, cependant, de penser que ce serait le dernier, il était extrêmement important d'exercer une vigilance constante.

Il y avait parmi les ennemis du royaume des hommes disciplinés et de grande valeur , quiconque avait observé (comme moi) les triomphes des armées de Cromwell le savait. De plus, c'étaient des fanatiques prêts à mourir pour leurs chimères. Ils avaient goûté au pouvoir, et dans leur bouche il était doux comme du miel. (Apocalypse 10, 9.) Et ils apparaissaient d'autant plus dangereux que des étrangers étaient prêts à les manipuler et à les inciter à poursuivre leurs agissements. Mes relations avec Cola (que j'ai l'intention de relater ici) constituaient une affaire encore plus périlleuse et encore plus secrète. Croire en Dieu, c'est très bien, mais Dieu s'attend également que l'on s'aide soi-même. Ma plus grande inquiétude était que ceux qui détenaient le pouvoir n'en vinssent à relâcher leur attention et à sous-estimer leurs ennemis. Même si je ne peux pas dire que j'aimais Bennet, nous tombâmes d'accord qu'il existait un grand danger auquel il fallait faire face.

Aussi rentrai-je à Oxford où je repris mes recherches en mathématiques et commençai à tisser ma toile dans le dessein d'y attraper les ennemis du roi. M. Bennet fit preuve d'une perspicacité considérable en me choisissant : je n'avais pas seulement quelque compétence en la matière, mais je me trouvais au milieu du royaume et je possédais, naturellement, un réseau de contacts à travers toute l'Europe qui ne demandait qu'à être exploité. La République du savoir ne connaît pas de frontières et rien de plus normal que d'écrire à des collègues de tous les pays pour avoir leur avis sur les mathématiques, la philosophie, ou tout autre sujet. Peu à peu, et pour un coût modique, je commençai à avoir mieux que quiconque un tableau précis de la situation. Bien sûr, je n'atteignis pas le niveau de M. Thurloe, mais, même si mes maîtres ne me firent jamais entièrement confiance, je poursuivis leurs ennemis et réussis dans l'ensemble à « entasser sur eux les maux et à épuiser mes flèches contre eux ». (Deutéronome 32, 23.)

Chapitre deux

La première fois que j'entendis parler de Cola, gentilhomme (soi-disant) vénitien, ce fut dans une lettre d'un correspondant des Pays-Bas, auquel le gouvernement versait un petit subside pour qu'il observât les activités des républicains anglais en exil. En particulier, cet homme était censé surveiller de près le moindre contact entre eux et toute personne proche du gouvernement hollandais, noter toute absence ou encore toute arrivée d'un visiteur inhabituel. Cet homme m'écrivit en octobre 1662 (plus pour justifier l'or qui lui était donné que pour tout autre motif, me semble-t-il) et ne m'apprit rien, sinon qu'un Vénitien était arrivé à Leyde, un certain Cole, et que ce dernier avait passé quelque temps en compagnie des exilés.

Un point, c'est tout. Il n'y avait sans doute aucune raison à l'époque d'imaginer que cet homme était autre chose qu'un étudiant itinérant. Je ne prêtai pas grande attention à ce détail : j'écrivis simplement à un négociant, qui voyageait en Italie dans le but d'acquérir des tableaux pour le compte d'Anglais possédant plus d'argent que de bon sens, afin de lui demander d'identifier cet homme. Peut-être puis-je mentionner en passant que les marchands de tableaux (plus nombreux aujourd'hui depuis qu'il est devenu légal de faire entrer ces œuvres dans le pays) font d'excellents agents, étant donné qu'ils vont et viennent à leur guise sans éveiller les soupçons. Leur commerce les met en contact avec des personnages influents, mais ils sont de condition si basse et si grotesques à cause des airs d'hommes de qualité et de culture qu'ils se donnent que rares sont ceux qui les prennent au sérieux.

Jusqu'au début de 1663 je ne reçus aucune réponse, la négligence de mon correspondant et l'hiver conspirant pour retarder le courrier. Et même lorsqu'elle me parvint, cette réponse ne suscita guère mon intérêt, et de crainte que l'on ne pense que je me rendis ainsi coupable de légèreté, je reproduis ici la lettre de M. Jackson :

Mon révérend et monsieur le professeur,

En réponse à votre requête, pendant mon séjour à Venise, effectué pour acquérir des œuvres artistiques destinées à lord Sutherland et à quelques autres, j'eus le loisir de prendre en main les recherches dont vous m'aviez chargé. Ce Cola est, semble-t-il, le fils d'un négociant qui a étudié la rhétorique à l'université de Padoue durant plusieurs années. Il est âgé de près de trente ans, de taille moyenne et bien bâti. Je n'ai pas découvert grand-chose à son sujet car il a quitté la Vénétie il y a si longtemps que certains le croyaient mort. Il a, cependant, la réputation d'être un excellent tireur et une fine lame. On dit que l'agent du père à Londres, Giovanni di Pietro, est l'œil de l'ambassadeur de Venise à Paris pour les affaires anglaises, tandis que son fils aîné est prêtre et confesseur du cardinal Flavio Chigi, neveu du pape Alexandre. Dans le cas où vous voudriez que je cherche à en savoir davantage, je serais plus que ravi...

La lettre se terminait par des propositions pleines d'espoir : si je désirais acquérir des tableaux, messire Thomas Jackson (non pas qu'il eût le droit de se désigner ainsi, vu qu'il n'était qu'un simple peintre) serait très flatté d'avoir le privilège de m'obliger.

Lorsque je reçus cette lettre j'écrivis naturellement à M. Bennet pour lui signaler ce Giovanni di Pietro : si les

Vénitiens avaient réellement un correspondant à Londres, je pensais que le gouvernement devait connaître son identité. Pour toute réponse, je fus quelque peu surpris de recevoir une note plutôt sèche indiquant que ce di Pietro leur était déjà connu, qu'il ne représentait aucun danger pour le gouvernement et que M. Bennet était persuadé que mes enquêtes portaient sur des questions plus dignes d'intérêt. Il me rappela que ma mission concernait la répression des sectaires et que les autres sujets n'étaient pas de mon ressort.

J'étais trop occupé pour en concevoir autre chose que du soulagement : il y avait des signes évidents que les sectaires recommençaient à bouger, ce qui me donnait assez de travail comme cela. Des rapports m'informaient que des cargaisons d'armes circulaient dans tout le pays, que des petits conventicules de républicains se réunissaient, puis se dispersaient. Bien plus grave, un rapport digne de foi annonçait qu'Edmund Ludlow, le plus dangereux des anciens généraux encore en liberté, avait reçu un nombre exceptionnel de visiteurs en Suisse où il vivait en exil. La bête s'ébrouait, mais c'était comme « mesurer de l'eau de mer dans le creux de la main ». (Isaïe 40, 12.) Je savais que des troubles se préparaient dans plusieurs régions du pays, mais je ne savais pas pourquoi ni quels en étaient les instigateurs.

Ne croyez pas que mes activités se cantonnaient à Oxford. J'étais, naturellement, obligé d'y demeurer pendant une partie du trimestre, mais j'étais libre la majeure partie de l'année ; et alors je passais le plus clair de mon temps à Londres, car non seulement cela me donnait accès auprès du secrétaire d'État (M. Bennet reçut sa récompense au mois de novembre), mais nombre de savants s'y installaient et je souhaitais, évidemment, pouvoir fréquenter mes pairs. La grande aventure de la Société royale commençait, et il était vital que cette dernière fût bâtie sur de bonnes bases, qu'elle triât ses membres, excluant ceux qui avaient l'intention de la pervertir en lui faisant poursuivre des desseins impies : les papistes à une extrémité et les athées à l'autre.

Peu après une réunion de la Société, Matthew, mon domestique (en réalité, il m'était plus que ça), vint me voir. Je vais beaucoup parler de ce jeune homme dans mon récit, car il m'était cher comme un fils ; plus cher en fait. Lorsque je considère mes fils selon le sang, de gros balourds avec qui aucun homme sensé ne peut converser, mon malheur me désespère. « Un fils sot est une calamité pour son père. » (Proverbes 19, 13.) Comme j'ai médité sur la véracité de cette maxime, ayant deux sots pour fils ! Je tentai d'apprendre naguère à l'aîné les secrets du décodage, mais autant essayer d'enseigner à un babouin les théories de M. Newton. Dans leur jeunesse, ils furent abandonnés aux soins de ma femme, vu que j'étais trop pris par les affaires du gouvernement et par l'université pour pouvoir me consacrer à eux, et elle les éleva à son image. C'est une brave femme qui m'a apporté du bien et qui possède toutes les qualités requises chez une épouse, mais je regrette d'avoir été contraint de me marier. Les services que fournit une femme ne compensent en aucune façon les manques qu'on ressent en leur compagnie et le fait qu'elles nous privent de nombreuses libertés.

À plusieurs époques de ma vie je me suis beaucoup occupé de l'éducation des jeunes ; j'ai travaillé sur le matériau le plus ingrat, persuadant les muets de parler et tentant, ce faisant, de parvenir à des principes généraux à propos de la souplesse du cerveau du petit enfant. Je souhaiterais que, dès l'âge de six ans environ, les jeunes garçons soient totalement enlevés à la compagnie des femmes, surtout celle de leur mère, pour que leur esprit pût être occupé par les conversations nobles et les idées élevées. Leurs lectures, leur éducation, voire leurs jeux, devraient être dirigés par un homme sensé (je ne désigne pas ainsi ces misérables qui se font passer pour des maîtres d'école) afin qu'ils soient incités à imiter ce qui est noble et à fuir ce qui est vil.

Si seulement un garçon comme Matthew était venu auprès de moi quelques années plus tôt, je crois que j'aurais pu faire de lui un grand homme. Dès qu'il m'apparut, je ressentis un regret indicible, car dans son port et dans son regard je vis le fils et le compagnon que j'avais prié Dieu de m'envoyer. À peine instruit, et encore moins formé, il était néanmoins plus mûr que mes enfants à la misérable cervelle desquels on avait prodigué tant de soins, mais dont toute l'ambition consistait à s'assurer un bon confort. Grand et blond, Matthew semblait si parfaitement disposé à plaire qu'il s'attirait les faveurs de tous ceux qu'il rencontrait.

La première fois que je le vis, il était interrogé par les services de Thurloe à propos d'un groupe jugé trop révolutionnaire pour la paix du pays ; il avait peut-être seize ans à l'époque. Simple spectateur de l'interrogatoire (n'ayant jamais eu beaucoup de patience en ce domaine), je fus immédiatement frappé par la franche honnêteté de ses réponses qui montrait une maturité au-dessus de sa condition et de son âge. En fait, il était totalement innocent et on ne le soupçonnait absolument pas de sédition ; mais il fréquentait un grand nombre d'individus dangereux, même s'il ne partageait pas le moins du monde leurs opinions. Il hésitait à donner des renseignements sur ses amis : je trouvai que ce sens inné de la fidélité était un admirable trait de caractère et pensai que si on pouvait l'orienter vers de plus nobles desseins, cet enfant ignorant pourrait être métamorphosé en homme de valeur.

On garda secret son interrogatoire de peur qu'il ne perdît son crédit auprès de ses amis et je lui proposai d'entrer à mon service comme domestique avec de bons gages. Il fut si étonné de sa bonne fortune qu'il accepta sur-le-champ. Il avait déjà des rudiments de connaissances, étant orphelin d'un père imprimeur dans la cité : il savait bien lire et écrire correctement. Quand je lui offris d'accroître son savoir il réagit avec un enthousiasme que je n'avais jamais rencontré auparavant et que je n'ai jamais rencontré depuis chez aucun autre élève.

Ceux qui me connaissent peuvent trouver cela incroyable, car je sais que j'ai la réputation d'être très impatient. J'avoue volontiers que ma tolérance envers les oisifs, les imbéciles et les ignorants s'épuise rapidement. Mais donnez-moi un véritable élève, un élève qui brûle du désir d'apprendre, qui n'a besoin que de tremper ses lèvres dans l'eau pure pour désirer avaler tout un fleuve de connaissances, et je lui dispense des soins presque infinis. Se charger d'un garçon comme Matthew, le former et voir son intelligence croître et sa sagesse se développer constitue la plus riche des expériences, même si c'est extrêmement difficile et si cela requiert des efforts sans répit. Faire des enfants relève de la vulgaire nature : les imbéciles, les manants, et même les femmes en sont capables. Façonner ces morceaux de chair mobiles dans le but d'en faire de bons adultes est une tâche dont seuls les hommes sont dignes ; eux seuls savent en savourer les résultats.

« Initie l'enfant selon le chemin qu'il doit prendre, même devenu vieux, il ne s'en écartera pas. » (Proverbes 22, 6.) Sans nourrir des espoirs exagérés, je pensais qu'un jour je l'installerais dans un poste officiel et que, finalement, je lui enseignerais mes connaissances en cryptographie afin qu'il pût se rendre utile et faire carrière. Mes espoirs furent plus que satisfaits, car malgré la rapidité avec laquelle Matthew apprenait, je savais qu'il pouvait encore aller plus vite. Cependant, j'avoue que cela ne faisait qu'aiguillonner davantage mes ambitions pour lui et que je perdais souvent patience lorsqu'il lui arrivait de commettre une faute de syntaxe ou une erreur dans un problème de mathématiques facile à résoudre. Mais j'ai toujours cru qu'il savait que cette irritation était due à mon amour et aux ambitions que je nourrissais pour lui ; il paraissait toujours chercher à gagner mon approbation.

J'en étais conscient et je savais que son dévouement était si grand qu'il travaillait parfois trop dur ; pourtant, je le poussais même lorsque j'avais envie de lui dire de se reposer et de dormir, ou de lui donner un signe de mon affection. Une fois, à mon réveil, je le trouvai affalé sur mon bureau. Tous mes papiers étaient sens dessus dessous, la bougie avait coulé sur mes notes et un verre d'eau s'était renversé sur une lettre que j'étais en train d'écrire. Furieux, étant par nature méticuleux en matière d'organisation, je le jetai par terre et tombai sur lui à bras raccourcis. Il ne broncha pas, ne prononça pas un seul mot pour se défendre, se soumettant patiemment au châtiment que je lui infligeais. C'est seulement plus tard (et par le truchement de quelqu'un d'autre) que j'appris qu'il avait passé la nuit entière à essayer de résoudre un problème que je lui avais donné et qu'il s'était simplement assoupi d'épuisement. J'eus beaucoup de mal à ne pas lui demander pardon, à ne pas céder au sentiment. Je crois qu'il ne soupçonna jamais que je regrettais mon geste ; une fois qu'une parfaite soumission est sapée et remise en question, toute autorité s'effondre et les faibles sont les plus grands perdants. On voit cela partout autour de soi.

Sachant, naturellement, que Matthew était en relation avec des gens dont la loyauté et les opinions étaient douteuses, je ne pouvais m'empêcher de l'utiliser pour faire des courses et écouter les commérages. Dans ce genre d'affaires sordides, il était très précieux, grâce à ses dons d'observation et à son intelligence. Contrairement à beaucoup de ceux sur qui j'étais obligé de compter (pour la plupart, coupe-jarrets, voleurs, déments, autant d'individus dont la parole était toujours sujette à caution), Matthew gagna très vite ma totale confiance. Je le faisais appeler dès que j'arrivais à Londres et lui écrivais tous les deux jours lorsque j'étais à Oxford. J'adorais sa compagnie et il me manquait terriblement quand nous étions séparés ; j'espère que je lui manquais moi aussi.

Lorsqu'il vint me voir, ce matin de 1663, il était mon domestique depuis plusieurs années déjà ; il avait grandi au point que je savais qu'il me faudrait bientôt me séparer de lui et lui trouver un emploi permanent. J'avais déjà trop longtemps attendu : à presque vingt ans, il se sentait à l'étroit dans sa position d'apprenti. Je voyais que le joug lui pesait et savais que si je ne le libérais pas bientôt, il finirait par regimber contre mon autorité. Mais je continuais à le garder près de moi, incapable de le lâcher. Je me le reproche amèrement, car je crois que son désir de me quitter put le rendre imprudent.

Quand il m'annonça qu'il devait expédier un paquet par la poste privée de la part d'un groupe de républicains, je m'y intéressai immédiatement. Sans connaître le contenu de ce paquet, il s'était chargé de le livrer chez un marchand qui transportait du courrier sur ses bateaux. Il n'y avait là rien d'inhabituel, surtout lorsqu'on voulait éviter que ses lettres fussent lues. Ce qui l'était, en revanche, c'est que quelqu'un de l'âge de Matthew fût chargé d'une course généralement effectuée par un enfant. Sans en être sûr, il avait le sentiment que le paquet pouvait posséder une certaine importance, surtout parce que la destination était les Pays-Bas.

Depuis des mois il y avait des remous dans tout le pays, des silhouettes évanescentes le traversaient en tous sens et des protestations se faisaient entendre un peu partout. L'ensemble des rapports ne présentait aucun schéma précis ni aucune cohérence me permettant de discerner la forme du projet des républicains. Livrés à eux-mêmes, ces derniers ne constituaient de menace sérieuse pour personne, tant étaient grand leur désespoir et graves leurs dissensions. Mais si un homme possédant autorité et compétence les organisait et les finançait, alors ils pourraient aisément devenir menaçants. Il me sembla que Matthew m'avait fourni l'indication d'un début de correspondance avec l'étranger que je cherchais depuis longtemps. En fait, il se trompait, mais ce fut l'erreur la plus fructueuse qu'il commit.

« Excellent ! dis-je. Apporte-moi le paquet. Je vais le faire ouvrir, et examiner son contenu avant de te laisser le livrer. »

Il secoua la tête.

« Ce n'est pas si simple, je le crains, monsieur. On a... ils ont... depuis peu appris à être prudents. Je sais que je ne suis pas du tout soupçonné, mais on doit m'accompagner à partir du moment où le paquet sera placé entre mes mains jusqu'au moment où je le livrerai. Il vous sera impossible de l'obtenir de cette manière-là. Vous n'aurez pas le temps de recopier son contenu.

— Et tu es certain que ça en vaut la peine ?

— Je ne sais pas. Mais vous m'avez demandé de vous signaler toute communication avec les exilés...

— Tu as très bien fait. Que suggères-tu maintenant ? Tu sais que ton avis compte beaucoup pour moi. »

Cette petite marque d'estime le fit sourire de plaisir.

« Je suppose qu'il restera chez le marchand jusqu'à ce qu'il soit placé à bord de l'un de ses bateaux. Pas pour très longtemps : ils veulent qu'il soit expédié le plus vite possible. Ce sera peut-être la seule occasion de s'en saisir secrètement.

— Ah ! Et comment s'appelle le marchand ?

— Di Pietro. C'est un Vénitien qui possède une maison près de la Tour. »

Je le remerciai chaudement pour sa peine et lui donnai un peu d'argent pour le récompenser, puis je le congédiai afin de réfléchir à ce qu'il m'avait appris. Cela m'inquiétait quelque peu, même si le sens de cette histoire n'était pas clair. Pourquoi donc un Vénitien eût-il aidé des sectaires ? Il était fort probable qu'il transportait du courrier pour gagner de l'argent, sans se soucier de l'expéditeur ni du destinataire, mais je remarquai que c'était la deuxième fois que le nom de di Pietro apparaissait. Ce simple fait me décida à examiner ces lettres.

J'avais quelque temps pour considérer la question, mais pas beaucoup : Matthew devait livrer le paquet le lendemain soir. Bennet m'avait dit de ne pas m'occuper de di Pietro, mais il m'avait également demandé d'enquêter sur les ennemis du roi en Angleterre. Il ne m'avait pas indiqué la marche à suivre lorsque ces deux ordres étaient en contradiction.

C'est pourquoi je me rendis au café de Tom Lloyd que les commerçants avaient accoutumé de fréquenter afin d'échanger des nouvelles et de s'organiser en vue de faire les meilleurs profits. Connaissant certaines personnes de ce monde, car il m'arrivait de placer de l'argent de cette manière, j'avais appris à qui on pouvait faire confiance et qui devait être évité. Je connaissais en particulier un certain Williams, lequel passait le plus clair de son temps à rechercher ceux qui avaient de l'argent à risquer pour les mettre en contact avec des négociants en manque de fonds. J'avais placé avec profit auprès de lui une petite partie du surcroît de mes revenus des Indes, ainsi qu'auprès d'un homme qui capturait des Africains pour les envoyer aux Amériques. Ce dernier investissement fut de loin le meilleur que j'eusse jamais fait, d'autant plus (d'après ce que le commandant du navire m'assura) qu'on inculquait fermement aux esclaves, pendant la traversée de l'océan, les vertus du christianisme : ainsi ils sauvaient leur âme tout en fournissant un travail qui profitait aux autres.

Lorsque je réussis à le dénicher, je dis à Williams que j'avais l'intention de placer quelques fonds dans une maison italienne du nom de Cola et que je souhaitais savoir si l'affaire était solide et le négociant digne de foi. Il me regarda d'un air étrange et me répondit prudemment qu'à son avis cette maison était financée par ses propres fonds et qu'il eût été très surpris d'apprendre qu'elle cherchait des capitaux à l'extérieur. Je haussai les épaules, répliquant que c'était ce qu'on m'avait affirmé.

« Alors merci du renseignement, dit-il. Ce que vous m'apprenez confirme ce que je soupçonnais.

— C'est-à-dire ?

— Que la maison Cola doit connaître de grandes difficultés. La guerre que Venise a faite aux Turcs a causé de graves dommages à son affaire qui a toujours été liée au Levant. L'année dernière, Cola a perdu deux bateaux chargés à ras bord, et Venise n'arrive toujours pas à s'infiltrer dans les marchés qui sont sous la coupe des Espagnols ou des Portugais. C'est un bon négociant, mais il y a de moins en moins de gens avec qui il peut commercer.

— C'est pour cette raison qu'il est venu s'installer ici ?

— Sans aucun doute. Je crois que sans la marchandise que l'Angleterre lui achète il perdrait vite pied. En quoi ce placement consiste-t-il au juste ? »

Je lui expliquai que je n'en étais pas sûr, mais qu'on m'avait assuré que les perspectives étaient excellentes.

« Il s'agit probablement de soie imprimée. C'est très fructueux, si on s'y connaît, mais catastrophique dans le cas contraire. L'eau de mer et la soie ne font guère bon ménage.

— Possède-t-il ses propres bateaux ?

— Oh oui ! Et ce sont de très bons vaisseaux !

— Il a un agent à Londres, je crois. Du nom de di Pietro. Quel genre d'homme est-ce ?

— Je ne le connais pas très bien. Il se tient à l'écart. Il ne se mêle pas beaucoup aux autres négociants, bien qu'il soit au mieux avec les Juifs d'Amsterdam. Cela doit vous donner à réfléchir, car si nous entrons en guerre contre les Hollandais, cette relation sera pire qu'inutile. La maison Cola devra choisir son camp et, inévitablement, elle perdra encore plus de clients.

— Quel âge a di Pietro ?

— Oh, il est assez âgé pour connaître son métier. La cinquantaine, je dirais. Il lui arrive d'évoquer un retour au pays pour prendre du bon temps, mais il affirme que son patron a trop d'enfants à entretenir.

— Combien d'enfants ?

— Cinq, il me semble, mais trois sont des filles, le pauvre ! »

Je fis une grimace de sympathie, même si l'homme risquait de se révéler un ennemi. J'en savais assez pour me rendre compte que pour un commerçant, contraint de surveiller de près son capital, trois filles pouvaient constituer un fardeau fatal. Heureusement, même si mes fils étaient deux idiots, ils étaient suffisamment présentables pour épouser des femmes ayant du bien.

« En effet, c'est une grande déception, reprit Williams. Surtout qu'aucun des deux fils n'a l'intention de lui succéder. L'un est prêtre et, par conséquent — sauf votre respect, mon révérend — seulement capable de dépenser de l'argent au lieu d'en rapporter. Il me semble que l'autre joue au soldat ; ou c'est ce qu'il faisait naguère, à tout le moins. Il y a longtemps que je n'ai pas entendu parler de lui.

— Soldat ? » m'exclamai-je avec étonnement.

Ce fait important ayant été totalement ignoré du marchand de tableaux, je me promis de lui reprocher sa négligence.

« C'est ce que je crois comprendre. Peut-être n'a-t-il jamais montré de dispositions pour le commerce et le père a-t-il eu la sagesse de ne pas le contraindre. C'est la raison pour laquelle Cola a marié la fille aînée à un cousin qui fait du commerce avec le Levant.

— Êtes-vous sûr qu'il est soldat ? Comment le savez-vous ? demandai-je en revenant sur cette question, ce qui, je m'en rendis bien compte, éveilla les soupçons de Williams.

— Mon révérend, je n'en sais pas plus, répondit-il patiemment. Tout ce que je sais c'est ce que j'entends dans les cafés.

— Alors dites-moi ce que vous y entendez.

— Mieux connaître le fils vous rassurera pour investir dans son affaire ?

— Je suis un homme prudent et je crois qu'il faut en savoir le plus possible. Vous devez bien admettre que des enfants indisciplinés peuvent coûter une fortune. Et si le fils est endetté et que ses créanciers fassent saisir le père pendant qu'il a mon argent ? »

Williams poussa un grognement ; il ne me croyait pas mais ne voulait pas insister.

« C'est un autre négociant qui cherchait à faire du commerce en Méditerranée qui me l'a dit, finit-il par expliquer. Une fois que les pirates et les Génois en eurent terminé avec lui, il s'aperçut que cela ne valait guère la peine. Mais il est resté un certain temps, il y a quatre ans, à naviguer un peu partout, et une fois il a débarqué un chargement en Crète pour la garnison de Candie. »

Je haussai le sourcil. Il fallait être téméraire, ou absolument désespéré, pour essayer de faire passer un chargement au milieu des Turcs afin de fournir ce marché en particulier.

« Comme je l'ai dit, reprit Williams, il avait subi de lourdes pertes et était désespéré, aussi prit-il des risques. Ce fut un heureux coup de dés, puisque non seulement il a vendu toute sa cargaison, mais il a également reçu l'autorisation de ramener en Angleterre un chargement de verre vénitien en guise de récompense. »

Je hochai la tête.

« Bien. En tout cas, c'est là qu'il a rencontré un certain Cola qui lui a dit que son père était négociant dans le commerce du luxe à Venise. Mais peut-être y a-t-il deux négociants à Venise qui s'appellent Cola. Ça, je ne le sais pas.

— Continuez ! »

Il secoua la tête.

« Vous avez là tout mon savoir à ce sujet. Les activités des enfants des marchands ne me concernent pas. J'ai des affaires plus urgentes à régler. Et vous aussi, mon révérend. Alors pourquoi ne me dites-vous pas ce qui vous tracasse ? »

Je souris et me levai.

« Rien, fis-je. De toute manière, je ne sais rien qui puisse vous aider à faire des bénéfices.

— Alors je ne suis pas le moins du monde intéressé. Mais si jamais... »

Je hochai à nouveau la tête. Marché conclu ! Je suis heureux de dire que je m'acquittai de ma dette en temps voulu, étant donné que grâce à moi M. Williams fut l'un des premiers à connaître les projets de rééquipement de la flotte, l'année suivante. Je le lui annonçai assez tôt pour qu'il pût acheter tous les mâts du pays et les revendre à la marine au prix qu'il fixa lui-même. Cela nous rapporta une belle somme à tous les deux. Loué soit Dieu !

Je dénichai Andrew Bushrod, le négociant qu'il avait cité, dans la prison pour dettes de Fleet Street où il se trouvait depuis plusieurs mois : ses créanciers s'étaient lassés lorsqu'un bateau transportant la majeure partie de son capital avait sombré et que sa famille avait refusé de venir à sa rescousse. C'était sa faute, apparemment : quand il était prospère il n'avait pas voulu participer à la dot d'une cousine. Naturellement la famille ne se sentit pas obligée de l'aider lorsqu'il tomba dans la misère.

Non seulement il était à Fleet Street, mais il se trouvait aussi à ma merci étant donné que j'avais assez d'influence pour le faire relâcher s'il ne coopérait pas : hors de ce sanctuaire il ne serait plus protégé et ses créanciers se jetteraient sur lui. Ce ne fut pas facile de séparer le bon grain de l'ivraie dans ses déclarations dont certains détails étaient sujets à caution. Il suffit pour s'en apercevoir d'opposer le portrait qu'il dresse de Cola au dandy grassouillet et parfumé qu'était en réalité l'Italien, même s'il est possible que les circonstances aient affecté son apparence physique. En résumé, il me raconta qu'en 1658 il avait fait traverser la Méditerranée à un bateau en direction de Livourne afin d'y vendre des lainages. Cela ayant tout juste couvert (il n'avait guère le sens du commerce) les frais du voyage, il s'était mis en quête de marchandises à ramener en Angleterre. C'est alors qu'il rencontra par hasard un Vénitien qui lui parla d'un voyage qu'il venait d'accomplir en Crète pour livrer à Candie des vivres et des armes sous le nez des Turcs, trafic qui lui avait rapporté gros.

Manquant de tout, la ville et ses défenseurs acceptaient pratiquement n'importe quel prix. Mais lui, cependant, n'avait aucune envie d'y retourner. Pourquoi ? avait demandé Bushrod. Parce qu'il voulait vivre vieux, répliqua l'homme. Si la flotte turque était incompétente, les pirates, eux, se montraient efficaces. Trop de ses amis avaient été capturés et le mieux qui pouvait vous arriver, dans ce cas, c'était de finir vos jours aux galères. Il désigna alors un mendiant qui se trouvait dans la rue et qui, selon lui, avait jadis été marin à bord d'un navire de Candie. Il n'avait plus ni mains, ni yeux, ni oreilles, ni langue.

Le courage n'était pas son fort, et Bushrod n'avait aucun désir de sauver la Crète pour la chrétienté ou pour Venise. Mais il n'avait plus un sou, l'équipage n'avait pas été payé et ses créanciers l'attendraient à son retour au pays. Aussi se mit-il en rapport avec le consul de Venise à Livourne qui lui indiqua la nature des marchandises à transporter ; il signa un contrat juteux pour ramener tous les blessés capables de supporter le voyage : quatre ducats pour un gentilhomme, un pour un soldat, un demi pour une femme.

Ils longèrent la côte jusqu'à Messine où ils déchargèrent quelques poteries, puis mirent le cap sur la Crète aussi directement et aussi vite que possible. Candie, selon lui, fut l'expérience la plus éprouvante de sa vie. Se trouver dans une ville de plusieurs milliers d'habitants qui s'attendent tous à mourir d'un moment à l'autre, abandonnés par toute la chrétienté, conscients que leur mère patrie se lassait d'eux, et persécutés sans répit par leurs ennemis sur mer et sur terre, était un supplice quasi insupportable. Les mœurs étaient devenues grossières et brutales après le plus long siège de l'histoire du monde. Il y régnait une atmosphère de désespoir et de violence qui le terrifia au point qu'il baissa ses prix, de crainte que les habitants ne l'attaquent et lui prennent tous ses biens sans le payer. Malgré ça il fit assez de bénéfices pour rendre l'entreprise très profitable, puis il se mit en devoir de préparer le voyage du retour en annonçant qu'il recherchait des passagers. L'une des personnes qui répondirent à son annonce s'appelait Cola.

« Le prénom ? demandai-je. Soyez plus précis, mon vieux. Quel était son prénom ? »

Marco, répondit-il. C'est ça, Marco. Quoi qu'il en soit, ce Cola était en piètre état : hâve et émacié, l'air abattu, sale et déguenillé, délirant à moitié à cause de ses souffrances et de l'énorme quantité d'alcool qu'il avalait et qui était sa seule médecine. Il paraissait difficile qu'il eût jamais pu être de quelque secours pour la défense vénitienne, mais Bushrod apprit bientôt qu'il se trompait. Le jeune homme était traité avec respect par des officiers beaucoup plus âgés que lui, et les simples fantassins le révéraient quasiment comme un dieu. Il semblait que Cola eût été le meilleur éclaireur de Candie, capable de se faufiler entre les avant-postes ottomans pour porter des messages jusqu'aux fortifications avancées et de causer toutes sortes d'incidents. À de nombreuses reprises, il avait réussi à tuer des dignitaires turcs après leur avoir tendu un piège, ce qui lui avait gagné une réputation de férocité sanguinaire et de brutalité inouïe. Il savait frapper en silence avant de s'enfuir sans se faire remarquer ; c'était, croyait-on, en dépit des apparences, un partisan zélé des chrétiens.

Intrigué par ce passager, Bushrod tenta en plusieurs occasions de lier conversation avec lui pendant le voyage du retour à Venise, lequel se passa cette fois-ci sans encombre. Mais, l'air renfrogné et mélancolique, Cola se montrait taciturne. Il ne sortit de sa réserve qu'une seule fois : lorsque Bushrod lui demanda s'il était marié. Le visage de Cola s'assombrit et il dit que sa fiancée avait été prise comme esclave par les Turcs. Il avait été dépêché en Crète pour examiner la jeune fille qui venait d'une bonne famille et il avait accepté le mariage. On l'avait envoyée à Venise avant lui, mais le bateau avait été capturé. On n'avait plus eu la moindre nouvelle d'elle, et il espérait beaucoup qu'elle était morte. Contre l'avis de son père le jeune homme était resté à Candie pour se venger du mieux qu'il le pourrait.

Et maintenant ?

Maintenant cela lui était égal. Il était grièvement blessé et il savait que Candie était sur le point de tomber. Il manquait la détermination, les fonds et la foi pour défendre la ville. Lui ne savait pas s'il voulait y retourner ou non ; peut-être ses talents seraient-ils mieux employés ailleurs.

Sur ce, Marco avait saisi une bouteille. Il avait passé presque tout le voyage assis sur le pont, sans prononcer un mot de plus, ivre ou non, jusqu'à ce que le bateau eût accosté à Venise.

Fort bien. Je ne pouvais guère désapprouver la lutte contre les païens, mais cette histoire m'intriguait. Voilà un soldat (ou ex-soldat) fréquentant les républicains aux Pays-Bas ; l'agent du père était un observateur vénitien envoyant régulièrement des messages à ses maîtres à l'étranger et en transportant pour le compte de rebelles anglais. Des tas de petits fragments, mais qui ne s'emboîtaient pas. Cependant, il fallait démêler l'écheveau, et le point de départ était manifestement le contenu de ce paquet qu'en dépit des directives de M. Bennet je considérais comme étant de mon ressort.

De crainte qu'on ne puisse croire qu'à la manière de M. Thurloe j'avais à ma disposition toute une armée d'assistants, je m'empresse de relater les faits exacts. Même si j'avais un certain nombre d'informateurs, je ne pouvais compter que sur cinq d'entre eux pour passer à l'action, et certains parmi ceux-ci m'effrayaient moi-mêmes. Et ce n'était pas là mon unique ni ma principale occupation. J'ai signalé le soulèvement que je savais être en préparation, ce qui, bien sûr, constituait mon plus grand souci. En plus, il y avait d'innombrables sujets d'agacement, ridicules pour la plupart, mais tous susceptibles de devenir dangereux. Bien que la garnison d'Abingdon eût été purgée, elle n'était pas aussi paisible qu'on l'eût souhaité. Des sectes et des conventicules poussaient comme des champignons dans tout le pays, ce qui permettait aux mécontents de se rencontrer et de se donner mutuellement du courage. Il y avait des rumeurs insistantes révélant (une fois de plus) que le Messie était revenu pour annoncer le millenium et qu'il parcourait le pays sous une forme ou une autre, prêchant, enseignant et semant la sédition. Combien de ces individus avaient-ils apparu durant ces dernières années ? Plusieurs douzaines au moins... J'avais espéré que grâce à la paix retrouvée ils avaient disparu, mais, de toute évidence, ce n'était pas le cas. Finalement, au milieu de l'affaire que je souhaite narrer, un ivrogne de mage irlandais du nom de Greatorex surgit soudain et tint sa cour à l'auberge de la Mitre où il soutirait de l'argent aux naïfs ; je dus perdre beaucoup de temps pour le persuader de déguerpir. En d'autres termes, j'avais du pain sur la planche et en dépit de mon travail acharné, je dois dire que mes efforts ne furent jamais complètement reconnus ni récompensés, ni alors ni plus tard.

Pour récupérer les lettres en question, je dus faire appel aux services d'un certain John Cooth dont la fidélité au roi avait pour unique cause mon intervention, la fois où il avait failli tuer sa femme au cours d'une crise due à la boisson, avant de trancher la gorge d'un homme qui (selon lui) avait tenté de lui faire pousser des cornes. Dépourvu de toute intelligence, il était cependant doué pour les effractions, et il m'était entièrement redevable.

Je le jugeais capable d'accomplir ce travail, d'autant plus que je lui expliquai méthodiquement en quoi cela consistait et la manière dont il devait s'y prendre. Je précisai en particulier qu'il ne devait y avoir aucune violence, insistant si fortement que même un homme aussi demeuré que lui devait comprendre.

C'est ce que je croyais... Lorsque Matthew m'eut annoncé que le paquet avait été livré chez di Pietro et devait être mis à bord de l'un de ses bateaux le lendemain matin, je demandai à Cooth de me l'apporter le plus rapidement possible. Cooth revint quelques heures plus tard, en effet, et me donna un paquet contenant tout le courrier à expédier, y compris les lettres que Matthew avait livrées. Je les recopiai et il rapporta le paquet. Le lendemain matin Matthew vint m'annoncer que le signor di Pietro avait été assassiné.

J'étais atterré. Je priai le Seigneur de me pardonner ma stupidité. Malgré les dénégations de Cooth, je compris assez facilement ce qui avait eu lieu : il était entré dans la maison et, au lieu de s'emparer simplement du paquet, il avait décidé de se servir dans la caisse. S'étant réveillé, di Pietro était venu voir ce qui se passait et Cooth lui avait de sang-froid tranché si brutalement la gorge que la tête s'était presque séparée du corps.

Je finis par lui arracher des aveux : en quoi cela me regardait-il, s'il avait trucidé un homme ou non ? J'avais voulu le paquet et je l'avais. À bout de patience, je l'interrompis. Il allait retourner en prison, et s'il soufflait mot sur cette affaire il serait pendu haut et court. Même lui comprit que je parlais sérieusement et l'affaire n'alla pas plus loin ; en outre, j'appris peu après que Cola avait un associé anglais qui, voulant l'affaire pour lui tout seul, ne chercha pas à découvrir l'auteur d'une action qui servait si bien ses intérêts. Après un bon laps de temps et bien des efforts, j'eus le sentiment de pouvoir me rasséréner, étant à peu près certain que M. Bennet n'entendrait pas parler de cette affaire.

Chapitre trois

Cette malheureuse histoire me procura, en définitive, le sac postal de di Pietro qui s'avéra bien plus intéressant que je ne l'avais imaginé. Car il contenait non seulement les lettres destinées aux républicains, mais également une autre qui ne portait pas la moindre marque et qui émanait d'une source différente et inconnue. Si je l'examinai c'est que je me souvenais des habitudes que Thurloe avait inculquées au personnel de son bureau, l'une d'entre elles consistant à tout vérifier lorsqu'on inspectait un sac postal dans le but d'y découvrir une correspondance suspecte. Il y avait douze lettres en tout, une venant des républicains, dix entièrement anodines concernant uniquement des affaires commerciales, et enfin la lettre susdite. À elle seule, l'absence d'adresse aurait attiré mon attention, mais le fait que le sceau qui se trouvait au dos ne portait aucune inscription ne fit qu'ajouter à ma détermination. J'aurais seulement souhaité la présence du petit Samuel Morland à mes côtés, vu qu'il n'avait pas son pareil pour enlever un sceau en un tournemain avant de le replacer ni vu ni connu. Mes efforts furent plus laborieux, et c'est en poussant moult jurons que j'accomplis péniblement cette tâche extrêmement délicate. J'y parvins et m'en tirai assez bien : après les soubresauts du voyage, personne, j'en étais persuadé, ne remarquerait mon intervention.

Cela en valait la peine. À l'intérieur se trouvait le plus beau codage qu'il me fut jamais donné de contempler. Il s'agissait d'une très longue lettre d'environ douze mille caractères, utilisant le chiffre complexe et fondé sur le hasard que j'ai décrit plus haut. J'étais tout émoustillé en la contemplant : je savais que c'était là un défi digne de mes talents. Mais une vague inquiétude se faisait jour dans mon esprit, car les codes sont semblables à des morceaux de musique et possèdent leur propre rythme et leur propre cadence. En examinant celui-ci j'avais l'impression d'entendre un tempo familier, comme si j'avais déjà entendu cet air. Mais je n'arrivais pas encore à reconnaître la mélodie.

Bien des gens m'ont demandé pourquoi j'avais choisi l'art du chiffre, jugeant que c'était une occupation vulgaire qui ne seyait ni à ma position ni à ma dignité. Il y a de nombreuses raisons, et le fait que j'y prends plaisir est la moins importante. Des hommes comme Boyle s'ingénient à forcer la nature à révéler ses secrets, ce qui me fournit également un immense plaisir. Qu'il est merveilleux de pénétrer les secrets des esprits, de mettre de l'ordre dans le chaos des entreprises humaines et de faire passer les actions les plus ténébreuses de la nuit à la pleine lumière ! Un code n'est qu'un groupe de lettres sur une page, d'accord ! Mais tirer un sens de cette confusion, grâce à l'exercice de la pure raison, procure une satisfaction que je n'ai jamais réussi à communiquer aux autres. Je peux seulement dire que cela ressemble assez à la prière. Pas la prière vulgaire au cours de laquelle les hommes psalmodient des mots tout en pensant à autre chose, mais la véritable prière, si complète et si intense que l'on sent la caresse de la grâce de Dieu sur son esprit. Et j'ai souvent pensé que ma réussite est le signe de Sa faveur, l'indication que ce que je fais Lui plaît.

La lettre expédiée par les sectaires était si facile à déchiffrer que c'en était pitoyable et fort peu intéressant. Si j'avais connu son contenu, je ne m'en serais pas soucié ; elle ne valait pas la vie de di Pietro ni les ennuis que cet assassinat m'a causés. Elle évoquait des préparatifs, dans le style pompeux dont raffolent les sectaires, et faisait elliptiquement référence à un lieu que j'identifiai comme étant sans conteste Northampton. Mais il n'y avait pas grand-chose à se mettre sous la dent, rien qui pût justifier le risque encouru. Si le paquet recelait un quelconque intérêt, cela devait se trouver dans la dernière lettre mystérieuse : j'étais résolu à la décoder et décidé à en trouver la clef.

Matthew vint me voir, tandis que j'étais assis à mon bureau, la lettre illisible, véritable défi, devant moi, pour me demander s'il avait fait ce que j'attendais de lui.

« Tout à fait, lui répondis-je. Tout à fait ! Mais surtout par hasard : ta lettre est inintéressante ; c'est celle-ci qui me fascine... »

Je la lui tendis pour qu'il l'examine, ce qu'il fit avec le soin et la précision qui lui étaient habituels.

« Vous le savez déjà ? Vous avez tout démêlé ? »

Je ris de la foi qu'il avait en moi.

« C'est une lettre différente, provenant d'une source différente et, sans doute, adressée à un correspondant différent. Mais je ne sais rien et je n'ai rien démêlé du tout. Je ne suis pas capable de déchiffrer cette lettre. Le code s'appuie sur un livre qui détermine le schéma du chiffre.

— Quel livre ?

— Ça, je n'en ai aucune idée et si je ne le trouve pas je ne peux rien comprendre. Mais je suis sûr que c'est important. Cette sorte de méthode est rare ; je ne l'ai rencontrée qu'en de rares occasions et elle était conçue par des hommes extrêmement intelligents. C'est trop complexe pour les imbéciles.

— Vous allez réussir, dit-il avec un sourire. J'en suis sûr.

— J'apprécie ta confiance en moi, mon garçon. Mais cette fois-ci tu as tort. Sans la clef, la porte restera fermée.

— Alors comment est-ce qu'on la trouve, cette clef ?

— Il n'y a que la personne qui l'a conçue et celle qui lira la lettre qui en ont un double.

— Alors il faut le leur demander. »

Croyant qu'il plaisantait, je commençai à lui reprocher sa légèreté, mais je vis à son air qu'il était tout à fait sérieux.

« Laissez-moi retourner à Smithfield. Je leur dirai qu'il y a eu une tentative de vol qui a échoué. Et je vais leur offrir de prendre le bateau moi-même pour surveiller la lettre et m'assurer qu'elle arrivera à bon port. Je pourrai ainsi découvrir et le destinataire et la clef. »

La jeunesse voit les choses d'une façon si spontanée que j'eus du mal à cacher mon amusement.

« Pourquoi riez-vous, mon révérend ? demanda-t-il en plissant le front. C'est la bonne manière. Il n'y en a pas d'autre pour découvrir ce que vous avez besoin de savoir, et vous n'avez personne d'autre à envoyer.

— Matthew, ton innocence est touchante. Tu prendras le bateau, tu seras découvert et tout sera perdu, même si tu en sors indemne. Laisse tomber ce genre de bêtises.

— Vous me traitez toujours comme un enfant, répliqua-t-il, attristé par mes propos. Je ne vous comprends pas. Comment pouvez-vous découvrir autrement le livre et le destinataire de la lettre ? Et si vous ne me faites pas confiance, qui pouvez-vous envoyer à ma place ? »

Je le pris par les épaules et fixai ses yeux furieux.

« Calme-toi ! » dis-je plus gentiment. Il n'y avait aucun mépris dans mes propos mais de l'inquiétude. « Tu es jeune et ces gens sont dangereux. Je ne veux pas qu'il t'arrive malheur.

— Je vous en suis reconnaissant. Mais tout ce que je veux c'est faire pour vous quelque chose d'important. Je sais ce que je vous dois et je ne vous ai pas encore beaucoup remboursé. Je vous en prie, monsieur, donnez-moi votre permission. Et vous devez vous décider rapidement : il faut rendre les lettres, et le bateau lève l'ancre demain matin. »

J'hésitais tout en étudiant son beau visage dont la perfection était gâchée par le ressentiment. Son expression, plus que ses paroles, m'indiquait qu'il me faudrait relâcher les liens ou le perdre à jamais. Pourtant, j'insistai derechef.

« Pour moi, si je dois être privé de mes enfants, que j'en sois privé ! » (Genèse 43, 14.)

Il me regarda avec douceur. Et avec quelle tendresse ! Je m'en souviens encore.

« Pères, n'exaspérez pas vos enfants, de peur qu'ils se découragent. » (Colossiens 3, 21.)

J'accueillis ces mots par un salut, puis le laissai partir après l'avoir serré dans mes bras. Je le regardai par la fenêtre s'éloigner dans la rue jusqu'à ce qu'il se perdît dans la foule. Je vis la souplesse de son pas, l'allégresse de son allure — due à son sentiment de liberté — et je pleurai la perte que je venais de subir. Je passai l'après-midi à prier pour sa sécurité.

Je n'eus aucune nouvelle de Matthew pendant deux semaines entières ; je me tourmentai jour et nuit, craignant qu'on ne l'eût démasqué ou que le bateau n'eût coulé. Mais il s'acquitta mieux de sa mission que je ne l'avais imaginé, montrant davantage d'habileté que maint agent dûment appointé par le gouvernement. Lorsque je reçus sa première lettre je pleurai à la fois de soulagement et de fierté.

Mon très respecté maître (commençait la lettre),
Suivant vos instructions, je pris place à bord du trois-mâts le Colombo *pour me rendre à La Haye. La traversée fut atroce et je crus bien à un moment que la mission allait échouer parce qu'il était sûr que le bateau allait sombrer corps et biens. Heureusement, le commandant était un marin expérimenté et il nous a tous conduits à bon port, quoique en piteux état.*

Pendant le voyage j'avais eu le temps d'entrer dans les bonnes grâces de cet homme et il m'avait appris qu'il n'avait pas l'intention de rester longtemps à quai. La mort de di Pietro l'avait beaucoup affecté et, craignant pour son emploi, il souhaitait rentrer à Londres le plus vite possible. Aussi lui proposai-je de porter les lettres à leurs destinataires de sa part, déclarant que je serais enchanté d'avoir l'occasion de passer quelque temps dans cette région du monde. Comme il n'avait pas la moindre idée que les lettres contenaient quoi que ce soit de particulier, il s'empressa d'accepter et me promit de me ramener la prochaine fois qu'il reviendrait avec une nouvelle cargaison.

Nous vérifiâmes la liste avec autant de soin que l'eût fait un employé des postes, comparant l'adresse de chaque enveloppe avec celles de la liste qu'il tenait à la main.

« Celle-ci ne porte pas d'adresse, lui dis-je en prenant la lettre qui vous intéresse tant.

— En effet. Mais peu importe, elle se trouve ici sur ma liste. »

Et il me désigna les instructions, inscrites de la main de di Pietro, stipulant que cette lettre-là devait être portée chez un homme du nom de Cola, dans la Guldenstraat.

Monsieur, je dois vous dire que la maison concernée est celle de l'ambassadeur d'Espagne et que ce Cola est fort connu ici. Je ne l'ai pas encore portée, car on m'a dit qu'il n'y viendrait que demain ; aussi ai-je refusé de la donner sous prétexte que j'avais reçu l'ordre formel de la lui remettre en mains propres. Entre-temps, j'ai persuadé de me loger les Anglais du lieu, ce qu'ils ont accepté avec une grande gentillesse, vu qu'ils se sentent isolés et qu'ils sont avides de nouvelles du pays.

À mon retour, je vous rendrai naturellement visite pour vous communiquer les autres renseignements que

je me serai procurés. Soyez assuré, mon très cher et
très bon maître, etc.

Même si les formules affectueuses de mon cher enfant
me mirent du baume au cœur, je crains que, s'il eût été
présent, je n'aurais pu m'empêcher de le souffleter, à
cause de la frustration que je ressentais. Je voyais bien
qu'il avait fait du bon travail, et pourtant il n'avait pas
agi à mon entière satisfaction : je n'avais toujours pas le
titre du livre renfermant la clef, et sans cette précision je
n'irais pas très loin. Mais, même s'il avait échoué en cela,
je me rendais compte qu'il s'était rattrapé par ailleurs. Je
savais, en effet, que l'ambassadeur d'Espagne, Estebán
de Gamarra, était un implacable et dangereux ennemi de
l'Angleterre. Ce seul renseignement justifiait tout ce que
j'avais fait jusqu'alors : il y avait des mois que j'avais
appris que ce Cola fréquentait des républicains, et voilà
qu'il avait maintenant pour adresse l'ambassade d'Espagne. Quel fascinant rébus !

Le renseignement me plaça devant un dilemme : si
j'avais désobéi en m'occupant de di Pietro, me mêler de
cette histoire était encore plus grave. M. Bennet restant
mon seul protecteur, je ne pouvais me permettre de perdre
sa faveur tant que je n'étais pas en mesure de le remplacer
par quelqu'un de plus puissant. Cependant, toute forme
de lien entre les Espagnols et les républicains était une
affaire extrêmement sérieuse. La perspective d'une
alliance entre les tenants du catholicisme et les fanatiques
les plus fervents du protestantisme était difficilement tolé-
rable ; ayant néanmoins sous les yeux les premières
lueurs révélant un tel rapport, je ne pouvais laisser ce qui
dans l'abstrait paraissait peu probable prendre le pas sur
les preuves concrètes et accablantes.

Cela a toujours été ma ligne de conduite, en philosophie comme en politique. L'esprit humain est faible ; souvent il ne parvient pas à saisir les desseins qui semblent
défier la raison. Les codes que j'ai passé une si grande

partie de ma vie à déchiffrer en sont un exemple manifeste : qui pourrait comprendre (sans être au courant) comment un tas de lettres en désordre et sans signification apparente constitue un accès aux pensées des personnages les plus puissants du pays ou des individus les plus pernicieux ? Cela va à l'encontre du bon sens, et pourtant c'est vrai. La raison qui dépasse l'entendement humain n'est pas rare dans la création divine, à tel point que j'ai souvent eu l'occasion de me gausser de M. Locke, qui dans sa philosophie met tant en valeur le sens commun. « Il fait de grandes choses que nous ne comprenons pas. » (Job 37, 5.) En toute matière nous oublions cela à nos dépens.

La raison disait que les Espagnols ne paieraient pas pour amener les sectaires au pouvoir, et que ces mêmes sectaires ne subordonneraient pas volontiers leurs désirs à la politique espagnole. Et pourtant il y avait des preuves qui commençaient à suggérer qu'il existait entre eux précisément une telle entente. Pour le moment, ne pouvant en tirer aucune conclusion, je me gardais d'élaborer des théories fantastiques ; mais en même temps je refusais de rejeter les preuves au simple motif qu'elles étaient en désaccord avec la raison.

J'étais sûr d'être moqué si je présentais mes renseignements à M. Bennet, qui se targuait de bien comprendre les Espagnols et qui était convaincu de leur amitié à notre égard. Je ne pouvais pas non plus prendre des mesures contre les sectaires puisqu'ils n'avaient commis pour le moment aucun méfait. Je ne pouvais donc rien faire : une fois que j'aurais déchiffré la lettre, découvert son auteur et amassé d'autres preuves, peut-être alors pourrais-je présenter un dossier plus solide. En attendant, j'étais contraint de taire mes soupçons. J'espérais beaucoup que Matthew se rappellerait qu'il était indispensable de trouver la clef de la lettre, puisqu'il m'était, bien sûr, extrêmement difficile de communiquer avec lui. Entre-temps, j'envoyai un rapport à M. Bennet pour l'informer (en

termes généraux) que quelque chose se préparait chez les
républicains et l'assurer de mon entier dévouement.

Une semaine plus tard Matthew prouva que j'avais eu
raison de me fier à lui : je reçus une autre lettre contenant
une partie des renseignements que j'avais sollicités. Il
offrait quatre possibilités et s'excusait de ne pouvoir faire
mieux. Il avait à nouveau porté la lettre et, cette fois-ci,
on l'avait fait entrer dans une petite pièce qui semblait
être un bureau. L'endroit lui souleva le cœur : la pièce
était tapissée de crucifix et empestait l'idolâtrie. En attendant l'arrivée de Cola, il nota à la va-vite les titres de
quatre livres qui se trouvaient sur le bureau. Cela me plut
beaucoup, car cela justifiait la confiance que j'avais placée en lui : c'était une action intelligente et courageuse,
vu qu'il aurait couru un grand péril si quelqu'un avait
pénétré dans la pièce pendant qu'il écrivait. Malheureusement, les nuances de l'art cryptographique lui échappaient : il ne se rendait pas compte (peut-être étais-je
coupable de ne pas le lui avoir enseigné) que la mise en
page diffère selon l'édition et que si ce n'était pas la
bonne, mon message serait aussi illisible que s'il s'agissait d'un autre livre. Pour toute base je n'avais que ce qui
suit et qu'il avait recopié, lettre par lettre, sans avoir la
moindre idée de ce que cela signifiait :

*Titi liuii ex rec heins lugd II polyd hist nouo corol
duaci thom Vtop rob alsop eucl oct*

Fait presque aussi important, et beaucoup plus dangereux, il rencontra Cola lui-même et me fournit la première
indication des talents de dissimulateur que possédait cet
homme. J'ai gardé la lettre. Évidemment, j'ai conservé
tous les souvenirs de Matthew — la moindre lettre, le
moindre petit cahier dont il se servit jadis se trouvent

dans une boîte d'argent, doublée de soie et attachée avec la mèche de cheveux que je lui avais dérobée une nuit pendant son sommeil. Ma vue baisse aujourd'hui et bientôt je ne serai plus capable de lire son écriture ; je vais brûler ces documents, car je ne supporterais pas que quelqu'un ne les lise et raille ma faiblesse. Mon dernier contact avec lui se brisera quand la lumière déclinera. Même aujourd'hui je n'ouvre pas la boîte très souvent ; je trouve la tristesse qui en émane trop difficile à supporter.

Cola se mit sur-le-champ à exercer son charme sur le jeune homme (trop jeune et trop naïf pour faire la différence entre la bonté et son imitation), le prenant au piège de la courtoisie puis du simulacre de l'amitié.

C'est un homme joufflu aux yeux vifs ; lorsqu'il entra et que je lui remis la lettre, il me remercia en gloussant, me donna une claque dans le dos et me tendit un guilder d'argent. Puis il m'interrogea sur tous les sujets, montrant le plus grand intérêt pour mes réponses, me priant même de revenir afin qu'il pût me poser de nouvelles questions.

Je dois dire, monsieur, qu'il ne parut pas s'intéresser le moins du monde aux affaires politiques ; il ne fit pas non plus la moindre allusion à quoi que ce soit d'inconvenant. Bien au contraire, il a agi en parfait gentilhomme, courtois dans ses manières et se prêtant volontiers à toute discussion.

Il est si facile de duper ceux qui font aisément confiance ! Ce Cola commença à s'insinuer dans le cœur de Matthew, conversant sans doute avec la liberté d'une connaissance de passage, sans jamais se donner autant de soins que je l'avais fait pendant toutes ces années auprès du jeune homme. Il est facile d'amuser et de fasciner, plus difficile d'instruire et d'aimer. Matthew, hélas ! n'étant pas assez âgé ni assez perspicace pour faire la différence, fut une proie facile pour l'impitoyable Italien qui le séduisit avec de belles paroles en attendant le moment opportun pour frapper.

La lettre me troubla. Je craignais surtout que, d'un naturel affable, Matthew ne laissât échapper quelque parole inconsidérée qui fît comprendre à Cola que je l'avais à l'œil ; c'est pourquoi je répondis promptement à Matthew en lui enjoignant d'éviter l'Italien. Puis je m'efforçai de me concentrer sur des problèmes plus faciles à résoudre, me tournant à nouveau vers la question de la lettre chiffrée et de la clef.

Un seul des livres cités pouvant être celui dont j'avais besoin, le problème était de déterminer lequel. Je n'eus pas droit à la solution facile : je savais qu'Euclide n'avait été imprimé en octavo qu'une seule fois, à Paris en 1621, et j'avais cette édition dans ma bibliothèque. Il fut donc assez simple de découvrir que ce n'était pas l'ouvrage dont j'avais besoin. Restaient les trois autres. Par conséquent, dès mon retour à Oxford, je fis appeler une de mes connaissances, M. Anthony Wood, un étrange jeune homme que je savais être un fureteur expert en la matière. Je lui avais à l'époque rendu bien des services et il m'était reconnaissant de lui avoir donné accès aux manuscrits sous ma garde ; il était si désireux de me dédommager de mes bontés que c'en était touchant, même s'il me fallait en échange écouter d'interminables discussions sur telle ou telle presse, passer en revue une édition après l'autre, et ainsi de suite. Se figurant, sans doute, que j'étais intéressé par les menus détails concernant les Anciens, il cherchait à se faire bien voir en m'attirant dans des conversations savantes.

Ce n'est que bien plus tard qu'il revint me voir un soir (des travaux dans ma demeure m'ayant contraint, entre-temps, de louer un appartement à New College — action regrettable que je vais commenter plus bas) pour m'annoncer qu'il avait probablement découvert de quels livres il s'agissait, bien qu'il crût personnellement que, dans le cas du Thomas More et du Polydore Vergil, il existait de meilleures éditions à moindre coût.

Je déteste devoir me livrer à ces jeux ridicules, mais j'expliquai patiemment, cependant, que j'avais jeté mon dévolu sur celles-là en particulier. Je souhaitais, affirmai-je, comparer les diverses éditions afin de préparer une version complète, sans fautes, pour le monde entier. Il admira beaucoup ma passion et déclara la comprendre parfaitement. L'*Utopie* de Thomas More, dit-il, était un in-quarto et sans aucun doute dans la traduction de Robinson qu'Alsop avait publiée en 1624 ; il pouvait l'affirmer parce que Alsop n'avait produit qu'une seule édition avant qu'un changement d'époque eût signifié que publier les œuvres de saints catholiques devenait une occupation périlleuse. Il y en avait un exemplaire dans la bibliothèque Bodléienne. L'*Histoire* de Polydore Vergil était également très simple : après tout, il n'y avait pas beaucoup de nouvelles éditions des œuvres de cet excellent auteur publié à Douai. Il ne pouvait s'agir que de l'édition idiosyncrasique de George Lily, un in-octavo imprimé en 1603. Il n'était pas difficile d'en trouver des exemplaires et, en effet, il en avait vu un tout récemment chez M. Heath, le libraire, au prix d'un shilling et six pence. Il se faisait fort de marchander et de faire baisser le prix — comme si une baisse d'un penny ou deux pouvait compter pour moi.

« Et le quatrième ?

— Celui-là pose un problème. Je crois savoir de quelle édition il s'agit. C'est le "Heins" qui l'indique, évidemment : c'est la belle édition des histoires de Tite-Live par Daniel Heinsius, publiée à Leyde en 1634. Un chef-d'œuvre d'adresse et de savoir qui, hélas, n'a jamais reçu l'accueil qu'il mérite. Je suppose qu'il s'agit du deuxième tome de l'édition, un duodecimo, en trois tomes. Hélas ! il n'y en eut qu'un petit nombre d'imprimés et je n'en ai jamais vu un seul. Je ne le connais que de réputation — certains ont utilisé ses idées de manière éhontée sans jamais citer leur véritable auteur. C'est un fardeau que les vrais savants ont l'habitude de porter.

— Renseignez-vous pour moi, lui dis-je en me forçant à la patience. Je suis disposé à le payer très cher si on peut le trouver. Vous devez bien connaître les libraires, les antiquaires, les collectionneurs de bibliothèques, et des gens de cet acabit. S'il en existe un exemplaire, quelqu'un comme vous sera capable de le dénicher, j'en suis sûr. »

Tout flatté, cet imbécile baissa modestement les yeux.

« Pour vous, je vais faire de mon mieux. Et je peux vous assurer que si je ne réussis pas en trouver un exemplaire, personne d'autre n'y parviendra.

— C'est tout ce que je demande », répondis-je avant de le reconduire aussi vite que possible.

Chapitre quatre

J'ai lu récemment un pamphlet injurieux qui (sans me
nommer directement) déclare que la crise dont je m'occupais à l'époque était fabriquée de toutes pièces, qu'elle
avait été suscitée par le gouvernement pour que l'on eût
peur des sectaires. Rien ne pourrait être plus éloigné de
la vérité. J'espère avoir montré mes bonnes intentions et
mon honnêteté. Je suis franc : j'avoue sans détour que
j'ai surestimé le danger du soulèvement fomenté par Venner et je me reconnais coupable de l'erreur de jugement
qui a entraîné la mort du signor di Pietro. J'espère que
personne ne met en doute la sincérité de mes remords,
mais le fait est que l'homme transportait des documents
subversifs et séditieux, et qu'il était nécessaire pour la
sécurité du royaume de se les procurer.

J'ai le sentiment de devoir expliquer mes pensées de
peur que les soins méticuleux que je dispense à propos
de lettres et de livres obscurs ne donnent l'impression que
je suis maniaque et sujet à des obsessions. Il m'avait
semblé évident que les livres signalés par Matthew étaient
tout à fait insolites. Tout le monde connaît les pitoyables
prétentions des sectaires à la culture. Des culs-terreux
pour la plupart à qui des lectures de second ordre font
croire qu'ils sont instruits. Instruits ? La Bible, dont ils
ne peuvent absolument pas comprendre la subtilité ni la
beauté symbolique, ajoutée à quelques pamphlets stridents rédigés par une poignée de dissidents à l'arrogance
éhontée, voilà tout ce qu'ils possèdent comme instruction.
Pas la moindre notion de latin ni de grec, sans parler de

l'hébreu ; incapables de lire d'autre langue que la leur, et assaillis par les divagations de faux prophètes et de soi-disant messies même en anglais. Bien sûr qu'ils ne sont pas instruits : le savoir est l'apanage de l'homme bien né. Je ne dis pas que les artisans ne peuvent pas posséder certaines connaissances, mais il est évident qu'ils ne sont pas capables de porter un jugement objectif : ils ne possèdent ni le loisir ni la formation qui leur permettent de se libérer des préjugés. C'est ce que dit Platon, et aucune personne sérieuse n'a, que je sache, contesté son avis.

Et l'auteur de la lettre destinée à Cola utilisait l'un de ces beaux textes pour établir son code ? Tite-Live, Polydore, More. Au début cela me faisait frémir de penser que leurs mains avaient seulement touché ces œuvres, puis je me ravisai : j'aurais accepté quelque médiocre brochure, mais ces livres ? Où avaient-ils trouvé ces livres qui ne pouvaient appartenir qu'à la bibliothèque d'un homme de condition ?

Lorsque Wood réapparut, couinant et frétillant comme une petite souris, j'avais établi que ni le More ni le Polydore Vergil n'étaient le livre dont j'avais besoin. Par conséquent, la réponse se trouvait dans le Tite-Live : il fallait le trouver, déterminer qui l'avait en sa possession, et mon enquête avancerait à grands pas. Wood m'informa qu'un libraire de Londres, mort depuis longtemps, en avait fait entrer dans le pays une demi-douzaine d'exemplaires en 1643 ; cela formait une partie d'une cargaison destinée à des savants. Ce qui leur était arrivé après n'était pas clair, hélas ! L'homme ayant été un partisan du roi, tout son stock fut confisqué pour couvrir le montant de ses amendes lorsque le Parlement se rendit maître de Londres. Wood supposait que ces livres avaient été dispersés à ce moment-là.

« Donc, vous voulez dire que vous n'êtes finalement pas en mesure de m'en procurer un exemplaire ? »

L'air un peu surpris par l'acerbité de mon ton, il secoua la tête.

« Oh non, monsieur. Je croyais que vous pourriez vous y intéresser, sans plus. Mais il n'y en a pas beaucoup d'exemplaires et je n'ai identifié qu'une seule personne qui, sans conteste, en possède un qu'elle a apporté elle-même de l'étranger. Si je le sais c'est que mon ami, M. Aubrey, a écrit à un libraire italien à propos d'autre chose...

— Monsieur Wood, je vous en supplie, m'exclamai-je presque à bout de patience, je ne souhaite pas être au courant du moindre détail. Tout ce qu'il me faut c'est le nom du propriétaire afin que je puisse lui écrire.

— Oh, voyez-vous, il est mort. »

Je poussai un profond soupir.

« Mais ne désespérez pas, monsieur, car, par le plus grand des heureux hasards, son fils est étudiant ici même, et il doit sans aucun doute savoir si le livre se trouve toujours dans sa famille. Il s'appelle Prestcott. Son père était sir James Prestcott. »

Ainsi donc, mon récit et les histoires de Cola (aussi imaginaires que les contes de Boccace et aussi peu vraisemblables que les poèmes du Tasse, mais pas aussi finement polies) commencent à se recouper par l'intermédiaire du malheureux et chimérique Prestcott ; je dois présenter les événements aussi précisément que possible, même si j'admets volontiers que les circonstances m'échappent en partie.

Il y avait quelques mois que le jeune homme avait attiré mon attention quand j'entendis parler de sa visite chez John Mordaunt. Comme il se doit, Mordaunt en avait tenu informé M. Bennet et la nouvelle me fut naturellement communiquée ; comme il était rare que les étudiants et les fils de traîtres jugeassent bon d'interroger des membres de la cour, M. Bennet pensa qu'il fallait garder le jeune homme à l'œil.

Je ne connaissais que peu de détails sur cette affaire, mais j'en avais assez entendu parler pour être persuadé que la croyance de Prestcott à l'innocence de son père était aussi ridicule que touchante. J'ignorais la nature exacte de la trahison, ayant déjà quitté le gouvernement à l'époque des faits, mais le scandale que cela produisit indiquait qu'il s'agissait de quelque chose de grave. J'avais été mis au courant parce que, mes talents s'étant avérés indispensables, en 1660 on me demanda de travailler sur une lettre de toute urgence. J'en ai déjà parlé, vu que ce fut mon seul échec ; d'ailleurs, dès que je la vis, je sus que je n'avais guère de chances de réussir. Tout autant pour préserver ma réputation que mon poste (la chute du Commonwealth devenant de plus en plus prévisible, je ne souhaitais pas prolonger mes liens avec lui), je refusai cette tâche.

On fit beaucoup pression sur moi, cependant. Même Thurloe m'écrivit, usant d'un mélange de flatterie et de menace pour m'amadouer, mais je continuai à opposer un refus. Morland lui-même apporta les messages : c'était un homme dont je détestais les propos ambigus et le caractère intrigant, et sa seule présence me rendit inflexible.

« C'est trop difficile pour vous, n'est-ce pas, mon révérend ? » lança-t-il de son ton ironique. Ses manières patelines cachaient mal le mépris arrogant qu'il ressentait pour tout le monde. « C'est pour ça que vous refusez.

— Je refuse parce que je ne sais pas exactement pourquoi on me le demande. Je vous connais trop bien, Samuel : tout ce que vous touchez est corrompu et sent la tricherie. »

Il rit joyeusement, secouant la tête en signe d'assentiment.

« C'est peut-être vrai, mais cette fois-ci je suis en noble compagnie. »

Je jetai un nouveau coup d'œil à la lettre.

« Très bien, dis-je. Je vais essayer. Où se trouve la clef ?

— Que voulez-vous dire ?

— Samuel, ne me prenez pas pour un imbécile. Vous savez très bien ce que je veux dire. Qui l'a écrite ?

— Un soldat royaliste du nom de Prestcott.

— Alors demandez-lui la clef. Ce doit être un livre ou un opuscule. Je dois savoir sur quoi se fonde le code.

— C'est impossible. Il s'est enfui. La lettre a été trouvée sur l'un de nos soldats.

— Comment cela se fait-il ?

— Très bonne question, en effet. C'est la raison pour laquelle nous voulons faire déchiffrer cette lettre.

— Alors interrogez ce soldat si vous ne pouvez pas mettre la main sur sir James Prestcott. »

Samuel eut l'air de vouloir s'excuser.

« Il est mort il y a quelques jours.

— Et il n'y avait rien d'autre sur lui non plus ? Pas d'autre document, d'autre livre, d'autre missive ? »

Pour une fois, Morland sembla décontenancé, ce qui me procura un certain plaisir : il prenait généralement un air si sûr de lui que c'était une vraie joie de le voir hésitant et nerveux.

« C'est tout ce que nous avons trouvé. On s'attendait à plus. »

Je rejetai la lettre sur mon bureau.

« Pas de clef, pas de solution. Je ne peux rien faire et je ne veux rien faire. Je n'ai pas l'intention de me tuer au travail à cause de votre hâte à utiliser le gibet. Trouvez sir James Prestcott, trouvez la clef et alors je vous aiderai. Pas avant ! »

Les rumeurs qui avaient parcouru le gouvernement et l'armée durant les semaines précédentes donnaient quelques indications, bien sûr ; j'avais entendu parler de combats dans le Kent, d'une enquête menée frénétiquement, dans le plus grand secret mais avec une extrême férocité. Plus tard, j'entendis parler de la fuite de sir James Prestcott à l'étranger et j'appris qu'on l'accusait d'avoir trahi le soulèvement de 1659 contre le Common-wealth. Cela en soi me parut fortement improbable : connaissant un peu l'homme, je le considérais comme intransigeant dans ses convictions et aussi peu souple qu'un gros madrier de chêne. Des hommes avaient péché, ils devaient être punis et il fallait que la vengeance soit exécutée : c'était là l'alpha et l'oméga de sa politique ; cette vision bornée avait été renforcée par les privations qu'il avait personnellement subies pendant la guerre. Cela le rendait inefficace comme conspirateur, mais, à mon avis, tout aussi peu susceptible de concevoir quelque chose d'aussi subtil qu'une trahison : il était trop droit, trop noble, et bien trop stupide.

D'autre part, il avait, de toute évidence, fait quelque chose qui avait poussé et les royalistes et Thurloe à désirer sa mort et son silence, mais je ne savais pas quoi. Supposant que la réponse devait se trouver dans la lettre qui faisait tant transpirer le petit Samuel, une fois qu'il fut parti, je tentai naturellement de la déchiffrer. Je n'y parvins pas ; l'adresse de son auteur était immense, dépassant de beaucoup ce à quoi je me serais attendu de la part d'un militaire obtus comme Prestcott.

Je signale cela parce que les propos que me tint si inno-cemment Wood me firent brusquement comprendre une chose que j'aurais dû saisir bien avant. Indiquer aujour-d'hui le moment où surgit cette prise de conscience risque de me faire passer pour un naïf ; tout ce que je puis dire, c'est que je n'accepterai pas d'être jugé par ceux dont les talents sont inférieurs aux miens. Reconnaître une méthode de codage, c'est comme reconnaître un style en musique ou en poésie : il est impossible de dire ce qui fait jaillir la lumière, et je doute qu'il y ait eu un homme au monde qui aurait vu que la lettre trouvée dans le sac de courrier de di Pietro et destinée à ce Marco da Cola était écrite selon le même code, avait la même forme, la même « tonalité » que la lettre de sir James Prestcott apportée par Samuel Morland, environ trois ans auparavant. Dès que j'en eus saisi la forme, je pus en examiner la structure : un travail acharné de deux jours sur les deux missives me mena à la conclusion manifeste et irrésistible que le code des deux textes était fondé sur le même livre. Je savais qu'un ouvrage de Tite-Live avait été utilisé pour coder la lettre envoyée à Cola ; je savais donc désormais que le même Tite-Live avait été utilisé pour la lettre de Prestcott.

Si j'avais été plus sûr du terrain, j'aurais convoqué le jeune Prestcott, l'aurais mis au courant de la situation et lui aurais demandé le Tite-Live. Cependant je ne pouvais évidemment pas le faire sans lui révéler son importance ; connaissant ses obsessions, je ne voulais pas rouvrir de vieilles blessures : bien des gens avaient déployé tant d'efforts pour occulter ces événements, quels qu'ils fussent, qu'on ne me serait aucunement gré de les exhumer. Aussi devais-je l'aborder de façon plus subtile, c'est pourquoi je décidai de me servir de Thomas Ken.

Ce Ken était un jeune homme terriblement ambitieux qui savait exactement ce qu'il voulait. Pour Ken, les intérêts de Dieu et les siens étaient indissociablement mêlés, à tel point qu'on avait l'impression que le salut du monde entier dépendait de l'obtention par lui d'un traitement de quatre-vingts livres par an. Il eut jadis l'outrecuidance de solliciter mon appui pour l'obtention d'un bénéfice offert par lord Maynard et attribué par New College. Ne faisant pas partie de cette société, je n'avais aucun pouvoir en la matière ; il était d'ailleurs évident que le Dr Robert Grove — plus savant, plus serein et certainement plus méritant — l'emporterait quoi que je dise. Mais comme c'était une façon peu onéreuse de me l'attacher, je l'assurai de mon soutien, quelle que fût la valeur de celui-ci.

J'exigeai en retour son aide dès que j'aurais besoin de ses services. Peu après, je lui demandai de persuader M. Prestcott de s'adresser à moi. Prestcott étant venu me voir, en effet, je l'interrogeai avec insistance sur ce que possédait son père. Hélas ! il n'avait pas entendu parler d'un ouvrage de Tite-Live, ni d'aucun autre document, bien qu'il me confirmât plus tard ce que Morland m'avait dit : il semble que sa mère avait attendu un paquet envoyé par son père, paquet qui n'arriva jamais. C'était excessivement frustrant : avec un peu de chance, non seulement j'aurais pu déchiffrer la correspondance de ce Marco da Cola, mais également percer l'un des secrets les mieux gardés du royaume.

Cet imbécile de Samuel avait fait pendre le seul homme qui eût pu me donner la réponse.

Chapitre cinq

À cette époque mes devoirs imposaient à ma vie un étrange rythme, car j'étais forcé d'exister comme un animal nocturne qui chasse quand les autres animaux dorment et se repose quand la plupart des créatures s'activent. Lorsque tous les gens de qualité quittaient Londres pour leurs domaines ou pour suivre la cour d'un lieu de plaisirs frivoles à un autre, moi je quittais la campagne pour m'installer à Londres. Quand la cour revenait à Westminster, je retournais à Oxford.

Je ne trouvais pas cela désagréable. Les obligations d'un courtisan font gaspiller beaucoup de temps et sont dans l'ensemble futiles, à moins de courir après la gloire ou la position sociale. Si l'on ne s'intéresse qu'à la sécurité du royaume et à la gestion harmonieuse du gouvernement, il est inutile de rester présent à la cour. Dans tout le pays, moins d'une demi-douzaine de personnes détiennent un véritable pouvoir. Les autres sont des sujets, d'une manière ou d'une autre, et j'avais plus de rapports qu'il n'en fallait avec les personnages véritablement importants.

Parmi ceux-là, j'avais peu d'alliés naturels ; un grand nombre d'entre eux, délibérément ou à cause de leur intelligence limitée, œuvraient contre les intérêts de leur propre pays. Je dois dire qu'à l'époque on voyait partout cet état de choses, même chez les philosophes qui croyaient simplement pousser la nature à révéler ses secrets. Peu portés à réfléchir, ils ne prévoyaient pas les conséquences de leurs actes et se laissaient entraîner vers des positions extrêmement dangereuses.

Avec le temps, les ressemblances entre les époques sont devenues de plus en plus évidentes : il est aisé, que ce soit par cupidité ou par générosité, de tomber dans les pièges tendus par d'autres. Il y a quelques semaines, par exemple, je triomphai dans une controverse qui, jusqu'à ce que j'en eusse mis en relief les dangers, paraissait être une affaire tout à fait anodine, une question ne pouvant agiter que les esprits les plus bornés. Le secrétaire d'État (qui n'est plus M. Bennet) m'écrivit pour me demander si notre pays devait adopter le calendrier grégorien comme tout le reste du continent. Je pense qu'on n'avait sollicité mon avis que pour me faire approuver une décision déjà prise : n'était-il pas absurde que notre pays fût le seul en Europe à se servir d'un calendrier différent et qu'il fût à jamais de dix-sept jours en retard sur tout le monde ?

On changea vite d'avis lorsque je fis remarquer les conséquences d'une décision apparemment si anodine. Elle frappait, en effet, au cœur même de l'Église et de l'État, encourageant les papistes et déroutant ceux qui luttent pour repousser la domination étrangère. Nos armées s'opposent-elles à l'arrogante puissance de la France pour que notre indépendance soit abandonnée subrepticement ? Accepter ce calendrier, c'est accepter l'autorité de Rome ; non seulement (comme le disent ceux qui ne voient pas plus loin que le bout de leur nez) parce qu'il s'agit d'une réforme conçue par les jésuites, mais parce que courber la tête signifie reconnaître le droit qu'aurait l'évêque de Rome de déterminer le jour où notre Église devra fêter Pâques, de stipuler à quelles dates tombent les fêtes et les jours fériés. Une fois ce principe concédé, tout s'enchaîne naturellement : céder à Rome sur une chose conduira à l'obédience en d'autres domaines. Tout Anglais a le devoir de résister aux appels de ces sirènes qui affirment que ces petits riens apporteront des bénéfices sans aucun inconvénient. Ce n'est pas vrai. Et si nous devons nous retouver tout seuls, eh bien, qu'il en soit ainsi ! La gloire de l'Angleterre a toujours consisté à résister aux prétentions des puissances du continent qui séduisent pour réduire à l'esclavage et flattent pour mieux soumettre. La gloire de Dieu passe avant l'unité de la chrétienté. D'où ma réponse. Et je suis content d'avoir eu le dernier mot : la question a été réglée une fois pour toutes.

C'était juste après la Restauration, à une époque où les enjeux étaient encore plus importants. Un grand nombre de catholiques déclarés ou cachés s'étaient insinués dans des postes très importants à la cour. Certains (je les respecte, car leurs motifs étaient sincères) croyaient que c'était dans l'intérêt de l'État de se lier étroitement à la France ; d'autres souhaitaient contrecarrer les ambitions des Bourbons en faisant cause commune avec les Espagnols.

Semaine après semaine, mois après mois, les factions s'affrontaient et les pots-de-vin étrangers coulaient à flots. Il n'y eut pas un ministre, pas un titulaire d'une haute fonction qui ne manqua de s'enrichir au cours de cette lutte, car c'est bien de lutte qu'il s'agissait. À un certain moment, la faction espagnole tenant le haut du pavé, M. Bennet et quelques autres consolidèrent leurs positions et s'arrogèrent davantage de pouvoir. À un autre moment, les Français marquèrent des points en payant la dot de la nouvelle épouse du roi. Et les Hollandais jetaient des regards angoissés sur un puissant ennemi puis sur l'autre, sachant que s'ils s'alliaient à l'un des deux ils seraient attaqués par l'autre. Les intérêts de la justice et de la religion furent complètement perdus de vue, tandis que les petites luttes au sein de la cour annonçaient les guerres qui allaient être livrées sur les mers et dans les champs d'Europe.

En outre, il y avait deux grandes énigmes : le roi, d'une part, qui se serait allié à quiconque donnait assez pour financer ses plaisirs, et lord Clarendon, d'autre part, qui s'opposait à tout lien avec un autre pays, croyant que la position de Sa Majesté dans le pays était si peu sûre que le moindre tressaillement à l'étranger ferait irrémédiablement chanceler son trône. Le point de vue de Clarendon prévalut en 1662, mais d'autres, comme lord Bristol, étaient d'un avis contraire : ou bien ils pensaient que de belles victoires à l'étranger consolideraient la couronne, ou bien ils attendaient en secret les occasions qu'offrirait la défaite. Nombreux étaient ceux qui, souhaitant la chute de Clarendon, œuvraient sans répit pour le mener à sa perte. Une défaite militaire eût ruiné sa carrière plus sûrement que toute autre chose et je ne doute pas que bien des serviteurs loyaux du roi passaient des nuits blanches à espérer que cela arriverait.

Pour le moment, l'arme la plus efficace entre les mains des ennemis de Clarendon, c'était la scandaleuse conduite de sa fille qui avait bouleversé la cour, il n'y avait même pas six mois, affaiblissant gravement la position du Chancelier. La malheureuse avait épousé le frère du roi, le duc d'York, sans prendre la peine d'en demander l'autorisation. Que la grossesse de sa fille fût fort avancée pendant les noces, que Clarendon détestât profondément le duc d'York, qu'il eût été aussi trompé que le roi, tout cela importait peu. L'autorité royale avait été ridiculisée et le roi avait perdu un atout sérieux dans le jeu diplomatique : la main du duc aurait été une carte séduisante pour sceller une alliance. On disait que même Clarendon refusait qu'on soulevât la question devant lui et qu'il priait quotidiennement pour que la reine donnât naissance à un héritier afin qu'on cessât de l'accuser d'intriguer pour placer sa propre fille sur le trône, ce qui se passerait sans aucun doute si le roi mourait sans enfant légitime. On ne le lui pardonnait pas aisément, et ses ennemis, en particulier lord Bristol, le courtisan qui avait le plus d'esprit, s'arrangeaient pour qu'on ne l'oubliât pas non plus.

De telles manœuvres chez les puissants et ceux qui se gonflaient d'importance ne me préoccupaient pas énormément ; c'était peut-être naïf, car si j'avais davantage prêté attention aux détails de ces petites querelles, cela m'aurait beaucoup aidé. À l'époque, j'étais loin de comprendre que ces intrigues étaient d'une extrême importance pour mes enquêtes et que si elles n'avaient pas existé, je n'aurais pas eu à me faire le moindre souci. Cela, cependant, deviendra évident en temps voulu. À cette époque, je me voyais modestement comme un serviteur — d'une certaine importance, peut-être — qui ne s'intéressait pas aux luttes de la cour et qui ne cherchait même pas à influencer la politique du pays. Ma mission consistait à relater à mes maîtres l'histoire secrète du royaume afin qu'ils puissent prendre leurs décisions en connaissance de cause, s'ils le désiraient. À cet égard je jouais un rôle fondamental, une bonne information étant la mère de la prévention, mais les mesures de répression qui furent appliquées se révélèrent tout à fait insuffisantes. On rasa bien des remparts autour des villes, mais trop lentement ; on arrêta des sectaires de toutes sortes et on leur infligea des amendes, pourtant il en surgissait toujours davantage, les plus malins restant cachés.

Quiconque lit ce récit se demande peut-être pourquoi j'étais disposé à accorder tant d'attention à la question de Marco da Cola, étant donné que jusqu'à présent je n'ai pas dit grand-chose qui justifie mes efforts. En fait, il ne m'intéressait que superficiellement : ce n'était qu'une des directions suivies par acquit de conscience ; il n'y avait rien de solide sur quoi s'appuyer et guère plus que la curiosité pour expliquer mon intérêt. Bien sûr, j'avais établi un éventuel contact entre les exilés et les Espagnols, et ce contact c'était lui et sa famille qui le représentaient. Je possédais une lettre incompréhensible et un lien mystérieux avec un autre document écrit trois ans plus tôt. Finalement, il y avait l'énigme que constituait Cola lui-même : cela me paraissait insolite qu'il pût passer plusieurs mois aux Pays-Bas sans que son métier de soldat fût connu de tous. Je ne pouvais pas comprendre non plus pourquoi son père, homme renommé pour son sérieux, était disposé à dispenser son fils aîné, homme compétent, de ses obligations familiales. Enfin, non seulement le cadet n'était pas dans le commerce, mais il n'était même pas marié.

Tels étaient mes sujets de réflexion. Je parlai de ce rébus à M. Williams, mon ami négociant, lorsque je le rencontrai le lendemain de mon arrivée à Londres, au début de 1663.

« Permettez-moi de vous poser un problème, à vous qui prenez des risques, lui dis-je. Supposons que vous perdiez vos principaux marchés et vos principaux partenaires commerciaux parce que des ports sont fermés à cause de la guerre. Vous avez trois filles, l'une d'entre elles est mariée et les deux autres approchent rapidement de l'âge où elles seront bonnes à marier. Vous n'avez qu'un fils utile. Quelle tactique adoptez-vous pour défendre et accroître vos affaires ?

— Une fois que j'ai cessé de m'angoisser et de prier pour que la fortune tourne ? dit-il en souriant. Je peux imaginer des situations pires mais pas en grand nombre.

— À supposer que vous êtes un homme d'un naturel calme. Que faites-vous ?

— Voyons un peu. Cela dépend beaucoup, bien sûr, des réserves que j'ai à ma disposition et des rapports que j'entretiens avec les membres de ma famille. Vont-ils venir à ma rescousse ? Cela pourrait résoudre une crise urgente et me donner le temps de me refaire une santé. Mais même si cela me fournit un peu d'espace pour manœuvrer cela ne résout pas le problème. De toute évidence, il faut trouver de nouveaux débouchés, néanmoins pour accéder à un nouveau port il faut de l'argent, tout comme il est parfois nécessaire de vendre à perte pendant quelque temps pour établir sa réputation. Bon, la meilleure solution, c'est de faire alliance avec une autre maison. On marie un fils si on en a un et si on est en position de force, une fille si on est en position de faiblesse. La situation que vous décrivez indique qu'il est indispensable de bien marier son fils, car cela apporte des fonds dans l'affaire au lieu d'en faire sortir. Pourtant, vous êtes aussi désavantagé, puisque vous avez besoin de marchés, ce qui suggère que marier une fille sera nécessaire.

— Mais où trouvez-vous l'argent pour ça ? Tout éventuel associé sera conscient de votre problème et se montrera intraitable, non ? »

M. Williams opina du bonnet.

« C'est justement le cas. Vu ma position, je crois que j'envisagerais le mariage du fils qui n'est pas dans le commerce à la dame la plus fortunée que je trouverais, et j'utiliserais immédiatement la dot pour marier ma fille à un commerçant. Avec de la chance, ma famille se retrouverait avec un petit surplus ; dans le cas contraire il se pourrait que j'emprunte avec intérêt pour financer la différence. Mais cela ne poserait aucun problème si mon affaire se rétablissait. Ce n'est pas une stratégie qui réussira à coup sûr, mais elle offre de loin la plus grande chance de succès. Pourquoi avons-nous des fils, sinon pour ce genre de choses ?

— Donc si je disais que ce négociant semble non seulement ne pas avoir de projets de mariage pour son fils mais le laisse, de plus, se promener de par l'Europe où il est inaccessible et dépense de grosses sommes d'argent...

— Alors je serais fortement opposé à l'idée de risquer des fonds dans toute entreprise dont il s'occupe. Vous parlez toujours, n'est-ce pas, de la maison Cola ? »

De mauvais gré, je fis oui de la tête. Je n'avais pas la moindre intention de me confier à M. Williams, mais il était trop intelligent pour être dupe, et je me dis qu'un aveu sincère pourrait suffire à l'obliger à tenir sa langue.

« Ne croyez pas que ces considérations ne nous ont pas également effleuré l'esprit, dit-il.

— "Nous" ?

— Nous, les commerçants. Nous guettons jalousement toute nouvelle concernant nos concurrents et, c'est triste à dire, nous ne nous réjouissons que trop d'apprendre la chute d'un rival. Les meilleurs d'entre nous se rappellent constamment que ce genre d'infortune peut s'abattre sur tout un chacun, bien sûr. Un petit accident peut réduire la richesse en poussière. Une tempête, une guerre imprévue peuvent amener un désastre.

— Tranquillisez-vous sur ce point, le rassurai-je. Je ne peux pas prévoir le temps, mais aucune guerre ne vous prendra au dépourvu si je peux vous aider.

— Je vous en suis reconnaissant. J'ai une grosse cargaison qui part pour Hambourg la semaine prochaine. J'aimerais bien qu'elle arrive à bon port.

— Autant que je sache, la perspective que des pirates hollandais aient le droit de circuler librement dans la mer du Nord ne paraît pas imminente. Mais il serait quand même sage de se garder contre les gens peu scrupuleux en prenant des mesures de prévoyance.

— Croyez-moi, j'ai pris toutes les précautions possibles. Je suis protégé contre le moindre flibustier.

— Bien. Si vous me permettez de revenir à Cola : que dit la communauté des négociants ?

— En un mot, que les affaires du père vont de mal en pis. Depuis un certain temps il permet que ses débouchés d'Orient soient laminés par les Turcs ; la Crète est pratiquement perdue ; il a eu le courage d'ouvrir un nouveau bureau à Londres, mais la mort de son agent lui a porté un sérieux coup, ajouté à l'audace de son associé qui s'est emparé de l'affaire. Et la rumeur court qu'il a vendu des bateaux pour reconstituer ses fonds. Il y a trois ans il possédait une flotte de plus de trente navires, or aujourd'hui il n'en a plus qu'une vingtaine. Et à Venise ses entrepôts regorgent de marchandises : c'est donc de l'argent qui moisit. S'il ne peut pas les transporter, il ne pourra pas payer ses créanciers, et dans ce cas, il est fini.

— Est-ce qu'on le considère comme un homme d'honneur ?

— N'importe qui est considéré comme un homme d'honneur jusqu'à ce qu'il cesse d'honorer ses factures.

— Alors comment expliquez-vous les actions du père ? Ou celles du fils ?

— Je ne sais pas. Il jouit d'une excellente réputation. Je suppose donc qu'il y a quelque chose à quoi un colporteur de ragots de café comme moi n'a pas accès. Je ne sais ce que ça peut être. Soyez certain que si j'entends parler de quoi que ce soit, je vous le ferai savoir sur-le-champ. »

Je le remerciai et pris congé. J'étais content que mon interprétation de la situation fût la bonne, mais je n'étais pas plus près de résoudre le problème pour autant.

Ensuite, le renseignement qui fit progresser mon enquête vint de mon appartenance à la Société royale. Il tomba entre mes mains dix jours plus tard, davantage par la grâce de Dieu que par mes propres efforts. Heureusement que mon esprit était fort occupé à l'époque, autrement j'aurais été de fort méchante humeur. Mon impatience est un grave défaut que je tente de corriger depuis longtemps. « Heureux celui qui sait attendre ! » (Daniel 12, 12.) Ce texte, je le connais par cœur, mais j'ai du mal à l'appliquer.

J'ai déjà mentionné cette auguste organisation et évoqué comment les communications qui se développaient entre les chercheurs du monde entier facilitèrent mon travail. Au début, j'avais occupé moi-même le poste de secrétaire chargé de la correspondance, mais mes

autres tâches étant très absorbantes, j'avais progressivement délégué ce travail à M. Henry Oldenburg, homme
peu porté à l'expérimentation qui avait cependant le don
appréciable de savoir encourager les autres. Il vint me
voir un matin pour me résumer la correspondance récente,
car je savais parfaitement que les nouvelles concernant
les expériences et les découvertes devaient être dûment
communiquées pour empêcher les étrangers de revendiquer un mérite qui ne leur revenait pas. La réputation de
la Société était l'honneur du pays ; c'est pourquoi il était
fondamental d'établir promptement sa priorité.

Je peux affirmer en l'occurrence que cette méthode
dément les affirmations de Cola à propos de la transfusion
sanguine, puisqu'il a été stipulé (et par d'autres que nous)
que ce qui donne la priorité c'est le fait de rendre
publique la découverte. Lower le fit, contrairement à
Cola. En outre, il est incapable de fournir des preuves
à l'appui de ses prétentions, alors que Lower peut non
seulement montrer des lettres annonçant sa découverte,
mais également faire appel à des hommes à l'intégrité
inattaquable, comme sir Christopher Wren, pour témoigner en sa faveur. Pour prouver que je ne suis pas partial
en la matière, je peux également citer M. Leibniz lorsqu'il
revendiqua la paternité d'une nouvelle méthode d'inter-
polation en contrastant des séries de différences. Lorsqu'on lui dit que Régnauld avait déjà communiqué une
proposition similaire à Mersenne, Leibniz retira immédiatement sa revendication de priorité : il accepta le fait que
la publication des résultats était décisive. De même il est
clair que les plaintes de Cola n'ont pas le moindre fondement, car il n'est pas important de savoir qui fit quoi le
premier. Non seulement omit-il de publier, mais sa première expérience fut menée en secret et se termina par la
mort de la patiente. Au contraire, Lower fit l'expérience
devant des témoins, et finit par en donner une démonstration devant toute la Société, bien avant qu'on entendît le
moindre cri de protestation en provenance de Venise.

Pendant mon entretien avec Oldenburg, nous discutâmes fort aimablement de nombreuses questions relatives aux admissions et aux règlements de la Société avant de passer à des sujets moins austères. C'est alors que je reçus un véritable choc.

« Au fait, j'ai entendu parler d'un jeune homme fort intéressant que l'on pourrait considérer tôt ou tard comme notre correspondant à Venise. Comme vous le savez, nous n'avons aucun contact efficace avec les chercheurs de cette république. »

J'étais sincèrement ravi, et je n'avais pas le moindre soupçon, Oldenburg étant toujours très désireux d'établir de nouveaux liens entre les philosophes de tous les pays et de faire connaître à tous les autres les expériences de chacun.

« Je suis content de l'apprendre, dis-je. Comment s'appelle ce jeune homme ?

— C'est le Dr Sylvius qui m'a parlé de lui. Ce jeune homme est un fervent disciple de ce grand homme et ses talents sont très appréciés. Il s'appelle Cola : il est très riche et vient d'une bonne famille de négociants qui a pignon sur rue. »

J'exprimai le plus grand intérêt.

« En outre, comme il doit venir en Angleterre sous peu, nous aurons l'occasion de découvrir ses qualités par nous-mêmes.

— C'est Sylvius qui le dit ? Il vient en Angleterre ?

— Apparemment. Il a l'intention d'arriver le mois prochain, je crois. J'allais lui écrire une lettre pour lui exprimer notre désir de l'accueillir à son arrivée.

— Non, fis-je. Surtout pas. J'admire beaucoup Sylvius pour son savoir, mais pas pour son jugement sur autrui. Si vous invitez ce jeune homme et qu'il s'avère qu'il n'a aucun talent, nous aurons du mal à éviter de lui faire un affront en ne l'élisant pas. Quand il débarquera nous le trouverons assez tôt et alors nous pourrons l'examiner tout à loisir. »

570

Oldenburg fut d'accord avec moi sans hésiter ; par précaution supplémentaire, je pris la lettre de Sylvius pour l'étudier avec soin. Elle ne contenait pas grand-chose d'autre, sauf une précision que je remarquai : Cola devait se rendre en Angleterre « pour une affaire urgente ». De quoi pouvait-il bien s'agir ? Il ne s'intéressait pas au commerce, et un voyage d'agrément dans cette région du monde pouvait difficilement être qualifié d'« affaire urgente ». Pourquoi donc cet ancien soldat venait-il chez nous ?

Dès le lendemain je crus deviner le motif de ce voyage.

Chapitre six

Mon révérend et très révéré maître (ainsi commençait la lettre de Matthew),

Je vous écris en toute hâte, ayant des nouvelles qui seront peut-être pour vous de la plus grande importance. Je me suis mis totalement dans les bonnes grâces des domestiques de l'ambassade espagnole et je puis me targuer d'avoir appris bien des secrets. Si je suis démasqué, c'en est fini de ma vie, mais le danger qui menace est si grand que je dois prendre des risques.

Je ne sais pas exactement ce qu'on projette, vu que je ne recueille que des ragots. Mais les domestiques en savent toujours plus qu'ils ne le devraient ou que leurs maîtres ne le soupçonnent, et l'on raconte ici qu'on est en train de monter pour avril un grand coup contre notre pays. Il y a quelque temps, apparemment, que le señor de Gamarra le prépare avec l'aide de gens haut placés en Angleterre même, et ses intrigues sont sur le point d'aboutir. Je ne peux pas en apprendre davantage, car même le savoir des femmes de chambre a ses limites, mais il n'est pas impossible que j'obtienne d'autres renseignements plus tard.

Je dois vous dire, monsieur, que je crois que vos soupçons à l'égard de Marco da Cola ne sont pas fondés, car c'est un gentilhomme extrêmement aimable et je n'ai rien découvert de militaire dans sa personnalité ; bien au contraire, il paraît fait pour la gaieté et le plaisir, et sa générosité (comme je peux moi-même en attester) est immense. J'ai rarement rencontré un monsieur plus affable et moins dissimulé. En outre, il semble qu'il doive partir sous peu ; il compte donner dans quelques jours un festin d'adieu, avec bal et musique, auquel il m'a convié comme son invité personnel, tant j'ai bien réussi à gagner ses faveurs. Il me fait le grand honneur de me garder à ses côtés, et je suis sûr que vous en conviendrez : c'est la position idéale pour apprendre s'il nous veut du mal ou non.

Je suis désolé, monsieur, de ne pouvoir vous en dire plus pour le moment ; je crains que mes questions ne fassent naître les soupçons si je suis trop curieux.

Ma colère et mon désarroi devant cet exemple de naïveté juvénile ne connurent aucune limite, même si je ne savais pas ce qui me rendait le plus furieux, de la stupidité de Matthew ou de la manière avec laquelle ce Cola s'était sournoisement insinué dans ses affections. Je ne l'avais jamais autorisé à assister à ce genre de distractions parce qu'elles constituent un péché et gâtent le caractère d'un enfant plus vite que toute autre erreur commise dans son éducation. Je m'étais, au contraire, occupé de son âme, sachant que, bien que ce ne soit pas facile à cause de la frivolité naturelle de la jeunesse, le travail et l'apprentissage du devoir relèvent d'une méthode à la fois plus raisonnable et plus fructueuse. Que ce Cola utilisât de telles manigances pour le détourner de la rigueur morale — et, je le crains, de ma personne — me mit en fureur : je savais à quel point c'était facile à faire, tout comme je connaissais la difficulté qu'il y avait à rester inflexible quand mon plus grand désir était de voir un sourire de plaisir sur son visage. Contrairement à Cola, cependant, je refusais d'acheter son amour.

De surcroît, la manière dont ces procédés étaient utilisés pour brouiller son esprit m'inquiétait beaucoup ; même de loin, je voyais que les assurances de Matthew à propos de Cola étaient erronées : je savais déjà que celui-ci venait en Angleterre, puisque Oldenburg m'en avait informé. Le grand coup était prévu pour le moment où il allait débarquer sur nos rivages. Il était aisé d'établir le rapport entre les deux événements et je me rendais compte que je disposais de moins de temps que je ne l'avais imaginé. J'avais l'impression d'être un joueur d'échecs débutant et que les pions de mon adversaire se déplaçaient lentement sur l'échiquier, préparant un assaut qui, lorsqu'il aurait lieu, serait aussi imparable que soudain. Je me disais chaque fois que si seulement j'avais obtenu plus de renseignements, j'aurais pu comprendre le fin mot de toute l'affaire, mais toutes les fois que ce renseignement supplémentaire tombait entre mes mains, il se révélait à nouveau insuffisant. Je savais qu'il y avait un complot et j'étais au courant de la date approximative où il devait se produire. Mais même si j'en connaissais l'agent, j'en ignorais et l'objet et les instigateurs.

Je dois avouer que je me sentais très seul avec mes pensées : j'étais obligé de réfléchir à de graves sujets sans que les conseils d'autrui me permissent de m'affermir l'esprit et d'affiner mes arguments. Finalement, ayant décidé qu'il me faudrait soumettre ce cas à quelqu'un d'autre, je soupesai avec soin les diverses possibilités. Je ne pouvais pas encore, à l'évidence, en parler franchement à M. Bennet, ni envisager de m'adresser à d'autres membres de l'ancien service de renseignements de Thurloe, vu que leur loyauté était fortement sujette à caution. Je me trouvais vraiment tout à fait seul dans un monde peu sûr et périlleux, rares étant ceux qui n'étaient pas, potentiellement, en tout cas, en faveur d'un camp ou de l'autre.

C'est pourquoi j'abordai Robert Boyle, qui était d'un tour d'esprit trop abstrait pour s'intéresser à la politique, trop noble dans ses desseins pour se laisser séduire par les factions, et d'une discrétion notoire dans tous les domaines. J'avais — j'ai toujours — une haute opinion de son ingéniosité et de sa piété, même si je dois préciser que, à mon avis, ses découvertes ne sont pas à la hauteur de sa renommée. Cependant, il était le meilleur avocat du nouveau savoir : étant donné son tempérament ascétique, sa prudence et sa profonde dévotion, il était difficile d'accuser la Société d'avoir des idées subversives ou impies. M. Boyle (qui, je pense, dissimulait une certaine naïveté sous un air grave) croyait que la nouvelle science aiderait la religion et que les vérités fondamentales de la Bible seraient confirmées par des méthodes rationnelles. Moi, au contraire, je pensais que ces dernières fourniraient une arme d'une force inouïe aux athées, lesquels forceraient Dieu à se soumettre à la science ; s'ils ne parvenaient pas à Le réduire à un théorème, ils déclareraient avoir prouvé qu'Il n'existait pas.

Boyle avait tort, mais je dois dire que c'était pour les meilleures raisons du monde, et cette différence d'opinion ne créa jamais d'accroc dans notre amitié qui, bien qu'elle ne fût jamais chaleureuse, dura longtemps. Il appartenait à une famille de premier plan, possédait une constitution équilibrée (quoique peu robuste) et une solide éducation ; tout cela avait produit un excellent jugement qui ne fut jamais influencé par l'appât du gain. Quand je le trouvai chez sa sœur à Londres, je l'invitai à dîner et lui servis un bon repas composé d'huîtres, d'agneau, de perdrix et d'un pudding ; puis je le persuadai de traiter la conversation avec la plus grande discrétion.

Il écouta en silence tandis que je lui présentais — avec plus de détails que je ne l'avais prévu — l'écheveau de soupçons et de déductions qui me préoccupait si fort.

« Je suis extrêmement flatté, dit-il quand j'eus terminé, que vous m'ayez choisi comme confident, mais je vois mal ce que vous attendez de moi.

— Je veux votre avis. Je possède quelques preuves et j'ai une hypothèse partielle qui n'est en aucune façon contredite par aucune d'entre elles. Elle n'est pas confirmée, néanmoins. Pouvez-vous imaginer une autre possibilité qui colle aussi bien, voire mieux ?

— Résumons-nous : vous savez que ce gentilhomme italien est lié à la fois aux républicains et aux Espagnols ; vous savez qu'il débarquera sur nos rivages le mois prochain ; ce sont là les faits essentiels que vous possédez, même si ce ne sont pas les seuls. Vous croyez qu'il vient chez nous pour nous faire du mal : c'est là votre hypothèse. Mais vous ne savez pas de quel mal il peut s'agir. »

Je hochai la tête.

« Voyons s'il existe une autre possibilité qui pourrait supplanter votre principale hypothèse. Commençons par poser que Cola est ce qu'il dit : un jeune gentilhomme qui voyage de par le monde sans s'intéresser à la politique. Il fréquente des républicains anglais parce qu'il les rencontre par hasard. Il connaît des Espagnols haut placés parce que c'est un homme de qualité appartenant à une riche famille vénitienne. Il projette de venir en Angleterre pour se familiariser avec nos mœurs. Il est, en fait, totalement inoffensif.

— Vous laissez de côté les faits secondaires, dis-je, qui soutiennent une proposition mais affaiblissent l'autre. Cola est le fils aîné d'un négociant confronté à de considérables difficultés ; son premier devoir serait d'aider sa famille, or il se trouve aux Pays-Bas en train de dépenser de l'argent pour des plaisirs futiles. Il faut une bonne raison pour agir ainsi, raison que peut intégrer ma théorie, et non la vôtre. Personne n'était au courant de sa curiosité pour les sciences jusqu'à son arrivée à Leyde, alors que son courage et son goût immodéré des armes étaient notoires. Votre thèse doit obligatoirement expliquer un remarquable changement de caractère ; pas la mienne. Et vous ne faites aucun cas de la question centrale, c'est-à-dire qu'il était le destinataire d'une lettre codée selon un chiffre précédemment utilisé par un homme qui a trahi le roi. Ceux qui voyagent pour satisfaire leur curiosité reçoivent rarement, il me semble, de telles missives. »

Boyle hocha la tête, reconnaissant que la riposte était valable.

« Très bien. Je concède que votre hypothèse est la meilleure des deux et qu'on doit lui accorder la priorité. Aussi vais-je attaquer votre conclusion : acceptons l'idée que Cola représente en soi un danger potentiel, est-ce que cela mène inévitablement à la conclusion que ce danger va se concrétiser ? Je crois comprendre que vous n'avez pas la moindre idée des intentions de cet homme quand il débarquera. Et que pourrait donc faire un individu isolé qui poserait un grave danger ?

— Il peut dire quelque chose, faire quelque chose ou constituer un moyen de transmission. Ce sont là les seuls types d'action possibles. Tout danger posé par lui doit appartenir à l'une de ces trois catégories. Par "transmission", je veux dire qu'il se pourrait qu'il apporte un message ou une somme d'argent ou qu'il soit venu les chercher. Je ne pense pas que ce soit le cas en l'occurrence, les républicains et les Espagnols étant en mesure de transporter tout ce qu'ils veulent sans se servir d'un homme comme lui. De même, je ne vois pas ce qu'il pourrait dire qui puisse poser la moindre menace et qui requerrait sa présence dans le pays. Donc il reste les actions. Je vous le demande, monsieur, quelle action susceptible de mettre le royaume en péril peut accomplir un homme absolument seul si, comme cela paraît raisonnable, ses déplacements sont liés à sa profession ? »

Boyle me regarda sans oser fournir une réponse.

« Vous savez aussi bien que moi, continuai-je, que la seule chose que fait un soldat et que les autres ne font pas, c'est tuer les gens. Et un seul individu peut en tuer un grand nombre. Plus le nombre de victimes est restreint, plus celles-ci doivent être importantes pour que l'effet produit soit grand. »

Je rapporte notre conversation — sous une forme abrégée, car, en fait, nous discutâmes de nombreuses heures sur ce sujet — pour montrer que mes craintes n'étaient pas le produit d'un esprit soupçonnant tout le monde et s'effrayant d'une ombre qui passe. Aucune autre hypothèse ne s'appliquait aussi bien au cas considéré et, par conséquent, il fallait la retenir jusqu'à ce qu'elle fût discréditée. C'est la règle de base de l'expérimentation, et elle vaut pour la politique tout autant que pour les mathématiques ou la médecine. Je présentai mes arguments à Boyle et non seulement il ne réussit pas à trouver une autre explication plausible, mais il fut contraint de concéder que mon hypothèse était de loin celle qui s'accordait le mieux aux faits en notre possession. Je ne pensais pas avoir atteint une certitude ; seul un scolastique eût revendiqué une telle prouesse. Mais je pouvais mettre en avant une probabilité assez forte pour justifier mon inquiétude.

Frapper le corps et la blessure se referme bientôt, même si la plaie est profonde. Frapper un seul petit coup au cœur et l'effet est catastrophique. Et le cœur vivant, le cœur palpitant du pays, c'était le roi. Il suffisait d'un seul homme, en effet, pour tout anéantir là où une armée entière eût été impuissante.

Avant de juger mes dires peu plausibles et mes craintes chimériques, je vous demande de considérer le nombre de ces meurtres dans l'histoire récente. Seulement un demi-siècle auparavant, ce grand roi de France, Henri IV, avait été poignardé à mort, tout comme le prince d'Orange et Henri II avant lui. Il y a moins de quarante ans le duc de Buckingham fut tué par son propre valet ; des assassinats judiciaires ont mis fin à la vie du comte de Strafford, de l'archevêque Laud et du saint martyr Charles. J'avais moi-même mis au jour de nombreux complots ourdis pour assassiner Cromwell, et même le lord Chancelier en exil avait justifié le meurtre des ambassadeurs du Commonwealth à La Haye et à Madrid. La vie publique baignait dans le sang : la mise à mort d'un roi n'avait pas suscité plus de dégoût dans le cœur d'un grand nombre de personnes que s'il s'était agi d'un animal de ferme. Nous nous étions habitués aux péchés les plus horribles et nous les considérions comme une méthode de gouvernement.

Je savais désormais que le complot que j'avais démasqué n'était pas l'œuvre de fanatiques, dont le rôle, à mon avis, consisterait uniquement à servir de boucs émissaires en cas d'atrocité commise pour le compte d'autres bénéficiaires. Ceux-ci ne pouvaient être que les Espagnols, et le but final serait de faire perdre ses libertés à l'Angleterre et de ramener notre pays sous le joug de Rome. Une fois le roi assassiné, son frère, un catholique déclaré, monterait sur le trône... Son premier acte est de crier vengeance après le meurtre de son bien-aimé Charles. Il rend les fanatiques responsables de son assassinat et jure de les pourchasser jusqu'au dernier. On jette la tolérance aux quatre vents et les extrémistes prennent à nouveau le pouvoir. Cela déboucherait sur la guerre, bien sûr, au cours de laquelle, une fois de plus, les Anglais se battraient entre eux. Cette fois-ci, cependant, ce serait encore plus atroce, car les catholiques appelleraient leurs maîtres espagnols à la rescousse et les Français interviendraient à coup sûr. Le cauchemar de tous les princes depuis Élisabeth, que l'Angleterre devienne l'arène de l'Europe, serait sur le point de se réaliser.

Je n'avais aucune preuve à l'appui de ces spéculations, mais c'était une hypothèse raisonnable fondée sur les faits à ma disposition, la logique nous permettant de lire l'avenir ou, à tout le moins, son déroulement probable. Tout comme en mathématiques, lorsqu'on peut imaginer une ligne, et l'imaginer ensuite se projetant plus loin et même jusqu'à l'infini, en ne se servant que de la pensée rationnelle, de même en politique nous pouvons soupeser les actes et en évaluer les conséquences. Si mon hypothèse de base était acceptée — et elle résista aux critiques de Boyle ainsi qu'à ma propre évaluation lucide —, certains résultats s'ensuivraient. J'ai exposé ces possibilités pour bien faire comprendre mes craintes. Je reconnais m'être trompé sur des détails, et en temps voulu je révélerai impitoyablement mes erreurs ; néanmoins, je soutiens que les grandes lignes de mon hypothèse étaient bonnes, dans la mesure où elles pouvaient être infléchies sans être abandonnées.

Matthew, j'en étais sûr, ne réaliserait plus aucun progrès à La Haye : les attentions de Cola lui avaient fait tourner la tête, il n'était plus capable de voir les preuves qui se trouvaient sous son nez. En outre, je craignais pour sa personne, car il risquait de mettre sa vie en péril ; je voulais donc qu'il s'éloignât de Cola le plus vite possible. Cette inquiétude n'était pas sans fondement, le Seigneur m'ayant envoyé le plus atroce des cauchemars pour me prouver que j'avais raison de me faire du souci. En général, je ne fais pas grand cas de ce genre de choses et ne rêve que rarement, mais ce rêve avait une origine si manifestement spirituelle et était si clairement prémonitoire que je décidai d'y prêter attention.

Bien que je n'eusse pas encore reçu la lettre de Matthew à propos de la fête, celle-ci se trouvait pourtant dans le rêve qui, comme je l'appris plus tard, se produisit la nuit précise où elle eut lieu. La fête se passait sur l'Olympe ; Matthew était le serviteur des dieux qui lui offraient toutes sortes de mets et de vins, l'enivraient et lui faisaient perdre la tête. C'est alors qu'un des commensaux que je savais être ce Cola, même si je ne connaissais pas son visage, s'approchait subrepticement et, le saisissant par-derrière, lui plongea une épée effilée dans le ventre à plusieurs reprises tandis que Matthew hurlait de douleur. Moi, je me trouvais dans une autre pièce, spectateur impuissant, incapable de bouger, criant à Matthew de s'enfuir. Mais il refusait de m'écouter.

Je me réveillai dans la plus grande angoisse, sachant qu'un très grave péril était imminent ; j'espérais qu'il n'était rien arrivé à Matthew, et je me torturai l'esprit à l'infini jusqu'à ce que j'apprisse qu'il était sain et sauf. Je me doutais que Cola était en route pour l'Angleterre, mais ne réussis pas à découvrir l'endroit où il se trouvait, tant étaient maigres mes ressources. Il me fallait également décider si j'allais avertir Sa Majesté, mais je n'en fis rien, sûr que je n'aurais pas été pris au sérieux. Le roi était un homme courageux, pour ne pas dire téméraire, et qui s'attendait depuis si longtemps à être assassiné à tout moment que cela ne l'empêchait plus de s'adonner à ses plaisirs. Et que pouvais-je lui dire ? « Sire, il existe un complot pour vous tuer afin que votre propre frère puisse prendre votre place sur le trône... » Sans preuve, une telle affirmation signifierait, dans le meilleur des cas, la perte immédiate de mes pensions et de mes postes. Je n'accepte pas la proposition que la diagonale d'un carré est incommensurable avec ses côtés parce qu'on me le dit, je l'accepte parce qu'on peut le démontrer ; et, dans cette affaire, même si j'étais en mesure de présenter une théorie qui valait mieux que toute autre, je n'étais pas encore capable de la démontrer.

Une semaine plus tard, Matthew regagna l'Angleterre et m'annonça qu'en effet Marco da Cola avait quitté les Pays-Bas, mais qu'il ne savait pas où il s'était rendu. De plus, l'homme avait une avance de près de dix jours, Matthew n'ayant pu trouver de bateau pour le ramener en Angleterre que quelques jours après le festin d'adieux ; mais (à mon avis) il s'était tellement convaincu de l'innocence de cet individu qu'il ne s'était pas pressé pour revenir auprès de moi.

Malgré ma déception et mon inquiétude, la seule présence de Matthew dans la pièce me mit du baume au cœur. Le regard intelligent qui donnait à son visage une si grande beauté faisait renaître en moi la chaleur qui avait disparu pendant son absence ; je n'étais pas étonné que Cola se soit entiché de lui et l'ait gardé à ses côtés. Je remerciai Dieu qu'il fût revenu sain et sauf et priai que toutes mes craintes n'aient été que les chimères sans fondement résultant d'un cerveau troublé par l'angoisse.

Mais je fus vite détrompé à ce sujet, car lorsque je lui reprochai sa négligence et lui fis remarquer qu'il avait sûrement mal jugé l'Italien, pour la première fois depuis que nous nous connaissions il refusa de se soumettre à mon jugement, me déclarant sans ambages que j'avais tort.

« Comment le savez-vous ? Vous ne l'avez jamais rencontré et vous n'avez aucune preuve, rien que des soupçons ! Je vous le dis, et je le connais bien pour avoir passé de nombreuses heures à converser avec lui de la manière la plus agréable qui soit, il ne menace personne, ni vous ni un autre.

— On te trompe, Matthew. Tu ne sais pas ce que moi je sais.

— Eh bien, dites-moi de quoi il retourne !

— Impossible. Il s'agit de graves affaires d'État qui ne te regardent pas. Il est de ton devoir de me croire sur parole sans poser de questions et de ne pas te laisser berner par un homme parce qu'il te couvre de compliments et de cadeaux.

— Vous sous-entendez qu'il a acheté mon affection ? Vous me croyez stupide à ce point ? C'est ça ? Parce que vous, vous ne m'adressez la parole que pour me critiquer et que les seuls présents que vous m'ayez jamais faits, ce sont des coups chaque fois que j'ai commis une erreur.

— Je pense que tu es jeune et inexpérimenté, répondis-je, certain désormais que mes pires craintes s'étaient réalisées. Tu dois te rappeler que je sais ce qui est le mieux pour toi. Mais je te pardonne tes propos.

— Je n'ai pas besoin de votre pardon. J'ai fait tout ce que vous avez voulu que je fasse, et plus. C'est vous qui accusez tout le monde à tort qui devriez demander pardon. »

J'eus envie de le battre mais me retins, tentant de mettre un terme à une discussion aussi ridicule qu'inopportune.

« Je ne vais pas me justifier auprès de toi, sauf pour t'assurer que lorsque je pourrai tout te dire, je le ferai, et alors tu comprendras à quel point tu as eu tort. Allons, allons, Matthew, mon garçon ! Tu viens à peine d'arriver et déjà nous nous querellons. Ce n'est pas la bonne façon de reprendre nos relations. Viens boire un verre et raconte-moi tes aventures. J'ai vraiment envie de les entendre. »

Finalement, calmé et rassuré, il s'assit près de moi, et peu à peu, nous reprîmes nos rapports habituels. Nous passâmes les heures suivantes en un tête-à-tête très agréable. Il me parla de ses voyages, et je notai avec plaisir son don de l'observation et sa faculté d'aller droit au fait sans détour ; il ne souffla mot de l'adieu de Cola, cependant — il est vrai que je ne l'y incitai pas non plus. À mon tour, je lui racontai comment j'avais passé le temps pendant son absence, lui parlai des livres que j'avais lus, lui expliquai l'importance des controverses et des débats, avec un soin nouveau, je l'avoue. Lorsqu'il me quitta ce soir-là, je remerciai Dieu dans mes prières de m'avoir donné un tel compagnon, car sans lui ma vie était bien vide. Mais j'éprouvais des sentiments ambigus : pour la première fois je n'avais pas simplement donné des ordres, et j'avais aussi dû solliciter son amitié. Il me l'avait accordée, mais j'ignorais si je pouvais compter sur elle à jamais. Je savais qu'il me faudrait bientôt rétablir la hiérarchie et lui rappeler qu'il devait m'être soumis, de crainte qu'il ne devînt arrogant. Cette pensée assombrit mon humeur, et quand je me rappelai ce qu'il m'avait appris, je devins encore plus morose.

Je savais que s'il n'était pas déjà en Angleterre, Cola était en route et arriverait probablement avant que j'aie pu retrouver sa trace. Quels que soient les projets de l'Italien, j'espérais beaucoup qu'il n'agirait pas promptement. Le lendemain matin, j'envoyai Matthew retrouver ses amis à East Smithfield dans l'espoir qu'ils auraient reçu quelque nouvelle. Je n'attendais pas grand-chose de cette visite, aussi ne fus-je pas trop déçu quand il m'annonça qu'ils ne savaient rien, mais c'était la première démarche qui s'imposait et l'une des rares que je pouvais entreprendre sans hésitation.

Ensuite j'allai me mêler à mes amis négociants, leur demandant, avec le plus de discrétion possible malgré l'urgence, s'ils avaient entendu parler d'un bateau ayant débarqué sur nos rivages un unique passager. Italien, espagnol ou français : Cola aurait pu se faire passer pour tel, et bien des marins n'auraient pas cherché à faire la différence. Je n'espérais rien en particulier de cette enquête non plus et, une fois de plus, je n'appris rien de très intéressant. Ce n'était pas certain, mais je pensais qu'il avait probablement débarqué dans l'un des petits ports d'Est-Anglie ; s'il était en possession d'argent espagnol il avait pu affréter un bateau dans ce but.

À ce moment-là les ressources que j'avais à ma disposition étaient épuisées. J'aurais pu, bien sûr, écrire aux patrons de tous les ports d'Est-Anglie mais alors tout le monde aurait été au courant de mes recherches. Il faudrait, de toute façon, jusqu'à un mois pour obtenir une réponse, et même alors je ne serais pas sûr de l'utilité des renseignements reçus puisque je ne connaissais pas personnellement mes correspondants. Que faire d'autre ? Arpenter les rues de Londres dans l'espoir de repérer un homme que je n'avais jamais vu et que personne ne connaissait dans le pays ? Rester assis dans mon bureau à attendre qu'il vienne se présenter avant d'exécuter sa mission ?

Ni l'une ni l'autre de ces solutions ne semblant raisonnables, je décidai avec une extrême réticence de tenter de provoquer une réaction qui le forçât à sortir de sa tanière ou qui le fît s'enfuir. C'était une expérience mûrement conçue qui ne serait couronnée de succès que si elle n'avait qu'un seul résultat. J'étais comme un expérimentateur qui a sa théorie et qui mène une expérience pour la confirmer ; je ne jouissais pas du privilège du véritable philosophe qui peut conduire ses recherches et bâtir sa théorie en observant les effets produits sous ses yeux.

Je réfléchis à cette question toute une journée avant de conclure que je n'avais pas le choix et, comme l'occasion s'y prêtait, je résolus d'en finir avec les atermoiements. La Société allait tenir une réunion où l'on devait discuter de plusieurs sujets puis la soirée se terminerait par la vivisection publique d'un chien. Ce genre de spectacle étant très couru, je crains que plusieurs savants n'aient fait ces expériences davantage pour le plaisir du public que parce qu'elles apportaient quelque chose.

Mais nombreux étaient ceux qui souhaitaient venir ; on encourageait les invités à faire connaître les résultats de notre travail ; après, la compagnie était toujours joyeuse et débonnaire. Je priai tout de suite M. Oldenburg de me faire la faveur de convier le señor de Moledi comme invité d'honneur et de persuader ce gentilhomme que sa présence serait fort appréciée.

Ce Moledi était le représentant de l'Espagne en Angleterre et l'un des proches associés de Caracena, le gouverneur des Pays-Bas espagnols ; l'homme vouait une forte haine à tout ce qui était anglais. Il était inconcevable qu'il ne fût pas au courant d'une tentative d'assassinat sur la personne du roi, même s'il avait intérêt à ne pas en connaître trop de détails. Par conséquent, si je devais créer quelques remous, c'était de loin la personne qu'il me serait le plus utile d'entreprendre. Si mon intervention réussissait et produisait une réaction tangible, j'obtiendrais peut-être ainsi les preuves concrètes dont j'avais besoin et je serais finalement en position d'exprimer mes soupçons avec quelque espoir d'être cru.

Il y eut presse ce soir-là, même si les communications que lut M. Oldenburg de sa voix sourde et monotone ne méritaient guère l'attention. Un texte sur la géométrie de la parabole était aussi absurde qu'incompréhensible, et mon avis fut déterminant : le texte et son auteur furent écartés sans plus attendre. Un autre sur le cadran solaire,

de la plume de M. Wren — cet homme remarquable —,
fut, comme toujours, un modèle de lucidité et d'élégance
sans représenter une avancée significative. La correspondance en provenance de l'étranger apporta sa moisson
habituelle de nouvelles intéressantes au milieu de formules pompeuses et de fautes de raisonnement. Le seul
moment d'importance dont je me souviens (et lorsque je
consulte les minutes de cette réunion je m'aperçois que
j'ai bonne mémoire), ce fut lorsque M. Hooke parla de
son travail sur un microscope qu'il avait conçu lui-même.
En tant qu'homme il était détestable, mais c'était l'un des
meilleurs artisans de notre groupe, aussi méticuleux dans
l'observation que dans la prise de notes. Ses révélations
sur l'existence de mondes entiers dans une simple goutte
d'eau nous surprirent tous et donnèrent lieu à un
commentaire presque larmoyant de la part de M. Goddard
qui remercia chaudement le Seigneur de Sa création et de
la bonté dont Il faisait preuve en laissant ses créatures
comprendre un nombre de plus en plus important de ses
œuvres. Ensuite les prières conclurent la séance officielle
et ceux qui en avaient envie regardèrent l'expérience faite
sur le chien.

À son expression, je voyais que ce Moledi avait aussi
peu de goût que moi pour les hurlements d'une bête qu'on
torture, aussi l'abordai-je pour l'informer que personne
ne serait vexé s'il n'assistait pas au spectacle ; ayant moi-
même l'intention de m'abstenir, s'il désirait prendre un
verre de vin en ma compagnie, j'en serais fort honoré.

Il acquiesça, et comme j'avais tout prévu, je le condui-
sis jusqu'à l'appartement de Wren à Gresham College où
nous attendait un bon vin des Canaries.

« J'espère, monsieur, que vous ne trouvez pas répugnantes les activités des chercheurs comme nous. Je
reconnais qu'elles peuvent sembler bizarres et que certains les considèrent comme impies. »

Nous nous exprimions en latin et j'étais ravi de voir
qu'il parlait cette divine langue aussi couramment que

moi. Il paraissait d'une extrême courtoisie, et si la plupart des Espagnols lui ressemblaient, je pouvais comprendre comment un homme comme M. Bennet, qui faisait si grand cas des formules de politesse, avait été séduit par l'Espagne. Quant à moi, je n'étais pas prêt à me laisser duper par ce genre de choses, sachant trop ce qui se dissimulait derrière les belles manières.

« Au contraire, je trouve cela particulièrement amusant, et j'espère beaucoup que les hommes de toute la chrétienté animés par la curiosité scientifique s'associeront dans l'intérêt du libre discours. En Espagne, nombreux sont ceux qui s'intéressent à ce genre de sujet, et je les présenterai volontiers à votre société si cela vous est agréable. »

J'acceptai avec empressement, mais me promis d'avertir Oldenburg du danger. Qu'un pays qui avait persécuté avec tant d'acharnement toutes les formes de recherche souhaitât entrer en communication avec nous, ç'aurait été grotesque si cela n'avait pas été aussi cruel.

« Je dois dire que je suis ravi de faire votre connaissance, docteur Wallis, et encore plus heureux d'avoir l'occasion de vous entretenir en privé. J'ai, évidemment, beaucoup entendu parler de vous.

— Vous me surprenez, Excellence. Je ne sais comment mon nom a pu parvenir jusqu'à votre oreille. J'ignorais que vous vous intéressiez aux mathématiques.

— Très peu. Même si c'est sans doute une remarquable occupation, je ne suis pas du tout doué pour les chiffres.

— Dommage ! J'ai toujours pensé que la pureté du raisonnement mathématique constituait la meilleure des formations.

— Dans ce cas, je dois avouer mes lacunes, car je m'intéresse surtout au droit canon. Cependant ce n'est pas de votre expertise en algèbre que j'ai entendu parler. Mais plutôt de votre habileté à déchiffrer les codes.

— Je suis persuadé qu'on a beaucoup exagéré. Mes talents dans ce domaine sont limités.

— Votre réputation d'homme le plus compétent du monde est si notoire que je me demandais si vous accepteriez de partager votre savoir.

— Avec qui ?

— Avec tous les hommes de bonne volonté qui souhaitent éclairer les ténèbres et assurer la paix dans toute la chrétienté.

— Vous voulez dire que je devrais écrire un livre sur ce sujet ?

— Peut-être bien, répondit-il avec un sourire. Mais cela vous prendrait beaucoup de temps et ne vous rapporterait pas grand-chose. Non, je me demandais si vous accepteriez de vous rendre à Bruxelles et d'instruire quelques jeunes gens que je connais et qui s'avéreront, j'en suis certain, être parmi les meilleurs élèves que vous ayez jamais eus. Évidemment, ce travail serait très bien rémunéré. »

L'homme était d'une audace stupéfiante ; il fit cette proposition si facilement, sans le moindre embarras, et elle tomba de ses lèvres si naturellement que je ne lui en voulus pas. Bien sûr, il n'y avait pas la moindre chance que je considérasse cette offre et peut-être le savait-il. J'ai reçu au cours de ma vie un grand nombre de propositions similaires et je les ai toutes déclinées. Même les bons États protestants, j'ai refusé de les aider en quoi que ce fût ; tout récemment, par exemple, j'ai rejeté la suggestion de former M. Leibniz à mon art. J'ai toujours été d'avis de réserver mes talents à mon seul pays et de ne pas les mettre au service de tout autre qui pourrait devenir un ennemi.

« Votre offre est aussi généreuse que mes talents sont faibles, répliquai-je. Mais je crains que mes tâches à l'université ne soient telles que je n'obtiendrai jamais l'autorisation de m'absenter.

— C'est très dommage, répondit-il sans laisser percevoir la moindre trace de surprise ni de déception. Si jamais votre situation change l'offre sera, sans aucun doute, immédiatement renouvelée.

— Comme vous m'avez fait un grand honneur, je me sens obligé de vous montrer ma reconnaissance sur-le-champ. Je dois vous informer que vos ennemis ont l'intention de souiller votre réputation en répandant les plus infamantes rumeurs.

— C'est vous qui l'avez découvert, n'est-ce pas ?

— Les sources d'information sont nombreuses. Je connais des gens très haut placés avec qui je converse souvent. Je dois vous dire en toute franchise, monsieur, que je considère très sincèrement que vous devez avoir la possibilité de vous défendre contre ces commérages. Vous n'êtes pas chez nous depuis assez longtemps pour comprendre le pouvoir des ragots ; le pays est peu habitué à respecter la ferme discipline d'un gouvernement fort.

— Je vous remercie de votre sollicitude. Alors, dites-moi, quels sont ces commérages qui devraient m'inquiéter ?

— On dit que les Espagnols ne veulent pas de bien à notre monarque et que s'il lui arrivait malheur il ne serait pas nécessaire de chercher très loin pour découvrir la source de ses ennuis. »

Moledi hocha la tête.

« C'est de la diffamation, en effet. On sait bien que notre amour pour votre roi est total. Ne l'avons-nous pas aidé pendant son exil quand il s'est retrouvé seul et sans un sou vaillant ? Ne lui avons-nous pas fourni un toit et de l'argent ? N'avons-nous pas risqué une guerre avec Cromwell parce que nous refusions de renoncer à nos obligations envers lui ?

— Rares sont ceux qui se rappellent les bontés passées, rétorquai-je. Il est dans la nature humaine de voir le mal chez les autres.

— Et vous-même, avez-vous de tels soupçons ?

— Je ne puis croire qu'un homme d'honneur pourrait vouloir du mal à un homme qui jouit si manifestement de l'amour de Dieu.

— C'est vrai. Le problème avec les mensonges c'est qu'ils sont difficiles à contredire, surtout quand on les propage avec le désir de nuire.

— Il faut les contredire ! Puis-je parler franchement ? »

Il donna son accord.

« Votre position à la cour, ainsi que celle de vos amis, sera affectée par ces rumeurs si l'on n'y met pas un frein.

— Et vous souhaitez m'aider ? Pardonnez-moi de vous le dire, mais je ne m'attendais pas à une telle générosité de la part d'un homme comme vous dont les opinions sont notoires.

— J'admets volontiers que je n'aime pas beaucoup votre pays. Je respecte un grand nombre de ses habitants, mais vos intérêts et les nôtres seront toujours en conflit. Je peux dire la même chose de la France, cependant. Pour assurer le bien-être de l'Angleterre, il faudra toujours prendre garde à ce qu'aucun pays étranger n'atteigne une position éminente chez nous. Telle a été la politique des plus sages de nos princes depuis des générations et elle doit se poursuivre. Quand la France est forte, nous devons nous tourner vers les Habsbourg et quand les Habsbourg sont forts, il nous faut renforcer la France.

— Vous parlez également pour M. Bennet ?

— Je ne parle que pour moi-même. Je suis mathématicien, prêtre et anglais. Mais je suis certain que vous connaissez l'admiration que M. Bennet porte à votre pays. Sa position ne sera pas confortée non plus par de telles rumeurs. »

Moledi se leva et me fit un gracieux salut.

« Je vois bien que vous êtes le genre de personne qu'on ne doit remercier qu'avec des paroles, et c'est pour cela que je ne vous offre que des mots. J'ajouterai seulement

que quelqu'un d'autre ressortirait de cette pièce beaucoup
plus riche après avoir fait preuve d'une telle sollicitude. »

J'avais enveloppé ma mise en garde d'assez bons
conseils et, ainsi que j'en avais l'habitude avant que le
déclin de ma vue ne m'en empêchât, je rédigeai un bref
compte rendu de mon entretien avec Moledi comme aide-
mémoire. J'ai encore cette note et je vois que les conseils
que je donnai alors étaient sages et pratiques. Je ne m'attendais guère qu'ils fussent suivis, cependant. L'État ressemble à un grand navire manœuvré par un nombreux
équipage : une fois qu'il a choisi une direction, il est
malaisé de tirer rapidement une autre bordée, même lorsqu'il est clair qu'un tel changement de cap serait logique.

La réaction de Moledi à notre conversation fut
prompte, néanmoins ; plus rapide et plus ferme que je ne
l'avais imaginé. Le lendemain soir, un des hommes de
M. Bennet vint chez moi m'apporter une lettre m'indiquant que ma venue était requise de toute urgence.

Sa position s'était énormément renforcée depuis notre
dernière entrevue et il voulait que tout le monde fût
conscient de son pouvoir en tant que secrétaire d'État
chargé du Sud. Il est imprudent, même aujourd'hui, de
déclarer que quelqu'un ne vaut pas Cromwell, mais ce
grand méchant homme possédait une simplicité d'autant
plus impressionnante qu'elle était spontanée et naturelle.
Cromwell, lui, était véritablement un grand homme, le
plus grand, à mes yeux, que ce pays ait jamais connu. La
clarté de son esprit, sa force et son assurance étaient telles
que, né sur le domaine d'un homme de qualité, il se bâtit
un royaume ; s'il avait hérité d'un royaume, il se serait
construit un empire. Il força à la totale obéissance trois
nations qui le détestaient cordialement, il gouverna grâce

à une armée qui souhaitait sa chute et inspira la peur sur tout un continent et au-delà. Il tenait le pays dans le creux de sa main, et pourtant il accueillait souvent lui-même les visiteurs et versait lui-même le vin. Il n'avait pas besoin de faste : son autorité était éclatante. C'est ce que j'eus l'occasion de dire à lord Clarendon et il fut d'accord avec mon jugement.

M. Bennet était un homme de moindre envergure, de moindre génie ; tous ses mérites auraient pu tenir dans le petit doigt de Cromwell. Et pourtant avec quelle pompe il recevait ! La progression d'antichambre en antichambre avait pris des proportions véritablement espagnoles, et l'attitude des serviteurs était devenue si obséquieuse qu'il était difficile pour un homme simple comme moi de ne pas être rebuté par ce protocole excessif. Je mis cinq bonnes minutes pour passer du vestibule à ses appartements, où il m'attendait ; le roi Louis XIV dans toute sa munificence actuelle ne doit pas être plus difficile d'accès que M. Bennet à cette époque.

Ce n'était que de la poudre aux yeux : il était aussi anglais dans ses propos qu'espagnol dans ses manières. En fait, sa rudesse frôlait l'impolitesse : il me laissa debout pendant tout l'entretien.

« Que croyez-vous faire, exactement, docteur Wallis ? hurla-t-il en agitant un morceau de papier dans ma direction, mais de trop loin pour que je puisse voir de quoi il s'agissait. Avez-vous perdu la tête au point de désobéir à mes ordres exprès ? »

Je lui répondis que je ne comprenais pas sa question.

« J'ai ici une note rédigée en termes très fermes, fit-il, tout en respirant bruyamment pour que je puisse à la fois ressentir, voir et entendre sa colère. Elle émane d'un ambassadeur d'Espagne au comble de l'indignation. Est-il vrai que vous avez eu hier l'outrecuidance de lui faire la leçon à propos de la paix de la chrétienté et de lui expliquer comment conduire la politique étrangère de son pays ?

— Absolument pas ! »

Ma curiosité devant le tour qu'avaient pris les événements était plus forte que mon inquiétude devant la fureur de mon protecteur. Je connaissais assez bien M. Bennet pour savoir qu'il sortait rarement de ses gonds, parce qu'il considérait que cette absence de retenue n'était pas digne d'un homme de qualité. Les feintes colères ne faisant pas partie de sa tactique lorsqu'il souhaitait impressionner ses clients, j'en conclus que cette fois-là il était sincèrement et réellement furieux. Cela rendait, évidemment, ma situation d'autant plus périlleuse que je ne pouvais me passer de sa faveur. Mais cela donnait aussi plus d'intérêt à notre conversation, car j'avais du mal à comprendre la raison de sa rage.

« Comment expliquez-vous alors qu'il se soit senti offensé ?

— Je ne vois pas en quoi j'ai pu l'offenser. J'ai eu une conversation hier soir — fort agréable, avais-je cru — avec le señor de Moledi, et nous nous sommes séparés en nous assurant l'un l'autre de notre mutuel respect. Il se peut que je l'aie irrité en refusant un fort pot-de-vin, c'est possible ; je croyais avoir décliné l'offre avec le plus grand tact. Puis-je demander de quoi on s'est plaint ?

— Il affirme que vous l'avez pratiquement accusé de fomenter un complot pour assassiner le roi. Est-ce vrai ?

— Non. Je n'ai jamais rien évoqué de tel. Et je n'aurais jamais songé à faire une chose pareille.

— Que pensez-vous avoir dit ?

— Je lui ai simplement dit que beaucoup croyaient fermement que son pays ne voulait pas de bien à l'Angleterre. Cela n'a pas été une partie importante de la conversation.

— Mais vous aviez pesé vos mots. Vous ne dites rien à la légère. Alors je veux maintenant savoir pourquoi. Les rapports que vous me faites parvenir depuis quelques mois sont si manifestement truffés de demi-vérités et de faux-fuyants que je commence à en avoir assez. À partir

593

de maintenant je vous ordonne de me dire l'exacte vérité. Et je vous préviens, si je ne suis pas entièrement convaincu de votre totale franchise je serai extrêmement mécontent. »

Face à un tel ultimatum, je ne pouvais que m'exécuter. Et ce fut ma plus grave erreur. Je ne le reproche pas à M. Bennet, je me reproche ma faiblesse ; et le châtiment que je reçus fut si sévère que j'en ai supporté les graves conséquences chaque jour de ma vie. J'ai le privilège de venir d'une famille robuste et qui vit longtemps, tant du côté de mon père que de ma mère, c'est pourquoi je m'attends pleinement à demeurer en ce monde de nombreuses années encore. Depuis ce jour-là j'ai prié pour que cette bénédiction du ciel me fût retirée, tant mes remords sont vifs.

Je fis part de mes soupçons à M. Bennet. Je crois aujourd'hui que je lui fournis bien plus de détails qu'il n'eût été nécessaire. Je lui parlai de Marco da Cola et du faisceau de soupçons qu'il avait fait naître. Je lui dis que je devinais qu'il était, sinon déjà présent dans le pays, du moins en route vers l'Angleterre. Et je lui expliquai ce qu'il avait le dessein de faire, à mon avis, dès son arrivée chez nous.

Bennet écouta mon récit, en montrant au début des signes d'impatience, puis en prenant un air digne et grave. Lorsque j'eus terminé mon rapport il se leva et regarda longtemps par la fenêtre de la petite pièce où il conduisait habituellement ses affaires.

Finalement, il se retourna vers moi et je vis à l'expression de son visage que sa colère s'était dissipée. Cependant, je n'allais pas échapper à de nouveaux reproches.

« Je dois vous féliciter, dit-il, de votre diligence au service de votre souverain bien-aimé. Je ne doute pas un seul instant que vous ayez agi avec les meilleures intentions du monde et dans l'unique but d'assurer la sécurité du royaume. Vous êtes un serviteur parfait.

— Je vous remercie.

— En l'occurrence vous avez commis une grave erreur. Vous n'êtes pas sans savoir qu'en diplomatie les apparences sont toujours trompeuses et que ce qui peut sembler relever du sens commun peut en fait signifier tout le contraire. Nous ne pouvons pas faire la guerre. Contre qui livrer bataille ? Contre l'Espagne ? Contre la France ? Contre les Pays-Bas ? Contre tous ces pays à la fois ? Et avec quoi sommes-nous censés payer une armée ? Le Parlement a déjà du mal à fournir un toit au roi. Vous savez sans doute que j'ai de l'estime pour les Espagnols et que je considère les Français comme nos plus grands ennemis. Et pourtant je ne suis pas favorable à une alliance avec eux, pas plus que je ne soutiendrais la signature d'un pacte contre eux. Pour le moment, en tout état de cause, il nous faut louvoyer adroitement entre ces divers obstacles et tout faire pour éviter que le roi ne tombe dans les bras des uns ou des autres.

— Mais vous savez aussi, monsieur, que les agents de l'Espagne opèrent librement et dépensent beaucoup d'or pour se rallier des soutiens.

— Évidemment ! C'est aussi ce que font la France et les Pays-Bas. Et alors ? Tant qu'ils dépensent leur or avec un enthousiasme identique et qu'aucun pays ne prend le pas sur les autres, alors cela ne tire pas à conséquence. Vos propos en eux-mêmes ne tirent guère à conséquence non plus, ne croyez pas cela, je vous prie. Mais si vos soupçons deviennent notoires, alors les intérêts français seront renforcés. Les coffres du jeune Louis sont profonds. Sa Majesté est déjà tentée, même si ce serait une catastrophe. Il est impératif que rien ne détruise l'équilibre créé par ceux qui portent dans leur cœur l'intérêt du pays. Bon, dites-moi, est-ce que d'autres sont au courant de vos soupçons ?

— Absolument pas ! Je suis la seule personne qui connaisse tous les détails. Mon serviteur, Matthew, doit deviner un peu de quoi il retourne, parce que c'est un garçon intelligent, mais même lui ne connaît pas tous les aspects de la question.

— Et où est-il ?

— Il est maintenant rentré en Angleterre. Mais vous n'avez rien à craindre à son sujet. Il est totalement à ma dévotion.

— Bien. Parlez-lui et assurez-vous qu'il comprend.

— Je suis ravi de vous obéir là-dessus, repris-je. Je dois répéter qu'à mes yeux il s'agit d'une affaire grave néanmoins. Que ce soit ou non sous l'égide de la couronne espagnole, cet individu se dirige vers notre pays et je crois qu'il représente pour nous une grande menace. Que dois-je faire à ce propos ? Vous ne pouvez pas penser qu'il faut le laisser agir à sa guise ? »

Bennet fit un sourire.

« Je ne pense pas que vous deviez vous préoccuper de cette affaire, monsieur. Ce n'est pas là la seule histoire de complot, et j'ai finalement persuadé le roi de renforcer la garde autour de sa personne de jour comme de nuit. Je ne vois pas comment même le plus forcené des assassins pourrait porter la main sur lui.

— Il ne s'agit pas d'un soldat ordinaire, monsieur, dis-je. Il a la réputation d'avoir tué des Turcs en Crète avec une audace et une cruauté sans pareilles. Il ne faut pas le sous-estimer.

— Je comprends votre inquiétude, répliqua Bennet. Mais je dois vous faire remarquer que, si vos hypothèses sont correctes — et, à mon avis, elles ne le sont pas —, les propos que vous avez tenus à Moledi auront été pris en compte. Il fera extrêmement attention à ce que rien ne nous pousse dans les bras de son plus grand ennemi. Une alliance avec la France suivrait sans aucun doute un tel événement, car ce projet ne pourrait marcher que si son véritable auteur restait à jamais inconnu et grâce à vous ce ne sera jamais le cas. »

L'entretien se termina sur ces mots. Lorsque je pris congé, ma position était fortement mais pas irrévocablement affaiblie. Je n'avais pas perdu sa faveur et, en tout cas, je n'avais été menacé d'aucune sanction. Fait plus grave, ma confiance était ébranlée : je n'avais pas prévu la réaction de Moledi. Il avait agi, en effet, comme aurait pu le faire un innocent dans ce genre de situation : par la surprise et l'indignation. Et ce qu'avait dit M. Bennet était vrai : un assassinat n'avait aucun sens si le seul résultat consistait à précipiter l'Angleterre dans les bras des Français.

Je ne me rendais pas compte, même si je commençais à m'en douter, que mes conclusions étaient fondées sur des hypothèses erronées ; j'allais avoir besoin de nouvelles et plus terribles preuves si je voulais que tout doute fût balayé.

Chapitre sept

Je ne découvris jamais avec précision quand et comment Marco da Cola débarqua en Angleterre, même si je suis sûr qu'il avait déjà foulé notre sol avant ma conversation avec l'ambassadeur d'Espagne. Cela me fut plus tard confirmé par Jack Prestcott quand je l'interrogeai à ce sujet. Cola était à Londres dès la deuxième semaine de mars et je suppose qu'il fut averti que j'avais eu vent de son dessein ; il avait également dû apprendre que Matthew était mon serviteur et que le jeune homme connaissait bien des choses qui pourraient se révéler dangereuses pour lui.

Je vis Matthew ce matin-là. Il avait accouru en toute hâte, le visage rayonnant du sentiment du devoir accompli : ayant découvert que Cola se trouvait à Londres, il avait l'intention d'aller lui rendre visite. Je sus immédiatement qu'il me fallait empêcher cette rencontre.

« Absolument pas ! Je te l'interdis ! »

Sa mine s'assombrit, puis il devint rouge de colère. Je n'avais jamais vu cette expression sur son visage. Mes craintes m'assaillirent derechef, alors que j'avais réussi à les tenir en échec jusque-là, espérant que tout irait pour le mieux maintenant qu'il était à nouveau à mes côtés.

« Pourquoi ? C'est ridicule ! Vous recherchez cet homme, et quand je le trouve, vous m'interdisez de découvrir son adresse précise.

— C'est un assassin, Matthew. Un homme extrêmement dangereux. »

Il se mit à rire, de son rire léger qui m'avait naguère tellement réjoui le cœur, mais plus maintenant.

« Je ne pense pas qu'un Italien soit très dangereux pour un petit Londonien. Pas celui-ci, en tout cas !

— Ne crois pas ça ! Tu connais les rues et les ruelles, et tu sais circuler dans Londres bien mieux que lui... Mais ne le sous-estime pas ! Promets-moi de ne pas t'occuper de lui !

Son rire s'éteignit et je m'aperçus que je l'avais blessé une fois de plus.

« C'est la vraie raison ? Ou est-ce plutôt que vous voulez m'empêcher d'avoir un ami qui puisse m'aider et me protéger sans arrière-pensée et sans rien demander en échange ? qui m'écoute et apprécie mon opinion au lieu de passer son temps à me critiquer et à m'imposer la sienne ? Je vous le dis, mon révérend, cet homme a été bon et généreux avec moi, il ne m'a jamais battu et il s'est toujours très bien comporté à mon égard.

— Arrête ! m'écriai-je, malheureux d'être comparé aussi cruellement à un autre et qu'on me jette à la face le triomphe de ce Cola rien que pour me faire du mal. Ce que je te dis est la vérité. Tiens-toi à l'écart ! Je ne supporte pas l'idée qu'il puisse te toucher ou te blesser d'une manière ou d'une autre. Je veux te protéger.

— Je suis capable de me débrouiller tout seul. Et je vais vous le prouver. Depuis ma naissance j'ai fréquenté des voleurs et des fanatiques. Et pourtant je suis toujours là, sain et sauf. Mais vous n'en tenez pas compte et vous me parlez comme si j'étais toujours un enfant.

— Tu me dois beaucoup », rétorquai-je. Sa colère me rendait furieux et ses paroles me blessaient le cœur. « Et j'exige de toi respect et politesse.

— Mais vous ne me les avez jamais accordés à moi, alors que moi aussi je les mérite. Vous me les avez toujours refusés.

— Ça suffit ! Ôte-toi de ma vue, et ne reviens que lorsque tu seras disposé à me faire des excuses. Je sais pourquoi tu désires le voir. Je sais quel genre d'individu c'est et ce qu'il veut de toi ; je suis plus lucide que toi. Pour quelle autre raison un homme comme lui voudrait-il garder à ses côtés un garçon de ton espèce ? Crois-tu que c'est pour ton esprit ? Tu n'en as guère. Ton argent ? Tu n'en as pas. Ton savoir ? Tu ne sais que ce que je t'ai appris. Tes bonnes manières ? Je t'ai ramassé dans le ruisseau. Je te le répète, si tu vas chez lui ce soir, tu trouveras désormais porte close. C'est compris ? »

Je ne l'avais jamais menacé ainsi auparavant, mais cela avait été plus fort que moi. Il m'échappait si vite... Sous l'influence de cet homme, il était de plus en plus tenté par une vie de débauche et il fallait y mettre bon ordre sans plus tarder. Il devait se rappeler que c'était moi qui commandais et que j'étais le maître. Autrement c'en était fait de lui.

Mais c'était trop tard : j'avais trop attendu et la corruption avait déjà pris racine. Malgré tout, je pensais qu'il me demanderait pardon après s'être rendu compte de son erreur, comme il avait été disposé à le faire il n'y avait pas si longtemps. Mais il me fixait sans savoir si je parlais sérieusement ou non, et devant ce regard je faiblis et gâchai tout.

« Matthew, mon enfant, viens dans mes bras. »

Pour la première fois dans la réalité, mais que Dieu me pardonne, pas dans mes rêves, je l'attirai contre moi et l'étreignis dans l'espoir qu'il se laisserait aller à sa tendresse pour moi. Au contraire, il se raidit et me repoussa en appuyant fermement ses deux mains contre ma poitrine, tombant presque à la renverse, tant était grande sa hâte de se séparer de moi.

« Laissez-moi tranquille, fit-il d'une voix étouffée. Vous ne pouvez plus me donner des ordres ou m'interdire quoi que ce soit. Ce n'est pas moi qui me suis mal conduit en l'occurrence et, à mon avis, ce n'est pas cet Italien qui me garde auprès de lui pour des raisons impures. »

Puis il quitta la pièce en me laissant ressasser mon amertume et ma colère mêlée de tristesse.

Ce fut la dernière fois que je le vis vivant. Le soir même, Marco da Cola lui trancha la gorge de sang-froid dans une ruelle sombre et le laissa saigner à mort.

Encore aujourd'hui cela me fait mal de me rappeler les détails de la journée où j'appris que nous n'aurions plus jamais l'occasion de nous réconcilier. Le mari de ma gouvernante (j'avais autorisé cette femme à se marier l'année précédente, mais j'estimais tant son honnêteté que je n'avais pas jugé bon de la mettre à la porte) vint lui-même à Gresham College où je dînais avec M. Wren, pour m'annoncer ce malheur. C'était un gros homme lent et stupide qui craignait mon courroux mais qui fut assez brave pour m'apporter lui-même la mauvaise nouvelle.

Tout tremblant, il me raconta ce qui s'était passé. Il avait eu la présence d'esprit de se rendre sur les lieux du crime dès qu'il en avait eu vent et de questionner les voisins. Apparemment, il y avait eu une agression meurtrière quelques heures plus tôt. Matthew avait été attaqué par-derrière : on lui avait couvert la bouche et tranché la gorge d'un seul coup de poignard. On n'avait entendu aucun bruit, aucun cri, ni l'échauffourée qui accompagne normalement une bagarre ou un vol. Personne n'avait vu l'assaillant et Matthew fut abandonné à son sort. Ce n'était pas un duel, ni un combat loyal ; on ne lui avait pas donné la chance de mourir en ayant au moins la consolation de s'être comporté en homme. Un assassinat pur et simple, perpétré de la manière la plus méprisable qui fût. Mon rêve m'avait averti, mais je ne l'avais pas empêché malgré tout.

Je vois dans les Mémoires de Cola qu'il va jusqu'à oser évoquer son crime même s'il prétend avoir agi en état de légitime défense. Il déclare qu'il a été attaqué par une bande de mercenaires qui, d'après lui, étaient probablement envoyés par l'ancien associé de son père. Avec quelle noblesse et avec quel courage il se défendit contre cette meute de vauriens sanguinaires ! Avec modestie il raconte comment il les a mis en fuite tout seul ! Sans préciser, bien sûr, que son agresseur était un garçon de dix-neuf ans qui ne s'était jamais battu de sa vie et qui, sans aucun doute, ne lui voulait aucun mal. Ni qu'il l'avait suivi pour se jeter sur lui sans lui laisser la moindre chance de se défendre. Il omet de mentionner qu'il a commis ce crime afin d'avoir le champ libre pour en perpétrer de plus odieux par la suite.

Et il ne dit pas que par ce méfait il avait éteint la lumière de ma vie, plongeant pour moi le monde dans les ténèbres et me refusant à jamais tout bonheur. J'étais la cause de la mort de Matthew : ma méfiance l'avait rendu téméraire et il importait peu que ce fût moi qui souffre le plus en conséquence. Gloire à Dieu, mon Absalon, mon argile que j'ai moi-même façonnée pour en faire la plus belle créature. Si seulement Dieu avait permis que je meure pour toi, mon fils, mon fils. (2 Samuel 18, 33.)

Son obéissance était à la hauteur de sa piété, sa piété n'avait d'égale que sa fidélité, sa fidélité était aussi grande que sa beauté. Je m'étais imaginé vieillissant avec lui à mes côtés pour me réconforter, comme aucune femme ne pourrait jamais le faire. Lui seul rendait le jour lumineux et faisait naître l'espoir avec l'aube. C'est l'amour que portait Saül à David, et je déplorais l'âpreté de mon châtiment.

Qui aime fils ou fille plus que moi n'est pas digne de moi. (Matthieu 10, 37.) Combien de fois ai-je lu ces mots sans comprendre quel fardeau ils faisaient peser sur toute l'humanité, car auparavant je n'avais jamais aimé ni homme ni femme.

La leçon était venue avec force et rapidité, et je ne l'acceptais pas. Je suppliai le Tout-Puissant de faire que cela ne fût pas : mon domestique s'était trompé et c'était un autre qui était mort.

Je savais qu'il était mal de désirer qu'un autre souffrît à ma place, qu'un autre père eût du chagrin. Notre-

Seigneur avait accepté sa croix, mais lui-même avait prié pour que le fardeau lui fût retiré, et c'est ce que je fis.

Et le Seigneur me répondit que j'avais trop aimé ce garçon, m'obligeant à me souvenir des nuits où il avait dormi dans mon lit tandis que je restais éveillé à écouter sa respiration, me retenant de tendre la main pour le toucher.

Et je me rappelle comment j'avais supplié d'être délivré de mes désirs tout en souhaitant les assouvir.

Tel était mon châtiment, amplement mérité. Je crus mourir de mes souffrances et ne jamais me remettre de cette perte.

Et une froide colère crût dans mon cœur, car je savais que c'était Marco da Cola qui avait tenté mon très cher enfant, l'avait éloigné de moi et l'avait séduit de manière qu'il ne s'aperçût pas que l'on dégainait le poignard.

Je demandai que Dieu me dît ce qu'Il avait dit à David : Vois, je livre ton ennemi entre tes mains, tu le traiteras comme bon te semble. (1 Samuel 24, 4.) Je jurai que cet acte brutal mènerait ce Cola à sa perte.

Il est écrit : Qui répand le sang de l'homme, par l'homme son sang sera répandu. (Genèse 9, 6.)

Je remercie Dieu de me permettre de cacher à tous mes émotions et de m'avoir donné un profond sens du devoir, car c'est seulement grâce à cette faculté que j'ai pu me relever et reprendre ma tâche. Aussi priai-je ; puis je me forçai à me remettre au travail. Je n'ai jamais rien fait de plus pénible, car je ne modifiai pas mon comportement qui passe pour de la froideur, alors que mon cœur n'arrêtait pas de saigner. Je ne dirai rien de plus à ce sujet, cela ne regarde personne. J'ajouterai simplement qu'à partir de ce jour-là je n'eus plus qu'un but à l'esprit, un seul dessein, un unique désir ; endormi ou éveillé, cette pensée ne quittait jamais mon esprit.

Matthew m'avait dit que lorsqu'il se trouvait aux Pays-Bas il ne croyait pas avoir été soupçonné par Cola ; s'il l'avait été, l'enfant serait sûrement mort avant même d'avoir remis le pied sur le sol anglais. Il était par conséquent manifeste que Cola avait découvert le pot aux roses en arrivant à Londres, et ce parce que j'avais fait part à M. Bennet de mes soupçons et signalé que Matthew était au courant. J'aurais dû savoir qu'il n'existe pas de courtisan discret et qu'à Whitehall personne ne sait garder un secret. C'est pourquoi je décidai que je n'informerais plus jamais M. Bennet du progrès de mon enquête : non seulement pour éviter que des bavardages n'avertissent Cola, mais également parce que je voulais rester moi-même en vie, sachant que si l'Italien avait assassiné Matthew pour le peu qu'il savait, comment pourrait-il s'abstenir de chercher à attenter à ma propre vie ?

Néanmoins, je ne fus pas du tout étonné d'apprendre qu'un jeune chercheur était arrivé à Oxford et avait exprimé l'intention d'y demeurer quelque temps.

Mais je fus extrêmement surpris quand sa première démarche, ou presque, fut de se mettre en rapport avec la famille Blundy.

Chapitre huit

Je dois faire une pause dans ma narration pour évoquer cette famille, vu que le récit de Cola est fallacieux du début à la fin et que si d'aventure Prestcott mentionne ce sujet dans ses élucubrations, il en donnera forcément une version déraisonnable. Ressentant une étrange fascination pour cette fille, il se convainquit qu'elle voulait sa perte — même si je ne vois pas du tout comment elle eût pu accomplir cet exploit. Ce n'était d'ailleurs pas nécessaire : Prestcott semblant avoir décidé de se perdre lui-même, toute aide extérieure était superflue.

Je connaissais la réputation d'agitateur du mari au sein de l'armée et on m'avait dit qu'il était mort. Je savais également, bien sûr, que sa femme s'était établie à Oxford avec leur fille. Je les fis surveiller quelque temps par mes informateurs, mais dans l'ensemble je les laissai en paix : si elles n'enfreignaient pas la loi, je ne voyais aucune raison de les persécuter, même si en matière de religion il s'agissait de dissidentes notoires. Comme j'espère l'avoir montré clairement, ce qui me préoccupait c'était l'ordre social, et je ne cherchais pas à ergoter tant qu'une apparence de conformité religieuse était maintenue. Je sais que nombreux sont ceux (parmi eux se trouvent des hommes que je tiens en haute estime dans d'autres domaines, comme M. Locke) qui soutiennent la doctrine de la tolérance, mais je suis totalement en désaccord avec eux si cela implique qu'on pratique une religion en dehors de l'Église établie. Un État ne peut pas davantage survivre sans une religion unique que sans la cohésion de son gouvernement, car nier l'Église c'est, en définitive, nier toute autorité civile. C'est la raison pour laquelle je soutiens la vertueuse médiocrité qu'observe l'anglicanisme, entre l'apparat ostentatoire de Rome et le négligé sordide des conventicules de fanatiques.

En ce qui concerne les Blundy, mère et fille, j'étais satisfait de voir que la leçon que leur avait infligée l'échec de leurs ambitions avait été comprise. Même si je savais qu'elles restaient en relation avec toutes sortes de républicains d'Oxford et d'Abingdon, leur conduite n'éveillait aucune inquiétude. Tous les trois mois elles se rendaient à l'église et si, le visage fermé, elles demeuraient au dernier rang, refusant de chanter et ne se levant qu'avec réticence, cela ne me gênait pas. Elles exprimaient leur soumission, et leur obéissance servait de leçon à tous ceux qui auraient pu songer à se rebeller. Si même la femme qui avait jadis dirigé le feu des soldats contre les troupes royalistes au célèbre siège de Gloucester n'avait plus la volonté de résister, pourquoi donc ceux qui n'avaient pas sa fougue auraient-ils agi différemment ?

Aujourd'hui, rares sont ceux qui connaissent cette histoire. Je l'évoque en partie parce qu'elle illustre le caractère de ces gens, et en partie parce qu'elle mérite d'être mise par écrit ; c'est le genre d'anecdote qui plaît tant à un homme comme M. Wood. Ned Blundy était déjà au service du Parlement à cette époque et sa femme le suivait avec toutes les autres femmes de soldats afin que son homme fût nourri et vêtu correctement pendant les campagnes. Il faisait partie des troupes d'Edward Massey et se trouvait à Gloucester lorsque le roi Charles assiégea la ville. Nombreux sont ceux qui ont entendu parler de cette lutte sans merci au cours de laquelle la résolution d'un camp n'avait d'égale que la détermination de l'autre, et aucun des deux ne manquait de courage. Le roi avait l'avantage parce que la défense de la ville était faible et mal organisée, mais Sa Majesté, comme à l'accoutumée chez ce prince toujours bien plus noble qu'avisé, tarda à attaquer. Les parlementaires se prirent à espérer qu'un peu plus d'endurance de leur part permettrait à la relève de venir à leur secours.

Il ne fut pas facile d'en persuader les habitants et les simples soldats, d'autant plus que la bravoure des officiers décimait ces derniers et que de plus en plus de sections et de compagnies se trouvaient décapitées. Pendant l'épisode dont je parle, une compagnie de soldats du roi tenta d'opérer une brèche à l'un des endroits où la défense de la ville était relativement faible, sachant que les soldats défendant cette partie étaient las et irrésolus. Au début, en effet, on eut l'impression que cette attaque hardie allait réussir, vu le nombre de ceux qui atteignirent les remparts, tandis que les défenseurs découragés commençaient à se retirer. Dans quelques minutes, le mur d'enceinte serait sous leur contrôle et toute l'armée des assiégeants se déverserait dans la ville.

C'est alors que l'héroïne de l'histoire s'avança : elle attacha son jupon avec sa ceinture, puis ramassa le pistolet et l'épée d'un soldat tombé. « Suivez-moi ou je mourrai seule ! » se serait-elle exclamée avant de charger la meute des attaquants, pourfendant tout ce qui lui tombait sous la main. Les parlementaires eurent tellement honte de leur lâcheté, ainsi révélée au grand jour par une simple femme, et le ton de leur nouveau chef était si impérieux que, ragaillardis, ils chargèrent à leur tour. Ils refusèrent de céder un pouce de terrain supplémentaire, et la férocité de leur attaque força les royalistes à la retraite. Comme les assaillants retournaient vers leur camp, la femme fit mettre les défenseurs en rangs et dirigea le feu contre le dos des royalistes jusqu'à la dernière balle des mousquets.

Comme je l'ai annoncé, il s'agissait de la femme d'Edmund Blundy, Anne, qui était déjà connue pour sa férocité sanguinaire. Je ne crois pas nécessairement qu'elle dénuda sa poitrine avant de charger les rangs des royalistes, afin qu'ils n'osassent pas frapper par galanterie, mais ce n'est pas impossible et cela confirmerait sa réputation d'impudeur et de violence.

Ainsi était cette femme qui, à mon avis, était plus violente en pensée et en action que son mari. Elle se targuait d'être voyante, affirmant que sa mère avait possédé ce pouvoir, ainsi que la mère de sa mère. Elle fit même des discours au cours de réunions de soldats, inspirant la terreur tout autant qu'elle provoquait les moqueries. C'est elle, j'en suis persuadé, qui poussa son mari à prendre des positions de plus en plus dangereuses et criminelles, car elle vouait le plus profond mépris à toute autorité jusqu'à ce qu'elle finît par s'y soumettre volontairement. Elle affirmait qu'un mari ne devait pas avoir plus d'autorité sur sa femme qu'une femme sur son mari. Je suis certain qu'elle aurait tôt ou tard affirmé que l'homme et l'âne devaient vivre ensemble sur un pied d'égalité.

Et il était, sans aucun doute, vrai qu'elle et sa fille n'avaient ni l'une ni l'autre renoncé à ce genre de théorie. Tandis que la plupart de leurs congénères, avec réticence ou enthousiasme, avaient mis de côté leurs anciennes croyances quand les temps changèrent et que le roi remonta sur le trône, certains persistèrent dans l'erreur malgré l'évident retrait de la faveur divine. Ceux-là considéraient le retour du roi comme une épreuve envoyée par Dieu, comme un bref hiatus avant l'arrivée du roi Jésus et l'établissement de son règne de mille ans. Ou bien ils voyaient la Restauration comme un signe du mécontentement divin, un encouragement à être de plus en plus fanatiques afin de regagner sa bienveillance. Ou encore ils rejetaient Dieu et toutes ses œuvres, déplorant le tour qu'avaient pris les événements et se laissant aller à l'apathie qu'entraîne la convoitise frustrée.

Je n'ai jamais su à quoi croyait précisément Anne Blundy et, en fait, cela ne m'intéressait guère. Tout ce qui comptait pour moi c'est qu'elle restât tranquille, et elle semblait tout à fait disposée à ne pas se faire remarquer. Une fois, cependant, je questionnai M. Wood à son sujet, car j'avais appris que sa mère employait la fille chez eux comme bonne à tout faire.

« Vous savez d'où elle vient, j'imagine, lui dis-je. Vous connaissez sa famille et ses croyances ?

— Oh, oui ! Je connais leur passé et je sais ce qu'elles sont à présent. Pourquoi posez-vous cette question ?

— J'ai de l'affection pour vous, jeune homme, et je ne voudrais pas que votre famille ou votre mère aient à pâtir de leur réputation.

— Je vous suis reconnaissant de l'intérêt que vous nous portez, mais soyez sans crainte. La fille est en parfaite conformité avec toutes les lois ; elle est si obéissante que je ne l'ai jamais entendue exprimer la moindre opinion. Sauf au retour de Sa Majesté lorsque ses yeux se sont remplis de larmes de joie. Vous pouvez être tranquille là-dessus, car ma mère ne reçoit même pas chez elle un presbytérien.

— Et la mère ?

— Je ne l'ai rencontrée qu'en de rares occasions, mais je l'ai trouvée plutôt quelconque. Elle a réussi à économiser de quoi acheter une blanchisserie et elle travaille très dur. Je crois que son seul but est de mettre de côté assez d'argent pour la dot de sa fille, et c'est la principale préoccupation de Sarah également. Je suis aussi au courant de sa réputation grâce à ma recherche, mais je crois que la folie factieuse l'a totalement quittée comme elle a quitté le pays dans son ensemble. »

Je ne pris pas l'opinion de M. Wood pour argent comptant, doutant de sa faculté de saisir le sens profond de ce genre d'affaire, mais son récit m'ayant rassuré, je me tournai avec soulagement vers des proies plus intéressantes. De temps en temps, je notais que la fille s'était rendue à Abingdon, Banbury ou Burford ; que des hommes à la loyauté douteuse — tels que le mage irlandais que j'ai mentionné plus haut — venaient dans leur petite chaumière. Cependant, je ne me faisais pas beaucoup de souci. Elles semblaient décidées à abandonner leur ancien désir de refaire l'Angleterre à leur image et paraissaient se contenter de gagner autant d'argent que leur situation et leur compétence le leur permettaient. Je ne pouvais leur reprocher ce but louable et je ne leur prêtai guère d'attention jusqu'à ce que Marco da Cola se rendît tout droit à leur masure sous le prétexte de traiter la blessure de la vieille femme.

J'ai naturellement lu sa version des faits avec le plus grand soin. L'extrême habileté avec laquelle il donne l'impression que son attitude était innocente et charitable force presque l'admiration. Je note que sa technique consiste à dire toujours une partie de la vérité, tout en enfouissant le moindre fragment de véracité sous d'innombrables couches de mensonges. Difficile d'imaginer que quelqu'un puisse se donner tant de peine, et, si je ne connaissais pas le fin mot de l'affaire, je serais sans doute convaincu de sa sincérité et de sa grande générosité.

Mais regardons les choses de plus haut, grâce à certains renseignements que M. Cola se garde bien de fournir. Habitué des cercles républicains des Pays-Bas, il arrive à Oxford et quelques heures après il fait la connaissance de la famille qui connaît plus de personnes de cet acabit que quiconque dans le pays. Bien qu'elles ne soient pas du tout de son rang, il rend visite aux deux femmes trois ou quatre fois par jour et prodigue davantage de soins à la malade qu'un vrai médecin au plus riche de ses patients. Aucun homme sensé ou raisonnable n'agit de la sorte, mais le talent de conteur de M. Cola est tel que, lorsqu'on le lit, une attitude aussi absurde et improbable semble parfaitement compréhensible.

Quand M. Boyle m'annonça qu'il avait également gravité vers la société des philosophes de la Grand-Rue, je sus que j'avais enfin la possibilité d'en apprendre davantage sur les mouvements et les idées de cet individu.

« J'espère que cela ne vous gêne pas que je l'aie pris sous mon aile de cette façon, me déclara Boyle, mais votre récit était si fascinant que lorsque l'homme est apparu en personne dans le café, je n'ai pu résister à l'envie de l'étudier moi-même. Et j'avoue qu'à mon sens, vous vous trompez sur lui du tout au tout.

— Vous n'avez pas été en désaccord avec mon argumentation.

— Mais il s'agissait de spéculations oiseuses et abstraites. Maintenant que je l'ai rencontré je ne suis plus d'accord. Nous devons évidemment toujours prendre le caractère en ligne de compte, car c'est le guide le plus sûr pour parvenir à l'âme de l'homme et, par conséquent, deviner ses desseins et mettre au jour ses actions. Je ne vois rien dans son caractère qui puisse coïncider avec vos spéculations à propos de ses motifs. Tout au contraire !

— Il est malin, et vous êtes crédule. Autant dire qu'un renard ne fera aucun mal à une poule parce qu'il s'approche d'elle lentement et en douceur. Il n'est dangereux que lorsqu'il attaque...

— Les hommes ne sont pas des renards, docteur Wallis, et je ne suis pas une poule.

— Vous admettez la possibilité de l'erreur, cependant ?

— Bien sûr. »

Et Boyle eut ce petit sourire ironique qui indiquait qu'il avait du mal ne serait-ce qu'à concevoir une telle notion.

« Donc vous reconnaissez qu'il est cependant prudent de le garder à l'œil. »

L'idée lui arracha une grimace.

« Je ne ferai rien de tel. Je suis ravi de vous rendre bien des services, mais je ne jouerai pas les délateurs. C'est une de vos occupations, je le sais, mais je ne souhaite pas y participer. Vous exercez une profession vulgaire et méprisable, docteur Wallis.

— Je respecte beaucoup votre délicatesse, rétorquai-je, piqué par des propos dont la vigueur était inhabituelle. Mais parfois la sûreté du royaume ne peut faire la fine bouche.

— Le royaume ne peut pas s'abaisser non plus à forcer des hommes d'honneur à recourir à des procédés sordides. Vous devriez prendre garde, mon révérend. Vous souhaitez protéger l'intégrité de la bonne société, et cependant vous utilisez les moyens du ruisseau pour atteindre votre but.

— J'aimerais utiliser la raison pour convaincre les hommes de bien se conduire, mais ils semblent remarquablement insensibles à une telle méthode.

— À force de les harceler vous risquez de les pousser à commettre des actions déraisonnables qu'ils ne soutiendraient pas normalement. C'est un vrai risque, vous savez !

— D'ordinaire, je serais d'accord avec vous. Mais je vous ai parlé de M. Cola et vous avez été d'accord que mes craintes étaient raisonnables. Et j'ai moi-même assez souffert à cause de lui pour être sûr qu'il est dangereux. »

Boyle me présenta ses condoléances pour la mort de Matthew et m'offrit des paroles de réconfort. C'était le plus généreux des hommes ; il acceptait le risque de se faire rabrouer en suggérant qu'il était conscient de l'ampleur de mon chagrin. Je lui en étais reconnaissant, refusant toutefois que ses paroles sur la résignation chrétienne me détournent de mon dessein.

« Vous allez pourchasser cet homme alors que vous n'avez aucune preuve qu'il a tué votre serviteur.

— Matthew était à ses trousses ; il est chez nous pour commettre un crime et c'est un tueur notoire. Vous avez raison, je ne possède aucune preuve formelle puisque je n'ai pas été témoin de son méfait et que personne d'autre n'était présent. Je vous défie, cependant, de me donner une bonne raison qui le disculpe.

— C'est peut-être vrai. Mais moi, je refuse de le condamner avant d'avoir davantage de preuves. Écoutez-moi bien, mon révérend. Assurez-vous que votre colère n'obscurcit pas votre vision et ne vous ravale pas à son niveau. "Mon œil affecte mon cœur", est-il dit dans les Lamentations. Évitez que le contraire ne devienne vrai. »

Il se leva pour prendre congé.

« Si vous ne voulez pas m'aider, je suppose qu'au moins vous ne voyez pas d'inconvénient à ce que j'en parle à M. Lower, m'exclamai-je, furieux de la manière cavalière dont il pouvait traiter des questions de cette importance.

— C'est une affaire entre vous et lui, quoiqu'il protège ses amis et qu'il soit prompt à défendre leur honneur. Je doute qu'il vous aide s'il comprend ce que vous désirez : il s'est entiché de cet Italien et il se targue de savoir juger les hommes. »

Ainsi averti, je priai le médecin de me recevoir le lendemain. J'avais une certaine considération pour Lower. À l'époque, il affectait une allure frivole et désinvolte, mais même un homme moins perspicace que moi aurait pu s'apercevoir qu'il était dévoré par une soif de gloire et de réussite sociale. Je savais qu'il ne se contenterait pas toujours de découper ses animaux, de jouer les seconds rôles et de demeurer à Oxford. Il voulait être reconnu pour ses travaux et prendre place parmi les plus grands expérimentateurs. Et il savait comme tout le monde que pour avoir l'occasion de se faire connaître à Londres il avait besoin que la fortune lui sourît et de quelques très bons amis. C'était son point faible et ma chance.

Je l'envoyai chercher sous le prétexte de le consulter sur ma santé. Je ne souffrais de rien à l'époque et, à part une faiblesse des yeux, je ne souffre de rien aujourd'hui non plus. Nonobstant cela, j'affectai une douleur au bras et me soumis à un examen. C'était un bon médecin : contrairement à ces charlatans qui débitent des paroles pompeuses et aboutissent à un diagnostic compliqué avant de prescrire un remède aussi stupide que coûteux, Lower avoua sa totale perplexité, affirmant qu'il ne pensait pas que je souffrais du moindre mal. Il recommanda le repos — remède plutôt bon marché, il faut le reconnaître, mais que je ne pouvais pas m'offrir même si j'en avais eu besoin.

« Je crois comprendre que vous avez fait la connaissance d'un certain Cola, n'est-ce pas ? lui dis-je lorsque je lui eus donné un verre de vin pour le remercier de sa peine. Que vous l'avez pris sous votre aile, en fait ?

— En effet, monsieur. Le signor Cola est un gentilhomme et un subtil philosophe. Boyle le trouve très utile. C'est un homme charmant et cultivé, et ses idées sur le sang sont fascinantes.

— Vous me voyez fort soulagé. Car je fais grande confiance à votre jugement dans ce genre d'affaire.

— Pourquoi avez-vous besoin d'être soulagé ? Vous ne le connaissez pas, n'est-ce pas ?

— Pas le moins du monde. N'y pensez plus ! J'ai toujours eu comme principe de me méfier des rapports des correspondants étrangers ; en outre, lorsque leur opinion contredit celle d'un Anglais, je la rejette avec plaisir. J'oublie volontiers ce que j'ai entendu dire. »

Lower fronça les sourcils.

« De quoi s'agit-il ? Sylvius a brossé de lui un portrait favorable.

— Pour sûr, pour sûr ! m'exclamai-je. Et juste, sans aucun doute, de son point de vue. Nous devons toujours juger les hommes d'après ce que nous voyons d'eux et évaluer les opinions opposées à la lumière de notre expérience, n'est-il pas vrai ? "Mais la langue, aucun des hommes ne peut la dompter : mal sans repos, remplie qu'elle est d'un venin mortel." (Jacques 3, 8.)

— Quelqu'un a-t-il dit du mal de lui ? Allons, monsieur, soyez franc avec moi ! Je sais que vous êtes trop bon pour calomnier quelqu'un, mais si on répand des rumeurs il vaut mieux que l'objet de ces calomnies en soit averti, qu'il ait la possibilité de se défendre.

— Vous avez raison, bien sûr. J'hésite seulement parce que cette rumeur semble si peu fondée qu'elle ne mérite guère l'attention. Je suis absolument persuadé de sa fausseté. Il est sans doute difficile de croire qu'un gentilhomme puisse agir aussi bassement.

— "Bassement" ?

— Il s'agit du séjour que fit le signor Cola à Padoue. Un mathématicien qui s'y trouve et avec qui j'entretiens une correspondance m'a signalé l'affaire. Il est connu de M. Oldenburg, membre de notre société, et je me porte garant de son honorabilité. Il a simplement dit qu'il y avait eu un duel. Apparemment, quelqu'un avait mené une expérience sur le sang et l'avait expliquée en détail à ce Cola. Ensuite, ce dernier a affirmé être l'auteur de l'expérience. Quand on l'a prié de reconnaître le véritable auteur, il a jeté le gant. Heureusement, le combat fut interdit par les autorités.

— Ces malentendus arrivent parfois, admit Lower, l'air pensif.

— Évidemment, répondis-je d'un ton enjoué. Et il est possible que votre ami ait eu entièrement raison. Puisqu'il est votre ami, je suppose que c'était en effet le cas. Certains, cependant, sont assoiffés de gloire. Je suis content que la philosophie ne connaisse pas ce genre d'entrave : soupçonner ses amis et faire attention à ce qu'on dit de peur qu'ils ne vous volent la renommée qui vous appartient légitimement serait intolérable. D'ailleurs, du moment que la découverte est faite, qu'importe à qui elle profite ? Nous n'agissons pas pour la gloire, après tout. Nous œuvrons pour celle de Dieu, et Lui seul connaîtra la vérité. Peut nous chaut l'opinion d'autrui ! »

Lower hocha la tête avec un tel entrain que je sus que j'avais réussi à le mettre sur ses gardes.

« En outre, repris-je, personne n'aurait la stupidité de chercher querelle à quelqu'un tel que Boyle, car qui croirait ses prétentions plutôt que la parole d'un tel homme ? Seuls sont vulnérables ceux dont la réputation n'est pas si bien établie. Donc il n'y a aucun problème, même dans le cas où le portrait brossé par mon correspondant serait véridique. »

En parlant ainsi à Lower mon dessein était entièrement honorable, même si je commettais un mensonge. Je ne pouvais pas lui avouer mes véritables préoccupations,

615

mais il était fondamental que Cola ne jouît pas de la liberté de tromper le monde en exploitant la confiance de Lower. « Quant à celui qui l'a averti, il aura préservé sa vie. » (Ézéchiel 33, 5.) En éveillant les soupçons de Lower à propos de l'honnêteté de Cola, je le rendais plus à même de percer la duplicité de cet individu. Je le persuadai de ne parler à personne de cette histoire, sous prétexte que si le récit était vrai rien de bon ne pourrait en sortir, et que s'il était faux il ne ferait que susciter une inimitié sans fondement. C'est un homme plus lucide qui prit congé de moi : il était plus méfiant qu'à son arrivée, et ça aussi c'était une bonne chose. Il est dommage, cependant, que son manque de sang-froid ait failli effrayer Cola au point de lui faire tout quitter : Lower était trop honnête pour dissimuler, et le manuscrit de Cola montre trop bien comment ses doutes et ses inquiétudes intérieurs éclatèrent violemment à la surface.

Pendant la conversation, Lower signala également que Cola l'avait accompagné à la prison pour rendre visite à Jack Prestcott dans sa cellule ; l'Italien avait fourni avec empressement du vin au jeune homme, étant en fait revenu pour le livrer en personne, et avait passé un long moment en conversation avec lui. Voilà un autre événement curieux qu'il fallait examiner avec soin. Cola était vénitien et sir James avait été au service de Venise ; il est possible qu'il n'ait fait que montrer sa reconnaissance au fils d'un homme qui avait servi son pays avec dévouement. L'autre lien était l'exemplaire du Tite-Live, car en 1660 sir James avait chiffré sa lettre en l'utilisant et, trois ans plus tard, Cola avait reçu une missive codée grâce au même livre. Absolument perplexe, je me rendais compte qu'il me faudrait à nouveau interroger le jeune Prestcott ;

je pensais pouvoir lui tirer les vers du nez, vu que sa situation présente l'empêcherait de m'opposer trop de résistance.

Je dois avouer que je commençais à avoir des doutes sur mon analyse des desseins de Cola, ses actes ne correspondant pas aux projets que je lui prêtais. Je n'étais pas (je le répète) le moins du monde dogmatique : les conclusions auxquelles j'étais parvenu s'appuyaient sur des principes sérieux et sur une analyse raisonnée et libre de tout préjugé. Pour dire les choses simplement, il m'apparut que s'il désirait attenter aux jours du roi, qui partageait désormais son temps entre Whitehall, Tunbridge et les champs de courses de Newbury, alors il était étrange de choisir Oxford comme lieu de résidence. Et pourtant c'était bien là que se trouvait Cola et il ne montrait aucun désir de s'en aller. Aussi, lorsque le Dr Grove m'annonça que l'Italien allait dîner au collège ce soir-là, surmontai-je ma répugnance et décidai-je d'être présent afin de voir et d'entendre moi-même cet individu.

Le moment est peut-être venu de brosser le portrait du Dr Grove : en effet sa fin fut tragique et c'était, avec le directeur Woodward, le seul maître de New College envers lequel j'avais de la considération. Que nous n'ayons rien eu en commun, à part le fait que nous étions tous les deux dans les ordres, est vrai sans aucun doute ; les mérites de la nouvelle philosophie lui avaient totalement échappé, et il était encore plus strict que moi en ce qui concerne la nécessité d'être en totale conformité avec l'Église. C'était, malgré tout, un homme bon, dont la rigueur implacable en matière de doctrine s'accordait mal avec la générosité de tempérament. Il n'avait aucune raison de m'aimer, puisque je représentais tout ce qu'il détestait, et cependant il recherchait ma compagnie ; ses principes étaient généraux et n'affectaient en rien son jugement sur les individus.

À part sa fonction d'ecclésiastique, il se considérait comme un astronome privé ; il n'avait encore rien publié et, je le dis à regret, rien de lui ne fut jamais publié. Même s'il avait vécu, je soupçonne que le fruit de son labeur n'aurait jamais vu le jour, car Grove était si modeste et si indifférent à la notoriété qu'il pensait que publier relevait de l'arrogance et de la présomption. Il appartenait à une espèce de plus en plus rare qui honore Dieu et l'université humblement, en silence, et qui croit que le savoir apporte sa propre récompense.

Il était revenu dans son université quand le roi était remonté sur son trône, mais il souhaitait maintenant s'en aller et prendre une paroisse à la campagne dès qu'il s'en libérerait une. Il avait toutes les chances de parvenir à ses fins, ayant pour seul rival ce misérable petit jeune homme, Thomas Ken, dont la candidature était soutenue par certains pour la seule raison qu'ils souhaitaient débarrasser le collège de ce triste personnage. En un sens, son départ imminent me chagrinait, car je trouvais la compagnie de Grove étrangement stimulante. Je n'irai pas jusqu'à dire que nous étions amis, ce serait exagéré, et il avait certainement une manière de s'adresser aux gens qui faisait regimber ceux qui ne percevaient pas sa bonté sous-jacente. Il était desservi par une langue trop bien pendue et un esprit acéré qu'il n'avait jamais su maîtriser. C'était un homme plein de contradictions, et l'on ne savait jamais à quoi s'attendre quand on conversait avec lui ; il pouvait être d'une extrême bonté ou d'une ironie mordante. En fait, il avait porté à la perfection l'art d'être les deux à la fois.

Grove m'avait invité à loger à New College quand des travaux rendirent ma maison inhabitable. Un décès et un retard dans l'élection d'un nouveau professeur ayant libéré un appartement, le collège, comme c'était l'habitude, avait décidé de le louer jusqu'à ce que le nouveau maître le réclamât. N'ayant jamais aimé la vie en commun, même lorsque j'étais moi-même étudiant, j'avais été absolument ravi de l'abandonner dès que j'avais obtenu ma première promotion. En tant que professeur, j'avais le droit de me marier et de vivre chez moi ; cela faisait, par conséquent, près de vingt ans que je n'avais pas vécu joue à joue avec d'autres. Je trouvai l'expérience étrangement amusante, et la solitude de ma chambre propice au travail. J'en vins même à regretter l'époque de la jeunesse et l'absence de responsabilité qui la caractérise, lorsque tout est à faire et que rien n'est sûr. Mais ce sentiment disparut bientôt et déjà l'attrait de New College s'estompait rapidement. À part Grove, les autres maîtres étaient médiocres, un grand nombre d'entre eux étaient corrompus et négligeaient totalement leurs devoirs. Je me retirais de plus en plus, passant le moins de temps possible parmi eux.

Le soir, Grove me tenait très souvent compagnie : il prit l'habitude de frapper à ma porte chaque fois qu'il souhaitait discuter. Au début, je fis tout pour le dissuader, mais il ne se laissait pas facilement décourager, et je finis par m'apercevoir que ce dérangement me procurait un certain plaisir, sa présence m'empêchant de trop ressasser mon chagrin. En outre, nos discussions étaient de grande qualité, même si nous n'étions pas toujours des adversaires de force égale. Grove s'était formé au débat scolastique que moi j'avais évité de mon mieux, comme étant trop contraignant pour l'imagination. Et, ainsi que je m'efforçai de le lui démontrer, la nouvelle philosophie ne peut absolument pas être exprimée en termes de définitions, d'axiomes, de théorèmes, d'antithèses et avec tout l'apparat de l'aristotélisme officiel. Grove ne voyait là que mensonge et duperie, car il soutenait — c'était pour lui une question de doctrine — que les beautés et les subtilités de la logique renfermant toutes les possibilités, si un cas ne pouvait être débattu selon les formes, cela prouvait qu'il n'était pas défendable.

« Je suis persuadé que vous trouverez en M. Cola un débatteur intéressant, dis-je quand il m'annonça que l'Italien souperait avec nous ce soir-là. M. Lower m'a indiqué que c'est un expérimentateur enthousiaste. Je ne peux prédire, cependant, s'il appréciera votre sens de l'humour. Je compte moi-même participer au dîner et voir ce que cela va donner. »

Grove rayonna de plaisir et je me rappelle qu'il essuya son œil rouge et enflammé avec un linge.

« Merveilleux ! s'exclama-t-il. Nous pourrons nous retrouver ensuite tous les trois pour boire une bouteille et avoir un véritable débat. Pouvez-vous en commander une ? J'espère bien le houspiller, vu que lord Maynard dînera avec nous et que je veux lui montrer mes talents de débatteur. Lord Maynard verra ainsi la valeur de celui qui jouira de son bénéfice.

— J'espère que Cola ne sera pas vexé d'être utilisé de cette façon.

— Je suis persuadé qu'il ne s'en rendra même pas compte. En outre, il a des manières charmantes et il fait preuve d'une déférence de bon ton. Contrairement à la réputation des Italiens, je dois l'avouer, car j'ai toujours entendu affirmer qu'ils étaient mielleux et obséquieux.

— Je crois comprendre qu'il est vénitien. On dit qu'ils sont aussi glacials que leurs canaux et aussi secrets que les cachots du doge.

— Cela n'a pas été mon opinion. Confus d'esprit et coupable des erreurs de la jeunesse, sans doute, mais pas du tout glacial ni secret. Vous vous en rendrez compte par vous-même, d'ailleurs. » Il se tut un instant et fronça les sourcils. « Mais, j'oubliais, je viens tout juste de la faire et déjà je dois retirer mon invitation.

— Pourquoi donc ?

— À cause de M. Prestcott. Vous le connaissez ?

— J'ai entendu les rumeurs.

— Il m'a fait parvenir un message requérant ma visite. Savez-vous que j'ai été jadis son précepteur ? C'est un garçon fatigant, sans intelligence et sans don pour l'étude. Très étrange, en fait... Charmeur un moment, boudeur et coléreux l'instant d'après ! Il y a quelque chose de méchant et de violent en lui, et il est excessivement superstitieux. Enfin, il souhaite me voir : il semble que la perspective du gibet le fasse réfléchir à sa vie et à ses péchés. Je n'ai aucune envie d'y aller, mais je suppose que c'est mon devoir. »

À cet instant, je pris brusquement une décision : je me rendais compte que si je devais traiter avec Prestcott il me faudrait le faire le plus vite possible. C'était peut-être un simple caprice, ou peut-être un ange parla-t-il par ma bouche. Ou peut-être me méfiai-je simplement de cet accès de piété chez Prestcott qui n'avait pas paru particulièrement bourrelé de remords d'après ce que son geôlier m'avait dit. Quoi qu'il en soit, je pris alors cette décision fatale.

« N'y allez pas ! dis-je avec fermeté. Vos yeux ont l'air affreusement irrités et je suis sûr que le vent nocturne les meurtrira encore plus. J'irai à votre place. Si c'est un prêtre qu'il désire voir, je ferai aussi bien l'affaire... Et si c'est vous personnellement qu'il souhaite rencontrer, vous pourrez toujours y aller plus tard. Rien ne presse. Les assises n'arrivent que dans plus d'une semaine, et l'attente rendra ce jeune homme encore plus docile. »

Je n'eus pas besoin de recourir davantage à l'art de la persuasion pour l'obliger à suivre mes conseils. Rassuré sur le fait qu'une âme en peine n'était pas laissée à l'abandon, il me remercia sincèrement de ma sollicitude et avoua qu'une soirée passée à torturer un expérimentateur lui convenait beaucoup mieux. J'allai jusqu'à commander moi-même la bouteille, vu l'état de ses yeux ; elle fut livrée par mon marchand de vin et placée au pied de l'escalier avec mon nom dessus. C'est la bouteille qu'empoisonna Cola, et c'est pourquoi je sais que le poison m'était destiné.

Chapitre neuf

Je lis dans mon journal que j'avais passé cette journée d'une manière très ordinaire. J'assistai à l'office de St. Mary comme d'habitude ; lorsque j'étais à Oxford j'étais toujours fidèle à l'église de l'université. J'y entendis un sermon ennuyeux (et tout à fait erroné) sur Matthieu 15, 23, qui, même de l'avis des paroissiens les plus zélés, ne présentait aucun mérite, quoique, dans la discussion qui suivit, nous eussions essayé de lui en trouver. J'en ai écouté de nombreux du même acabit et je reconnais que je ressens quelque affinité avec le cérémonial papiste. Le catholicisme a certainement quelque chose d'impie, d'hérétique et de païen, mais au moins il n'expose pas indûment ses fidèles à la bêtise d'imbéciles pompeux qui adorent davantage le son de leur propre voix que leur Seigneur.

Ensuite, je m'occupai de mes affaires. Ma correspondance me prit une heure ou deux, car je n'avais à répondre ce jour-là qu'à quelques lettres ; puis je passai le reste de la journée à rédiger mon livre sur l'histoire de la méthode algébrique, écrivant très facilement les passages où je démontrais, preuves à l'appui, les revendications frauduleuses de Viète dont toutes les inventions furent, en fait, conçues environ trente ans auparavant par M. Harriot.

Des bagatelles ! Mais elles m'occupèrent entièrement jusqu'à ce que vînt le moment de passer ma toge pour descendre à la salle à manger où le Dr Grove me présenta à Marco da Cola.

Je ne puis transcrire la haine qui m'étouffa lorsque je posai pour la première fois le regard sur l'homme qui avait mis fin à la vie de Matthew avec autant de désinvolture que de férocité. Tout dans son apparence physique me dégoûta, à tel point qu'une boule monta dans ma gorge et que je crus un instant que la nausée aurait raison de moi. Son air aimable ne faisait que souligner l'étendue de sa cruauté, ses manières exquises me rappelaient sa violence, la richesse de son costume, la rapidité et le sang-froid avec lesquels il avait perpétré son crime. Que Dieu me pardonne, je ne pouvais supporter la pensée que ce corps empestant le parfum avait approché celui de Matthew et que ces mains grassouillettes et manucurées avaient caressé sa jeune joue si parfaite.

Je craignais que l'expression de mon visage ne m'eût trahi, n'eût révélé à Cola que je savais qui il était et quels étaient ses projets ; il est même possible que ce soit l'horreur qui se lisait sur mon visage qui l'ait poussé à agir plus tôt et à tenter de m'ôter la vie dès le soir. Je ne sais... Nous agîmes tous les deux de notre mieux : nous ne laissâmes, ni l'un ni l'autre, rien transparaître par la suite, et pour les autres commensaux le dîner dut sembler tout à fait normal.

Cola a fait un compte rendu de ce dîner dans lequel il mêle aux insultes contre ses hôtes des exagérations à propos de sa propre conversation. Oh, ces merveilleux discours, ces réponses raisonnées, la patience avec laquelle il passa du baume sur les plaies d'amour-propre et corrigea les grossières erreurs de ses malheureux aînés ! Je dois m'excuser — même si longtemps après ! — de ne pas avoir su apprécier son bel esprit, sa sagacité et sa bonté, car j'avoue que toutes ces grandes qualités m'avaient échappé à l'époque. Au lieu de cela, je vis (ou crus voir, parce que je dus me tromper) un petit homme gauche, doté plutôt de maniérismes que de bonnes manières, vêtu comme un cacatoès et parlant, pour se faire bien voir, d'un ton solennel qui ne parvint pas le moins du monde à dissimuler le caractère superficiel de son savoir. Ses façons affectées de gentilhomme et son mépris envers ceux qui avaient eu la bonté de lui offrir l'hospitalité apparurent clairement à toutes les personnes qui avaient l'infortune d'être assises à côté de lui. Le geste ostentatoire avec lequel il sortit un petit bout de tissu afin de vider ses narines fit rire tout un chacun. Il en alla de même de ses commentaires : à Venise, tout le monde utilise des fourchettes ; à Venise, on boit le vin dans un verre ; à Venise, ceci, à Venise, cela... Il ne nous inspira que dédain. Comme beaucoup d'hommes qui n'ont pas grand-chose à dire, il parla trop, interrompant impoliment et dispensant sa sagesse à ceux qui n'en avaient que faire.

J'en vins presque à le plaindre lorsque Grove, l'œil pétillant de malice, l'aiguillonna comme un bœuf sans cervelle, le poussant d'un côté puis de l'autre, le forçant à émettre des avis totalement ridicules, puis l'obligeant à constater sa propre bêtise. Autant que je pus en juger, il n'y avait aucun sujet sous le soleil sur lequel l'Italien ne possédait un avis ferme et assuré, et aucun de ces avis n'était juste ou mûrement réfléchi. En vérité, il me stupéfia, car je l'avais par la pensée imaginé tout à fait autrement. Il était difficile de comprendre comment un tel homme pouvait être autre chose qu'un bouffon, incapable de faire du mal à quiconque sauf en l'ennuyant à mort, ou en l'asphyxiant avec les effluves parfumés qui émanaient de son corps.

Il ne baissa sa garde qu'une seule fois, et l'espace d'un instant, je pus pénétrer le masque et apercevoir brièvement ce qu'il dissimulait ; mes soupçons m'assaillirent à nouveau et je me rendis compte qu'il avait presque réussi à me faire oublier toute prudence. Je fus pris au dépourvu, alors que je n'aurais pas dû me laisser aller à le mépriser si aisément, le marchand que j'avais questionné dans la prison de Fleet Street m'ayant prévenu. Il avait signalé son étonnement lorsque à Candie des soldats endurcis l'avaient traité avec un profond respect ; moi aussi je m'étais laissé duper.

Jusqu'au moment où, pour la première fois ce soir-là, Cola fut rejeté dans l'ombre à la suite du violent éclat qui se produisit entre Grove et Thomas Ken. Car Cola ressemblait à l'un de ces acteurs qui paradent sur la scène et se pavanent sous le regard admiratif de l'assistance. Tant qu'on les regarde ils sont le personnage qu'ils interprètent, tous les spectateurs croyant voir vraiment le roi Henri à Azincourt ou un prince du Danemark dans son château. Mais quand c'est le tour d'un autre acteur de parler et qu'ils se retrouvent au fond de la scène, regardez-les à ce moment-là... Voyez comment l'ardeur qui les brûlait s'éteint, comment ils redeviennent de simples acteurs, et comment ils ne se métamorphosent derechef que lorsque c'est à nouveau leur tour de jouer la comédie.

Cola était pareil à ces comédiens. Quand Grove et Ken firent assaut de citations et que ce dernier sortit tout penaud de la salle à manger, abattu par la certitude de sa défaite — l'élection pour l'obtention du bénéfice étant fixée à la semaine suivante et la victoire de Grove assurée —, Cola laissa tomber le masque qu'il avait si bien maintenu en place jusque-là. À l'arrière-plan pour la première fois, il se détendit et contempla la scène qui se jouait sous ses yeux. Moi seul le regardais ; les querelles de maîtres ne m'intéressaient pas : j'y étais trop habitué. Je fus seul à apercevoir son regard amusé et la manière dont il saisissait sur-le-champ tout ce qui était dit ou sous-entendu dans cette dispute. Sûr de réussir, il jouait un jeu avec nous tous, mais il sous-estimait son auditoire comme je l'avais moi-même sous-estimé, lui. Il ne vit pas qu'à ce moment précis je jetai un regard jusqu'au tréfonds de son âme et perçus l'intention diabolique qui y était tapie, attendant d'être libérée dès que tout le monde somnolerait et qu'on serait persuadé que cet Italien n'était qu'un imbécile. Cette vision fugitive me redonna du courage et je remerciai le Seigneur de m'avoir accordé un tel signe :

je sus alors qui était Cola et que je pourrais le vaincre. C'était un homme capable de commettre des erreurs, et dont l'excessive assurance constituait le plus grave défaut.

Sa conversation était ennuyeuse même pour Grove, mais les bonnes manières nous obligeaient à l'inviter à boire un verre après le repas et la dernière bénédiction. Je sais que c'est ce qui arriva, bien que Cola affirme le contraire. Il dit que Grove le conduisit directement à la grille du collège et que ce fut leur ultime contact. C'est impossible : un homme aussi courtois que Grove n'aurait pu agir de la sorte. Je ne doute pas que les libations aient été abrégées et que Grove ait menti en déclarant, afin de se débarrasser de Cola, qu'il devait rendre visite à Prestcott, il est inconcevable cependant que la soirée se soit terminée ainsi que celui-ci l'affirme. C'est un autre mensonge délibéré que j'ai découvert dans son récit, même si j'en ai déjà signalé un si grand nombre qu'il n'est guère utile de poursuivre plus loin cet exercice.

Ce qui est sûr c'est que Cola me voyait déjà regagner mon appartement, trouver la bouteille de cognac mêlé de poison au pied de mon escalier — à qui pouvait-elle avoir été destinée puisque Grove était la seule personne empruntant cet escalier et qu'il était censé être absent ce soir-là ? — et la boire. Ensuite, il revint tard dans la nuit, et quoiqu'il ne m'eût pas trouvé mort, il mit mon appartement à sac et prit non seulement la lettre que j'avais interceptée, mais également celle que Samuel m'avait donnée en 1660. C'était un acte odieux, aggravé par le fait qu'il laissa la jeune Blundy mourir à sa place, car je suis sûr qu'il s'était procuré cet arsenic aux Pays-Bas ; il eut le front de mentir et de prétendre qu'il n'en possédait pas dans sa pharmacopée. Quelle monstruosité ! Certains hommes sont si mauvais et si dépravés qu'ils ne reculent devant aucune fourberie.

Cola n'avait pourtant pas prévu que l'objet de sa haine meurtrière se trouverait totalement hors de son atteinte.

Car j'allai rendre visite à Prestcott et, même si je dus subir un traitement indigne de la part de ce misérable, l'affront fut à tout le moins compensé par l'obtention de précieux renseignements. Il faisait froid ce soir-là et je m'emmitouflai aussi chaudement que je le pus en prévision de l'entretien. Prestcott avait, semble-t-il, assez d'amis pour recevoir couvertures et vêtements chauds, même si leur générosité n'allait pas jusqu'à lui fournir des bûches pour allumer un feu dans l'âtre ou autre chose que des chandelles faites à partir de graisse de porc bon marché qui crachotaient et empestaient, tout en ne produisant qu'une faible clarté. J'eus le tort d'omettre d'apporter mes bougies, si bien que la conversation eut lieu quasiment dans le noir, et c'est à cela, ainsi qu'à ma sotte générosité d'esprit, que j'attribue le fait que Prestcott ait pu me surprendre de la sorte.

L'entretien commença par son refus de m'écouter avant que j'eusse promis de lui enlever les lourdes chaînes qui l'attachaient au mur, mesure de coercition nécessaire, comme je l'appris par la suite.

« Il faut comprendre, docteur Wallis... Je suis enchaîné ainsi depuis près de trois semaines, et je suis extrêmement fatigué. Mes chevilles sont couvertes de plaies et le bruit que font les chaînes chaque fois que je me retourne me rend fou. Qui peut craindre que je m'échappe ? A-t-on peur que je creuse les quatre pieds de pierre qui me séparent du monde extérieur et que je m'enfuie en sautant soixante pieds plus bas dans le fossé ?

— Je ne vous détacherai que si je suis un tant soit peu assuré de votre coopération.

— Et je ne coopérerai pas sans quelque assurance de vivre après les prochaines assises.

— Là-dessus, il se peut que je puisse vous offrir quelque chose. Si je suis satisfait de vos réponses, je vous obtiendrai la grâce royale. Vous ne serez pas libre, car dans ce cas l'insulte faite aux Compton leur serait intolérable, mais on vous permettra d'aller aux Amériques, où vous pourrez recommencer une autre vie. »

Il renâcla.

« Merci du cadeau ! La liberté de gratter la terre comme un paysan, de bâiller à me décrocher la mâchoire en écoutant les tirades des puritains et d'être mis en pièces par les Indiens dont on ferait bien d'imiter ici les méthodes, je dois dire. Certains de nos concitoyens donnent à tout homme sensé l'envie de s'emparer de sa hache. Merci, mon cher révérend, de votre générosité.

— C'est tout ce que je puis faire », répondis-je, même si encore aujourd'hui je ne suis pas sûr d'avoir eu l'intention de tenir ma promesse. Mais je savais que si je lui promettais trop il ne me croirait pas. « Si vous acceptez, vous échapperez à la mort et, plus tard, vous pourrez peut-être obtenir un pardon et la permission de revenir au pays. C'est votre seule chance. »

Il réfléchit longuement, recroquevillé sur son petit lit et emmitouflé dans sa couverture.

« Très bien, dit-il avec réticence. Je suppose que je n'ai pas le choix. C'est mieux que l'offre que m'a faite M. Lower.

— Je suis content que vous soyez enfin devenu raisonnable ! Bon, maintenant, parlez-moi de M. Cola ! »

Il sembla sincèrement surpris par ma question.

« Pourquoi donc voulez-vous que je vous parle de lui ?

— Cela devrait vous faire plaisir ! Pour quelle raison est-il venu vous voir hier ?

— Parce que c'est un gentilhomme de la plus grande courtoisie.

— Ne me faites pas perdre mon temps, monsieur Prestcott !

— Je ne sais vraiment pas quoi dire d'autre, monsieur...

— Vous a-t-il demandé quelque chose ?

— Que pourrais-je lui donner ?

— Quelque chose appartenant à votre père, peut-être ?

— Par exemple ?

— Une œuvre de Tite-Live.

— Encore ! Dites-moi, mon révérend, pourquoi est-ce si important à vos yeux ?

— Cela ne vous regarde pas.

— Dans ce cas, je ne souhaite pas répondre. »

Je pensai que je ne risquais rien puisque, de toute façon, Prescott ne possédait pas le livre.

« Le livre contient la clef d'un travail que je suis en train de faire. Si je l'avais, je pourrais déchiffrer quelques lettres. Bon, est-ce que Cola vous l'a demandé ?

— Non. »

Et Prestcott roula sur son petit lit en se tordant de rire. Il pensait m'avoir fait une belle farce. Il commençait à me porter sur les nerfs.

« Non, vraiment, désolé, mon révérend, il ne me l'a pas demandé, reprit-il en s'essuyant les yeux. Et pour me faire pardonner, je vais vous révéler ce que je sais. M. Cola était récemment l'invité de mon tuteur et se trouvait chez lui lorsque sir William a été attaqué. Sans ses talents, d'après ce que je crois comprendre, sir William serait mort de ses blessures, cette nuit-là ; ce doit être un chirurgien extrêmement habile pour l'avoir recousu si parfaitement. » Il haussa les épaules. « Et il n'y a rien d'autre à dire. Je ne peux rien ajouter.

— Que faisait-il là-bas ?

— Je crois comprendre qu'ils avaient des intérêts communs dans des affaires commerciales. Le père de Cola est un marchand et sir William dirige le Service du matériel militaire. L'un vend des marchandises et l'autre utilise l'argent du gouvernement pour les acheter. Ils veulent tous les deux faire le plus d'argent possible et, bien sûr, ils désirent tenir secrète leur association, par crainte de la colère de lord Clarendon. C'est ainsi, du moins, que je vois les choses.

— Et qu'est-ce qui vous fait croire que votre analyse est la bonne ? »

Prestcott me lança un regard méprisant.

« Allons, allons, docteur Wallis ! Même moi je sais que sir William et lord Clarendon se détestent. Et aussi que, si sir William était un tant soit peu soupçonné de corruption dans l'exercice de sa fonction, Clarendon en profiterait pour l'éjecter de son poste.

— À part vos propres suppositions, avez-vous la moindre raison de penser que c'est cette crainte de la colère de lord Clarendon qui a obligé Cola et sir William à cacher leur lien ?

— Ils n'ont pas cessé de parler de Clarendon. Sir William le déteste tant qu'il a parfois du mal à s'empêcher de l'évoquer. M. Cola a été exceptionnellement courtois, à mon avis, de l'écouter si patiemment se plaindre.

— Comment ça ? »

Prestcott était si naïf qu'il était loin de comprendre l'intérêt que je prenais à tout ce que disait ou faisait Cola, et c'est avec la docilité d'un agneau qu'il se laissa guider et me rapporta la moindre parole, ainsi que les moindres faits et gestes de l'Italien.

« À trois reprises, pendant ma visite, sir William est revenu sur le sujet de Clarendon, et chaque fois, il a insisté sur sa mauvaise influence. Comment il menait le roi par le bout du nez, encourageant la débauche de Sa Majesté, afin d'avoir les mains libres pour piller le royaume. Comment tous les bons Anglais voulaient se débarrasser de lui mais ne parvenaient pas à avoir assez de volonté ou de courage pour franchir le pas. Vous voyez de quoi je parle, j'imagine. »

Je hochai la tête afin de l'encourager, souhaitant créer l'atmosphère de confiance dans la discussion qui favorise une plus grande franchise.

« M. Cola a écouté patiemment, comme je l'ai dit, déployant de courageux efforts pour faire dériver la conversation vers des sujets moins brûlants, mais, tôt ou tard, sir William revenait sur la perfidie du lord Chancelier. Ce qui irritait surtout sir William c'était le palais que possédait Clarendon à Cornbury Park. »

Je crois avoir froncé le sourcil à ce moment-là, car je ne comprenais pas l'allusion. Les richesses dont on avait comblé Clarendon depuis la Restauration avaient, en effet, suscité bien des jalousies, mais il n'y avait aucune raison de s'attarder sur Cornbury en particulier. Prestcott vit ma perplexité et, pour une fois, il eut l'amabilité de m'éclairer.

« Le lord Chancelier a acquis de vastes terres jusqu'à Chipping Norton, au cœur même du territoire des Compton. Sir William est persuadé qu'on est en train de lancer une attaque concertée contre les intérêts de sa famille dans la partie sud du Warwickshire. Selon lui, naguère, les Compton auraient su comment traiter ce genre d'impudence. »

Je hochai la tête d'un air grave, étant donné qu'à chaque parole tombant des lèvres de Prestcott ma compréhension de ce grand mystère allait s'approfondissant. Je commençais même à penser que je tiendrais la promesse que j'avais faite à ce garçon : son témoignage pouvait bien s'avérer utile et je devrais m'en passer s'il pendait au bout d'une corde.

« M. Cola a réussi à changer le sujet de la conversation, mais on ne savait pas pour combien de temps. Lorsque à un moment il a évoqué son expérience sur les routes anglaises, sir William en a profité pour revenir sur Clarendon.

— Comment ça ? »

Prestcott hésita un instant.

« C'est vraiment sans intérêt. »

— Bien sûr ! Mais parlez-m'en quand même. Et ensuite, je vais faire ôter vos chaînes et m'assurer qu'on ne vous les remettra pas pendant tout votre court séjour en ces lieux. »

Je suis persuadé que, comme tout un chacun dans ce genre de situation, il inventa ce dont il ne se souvenait pas ; une telle duplicité est banale et inévitable. C'est la tâche de l'interrogateur expérimenté que de séparer le bon grain de l'ivraie et de permettre au vent d'emporter la balle tout en laissant la précieuse graine.

« Ils parlaient de la route qui va, en direction du nord, de Witney à Chipping Norton et que Cola avait empruntée pour venir à Compton Wynyates. Pourquoi avait-il pris ce chemin, je me le demande, car ce n'est pas le plus direct. Mais je suppose que c'est l'un de ces messieurs curieux. De ces fouineurs, dirais-je plutôt, qui fourrent leur nez dans ce qui ne les regarde pas sous prétexte de prétendues recherches. »

J'étouffai un soupir et souris au jeune homme dans l'espoir de lui faire croire que j'étais d'accord avec lui. Cela marcha, me semble-t-il.

« C'est, apparemment, la route qu'emprunte lord Clarendon quand il se rend à Cornbury et Cola a dit en plaisantant que si sir William avait de la chance, Clarendon pourrait mourir d'un arrêt du cœur ou se noyer dans un trou rempli d'eau, tant la route était défoncée et tant le comté négligeait son entretien. Ces détails vous intéressent vraiment, monsieur ? »

Je fis oui de la tête.

« Continuez », dis-je. Je sentais mon sang frémir car, sachant que je touchais au but, je ne pouvais supporter la moindre interruption. « Continuez ! »

Prestcott prit sa respiration.

« Sir William a éclaté de rire et a essayé de répondre sur le même ton en suggérant qu'il serait peut-être tué par un bandit de grand chemin, parce qu'on sait qu'il voyage toujours avec une faible escorte. Récemment, il y a eu beaucoup de victimes sans que l'assaillant soit jamais appréhendé. Puis la conversation a roulé sur d'autres sujets. Voilà, c'est tout, conclut Prestcott. Fin du récit ! »

J'avais ce que je désirais. Je savais que j'avais dénoué l'écheveau et que j'avais atteint le cœur même du problème. On eût dit l'une de ces énigmes que s'envoient les mathématiciens pour défier leurs rivaux. Bien qu'elles paraissent redoutables à première vue et qu'elles aient été conçues pour dérouter et déconcerter, en fait, elles sont fondamentalement simples, et tout l'art de la victoire consiste à réfléchir posément et à percer tranquillement les couches externes pour parvenir au centre. Comme lorsqu'une armée assiège un château fort, l'adresse ne consiste pas à l'attaquer de toute part, mais à sonder soigneusement les remparts jusqu'à ce que l'on découvre le point faible — il y en a toujours un — des défenses. Alors, c'est là que doit être donné l'assaut avec force jusqu'à ce que cède la section vulnérable. Cola avait commis l'erreur de rendre visite à Prestcott, et j'avais amené Prestcott à me révéler le lien les unissant.

J'avais démonté presque tout le complot. Mon erreur était désormais patente... Cola n'était pas chez nous pour tuer le roi, comme je l'avais cru. Il était là pour assassiner le lord Chancelier d'Angleterre.

Mais je ne pouvais toujours pas croire que ce gentilhomme borné, sir William Compton, était à la fois assez subtil et assez fourbe pour avoir conspiré avec les Espagnols depuis des mois et protégé un mercenaire. Comme je l'ai dit, je le connaissais. De sa part, j'aurais pu comprendre un geste de défi ou un acte téméraire. Mais pas ça ! J'avais approfondi la question, et il fallait aller encore plus loin. Derrière Compton, j'en étais sûr, se trouvait quelqu'un d'autre. Il ne pouvait en être autrement.

Aussi interrogeai-je Prestcott plus avant, cherchant à débusquer tous ses contacts, tous les noms cités par sir William et Cola. Il me donna quelques réponses sans intérêt, puis décida de marchander un peu plus :

« Et maintenant, monsieur, dit-il en remuant ses jambes pour faire cliqueter et résonner sur le sol les chaînes qui enserraient ses chevilles, j'ai longtemps parlé et je vous ai fait assez confiance pour vous donner beaucoup sans rien recevoir en échange. Par conséquent, détachez ces

chaînes afin que je puisse marcher dans ce réduit normalement. »

Que Dieu me vienne en aide ! Je fis ce qu'il me demandait, pensant qu'il n'y avait guère de risques et afin de l'encourager à coopérer avec moi. J'appelai le geôlier qui ouvrit les fers et me remit la clef, me priant d'avoir la bonté de les refermer lorsque je partirais. Cela me coûta un shilling de pourboire.

Puis il quitta la cellule, et Prestcott m'écouta en silence d'un air que je crus empreint de tristesse, tandis que les pas du geôlier résonnaient à nouveau sur les marches de pierre.

Je ne vais pas entrer dans les détails de l'humiliation que ce dément me fit subir, une fois que le bruit des pas se fut estompé. Prestcott avait la ruse des désespérés, moi l'inattention des gens préoccupés, mon esprit étant absorbé par ce qu'il m'avait appris. Bref, quelques minutes seulement après que nous nous fûmes retrouvés à nouveau en tête à tête, il se jeta sur moi, me bâillonna, m'attacha les mains et m'enchaîna au lit si fermement que je ne pouvais ni bouger, ni appeler à l'aide. J'étais dans une telle fureur que je parvenais à peine à penser logiquement. Je bouillais de rage lorsqu'il approcha son visage du mien.

« Ce n'est pas agréable, hein ? me siffla-t-il à l'oreille. Et j'ai souffert ainsi pendant de nombreuses semaines. Vous avez de la chance ! Vous n'allez rester ici qu'une seule nuit. Rappelez-vous que j'aurais pu facilement vous tuer, mais que je ne l'ai pas fait. »

Ce fut tout. Il resta assis, l'air ailleurs, pendant encore une dizaine de minutes ou plus, jusqu'à ce qu'il jugeât que le moment était venu. Alors il enfila mon épais manteau, coiffa mon chapeau, se saisit de ma bible — ma bible de famille que mon père m'avait donnée lui-même —, puis il me fit un salut, en une grossière parodie de courtoisie.

« Faites de beaux rêves, docteur Wallis. Au plaisir de vous revoir... »

Après cinq minutes, je cessai de me débattre et attendis jusqu'à ce que le matin m'apporte la délivrance.

Telle est la providence du Seigneur qu'Il est le plus bienveillant quand Il semble nous traiter le plus durement, et ce n'est pas à l'homme de mettre en doute Sa sagesse ; il doit au contraire, avec une foi aveugle, remercier le Seigneur du fait qu'Il n'abandonne jamais son fidèle serviteur. Le lendemain, mes récriminations s'avérèrent n'être que de médiocres pleurnicheries, lorsque me fut révélée l'étendue de Sa bonté. Je dis aujourd'hui que Dieu est bon et aime tous ceux qui croient en Lui ; en effet, quoi d'autre aurait pu me sauver la vie ce soir-là ?

Seul un ange de bonté, guidé par la main du Très-Haut, avait pu m'écarter de l'abîme et, en m'épargnant, éviter un malheur au royaume. Parce que je ne pense pas que cette faveur concernait ma misérable vie, qui n'a pas plus de valeur à Ses yeux que le moindre grain de poussière. Mais de même qu'Il a, avec une infaillible constance, prodigué ses faveurs à Son peuple, de même Il s'est servi de moi pour le protéger, et c'est avec joie et humilité que j'ai accepté cette responsabilité, sachant que par Sa volonté je triompherais.

Je fus libéré peu après le point du jour, et je me rendis tout droit chez le magistrat, sir John Fulgrove, pour relater les faits et afin qu'il pût sonner l'alarme et déclencher une battue. À ce moment-là, je ne parlai pas de l'intérêt que je prenais à ce garçon, même si je le priai de s'assurer, dans la mesure du possible, qu'il ne perdît pas la vie s'il était arrêté. Puis je dînai dans une auberge, car la condition de prisonnier aiguise l'appétit, et j'étais, de plus, transi de froid.

Ensuite, absorbé dans mes pensées, je regagnai enfin mon appartement de New College et découvris les horreurs survenues pendant la nuit : Grove était mort à ma place, ma chambre avait été mise à sac et tous mes papiers étaient partis.

Que Cola fût l'auteur de ces odieux méfaits me parut aussi évident que si je l'avais vu de mes propres yeux verser le poison dans la bouteille ; c'est pourquoi je fus scandalisé par l'audace avec laquelle il revint au collège afin d'être le premier à découvrir (avec quelle expression de stupeur, de chagrin et d'horreur !) les résultats de sa propre perversité. Le directeur m'apprit que ce fut lui qui tenta, grâce à un subtil raisonnement et des paroles perfides, d'amener le collège à penser que Grove était mort d'une attaque et, dans le but de démasquer ce mensonge, je demandai à Woodward de confier l'enquête médicale à Lower.

Flatté par cette proposition, Lower s'empressa d'accepter. Je ne faisais pas sans raison confiance à ses talents ; un simple coup d'œil au cadavre de Grove le fit hésiter et il eut l'air extrêmement bouleversé.

« J'aurais beaucoup de mal à affirmer qu'il s'agit d'une attaque, dit-il d'un air dubitatif. Je n'ai jamais vu un homme avoir tant d'écume aux lèvres dans ce cas. Le bleu des lèvres et des paupières va dans le sens de ce diagnostic, cependant, mais je suis sûr que mon ami s'est trop promptement attaché à ces symptômes.

— Aurait-il pu manger quelque chose ? demanda le directeur.

— Il a mangé au réfectoire, n'est-ce pas ? Si ça venait de là, alors nous serions tous morts. Je vais examiner son appartement afin de voir si on trouve quelque chose, si vous m'y autorisez. »

Et c'est ainsi que Lower découvrit la bouteille avec son dépôt ; il revint très agité et expliqua le genre d'expérience qu'on pouvait pratiquer pour déterminer la nature de la substance. Woodward ne s'intéressa pas du tout à ces détails, alors que moi je les trouvai fascinants : ayant à plusieurs reprises conversé avec M. Stahl, je compris que Lower avait tout à fait raison de proposer qu'on utilisât ses services. Il y avait, évidemment, la question Cola, car une démarche de ce type ne manquerait pas de l'inquiéter. Je décidai donc qu'il valait mieux prendre le taureau par les cornes et je suggérai à Lower d'impliquer l'Italien à toutes les étapes de l'enquête, afin de voir si ses actes ou ses propos fourniraient des indications sur ses pensées. J'aurais pu facilement le faire arrêter sur-le-champ, mais j'étais certain de ne pas avoir encore élucidé tout le mystère. J'avais besoin de plus de temps, et il fallait que Cola fût totalement libre de ses mouvements encore un moment.

Quoique je ne lui fisse pas clairement part de mon raisonnement, Lower saisit le sens implicite de mes recommandations.

« Vous ne pouvez quand même pas soupçonner M. Cola ? demanda-t-il. Je sais que vous avez entendu dire du mal de lui, mais il n'avait aucune raison de commettre un tel acte. »

Je le rassurai avec force, tout en lui faisant remarquer que, puisqu'il était peut-être la dernière personne à avoir vu le Dr Grove vivant, on ne pouvait éviter de le soupçonner. Comme il était notre invité, il serait discourtois d'en parler publiquement ; je priai donc Lower de s'assurer qu'aucune allusion ne parviendrait à ses oreilles.

« Pour rien au monde je ne voudrais qu'il retourne dans son pays en médisant de nous, déclarai-je. C'est la raison pour laquelle je pense qu'il serait bon que vous le persuadiez d'assister à la dissection. Ainsi vous pouvez vous arranger pour qu'il se tienne seul près du corps et qu'il le touche pour voir si celui-ci l'accuse.

— Je n'ai aucune raison de croire que ce serait là une expérience concluante.

— Moi non plus. Mais c'est une méthode recommandée dans ce genre d'affaire, et on l'emploie depuis des générations. De nombreux hommes de loi, et parmi les meilleurs, admettent que c'est une partie utile de l'enquête. Si un prodigieux jaillissement de sang se produit au moment où Cola s'approchera du corps, alors nous en tirerons certaines conclusions. Dans le cas contraire, sa réputation se verra déjà à moitié lavée du soupçon. Attention, ne lui laissez pas voir qu'il aura été mis à l'épreuve de cette façon. »

Chapitre dix

Il n'est pas dans mes intentions de répéter les propos des autres, ni de raconter ce dont je n'ai pas été moi-même témoin. Je ne relate que ce que j'ai vu de mes propres yeux ou ce qu'ont rapporté des hommes dont l'honorabilité n'est pas sujette à caution. N'étant pas au courant des soupçons qui pesaient déjà sur lui, Cola n'avait aucune raison de falsifier son compte rendu de la soirée au cours de laquelle Lower, Locke et lui-même découpèrent le Dr Grove dans la cuisine du directeur. C'est pourquoi je suppose que la description qu'il fait de l'événement est dans l'ensemble véridique.

Lower me dit qu'il s'était arrangé pour que Cola restât seul près du corps nu avant que toute incision fût pratiquée dans la chair et qu'il avait bien constaté que l'âme de Grove n'avait pas crié vengeance ni accusé le meurtrier du crime. Que cela signifie que ce genre d'expérience ne sert à rien, ou bien qu'il faudrait faire des prières particulières, ou encore (selon certains) que l'épreuve doit être pratiquée en terre sainte, je n'ai pas la prétention de connaître la réponse à ces questions. Toujours est-il que, pendant quelque temps, Lower fut libéré du soupçon pesant sur celui qu'il appelait son ami, et j'eus tout loisir de poursuivre mes réflexions et de conduire mon premier interrogatoire de la jeune Blundy.

Je la convoquai dans mon appartement le matin suivant sous prétexte de lui proposer un emploi chez moi, vu que les maçons — ces misérables paresseux — étaient enfin sur le point de finir leurs travaux et qu'il semblait fort probable que je pourrais à nouveau habiter sous mon propre toit. Ayant quelque peu amélioré ma position l'année précédente, j'avais décidé d'avoir quatre servantes, au lieu de trois auparavant, et de céder finalement aux demandes pressantes de mon épouse en lui donnant une femme de chambre. La perspective m'emplissait de tristesse, car j'avais au même moment à chercher quelqu'un pour remplacer Matthew. Mon chagrin augmentait au fur et à mesure que je recevais la kyrielle de pauvres imbéciles, sales et illettrés, qui se présentèrent et qui n'étaient pas plus dignes de cirer ses souliers que de les chausser.

Non que j'aie jamais pensé à Sarah Blundy pour un quelconque emploi, quoique en matière d'apparence extérieure j'eusse pu faire un bien plus mauvais choix. Je ne suis pas de ceux qui permettent qu'une bonne épouse chrétienne se fasse peigner par quelque catin française. Ce qu'il faut, au contraire, c'est une brave fille travailleuse, dotée de bon sens et de religion, et qui soit propre dans ses habitudes et dans ses mœurs. Ce genre de fille n'est pas facile à trouver, et si elle avait eu d'autres antécédents et d'autres croyances, Sarah Blundy aurait été en tout point admirable.

Je ne l'avais encore jamais rencontrée en personne, et je notai avec intérêt sa manière digne et déférente de se présenter, l'humilité de son ton et le bon sens de ses propos. Même Cola, il m'en souvient, commente précisément ces qualités. Mais l'impertinence qu'il perçut également se fit jour bientôt, car dès que je lui dis franchement que je n'avais aucune intention de l'engager, elle redressa le menton et ses yeux lancèrent des éclairs de défi.

« Vous m'avez fait perdre mon temps, par conséquent, en me convoquant ici, lâcha-t-elle.

— Tu n'as rien d'autre à faire qu'à perdre ton temps si tel est mon bon vouloir. Je ne tolérerai aucune insolence de ta part. Tu vas répondre à mes questions si tu ne veux pas t'attirer de graves ennuis. Je sais parfaitement qui tu es et d'où tu viens. »

Je dois cependant souligner que sa vie ne m'intéressait pas. Si elle avait réussi à s'imposer à un homme crédule ignorant qui elle était, sa bonne fortune ne m'aurait pas démesurément chagriné. Mais je savais qu'aucun homme n'accepterait de la prendre en connaissance de cause, car alors il s'exposerait au mépris de tous. C'est par ce biais que je pouvais la forcer à obtempérer.

« Je crois savoir que tu as récemment acquis pour soigner ta mère les services d'un médecin italien. C'est un personnage émérite qui occupe une position éminente dans sa profession. Puis-je te demander comment tu le dédommages ? »

Devant cette accusation, elle s'empourpra et baissa la tête.

« N'est-il pas remarquable qu'on soit à ce point généreux ? Rares sont les médecins anglais, j'en suis sûr, qui seraient si prodigues de leur temps et de leurs talents.

— M. Cola est un bon, un gentil monsieur. Qui ne cherche pas à être dédommagé.

— J'en suis persuadé...

— C'est vrai ! s'exclama-t-elle avec plus de verve. Je lui ai déclaré franchement que je ne pouvais pas le payer.

— Pas en argent, à tout le moins. Et malgré ça il soigne ta mère avec zèle.

— Selon moi, c'est seulement un bon chrétien.

— C'est un papiste.

— On peut trouver de bons chrétiens partout. J'en connais beaucoup dans l'Église d'Angleterre, monsieur, qui sont plus méchants et moins généreux que lui.

— Tiens ta langue ! Je me passe de tes avis. Pourquoi s'intéresse-t-il à toi ? et à ta mère ?

— Je ne le sais pas. Il veut guérir ma mère. Ça me suffit. Hier, lui et M. Lower ont entrepris un traitement étrange et merveilleux, qui leur a causé bien du tracas.

— Et ça a marché ?

« — Ma mère est toujours en vie, loué soit Dieu, et je prie pour que son état s'améliore.

— Amen. Mais pour revenir à ma question, et cette fois-ci, essaie de ne pas l'éluder. À qui as-tu porté des messages de sa part ? Je connais tes contacts avec la garnison d'Abingdon et avec les conventicules. Chez qui t'es-tu rendue pour porter des messages ? Des lettres ? Quelqu'un doit se charger de son courrier, car il ne se sert pas de la poste. »

Elle secoua la tête.

« Chez personne.

— Ne me mets pas en colère !

— Je ne cherche pas à vous mettre en colère. Je vous dis la vérité.

— Tu nies être allée à Abingdon... » Je consultai mon carnet de notes. « Mercredi dernier, le vendredi de la semaine précédente, et le lundi d'avant ? Et que tu t'es rendue à pied jusqu'à Burford et que tu y as passé le mardi ? Que tu as participé au conventicule de Tidmarsh ici même ? »

Elle ne répondit pas et je vis bien qu'elle était sidérée que je connaisse tous ses faits et gestes.

« Pourquoi ces allées et venues ? Quels messages portais-tu ? Qui as-tu rencontré ?

— Personne.

— Il y a deux semaines, un Irlandais du nom de Greatorex est venu aussi te rendre visite. Que voulait-il ?

— Rien.

— Tu me prends pour un idiot ?

— Je ne vous prends pour rien. »

Je la frappai afin de la punir. Bien que je sois tolérant, je ne peux accepter l'insolence que jusqu'à un certain point. Après avoir essuyé le sang qui coulait de sa bouche, elle parut plus soumise, mais elle refusa quand même de me fournir des renseignements.

« Je n'ai porté aucun message de la part de M. Cola. Il ne m'a pas dit grand-chose et encore moins à ma mère, souffla-t-elle. Il lui a beaucoup parlé une seule fois, le jour où il m'a envoyée chercher des médicaments chez l'apothicaire. Mais je ne sais pas de quoi ils ont parlé.

— Tu dois chercher à l'apprendre.

— Pourquoi donc ?

— Parce que je te l'ordonne. »

Je me tus, me rendant compte qu'il était inutile de faire appel à ses bons sentiments. Je pris donc quelques pièces dans mon bureau et les plaçai devant elle. Elle les regarda avec surprise et dédain, puis les repoussa.

« Je vous le répète. Il n'y a rien. »

Mais elle parlait d'une voix faible et baissait la tête.

« Va-t'en à présent. Et réfléchis bien à ce que tu dis. Je sais que tu me mens. Je vais te donner une autre chance de m'avouer la vérité à propos de cet homme. Autrement, tu regretteras ton silence. Et permets-moi de te mettre en garde : M. Cola est un homme dangereux. Il a tué à maintes reprises par le passé et il recommencera. »

Sarah Blundy s'en alla sans dire un mot de plus. Elle ne ramassa pas l'argent qui se trouvait toujours devant elle, mais me lança un regard brûlant de haine avant de tourner les talons. Elle était moins sûre d'elle, je le voyais bien. Mais je n'étais pas certain que cela suffisait.

Relisant ce qui précède, je vois bien comment un ignorant pourrait me considérer comme un homme très dur. J'entends déjà les protestations : entre supérieurs et inférieurs il faut observer les politesses, et ainsi de suite. Je suis parfaitement d'accord : nous, les hommes de condition, nous avons l'obligation de montrer quotidiennement que le rang que Dieu nous a donné est mérité. Comme pour les enfants, nous devons réprimander nos inférieurs avec amour, les corriger avec bienveillance et les châtier à contrecœur.

Les Blundy, cependant, étaient une autre engeance. Il était inutile de les traiter avec bienveillance, puisqu'ils avaient dès longtemps rejeté toute déférence envers leurs supérieurs. Le mari et la femme avaient fait fi du lien qui relie chaque individu à tous les autres et avaient accompagné cette révolte contre la volonté manifeste de Dieu de citations tirées de la Bible elle-même. Tous ces « terrassiers », ces « niveleurs » et autres « anabaptistes » croyaient se libérer de leurs chaînes avec la bénédiction de Dieu ; en réalité, ils coupaient le cordon de soie qui permet aux hommes de vivre en harmonie les uns avec les autres et ils l'auraient remplacé par des fers du plus lourd métal. Dans leur stupidité, ils ne comprenaient pas ce qu'ils étaient en train de faire. J'aurais traité Sarah Blundy, ou toute autre personne, avec respect et sollicitude si elle l'avait mérité, si elle avait agi de même à mon endroit, si cela n'avait pas été dangereux de se comporter de la sorte.

J'étais énormément frustré. Après avoir interrogé Prestcott, j'avais tenu entre les mains tous les fils de l'affaire, mais elle m'avait glissé entre les doigts à cause de ma propre bêtise. J'admets que je désirais aussi protéger ma vie, craignant qu'on n'essayât à nouveau d'attenter à mes jours. C'est pour cette raison que je pris la décision d'informer le magistrat qu'à mon avis le Dr Robert Grove avait été assassiné.

La nouvelle le stupéfia et ses implications le troublèrent gravement.

« Le directeur ne soupçonne rien d'anormal et il m'en voudrait s'il apprenait que je vous ai fait part de mes doutes, repris-je. Cependant, il est de mon devoir de vous avertir qu'à mes yeux une telle hypothèse est largement fondée. Et il est, par conséquent, impératif d'empêcher que l'on enterre le corps. »

Évidemment, je me fichais éperdument du corps ; la confrontation avec Cola avait déjà eu lieu et n'avait abouti à rien. Je voulais surtout que Cola se rendît compte qu'on découvrait peu à peu son méfait et qu'il sentît bien que je contrecarrais ses projets. Avec un peu de chance, me dis-je, il va écrire à ses maîtres et leur relater les derniers événements.

Pendant un court moment, je fus à deux doigts de le faire arrêter, vu qu'après la disparition de Prestcott je craignais que l'affaire ne m'échappât entièrement. Je changeai d'avis à cause de M. Thurloe qui, peu de temps après, vint jusqu'à Oxford pour me voir. Cola a décrit dans son Mémoire la manière dont il m'aborda pendant la représentation et je n'ai pas l'intention de redécrire la scène. Cola lut bien sur mon visage le choc que je ressentis : j'étais stupéfait, non seulement parce qu'il y avait près de trois ans que je n'avais pas vu Thurloe, mais parce que j'eus du mal à le reconnaître.

Il avait tellement changé depuis l'époque de sa grandeur ! C'était comme lorsqu'on rencontre un inconnu qui nous rappelle, malgré tout, une personne qu'on a jadis fréquentée. Il n'y avait pas d'altération notoire dans son apparence physique, car c'était le genre d'homme qui a l'air vieux dans sa jeunesse et jeune quand il vieillit. Mais son comportement ne gardait aucune trace du pouvoir qu'il avait jadis exercé. Alors que nombreux étaient ceux qui avaient fort mal pris la perte de leur puissance, Thurloe semblait ravi d'être débarrassé de ce fardeau et satisfait d'être réduit à l'insignifiance. Son port de tête était différent et son air soucieux l'avait quitté si complètement que, même s'il ne s'agissait là que de petits détails, l'ensemble était devenu quasiment méconnaissable. Quand il m'aborda, j'hésitai quelque peu avant de le saluer... Il me rendit mon sourire sans mot dire, comme s'il remarquait ma perplexité et en percevait la cause.

Je crois sincèrement qu'il avait une fois pour toutes dépassé cette période de sa vie, à telle enseigne que même si on lui en avait offert un, il aurait refusé tout emploi public. Il me confia par la suite qu'il passait ses journées à prier et à méditer et qu'il considérait que ces occupations avaient plus de valeur que tous les efforts qu'il avait déployés pour son pays. Il n'avait dans l'ensemble aucun goût pour la société des autres hommes, et il m'expliqua clairement qu'il n'aimait pas être dérangé par ceux qui souhaitaient évoquer un passé désormais à jamais révolu.

« Je vous apporte un message de votre ami, M. Prestcott, me murmura-t-il à l'oreille. Peut-être pourrions-nous bavarder ? »

Après la pièce, je rentrai directement chez moi (ayant retrouvé mon confort domestique cet après-midi-là) pour l'attendre. Il arriva bientôt et s'installa avec le calme imperturbable qui le caractérisait.

« Je crois comprendre que votre soif de pouvoir n'est pas étanchée, docteur Wallis. Cela ne me surprend pas le moins du monde. J'ai appris que vous avez questionné ce jeune homme et que vous avez assez d'influence pour obtenir sa grâce si vous le souhaitez. Vous travaillez pour M. Bennet maintenant, n'est-il pas vrai ? »

Je hochai la tête.

« Qu'est-ce qui vous intéresse chez Prestcott et chez ce gentilhomme italien dont vous lui avez parlé ? »

L'ombre de l'ancien pouvoir de Thurloe aveuglait davantage que toute la puissance éblouissante d'un Bennet, et j'avoue que je n'eus même pas l'idée de ne pas lui répondre ni de lui faire remarquer qu'il n'avait pas le moindre droit de me questionner à ce sujet.

« Je suis persuadé qu'il existe un complot susceptible de replonger le pays dans la guerre civile.

— Évidemment, répondit-il de l'air serein dont il accueillait toute nouvelle quelle que fût son importance. À quel moment n'y en a-t-il pas eu pendant ces dernières années ? En quoi celui-ci est-il différent ?

— Ce qui est nouveau c'est que je le crois organisé par les Espagnols.

« — Et en quoi consiste-t-il cette fois-ci ? Une attaque massive de la part des adeptes de la "Cinquième monarchie" ? Une canonnade par des gardes rebelles ?

— Il s'agit d'un seul homme. Le gentilhomme vénitien qui se fait passer pour un philosophe. Il a déjà tué deux personnes, mon valet et le Dr Grove. Et il m'a dérobé des lettres de la plus grande importance.

— C'est le médecin à propos duquel vous avez interrogé Prestcott ?

— Il n'est pas médecin. C'est un soldat, un tueur notoire, et il est chez nous afin d'assassiner lord Clarendon. »

Thurloe grogna. Pour la première fois de ma vie, je le vis surpris.

« Vous devriez donc le tuer avant.

— Alors ses commanditaires renouvelleront leur tentative sans tarder. Cette fois-ci, je connais au moins l'identité de l'assassin. La prochaine fois, il se peut que je n'aie pas autant de chance. Je dois saisir cette occasion pour découvrir l'origine anglaise de la conspiration afin de l'éliminer définitivement. »

Thurloe se leva, se saisit du lourd tisonnier près de l'âtre et redisposa les bûches dans le feu qui envoya une gerbe d'étincelles dans la cheminée. Cela lui prit un certain temps ; il avait l'habitude de s'occuper à quelque menue tâche tout en réfléchissant.

Finalement, il se retourna vers moi.

« À votre place, je le tuerais, répéta-t-il. La mort de cet homme signifierait la fin du complot. Il est possible qu'on le ravive, mais ce n'est pas sûr. Si cet homme vous échappe, vous aurez du sang sur les mains.

— Et si je me trompe ?

— Alors un voyageur italien est mort dans une embuscade tendue par des voleurs de grand chemin. C'est une tragédie, sans aucun doute. Mais à part sa famille, tout le monde l'aura oubliée en quelques semaines.

— Je ne peux pas croire qu'à ma place vous agiriez de votre propre chef.

— Si. Quand je protégeais Cromwell, dès que j'avais vent d'un complot contre sa personne j'agissais instantanément. Les soulèvements, les conspirations, toutes ces bagatelles, on pouvait leur laisser la bride sur le cou quelque temps, parce qu'il y avait toujours moyen de les étouffer. Une tentative d'assassinat, c'est autre chose. Une seule erreur, et c'en est fait de votre carrière pour toujours. Croyez-moi, docteur Wallis, ne perdez pas votre temps en subtilités. Vous avez affaire à des hommes, il ne s'agit plus de géométrie : ils sont moins prévisibles et plus aptes à nous surprendre.

— Je serais totalement d'accord avec vous sans le fait que je ne peux compter sur personne pour se charger de cette action, et une attaque manquée ne ferait que le rendre plus prudent. Et si je désirais obtenir une aide à la hauteur, il me faudrait aviser M. Bennet plus en détail. Je lui en ai vaguement parlé, mais il est loin de tout savoir à cet égard.

— Ah oui ! répondit Thurloe d'un air songeur. Quel homme pompeux et ambitieux ! Vous ne lui faites pas entièrement confiance ? »

Je fis oui de la tête avec une certaine réticence. Je ne savais toujours pas comment Cola avait compris si vite le rôle de Matthew ; il était certainement possible — affreuse pensée ! — que Bennet lui eût fourni le renseignement et qu'il fût lui-même impliqué dans le complot dirigé contre Clarendon.

Thurloe se cala sur son siège et réfléchit ; il resta si longtemps silencieux que je craignis presque qu'il ne se fût endormi dans la chaleur du feu, ou que peut-être son cerveau ne fût plus ce qu'il avait été et que l'homme n'eût plus la capacité de s'occuper de ce genre d'affaire.

J'avais tort. Il finit par rouvrir les yeux et hocha la tête.

« Je ne pense pas qu'il fasse partie du complot, si c'est ce qui vous tracasse, dit-il.

— Êtes-vous au courant de quelque chose vous permettant d'aboutir à cette conclusion ?

— Non. Je connais moins bien l'homme que vous. Je me fonde sur le caractère, uniquement. M. Bennet est un homme capable, très capable vraiment. Tout le monde le sait, et le roi mieux que la plupart. Malgré tous ses défauts, ce n'est pas un prince qui s'entoure d'imbéciles ; il n'est pas comme son père. M. Bennet va dominer le gouvernement lorsque Clarendon s'en ira, ce qui ne saurait tarder. Le pouvoir est à la portée de sa main : il n'a qu'à attendre de recueillir la manne. Est-il possible, par conséquent, qu'un tel homme ait l'imprudence de commettre ce genre de folles actions d'éclat qui n'a aucune chance de promouvoir ses desseins ? Tout risquer sur un coup de dés quand la patience lui apportera tout ce qu'il désire ? Cela ne lui ressemble pas, à mon avis.

— Je suis content que voyiez les choses ainsi.

— Mais il doit bien y avoir un instigateur en Angleterre ; il ne peut en être autrement. Savez-vous qui c'est ? »

Je haussai les épaules d'un air d'impuissance.

« On a le choix parmi plusieurs douzaines de personnes. Clarendon ne manque pas d'ennemis, à juste titre ou non. Vous le savez aussi bien que moi. Il a été attaqué par écrit et verbalement, à la Chambre des communes et à la Chambre des lords, à travers sa famille et ses amis. Tôt ou tard, il devait être agressé physiquement. Il est possible que ce moment soit tout proche.

— Ce doit être un homme bien téméraire, fit remarquer Thurloe, pour commettre un acte aussi désespéré, car quelles que soient les qualités de soldat de votre Vénitien, le risque qu'il le rate et qu'il soit arrêté est loin d'être nul. Il est possible, bien sûr, qu'il soit gardé en réserve, qu'on ne le fasse passer à l'action seulement si les autres tentatives de faire tomber lord Clarendon échouent.

— Par exemple ? demandai-je, car j'avais à nouveau l'impression que Thurloe jouait les mentors avec moi comme il l'avait fait avec une génération entière de serviteurs de l'État. Comment savez-vous tout cela, monsieur ?

— Je garde les yeux ouverts et j'écoute, répliqua Thurloe, l'air tranquillement amusé. Et je vous conseille de faire de même, mon révérend.

— Et vous avez entendu parler d'un autre complot ?

— Fort possible. Il semble que les ennemis de Clarendon essaient de l'affaiblir en l'associant à des actes de trahison. En particulier celle de John Mordaunt lorsqu'il me révéla le soulèvement de 1659. À cet effet, ils cherchent à employer les bons offices de Jack Prestcott, le fils de l'homme qui a endossé la responsabilité de ce regrettable événement.

— Mordaunt ? demandai-je d'un ton incrédule. Parlez-vous sérieusement ?

— Oh, parfaitement, merci ! Peu de temps avant la fin de Cromwell, reprit-il, j'ai eu un tête-à-tête avec lui au cours duquel il décrivit sa propre mort qui ne pouvait beaucoup tarder à survenir. Il avait du mal à marcher, vu le stade fort avancé de sa maladie et la puissance des traitements que lui faisaient subir ses médecins. Comme tout le monde, il savait qu'il ne lui restait que peu de temps à vivre, et il affrontait cet événement sans sourciller, souhaitant seulement régler ses affaires terrestres avant que le Seigneur ne le rappelle à lui.

« Il m'expliqua comment procéder, certain que ses ordres seraient exécutés, même lorsqu'il ne serait plus là pour s'en assurer. Le Protectorat passerait temporairement à son fils, dit-il, et cela donnerait assez de temps pour mener à bien les négociations avec Charles sur la meilleure manière de restaurer la monarchie. On ne permettrait au roi de revenir que si on l'attachait avec tant de chaînes qu'il n'aurait jamais la liberté d'agir comme son père.

« Naturellement, on observerait le secret le plus absolu sur cette affaire ; aucune note ne serait prise pendant les réunions ; on n'échangerait aucune lettre ; pas un mot ne serait prononcé sur le sujet, en dehors du petit groupe dans les deux camps qui participait aux discussions.

« Je fis ce qu'il m'ordonna parce qu'il avait raison : seul Cromwell avait empêché la guerre civile et lorsqu'il partirait, elle recommencerait si la fracture de la nation n'était pas guérie. Et les Anglais sont monarchistes : c'est un peuple qui préfère la soumission à la liberté. C'était extrêmement difficile, et si les fanatiques des deux camps étaient au courant, nous serions tous écartés. Ils faillirent, cependant, reprendre le pouvoir et je fus évincé quelque temps. Malgré cela, je réussis à maintenir les pourparlers en vie, avec Mordaunt comme représentant de Sa Majesté. L'une des conditions, bien sûr, c'était que cessent tous les projets de soulèvements et tous les complots ; et si les royalistes ne parvenaient pas à les faire cesser eux-mêmes il fallait qu'ils nous fournissent assez de renseignements afin que nous puissions nous en charger à leur place. C'est ainsi que Mordaunt nous donna tous les détails du soulèvement de 1659 qui fut écrasé au prix d'un grand nombre de victimes.

« Il y en aurait eu beaucoup d'autres si la guerre avait vraiment éclaté, mais cette éventualité n'aurait pas sauvé Mordaunt si les détails de cette transaction avaient été révélés. L'ennui c'est que le jeune Prestcott est en train d'essayer de prouver que son père était innocent et à cette fin il doit inévitablement démontrer la culpabilité de Mordaunt, car on lui en a dit assez pour qu'il sache qui est réellement responsable. Alors on supposerait que c'est Clarendon qui a donné les ordres.

— Et c'est le cas ? »

Thurloe sourit.

« Non. C'est le roi lui-même qui les a donnés. Cependant, Clarendon accepterait d'endosser la responsabilité afin de protéger le roi de toute critique. C'est un serviteur dévoué, trop dévoué pour ce roi.

— Prestcott est au courant de tout ça ?

— Pas exactement. Il est convaincu que Mordaunt est un traître, agissant pour son propre intérêt. Je l'ai encouragé dans son idée que Samuel Morland était de mèche avec Mordaunt.

— Les choses deviennent de plus en plus bizarres... Pourquoi avez-vous fait ça ?

— Pour la raison évidente qu'autrement, me croyant responsable, il m'aurait tranché la gorge. Au fait, vous pourriez me rendre le service de voir Samuel la prochaine fois que vous irez à Londres : avertissez-le que le jeune homme a décidé de le tuer.

— Et vous estimez que quelqu'un aide Prestcott ?

— C'est mon impression.

— Qui ?

— Il est trop malin pour le révéler si on n'y met pas le prix.

— Son témoignage n'a aucune valeur, de toute façon, m'exclamai-je, furieux que ce petit misérable osât marchander avec moi, et à propos d'une question de cette importance.

— Devant un tribunal ? Évidemment ! Mais vous comprenez la politique mieux que ça, mon révérend.

— Que veut-il ?

— La preuve de l'innocence de son père.

— Je ne la possède pas. »

Thurloe esquissa un sourire. Je poussai un grognement.

« Je suppose qu'il n'y a aucune raison que je ne lui promette pas tout ce qu'il désire, dis-je. Une fois que j'aurai son témoignage, évidemment... »

Thurloe agita un doigt dans ma direction.

« En effet. Mais ne le prenez pas pour un imbécile, monsieur. Il est loin d'être bête, même si je doute qu'il soit sain d'esprit. Il n'est pas d'un naturel confiant et il a besoin d'abord d'un geste de bonne volonté de la part de son interlocuteur. Si on lui rend un service, il rend la pareille. Il ne fait confiance à personne.

— Que désire-t-il ?

— Qu'on le libère des accusations qui pèsent sur lui.

— Je ne suis pas certain que ce soit en mon pouvoir. Mes relations avec le magistrat ne sont pas telles qu'il m'accordera facilement la moindre faveur.

— Ce ne sera pas nécessaire. M. Prestcott est disposé à fournir la preuve incontestable qu'une certaine Blundy a assassiné ce Grove. Je ne sais trop comment il se l'est procurée, surtout que vous me dites que cet Italien est le vrai coupable. Mais il nous faut profiter des occasions qui nous sont offertes. Il devrait être possible de persuader le magistrat qu'une condamnation certaine pour meurtre vaut mieux qu'une condamnation possible dans une affaire d'agression. Le procès de cette fille signifie la liberté du jeune homme et sa coopération. »

Je le fixai sans comprendre, avant de me rendre compte qu'il parlait avec le plus grand sérieux.

« Vous voulez me rendre complice d'un assassinat judiciaire ? Je ne suis pas un assassin, monsieur Thurloe.

— On ne vous demande pas ça ! Tout ce que vous devrez faire, c'est parler au magistrat, puis vous taire.

— Vous-même n'avez jamais commis une telle vilenie.

— Détrompez-vous ! Et d'un cœur léger. C'est le devoir du serviteur d'accepter le poids du péché afin de protéger son prince. Demandez-le à lord Clarendon. Il s'agit de sauvegarder l'ordre public.

— C'est, sans doute, la façon dont s'est consolé Ponce Pilate. »

Il inclina la tête.

« Sans aucun doute. Bien qu'il me semble que les circonstances sont différentes. Ce n'est pas, en tout cas, comme si vous n'aviez pas d'autre possibilité. Il n'est pas indispensable que cette fille meure. Mais alors vous ne parviendrez pas à savoir pour qui œuvre cet Italien. Vous n'aurez pas non plus grande chance de le faire passer en jugement. Pour ma part, j'ai le sentiment qu'il vous en faut plus que ça.

— Je veux la mort de Cola et la perte de ceux qui l'ont fait venir ici. »

À ces mots, Thurloe plissa les yeux et je sus que la force de ma repartie et la haine qui vibrait dans ma voix avaient été trop révélatrices.

« Dans ce genre d'affaire, il est imprudent de se laisser guider par les sentiments. Ou par un désir de vengeance. En voulant en faire trop, vous risquez de tout perdre. »

Il se leva.

« Et maintenant, je dois vous quitter. Je vous ai fait part du message et je vous ai donné mon avis. Je regrette que vous le trouviez si difficile à suivre, bien que je comprenne votre réticence. Si je pouvais persuader M. Prestcott d'être plus raisonnable, je le ferais avec plaisir. Mais il a l'entêtement de la jeunesse et il refuse d'être influencé. Vous-même, si j'ose dire, possédez certaines de ses qualités. »

Chapitre onze

Cette nuit-là je priai pour que le Seigneur m'indiquât
la marche à suivre, mais aucun conseil, aucune parole de
réconfort ne me parvint : j'étais totalement abandonné à
mon incertitude. Je n'étais pas assez aveugle pour ne pas
voir que Thurloe avait sans aucun doute ses propres raisons d'intervenir dans cette affaire, mais je ne les
connaissais pas. Il n'hésiterait sûrement pas à me duper
s'il le jugeait nécessaire. Il ne lui restait guère de pouvoir,
pourtant je m'attendais qu'il utilisât pleinement le peu
d'influence qu'il possédait encore.

Pensant qu'il me fallait, à tout le moins, ménager toutes
les options, dès le lendemain j'allai parler au magistrat
qui fit immédiatement arrêter Sarah Blundy. Ayant déjà
été interrogée, il était naturel qu'elle eût peur et je ne
voulais pas que sa fuite précipitée empêchât le bon déroulement des événements. Elle n'aurait eu aucune difficulté
à trouver refuge auprès de ses nombreuses connaissances,
et je n'aurais guère eu de chances de la retrouver.

À ce moment-là, Cola était parti en tournée avec
Lower. La nouvelle me rendit furieux ; je craignais, en
effet, que son expédition ne fût le point culminant de son
complot, mais depuis Londres M. Boyle me rassura en
m'écrivant pour m'informer que le lord Chancelier
n'avait pas l'intention de rejoindre sa maison de campagne avant quelques semaines. Le cauchemar d'une
embuscade imminente sur la route de Londres, au cours
de laquelle les carrosses seraient mis à sac par, affirme-
rait-on, d'anciens soldats devenus bandits de grand che-

min, s'estompa lorsque je compris que Cola devait simplement tuer le temps en attendant. Thurloe avait peut-être raison, en fait : Cola se trouvait en Angleterre pour passer à l'action uniquement dans l'éventualité où échouerait une façon plus pacifique de faire chuter Clarendon.

En outre, j'appréciais le répit que m'apportait ce renseignement, car j'avais d'importantes décisions à prendre et j'étais sur le point de m'embarquer dans une entreprise qui allait ou bien me mener à ma perte ou provoquer la chute de l'un des grands personnages du pays ; ce n'est pas le genre de décision que l'on prend à la légère.

Par conséquent, durant cette paisible semaine où Cola voyageait à travers la campagne (je devine qu'une fois de plus certains détails de son compte rendu sont authentiques, Lower m'ayant dit qu'il n'avait pas ménagé sa peine auprès de ses patients), moi, j'étais en train de soupeser toutes les options s'offrant à moi et de passer en revue toutes les preuves corroborant mes conclusions à propos de la menace que représentait Cola. Je n'y trouvais aucune faille, et je défie quiconque de les mettre en doute : aucun innocent n'agit jamais de manière aussi coupable. Dans le même temps, je renouvelais mes assauts contre Sarah Blundy ; je pensais que si je pouvais la persuader d'avouer la raison pour laquelle Cola s'intéressait à sa famille, alors je m'épargnerais l'humiliation d'avoir à céder aux désirs d'un adolescent à moitié fou comme Jack Prestcott.

On l'amena dans une petite pièce ordinairement occupée par le directeur du château fort. L'incarcération n'avait guère arrangé son aspect mais, je m'en aperçus rapidement, elle avait laissé intacte son insolence.

« Je suis sûr que tu as médité sur les questions dont nous avons parlé l'autre jour. J'ai le pouvoir de t'aider, si seulement tu me permets de le faire.

— Je n'ai pas tué le Dr Grove.

— Ça, je le sais. Mais nombreux sont ceux qui te croient coupable et tu vas mourir si je ne t'aide pas.

— Si vous savez que je suis innocente, vous êtes bien obligé de m'aider, non ? Vous êtes un homme de Dieu.

— C'est peut-être vrai. Toi, tu es une loyale sujette de Sa Majesté, et pourtant tu as refusé d'obtempérer lorsque je t'ai demandé de m'aider un tant soit peu.

— Je n'ai pas refusé. Je n'avais aucun des renseignements que vous vouliez entendre.

— Pour quelqu'un qui risque d'être bientôt pendu, tu ne sembles pas du tout vouloir éviter ce tragique destin.

— Si telle est la volonté de Dieu, je mourrai sans protester. Sinon, je serai épargnée.

— Dieu s'attend que nous défendions notre propre cause. Écoute, ma fille. Ce que je te demande n'est pas si affreux. Tu t'es laissé impliquer, innocemment, sans aucun doute, dans le complot le plus diabolique qui soit. Si tu m'aides, non seulement tu seras libérée, mais en outre tu recevras une récompense.

— Quel complot ?

— Je n'ai certainement pas l'intention de te le révéler. »

Elle resta silencieuse.

« Tu as dit, lui soufflai-je, que ton bienfaiteur, M. Cola, a parlé une fois avec ta mère. De quoi ont-ils discuté ? Qu'a-t-il demandé ? Tu as dit que tu chercherais à le savoir.

— Elle est trop malade pour être interrogée. Tout ce qu'elle m'a dit c'est que M. Cola a toujours fait preuve de la plus grande courtoisie à son égard et qu'il l'a toujours écoutée avec la plus grande patience chaque fois qu'elle a eu envie de parler. Lui-même n'a pas dit grand-chose. »

Exaspéré, je secouai la tête.

« Écoute, petite idiote, répliquai-je en hurlant presque. Cet homme est chez nous pour commettre un crime odieux. La première chose qu'il a faite en arrivant ici a été de vous contacter. Si vous ne l'aidez pas, pourquoi a-t-il pris cette peine ?

— Je n'en ai aucune idée. Tout ce que je sais, c'est que ma mère est malade et qu'il l'a aidée. Personne d'autre ne l'a fait, et sans sa générosité elle serait morte. C'est tout ce que je sais, et tout ce qui compte pour moi. »

Elle me regarda droit dans les yeux, puis reprit :

« Vous dites que c'est un criminel. Vous avez sans doute de bonnes raisons pour l'affirmer. Mais moi, je ne l'ai jamais vu agir ni entendu parler qu'avec beaucoup de politesse, davantage peut-être que je le mérite. Qu'il soit criminel ou papiste, voilà ce que je pense de lui. »

J'affirme ici que je désirais la sauver, si c'était en mon pouvoir et si seulement elle me permettait de le faire. De tout mon cœur, je souhaitais qu'elle s'effondrât et qu'elle révélât tout ce qu'elle savait. Avec un peu de chance, elle rendrait le témoignage de Prestcott inutile, et alors je pourrais refuser le marché de celui-ci. J'essayai de la faire parler, insistant sans relâche, bien plus longtemps que je ne l'aurais fait avec quelqu'un d'autre, mais elle tint bon.

« Tu n'étais pas à New College ce soir-là ; tu n'étais pas chez toi en train de soigner ta mère ; tu portais des messages pour Cola. Dis-moi où tu étais et à qui tu as parlé. Dis-moi quelles autres courses tu as faites pour lui à Abingdon, Bicester et Burford. De cette façon, tu réfuteras les preuves qui t'accusent et tu gagneras mon soutien d'un seul coup. »

Je tenais l'affaire en main, mais elle me glissa entre les doigts. La fille redressa la tête, en me toisant une fois de plus.

« Je ne sais rien qui puisse vous être de la moindre utilité. Je ne sais pas pourquoi M. Cola est ici ; si ce n'est pas par charité chrétienne, alors je ne vois pas pourquoi il s'occupe de ma mère.

— Tu portes des messages pour lui.

— Non.

— Tu en portais un pour lui la nuit où le Dr Grove est mort.

— C'est faux.

— Alors où étais-tu ? J'ai vérifié : tu n'étais pas au chevet de ta mère comme ton devoir l'exigeait.

— Je ne vous le dirai pas. Mais, Dieu m'est témoin, je n'ai rien fait de mal.

— Dieu ne dépose pas à ton procès », rétorquai-je. Puis je la renvoyai dans son cachot. J'étais de fort méchante humeur. Je sus à ce moment-là que j'allais négocier avec Prestcott. Que Dieu me pardonne, car j'avais offert à la fille toutes les chances de sauver sa vie, mais elle s'est condamnée de son propre chef.

Le lendemain je reçus une lettre urgente de M. Thurloe. Je la reproduis ici en tant que témoignage d'événements auxquels je n'avais pas assisté en personne.

Très honoré monsieur,

J'ai le devoir et le plaisir de porter à votre connaissance certains développements que vous avez le droit de connaître de toute urgence, car il vous faut agir sans plus tarder, de crainte que l'occasion ne se représente pas. Le gentilhomme italien qui vous intéresse tant est venu dans mon village et, bien qu'il soit désormais reparti en compagnie de M. Lower (pour regagner Oxford, je crois), il a fait grand-peur à M. Prestcott : les récits de la cruauté de Cola ont tellement impressionné le jeune homme qu'il s'est beaucoup inquiété des motifs du voyage en Angleterre de l'Italien.

Autant par curiosité que dans l'espoir de mettre au jour ses desseins, j'ai passé beaucoup de temps à dis-

cuter avec Cola et j'ai découvert un jeune homme d'une très belle prestance et d'un très grand charme, même si la bonne impression qu'il me fit ne m'empêcha pas de prendre mes précautions habituelles contre toute soudaine attaque. Mais cela se révéla inutile et j'ai pris la liberté de l'informer de l'arrestation de Sarah Blundy afin qu'il ne craignît point de rentrer à Oxford s'il appréhendait d'y retourner. Je suppose que vous approuverez ma conduite. Tandis que Cola bavardait avec Prestcott, je décidai de voir le Dr Lower et je lui fis comprendre qu'il était indispensable de s'assurer que Cola ne filerait pas discrètement. Il fut extrêmement bouleversé et, je dois dire, absolument furieux à la pensée qu'il avait été dupé ; finalement, il accepta de m'obéir et de ne pas laisser paraître le moindre soupçon. Comme il ne sait pas cacher ses sentiments, cependant, je suis loin d'être certain qu'il sera capable d'accomplir un tel exploit.

Je passai une grande partie de la nuit à me torturer l'esprit avant de parvenir à l'inévitable conclusion. Prestcott demandait trop et son âme allait brûler en enfer à cause de son exigence. Mais je n'arrivai pas à lui faire baisser son prix. J'avais besoin de ce témoignage, parce qu'il me fallait apprendre qui se trouvait à l'origine de ce complot contre Clarendon. J'espère que mon récit montre tous les efforts que je déployai. À trois reprises, j'avais fait de mon mieux pour contourner l'obstacle. Pendant plus d'une semaine j'avais évité d'agir, dans le fol espoir qu'une issue imprévue me permettrait de ne pas avoir à prendre de décision, mais il y avait péril en la demeure. C'est le cœur lourd, par conséquent, que je résolus que je ne pouvais attendre davantage.

Sarah Blundy mourut deux jours plus tard. Je n'ai rien d'autre à ajouter à ce sujet ; mes commentaires seraient inutiles.

John Thurloe vint me voir cet après-midi-là.

« Je ne sais si je dois vous féliciter ou non, mon révérend. Vous avez fait quelque chose de terrible mais juste. Et même de beaucoup plus important que vous ne le croyez.

— Je crois connaître la signification de mes actions. Et leur coût.

— Je ne suis pas d'accord. »

Puis, avec cette froideur implacable que je lui connaissais si bien, Thurloe me révéla le plus grand secret du royaume, et pour la première fois je compris comment lui et des hommes tels que Samuel Morland avaient joui d'une telle immunité après la restauration de Sa Majesté. Et j'appris également la vraie nature de la trahison de sir James Prestcott, une trahison si grave qu'elle avait été présentée comme étant de moindre envergure afin que sa véritable nature ne fût jamais connue.

« Il y avait un homme dans mon service, un soldat, dit Thurloe, qui servait d'émissaire de toute confiance dans toutes sortes d'affaires. Si je voulais transmettre une missive particulièrement sensible ou qu'un prisonnier soit bien protégé, je pouvais toujours confier cette mission à cet homme. Il avait une haine fanatique de la monarchie et il soutenait que la république représentait le premier pas dans la construction du royaume de Dieu sur terre. Il voulait qu'un parlement soit élu, y compris par les femmes et par ceux qui ne possédaient pas de biens : il réclamait aussi la distribution des terres et la complète tolérance de toutes les croyances religieuses. Il était, en outre, extrêmement intelligent, vif d'esprit et très compétent ; même s'il pensait trop pour être parfait ! Mais je le croyais entièrement fidèle au Commonwealth puisqu'il estimait bien pires tous les autres régimes.

« Malheureusement, je l'avais mal jugé. Il venait du Lincolnshire et il s'était attaché, bien des années auparavant, à un propriétaire terrien de la région qui avait défendu les habitants du lieu contre les déprédations des entreprises d'assèchement. Dans un moment de crise, sa fidélité revint le hanter et supplanta le bon sens et la raison. Je dois dire que nous ne nous en étions pas rendu compte jusqu'à ce que nous trouvions sur son corps la lettre que Samuel vous a demandé de décoder.

— Quel rapport cela a-t-il avec le sujet, monsieur ? Je vous en prie, épargnez-moi les énigmes, j'en ai déjà assez à résoudre actuellement !

— Ce propriétaire terrien était, bien sûr, sir James Prestcott, et le soldat était Ned Blundy, le mari d'Anne et le père de cette fille qui est morte il y a deux jours. »

Je le regardai bouche bée.

« Lors de ma dernière visite je vous ai parlé de la façon dont John Mordaunt m'a informé du soulèvement de 1659. Un autre complot, de moindre envergure, dont il m'avait également averti, n'était qu'une petite émeute conçue pour le Lincolnshire par sir James Prestcott. Ce n'était pas très grave, mais le général Ludlow allait envoyer un régiment pour traiter le problème avant qu'il ne prenne de l'ampleur. Ned Blundy était au courant, car on lui demanda de livrer des dépêches à ce sujet, mais en souvenir des marais il avertit Prestcott dont la vie fut alors sauvée.

« Une fois reformée, leur association mena à la divulgation de secrets de plus en plus nombreux, car c'étaient tous les deux des fanatiques qui trouvaient un terrain d'entente dans leur haine commune de ceux qui souhaitaient la paix. Blundy s'employa à découvrir tous les secrets des discussions préparant la Restauration, et grâce à lui Prestcott les connut également. Il savait quels étaient les membres du parti du roi qui avaient été délibérément livrés au gouvernement, quels complots avaient été trahis à l'avance afin qu'ils fassent long feu.

« Et Prestcott devint un homme enragé, décidé à se venger. Quand il apprit que le roi lui-même venait secrètement en Angleterre pour mener les dernières discussions avec moi, il sortit de ses gonds. Il se rendit à Deal pendant ce mois de février 1660, au moment où le roi était attendu, et il le guetta. Je ne sais pas combien de temps il resta en embuscade, mais un matin, après une des séances de discussions, le roi sortit pour faire un tour dans le parc de la demeure où elles se déroulaient, et sir James se jeta sur lui et tenta de le transpercer de son épée. »

N'ayant jamais entendu parler de ces discussions et encore moins d'une tentative d'assassinat, tant l'affaire avait été bien cachée par toutes les parties concernées, j'étais sidéré d'apprendre ces événements et que ce fût Thurloe qui m'en fît part.

« Comment se fait-il que la tentative ait échoué ?

— Elle faillit bien réussir. Le roi fut blessé au bras, ce qui lui causa un grand effroi, et il aurait sûrement été tué si un autre homme ne s'était jeté devant lui et n'avait reçu le coup fatal en plein cœur.

— Quel homme loyal et courageux !

— Peut-être. Du moins était-ce assurément quelqu'un de très étrange. Ce fut, en effet, Ned Blundy qui se sacrifia de la sorte et qui mourut pour l'homme qu'il détestait, permettant ainsi la restauration de la monarchie contre laquelle il avait passé sa vie à lutter. »

Cette extraordinaire histoire me laissait sans voix. Voyant ma perplexité, Thurloe sourit et haussa les épaules.

« C'était un homme honorable qui croyait à la justice et qui trouvait peut-être le meurtre injuste. Je suis certain que sir James ne l'avait pas du tout consulté sur ses projets. Je ne peux guère vous fournir d'autres explications sur ses motifs et je ne pense pas qu'il faille en chercher vraiment : Blundy était un bon soldat et un camarade fidèle, mais je n'ai jamais entendu dire qu'il ait tué sans nécessité ou qu'il ait agi cruellement envers ses ennemis. Il avait été heureux de sauver la vie de Prestcott certainement, mais il n'avait pas envie de l'aider à assassiner quelqu'un, même un roi.

— Et sir James ? Pourquoi ne l'avez-vous pas tué ? Il semble que dans ce genre de cas c'était votre solution de prédilection.

— Le tuer n'était pas aisé ! Il s'est enfui après cette agression et nous nous attendions quotidiennement qu'il révèle au grand jour ce qu'il savait. Les deux camps se lancèrent furieusement à sa poursuite, mais sans résultat. Nous ne pouvions évoquer son méfait, car cela nous aurait forcé à dévoiler la teneur de nos discussions ; la seule solution consistait donc à le discréditer par avance, de telle sorte que s'il venait à parler personne ne le crût. Samuel fabriqua des lettres avec sa compétence habituelle et parmi les hommes du roi il s'en trouvait un assez grand nombre disposés, sans se poser trop de questions, à accepter la situation moyennant quelques pots-de-vin. Prestcott s'enfuit à l'étranger, où il mourut. Ironie du sort : il était le plus grand traître à son roi, tout en étant entièrement innocent des crimes qu'on lui a reprochés.

— Votre problème était enfin résolu.

— Non. Pas du tout. Il n'aurait pas agi de cette façon désespérée en se fondant uniquement sur la parole de Ned Blundy. Il avait insisté pour voir des preuves et Ned les lui avait fournies.

— Quelle sorte de preuves ?

— Des lettres, des mémoires, des fiches, des dates de réunions ainsi que le nom des participants. Beaucoup de documents.

— Et il ne les a pas utilisés ? »

Thurloe sourit tristement.

« En effet. Je fus obligé de conclure qu'ils n'étaient pas en sa possession ; que Ned Blundy les avait gardés, ce qui était dans son intérêt.

— Et c'est l'homme mentionné par Samuel ?

— Oui. Peu de temps avant sa mort, Blundy rendit visite à sa famille pour la dernière fois. Il était raisonnable de conclure qu'il avait dû les leur laisser ; dans ce genre d'affaire il ne pouvait compter sur personne d'autre, même sur le plus ancien de ses compagnons d'armes. J'ai fait fouiller leur maison à plusieurs reprises, sans rien découvrir. Je suis pourtant certain que la fille ou la mère savait où ils se trouvaient, et qu'elles étaient les seules à le savoir. Blundy était sensé : jamais il n'aurait confié un tel secret à d'autres.

— Et elles sont mortes. Elles ne peuvent plus vous révéler la cachette.

— Précisément. Ni à Jack Prestcott. » Thurloe fit un sourire. « C'est un immense soulagement. Car s'il possédait ces documents, il aurait pu réclamer un titre de comte ou un demi-comté, et le roi les lui aurait accordés. Et Clarendon serait tombé sans broncher.

— Et vous avez promis à Prestcott que j'allais les lui donner ?

— Je lui ai simplement dit que vous lui donneriez des renseignements. Ce que vous pouvez faire maintenant, puisque je vous les ai fournis.

— Vous savez déjà quelles sont les informations qu'il possède ?

— Non. Mais, en toute honnêteté, je dois vous dire que je le devine.

— Et vous avez décidé de ne pas me les révéler pour que je fasse tuer cette fille ?

— C'est exact. J'aurais préféré avoir les documents de Blundy afin de les détruire. Mais comme cela ne paraissait pas possible, il valait mieux que personne ne puisse mettre la main dessus non plus. Ils nuiraient à la situation et à la sécurité de trop de gens, moi compris.

— Vous m'avez fait commettre un meurtre pour servir vos intérêts, dis-je sèchement, épouvanté par la cruauté de cet homme.

— Je vous ai déjà dit que le pouvoir n'est pas fait pour les délicats, mon révérend, répondit-il calmement. Et en quoi êtes-vous perdant ? Vous voulez vous venger de Cola et de ses protecteurs, et Prestcott vous permettra d'assouvir votre vengeance. »

Puis il fit un signe pour qu'on allât chercher le jeune homme, et celui-ci entra en se pavanant, tout fier d'avoir été si habile. Quant à moi, j'étais sûr que cette attitude ne durerait pas longtemps. J'avais accepté de lui éviter un procès, mais je savais que ce qu'il allait apprendre par ma bouche constituerait un châtiment bien plus cruel. Je n'étais pas non plus d'humeur à lui épargner le moindre détail.

Il commença par une longue tirade où il m'assura de sa reconnaissance pour la bonté et la charité dont j'avais fait preuve à son égard ; j'y mis fin abruptement. Je savais ce que j'avais fait et je ne souhaitais aucun remerciement. J'y avais été contraint, mais ma haine et mon mépris pour celui qui m'y avait forcé étaient quasiment sans bornes.

Thurloe vit mon impatience, me semble-t-il, et intervint avant que je ne laisse libre cours à ma rage.

« Ce que l'on se demande, monsieur Prestcott, c'est qui vous a permis d'aboutir à vos conclusions ? Qui vous a fait les allusions ou les suggestions qui vous ont amené à la conviction que Mordaunt était coupable ? Vous m'avez beaucoup parlé de votre enquête, mais vous n'avez pas tout dit et je déteste être dupé. »

Il rougit sous l'accusation et fit semblant de ne pas être effrayé par la menace implicite contenue dans la voix douce et calme de Thurloe. Thurloe, qui pouvait sans grand effort être plus terrifiant que toute autre personne de ma connaisance, écouta ses vantardises sans broncher.

« Je le répète, il manque quelque chose à votre récit. Vous avez dit vous-même que vous n'aviez jamais entendu parler de sir Samuel Morland et, cependant, vous avez très facilement découvert bien des choses à son sujet et sur ses centres d'intérêt. Vous n'aviez aucune lettre d'introduction auprès de l'intendant de lord Bedford et pourtant il vous a reçu et communiqué librement toutes sortes de renseignements. Comment vous y êtes-vous pris ? Pourquoi cet homme vous aurait-il parlé ? Cela a été le moment décisif de votre enquête, n'est-ce pas ?

Avant tout était sombre et obscur, ensuite tout est devenu clair et transparent. Quelqu'un vous a dit que Mordaunt était un traître, quelqu'un vous a parlé de son lien avec Samuel Morland et vous a encouragé dans votre quête. Auparavant, tout n'était que soupçons et idées à moitié formulées. »

Prestcott continua à refuser de répondre, mais il baissait la tête à la façon d'un écolier surpris à tricher dans ses devoirs.

« J'espère que vous n'allez pas nous dire que vous avez tout inventé. Le Dr Wallis, ici présent, a pris de grands risques pour vous et a conclu un marché avec vous. Cet accord sera nul et non avenu si vous ne remplissez pas votre partie du contrat. »

Finalement, Prestcott releva la tête et fixa Thurloe, un étrange sourire (presque un sourire de dément, à mon avis) sur les lèvres.

« C'est une personne amie qui m'en a parlé.

— Une personne amie. Comme c'est gentil de sa part. Auriez-vous l'amabilité de nous faire part du nom de cette personne ? »

Je m'aperçus que je m'étais penché en avant dans l'attente de sa réponse, car j'étais sûr que les paroles qui allaient suivre seraient une réponse à la question à propos de laquelle j'avais pris tant de risques.

« Kitty », fit-il.

Je le dévisageai, totalement mystifié. Le nom ne me disait rien du tout.

« Kitty ? répéta Thurloe, aussi imperturbable que d'habitude. Kitty ? Et ce monsieur est... ?

— Cette dame... est, ou plutôt elle était, une catin.

— Une catin fort bien informée, semble-t-il.

— Elle est très bien placée dans sa profession. C'est extraordinaire, n'est-ce pas, comme la fortune favorise certaines personnes ? La première fois que je l'ai rencontrée, elle se rendait à pied à Tunbridge Wells pour pratiquer son métier. Six mois plus tard, je la retrouve confortablement installée en tant que maîtresse de l'un des personnages les plus importants du royaume. »

Pour l'encourager Thurloe lui fit son pâle sourire habituel.

« C'est une fille qui a un solide bon sens, poursuivit Prestcott. Avant son ascension j'avais été gentil avec elle, et quand je l'ai retrouvée par hasard à Londres elle m'a généreusement remercié en me rapportant les ragots qu'elle avait entendus.

— " Par hasard "?

— Oui. Comme je me promenais, elle m'a aperçu et m'a abordé. Elle passait par là.

— Évidemment. Bon, et ce grand personnage qui l'entretient, il s'appelle... ? »

Prestcott se redressa sur son siège.

« Lord Bristol. Mais je vous supplie de ne pas dire que vous le tenez de ma bouche. J'ai promis d'être discret. »

Je poussai un grand soupir de soulagement, non seulement parce que j'avais fait d'immenses progrès, mais aussi parce que la réponse de Prestcott était de toute évidence véridique. De même qu'il n'était pas dans le caractère de M. Bennet de jouer son va-tout sur un coup de dés, il était, au contraire, tout à fait dans celui de Bristol de tout miser si imprudemment. Il se voyait comme le plus grand conseiller du roi, alors qu'en vérité il n'avait aucune fonction, ni aucune influence. Son catholicisme avéré l'avait empêché d'obtenir un poste officiel et Clarendon l'emportait sur lui dans toutes les questions politiques. Il lui en voulait, car c'était sans aucun doute un homme très fidèle et d'un grand courage qui était aux côtés du roi depuis plus longtemps que quiconque et qui avait partagé avec lui l'exil et la pauvreté. Personnage aux qualités exceptionnelles, il possédait plus de culture que tout homme de sa génération, et c'était un être charmant, plein de grâces et d'éloquence. Bon associé dans n'importe quelle affaire, il était le moins capable de la diriger, car malgré son indéniable valeur, sa vanité et son ambition étaient plus grandes encore, et la confiance qu'il avait dans ses propres talents lui montait à la tête, le transportait et le rendait vulnérable. Il soutenait des actions extrêmement imprudentes et hasardeuses, mais le faisait avec une conviction si charmante qu'on avait l'impression que c'était la seule façon d'agir. Il ne serait pas difficile de persuader autrui qu'il était l'auteur d'un projet aussi stupide qu'une tentative d'assassinat sur la personne de Clarendon, parce qu'il était parfaitement capable d'imaginer une telle folie.

« Soyez assuré que nous n'allons pas trahir votre confiance, dit Thurloe. Je dois vous remercier, jeune homme. Vous nous avez beaucoup aidés. »

Prestcott eut l'air perplexe.

« C'est tout ? Vous ne voulez rien d'autre de moi ?

— Plus tard, peut-être. Mais pas pour le moment.

— Dans ce cas, dit-il en se tournant vers moi, ayez la bonté de me fournir également un autre renseignement. La preuve de la culpabilité de Mordaunt qui, selon M. Thurloe, existe sans aucun doute. Où peut-on la trouver ? Qui la détient ? »

Malgré mon humeur noire, à ce moment-là je parvins à le plaindre. Il était stupide et victime de ses illusions, cruel ou crédule, tour à tour, violent dans ses actions et par nature, plein de bile et de superstitions ; c'était, en un mot, un monstre de perversité. Mais son seul sentiment authentique était la dévotion qu'il éprouvait pour son père, et la foi qu'il avait dans l'honorabilité de celui-ci était si intense qu'elle l'avait porté au cours de tous ses voyages et à travers tous ses ennuis. Cette noble émotion avait été si souillée par le ressentiment qu'il était difficile d'apercevoir la vertu qu'elle renfermait en son cœur, et cependant elle se trouvait bien là. Je ne pris aucun plaisir à anéantir sa dévotion, ni à lui faire savoir que sa cruauté avait fait de lui l'auteur de son propre et ultime malheur.

« Une seule personne savait où elle se trouvait.

« — Son nom, monsieur ? Je me rendrai chez elle sur-le-champ ! »

Il se pencha en avant avidement, dans l'attente de la réponse, une expression de totale confiance sur son jeune visage.

« Elle s'appelle Sarah Blundy. C'est la personne que vous avez voulu à tout prix faire mourir. Vous lui avez fermé la bouche pour toujours, et cette preuve va désormais rester cachée à jamais, car elle a dû bien la dissimuler. Vous n'allez plus pouvoir prouver l'innocence de votre père, ni récupérer vos terres. Votre nom sera à jamais terni par l'accusation de trahison. C'est le juste châtiment de vos péchés. Vous allez devoir vivre en sachant que vous êtes l'auteur de vos propres malheurs. »

Il se cala de nouveau dans son fauteuil, un sourire satisfait sur les lèvres.

« Vous vous moquez de moi, monsieur. C'est votre style, sans doute, mais je dois vous demander d'être plus direct avec moi. Dites-moi la vérité, s'il vous plaît. »

Je me répétai. Ajoutant de nouveaux détails, et encore d'autres jusqu'à ce que son sourire contraint disparût de ses lèvres et que ses mains se missent à trembler. J'y insiste, je ne prenais aucun plaisir à faire ce récit et, même si elle était juste, je ne trouvais aucune satisfaction non plus dans l'odieuse punition supplémentaire que je lui infligeais ainsi. Car, tandis que je lui expliquais minutieusement comment son père avait trahi le roi et avait été à deux doigts de le tuer, sa voix devint un grognement et l'expression hideuse et démoniaque qui s'empara de son visage tordu et déformé effraya même Thurloe, il me semble.

Heureusement que, n'ayant pas perdu ses vieilles habitudes de prudence, celui-ci avait posté dans la coulisse un serviteur prêt à intervenir. Lorsque je me tus, Prestcott me saisit à la gorge et m'aurait sans doute fait passer de vie à trépas si on lui avait accordé quelques secondes de plus avant de le plaquer au sol sans ménagement.

En tant que prêtre je ne puis que croire qu'il existe des hommes « possédés par les démons », mais jusqu'alors j'avais, je pense, toujours utilisé l'expression à la légère. J'avais eu bien tort ! Et ces sceptiques qui ne croient pas à ces choses sont victimes de leur orgueil. Il existe vraiment des démons qui peuvent s'emparer du corps et de l'âme des hommes et les pousser à des paroxysmes de cruauté et de destruction. Je n'avais pas besoin d'autre preuve que Prestcott pour être persuadé de rejeter le scepticisme à tout jamais, car aucun être humain ne saurait être capable de la brutale bestialité dont je fus témoin dans cette pièce. Le diable monstrueux qui, à mon avis, s'était emparé de Prestcott guidait ses pensées et ses actions depuis de nombreux mois, mais d'une façon si discrète et si subtile qu'on ne soupçonnait pas sa présence.

N'y tenant plus désormais, le démon avait laissé éclater sa fureur et sa violence dans toute leur horreur, poussant Prestcott à rouler sur le parquet, à en gratter les lames de ses ongles, à telle enseigne que le sang jaillissait et que des filets rouges coulaient le long des rainures. Nous ne fûmes pas trop de trois pour le maîtriser, mais nous ne pûmes l'empêcher de se taper la tête à maintes reprises contre les meubles et de tenter de nous mordre chaque fois qu'une de nos mains se trouvait imprudemment à sa portée. Il ne cessait de hurler d'horribles obscénités, même si, par chance, on ne pouvait comprendre la plupart de ses paroles. Il continua de se démener dans toute la pièce jusqu'à ce qu'on réussît à l'attacher et à le bâillonner avant de le conduire à la prison de l'université, en attendant qu'un membre de sa famille vînt le prendre en charge.

Chapitre douze

Je serais parti immédiatement pour Londres, même si je n'avais pas appris, étrangement par la bouche de M. Wood, que Cola s'était enfui d'Oxford après l'annonce de la mort de Sarah Blundy. Elle et sa mère étant mortes, j'avais le sentiment qu'à tout le moins certains de ses projets avaient été contrecarrés : ses moyens de communication avec les personnes censées l'aider étaient fortement réduits, assez, en tout cas, pour rendre toute prolongation de son séjour à Oxford inutile. Plus important : je pensais qu'il avait dû entendre parler de la chute de Prestcott dans la folie ; si Thurloe avait raison et si la première tentative d'assassinat sur la personne de Clarendon devait être effectuée par l'intermédiaire du jeune dément, Cola s'était sans doute rendu compte que cela avait échoué et qu'il lui fallait désormais passer à l'action sans plus tarder. Cette pensée, plus que toute autre, me fit quitter Oxford en hâte.

Le voyage fut aussi pénible que d'habitude, et dans la voiture cahotante je me disais que ma proie n'avait sur moi qu'une avance de quelques heures. Mais à Charing Cross personne ne se rappelait un homme répondant au signalement de l'Italien. Aussi me rendis-je directement à Whitehall où j'avais le plus de chances de trouver M. Bennet ; je lui fis parvenir un message dans lequel je le priais de m'accorder de toute urgence la faveur d'une audience.

Il me reçut une heure plus tard. Je lui en voulus de m'avoir fait attendre, même si j'avais prévu de faire antichambre plus longtemps.

« J'espère que c'est véritablement important, mon révérend, dit-il au moment où j'entrai dans son bureau qui, comme je le notai avec soulagement, n'avait d'autre occupant que lui. Cela ne vous ressemble pas de faire tout ce tapage.

— Je le crois bien, monsieur.

— Bon. Alors dites-moi ce qui vous préoccupe cette fois-ci. S'agit-il à nouveau de complots ?

— En effet. Avant que je m'explique, je dois vous poser une question de la plus extrême gravité. Lorsque je vous ai fait part de mes soupçons, il y a quelques semaines, en avez-vous parlé à quelqu'un ? À quiconque ? »

Il haussa les épaules et la critique implicite lui fit froncer le sourcil.

« Ce n'est pas impossible.

— C'est important. Autrement, je ne poserais pas la question. Moins de deux jours après notre discussion, Cola a tué mon très fidèle serviteur dont je vous avais donné le nom. Il est ensuite venu à Oxford et a essayé de me tuer également. Il savait que je détenais une copie d'une de ses lettres et il me l'a dérobée ainsi qu'une autre lettre similaire que je gardais depuis de nombreuses années. Je suis désormais convaincu que l'homme qui l'a fait venir chez nous est lord Bristol. Il me faut savoir si vous avez informé celui-ci de mes soupçons. »

M. Bennet mit un long moment à répondre ; je me rendais compte que son esprit vif et subtil évaluait toutes les facettes de mes déclarations et toutes leurs implications.

« J'espère que vous ne suggérez pas...

— Si cela avait été le cas, je n'aurais sûrement pas soulevé la question avec vous. Mais votre fidélité envers vos amis est de notoriété publique, et vous ne pourriez vous attendre qu'un homme qui doit tant au roi agisse contre son intérêt. Et je crois que la cible de Cola n'est pas le roi mais le lord Chancelier. »

Cette révélation le surprit et je m'aperçus que dans son esprit désormais les choses commençaient à prendre enfin un sens.

« La réponse à votre question c'est que je crois en effet en avoir parlé à lord Bristol ou, sinon, à quelqu'un de son entourage.

— Et ses rapports avec lord Clarendon sont toujours aussi mauvais ?

— Oui. Pas au point que je puisse facilement imaginer qu'il projette ce genre d'action. Il a tendance à concevoir des projets fantasques, mais je l'ai toujours considéré comme un homme trop faible pour accomplir grand-chose. Peut-être l'ai-je sous-estimé. Vous feriez mieux de m'expliquer en détail comment vous êtes parvenu à ces conclusions. »

C'est ce que je fis et, l'air fort grave, M. Bennet m'écouta jusqu'au bout, ne m'interrompant même pas lorsque j'avouai avoir consulté John Thurloe. Quand j'eus terminé mon récit, il se tut à nouveau un bon moment.

« Eh bien, eh bien ! dit-il enfin. Voilà de quoi faire passer la corde au cou d'un comte. C'est difficile à croire et cependant je m'y vois contraint. Par quel bout prendre cette histoire ? Voilà la question qui se pose.

— Il faut mettre un terme aux agissements de Cola et punir Bristol. »

M. Bennet me jeta un regard dédaigneux.

« Oui, évidemment. Mais c'est plus facile à dire qu'à faire. Êtes-vous au courant des projets de Cola ?

— Pas dans les détails.

— Savez-vous comment il communique avec lord Bristol ?

— Non.

— S'il existe des lettres ou des preuves formelles qu'il l'ait jamais fait ?

— Non plus.

— Alors qu'attendez-vous de moi ? Que j'accuse lord Bristol de haute trahison, peut-être ? Vous oubliez,

674

sans doute, que de même que je suis votre protecteur, il est le mien. Si je me sépare de lui, je dois me justifier, preuves à l'appui, sous peine d'être accusé de perfidie. Si lord Bristol tombe, la moitié de la cour tombera avec lui ; alors lord Clarendon ne subira plus guère de contraintes, et le roi encore moins. L'économie de tout le gouvernement sera bouleversée et paralysée. Je vous le dis, docteur Wallis, il m'est difficile d'admettre que notre homme puisse courir de tels risques.

— C'est pourtant la vérité. Il faut contrecarrer ses desseins et vous devez prendre sa place. »

Bennet me fixa intensément.

« Je ne vous flatte pas et je ne vous dis rien que vous ne ressentiez en votre for intérieur. Ce que vous représentez pour Sa Majesté est connu de tous. Votre rôle de contrepoids aux intérêts personnels de lord Clarendon serait également manifeste. Le manque de modération de lord Bristol l'a empêché d'accomplir cette tâche. Vous, vous en serez capable et vous aurez les mains plus libres si vous êtes débarrassé de ses foucades. Il faut que vous vous sépariez de lui et que vous provoquiez sa chute. Sinon, vous pouvez être sûr qu'il tombera de toute façon et qu'il vous entraînera avec lui. »

Il continuait de me fixer ; mais je m'enhardissais, sachant que je parlais directement à son cœur.

« Vous lui êtes lié, parce qu'il vous a élevé et promu, mais je sais que vous avez payé votre dette loyalement et avec compétence. Cependant, vous n'êtes pas forcé de l'aider à faire le mal, et ce qu'il projette vous donne le droit de briser vos liens. »

Il finit par réagir à mes propos ; il se prit la tête dans les mains et posa les coudes sur son bureau : je ne l'avais jamais vu s'abandonner à une telle attitude.

« Un coup de dés, c'est votre avis, mon révérend ? Et si Clarendon est tué quand même et que Bristol gagne en fait la partie ? Quel quartier me fera-t-on alors, à moi et aux miens ? Avez-vous imaginé combien de temps vous garderiez votre poste ?

— Quelques semaines, tout au plus. Mais je ne pense pas que je survivrais longtemps de toute manière, aussi la perte de mon poste serait pour moi un problème mineur.

— J'ai beaucoup réfléchi au rang que je devrais occuper à la cour. Vous pensez sans doute que je suis ambitieux, et c'est vrai. Je suis également un bon serviteur de Sa Majesté et, quelles que soient mes propres idées, je l'ai toujours conseillée du mieux que je l'ai pu. Je mérite les plus hautes fonctions du royaume. Clarendon a toujours entravé mon ascension comme il gêne celle de tous ceux qui sont plus jeunes et plus capables que lui. Et vous me dites que je dois abandonner un homme qui a toujours été bon pour moi et maintenir au pouvoir quelqu'un qui déteste jusqu'à l'air que je respire ?

— Je ne vous dis pas de le maintenir au pouvoir. Je vous fais seulement remarquer que vous ne devez en aucune manière vous rendre complice de son assassinat et que vous taire revient à cela. »

M. Bennet réfléchit puis céda, comme je savais qu'il finirait par le faire.

« Avez-vous l'intention d'affronter lord Bristol ou d'informer lord Clarendon ? demandai-je.

— D'informer ce dernier. Je n'ai aucune envie de porter des accusations. Je laisse à d'autres ce soin. Venez, docteur Wallis. Vous devez m'accompagner. »

Je n'avais jamais rencontré le lord Chancelier en personne, même si, naturellement, je l'avais aperçu en de nombreuses occasions. Sa grotesque corpulence ne me surprit pas, mais ce qui m'étonna ce fut la facilité avec laquelle nous fûmes reçus par lui. Il avait réduit l'étiquette au minimum ; sans aucun doute, les années d'exil, époque durant laquelle il vivait au jour le jour, devant même souvent se passer d'un domestique, lui avaient enseigné les vertus de la simplicité, quoiqu'une similaire indigence n'eût pas servi de leçon à M. Bennet.

Comme l'avait dit M. Thurloe, c'était un très fidèle sujet du roi, lequel avait à maintes reprises fort mal traité son serviteur et devait dans les années à venir le traiter encore plus mal. Clarendon le soutenait néanmoins sans faillir et lui évitait, dans la mesure du possible, de commettre certaines folies. De son exil, il avait œuvré sans ménager sa peine pour le retour du roi et, ce grand dessein accompli, il déployait d'immenses efforts pour le maintenir sur le trône. Son plus grave défaut était celui dont souffrent bien des personnes âgées : il surévaluait la sagesse des vieillards. Le respect est certainement une vertu, mais le réclamer en toute circonstance est pure bêtise et ne provoque que ressentiment. Ainsi avait-il inutilement suscité l'inimitié de M. Bennet, qui, partageant le même bon sens, était son allié naturel. Mais en toute occasion Clarendon s'opposait aux amis de Bennet et permettait rarement que les prébendes aillent à quiconque n'appartenait pas à son propre cercle.

L'antagonisme entre les deux hommes était quasiment imperceptible, cependant. L'étiquette qu'observait M. Bennet et la gravité naturelle de Clarendon s'unissaient de telle façon qu'une personne moins observatrice ou moins bien renseignée que moi aurait jugé leurs rapports absolument cordiaux. Mais ce n'était pas du tout le cas, et je savais aussi que, malgré son calme apparent, M. Bennet appréhendait sans nul doute l'issue de cet entretien.

Lorsqu'il s'agissait de sujets vraiment graves, M. Bennet n'était pas homme à dissimuler ses sentiments à l'aide de phrases alambiquées ou d'allusions discrètes. Il me présenta comme son employé et je fis un salut ; puis il annonça sèchement que j'avais à communiquer des faits de la plus grande importance. Clarendon plissa les yeux en se rappelant qui j'étais.

« Je suis surpris de vous voir en cette compagnie, mon révérend. Apparemment, vous avez la faculté de pouvoir servir de nombreux maîtres.

— Je sers Dieu et le gouvernement, monsieur. Le premier parce que c'est mon devoir et le second parce qu'on me le demande. Si l'on ne requérait pas mes services, je me contenterais volontiers de jouir d'une vie obscure. »

Il ne prit pas la peine de me répondre et se mit à arpenter d'un pas lourd la pièce où nous l'avions trouvé. M. Bennet gardait le silence, mais on lisait sur son visage une inquiétude à peine dissimulée. Il savait que son avenir dépendait entièrement de la manière dont j'allais me comporter pendant cette entrevue.

« Me trouvez-vous gros, monsieur ? »

De toute évidence, c'est à moi que le lord Chancelier d'Angleterre adressait cette question. Il se posta devant moi, tout essoufflé après avoir accompli l'effort d'effectuer quelques pas, les mains posées sur les hanches. Je le regardai droit dans les yeux.

« Bien sûr ! »

Il grogna de plaisir avant de regagner son siège en boitillant et de nous faire signe que nous pouvions nous asseoir également.

« Nombreux sont ceux qui m'ont regardé droit dans les yeux comme vous et juré sans sourciller que ma ressemblance avec Adonis était extraordinaire. La force du pouvoir est si grande qu'elle arrive même à déformer le regard des hommes, semble-t-il. Je mets ce genre de personne à la porte. Bien, monsieur Bennet, expliquez-moi donc ce qui vous fait passer outre à la haine que vous me portez. Et pourquoi ce monsieur vous accompagne.

— Je vais laisser parler le Dr Wallis, si cela vous agrée. Il connaît l'affaire sur le bout des doigts et il saura mieux que moi vous l'expliquer. »

Le Chancelier se tourna vers moi et, une fois de plus, je racontai mon histoire aussi brièvement que possible. Je dois refaire l'aveu de mes faiblesses, car ma narration serait inutile si je procédais à l'italienne et omettais ce qui ne sert pas mes intérêts : je ne parlai pas à lord Clarendon de Sarah Blundy.

Ces événements avaient fait partie de ma vie depuis si longtemps que rien dans cette affaire ne me surprenait plus ; il était instructif de voir comment des hommes plus ordinaires (si je peux, l'espace d'un instant, appeler ainsi le lord Chancelier) réagissaient à des accusations que je considérais désormais comme évidentes. Le visage de lord Clarendon pâlit et se ferma tandis que je relatais mes investigations et exposais mes conclusions ; les mâchoires serrées de colère, il dut même finalement détourner son regard du porteur de mauvaises nouvelles.

Mon récit fut accueilli par un long, très long silence. M. Bennet ne désirait rien dire ; le Chancelier semblait incapable de prononcer une parole. Quant à moi, je considérais mon rôle comme terminé : j'avais accompli ma mission et fait mon compte rendu à ceux qui avaient le pouvoir d'agir. J'étais conscient qu'il s'agissait d'une chose extrêmement grave et je me rendais compte, une fois de plus, du pouvoir des mots qui ont la faculté de faire, en un instant, tomber les hommes de très haut et d'accomplir, en quelques phrases, davantage que des armées entières en une année de campagne. Car les hommes sont retenus au-dessus de leurs semblables par la renommée, laquelle est pareille aux fils de la Vierge légers et fragiles qu'un souffle peut emporter.

Enfin Clarendon parla et me soumit à l'interrogatoire le plus serré que j'ai jamais subi ; il était avocat et, à l'instar de tous ses collègues, il adorait montrer ses talents. Il me questionna durant presque une heure ; je répondis de mon mieux, calmement et sans ressentiment. Je vais être franc à nouveau : mes réponses le satisfirent dans l'ensemble, mais il sut éplucher le dossier sans merci et aucune faiblesse ne résista à son œil inquisiteur.

« Par conséquent, docteur Wallis, votre croyance aux prouesses militaires de M. Cola...

— Sont fondées sur le rapport d'un marchand qui l'a transporté d'Italie à Venise. Il n'avait aucune raison de me mentir puisqu'il ne connaissait pas l'intérêt que je portais à cet individu. Il n'avait aucune éducation, cependant, je le considère comme un témoin valable. Il m'a narré ce qu'il avait vu et entendu ; mes conclusions sont en partie tirées de sa version des faits.

— Et les liens de Cola avec les républicains ?

— Bien attestés par mes informateurs aux Pays-Bas et par mon propre serviteur. Il a également établi une puissante relation avec une famille notoire à Oxford.

— Avec sir William Compton ?

— Il a été vu, par un témoin auquel on peut faire confiance, dans la demeure de sir William où il est resté plusieurs jours. Ils ont parlé de vous à maintes reprises, de l'itinéraire que vous aviez l'intention d'emprunter dans quelques semaines, et ils ont exprimé l'espoir que vous tombiez dans une embuscade sur la route.

— Avec lord Bristol ?

— Sir William sert les intérêts de lord Bristol... vous le savez, j'en suis sûr...

— C'est également le cas de M. Bennet, ici présent.

— J'ai fait part à M. Bennet de mes soupçons avant d'avoir la moindre idée de l'identité du maître de Cola. Il en a parlé à lord Bristol et, moins de vingt-quatre heures après, mon valet était assassiné par Cola. J'ai fait moi-même l'objet d'une tentative de meurtre quelques jours plus tard.

— Ce ne sont pas là des preuves suffisantes.

— En effet. Mais ce n'est pas tout. On sait que lord Bristol est en faveur d'une alliance avec l'Espagne et Cola est aussi intimement lié au gouverneur des Pays-Bas. Lord Bristol est un catholique notoire qui, par conséquent, ne reconnaît pas l'autorité du roi, du Parlement, ni des lois de notre pays. Et ce n'est pas la première fois qu'il s'est lancé dans une folle action. En outre, depuis quelque temps sa main a guidé un jeune homme dans le but de vous nuire en détruisant la réputation de lord Mordaunt. »

Finalement, je n'avais plus aucune preuve à avancer. Clarendon allait être convaincu ou non. Étrange entreprise que de persuader un homme qu'on cherche à attenter à ses jours ; et il est tout à l'honneur de lord Clarendon de noter qu'il ne se satisfaisait pas à bon compte. Beaucoup, de moindre envergure que lui, auraient sauté sur l'occasion et auraient même inventé des preuves supplémentaires afin de causer la perte d'un rival.

« Mais ils ne se sont jamais rencontrés ? Personne ne les a vus ensemble ? Il n'y a aucune lettre et personne n'a surpris la moindre conversation entre eux ? »

Je secouai la tête.

« Non. Mais je pense qu'une telle conduite serait improbable. Le bon sens impose que tout contact ait lieu par l'intermédiaire d'un tiers. »

Clarendon s'appuya au dossier de son fauteuil et j'entendis ses articulations craquer sous l'effort. M. Bennet était resté impassible sur son siège pendant toute la discussion, sans que ses traits trahissent la moindre émotion et sans m'aider ni me contredire. Il demeura totalement silencieux jusqu'à ce que Clarendon se tournât vers lui.

« Êtes-vous convaincu, monsieur ?

— Je suis convaincu qu'il est fort possible que vous soyez menacé et qu'il faut prendre toutes les mesures nécessaires pour vous protéger.

— C'est fort généreux de la part de quelqu'un qui ne me porte guère dans son cœur.

— Non. Vous êtes le ministre le plus proche de Sa Majesté et il est du devoir de tous de vous protéger aussi bien que le roi lui-même. Si le roi décidait de vous congédier, je ne ferais aucun effort pour empêcher votre chute ; vous le savez, j'en suis certain. Mais forcer Sa Majesté à agir contre son gré relève autant de la trahison que de faire tuer un homme sans procès. Si c'est là le souhait de Bristol, je ne veux rien avoir à faire avec lui.

— Vous pensez que c'est son souhait ? Toute la question est là, n'est-ce pas ? Je n'entends pas rester assis dans mon bureau et voir si je reçois un coup de couteau dans le dos et qu'ainsi soient prouvés les dires du Dr Wallis. Je ne peux inculper lord Bristol de trahison, parce que le dossier n'est pas assez solide et que le roi considérerait toute tentative de le poursuivre en justice comme un abus de pouvoir de ma part. Et moi-même je refuse d'adopter ce genre de méthodes.

— Vous les avez utilisées par le passé, dit M. Bennet.

— Rarement, et dans le cas présent je ne les emploierai pas. Depuis plus de vingt ans lord Bristol est aux côtés du roi, et il était aux côtés de son père auparavant, tout comme moi. Nous avons partagé l'exil, le désespoir et les privations. Je l'ai aimé comme un frère et mes sentiments n'ont pas changé. Je ne peux pas lui nuire. »

Les propos qu'échangèrent les deux hommes continuèrent dans cette veine ; les seules émotions et les seuls sentiments qu'ils exprimèrent furent la modération, la délicatesse et la nostalgie. Ainsi se comportent les courtisans, qui utilisent un code plus complexe et plus indéchiffrable que celui des médiocres conspirateurs qui étaient quotidiennement mes adversaires. Je ne mets même pas en doute leur totale sincérité ; mais sous les mots, avaient lieu un marchandage et une autre discussion comprise par les deux hommes, silencieuse mais plus âpre, chacun calculant la manière de faire tourner à son avantage la situation que j'avais créée.

Cette attitude ne provoque chez moi aucun mépris. Chacun croyait, j'en suis sûr, que si lui et les siens triomphaient l'ensemble de la société en profiterait. Je ne pense pas non plus que cette souplesse soit un défaut ; l'Angleterre venait de subir le joug d'hommes aux principes rigides qui refusaient de s'adapter et de changer de comportement. Le fait que Clarendon et M. Bennet se disputaient la faveur du roi ajoutait de l'éclat à la gloire de Sa Majesté. Forcer le roi, lui retirer le droit de choisir ceux à qui il accordait sa faveur, cela avait été le péché du Parlement dans le passé et c'était celui de lord Bristol dans le présent. Voilà pourquoi il fallait s'opposer à l'un et à l'autre.

Je n'étais pas non plus surpris que les deux hommes souhaitent comprendre parfaitement quels dommages entraînerait pour eux-mêmes la chute de Bristol. Car les conséquences seraient graves, comme chaque fois que tombe un puissant personnage. La famille Digby dont il était le chef comptait beaucoup de partisans à la Chambre des communes et dans les régions de l'Ouest ; on avait placé à la cour et dans des postes officiels un grand nombre de ses amis et de ses parents. Se débarrasser de lord Bristol était une chose ; déraciner sa famille était une tout autre affaire.

« J'espère qu'on peut tomber d'accord qu'il faut contrecarrer les desseins de cet Italien, dit le Chancelier, avec sur les lèvres la première esquisse d'un sourire depuis que je lui avais fait part de ce que je savais. Ce n'est qu'un début. Le problème le plus dur à résoudre, si je peux m'exprimer ainsi, c'est lord Bristol. Je ne souhaite pas l'accuser, encore moins commencer la procédure d'inculpation moi-même. Vous acceptez de vous en charger, monsieur Bennet ? »

Celui-ci secoua la tête.

« Je ne le peux. Un trop grand nombre de gens de son cercle appartiennent au mien également. Cela provoquerait de trop graves dissensions et on ne me ferait plus confiance. Je ne vais pas le soutenir, mais je refuse de le poignarder dans le dos. »

Ils se turent tous les deux. Ils étaient d'accord sur le but à atteindre, mais n'osaient pas franchir le pas. Finalement, je me décidai à parler, quelque peu confus d'offrir, sans qu'on les eût requis, mes conseils à ces deux personnages, certain pourtant, que mes talents valaient bien les leurs.

« Peut-être peut-on s'arranger pour qu'il provoque lui-même sa chute », hasardai-je.

Les deux hommes me fixèrent d'un air sombre, se demandant s'ils devaient me remettre à ma place ou, au contraire, m'encourager à parler. Enfin, Clarendon hocha la tête, m'indiquant qu'il m'autorisait à m'exprimer.

« Lord Bristol est un imprudent qui se vexe facilement quand son honneur ou sa vanité sont blessés et qui adore les gestes spectaculaires. Il l'a amplement démontré. Il faut le forcer à commettre des actes si extravagants et si stupides que cela exaspérera même le roi.

— Et que devons-nous faire pour ça, à votre avis ?

— Il a fait une tentative par l'intermédiaire de ce jeune homme du nom de Prestcott, laquelle a maintenant échoué. Il faut ensuite entraver les projets de Cola. Puis il s'agit d'aiguillonner et de provoquer Bristol jusqu'à ce qu'il perde tout sens commun. Il faudrait beaucoup de temps pour engager un autre tueur, de nombreux mois au moins. Nous devons grignoter rapidement sa position avant qu'il ne puisse faire une nouvelle tentative.

— C'est-à-dire ?

— Il y a de nombreuses possibilités. Il appartient au conseil d'administration de mon collège ; vous pourriez suggérer qu'on le relève de ses fonctions à cause de son catholicisme. Évincer certains de ses partisans de leurs postes.

— Ce ne sera pas ressenti comme une provocation ; cela ne fera que l'irriter.

— Votre Excellence, puis-je parler sans détour ? »

Clarendon hocha la tête.

« Votre fille a épousé le duc d'York contre votre gré et à votre insu. »

Clarendon hocha de nouveau la tête lentement, prêt à se mettre en colère. M. Bennet restait absolument immobile sur son siège, le regard braqué sur moi tandis que je prononçais les paroles les plus risquées que j'ai jamais émises de ma vie. La seule mention en présence du Chancelier du mariage qui avait défrayé la chronique pouvait signifier la fin de la carrière de l'audacieux car, quand l'union avait été révélée, cela avait été à deux doigts de signifier la fin de la sienne. Il était téméraire d'y faire la moindre allusion.

Et encore plus téméraire de l'évoquer comme j'étais sur le point de le faire. Je tentai autant que possible d'éviter le regard sombre et froid que fixait sur moi le Chancelier et je fis semblant de ne pas remarquer que M. Bennet m'avait à l'évidence retiré son soutien.

« J'hésite à recommander cette ligne d'action, mais il faut persuader lord Bristol que Sa Majesté la reine est stérile et que vous le saviez parfaitement lorsque vous avez encouragé le mariage. »

Mes propos furent accueillis par un silence de mort et je crus que j'allais déclencher son courroux. Une fois de plus il me prit au dépourvu car, au lieu d'entrer dans une violente colère, il demanda simplement d'un ton glacial :

« Et dans quel but ?

— Lord Bristol est jaloux de l'influence que vous exercez ; s'il est convaincu que vous avez œuvré pour placer votre propre fille sur le trône en exploitant la stérilité de la reine, votre futur rang le rendra fou de jalousie et on pourra le persuader d'essayer de vous faire mettre en accusation devant la Chambre des communes. Si M. Bennet refuse de soutenir cette démarche au moment décisif, elle échouera ; et le roi aura affaire à un homme qui aura tenté publiquement d'usurper son autorité en forçant son Premier ministre à partir. Il lui faudra agir s'il veut préserver la dignité de la couronne.

— Comment propagera-t-on ces rumeurs ?

— Un de mes jeunes collègues à Oxford, le Dr Lower, est extrêmement désireux de faire carrière à Londres. Si vous lui accordiez votre faveur, je suis certain qu'il laisserait courir le bruit qu'on l'a convoqué en secret pour examiner la reine et qu'il a découvert la preuve incontestable que celle-ci est stérile. Naturellement, sous serment M. Lower dirait la vérité et nierait avoir effectué un tel examen.

— Bien sûr, intervint M. Bennet, si vous acceptez cette proposition, vous êtes obligé de compter sur mon soutien public au moment décisif. C'est avec plaisir que je vous fais cette promesse, mais dans une affaire de cette importance, ne vous attendez pas que cela suffise.

— Je crois, monsieur, qu'il existe des moyens de s'assurer que vous aurez tout intérêt à tenir votre promesse. »

Bennet fit un signe de tête.

« C'est tout ce que je demande.

— Vous trouvez l'idée bonne ? demandai-je, tout étonné qu'elle rencontrât si peu d'opposition ou de résistance.

— Oui. Je vais tenter d'utiliser la chute de lord Bristol afin d'étayer ma position de Premier ministre du roi ; M. Bennet s'en servira pour renforcer la sienne afin de pouvoir me renverser en temps voulu. Ce sera pour plus tard, cependant ; pour le moment, nous devons nous considérer comme des alliés poursuivant un même et nécessaire dessein.

— Et l'Italien ne doit causer aucun ennui, ajouta Bennet. On ne peut pas l'arrêter ni l'obliger à s'expliquer devant qui que ce soit. Le gouvernement ne peut se permettre d'être secoué par des récits de trahison dans l'entourage et parmi les amis du roi.

— Il faut le tuer, dis-je. Donnez-moi quelques soldats et je vais m'assurer que ce sera fait. »

Et cette proposition fut également acceptée. Je quittai la réunion peu après avec le sentiment du devoir accompli et résolu à me concentrer désormais sur ma vengeance personnelle.

Chapitre treize

Après cet entretien, Clarendon resta chez lui, entouré de gardes, sous prétexte qu'il avait un nouvel accès de goutte (maladie dont il souffrait réellement et qui le torturait sans répit depuis de longues années). La visite qu'il devait faire à Cornbury fut annulée et il resta tapi dans sa demeure qu'il ne quittait que pour effectuer le court trajet de Piccadilly à Whitehall afin de se rendre auprès du roi.

Quant à moi, je me lançai à la recherche de Cola, utilisant pour le débusquer tous les moyens mis à ma disposition. J'avais cinquante soldats prêts à intervenir et tous mes informateurs furent réquisitionnés. Tous les républicains sur lesquels je pus mettre la main furent arrêtés, au cas où ils auraient donné refuge à l'Italien ; l'ambassade d'Espagne fut discrètement surveillée, devant et derrière, et j'envoyai des hommes dans presque toutes les tavernes, auberges et hôtelleries pour recueillir des renseignements. Les quais furent également surveillés et je demandai à mon ami marchand, M. Williams, de faire savoir qu'on devait m'informer immédiatement de toute demande de passage de la part d'un étranger quel qu'il fût.

Les Français sont, me semble-t-il, plus efficaces que nous en ce domaine, car ils disposent de ce qu'ils appellent une « police » pour maintenir l'ordre dans leurs villes. Après l'expérience de ma recherche de Cola, j'en vins à penser qu'un tel corps pourrait s'avérer utile à Londres aussi, même si les chances qu'il soit jamais créé sont fort minces. Peut-être que grâce à une telle force Cola aurait été retrouvé plus rapidement ; peut-être n'aurait-il pas été si près d'accomplir son dessein. Tout ce que je sais, c'est que pendant trois jours de frustration je le fis rechercher en vain. Personne n'avait ne serait-ce qu'entrevu l'individu, ce qui me semblait incroyable, étant donné qu'il était ordinairement si visible. Qu'il se trouvât à Londres était indubitable, puisqu'il ne pouvait se rendre nulle part ailleurs. Mais on avait l'impression qu'il s'était évanoui dans les airs tel un fantôme.

Il me fallait, bien sûr, faire régulièrement des rapports à lord Clarendon et à M. Bennet sur les progrès de mon enquête, et je sentais qu'ils perdaient peu à peu confiance au fur et à mesure que je leur relatais mes échecs. M. Bennet ne me disait rien directement, mais je le connaissais assez bien pour comprendre que mon emploi était désormais en jeu et qu'il me fallait trouver l'Italien sans délai si je ne voulais pas me passer de son soutien. La visite que je lui fis le quatrième jour de ma recherche fut la plus pénible, car je dus rester debout pendant tout l'entretien une fois encore et supporter sa froideur de plus en plus manifeste ; j'étais donc fort préoccupé tandis que je traversais les cours du palais en direction du fleuve.

Soudain, je fis halte, sachant que j'avais perçu quelque chose de la plus grande importance, sans pouvoir tout de suite déterminer ce que c'était. Mais je ne parvenais pas à me débarrasser du pressentiment de courir un grave danger, sans réussir à découvrir ce qui avait fait naître en moi cette impression. C'était une belle matinée, il m'en souvient, et j'avais décidé de me distraire en rentrant à pied du bureau de M. Bennet : je devais traverser Cotton Garden, emprunter un petit passage, avant de déboucher dans St. Stephen's Court et de gagner Westminster Stairs. Dans le petit passage, fermé par de lourdes portes de chêne à chaque extrémité, l'inquiétude s'empara de moi ; pourtant, je l'écartai comme étant injustifiée et continuai ma promenade. Ce n'est que lorsque je parvins sur le quai, au moment où j'allais monter dans mon bateau, que, comprenant soudain la situation, je revins sur mes pas en toute hâte pour avertir le poste de garde le plus proche.

« Sonnez l'alarme, ordonnai-je, après m'être fait connaître. Il y a un assassin dans le bâtiment. »

Je fis une brève description de l'Italien, puis me précipitai chez M. Bennet, pénétrant dans ses bureaux à l'improviste sans me préoccuper cette fois-ci du protocole.

« Il est ici, m'écriai-je. Il se trouve dans le palais. »

M. Bennet eut l'air sceptique.

« Vous l'avez vu ?

— Non. Je l'ai senti.

— Plaît-il ?

— Je l'ai senti. Dans le couloir. Il porte un parfum particulier qu'on ne peut absolument pas confondre avec un autre et qu'aucun Anglais n'oserait utiliser. Je l'ai senti. Croyez-moi, monsieur, il est ici. »

Bennet poussa un grognement.

« Et quelles mesures avez-vous prises ?

— J'ai alerté les gardes et ils ont commencé à fouiller le bâtiment. Où est le roi ? Où se trouve le Chancelier ?

— Le roi est à ses prières et le Chancelier est absent.

— Vous devez renforcer la garde. »

M. Bennet acquiesça d'un signe de tête et convoqua sur-le-champ des responsables à qui il se mit à donner des ordres. Pour la première fois, je crois, je compris pourquoi Sa Majesté le tenait en si haute estime, car il agissait avec calme, sans montrer le moindre signe de trouble, tout en œuvrant avec une extrême diligence. Quelques instants plus tard, des gardes entouraient le roi et ses prières furent écourtées, mais sans hâte excessive afin de ne pas effrayer les courtisans présents ; de petits détachements de soldats se dispersèrent dans tout le palais, parcourant ses centaines de salles, de cours et de couloirs, à la recherche de l'intrus.

« J'espère que vous ne vous trompez pas, monsieur, dit Bennet, au moment où nous assistions à l'interpellation d'un petit groupe d'employés. Sinon vous aurez affaire à moi. »

C'est alors que je vis l'individu que je cherchais depuis tant de jours. M. Bennet occupait une suite de pièces faisant angle ; deux des fenêtres donnaient sur la Tamise, la troisième sur la ruelle qui menait à Parliament Stairs. Et c'est là, s'éloignant tranquillement d'Old Palace Yard et passant devant Prince's Lodgings, que j'aperçus une silhouette familière. Aucun doute, il s'agissait de Cola, aussi désinvolte que d'habitude, bien que vêtu de manière moins voyante, et ayant l'air d'avoir parfaitement le droit de se trouver là.

« Le voilà ! » m'écriai-je, en saisissant M. Bennet par l'épaule. Il mit longtemps à me pardonner ce geste. « Le voici ! Vite ! Vite ! »

Sans attendre davantage, je sortis de la pièce en courant, hurlant aux gardes de me suivre en toute hâte. Et je me dressai, tel Horatius Coclès lui-même, barrant le chemin menant à Parliament Stairs et aux bateaux en attente qui représentaient la seule chance qu'avait Cola de s'enfuir.

Je n'avais pas la moindre idée de ce que je devais faire ensuite. Je ne portais aucune arme, j'étais absolument seul et sans le moindre moyen de me défendre contre un homme dont les talents de tueur étaient bien attestés. Mais, animé par mon ardeur et mon sens du devoir, j'étais résolu à lui mettre la main au collet et à l'empêcher d'échapper à ma juste vengeance.

Si Cola avait dégainé et s'il s'était jeté sur moi au moment où je me dressai devant lui, sa fuite aurait été assurée et ma mort tout aussi certaine. Pour seule arme, je ne possédais que la surprise et j'étais bien conscient que c'était dérisoire.

Pourtant, cela marcha ; lorsque Cola m'aperçut il fut si étonné qu'il fut pris au dépourvu.

« Le Dr Wallis ! s'écria-t-il, parvenant même à esquisser un sourire qui aurait presque pu faire croire qu'il était ravi de me voir. Vous êtes la dernière personne que je m'attendais à rencontrer en ces lieux.

— J'en suis persuadé. Puis-je vous demander ce que vous faites ici ?

— Je visite les monuments de la ville, monsieur, répliqua-t-il, avant de repartir pour ma terre natale, ce que j'ai l'intention de faire dès demain.

— Je crains que vous ne vous trompiez, dis-je avec soulagement, car je voyais les soldats traverser la cour et s'approcher de nous. J'ai l'impression que votre voyage est déjà terminé. »

Il se tourna afin de voir ce que je regardais... Il fit une grimace de consternation et de désarroi.

« Je constate que j'ai été trahi », dit-il. Et je poussai un profond soupir de soulagement.

Il se laissa emmener sans résister ni faire d'esclandre dans un bureau à deux pas de Fish Yard où je l'accompagnai. M. Bennet alla trouver Sa Majesté pour l'informer des derniers développements, ainsi que lord Clarendon, me semble-t-il, pour lui annoncer que tout danger était passé. Quant à moi, mon triomphe me faisait tourner la tête et je rendis grâce au ciel de m'avoir permis d'arrêter cet individu avant qu'il n'ait eu le temps de nuire plutôt qu'après. On l'enferma à double tour en ma présence et ensuite je procédai à son interrogatoire ; hélas, j'aurais pu épargner mon souffle, vu le petit nombre de renseignements que j'obtins.

L'audace de Cola me stupéfia, car il fit semblant d'être ravi de me retrouver en dépit des circonstances. Il était content, affirma-t-il, de voir un visage connu.

« Je me suis senti bien seul depuis mon départ de votre jolie ville, docteur Wallis. Je ne trouve pas les Londoniens très accueillants.

— Cela m'étonne. Mais quand vous avez quitté Oxford on ne peut guère dire que vous ayez été la coqueluche de la ville. »

Mes propos parurent le blesser.

« C'est vrai. Même si je ne vois pas ce que j'ai fait pour mériter cette inimitié. Vous avez entendu parler de ma querelle avec M. Lower, j'imagine ? Il m'a fort mal traité, je n'ai pas honte de vous l'avouer, mais je n'arrive pas à comprendre pourquoi. Bien que j'aie partagé avec lui toutes mes idées, il s'est très mal conduit avec moi.

— Peut-être a-t-il appris davantage sur votre caractère que sur vos idées et sans doute a-t-il été mécontent d'avoir reçu un tel individu. Personne n'aime être dupé, et s'il était trop bien élevé pour vous défier ouvertement, ce n'était pas manquer de courtoisie que d'indiquer son agacement. »

Un air de prudence rusée apparut sur son fade et large visage alors qu'il s'asseyait en face de moi et m'étudiait comme si mes paroles provoquaient en lui un vague amusement.

« Je suppose que c'est vous que je dois remercier à ce sujet, non ? M. Lower m'a dit que vous passiez votre temps à fourrer votre nez dans les affaires des autres et à vous occuper de ce qui ne vous regardait pas.

— J'en suis plutôt fier ! rétorquai-je, décidé à ne pas prendre la mouche. Je travaille pour le bien du pays et pour celui de son gouvernement légitime.

— Je suis enchanté de l'apprendre. C'est le devoir de chacun. J'aime à croire que je suis tout aussi loyal.

— Je le crois bien. Vous l'avez prouvé à Candie, n'est-ce pas ? »

Il plissa les yeux. Il n'en revenait pas.

« Je ne me rendais pas compte que ma renommée avait pris une telle ampleur.

— Et vous connaissiez également sir James Prestcott ?

— Oh, je vois ! répliqua-t-il, en faisant semblant de comprendre enfin. C'est son fils, cet étrange jeune homme, qui vous l'a dit. Il ne faut pas croire tout ce qu'il raconte. Il est la proie de bizarres chimères à propos de tout ce qui concerne son vénéré père et de tous ceux qui l'ont approché. Il est tout à fait capable d'inventer une histoire à mon sujet afin de faire paraître le pauvre homme sous un jour glorieux.

— Il m'est difficile de considérer sir James comme un pauvre homme.

— Vraiment ? Moi, je l'ai rencontré dans des circonstances différentes, à l'époque où il se voyait réduit à louer son épée et où il n'avait pas un sou vaillant. Quelle déchéance ! Aucun de ses compagnons ne lui tendait la main pour lui venir en aide. Peut-on le condamner réellement ? Pourquoi leur aurait-il été fidèle ? C'était l'homme le plus brave, le camarade le plus courageux, et j'honore sa mémoire tout autant que je déplore sa triste fin.

— Et vous-même vous débarquez en Angleterre sans parler à quiconque de votre propre bravoure ?

— Cette période de ma vie est définitivement passée. Je ne souhaite pas m'en souvenir.

— Vous fréquentez les ennemis du roi partout où vous allez.

— Ce ne sont pas mes ennemis. Je fréquente qui me plaît et ceux dont je trouve la compagnie agréable.

— Parlez-moi de lord Bristol.

— J'avoue ne pas connaître ce gentilhomme. »

Il prononça ces mots sans sourciller, le visage tout à fait impassible et en me fixant droit dans les yeux.

« Évidemment. Et vous n'avez jamais entendu parler de lord Clarendon.

— Lui ? Oh, bien sûr ! Qui n'a jamais entendu parler de lord Clarendon ? Naturellement que j'ai entendu parler de lui. Sauf que je ne comprends pas le sens de la question.

— Parlez-moi de sir William Compton. »

Cola soupira avec force.

« Que de questions ! Sir William, comme vous le savez, était un ami de sir James. Celui-ci m'avait dit que sir William serait enchanté de m'offrir l'hospitalité si je venais jamais visiter l'Angleterre. Ce qu'il a fait avec une extrême générosité.

— Et on l'a agressé pour le remercier.

— Ce n'est pas moi qui l'ai attaqué, si c'est ce que vous suggérez... Je crois comprendre que l'agresseur était le jeune Prestcott. Moi, je n'ai fait qu'essayer de le maintenir en vie. Et personne ne pourra nier que je m'en suis bien tiré.

— Sir James Prestcott a trahi sir William Compton, ce qui a provoqué la haine de celui-ci. Prétendez-vous me faire croire qu'il aurait eu plaisir à vous inviter chez lui ?

— C'est pourtant ce qu'il a fait. Quant à la haine, je n'en ai vu aucune trace. S'il y a eu la moindre inimitié entre eux elle est morte avec sir James.

— Vous avez parlé du meurtre du lord Chancelier avec sir William. »

Le changement dans le comportement de l'Italien lorsque je fis cette déclaration fut remarquable. Se départant de son amabilité tranquille, celle d'un homme qui ne court aucun risque, il se raidit soudain ; à peine, mais la différence était cependant considérable. Désormais, je voyais bien qu'il surveillait davantage ses propos. En même temps, d'une certaine façon, l'air amusé persistait, comme s'il était toujours assez sûr de lui pour ne pas craindre d'être véritablement inquiété.

« C'est cela qui vous intéresse ? Nous avons discuté de beaucoup de choses.

— Y compris d'une embuscade sur la route de Cornbury.

— Les routes anglaises, paraît-il, sont pleines d'embûches pour les imprudents.

— Niez-vous avoir déposé à New College une bouteille contenant du poison en pensant que c'était moi qui la boirais, cette fameuse nuit ? »

Cette fois-ci, il parut exaspéré.

« Docteur Wallis, vous commencez vraiment à me lasser. Vous me parlez de l'agression de sir William Compton bien que Jack Prestcott ait été inculpé à ce sujet et que sa fuite équivale quasiment à un aveu. Vous me parlez de la mort du Dr Grove quoique cette fille ait non seulement été pendue pour ce crime mais l'ait avoué sans qu'on l'y oblige. Vous évoquez des conversations à propos de la sécurité de lord Clarendon, alors que je suis à Londres sans me cacher et que le Chancelier est en excellente santé. Puisse-t-il jouir longtemps de cet heureux état ! Où voulez-vous donc en venir ?

— Vous ne niez pas, non plus, que vous avez assassiné Matthew, mon serviteur, à Londres, au mois de mars ? »

À nouveau, il prit un air perplexe.

« Une fois encore, je ne vous suis plus, monsieur. Qui est Matthew ? »

Une froide colère dut se lire clairement sur mon visage, car pour la première fois, il sembla déconcerté.

« Vous savez parfaitement qui est Matthew. Le garçon que vous avez si généreusement pris sous votre aile aux Pays-Bas. Le garçon que vous avez invité à votre fête pour le débaucher. Le garçon que vous avez retrouvé à Londres et que vous avez tué de sang-froid alors que tout ce qu'il espérait de votre part c'était de l'amitié et de l'amour. »

L'insolence de Cola s'était évaporée et il se contorsionnait tel un poisson hors de l'eau afin d'éviter de regarder en face sa duplicité et sa lâcheté qu'il était bien forcé de reconnaître.

« Je me rappelle un adolescent à La Haye, mais qui ne s'appelait pas Matthew, en tout cas ce n'est pas le nom qu'il se donnait. À l'odieuse accusation de débauche, je ne vais même pas m'abaisser à répondre, car je n'en sais pas l'origine. Quant à l'assassinat, qu'il me suffise de le nier. J'admets que j'ai été attaqué par une bande de voleurs peu après mon arrivée à Londres. J'avoue m'être défendu du mieux que je l'ai pu et m'être échappé sans attendre mon reste. L'identité de mes agresseurs et l'état dans lequel ils se trouvaient quand nous nous sommes séparés, je ne les connais pas avec certitude, bien que je n'aie pas eu l'impression d'en avoir blessé un si grièvement. Si l'un d'entre eux est mort, j'en suis désolé. Si c'était ce garçon, je le regrette d'autant plus, quoique je ne l'aie certainement pas reconnu ; je ne lui aurais fait aucun mal si cela avait été le cas, même s'il m'avait trompé à ce point. Mais à l'avenir je vous conseillerai de choisir vos serviteurs avec plus de soin et de ne pas employer des gens qui augmentent leurs gages en se faisant voleurs la nuit. »

Ces propos acérés me transpercèrent aussi sauvagement que l'épée de Cola avait tranché la gorge de Matthew, et à cet instant je souhaitai avoir un poignard sous la main, ou une plus grande liberté d'action, ou encore posséder une âme que le meurtre ne révulserait pas. Mais Cola savait fort bien que je n'étais pas libre d'agir à ma guise. Il avait dû le deviner dès mon arrivée et cela lui permit de me narguer et de me tourmenter.

« Faites bien attention à ce que vous dites, le menaçai-je, en éprouvant un certain mal à maîtriser ma voix. Je peux vous nuire prodigieusement, si je le souhaite. »

Ce n'étaient pour le moment que des paroles en l'air ; il dut aussi s'en douter, car il partit d'un rire léger et plein de mépris.

« Vous ferez ce que vos maîtres vous diront de faire, mon révérend. C'est notre lot à tous. »

Chapitre quatorze

J'approche de la fin de mon récit ; tout le reste je l'ai appris de seconde main ou je l'ai vu seulement en tant que spectateur, je n'ai donc pas la prétention de commenter longuement des sujets que d'autres connaissent mieux que moi. Je me trouvais cependant sur le quai, le lendemain, lorsque Cola fut conduit au bateau. Je vis le carrosse approcher et l'Italien emprunter la passerelle et monter sur le pont d'un pas léger et désinvolte. Il m'aperçut d'ailleurs et me sourit en me faisant un salut ironique, avant de disparaître en contrebas. Je n'attendis pas que le bateau eût levé l'ancre mais rentrai chez moi en voiture ; je ne partis pour Oxford qu'après que le commandant m'eut raconté que Cola et ses bagages avaient été jetés, à quelque quinze miles du rivage, dans une mer si démontée qu'il n'avait pu survivre bien longtemps. Même si ma vengeance était complète, je ne fus guère apaisé, et je mis plusieurs mois à recouvrer un semblant de mon calme d'antan. Mais pas le bonheur.

Finalement, M. Bennet, désormais lord Arlington, requit à nouveau mes services avec une certaine insistance ; ses désirs eurent raison de ma réticence, voire de mon dégoût. Pendant les mois précédents un grand nombre d'événements étaient survenus. L'alliance des intérêts de Clarendon et de ceux de Bennet dura assez longtemps pour qu'ils puissent tous les deux accomplir leurs desseins. Confronté à l'anéantissement de ses projets d'assassinat, à la rumeur que tôt ou tard la fille de lord Clarendon monterait sur le trône d'Angleterre et en butte au harcèlement constant des membres de son propre cercle, Bristol joua son va-tout et tenta de faire inculper le Chancelier de trahison devant le Parlement. Cela ne provoqua que moquerie et mépris, et Bennet se dissocia de cette démarche ; je ne suis pas au courant des assurances qu'il avait au préalable offertes à Bristol pour le pousser à agir. Sa Majesté fut si offensée par cette tentative de le forcer à démettre son ministre qu'il exila Bristol sur le continent. La position de Clarendon fut consolidée et Bennet obtint sa récompense en adoptant plusieurs membres de la famille de Bristol. Plus important : la perspective d'une alliance avec l'Espagne reçut un coup fatal et la question ne fut plus jamais soulevée.

L'entente entre les deux hommes ne pouvait durer très longtemps ; ils le savaient tous les deux, et le monde entier se rappelle comment elle se termina. Lord Clarendon, le meilleur serviteur que le roi ait jamais eu, fut finalement lui aussi contraint de s'exiler et, vivant dans le dénuement en France, il dut souffrir l'ingratitude de son roi, la cruauté de ses compagnons et le catholicisme déclaré de sa fille. Bennet lui succéda et, en fin de compte, perdit le pouvoir, renversé par un autre comme il avait renversé Clarendon. Ainsi va la politique et tels sont les politiciens.

Pendant un certain temps, néanmoins, mes efforts sauvèrent le royaume ; les mécontents, quoiqu'ils eussent été généreusement financés par l'Espagne, ne purent parvenir à leurs fins parce qu'ils durent affronter un gouvernement qui n'était pas affaibli par des dissensions. Je n'oublie jamais, après tant d'années, le prix terrible que je dus payer afin d'obtenir ce triomphe.

Tout eut pour origine mon désir de châtier l'homme qui m'avait causé un tel chagrin. Et aujourd'hui je découvre que cet homme que je haïssais autant que j'aimais Matthew m'a filé entre les doigts et a échappé à mon courroux. J'avais accompli des actes odieux et, malgré cela, je fus frustré de ma vengeance. En mon for intérieur je sais que j'ai été trahi, puisque le commandant du bateau, qui m'affirma avoir vu Cola se noyer, n'aurait pas osé me mentir s'il n'avait eu peur d'un autre homme encore plus puissant que moi.

Mais je ne sais pas qui prit la décision d'épargner Cola et celle de ne m'en rien dire, ni pourquoi elles furent prises. Je n'ai guère de chances aujourd'hui de l'apprendre. Thurloe, Bristol, Clarendon sont morts tous les trois ; Bennet boude dans sa retraite morose et ne parle à personne. Lower et Prestcott ne le savent pas, de toute évidence, et je ne crois pas que M. Cola daignerait éclairer ma lanterne. La seule personne à qui je n'ai pas parlé est ce Wood, mais je suis certain qu'il ne sait pas grand-chose, à part des bribes ou des détails insignifiants.

Je n'ai jamais occulté ce que j'ai fait, bien que je ne me sois jamais vanté non plus de mes actions. Je me serais tu sans l'arrivée de ce manuscrit. Je reconnais avoir mené des intrigues. Et, en fin de compte, les événements ont prouvé que j'avais raison sur tous les plans. Même ceux qui seraient portés à me critiquer doivent en prendre conscience : si je n'avais pas agi, Clarendon serait mort et le pays aurait couru le risque de s'embraser de nouveau. Cette évidence à elle seule fait plus que justifier mes actes, les souffrances que j'ai endurées et celles que j'ai infligées aux autres.

Et pourtant, quoique je sache que tout cela est vrai, le souvenir de cette fille s'est mis à me hanter. J'ai commis un péché en me lavant les mains de son destin et en me taisant lorsqu'elle a été condamnée à mort. Je l'ai toujours su, mais je ne l'avais jamais accepté jusqu'à aujourd'hui. J'ai été poussé par la duplicité de Thurloe à commettre cette action atroce et j'étais motivé uniquement par mon désir de justice ; j'ai toujours cru que c'était là une excuse suffisante.

Tout est connu du plus grand Juge de tous et c'est à Lui que je dois confier mon âme, sachant que je L'ai servi du mieux que je l'ai pu dans tous mes actes.

Mais souvent, tandis que je passe une nouvelle nuit blanche ou que, au comble de la frustration, je ne parviens plus à dire mes prières, je crains que mon seul espoir de salut c'est qu'Il ait davantage de miséricorde que moi je n'ai eu de pitié.

Je ne crois plus que ce sera le cas.

UNE INSTANCE DE LA CROIX

> *Lorsque, dans l'étude d'une nature, l'entendement est placé dans un état d'équilibre, les instances de la croix montrent le véritable et inévitable chemin menant à la solution de la question. Les instances de cette sorte répandent la plus grande lumière, à tel point que parfois la carrière de l'interprétation y prend fin et s'y achève. Il arrive que ces instances de la croix se rencontrent, en fait, parmi des preuves déjà relevées.*

Francis Bacon, *Novum Organum*, section XXXVI, aphorisme XXI

Chapitre premier

Il y a quelques semaines, mon vieil ami Dick Lower m'a fait parvenir cette énorme pile de feuillets en me disant que, étant donné que je suis un collectionneur insatiable de curiosités et de ce genre d'articles, peut-être était-ce moi qui devais les conserver. Lui-même était tenté de les mettre au rebut tant ces papiers regorgeaient de mensonges et de contradictions. Il me dit (par lettre, car il s'est retiré dans le Dorset où il vit dans une certaine opulence) avoir trouvé ces manuscrits ennuyeux. Apparemment, deux hommes peuvent assister au même événement et en garder l'un et l'autre un souvenir erroné. Comment, continue-t-il, pourrons-nous jamais aboutir à une certitude sur quoi que ce soit, même en étant de bonne foi ? Il attire mon attention sur plusieurs épisodes où il prit une part active et note que les choses ne se sont pas du tout passées comme ça. Naturellement, l'un d'eux concerne l'extraordinaire tentative de transvaser du sang nouveau dans le corps de la veuve Blundy à l'aide d'une plume d'oie, expérience que revendique le signor Cola. Lower, que je sais être d'une grande honnêteté, met radicalement en question cette version des faits.

Notez qu'il mentionne seulement deux hommes, Cola et Wallis, alors qu'il y a trois manuscrits. Il est naturel qu'il omette totalement de citer celui de Jack Prestcott. Ne pouvant le punir, la justice ne fait aucun cas d'un dément : si ses actions présentes sont déraisonnables, comment ajouter foi à sa mémoire ? Ses souvenirs ne sont que des divagations sans queue ni tête, tirées à l'alambic de la maladie. La malheureuse cervelle de Prestcott prend la maison de fous de Bedlam pour une magnifique demeure ; il ne se fait pas raser la tête pour pouvoir porter sa perruque, comme il l'explique, mais pour qu'on soigne sa folie avec du vinaigre ; les pauvres hères qui maîtrisent les fous deviennent ses serviteurs et les innombrables visiteurs dont il se plaint ne sont que les individus qui donnent leur penny chaque dimanche afin de regarder à travers les barreaux de fer des cages et se gausser du malheur des déments. C'est ce que j'ai fait moi-même lorsque, tout récemment, je suis allé voir Prestcott et lui ai parlé de cette histoire, mais je n'en ai tiré ni plaisir ni amusement.

Cependant, plusieurs des affirmations de Prestcott sont vraies. Je le sais et je le reconnais, bien que je n'aie aucun motif de l'aimer. Il est devenu fou, me dit Lower, lorsqu'on lui a mis sous les yeux la preuve que sa propre perversité avait réduit à néant tous ses espoirs et tous ses efforts, et que les avertissements reçus de l'Irlandais étaient au bout du compte fondés. C'est peut-être vrai. Mais je pense que jusqu'à ce moment-là il était plus ou moins sain d'esprit, et il est possible que ses souvenirs soient véridiques, même si les conclusions qu'il se fait fort d'en tirer sont totalement fausses. Il faut une certaine intelligence, après tout, pour présenter un dossier comme il le fait ; s'il avait gardé ses esprits, il aurait pu devenir un bon avocat. Tous les gens qu'il a rencontrés lui ont déclaré que son père était coupable, et c'est la vérité. Avec beaucoup de talent, il met en relief les preuves de son innocence et évite habilement de signaler tout ce qui suggère la véritable gravité de la turpitude de son père. À la fin de ma lecture, j'étais prêt à le croire, alors que je savais mieux que quiconque qu'il s'agissait là d'un tissu d'inepties.

Mais le compte rendu de ce malheureux est-il moins crédible que ceux des deux autres qui sont également déformés et dénaturés par des passions, même si elles sont de nature différente ? Prestcott est fou, sans doute, mais Cola est un menteur. Il n'y a peut-être qu'un mensonge manifeste, par opposition à toutes les omissions et à tous les oublis sur lesquels on pourrait autrement fermer les yeux. Il ment, néanmoins, car comme le dit Ammien Marcellin, *Veritas vel silentio consupitur vel mendacio* : la vérité est violée aussi bien par le silence que par le mensonge. Le mensonge se trouve dans une phrase si innocente qu'il n'est pas surprenant que même Wallis ne l'ait pas remarquée. Mais il dénature tout le reste du manuscrit et fausse le sens des paroles véridiques, parce que pareil à l'argumentation d'un savant, avec une logique impeccable, le récit tire des conclusions à partir de prémisses erronées : « Marco da Cola, gentilhomme vénitien, présente ses salutations respectueuses. » C'est ainsi qu'il commence son récit et, à partir de là, il faut étudier soigneusement chaque terme. Il faut mettre en question l'existence même du manuscrit, car pourquoi a-t-il pris la peine de le rédiger après toutes ces années ? D'autre part, affirmer que ses propos sont mensongers ne signifie pas que ses raisons et ses actions sont celles que lui attribue Wallis. Le Vénitien n'était absolument pas ce qu'il paraissait, ni ce qu'il prétend être aujourd'hui, pourtant, il ne menaçait sûrement pas la sécurité du royaume, ni la vie de lord Clarendon. Et Wallis était lui-même si habitué à vivre dans l'univers sombre et sinistre de son imagination qu'il ne pouvait plus faire la différence entre la vérité et les chimères, entre l'honnêteté et la duperie.

Mais comment séparer les assertions qu'il faut croire de celles que l'on doit rejeter ? Je ne peux passer en revue l'ensemble de ces événements en y introduisant de subtiles variations, à l'instar de Stahl se servant de ses divers produits pour démontrer la cause de la mort du Dr Grove. Même si je le pouvais, la méthode philosophique infaillible semble inappropriée quand il s'agit de questions où le mouvement est déterminé par des êtres humains et non pas par de la matière inerte. J'ai autrefois assisté à un cours de chimie donné par M. Stahl et je dois dire que je n'en suis pas ressorti plus avisé. Les expériences de Lower sur la transfusion sanguine créèrent d'abord l'impression qu'on avait découvert la panacée, mais plus tard (quand en France nombreux furent les malades qui périrent) les *savants* décidèrent que non, au contraire, il s'agissait là d'une méthode désastreuse et inacceptable. On ne peut jouer sur les deux tableaux à la fois, messieurs les philosophes. Si vous avez raison aujourd'hui, comment se fait-il que vous ayez eu si gravement tort jadis ? Comment se fait-il que lorsqu'un homme de Dieu change d'opinion cela prouve la fragilité de ses croyances, alors que lorsqu'il s'agit d'un homme de science cela démontre la valeur de sa méthode ? Comment un simple chroniqueur comme moi peut-il métamorphoser le plomb de l'inexactitude que renferment ces feuillets en l'or de la vérité ?

La principale qualification qui m'autorise à commenter ces liasses c'est le désintéressement qui est (nous dit-on) le *primum mobile* d'une compréhension sans parti pris : ces récits ne me concernent guère. D'autre part, je peux en toute justice revendiquer un certain savoir : j'ai passé toute ma vie à Oxford, et cette ville (même mes détracteurs sont d'accord là-dessus) n'a aucun secret pour moi. Enfin, bien sûr, j'ai rencontré tous les acteurs du drame ; à l'époque, Lower était mon fidèle compagnon et nous mangions ensemble au moins une fois par semaine chez la mère Jean ; par son intermédiaire je finis par connaître tous les philosophes, y compris le signor Cola. J'ai travaillé avec le Dr Wallis pendant de nombreuses années quand il était responsable des archives de l'université et que je les fréquentais plus assidûment que quiconque.

J'eus même l'honneur de discuter avec M. Boyle et j'assistai une fois à une réception en présence de lord Arlington, même si, hélas ! je n'eus pas le privilège de lui présenter mes respects.

De surcroît, je connaissais Sarah Blundy avant ses malheurs, et (n'étant pas homme à parler par énigmes et rébus) je vais révéler mon secret sans plus tarder : je l'ai revue après également, bien qu'elle ait été pendue, disséquée et brûlée... Bien plus : je crois être la seule personne qui peut faire le compte rendu véridique de cette époque et montrer toute la bonté qui provoqua une telle cruauté et la grâce providentielle qui causa une telle perversité. Pour certaines questions, je peux faire appel à Lower, car nous partageons bien des secrets ; mais je suis seul à connaître les faits primordiaux, et il me faudra emporter l'adhésion par ma force de conviction et l'habileté de mon discours. Curieusement, moins je serai cru, plus je serai sûr d'avoir raison. Dans son magistral poème, M. Milton déclare qu'il a pris la plume pour justifier devant les hommes les voies de Dieu. Cependant, il n'a pas réfléchi à une question : peut-être Dieu a-t-Il interdit aux hommes de connaître les voies qu'Il emprunte, car, s'ils se rendaient compte de toute l'étendue de Sa bonté et de l'ampleur du rejet que nous Lui faisons subir, ils seraient si découragés qu'ils abandonneraient tout espoir de rédemption et qu'ils mourraient de chagrin.

Je suis un historien et je revendique ce titre malgré les critiques qui prétendent que je suis un « antiquaire ». Je crois que la vérité ne peut reposer que sur un socle de faits solides, et dès mon plus jeune âge je m'assignai la tâche de bâtir ce socle. Remarquez, je n'ai pas le grandiose dessein d'élaborer une histoire du monde ; on ne peut construire un palais avant d'avoir arasé le sol. Au contraire, comme M. Plot a — joliment — écrit l'histoire naturelle de notre pays, je suis, moi, occupé à écrire son histoire civile. Quelle entreprise de longue haleine ! Je pensais que cela prendrait quelques années de ma vie ; or, maintenant je vois que je vais mourir à un âge avancé et que la tâche restera inachevée. Au début (une fois qu'une première vocation religieuse m'eut quitté), j'eus envie d'écrire sur nos récents ennuis pendant le siège, quand les partisans du Parlement s'emparèrent de la ville puis nettoyèrent l'université de tous ceux qui n'étaient pas parfaitement d'accord avec eux. Mais je me suis vite aperçu qu'une tâche plus noble m'attendait et que toute l'histoire de l'université risquait de disparaître si elle n'était pas sauvegardée. Aussi abandonnai-je mon dessein originel et entrepris-je la noble œuvre, quoique j'eusse déjà amassé une somme considérable de documents et que leur publication m'aurait, sans aucun doute, apporté la gloire dans le monde entier ainsi que la protection des puissants qui m'a toujours échappé. Peu me chaut, cependant : *animus hominis dives, non arca appellari solet* ; et si l'on considérait que c'était l'un des paradoxes de Servius Tullius d'affirmer que l'esprit d'un homme et non la profondeur de ses coffres constitue sa richesse, cela montre simplement que l'époque romaine était aussi aveugle et aussi corrompue que la nôtre.

C'est grâce à ces premiers travaux que je rencontrai Sarah Blundy et sa mère, lesquelles vont jouer un si grand rôle dans mon récit. À plusieurs reprises j'avais entendu parler de Ned, le mari de la vieille femme, au cours de mes voyages à travers les documents et, bien qu'il ne fût pas un personnage majeur dans ma description du siège, les passions qu'il avait suscitées avaient attisé ma curiosité. Sauvage mécréant, fils du diable, pire qu'un assassin, homme à la mine patibulaire... Saint moderne, manifestement l'un des élus, homme généreux et à la voix de miel... Avis diamétralement opposés, et pas grand-chose entre les deux ; ils ne pouvaient être exacts l'un et l'autre et je souhaitais comprendre cette contradiction. Je savais qu'il avait participé au soulèvement de 1647, qu'il avait quitté la ville quand la mutinerie avait été réprimée et, pour ma part, il quitta également mon récit à ce moment-là. Était-il encore vivant ? Mais puisqu'il avait joué un rôle dans un événement qui avait connu un certain retentissement, il eût été dommage de se passer du point de vue d'un témoin oculaire (même de celui d'une femme si je ne trouvais pas l'homme lui-même) ; c'est alors que je découvris, durant l'été de 1659, que sa famille habitait à deux pas.

Je ressentais une certaine appréhension : Anne Blundy avait la réputation d'être une voyante (selon ceux qui ne la détestaient pas) ou une sorcière (d'après ceux qui étaient moins bien disposés envers elle). On disait que sa fille, Sarah, était une étrange sauvageonne, mais elle n'avait pas encore acquis la notoriété de guérisseuse qui amena M. Boyle à se demander si ses recettes ne pourraient pas être utilisées pour soigner les pauvres. Je dois dire, néanmoins, que ni l'émouvante description qu'en donne Cola, ni le cruel portrait qu'en brosse Prestcott ne rendent justice à la vieille femme. Bien qu'elle ait eu presque cinquante ans, le feu de ses yeux (dont avait hérité sa fille) indiquait un caractère énergique. Elle était peut-être voyante, mais elle ne correspondait pas à l'image qu'on se fait normalement de ce genre de femme : elle ne marmottait pas entre ses dents, ne traînait pas les pieds, ne se lançait pas dans d'obscures incantations. Je dirais plutôt qu'elle était perspicace, avec un air de s'amuser de tout qui se mêlait bizarrement à une piété profonde (quoique hétérodoxe). Je ne vis jamais rien qui fît penser à la harpie sanguinaire du récit de Wallis et, cependant, je suis persuadé que sur ce point il dit la vérité. Plus que tout autre, il a lui-même montré que nous sommes tous capables des plus mauvaises et des plus monstrueuses actions lorsque nous sommes convaincus d'avoir raison ; et c'était une époque où la folie qu'entraînent les certitudes s'était emparée de tous.

Il n'était pas aisé de gagner sa confiance et je ne suis pas certain d'y être entièrement parvenu. Sans doute, si je l'avais abordée plus tard, après la mort de son mari et le retour du roi, elle aurait inévitablement supposé que j'avais été envoyé pour lui tendre un piège, surtout qu'à ce moment-là j'avais déjà fait la connaissance du Dr Wallis. Ce lien m'aurait rendu suspect à ses yeux : elle n'avait aucun motif d'aimer le nouveau gouvernement et elle savait parfaitement pourquoi elle devait se méfier de Wallis. À juste titre : j'appris assez vite à le craindre moi aussi.

À l'époque, cependant, je n'avais pas encore été présenté à Wallis. Le pouvoir de Richard Cromwell ne tenait qu'à un fil et le roi se trouvait aux Pays-Bas espagnols, attendant avec impatience sa couronne sans oser s'en emparer de force. Le pays s'agitait et il semblait que les armées fussent sur le point de repartir en campagne. Au printemps, on fouilla ma propre maison, comme celles de toutes mes connaissances, pour y chercher des armes. À Oxford nous ne recevions que des nouvelles sporadiques du monde et, par la suite, plus j'ai discuté avec les habitants de la ville, plus je me suis aperçu qu'en ce temps-là, en fait, quasiment personne ne savait ce qui se passait vraiment. Sauf John Thurloe, évidemment, qui savait et voyait tout. Cependant, même lui perdit le pouvoir, emporté par des forces qu'il ne parvint pas pour une fois à maîtriser. Qu'on voie là une preuve de l'état de trouble dans lequel se trouvait le pays.

Il n'était guère utile d'aborder Anne Blundy en y mettant les formes. Je ne pouvais, par exemple, lui écrire une lettre pour me présenter puisque je n'avais aucune raison de supposer qu'elle savait lire. Je n'avais pas d'autre choix que de me rendre chez elle et de frapper à la porte, laquelle fut ouverte par une jeune fille d'environ dix-sept ans, le plus beau brin de fille que j'eusse vu de ma vie :

joli corps (bien qu'un peu mince), denture complète et teint pur de toute maladie. Elle avait les cheveux noirs, ce qui était dommage, et, quoiqu'elle les portât détachés et à peine couverts, elle était habillée avec pudeur, mais je suis persuadé que si elle s'était vêtue d'un sac j'aurais trouvé que cela lui allait à merveille. Ses yeux surtout me fascinèrent : ils avaient le noir profond des ailes du corbeau, et l'on sait que parmi toutes les couleurs, c'est le noir qui sied le mieux aux femmes. « Des yeux noirs comme ceux de Vénus », dit Hésiode de son Alcmène, tandis qu'Homère évoque les « yeux de bœuf » de Junon, c'est-à-dire qu'elle les a ronds et noirs, et (dans sa *De humana physiognomonia*) Giambattista della Porta raille les Anglais aux yeux gris, et se joint à Morison pour vanter le regard profond des langoureuses Napolitaines.

Je la fixai pendant un moment, tout à fait oublieux de la raison de ma visite, jusqu'au moment où, poliment mais sans servilité, avec une certaine distance, mais sans insolence, elle me demanda l'objet de ma venue.

« Entrez, je vous prie, monsieur, me répondit-elle quand je lui en eus fait part. Ma mère est au marché, mais elle ne devrait pas tarder. Vous pouvez l'attendre, si tel est votre souhait. »

Je laisse à d'autres le soin de décider si j'aurais dû voir en ces mots un avertissement à propos de son caractère. Si j'avais eu affaire à une personne d'un rang plus élevé, je me serais évidemment retiré, afin de ne pas mettre en péril sa réputation en demeurant seul avec elle. À ce moment-là, l'occasion de parler à cette créature me semblait la meilleure façon de passer le temps jusqu'au retour de sa mère. Je suis sûr d'avoir confusément souhaité que la bonne femme soit grandement retardée. Je m'installai (avec une certaine ostentation, Dieu me pardonne ! comme peut le faire un homme de qualité lorsqu'il fréquente des inférieurs) sur le petit tabouret près de la cheminée qui, malgré le froid, était malheureusement vide.

Comment doit-on converser dans ce genre de situation ? Je n'ai jamais réussi dans un domaine où d'autres n'éprouvent aucune difficulté. Peut-être est-ce parce que j'ai passé trop d'heures le nez fourré dans les livres et les manuscrits. En général, je me débrouillais assez bien : pendant un dîner entre amis je pouvais discuter avec les plus brillants d'entre eux, et j'irai jusqu'à me vanter de ne pas avoir été le moins intéressant. Mais dans d'autres circonstances je perdais pied, et faire la conversation à une servante aux beaux yeux était au-dessus de mes moyens. J'aurais pu essayer de jouer les galants, de lui donner une chiquenaude sous le menton, de l'asseoir sur mes genoux et de lui pincer l'arrière-train, mais cela n'a jamais été ma manière d'agir et, de toute évidence, ce n'était pas la sienne non plus. J'aurais pu ne faire aucun cas de sa présence comme si elle ne méritait pas mon attention, sauf que c'était faux. Aussi je ne choisis aucune des deux attitudes, la fixant d'un regard vide, et c'est elle qui dut prendre l'initiative.

« Vous êtes venu consulter ma mère parce que vous avez des tracas, sans doute, me souffla-t-elle après avoir espéré me voir entamer la conversation.

— Oui.

— Peut-être avez-vous perdu quelque objet et vous voulez que ma mère devine où il est ? Elle fait ça très bien. Ou peut-être êtes-vous malade et avez-vous peur d'aller voir un médecin ? »

Finalement, j'arrachai mon regard de son visage.

« Oh, non ! Pas du tout. J'ai entendu parler de ses grands talents, bien sûr, mais je suis très méticuleux et je ne perds jamais rien. Une place pour chaque chose..., vous savez. C'est la seule façon dont je peux avancer dans mon travail. Et ma santé est aussi bonne que possible, grâce à Dieu. »

Que de verbiage et de paroles pompeuses ! Je m'excuse en plaidant la confusion. Elle ne prenait assurément aucun intérêt à mon travail, comme la plupart des gens. Mais il m'a toujours servi de refuge dans les moments difficiles et quand j'ai l'esprit confus ou que je suis triste, mes pensées le rejoignent à tire-d'aile. Vers la fin de cette affaire, je veillais la nuit, semaine après semaine, transcrivant et prenant des notes afin d'oublier le monde extérieur. Locke me dit que c'était une bonne chose. Étrange... Je ne l'ai jamais aimé et il ne m'a jamais aimé, mais je lui ai toujours demandé son avis et il m'a toujours bien conseillé.

« Amen ! fit-elle. Alors pourquoi donc êtes-vous venu consulter ma mère ? J'espère que ce n'est pas en raison de peines de cœur. Elle n'approuve pas les philtres et toutes ces bêtises, vous savez. Si vous poursuivez ce genre de chimères, allez donc voir un homme qui habite Heddington, bien que, personnellement, je pense que c'est un charlatan. »

Je l'assurai que ma quête était tout autre et que je ne souhaitais pas consulter sa mère sur de tels sujets. Je commençais à entrer dans des explications quand la porte s'ouvrit, laissant entrer la mère. Sarah se précipita pour l'aider et la femme s'écroula sur un trépied en face de moi ; elle s'essuya le visage et reprit son souffle avant de m'examiner. Elle était pauvrement mais proprement vêtue ; le dur labeur lui avait donné des mains fortes et noueuses, et son visage franc était rougeaud et tout rond. Bien que l'âge commençât à marquer son emprise inévitable, ses manières étaient loin d'être celles du petit oiseau blessé qu'elle devint plus tard, et elle se mouvait avec la vivacité que ne possèdent pas à cet âge bien des personnes qui ont eu une vie plus facile.

« Vous n'avez aucun souci », me déclara-t-elle sur-le-champ après m'avoir étudié comme si elle voyait jusqu'au fond de mon âme. Sa fille avait elle aussi l'habitude de regarder les gens de cette façon, appris-je par la suite. Je crois que c'est ce qui les effrayait et qui leur faisait penser qu'elles étaient insolentes. « Qu'est-ce qui vous amène ici ?

— C'est M. Wood, maman, annonça Sarah en revenant du petit réduit contigu. C'est un historien, d'après ce qu'il m'a dit, et il désire te consulter.

« — Et de quels maux souffrent les historiens, je vous prie ? dit-elle sans montrer beaucoup d'intérêt. Perte de mémoire ? Crampe de l'écrivain ? »

Je fis un sourire.

« De ces deux maux, en effet ; mais pas moi, Dieu soit loué ! Non, j'écris une histoire du siège, et comme vous viviez ici à cette époque-là...

— Des milliers d'autres aussi. Allez-vous tous les consulter ? Étrange façon d'écrire l'histoire que la vôtre !

— Mon modèle c'est Thucydide... commençai-je pompeusement.

— Et il est mort avant d'avoir pu terminer son œuvre », m'interrompit-elle.

Je fus si surpris de cette remarque que je tombai presque de mon tabouret. En plus de la rapidité de la repartie, j'étais stupéfait de constater que non seulement elle avait entendu parler du plus prestigieux des historiens, mais savait quelque chose sur lui. Je la regardai avec plus d'attention ; à l'évidence je ne parvins pas à cacher mon étonnement.

« Mon mari est un grand lecteur, monsieur, et il a plaisir à me faire la lecture ou à ce que je la lui fasse certains soirs.

— Il est là ?

— Non. Il est toujours avec l'armée. Je crois qu'il se trouve à Londres en ce moment. »

J'étais déçu, naturellement, mais je résolus de me contenter de ce que je pourrais découvrir grâce à sa femme jusqu'au retour de Blundy.

« Votre mari, commençai-je, a joué un certain rôle dans l'histoire de la ville...

— Il a essayé d'y combattre l'injustice.

— En effet. L'ennui c'est que parmi toutes les personnes que j'ai rencontrées il n'y en a pas deux qui soient d'accord sur ce qu'il a dit ou fait. Et c'est ce que j'aimerais découvrir.

— Et vous croirez ce que moi je vous dirai ?

714

« — Je vais comparer ce que vous allez m'apprendre à ce que les autres me disent. La vérité émergera de cette confrontation. J'en suis convaincu.

— Dans ce cas, vous êtes un jeune sot, monsieur Wood.

— Je ne crois pas, rétorquai-je sèchement.

— Quelle est votre religion ? Et quelles sont vos allégeances ?

— En matière de religion, je suis historien. En politique, je suis également historien.

— Réponse trop retorse pour une vieille femme comme moi, dit-elle d'un ton légèrement moqueur. Êtes-vous fidèle au Protecteur ?

— J'ai prêté serment de fidélité au gouvernement en place.

— Et quelle église fréquentez-vous ?

— Plusieurs. J'ai assisté aux offices de plusieurs d'entre elles. En ce moment, je vais à celle de Merton, comme on peut s'y attendre puisque c'est mon collège. Je dois préciser, de peur que vous ne m'accusiez d'être retors, que je penche vers l'Église épiscopale. »

Elle inclina la tête, réfléchissant à mes paroles, les yeux clos, presque comme si elle dormait. J'avais très peur qu'elle refuse de me parler, de crainte que je ne déforme ses propos. Elle n'avait sans doute aucune raison d'espérer que j'allais avoir de la sympathie envers un homme tel que son mari ; j'en savais déjà assez sur lui pour en être persuadé. Mais je ne pouvais rien faire de plus pour la convaincre de l'honorabilité de mon intention. Heureusement que je ne fus pas assez stupide pour lui offrir de l'argent, car cela aurait immanquablement provoqué ma perte, quels que soient ses besoins. C'est le moment de signaler que je n'ai jamais discerné chez elle ou chez sa fille la moindre cupidité que d'aucuns prétendent avoir si clairement perçue, même si leur dénuement l'eût amplement justifiée.

715

« Sarah, fit-elle après un moment, en relevant la tête. Que penses-tu de ce jeune homme anguleux ? Qui est-il ? Un espion ? Un imbécile ? Un filou ? Quelqu'un venu déterrer le passé pour nous tourmenter ?

— Peut-être est-il ce qu'il prétend, maman. Je pense que tu peux lui parler. Pourquoi pas ? Le Seigneur sait ce qui s'est passé, et même un historien de l'université ne peut Lui cacher la vérité.

— C'est une remarque intelligente, mon enfant. Dommage que notre ami, ici présent, n'y ait pas pensé lui-même. Très bien ! Il faudra qu'on se revoie. Mais j'attends un client qui a perdu les papiers de sa maison et je dois deviner où ils se trouvent. Il vous faudra revenir une autre fois. Demain, si cela vous convient. »

Je la remerciai pour sa gentillesse et lui promis de revenir le lendemain sans faute. J'étais conscient du fait que je la traitais avec un respect indu, mais quelque chose me souffla d'agir ainsi : sa personnalité méritait le respect, même si son rang ne l'exigeait pas. Comme je me frayais prudemment un chemin entre les détritus et les flaques de la rue, un sifflement me fit m'arrêter et, me retournant, je vis Sarah accourir vers moi.

« Juste un mot, monsieur Wood !

— Bien sûr ! répondis-je, tout en remarquant vaguement que la perspective me procurait un certain plaisir. Vous n'avez rien contre les tavernes ? »

C'était une question courante à l'époque, étant donné qu'un grand nombre de dissidents de second ordre étaient contre, et résolument. Il valait mieux savoir à quoi s'en tenir tout de suite, si l'on ne voulait pas se voir agonir d'injures.

« Oh, non ! s'exclama-t-elle. J'aime beaucoup les tavernes. »

Je l'aurais volontiers invitée à la Fleur-de-Lis, puisque l'établissement appartenait à ma famille et que je pouvais y boire à bon marché, mais je m'inquiétais pour ma réputation ; c'est pourquoi nous allâmes ailleurs, dans un bouge qui n'était pas plus reluisant que sa masure. Je notai qu'elle ne fut pas bien reçue quand nous entrâmes. En fait, j'eus l'impression qu'il aurait pu y avoir un vif échange si je n'avais pas été là. La tenancière se contenta de me gratifier d'un ricanement railleur en me passant les deux chopes. Les paroles étaient polies, les sentiments sous-jacents ne l'étaient guère, même si je ne parvenais pas à les déchiffrer. Alors que je n'avais rien à me reprocher, je me sentis rougir. La jeune fille le remarqua et commenta ma gêne d'un ton désabusé.

« Pas du tout ! rétorquai-je.

— Ne vous en faites pas ! J'ai connu pire. »

Elle eut même la délicatesse de me conduire vers l'endroit le plus calme, à l'abri du regard des autres clients. Je lui fus reconnaissant de cette attention qui la rendit chère à mon cœur.

« Bon, monsieur l'historien, dit-elle après avoir bu un quart de sa chope, parlez-moi franchement. Vous nous voulez du bien ? Parce que je m'oppose à ce que vous nous causiez de nouveaux ennuis. Ma mère en a déjà assez comme ça. Elle est fatiguée et elle a réussi à trouver une certaine paix, ces dernières années, et je ne veux pas qu'on vienne la perturber. »

Je tentai de la rassurer sur ce point : mon dessein était de décrire le long siège et l'effet que la présence des troupes dans la ville avait eu sur le savoir. Le rôle de son père dans la mutinerie et dans l'excitation des troupes du Parlement était important, quel qu'il eût été, mais pas décisif : je voulais seulement apprendre pourquoi les troupes avaient refusé d'obéir aux ordres à ce moment-là et ce qui s'était ensuivi. J'espérais mettre tout cela par écrit avant que ce fût oublié.

« Mais vous étiez ici vous-même, n'est-ce pas ?

— C'est vrai, mais je n'avais que quatorze ans et j'étais trop absorbé par mes études pour remarquer ce qui n'allait pas. Je me rappelle avoir été terriblement mécontent quand l'école de New College a été expulsée de la salle qu'elle occupait près du cloître et avoir pensé que c'était la première fois que je voyais un soldat. Je me souviens de m'être posté près des fortifications dans l'espoir de pouvoir verser de l'huile bouillante sur un assaillant, d'accomplir des actions d'éclat et d'être fait chevalier par un monarque reconnaissant. Et je me rappelle à quel point tout le monde était effrayé pendant la reddition. Mais les faits importants je ne les connais pas. On ne peut écrire un livre à partir d'éléments aussi insignifiants.

— Vous voulez des faits ? La plupart des gens se contentent de fabriquer les leurs. C'est comme ça qu'ils ont traité mon père. On a dit que c'était un agitateur malfaisant, et on l'a agoni d'injures. Leur opinion ne vous satisfait pas ?

— Ce sera peut-être le cas. Et ils ont peut-être même raison. Mais je me pose des questions, néanmoins. Comment se fait-il qu'un si grand nombre de ses camarades aient fait confiance à un tel homme ? Si c'était une vermine, comment se fait-il qu'il se soit montré aussi courageux ? La noblesse (si je peux appliquer ce terme à un homme de sa condition) peut-elle coexister avec l'ignoble ? Et comment se fait-il — je risquai alors mes premiers propos galants — qu'il soit le père d'une si belle fille ? »

Si mes compliments lui firent plaisir, Sarah ne le montra pas le moins du monde, hélas ! Elle ne baissa pas pudiquement le regard, ne rougit pas joliment ; elle fixa simplement ses yeux noirs sur moi, ce qui me mit encore plus mal à l'aise.

« Je suis décidé, continuai-je, en tâchant de faire oublier ma dérisoire tentative, à découvrir ce qui s'est passé. Vous me demandez si je vous veux du bien ou du mal, et moi je vous réponds que je n'ai pas d'a priori.

— Vous êtes donc immoral.

— La vérité est toujours morale, parce qu'elle est l'image du Verbe de Dieu, répliquai-je, tout en me rendant à nouveau compte que je m'exprimais mal et que je me réfugiais derrière un ton solennel. Je donnerai la parole à votre père. Personne d'autre ne le fera. Ou il s'exprimera par ma bouche ou il restera muet à jamais. »

Elle finit sa chope et secoua tristement la tête.

« Pauvre homme, lui qui parle si merveilleusement bien... En être réduit à parler par votre bouche ! »

Je crois qu'elle n'était absolument pas consciente de m'avoir insulté : mais je n'avais aucune envie, à ce moment-là, de la remettre à sa place en lui infligeant une réprimande pourtant méritée. Au contraire, je la regardai avec attention, en espérant que cette première confidence la pousserait à dire du bien de moi à sa mère.

« Une fois, poursuivit-elle après un moment, je l'ai entendu s'adresser à son détachement au sortir d'une réunion de prières. Je ne pouvais pas avoir plus de neuf ans, je suppose, cela devait donc se passer à l'époque de Worcester. Ils s'attendaient à se battre sous peu, et mon père les encourageait et les calmait. C'était comme un morceau de musique : ils se balançaient au rythme de ses paroles et certains étaient en larmes. Ils risquaient de périr, d'être capturés ou de finir leurs jours en prison. C'était la volonté de Dieu et nous n'avions pas à chercher à savoir le sens de tout cela. Il ne nous avait donné qu'une lanterne pour reconnaître Sa bonté : notre sens de la justice, la voix du bien qui parlait à tous les hommes au fond de leur âme s'ils voulaient bien l'entendre. Ceux qui scrutaient leur cœur savaient ce qu'était le bien et que s'ils combattaient pour lui ils le feraient au nom de Dieu. Ce combat visait à faire de la terre notre trésor commun ; alors ceux qui naîtraient dans le pays seraient nourris par le sol, chacun considérant les autres, même les vieux, les malades et les femmes, comme des égaux. Ils devaient se le rappeler, pendant le sommeil ou les repas, durant la bataille et à l'heure de la mort. »

Je ne savais que dire. Elle avait parlé d'un ton doux et tranquille ; pendant qu'elle me rapportait les paroles de son père, sa voix me semblait une caresse. Elle était si charmante et si calme, mais — je m'en rendis compte tout à coup — si profondément malfaisante. Je commençais, très confusément, à découvrir comment elle s'y prenait et la nature du pouvoir de séduction de cette Blundy-là. Si une simple jeune fille pouvait exercer une telle emprise, qu'avait-il pu en être de son père ? Le droit de manger : aucun bon chrétien ne pouvait être contre... Jusqu'au moment où on s'apercevait que le désir de cet homme était d'abolir le droit qu'avait le maître de commander ses employés, d'encourager le vol des biens et d'attaquer la racine même des liens harmonieux qui unissent un individu à tous les autres. Sans les brusquer, Blundy prenait délicatement ces pauvres ignorants par la main pour les livrer au démon lui-même. Je frissonnai. Sarah me regarda, un pâle sourire sur les lèvres.

« Vous pensez que je divague, monsieur Wood ?

— Comment pourrait-on, à moins d'être un idiot ou un monstre, penser autre chose ? Ce sont des folies, évidemment.

— Venant d'une famille de fous, je vois les choses un peu différemment. Je suppose que vous imaginez que mon père utilisait les gens ordinaires pour faire le mal et servir ses propres intérêts. C'est ça ?

— Quelque chose comme ça, répondis-je d'un ton guindé. Qu'il s'agît d'une entreprise démoniaque est attesté par le fait qu'ils mangeaient des bébés et brûlaient les prisonniers. »

Elle se mit à rire.

« On a mangé des bébés et brûlé des prisonniers ? Qui vous a raconté ces sornettes ?

— Je l'ai lu. Et cela a été rapporté par beaucoup.

— Et donc vous l'avez cru. Je commence à douter de votre bonne foi, monsieur l'historien. Si vous lisez qu'il y a des monstres dans la mer qui crachent le feu et possèdent une centaine de têtes, vous le croyez également ?

— Non. Sauf si j'ai de bonnes raisons de croire que c'est la vérité.

— Et pour un homme savant comme vous, qu'est-ce qu'une bonne raison ?

— La preuve que me fournissent mes propres yeux ou le compte rendu de quelqu'un dont la parole est digne de confiance. Mais cela dépend de ce que vous voulez dire. Je sais que le soleil existe parce que je le vois ; je crois que la terre tourne autour du soleil parce que des calculs logiques nous conduisent à cette conclusion et que ce n'est pas contredit par ce que je vois. Je sais que les licornes existent parce qu'une telle créature est possible dans la nature et que des personnes dignes de foi en ont vu, même si ce n'est pas mon cas. Il est improbable que des dragons à cent têtes et crachant le feu existent, car je ne comprends pas comment une créature naturelle pourrait cracher le feu sans se consumer. Vous voyez, cela dépend... »

Telle fut ma réponse et aujourd'hui encore je crois qu'elle était adéquate, puisqu'elle présentait des idées compliquées d'une manière simple et accessible à cette fille, même s'il me paraissait improbable qu'elle pût les comprendre. Mais loin de me remercier de mes leçons, elle continua à me harceler, penchée en avant pour poursuivre âprement la discussion, tel un mendiant affamé à qui on a offert un croûton de pain.

« Jésus est Notre-Seigneur. Vous croyez cela ?

— Oui.

— Pourquoi ?

— Parce que Sa venue sur terre était conforme aux prédictions de la Bible. Ses miracles ont prouvé Sa divinité et Sa résurrection l'a encore mieux prouvé.

— Beaucoup d'autres ont affirmé avoir accompli des miracles.

— En outre, j'ai la foi et je considère que cette raison est supérieure à toutes les autres.

721

— Voici une question plus terrestre : le roi est l'oint du Seigneur. Vous le croyez ?

— Si vous me demandez si je peux le prouver, la réponse est non, répliquai-je, décidé à garder mes distances. Il ne s'agit pas là d'une croyance certaine. Mais je le crois, parce que les rois ont leur place dans l'ordre naturel, et quand ils sont renversés cet ordre est perturbé. Que Dieu soit mécontent de l'Angleterre est, sans conteste, évident depuis quelques années, si l'on en juge par les souffrances que le pays a endurées. Quand le roi a été assassiné, les déluges de pluie n'ont-ils pas démontré que l'équilibre de la nature avait été rompu ? »

Elle concéda ce point évident, mais ajouta : « Et si j'affirmais que ces prodiges ont eu lieu parce que le roi avait trahi ses sujets ?

— Dans ce cas, je ne serais pas d'accord avec vous.

— Et comment décidera-t-on lequel de nous deux a raison ?

— Cela dépendra du poids de l'opinion des hommes de qualité raisonnables et honorables après qu'ils auront écouté les deux propositions. Je ne veux pas insister, ni vous réprimander trop vertement, mais on ne peut guère parler de votre qualité ni de votre honorabilité. Pas plus, ajoutai-je pour tenter à nouveau de faire dévier la conversation vers un sujet plus approprié, qu'une personne aussi jolie que vous ne pourrait être prise pour un homme.

— Oh, fit-elle, en rejetant d'un vif mouvement de tête mon aimable suggestion qu'elle s'occupât de ses affaires, que le roi soit choisi par Dieu ou qu'il ne soit qu'un simple roi dépend d'une décision prise par des hommes ? Y a-t-il un vote ?

— Non, répliquai-je, rougissant un peu en m'apercevant que j'étais apparemment incapable de mettre un terme à cette discussion de plus en plus ridicule, ce n'est pas ce que je dis, espèce de petite ignorante ! Seul Dieu peut en décider : les hommes se contentent de décider s'ils acceptent ou non la volonté de Dieu.

— Quelle différence y a-t-il si nous ne savons pas quelle est la volonté de Dieu ? »

Il était temps d'en finir ! Aussi me levai-je pour lui rappeler physiquement, en quelque sorte, nos positions respectives.

« Si vous pouvez poser de telles questions, dis-je d'un ton sévère, c'est que vous êtes une enfant fort sotte et très méchante. Vous avez dû être pervertie par votre éducation pour avoir ces pensées. Je commence à me rendre compte que votre père est aussi malfaisant qu'on le dit. »

Au lieu d'être calmée par ma réprimande, elle se pencha en arrière sur son tabouret et éclata d'un rire sonore. Furieux qu'on me réponde de cette façon, je la quittai quelque peu bouleversé et allai me réfugier dans mes livres et dans mes notes pendant le reste de la matinée. Ce ne fut que la première des nombreuses fois où elle me poussa à me montrer si stupide. Dois-je répéter que j'étais jeune ? Cela excuse-t-il la manière dont ses yeux troublaient mes pensées et dont le mouvement de ses cheveux faisait fourcher ma langue ?

Chapitre deux

J'ai l'intention d'enfreindre ma règle à propos de la bienséance et de parler beaucoup de Sarah Blundy, car c'est indispensable. Je ne désire pas choquer le lecteur en tenant un discours libertin sur mes affaires de cœur, sujet qui, comme chacun sait, sauf les courtisans, détonne dans un récit destiné au public. Mais c'est la seule façon d'expliquer l'intérêt que je pris à cette famille, mon inquiétude concernant le sort de Sarah et ma connaissance du dénouement de son histoire. Il faut que je sois considéré comme un témoin digne de confiance chaque fois que mes souvenirs personnels ont de l'importance ; c'est pour cela que je dois apporter la preuve que je suis au courant de ce qui s'est passé précisément. Les mots sans les faits sont sujets à caution, aussi est-il indispensable que je fournisse les faits. Je vais les relater sans fioritures.

En ce temps-là, la famille Wood était encore fortunée et je vivais dans une maison de Merton Street entre ma mère et ma sœur, maison dans laquelle j'occupais le dernier étage au milieu de mes livres. Nous avions besoin d'une servante, ma chère mère ayant dû renvoyer celle que nous avions pour cause de dévergondage ; m'étant aperçu que les Blundy vivaient dans la misère, je suggérai que nous engagions Sarah. L'idée ne plaisait pas du tout à ma mère, car elle connaissait un peu la réputation de la famille, mais je la persuadai qu'elle ne demanderait que de faibles gages : j'avais décidé de les compléter en puisant dans mes fonds personnels. D'ailleurs, demandai-je, qu'avait-elle de si terrible ? À cette question ma mère ne sut que répondre.

Finalement, la perspective d'économiser un demi-penny par semaine eut raison de ses hésitations. Elle accepta d'avoir un entretien avec la jeune fille et reconnut (avec une certaine réticence) qu'elle semblait, en effet, dûment réservée et obéissante. En revanche, elle affirma qu'elle avait l'intention de la surveiller d'un œil de lynx, et qu'au moindre signe de blasphème, de sédition ou d'immoralité elle la mettrait dehors sur-le-champ.

C'est ainsi que Sarah et moi-même fûmes amenés à vivre dans l'intimité l'un de l'autre, mis à part, naturellement, la nécessaire distance qui doit exister entre maître et domestique. Bien qu'elle fût loin d'être une domestique ordinaire : en fait, elle acquit rapidement un ascendant sur toute la maisonnée d'autant plus remarquable qu'il était incontesté dans l'ensemble. Il y eut un seul éclat violent : la fois où ma mère (vu qu'à part moi il n'y avait pas d'homme dans la maison et qu'elle se considérait toujours comme le chef de famille) décida de battre sa jeune servante, sûre qu'elle subirait évidemment ce châtiment sans broncher. Je ne sais pas ce que Sarah avait fait, sans doute pas grand-chose, et l'irritabilité de ma mère était probablement davantage due à la cheville enflée qui la faisait souffrir depuis plusieurs années.

Pour Sarah la raison n'était pas suffisante. Les mains sur les hanches, les yeux lançant des éclairs de défi, elle refusa de se soumettre. Lorsque ma mère s'avança vers elle, le balai à la main, elle déclara que si ma mère posait ne serait-ce qu'un doigt sur elle, elle lui ferait passer un mauvais quart d'heure. Croyez-vous qu'elle fut mise à la porte aussitôt ? Pas du tout ! J'étais absent à ce moment-là, autrement il est possible que l'incident ne se fût pas produit ; mais ma sœur me raconta qu'une demi-heure après Sarah et ma mère étaient assises ensemble devant le feu en train de bavarder, la dernière s'excusant presque auprès de la jeune fille, spectacle jamais vu jusqu'alors et qu'on ne revit jamais. Ma mère ne prononça plus jamais un mot désobligeant à son égard.

Que s'était-il passé ? Qu'avait dit ou fait Sarah qui avait rendu ma mère pour une fois si charitable et généreuse ? Mystère. Quand je le lui demandai, Sarah me répondit seulement en souriant que ma mère était une dame bonne, bienveillante et bien moins féroce qu'elle ne le paraissait. Elle ne voulut pas en dire plus et ma mère se tut elle aussi. Quand on la surprenait en flagrant délit de bonté, elle avait tendance à se renfermer, et il se peut simplement que sa cheville ait soudain cessé de lui faire mal : il est avéré qu'il suffit fréquemment d'un rien pour produire des changements de comportement remarquables. Je me demande souvent si le Dr Wallis eût été moins cruel s'il avait été moins effrayé par la cécité qui commençait à l'affecter peu à peu à cette époque. J'ai moi-même été insultant à l'excès avec mes amis quand j'avais des rages de dents, et il est de notoriété publique que les décisions malheureuses qui aboutirent à la chute de lord Clarendon furent prises par ce seigneur au cours de crises aiguës de goutte.

J'ai signalé que j'occupais deux pièces en haut de la maison — lieu interdit à tous les autres membres de ma famille. Il y avait des livres et des papiers partout, et je craignais toujours que quelqu'un, dans un geste bien intentionné mais malencontreux en voulant ranger, ne me retardât de plusieurs mois dans mon travail. Sarah était la seule personne que je laissais entrer, néanmoins, même elle devait faire le ménage sous mon regard attentif. J'en vins à rêver à ses visites dans mon nid d'aigle et je passais de plus en plus de temps à converser avec elle. Mon appartement devint de plus en plus sale, il est vrai, mais je me surpris à guetter avec impatience le bruit de ses pas dans l'escalier branlant menant à mon grenier. Au début, je lui parlais de sa mère, puis cela devint vite un prétexte afin qu'elle restât plus longtemps. D'autant plus, peut-être, que je ne connaissais guère le monde et encore moins les femmes.

Il est possible que toute personne du sexe m'eût intéressé, mais Sarah me tint très vite sous son charme. Peu à peu, le plaisir se fit douleur et la joie angoisse. Le diable venait me rendre visite à toute heure ; la nuit, quand j'étais à ma table en train de travailler et à la bibliothèque, il me détournait de ma tâche et faisait naître en moi des pensées lubriques et répugnantes. Mon sommeil en souffrit tout comme mon travail et, bien que j'eusse prié avec ardeur pour recevoir du secours, mes prières ne furent pas exaucées. Je suppliai le Seigneur de m'épargner cette tentation, mais dans Sa sagesse il refusa de m'écouter, permettant à de nouveaux démons de venir me narguer et se moquer de ma faiblesse et de mon hypocrisie. Je me réveillais le matin en pensant à Sarah, passais la journée à penser à Sarah, et la nuit, je me retournais sur ma couche avant de m'endormir en pensant à Sarah. Et même lorsque je dormais je ne bénéficiais d'aucun répit, car je rêvais de ses yeux, de sa bouche et de sa façon de rire.

C'était une souffrance insupportable, évidemment, aucune relation respectable n'étant envisageable tant était grande la distance qui nous séparait. De plus, je croyais la connaître assez bien pour comprendre qu'elle n'accepterait jamais d'être ma catin ; elle était trop vertueuse en dépit de ses origines. Je n'avais jamais été amoureux, ayant toujours été beaucoup moins intéressé par les femmes que par n'importe lequel des livres de la bibliothèque Bodléienne, et j'avoue qu'en mon for intérieur je maudissais Dieu que ma chute (je n'avais jamais aussi fortement ressenti la similarité avec la destinée d'Adam) m'eût conduit dans une impasse, puisque la fille ne possédait ni famille ni fortune, qu'elle était méprisée même dans les tavernes et qu'elle avait un vaurien pour père.

Je restais donc tout malheureux et trop timide pour parler : angoissé en sa présence, souffrant encore plus en son absence. Que n'étais-je un homme robuste et désinvolte comme Prestcott, qui ne s'embarrassait pas de sentiments complexes, ou même comme Wallis, dont le cœur était si froid qu'aucun être humain ne pouvait le réchauffer très longtemps. Il me semble que Sarah n'était pas indifférente à mon égard. Bien qu'elle eût toujours été respectueuse, je sentais qu'elle nourrissait un certain sentiment pour moi : une certaine chaleur, la façon dont elle me regardait et se penchait en avant pendant que je lui montrais un livre ou un manuscrit révélaient de l'intérêt. Je crois qu'elle aimait me parler ; ayant l'habitude de discuter avec des hommes à cause de son père qui l'avait instruite, elle avait du mal à se cantonner aux sujets réservés à la gent féminine. Comme j'étais toujours disposé à parler de mon travail et que je me laissais facilement aller à discourir de tout autre sujet, elle semblait apprécier autant que moi ses visites à mon appartement pour y faire le ménage. Je crois avoir été à cette époque le seul homme à lui adresser la parole pour autre chose que lui donner des ordres ou lui lancer des remarques lascives ; je ne peux trouver d'autre explication à son attitude. Son enfance, son éducation et son père demeuraient cependant quelque peu mystérieux à mes yeux. Elle les évoquait rarement, sauf lorsqu'une remarque tombait par hasard de ses lèvres. Quand je lui en parlais directement elle changeait généralement de sujet. Je chérissais ces rares remarques pareil à un avare chérissant son or, me rappelant ses moindres formules, les retournant dans mon esprit, les ajoutant les unes aux autres, comme des pièces de monnaie dans une cassette, jusqu'à ce que j'en eusse une bonne quantité.

Au début, je crus qu'elle était réservée parce qu'elle avait honte d'être tombée si bas ; aujourd'hui, je crois qu'il ne s'agissait que de prudence, de peur qu'on ne se trompât sur elle. Elle n'avait honte de rien et éprouvait encore moins de regret, acceptant que l'époque où des gens comme elle pouvaient espérer un monde nouveau était révolue : ils avaient tenté leur chance mais avaient échoué lamentablement. Je vais donner un exemple significatif pour expliquer comment j'ai obtenu mes preuves.

Peu après que la restauration de Sa Majesté fut proclamée dans la ville, je revins à la maison après avoir assisté aux préparatifs en vue des festivités. Ce jour-là, des fêtes surgirent dans tout le pays, dans les villes qui, ayant soutenu le Parlement, ressentaient le besoin de montrer leur toute nouvelle loyauté et dans celles qui, comme Oxford, pouvaient se réjouir plus sincèrement. On nous avait promis (qui, exactement, je ne peux m'en souvenir) que le vin coulerait à flots ce soir-là dans les fontaines et même dans les caniveaux, comme au temps de la Rome antique. Je trouvai Sarah assise sur mon tabouret et pleurant à chaudes larmes.

« Qu'as-tu donc à pleurer en ce jour de fête ? » m'écriai-je. Elle mit un certain temps à me répondre.

« Oh, Anthony, ce n'est pas un jour de fête pour moi ! » (C'était un secret entre nous : elle avait le droit de s'adresser à moi ainsi dans mon appartement privé.)

J'avais d'abord cru qu'elle souffrait d'un de ses maux féminins, mais je me rendis vite compte que des sujets bien plus élevés occupaient son esprit. Son parler n'était jamais vulgaire ni grossier.

« Mais qu'y a-t-il de triste ? Il fait beau, on peut boire et manger aux frais de l'université et le roi retrouve ce qui lui appartient.

— Et tout a été inutile. Un tel gâchis ne vous donnet-il pas envie de pleurer, même au milieu de vos réjouissances ? Presque vingt ans de combats pour bâtir le royaume de Dieu chez nous et voir tout cela balayé par la volonté de quelques seigneurs cupides ! »

Sa façon de parler de ces grands hommes, dont la sage intervention avait été cruciale pour le retour du roi (d'après ce qu'on nous avait dit, et je l'avais cru jusqu'à la lecture du manuscrit de Wallis), aurait dû me mettre la puce à l'oreille, mais j'étais d'humeur trop joyeuse...

« Les voies de Dieu sont impénétrables, déclarai-je d'un ton enjoué, et Il choisit parfois d'étranges outils afin d'imposer Sa volonté.

« — Dieu a craché au visage de ses serviteurs, de ceux qui travaillaient pour Lui, dit-elle, sa voix réduite soudain à un sifflement de désespoir rageur. Comment cela peut-il être la volonté de Dieu ? Comment Dieu peut-Il vouloir que certains hommes soient soumis à d'autres ? Que certains vivent dans des palais alors que d'autres meurent dans la rue ? Que certains dirigent et que d'autres obéissent ? Comment Dieu peut-Il vouloir ça ? »

Je haussai les épaules, ne sachant que dire ni par où commencer, souhaitant juste qu'elle se tût. Je ne l'avais jamais vue dans cet état ; elle avait passé les bras autour de son corps et se balançait de-ci, de-là, tout en s'exprimant avec une passion aussi révoltante que fascinante. Elle me faisait peur, mais je ne parvenais pas à m'éloigner d'elle.

« C'est manifestement ce qu'Il veut, répondis-je finalement.

— Dans ce cas, je n'ai rien à voir avec ce Dieu ! s'écria-t-elle avec un ricanement de mépris. Je Le hais et Il doit me haïr et haïr toute la création. »

Je me mis sur pied.

« Je crois que tu dépasses les bornes ! m'exclamai-je, épouvanté par ses propos et craignant que quelqu'un ne pût les entendre d'en bas. Je ne tolérerai pas ce genre de discours chez moi ! Rappelle-toi qui tu es, ma fille ! »

Sarah me gratifia d'un regard plein de dédain ; c'était la première fois que j'avais si totalement et si rapidement perdu son affection. Cela me rendit très malheureux : j'étais bouleversé par son blasphème et encore plus par la peine que je venais de subir.

« Oh, monsieur Wood, je commence seulement à l'apprendre ! » répliqua-t-elle, avant de sortir brusquement, sans même me faire l'honneur de claquer la porte. Ayant perdu ma bonne humeur, et étrangement incapable de retrouver ma concentration, je passai le reste de l'après-midi à genoux, implorant le Seigneur qu'Il m'accordât le repos.

Les célébrations pour marquer la fidélité au roi furent à la hauteur des espérances des bons royalistes : entre la ville et l'université c'était à celle qui se montrerait la plus loyale. En commençant par mes amis habituels (j'avais entre-temps fait la connaissance de Lower et de son cercle), nous bûmes tout notre saoul de vin à la fontaine du carrefour Carfax, mangeâmes du bœuf à Christ Church College, puis nous prîmes encore du vin et d'autres mets délicats à Merton College. C'était une agréable journée, ou du moins aurait-ce dû l'être, mais l'humeur de Sarah m'avait affecté et ôté toute joie. Il y avait des bals, et je demeurais au bord de la piste ; des chants où je restais sans voix ; des discours étaient prononcés, des toasts, portés, mais moi, je me taisais. Il y avait de la nourriture pour tous, mais j'étais seul à n'éprouver aucun appétit. Comment pouvait-on ne pas être heureux par une journée pareille ? Surtout quelqu'un comme moi qui espérais le retour de Sa Majesté depuis si longtemps ? Je ne me comprenais pas moi-même ; j'étais malheureux et un bien mauvais compagnon.

« Qu'as-tu donc, mon vieux ? » demanda Lower, en me donnant de joyeuses bourrades dans le dos, tout essoufflé d'avoir dansé et déjà quelque peu éméché. Je désignai un homme au visage en lame de couteau et ivre mort dans le caniveau, la salive lui coulant le long du menton.

« Tu vois ? Tu te rappelles ? Pendant quinze ans l'un des élus, persécutant les loyalistes et applaudissant les fanatiques. Regarde-le maintenant : c'est l'un des sujets les plus fidèles du roi.

— Et qui sera bientôt éjecté de tous ses postes, comme c'est justice. Permets-lui d'oublier un peu ses soucis.

— Tu penses ? Pas moi. Certains survivent à tout. Il fait partie de ceux-là.

— Oh, tu es un vieux rabat-joie, Wood ! s'exclama Lower en souriant de toutes ses dents. C'est le plus grand jour de l'histoire du pays et tu es renfrogné et bougon. Allez, viens boire un autre verre pour oublier tes peines ! Ou on finira par croire que tu es un anabaptiste inavoué. »

C'est ce que je fis. Puis j'en bus un autre et puis un autre. Finalement, Lower et ses camarades s'éloignèrent et je n'eus aucune envie de leur courir après. Leur bonne humeur superficielle (de mon point de vue) et leur joie de vivre insouciante me rendaient mélancolique à pleurer. Je retournai lentement au carrefour Carfax, ce qui fut une idée malencontreuse. Car, au moment où j'y arrivais et me servais tout seul un autre verre de vin, j'entendis des éclats de rire en provenance d'une rue adjacente ; rien de plus normal ce soir, sauf que cette fois on percevait cette légère mais indubitable note de menace qu'il est difficile de décrire mais sur laquelle on ne peut se tromper. Rendu curieux par ce rire, je jetai un coup d'œil dans la ruelle et j'aperçus un groupe de jeunes benêts formant un demi-cercle en face d'un mur. Il y avait des rires et des huées, et je m'attendais vaguement à voir au centre de la foule quelque charlatan ou bateleur dont les articles ou les tours avaient déçu. Mais il s'agissait en fait de Sarah, les cheveux défaits, les yeux hagards, le dos contre le mur, qu'ils harcelaient sans merci. Catin ! hurlaient-ils. Bâtarde de traître ! Fille de sorcière !

Ils s'échauffaient progressivement, montant degré par degré, s'approchant de la lisière où les paroles cèdent le pas à l'attaque physique. Elle me vit et nos yeux se rencontrèrent, mais les siens n'exprimaient aucune supplique ; stoïque, elle paraissait presque ne pas entendre les mots grossiers qu'on lui lançait à la figure, presque comme si elle avait l'esprit ailleurs. Peut-être n'appelait-elle pas au secours, je savais cependant qu'elle avait besoin d'aide et qu'à part moi personne ne lèverait le petit doigt pour l'aider. Je me frayai un passage et, entourant son corps de mon bras, je lui fis traverser la foule et l'entraînai si rapidement vers la rue principale que la populace n'eut guère le temps de réagir.

Heureusement, c'était à deux pas : ils ne furent pas contents qu'on leur ait volé leur spectacle et mon métier de savant et d'historien ne m'aurait pas servi à grand-chose si l'endroit avait été plus isolé. Il y avait des personnes ivres mais encore civilisées, à quelques mètres de là seulement, et je réussis à m'approcher assez d'eux pour être en sécurité avant que les insultes ne se transforment en actes de violence. Puis je la fis pénétrer au milieu des réjouissances bon enfant, jusqu'au moment où, voyant qu'ils avaient perdu leur proie, les vauriens se dispersèrent et partirent à la recherche d'une autre victime. Je respirais avec difficulté, la peur et le vin m'empêchant de recouvrer tout de suite mes esprits. Je crains de ne pas avoir l'habitude du danger physique ; je fus finalement plus secoué que Sarah.

Elle ne me remercia pas, me regardant seulement d'un air de résignation ou peut-être de tristesse. Ensuite, elle haussa les épaules et s'éloigna. Je la suivis ; elle hâta le pas et je l'imitai. Je pensais qu'elle rentrait chez elle, mais au bout de Butcher's Row elle prit un tournant et traversa les champs derrière le château fort, marchant de plus en plus vite, tandis que mon cœur battait la chamade et que j'avais la tête qui tournait.

C'est à l'endroit appelé Paradise Fields, jadis l'un des plus beaux vergers, aujourd'hui laissé tristement en friche, qu'elle fit halte et se retourna. Comme je m'approchais d'elle, elle riait, bien que son visage eût été couvert de larmes. Je tendis le bras et elle s'accrocha à moi comme si j'étais tout ce qui lui restait au monde.

Et de même qu'Adam au paradis je péchai.

Pourquoi moi ? Je n'en ai pas la moindre idée. Je n'avais rien à lui offrir, ni argent ni mariage, et elle le savait. Peut-être étais-je plus doux que les autres ; peut-être que je la réconfortais ; peut-être avait-elle besoin d'un peu de chaleur humaine. Je ne me fais pas d'illusion en imaginant qu'il y avait grand-chose d'autre, mais je ne me rabaisse pas au point de croire que c'était pour moins que ça : il était possible qu'elle ne fût pas vierge, mais elle n'était pas une catin non plus. Prestcott a menti cruellement à cet égard : elle était la vertu même, et c'était manquer de noblesse de sa part que d'affirmer le contraire. Ensuite, une fois qu'elle eut séché ses larmes, elle se leva et, rajustant ses vêtements, elle s'éloigna. Le lendemain, elle nettoya la cuisine de ma mère comme si de rien n'était.

Et moi ? Était-ce là la réponse du Seigneur à mes supplications ? Étais-je calmé et satisfait, et les démons avaient-ils été exorcisés de mon âme ? Non. Ma fièvre montait de plus belle, à tel point que j'osais à peine voir Sarah de peur que ma pâleur et mes tremblements ne me trahissent. Je restai dans mon appartement, passant des pensées coupables aux prières de repentir. Lorsque enfin elle monta dans ma chambre, quelques jours plus tard, je devais ressembler à un fantôme ; j'entendis les pas familiers dans l'escalier avec un mélange de terreur et de joie que je n'avais jamais ressenti auparavant et que je n'ai jamais éprouvé depuis. Alors, bien sûr, je l'ai traitée grossièrement et elle s'est comportée en servante, chacun tenant son rôle, comme des acteurs dans une pièce, mais chacun souhaitant que l'autre dise quelque chose.

C'était mon cas, à tout le moins, car je ne sais pas ce qui se passait en elle. Je lui ordonnai de faire mieux le ménage, elle obéit ; de préparer le feu, elle obtempéra sans mot dire. Je lui enjoignis de partir et de me laisser tranquille, elle ramassa son seau d'eau et ouvrit la porte.

« Reviens ! » fis-je, et elle s'exécuta. Mais je n'avais rien d'autre à lui dire. Ou plutôt j'avais tant de choses à lui avouer. Aussi la pris-je dans mes bras, et elle me laissa faire : debout et immobile, elle subissait son châtiment.

« Assieds-toi, s'il te plaît », lui dis-je en la relâchant. À nouveau elle m'obéit.

« Vous me demandez de rester et de m'asseoir, commença-t-elle, voyant que je me taisais. Avez-vous quelque chose à me dire ?

— Je t'aime », répondis-je dans un souffle.

Elle secoua la tête.

« Non. Ce n'est pas vrai. Comment le pourriez-vous ?

— Mais il y a deux jours... Ce n'était rien ? Es-tu si endurcie que ça n'avait aucun sens pour toi ?

— Un certain sens, si. Mais que voulez-vous que je fasse ? Que je me consume d'amour ? Que je devienne votre maîtresse deux fois par semaine, au lieu de faire le ménage ? Et vous ? Allez-vous m'offrir votre main ? Bien sûr que non. Alors que reste-t-il à dire ou à faire ? »

Son côté terre à terre me rendait fou ; j'aurais voulu qu'elle souffrît autant que moi, qu'elle maudît le sort qui nous séparait ainsi ; cependant son solide bon sens l'en empêchait.

« Qui es-tu donc ? Tu as connu tant d'hommes qu'un de plus ne te fait plus d'effet ?

— Tant d'hommes ? Peut-être bien, si c'est ce que vous voulez croire. Pas dans le sens que vous pensez ; seulement pour l'affection, quand on me donnait le choix. »

Je la détestai pour sa franchise. Si j'avais défloré sa vertu et que, bourrelée de remords, elle eût pleuré d'avoir perdu de la valeur, je l'aurais comprise et consolée ; je connaissais les mots qu'il fallait employer dans ce cas, les ayant lus quelque part. Mais découvrir qu'elle accordait si peu d'importance à ce qu'elle avait perdu et qu'en plus elle l'avait donné à un autre que moi, cela m'était insupportable. Plus tard, quoique je ne pusse jamais excuser ce qui était si manifestement en contradiction avec la parole de Dieu, je l'acceptai du mieux possible, car Sarah suivait sa propre loi. Même si elle obéissait à mes ordres, elle ne serait jamais servile.

« Anthony, dit-elle avec douceur en s'apercevant que j'étais bouleversé, vous êtes un homme bon, je pense, et vous essayez d'agir en chrétien. Mais j'ai compris ce que vous avez en tête. Vous me jugez comme quelqu'un digne de votre charité. Vous me souhaitez bonne et vertueuse, tout en voulant rouler avec moi dans Paradise Fields avant d'aller vous marier avec une femme ayant autant de bien que possible. Ensuite, vous verrez en moi une catin qui vous a tenté et vous a fait pécher quand vous étiez pris de boisson, si cela facilite vos prières et réconforte votre âme.

— C'est ce que tu penses de moi ?

— En effet. Vous vous débrouillez assez bien quand vous me parlez de votre travail. Alors vos yeux brillent et vous oubliez qui je suis, tant vous prenez de plaisir à parler. Alors vous me traitez honnêtement, sans niaiserie ni gêne. Une seule personne m'a traitée ainsi avant vous.

— Et c'était ?

— Mon père. Et je viens d'apprendre qu'il est mort. »

Une vague de compassion me submergea quand j'entendis ces mots et que je vis la tristesse de ses yeux. C'était quelque chose que je comprenais parfaitement, ayant moi-même perdu mon père quand j'avais à peine dix ans ; je connaissais bien la douleur que l'on ressent quand on est frappé par un tel deuil. Je fus encore plus affecté par ce qu'elle me raconta ensuite : on lui avait dit (cruellement et mensongèrement) que son père avait été tué car il était retombé dans ses anciennes habitudes de rebelle et de fauteur de troubles.

Les détails étaient peu précis, et il était probable qu'ils ne seraient jamais réellement connus ; l'armée ne se souciait pas de donner des informations détaillées aux familles dans ce genre de cas. Mais il semblait que les agissements de Ned Blundy avaient finalement dépassé les bornes : on l'avait arrêté, puis fait passer en cour martiale avant de le pendre et de jeter son corps dans la fosse commune. Le courage dont il fit preuve pendant ses der-

736

niers instants, que Thurloe connaissait et que Wallis finit par découvrir, ne fut pas révélé à sa famille, qui y aurait trouvé un grand réconfort. Bien pis : on n'indiqua ni à Sarah ni à sa mère l'endroit où il reposait, et ce n'est que plusieurs mois après qu'elles apprirent ce qui lui était arrivé.

Je la renvoyai chez elle pour qu'elle tînt compagnie à sa mère, annonçant à la mienne que Sarah était malade. Elle apprécia ma bonté, il me semble, mais elle se présenta le lendemain matin, sans jamais revenir sur le sujet. Elle garda entièrement pour elle son deuil et sa peine ; je fus le seul, car je la connaissais mieux que quiconque, à percevoir de temps en temps pendant qu'elle travaillait une lointaine tristesse dans ses yeux.

C'est ainsi que naquit mon amour pour cette fille, et il ne me faut plus parler de mes souffrances. Je l'attendais toujours avec impatience, deux fois par semaine, pour bavarder avec elle, et pendant un certain temps elle m'accompagna à l'occasion à Paradise Fields. Personne ne l'apprit jamais, et si j'étais discret ce n'était pas que j'eusse honte de la fréquenter ; cette liaison était trop chère à mon cœur pour qu'elle pût faire l'objet de quolibets dans les tavernes. Je sais comment on me juge ; les moqueries de mes camarades, de ceux même que j'ai aidés, c'est une croix que j'ai portée toute ma vie. Dans son manuscrit, Cola rapporte les commentaires de Locke, et même ceux de Lower, qui se montraient tous les deux courtois en ma présence et que je considère toujours presque comme des amis. Prestcott accepta mon aide et se gaussa de moi derrière mon dos ; Wallis fit de même. Je refusais de laisser le mépris des autres ternir mon amour : l'attention que je portais à cette fille aurait sans doute provoqué leurs risées.

De toute façon, ce n'était qu'une partie de ma vie ; je passais le plus clair de mon temps à faire avancer mon travail et, découragé par les doutes qui m'assaillaient à propos de mes recherches, je m'aperçus que, de plus en plus, je recueillais simplement les faits, sans oser désormais expliquer ce qu'ils signifiaient. Mon œuvre sur le siège languissait et je me tournais de plus en plus vers les Mémoires ; des faits gravés dans la pierre et le bronze qui me permirent de dresser une liste des plus importantes familles du comté à travers les siècles. Cela paraît banal aujourd'hui, mais je fus le premier à penser que cela présentait un quelconque intérêt.

J'épluchai toutes les archives, classant les manuscrits que personne n'avait touchés depuis des générations, afin de gagner un peu d'argent et de me rendre utile. Car que sommes-nous sinon notre passé ? S'il est perdu, nous sommes réduits à néant. Bien que je n'eusse aucune intention d'utiliser tout de suite les documents moi-même, j'avais le devoir et le plaisir d'assurer que d'autres pourraient le faire s'ils en avaient envie. Toutes les bibliothèques d'Oxford étaient dans un état désastreux, leurs trésors les plus précieux ayant été délaissés depuis des décennies lorsque les hommes s'étaient adonnés à des passions factieuses et s'étaient mis à mépriser l'antique sagesse parce qu'ils ne savaient pas la lire d'un œil neuf. À mon faible niveau, je préservais, cataloguais, plongeant dans le vaste océan du savoir qui attendait, tout en sachant qu'une seule vie d'homme ne suffirait pas pour explorer ne serait-ce que le plus petit fragment des merveilles qu'il recelait. Il est cruel qu'on nous ait dotés du désir de savoir sans nous accorder le temps nécessaire à son complet assouvissement. Nous mourons tous frustrés ; voilà la grande leçon qu'il nous faut retenir.

C'est dans l'accomplissement de ce genre de recherche que je rencontrai le Dr Wallis : il était responsable des archives de l'université quand j'avais le plus besoin de les consulter, même si en tant que professeur il n'eût jamais dû être nommé à ce poste. Je reconnais volontiers que cet esprit méthodique imposa un certain ordre à des documents lamentablement négligés depuis des années, néanmoins j'aurais pu faire mieux que lui (puisque j'effectuais tout le travail dans l'ombre), et j'aurais davantage mérité le salaire de trente livres par mois.

J'avais, bien sûr, entendu des rumeurs au sujet de ses activités occultes : ses talents de déchiffreur de documents n'étaient pas secrets. En fait, il s'en vantait plutôt. Mais, avant d'ouvrir son manuscrit, je ne savais rien de ses sombres agissements, menés sous l'égide du gouvernement ; si j'en avais connu toute l'étendue, je pense que tout aurait été beaucoup plus simple. Wallis fut vaincu (même s'il ne s'en rendit compte qu'en lisant à son tour le récit de Cola) par sa propre intelligence et par son obsession du secret. Il voyait des ennemis partout et ne faisait confiance à personne. Relisez ses Mémoires et voyez les motifs qu'il impute à tous ceux qui entraient en contact avec lui. Dit-il le moindre bien de quiconque ? Dans son univers, tout individu était un imbécile, un menteur, un tricheur ou un traître. Il va jusqu'à railler M. Newton, dénigrer M. Boyle et exploiter les faiblesses de Lower.

Le caractère de tous devait être dénaturé pour servir ses propres fins. Le pauvre homme ! Juger ainsi son prochain... Pauvre Église ! L'avoir pour prêtre... Pauvre Angleterre ! Se reposer sur lui pour sa défense... Il vitupère tout un chacun, mais qui a causé davantage de morts et de destruction que lui ? Pourtant, même Wallis était capable d'aimer, apparemment, même si, quand il perdit la seule personne à laquelle il tenait, sa réaction ne fut pas de revenir vers Dieu par la prière et le repentir, mais de déchaîner encore plus de violence dans le monde, avant de s'apercevoir que cela ne servait à rien. À plusieurs occasions j'avais rencontré son Matthew et j'avais toujours ressenti de la sympathie à son égard. L'obsession de Wallis sautait aux yeux de tous : lorsqu'il se trouvait dans la même pièce que ce garçon il ne pouvait pas détacher son regard de son visage ni cesser de lui adresser des remarques. Rien ne me surprit davantage que d'apprendre l'affection qu'il lui portait, car il traitait le jeune homme abominablement, au point que nous nous demandions tous comment ce dernier tolérait une telle méchanceté.

Je reconnais que son domestique souffrait moins que ses enfants, dont les insuffisances étaient publiquement et fréquemment citées avec une telle cruauté que je vis un jour l'aîné fondre en larmes sous les assauts répétés. Cependant, même Matthew devait supporter d'être harcelé sans répit ; seul un homme du genre de Wallis pouvait exprimer son amour de cette manière. Une fois, je ne ressentis pour lui que de la répulsion en voyant son visage contorsionné et rouge de colère contre le jeune homme ; j'en parlai à Sarah, mais elle me gourmanda gentiment.

« Ne lui en voulez pas ! Il veut connaître l'amour, mais il ne sait pas comment s'y prendre. Il ne peut adorer qu'une idée et il punit la réalité quand elle n'est pas à la hauteur. Il recherche la perfection, mais il a l'esprit si aveugle qu'il ne peut la percevoir qu'à travers ses mathématiques ; il n'y a pas de place dans son cœur pour les êtres humains.

— Quelle dureté ! m'exclamai-je.

— Oui. Mais c'est aussi de l'amour. Vous ne le voyez pas ? Et c'est sûrement le seul chemin qui puisse le mener au salut. Ne condamnez pas la seule petite flamme que Dieu ait allumée en lui. Ce n'est pas à vous de juger. »

À l'époque, cependant, je ne me préoccupais pas du tout de ça : je voulais entrer dans les archives et Wallis en possédait, littéralement, la clef. Aussi, pendant que le roi essayait de se réinstaller sur son trône, tandis que des complots et des contre-complots tourbillonnaient sur le pays comme une tempête de neige, je quittais ma chambre de Merton Street pour me rendre à la bibliothèque où je défaisais des paquets, cataloguais, lisais et annotais jusqu'à ce que même la lueur des bougies ne me permît plus de travailler. Je travaillais dans le froid glacial de l'hiver, lorsque la nuit tombait dès le milieu de l'après-midi, et dans la chaleur étouffante de l'été, quand le soleil tapait sur le toit de plomb juste au-dessus de ma tête et que la soif me rendait à moitié fou. Aucun temps, aucune circonstance ne me détournait de ma tâche et j'oubliais tout ce qui se passait autour de moi. Je m'accordais une heure environ pour déjeuner, souvent en compagnie de Lower ou d'autres camarades, mais le soir je me permettais le plus grand plaisir et le plus agréable délassement de ma vie, c'est-à-dire la musique. La musique réjouit le cœur ; elle peut adoucir l'esprit et calmer les émotions tumultueuses, dit Jason Pratensis ; Lemnius, quant à lui, affirme qu'elle apaise également les artères et les esprits animaux, si bien que (et ici je cite M. Burton) lorsque Orphée jouait, même les arbres arrachaient leurs racines afin de s'approcher de lui pour mieux entendre. Agrippa ajoute que les éléphants d'Afrique sont charmés par elle et qu'un air peut les faire danser. Quelles qu'aient été ma fatigue ou ma tristesse, une heure de viole en bonne compagnie m'a presque toujours apporté la satisfaction et la sérénité et, seul ou avec d'autres, j'avais accoutumé de jouer une heure chaque soir avant la prière ; à ma connaissance, c'est la meilleure façon de s'assurer un bon sommeil.

Nous étions cinq à nous réunir pour jouer deux fois par semaine, parfois davantage, et l'harmonie produite était délicieuse. Nous ne bavardions que rarement et, en fait, nous nous connaissions à peine ; cependant, nous passions ensemble deux heures ou plus dans une atmosphère d'amitié absolument parfaite. Je n'étais ni le meilleur ni le pire des musiciens et à force de dur labeur je paraissais souvent jouer mieux que les autres. Nous nous réunissions là où nous pouvions, mais, en 1662, nous nous installâmes dans une pièce au-dessus d'un café qui venait de s'ouvrir à côté de Queen's College, un peu plus bas dans la Grand-Rue et en face de l'appartement de M. Boyle.

C'est là que je vis pour la première fois Thomas Ken dont la fréquentation me conduisit à faire la connaissance de Jack Prestcott. Comme le signale Prestcott, Ken est aujourd'hui évêque ; c'est un personnage vraiment très important, si pompeux que ses humbles origines étonneraient tous ceux qui ne l'ont pas rencontré à l'époque. L'ecclésiastique émacié avide de promotions, l'ascète qui souhaitait seulement communier avec le Christ, s'est métamorphosé en un prince de l'Église corpulent, vivant dans un palais au milieu de quarante serviteurs, dispensant la charité et servant avec loyauté et ardeur tout régime susceptible de lui verser son traitement. C'est une forme de morale, je suppose, que cette aptitude à modifier sa conscience pour contribuer à la paix publique, mais cette attitude ne m'inspire guère d'admiration, en dépit du bien-être que cela lui a apporté. Je me rappelle avec une bien plus grande affection le jeune et ardent maître de New College, dont le seul plaisir consistait à gratter la viole en ma compagnie. C'était un exécrable musicien, sans don et sans oreille, mais son enthousiasme était sans bornes et, comme il manquait une viole à notre groupe, nous n'avions guère le choix. Je fus vraiment choqué d'apprendre qu'il avait méchamment inventé une histoire à propos de Sarah qui fit faire à celle-ci un pas de plus vers la potence ; tant de gens semblaient désirer sa mort que même à l'époque je sentais qu'un destin néfaste prenait plaisir à la détruire et à lui créer des ennemis pour des raisons qui m'échappaient.

C'est grâce à moi que Sarah commença à travailler pour le Dr Grove, Thomas ayant demandé un soir (en toute innocence) au groupe de musiciens si nous connaissions une domestique à la recherche d'un emploi. Grove, qui venait de reprendre son poste de maître, avait besoin d'une servante et Ken était très désireux de se rendre utile. Il espérait se gagner l'affection et la protection de cet homme, et au début il déploya beaucoup d'efforts afin de l'obliger. Malheureusement, Grove ne pouvant soutenir des gens comme Ken dans son collège, il repoussa toutes les ouvertures d'amitié ; les politesses de Ken ne servirent de rien et une inimitié naquit qui n'avait pas besoin d'une querelle à propos d'une paroisse pour s'envenimer.

Je répondis que je connaissais quelqu'un qui ferait parfaitement l'affaire et j'en parlai à Sarah dès que je la vis. Il s'agissait d'aller chez lui une fois par semaine pour faire le ménage de son appartement, lui monter son eau et son charbon, vider ses seaux et s'occuper de son linge ; pour six pence par jour.

« La place me conviendrait bien, dit-elle. Qui est cet homme ? Je refuse de travailler pour quelqu'un qui croit qu'il a le droit de me battre. Vous le savez, je suppose.

— Je ne le connais pas du tout, aussi ne puis-je pas me porter garant de son caractère. Il a été évincé il y a très longtemps, et il vient seulement de retrouver son poste.

— C'est un partisan de Laud, alors ? Vais-je devoir travailler chez un royaliste inconditionnel ?

— Je te trouverais un professeur anabaptiste s'il y en avait, mais les gens de l'espèce de Grove sont les seuls susceptibles de faire une offre par les temps qui courent. Accepte ou non, comme tu veux. Mais va le voir : il est possible qu'il ne soit pas aussi mauvais que tu le crains. Après tout, je suis moi-même un royaliste inconditionnel, et tu réussis à réprimer, plus ou moins, ton dégoût quand tu es près de moi. »

Cela me valut l'un de ses charmants sourires dont je me souviens si clairement encore aujourd'hui.

« Rares sont ceux qui ont votre bonté. C'est bien dommage ! »

Elle n'en avait pas très envie, mais son besoin de travailler eut raison de ses scrupules, et finalement elle alla voir Grove et accepta l'emploi. Cela me fit plaisir ; je vis à quel point il est agréable de favoriser quelqu'un même à une petite échelle. Grâce à moi, Sarah avait assez de travail pour vivre, et elle pourrait même mettre de l'argent de côté en faisant attention. Pour la première fois de sa vie, elle menait une existence rangée et respectable en restant à sa place ; elle s'en contentait, apparemment. Cela me réconfortait beaucoup et semblait bien présager de l'avenir. J'étais ravi pour elle et j'espérais que le reste du pays serait aussi souple. Hélas ! mon optimisme se révéla tout à fait injustifié.

Chapitre trois

Je vais trop vite... Dans ma hâte de tout transcrire, j'omets beaucoup de faits importants. Je devrais les relater posément, l'un après l'autre, afin que tous les lecteurs puissent discerner nettement le schéma des événements. C'est, à mon avis, ce que doit être l'histoire. Les philosophes prétendent que le but de l'histoire est d'illustrer les hauts faits des grands hommes, de donner aux inférieurs abâtardis de la présente génération des modèles à imiter, mais je crois que les grands hommes et les hauts faits n'ont pas besoin de nous ; rares sont ceux, de toute façon, qui résistent à un examen trop minutieux. Ce point de vue n'est pas incontesté, d'ailleurs, me semble-t-il, puisque les théologiens agitent le doigt en déclarant que le seul et unique but de l'histoire est de révéler comment la glorieuse main de Dieu intervient dans les affaires humaines. Mais je trouve cette interprétation sujette à caution, en tout cas dans sa pratique actuelle. Le projet de Dieu est-il véritablement révélé dans les lois des rois, les actions des politiciens ou les paroles des évêques ? Pouvons-nous vraiment croire facilement que ces menteurs, ces grossiers personnages et ces hypocrites sont les instruments de la volonté divine ? Je ne peux l'admettre ; nous n'étudions pas la politique du roi Hérode pour en tirer des leçons, mais recherchons plutôt les propos du plus humble de ses sujets qui n'est cité dans aucun des récits historiques. Fouillez dans les œuvres de Suétone et d'Agricola ; étudiez Pline et Quintilien, Plutarque et Flavius Josèphe, alors vous vous apercevrez que le plus grand événement de tous, le fait le plus important de toute l'histoire du monde, leur échappa totalement, en dépit de leur sagesse et de leur savoir. Au temps de Vespasien (comme le dit lord Bacon) il y avait une prophétie selon laquelle un homme venant de Judée allait diriger le monde ; cela désignait manifestement notre Sauveur, mais Tacite (dans ses *Histoires*) pense seulement qu'il s'agissait de Vespasien lui-même.

En outre, en tant qu'historien, mon travail consiste à présenter la vérité, et nul doute que faire le récit de cette période selon la méthode approuvée — causes premières, narration, récapitulation, morale — reviendrait à présenter un étrange tableau de l'époque où il s'est déroulé. Pendant cette année 1663, après tout, le roi faillit être renversé de son trône, des milliers de dissidents furent jetés en prison, des bruits de guerre se firent entendre sur la mer du Nord, et les signes annonciateurs du grand incendie et de la grande peste furent ressentis à travers tout le pays, sous la forme de toutes sortes de faits bizarres et terrifiants. Faut-il reléguer tout cela au second plan, considérer que ce n'est que le décor de la mort de Grove, comme si cette mort était l'événement le plus important ? Ou dois-je, au contraire, omettre d'évoquer la mort de ce pauvre homme, ainsi que tous les événements qui ont eu lieu dans ma ville, parce que les manigances des courtisans, qui nous conduisirent à la guerre l'année suivante et faillirent plonger à nouveau le pays dans la guerre civile, sont tellement plus importantes ?

Un mémorialiste suivrait la première méthode, un historien la seconde, mais peut-être les deux auraient-ils tort ; les historiens, comme les philosophes de la nature, finissent par croire que la raison suffit pour comprendre et pensent à tort qu'ils voient et comprennent tout. En réalité, leurs travaux passent à côté de ce qui est significatif et l'enfouissent sous le poids de leur sagesse. Livré à lui-même, l'esprit humain est incapable de saisir la vérité : il élabore seulement des chimères et des fictions qui ne convainquent qu'un temps et qui ne sont vraies que jusqu'à ce qu'elles soient écartées et remplacées. La raison humaine est une arme médiocre, émoussée et inoffensive, un jouet d'enfant dans la main d'un bébé. Seule la révélation qui voit au-delà de la raison et qui est un don ni acquis ni mérité, dit saint Thomas d'Aquin, peut nous conduire à l'endroit où brille une clarté lumineuse que l'intelligence seule n'apportera jamais.

Les divagations des mystiques, cependant, desserviraient ma cause dans ces pages et je dois me rappeler mon métier : la méthode de l'historien, c'est la narration correcte des faits. Voilà pourquoi je vais revenir quelque temps au début de 1660, avant la restauration de Sa Majesté, avant même que je connaisse Paradise Fields, et peu après que Sarah eut commencé à travailler chez ma mère. Et au lieu d'utiliser une rhétorique grandiloquente, je vais raconter comment je me rendis un jour à la chaumière des Blundy pour poser quelques questions supplémentaires à propos de la mutinerie. Comme je me trouvais dans le sentier menant chez eux, j'aperçus un petit homme robuste qui quittait la maison et qui me croisa d'un pas alerte ; il portait sur le dos un sac de voyageur. Je le regardai, sans m'attarder, avec une certaine curiosité uniquement parce qu'il sortait de chez Sarah. Il n'était ni jeune ni vieux, mais marchait allègrement, et il s'éloigna sans se retourner. Je ne fis qu'entrevoir son visage qui était vif et aimable, quoique marqué de rides profondes et hâlé comme celui de quelqu'un qui a passé la majeure partie de sa vie au grand air. L'homme était rasé de près et ses mèches rebelles châtain, presque blondes, étaient libres de tout couvre-chef. Svelte, de petite taille, il paraissait résistant néanmoins, comme s'il avait l'habitude d'endurer de grandes privations sans se plaindre.

C'est la seule fois que je vis Ned Blundy et je regrette énormément de ne pas être arrivé quelques minutes plus tôt, car j'aurais beaucoup aimé l'interroger. Sarah me dit, cependant, que ç'aurait été une perte de temps. Il avait toujours été réticent avec les inconnus et il n'accordait pas sa confiance facilement ; elle jugeait fort improbable qu'il m'eût parlé sans réserve même s'il n'avait pas été tout particulièrement préoccupé pendant ce qui s'avéra être sa dernière visite à sa famille.

« Tout de même, j'aurais beaucoup aimé avoir un premier contact avec lui, dis-je, car peut-être qu'à l'avenir nous aurons l'occasion de nous rencontrer à nouveau. Vous l'attendiez ?

— Non. Pas du tout. On l'a très peu vu ces dernières années. Il était toujours en voyage et ma mère est trop vieille pour l'accompagner. Il a jugé qu'il valait mieux que nous restions ici pour vivre de notre côté. Il a peut-être raison, il me manque terriblement cependant ; c'est l'homme le plus charmant que je connaisse. Je me fais du souci pour lui.

— Pourquoi donc ? Je ne l'ai pas bien vu, mais il a l'air d'un homme qui sait se débrouiller tout seul.

— Je l'espère. Je n'en avais jamais douté jusqu'à présent. Mais il paraissait si sombre en prenant congé de nous qu'il m'a fait peur. Il a parlé d'un ton si grave et nous a mis si fortement en garde à propos de notre sécurité que je suis inquiète.

— Pourtant, c'est bien normal qu'un homme se soucie de sa famille quand il n'est pas là pour la protéger, non ?

— Connaissez-vous un homme appelé John Thurloe ? Vous avez entendu parler de lui ?

— Bien sûr que je connais son nom. Je suis étonné que vous l'ignoriez. Pourquoi posez-vous cette question ?

— C'est l'une des personnes dont je dois me méfier.

— Pourquoi ?

— Parce que mon père dit qu'il voudra que je lui donne ceci s'il en apprend l'existence. »

Elle désigna un volumineux ballot posé par terre près de l'âtre, enveloppé dans de la toile, attaché avec une

748

grosse corde et cacheté en maints endroits par des sceaux de cire.

« Il ne m'a pas dit ce que c'était, mais il m'a affirmé que cela signerait mon arrêt de mort si je l'ouvrais ou si quelqu'un savait qu'il se trouvait là. Je dois le mettre en sécurité et n'en parler à personne jusqu'à ce qu'il revienne le chercher.

— Vous connaissez l'histoire de Pandore ? »

Elle fronça les sourcils et secoua la tête ; aussi lui racontai-je la légende. Malgré son inquiétude, elle m'écouta et posa des questions intelligentes.

« C'est un bon avertissement, mais j'avais l'intention de lui obéir quoi qu'il arrive.

— Mais vous vous êtes empressée de m'en parler, avant même que votre père ait eu le temps de franchir le mur d'enceinte !

— Il n'y a aucun endroit ici où il ne serait découvert en quelques minutes par une personne décidée à mettre la main dessus, et nous avons peu d'amis dignes de confiance qui soient à l'abri d'un interrogatoire. J'aimerais vous demander un immense service, monsieur Wood ; je vous fais confiance et je vous crois homme de parole. Acceptez-vous de le prendre et de le cacher pour moi ? De promettre de ne pas l'ouvrir sans mon autorisation et de ne jamais en révéler l'existence à quiconque ?

— Qu'est-ce qu'il contient ?

— Je vous l'ai dit : je n'en sais rien. Mais je peux vous assurer que rien de ce que fait mon père n'est vil, méchant ou nuisible. Ça ne sera que pour quelques semaines ; ensuite vous pourrez me le rendre. »

Cette conversation — qui se termina sur mon accord — peut sembler étrange au lecteur. Car c'était aussi fou de la part de Sarah de me faire confiance que de la mienne de cacher un paquet qui aurait pu contenir toutes sortes de choses horribles et susceptibles de m'attirer des ennuis. Et, malgré tout, nous prîmes tous les deux une sage décision ; une fois que je me suis engagé, ma parole

749

est sacrée et je n'ai même pas songé à la trahir. J'ai emporté le paquet et je l'ai caché sous le plancher de ma chambre où il est resté intact et ignoré de tous. Je n'eus jamais envie de l'ouvrir ni de revenir sur ma promesse d'une manière ou d'une autre. J'acceptai parce que je ne songeai même pas à refuser : j'étais déjà en train de tomber sous son charme et je répondais favorablement à toute requête qui me liait à elle et me gagnait sa gratitude.

Évidemment, il s'agissait de ce paquet de documents que Blundy avait montrés à sir James Prestcott et que Thurloe considérait comme si dangereux qu'il essaya pendant des années de les récupérer, causant à Anne Blundy sa blessure fatale lorsque ses sbires effectuèrent leur dernière fouille. C'est pour retrouver ces papiers que, après la mort de Blundy et la fuite de sir James Prestcott, les agents de Thurloe se déployèrent dans tout le pays, libres d'agir à leur guise. C'est pour recouvrer ce paquet que la maison de Sarah fut mise à sac à de nombreuses reprises et que ses amis et camarades, ainsi que ceux de son père et de sa mère, subirent un interrogatoire serré et brutal. C'est pour ce paquet que Cola vint à Oxford, et pour ce même paquet que Thurloe amena Jack Prestcott et le Dr Wallis à faire pendre Sarah, de peur qu'elle ne révélât l'endroit où il se trouvait.

Moi, je ne savais rien de tout cela, mais je le gardai en sécurité comme je l'avais promis, et personne ne pensa jamais à m'en parler.

Je crains fort que mon récit, si quelqu'un vient à le lire, ne plaise pas autant que les trois autres sur lesquels il est fondé. Pareillement, j'aimerais pouvoir offrir une narration simple et claire, pleine d'affirmations évidentes et mue par la force irrésistible de la conviction. Mais cela m'est impossible, parce que la vérité n'est pas simple et que ces trois messieurs ne présentent qu'un simulacre de la vérité, comme j'espère l'avoir déjà montré. J'ai juré de ne pas omettre les contradictions et les obscurités et je ne suis pas non plus si suffisant et si sûr de moi que j'évite de parler de tout ce que je n'ai pas fait, vu ou dit moi-même, car je ne crois pas que ma présence ait été d'une importance vitale. Je suis obligé de présenter des fragments en vrac et en sautant en avant et en arrière dans le temps.

Et maintenant je repars en avant et commence mon récit pour de bon. Vers le milieu de 1662 — je connaissais Sarah Blundy depuis plus de trois ans et le royaume était en paix depuis deux années —, je n'étais pas mécontent de mon sort. Mon programme était tout aussi inébranlable que satisfaisant. J'avais mes amis avec qui je me réunissais le soir soit pour dîner, soit pour faire de la musique. Mon travail parvenait à trouver l'axe que j'ai toujours suivi depuis et qui m'a apporté de plus en plus de précieuses récompenses dans le domaine du savoir. Ma famille était assez bien établie et aucun de ses membres, même le cousin le plus éloigné, ne nous causait du souci ou de la dépense, ni n'attirait le déshonneur sur notre nom. Je jouissais d'une rente sûre et garantie qui, malgré son montant peu élevé, suffisait à me fournir la nourriture, le logement et tout ce dont j'avais besoin pour travailler. Je suppose que j'aurais aimé qu'elle fût plus forte car, si je me rendais déjà compte que je n'aurais jamais à faire face aux frais d'un ménage, j'aurais volontiers dépensé davantage d'argent en livres et pour faire ces œuvres de charité qui illuminent la vie d'un homme quand elles sont accomplies comme il se doit.

Ce n'était là, cependant, qu'un souci mineur, en effet, je n'ai jamais fait partie de ces hommes envieux et amers qui souhaitent être aussi riches que leurs amis et pour qui leurs biens sont, par définition, insuffisants. Tous mes amis d'alors sont aujourd'hui beaucoup plus riches que moi. Lower, par exemple, est devenu le médecin le plus élégant de Londres ; John Locke a été entretenu luxueusement par de généreux et opulents mécènes, et il a reçu du gouvernement d'innombrables rentes et pensions avant que l'inimitié des puissants ne le force à s'exiler. Même Thomas Ken s'est engraissé grâce à un évêché juteux. Mais je n'échangerais pas ma vie contre la leur, car ils doivent constamment s'occuper de ce genre de choses. Ils vivent dans un monde où, si l'on ne monte pas perpétuellement, on tombe inévitablement. La gloire et la fortune sont extrêmement évanescentes ; ne possédant ni l'une ni l'autre, je ne risque pas de les perdre.

De surcroît, aucun de ces trois hommes n'est satisfait, je le sais ; ils sont trop conscients du prix que leur a coûté leur argent. Ils regrettent tous les trois leur jeunesse, époque où ils pensaient pouvoir faire ce qu'ils souhaitaient et rêvaient d'un plus noble destin. Sans les exigences de sa famille — les ventres constamment affamés de ses enfants et ceux des enfants de son frère — Lower aurait pu demeurer à Oxford et graver son nom à jamais sur l'arbre de la renommée. Mais au lieu de cela il est parti pour devenir un médecin à la mode et depuis il n'a accompli aucun travail utile. Locke déteste ceux qui le récompensent si grassement, mais il s'est trop habitué à une existence agréable pour l'abandonner, ce qui le force aujourd'hui à vivre à Amsterdam pour sa propre sécurité. Et Ken ? Quels choix il a faits ! Peut-être un jour déclarera-t-il publiquement ses véritables croyances. En attendant, il va continuer à souffrir les tourments qu'il s'est lui-même infligés, apaisant les démons du remords par ses œuvres de bienfaisance de plus en plus dispendieuses.

Tant que j'ai eu mon travail, cela m'a suffi et je n'ai désiré rien d'autre. À cette époque, en particulier, j'étais enchanté de mon sort, ne souffrant d'aucune mélancolie risquant de me distraire. Comme je l'ai dit, j'étais ravi d'avoir procuré à Sarah un bon emploi stable chez le Dr Grove et confiant dans l'idée que mon mode de vie agréable continuerait sans accroc. Ce ne devait pas être le cas, car petit à petit les événements qui sont narrés dans les trois manuscrits que je viens de lire ont envahi mon petit monde et l'ont complètement chamboulé. Je mis très longtemps à retrouver le semblant d'équilibre nécessaire à une recherche sérieuse et à une existence paisible. En réalité, je crois n'y être jamais parvenu.

Le premier coup d'épingle dans ma bulle de satisfaction se produisit à la fin de l'automne. Je me trouvais dans une taverne où je m'étais arrêté après une longue journée passée à respirer la poussière des livres de Bodley. J'étais parfaitement calme et reposé, n'ayant aucune pensée qui pût me causer du souci, quand j'entendis quelques bribes d'une conversation entre deux hommes de la ville vulgaires et pouilleux. Je n'avais ni l'envie ni l'intention d'écouter, mais, parfois, on ne peut l'éviter ; les mots s'imposent à l'esprit et veulent y pénétrer à toute force. Et plus j'en entendais, plus il me fallait en entendre, car mon corps s'était raidi et leurs ragots me faisaient froid dans le dos.

« Cette niveleuse, cette catin de Blundy... » Au début, ce furent les seules paroles que mes oreilles saisirent au milieu du brouhaha de la salle. Puis, mot après mot, je perçus un peu plus de la conversation. « Une chatte en chaleur... » « Chaque fois qu'elle fait le ménage chez lui... » « Le pauvre homme, il doit être envoûté... » « Je serais pas contre moi-même.. » « Et dire qu'il est prêtre. Ils sont tous les mêmes... » « Il suffit de regarder, en fait... » « Le Dr Grove... » « Elle écarte les cuisses pour le premier venu... » « Tout le monde lui est passé dessus... »

Aujourd'hui, je sais que ces ignobles ragots sont absolument faux, bien que ce soit seulement en lisant le manuscrit de Prestcott que j'ai appris qu'ils avaient eu pour origine le viol odieux qu'il lui avait fait subir. Même à l'époque je ne crus pas tout de suite ce que j'entendis, car en buvant on raconte et on se vante de bien des aventures salaces ; si elles étaient toutes véridiques, cela signifierait qu'il n'y a quasiment pas une seule femme vertueuse dans le pays. Non, c'est seulement au moment où Prescott m'en parla que mon refus de croire céda la place au doute et que les démons qui erraient dans mon esprit commencèrent à me ronger l'âme et à faire naître en moi la haine et le soupçon.

Prescott a raconté notre première rencontre, lorsque Thomas Ken requit mon aide. Ken pensait que je réussirais là où lui avait échoué : il s'agissait de persuader le jeune homme d'abandonner ce qui ne pouvait être qu'une quête sans espoir. Ken avait essayé de l'en dissuader, me semble-t-il, mais la réaction violente que toute critique déclenchait chez Prescott décourageait ses efforts. Il espérait qu'une étude sérieuse des faits produirait une réaction raisonnable et que Prescott m'écouterait si je me livrais à une telle analyse.

Très vite, cependant, je me rendis compte que non seulement je n'éprouvais aucune sympathie pour M. Prescott, mais que je ne voulais à aucun prix participer à ses chimères. C'est pourquoi lorsque, m'apercevant plus tard dans la rue, il me héla, je ressentis un pincement au cœur et inventai une histoire selon laquelle je n'avais pas encore terminé mon enquête.

« Aucune importance, monsieur, dit-il d'un ton jovial, étant donné que je ne pourrais rien en faire pour le moment. Je m'apprête à partir en voyage, pour aller voir ma famille avant de me rendre à Londres. Cela attendra mon retour. Non, monsieur Wood, je dois vous entretenir d'un sujet précis : il me faut vous mettre en garde... Je sais que vous appartenez à une famille respectable, dont le membre le plus éminent est votre vénérée mère, et je répugne à laisser ternir votre réputation sans vous avertir.

— C'est très gentil à vous, répondis-je, fort étonné. Je suis sûr que nous n'avons aucun souci à nous faire. De quoi voulez-vous parler, exactement ?

— Vous avez une servante du nom de Sarah Blundy, n'est-il pas vrai ? »

Je hochai la tête, sentant l'inquiétude me gagner.

« En effet. C'est une grande travailleuse, sérieuse, modeste et obéissante.

— En apparence, sans aucun doute. Mais, comme vous le savez, les apparences sont parfois trompeuses. Je dois vous dire que son caractère n'est pas aussi irréprochable que vous aimez à le croire.

— Je suis peiné de l'apprendre.

— Et cela me peine de vous l'annoncer. Je crains qu'elle ne se livre à la fornication avec un autre de ses employeurs, un certain Dr Grove de New College. Vous connaissez cet homme ? »

J'acquiesçai avec froideur.

« Comment le savez-vous ?

— C'est elle qui me l'a dit. Elle s'en est même vantée.

— Cela semble difficile à croire.

— Pas à moi. Elle m'a abordé et s'est offerte à moi pour de l'argent de la manière la plus grossière et la plus vulgaire qui soit. Évidemment, j'ai repoussé son offre et elle m'a pratiquement dit que ses talents pouvaient être confirmés par beaucoup d'autres. Beaucoup, beaucoup d'autres clients satisfaits, m'a-t-elle affirmé avec un large sourire, et elle a ajouté que le Dr Grove était un nouvel homme depuis qu'elle lui fournissait la sorte de plaisir que l'Église ne pouvait lui offrir.

— Vos paroles m'affligent.

— J'en suis désolé. Mais j'ai pensé qu'il valait mieux...

— Bien sûr. Je vous remercie d'avoir pris la peine de m'avertir. »

Ce fut là l'essentiel de la conversation ; il n'y eut rien d'autre, je crois, mais quel effet cela produisit sur mon esprit ! Ma première réaction fut de rejeter catégoriquement ce qu'il m'avait dit et de me persuader que ce que je savais de la jeune fille et de sa vertu avait plus de valeur que le témoignage d'un étranger. Mais mes soupçons me rongeaient sans que je parvienne à les calmer et ils finirent par avoir entièrement raison de moi. L'impression que j'avais de son caractère pouvait-elle peser davantage que l'expérience concrète de quelqu'un d'autre ? Je la voyais sous un certain jour, et Prestcott savait qu'elle était différente. Mon expérience contredisait-elle ses affirmations ? La fille ne s'était-elle pas donnée à moi librement ? Je ne l'avais pas payée, mais qu'est-ce que cela révélait sur son sens moral ? Seule ma vanité avait pu me faire croire qu'elle avait couché avec moi par affection... Plus j'y réfléchissais, plus je comprenais ce que devait être la vérité. C'était la seule femme qui m'avait permis de la toucher et j'en étais tombé amoureux sans me rendre compte qu'elle aurait agi de même avec le premier venu. Les désirs des femmes sont plus forts que ceux des simples hommes ; une vérité bien connue et je l'avais oubliée. Quand elles sont en chaleur elles sont voraces et insatiables et nous, pauvres hommes, nous prenons cela pour de l'amour.

Quelle est donc la nature de la jalousie, ce sentiment qui peut s'emparer du plus fort des hommes ou de la plus vertueuse des créatures et les détruire ? Par quelle alchimie de l'esprit l'amour peut-il ainsi se changer en haine, le désir en répulsion, l'envie en dégoût ? Comment se fait-il qu'aucun homme vivant n'est immunisé contre son étreinte de feu, qu'elle puisse chasser en un instant tout sommeil, toute raison et toute bonté ? Quel bourreau, dit Jean Bodin, peut torturer aussi cruellement que cette peur et que ces soupçons ? Et elle n'affecte pas les humains seulement, car Vives dit que les colombes sont jalouses et peuvent en mourir. Un cygne à Windsor trouvant un mâle inconnu en compagnie de sa femelle poursuivit sur l'eau son rival pendant plusieurs miles avant de le tuer et de revenir tuer également sa compagne. Certains déclarent que ce sont les étoiles qui causent la jalousie, mais Leo Afer pense que c'est le climat, et Morison affirme que l'Allemagne a moins d'ivrognes, l'Angleterre de marchands de tabac et la France de danseurs que l'Italie n'a de maris jaloux. Et en Italie, on raconte que les hommes de Piacenza sont plus jaloux que les autres Italiens.

C'est, de plus, une maladie changeante qui prend différentes formes selon le lieu, car ce qui rend fou quelqu'un à un endroit n'affectera personne ailleurs. En Frise, une femme donnera un baiser à l'homme à qui elle apporte à boire ; en Italie, cet homme le paiera de sa vie. En Angleterre, les garçons et les filles dansent ensemble, pratique que seule Sienne supporte en Italie. Mendoza, légat d'Espagne en Angleterre, trouvait révoltant qu'hommes et femmes soient assis les uns à côté des autres à l'église, mais on lui fit remarquer qu'il n'y avait qu'en Espagne que cela paraissait révoltant, car dans ce pays les hommes ne parviennent pas à se débarrasser de leurs pensées impures même dans les lieux saints.

Étant enclin à la mélancolie, je suis plus capable de jalousie que d'autres, mais je connais beaucoup de colériques et de sanguins qui en souffrent tout autant. J'étais jeune et la jeunesse est jalouse, même si Jérôme déclare que les vieux le sont davantage. Hélas, le simple fait de comprendre une maladie ne suffit pas à la guérir ; connaître la cause de la jalousie n'atténue pas plus le mal que le fait de déterminer l'origine d'une fièvre ; moins, en réalité, car en médecine le diagnostic peut aboutir à un traitement, alors que pour la jalousie il n'y en a aucun. C'est comme la peste, qui est incurable. On tombe malade, puis l'on est consumé par le plus ardent des feux et, à la fin, ou il s'éteint ou l'on meurt.

J'étouffai sous le manteau de la jalousie, qui brûlait mon âme de même que la tunique trempée dans le sang de Nessus causa les souffrances et la mort d'Hercule, pendant près de deux semaines avant de ne plus pouvoir supporter cette torture. Durant cette période tout ce que je voyais et entendais confirmait mes pires soupçons et je m'emparais avec empressement du moindre signe et du plus petit indice de sa culpabilité. Une fois, j'osai presque lui parler franchement et je me rendis à sa chaumière dans ce but ; mais lorsque je m'en approchai je vis la porte s'ouvrir et un inconnu sortir de la maison en faisant la révérence et en prodiguant des marques de respect avec la plus extrême solennité. Je crus immédiatement qu'il s'agissait de quelque client et que sa honte et sa déchéance avaient désormais atteint un tel degré qu'elle s'était mise à pratiquer son métier dans sa propre maison, au vu et au su de tous. Ma rage et ma stupéfaction étaient si grandes que je fis demi-tour et m'éloignai sur-le-champ ; j'avais si atrocement peur que je montai tout de suite à ma chambre pour me livrer à un examen des plus intimes, étant donné que le risque d'attraper la vérole me préoccupait terriblement. Je ne découvris rien, mais je n'étais pas vraiment rassuré puisque je ne savais rien de cette maladie. Aussi, prenant mon courage à deux mains, la honte au front, je partis consulter Lower.

« Dick, dis-je, je dois te demander un très grand service ainsi qu'une discrétion totale. »

Nous nous trouvions dans son appartement de Christ Church College, un vaste logement donnant sur la cour principale et qu'il occupait depuis quelques années. Locke étant présent, je me forçai à tenir des propos badins, décidé que j'étais à attendre aussi longtemps qu'il le faudrait pour rester seul avec Lower. Enfin Locke se retira, et Lower me demanda ce que je désirais.

« Ne te gêne pas ! Si je peux t'obliger, je le ferai volontiers. Tu m'as l'air très anxieux, mon ami. Tu es malade ?

— J'espère que non. C'est ce que je veux que tu me dises.

— Que penses-tu que ça puisse être ? Quels sont les symptômes ?

— Il n'y en a aucun.

— Pas de symptômes ? Vraiment ? Ça m'a l'air très grave... Je vais t'examiner minutieusement, puis je te prescrirai les médicaments les plus coûteux de ma pharmacopée, et tu seras instantanément guéri. Grand Dieu, monsieur Wood, dit-il en souriant, vous êtes le patient idéal ! Si j'en avais une douzaine comme vous, je serais riche et célèbre.

— Ne vous moquez pas, monsieur. Je suis tout à fait sérieux. Je crains d'avoir attrapé une maladie honteuse. »

Ma façon de parler le convainquit que je ne plaisantais pas et, parce que c'était un bon docteur et un ami attentionné, il abandonna sur-le-champ son ton badin.

« Tu es très inquiet, c'est facile à voir. Mais il faut que tu sois un peu plus explicite. Comment puis-je te dire quel est ton mal, si tu ne me dis pas de quoi tu souffres ? Je suis médecin, pas devin. »

C'est ainsi qu'avec beaucoup de réticence et tout en craignant qu'il se moquât de moi je lui racontai tout. Il poussa un grognement.

« Tu penses donc que cette traînée a couché avec tout l'Oxfordshire ?

— Je n'en sais rien. Mais si la rumeur est fondée, alors il se peut que je sois atteint.

— Tu dis que ça dure depuis deux années ou plus. Je sais bien que les maladies de Vénus mettent un certain temps à se déclarer, concéda-t-il, mais rarement aussi longtemps. Tu n'as pas remarqué des signes sur son corps ? Ni plaie ni pustule ? Pas de pus ni d'écoulement blanchâtre ?

— Je n'ai pas regardé ! répliquai-je, choqué par cette idée.

— C'est dommage ! Moi, je regarde toujours soigneusement et je te conseille de m'imiter à l'avenir. Il n'est pas nécessaire d'agir ouvertement. Avec un peu d'habitude, tu peux faire croire que c'est par amour.

— Lower, je n'ai pas besoin de conseils, mais d'un diagnostic. Suis-je malade ou non ? »

Il soupira.

« Alors, baisse ton pantalon ! Voyons un peu ! »

Extrêmement gêné et humilié, je m'exécutai, et Lower me soumit à un examen tout à fait minutieux, soulevant, tirant, scrutant... Ensuite, il approcha son visage de mes parties intimes et les renifla.

« Tout me semble parfait ! Pratiquement neuf ! À peine sorti de l'emballage ! »

Je poussai un soupir de soulagement.

« Donc, je ne suis pas malade...

— Je n'ai pas dit cela. Il n'y a aucun symptôme, c'est tout. Je suggère que tu prennes des remèdes en grande quantité pendant plusieurs semaines, par simple mesure de précaution. Si tu es trop timide pour les acheter toi-même, j'irai les chercher chez M. Crosse et je te les donnerai demain.

— Merci. Merci beaucoup !

— Il n'y a pas de quoi ! Allez, rhabille-toi ! À propos, je te conseille dorénavant d'éviter tout contact intime avec cette fille. Si elle est ce qu'on dit d'elle, elle deviendra dangereuse tôt ou tard.

— C'est bien mon intention.

— Et il faut qu'on révèle publiquement son caractère pour éviter que d'autres ne tombent dans ses filets.

— Non. Je ne peux pas accepter ça. Et si ce qu'on raconte est faux ? Je refuse de la calomnier sans raison.

— Ton sens de la justice t'honore. Mais il ne doit pas te servir d'alibi. Ces personnes corrompent la société et il faut les dénoncer. Si tu tiens à avoir des scrupules, alors parle-lui franchement et vois ce qu'il en est. De toute manière, il nous faut prévenir le Dr Grove afin qu'il prenne une décision. »

Je n'agis pas à la hâte : j'avais besoin de plus que des commérages ou que le témoignage de Jack Prestcott pour me déterminer. Mais je la suveillai de plus près et (j'ai honte de l'avouer) je la suivis à l'occasion après son travail. Je fus absolument bouleversé de voir mes pires craintes confirmées, car à plusieurs reprises elle ne rentra pas chez elle ou n'y resta que peu de temps. Un jour, par exemple, je la vis quitter Oxford, et se diriger d'un bon pas vers Abingdon, ville pleine de soldats où je savais que les catins étaient très recherchées. Je ne voyais aucune autre explication possible, et je note avec tristesse que, lorsqu'il obtint le même renseignement, Wallis en déduisit qu'elle servait de messagère aux républicains. Je signale cela afin de souligner le risque qu'il y a à s'appuyer sur des preuves erronées ou incomplètes, car nous avions tort tous les deux.

Mais je ne m'en rendais pas compte à l'époque, même si je crois avoir été disposé à écouter sans préjugé toute explication qu'elle eût jugé bon de me fournir. Le lendemain, après une nuit blanche durant laquelle je souhaitai ardemment ne pas avoir à l'affronter, dès qu'elle pénétra dans la pièce je lui enjoignis de s'asseoir, lui expliquant que je voulais l'entretenir d'un sujet de la plus grande importance.

Elle s'assit tranquillement et attendit. J'avais remarqué que les jours précédents elle n'avait pas été dans son assiette, qu'elle avait travaillé avec moins d'entrain et qu'elle avait été moins enjouée que d'habitude. Je n'y avais pas prêté grande attention, toutes les femmes étant sujettes à ces sautes d'humeur, et je ne me rendis guère compte que dans son cas ce n'était pas normal. Je ne savais pas alors, ne l'ayant découvert qu'en lisant les Mémoires de Jack Prestcott, que c'était dû à l'ignoble viol qu'il lui avait fait subir. Elle ne pouvait évidemment pas en parler — quelle femme supporterait que sa réputation soit à ce point souillée ? —, mais elle ne pouvait pas non plus oublier aisément une offense. Je comprends très bien pourquoi Prestcott eut l'illusion qu'elle s'était vengée en lui jetant un sort, même si cette idée est ridicule. Car sa haine de la cruauté était implacable, tant son éducation lui avait fait croire à la justice.

J'avais également remarqué qu'elle avait repoussé mes avances et qu'elle s'était esquivée la seule fois où j'avais tenté de la toucher, haussant les épaules comme si elle était dégoûtée par le contact de ma main sur son épaule. Je fus d'abord blessé par ce geste, puis j'y vis une preuve supplémentaire qu'elle se détournait de moi, préférant les récompenses plus généreuses que lui offrait le Dr Grove. Je le répète : je ne connus l'exacte vérité que lorsque je la vis griffonnée de la main de Prestcott.

« Je dois te parler d'une affaire très grave », lui dis-je, une fois que je me fus dûment préparé. Je notai — je m'en souviens très bien — que j'avais un étrange poids sur la poitrine au moment où je commençai à parler et que je haletais comme si j'avais couru sur une longue distance. « J'ai entendu des propos horribles dont il faut s'occuper sans tarder. »

Elle restait assise, fixant sur moi un regard vide, l'air absent. Je crois que je bégayai et butai sur les mots comme je me forçais à poursuivre l'entretien et que je tournai la tête pour contempler ma bibliothèque de manière à ne pas avoir à regarder Sarah en face.

« J'ai reçu une grave plainte à propos de ta conduite : il paraît que tu t'es offerte de manière grossière et éhontée à un professeur de l'université et que tu t'es livrée à la fornication de la façon la plus révoltante qui soit. »

Il y eut encore un long silence avant qu'elle réponde : « C'est exact. »

Le fait que mes soupçons et les ragots fussent ainsi confirmés ne me consola guère. J'avais espéré qu'elle réfuterait les accusations avec indignation, que cela me permettrait de lui pardonner et que nous reprendrions notre vie d'antan. Même, à ce moment-là, je n'en tirai pas des conclusions hâtives. Toute preuve doit être indépendamment vérifiée.

« Et qui est cet homme ? demandai-je.

— Un soi-disant homme de qualité. Du nom d'Anthony Wood.

— Ne sois pas insolente ! m'écriai-je avec colère. Tu sais parfaitement qui je veux dire.

— Vraiment ?

— Oui. Non seulement tu as abusé de ma générosité en séduisant le Dr Grove de New College, mais, de sur-

762

croît, tu t'es jetée à la tête d'un étudiant, M. Prestcott, que tu as voulu forcer à te satisfaire. Inutile de nier, c'est lui-même qui me l'a raconté. »

Elle pâlit, et je crus que sa réaction indiquait sa stupéfaction de voir ses manigances mises au jour : une preuve de la sottise de ceux qui pensent pouvoir lire le caractère sur le visage.

« On vous a dit ça ? demanda-t-elle, le teint livide. C'est lui-même qui vous l'a raconté ?

— En effet.

— Alors ce doit être vrai. Car un excellent jeune homme comme M. Prestcott ne saurait mentir, évidemment. Et, de plus, il est gentilhomme, alors que je ne suis qu'une fille de soldat.

— C'est vrai ? Hein ?

— Pourquoi me poser la question ? Votre opinion est faite. Il y a combien de temps que vous me connaissez ? Presque quatre ans, et vous le croyez...

— Comment pourrais-je faire autrement ? Tout se tient dans ton comportement. Comment puis-je prêter foi à tes dénégations ?

— Je n'ai rien nié. Je pense que ça ne vous regarde pas.

— Je suis ton employeur. Aux yeux de la loi, ton père, responsable de ta conduite dans tous les domaines. Alors, dis-moi : qui était cet homme que j'ai vu sortir de chez toi hier ? »

Elle eut l'air perplexe, l'espace d'un instant, avant de comprendre de qui je parlais.

« C'était un Irlandais, venu me rendre visite. Il arrive de très loin.

— Pourquoi ?

— Cela ne vous regarde pas non plus.

— Si fait. Il est de mon devoir, pour moi-même comme pour toi, d'empêcher que tu ne jettes l'opprobre sur notre famille. Que diront les gens s'il devient de notoriété publique que les Wood emploient chez eux une putain ?

— Peut-être diront-ils que le maître, M. Anthony Wood, couche avec cette catin chaque fois qu'il le peut ? Qu'il la conduit à Paradise Fields, où il fornique un moment avant de regagner la bibliothèque et de faire des discours sur le comportement des autres ?

— Ce n'est pas la même chose.

— Pourquoi ?

— Je ne suis pas en train de discuter avec toi de questions abstraites. Il s'agit d'une affaire sérieuse. Mais si tu agis ainsi avec moi, tu peux faire de même avec d'autres. De toute évidence, c'est le cas.

— Combien d'autres catins connaissez-vous personnellement, monsieur Wood ? »

J'étais devenu rouge de colère et je la rendis entièrement responsable de ce qui se passa à ce moment-là. J'avais seulement souhaité obtenir une réponse sincère et honnête, quelle qu'elle fût. J'aurais voulu qu'elle niât tout afin de pouvoir me montrer généreux et de l'acquitter. Ou qu'elle avouât tout franchement et qu'elle implorât mon pardon que j'aurais volontiers accordé. Mais elle n'adopta aucune des deux attitudes ; au contraire, elle eut l'insolence de me renvoyer mes accusations à la figure. Nous plongeâmes rapidement, sembla-t-il, dans les ténèbres de notre liaison, alors qu'en dépit de notre relation j'étais toujours son maître. Par ses propos elle montrait clairement qu'elle l'avait oublié et qu'elle abusait de notre intimité. Aucun homme sensé ne pourrait soutenir que nos deux comportements étaient le moins du monde comparables, même si l'accusation avait été fondée, car elle dépendait de moi alors que moi, je ne lui devais absolument rien. Et aucun homme n'aurait pu tolérer la grossièreté de son langage ; même dans la chaleur de la passion, je ne m'étais adressé à elle qu'en termes extrêmement courtois, et il m'était impossible d'accepter la manière dont elle m'avait parlé.

Me levant d'un bond, je fis un pas dans sa direction. Elle recula et s'appuya contre le mur, les yeux écarquillés de rage, le bras tendu, le doigt pointé vers moi en un geste incongru et menaçant.

« Ne faites pas un pas de plus ! » siffla-t-elle.

Je m'arrêtai net, sans aucune idée de ce qu'avait été mon intention. Je ne pense absolument pas que j'avais voulu exercer la moindre violence, car ce n'est pas du tout mon habitude. Je n'ai jamais frappé le pire des domestiques, même lorsqu'il méritait une punition. Je ne revendique pas ce trait de caractère comme une qualité, et je sais que j'aurais adoré la rouer de coups pour me venger des insultes subies. Pourtant, je suis certain que j'aurais seulement voulu essayer de l'effrayer.

Sa frayeur, cependant, suffit pour qu'elle abandonnât tout semblant de docilité. Je ne sais pas quelle aurait été sa réaction si j'avais fait un pas de plus, mais je sentais une terrible volonté en elle que je ne me jugeais pas capable de défier.

« Quitte cette maison ! dis-je quand elle baissa le bras. Tu es renvoyée. Je ne vais pas porter plainte contre toi, quoique j'en aie largement le droit. Mais je ne veux plus que tu reviennes ici. »

Elle se tut ; puis, me lançant un regard du plus pur mépris, elle sortit de la pièce. Quelques instants plus tard, j'entendis la porte d'entrée se refermer.

Chapitre quatre

Si j'avais été Prestcott, j'aurais pu déduire de cette rencontre que Sarah était malfaisante et possédée ; il y avait
certainement quelque chose de puissant et de terrifiant
dans son geste et dans le feu de ses yeux à ce moment-
là. C'est une chose sur laquelle je reviendrai plus à loisir
le moment venu. Pour l'instant, cependant, je dois simplement préciser que non seulement cette pensée ne me traversa pas du tout l'esprit, mais que je peux réfuter, sans
contestation possible, les assertions de Prestcott.

Pour ce faire, il n'est pas nécessaire de posséder un
grand savoir ; son propre récit indique que ses conclusions étaient erronées : il fut trompé par son ignorance et
par le dérangement de son esprit. Par exemple, il raconte
que des démons s'étaient emparés du corps de sir William
Compton et en avaient transformé l'apparence, mais cette
hypothèse est contredite par toutes les autorités. Le *Malleus Maleficarum* déclare clairement que ce n'est pas possible ; selon Aristote, une telle transformation ne peut être
provoquée que par des causes naturelles, et en particulier
par les étoiles ; cependant, d'après Dionysius, le diable
n'a pas le pouvoir de changer les étoiles : Dieu ne le
permet pas. Prestcott ne trouva jamais la preuve que
Sarah avait jeté un sort sur les cheveux et sur le sang
qu'elle lui avait pris, et les visions dont il souffrit furent
davantage produites par les démons qu'il avait lui-même
invoqués que par ceux que d'autres auraient envoyés dans
son esprit.

Il ne sut pas non plus lire les signes qu'il avait lui-même fait naître, car, dans la coupe pleine d'eau que lui avait présentée Anne Blundy, il chercha à découvrir l'auteur de ses malheurs et c'est bien ce qu'elle lui montra clairement : il vit, de toute évidence, son propre père et un jeune homme ; ce dernier, à mon avis, n'était autre que lui. Ces deux personnes causèrent leurs propres ennuis par leur violence et leur déloyauté. Greatorex répéta l'avertissement et, à nouveau, il n'en fit aucun cas. Jack Prestcott avait la réponse en main : Wallis le dit sans détour et je sais que c'est la vérité ; cependant, dans sa folie il accusa les autres et contribua à détruire Sarah, se privant de ce fait de tout espoir.

Je faillis perdre tout espoir moi-même. Les mois suivants je ne vis quasiment plus Sarah : je m'étais replongé dans mes manuscrits et dans mes carnets de note. Quand je ne travaillais pas, néanmoins, mes pensées désobéissantes retournaient sans cesse vers elle, et mon chagrin se changea en rancœur, puis en une haine des plus intenses. Je me réjouis quand j'appris que le Dr Grove l'avait renvoyée et qu'elle n'avait plus le moindre travail ; j'étais ravi de penser que personne ne l'emploierait plus jamais de peur des ragots. Une fois, je la vis dans la rue, le visage rouge de colère et d'humiliation, subir les remarques obscènes d'étudiants qui avaient, eux aussi, eu vent de la rumeur. Cette fois-là, je n'intervins pas comme je l'avais fait précédemment, mais me détournai après m'être assuré qu'elle m'avait aperçu, afin qu'elle comprît que mon mépris ne s'était pas atténué. *Quos laeserunt et oderunt*, comme dit Sénèque — on déteste aussi ceux qu'on a blessés. À ce moment-là, me semble-t-il, je pensais déjà que je ne m'étais pas montré très juste envers elle, mais je ne savais comment revenir sur ma sévérité.

Peu de temps après cet incident, alors que j'étais toujours morose et insociable — mon humeur renfrognée me poussait à fuir la compagnie des hommes de peur qu'on ne voulût savoir ce qui n'allait pas —, je fus convoqué par le Dr Wallis. C'était inhabituel, car, bien que je lui fisse gagner son traitement de conservateur des archives, il ne m'honorait que rarement de son attention ; toute transaction entre nous était généralement effectuée au cours de rencontres de hasard, dans la rue ou en bibliothèque. Quiconque a eu affaire à Wallis devine que cette convocation m'inquiéta : sa froideur était véritablement terrifiante. Même Prestcott et Cola sont pour une fois d'accord là-dessus — tous deux se sentaient mal à l'aise en sa présence. C'était, je crois, l'impassibilité de ses traits qui inquiétait à ce point, parce qu'il est difficile de connaître un homme lorsque les signes indicateurs du caractère ont été aussi méticuleusement effacés. Wallis ne souriait jamais, ne fronçait jamais les sourcils, ne montrait jamais ni plaisir ni déplaisir. Il n'était qu'une voix : douce, menaçante, et lardée des légères marques d'un mépris à peine dissimulé sous une politesse qui pouvait s'évaporer aussi vite qu'une rosée d'été.

C'est durant cet entretien que Wallis me demanda de dénicher cette édition de Tite-Live qu'il recherchait. Je ne vais pas rapporter les termes précis de la conversation ; si l'on enlève ses commentaires narquois au sujet de mon caractère, l'essentiel de son compte rendu est assez juste. Je lui promis de faire de mon mieux et je tins ma promesse : je fouillai toutes les bibliothèques et criblai de questions le moindre libraire. Mais il ne me dit pas pourquoi il en avait besoin : je ne savais encore rien de Marco da Cola, qui arriva plusieurs semaines après.

Je suppose que je dois maintenant me concentrer davantage sur ce monsieur et me rapprocher du cœur de l'affaire. Je suis conscient d'avoir excessivement tardé. Ce sont des événements dont le souvenir me fait souffrir, tant fut intense le tourment que me causa cet homme.

J'appris l'existence de Cola quelques jours avant de le rencontrer en personne ; le soir de son arrivée, me semble-t-il, alors que je dînais avec Lower dans une gargote, mon ami me fit part de la nouvelle. Il en était tout excité ; à l'époque, Lower prisait beaucoup le nouveau et l'exotique et rêvait de visiter le monde. Il n'avait pas la moindre chance de réaliser son rêve, ne possédant ni argent ni temps pour voyager ; en outre, il ne jouissait pas encore de la tranquillité d'esprit qui lui eût permis d'oublier sa carrière. L'absence est le plus grand danger que court le médecin : une fois qu'il est loin des yeux du public, il lui est difficile de regagner son estime. Mais il eut pendant quelque temps un certain plaisir à évoquer le jour où il ferait le tour des universités du continent pour rencontrer les hommes de science et découvrir leurs travaux. L'arrivée de Cola ralluma ces sentiments dans son cœur, et je suis sûr qu'il se voyait déjà arriver à Venise, être reçu à bras ouverts par la famille de Cola pour le remercier de l'accueil qu'il avait réservé à celui-ci à Oxford.

Et l'homme lui plut, malgré son étrangeté, car Lower n'était rien de moins que généreux dans son attitude envers l'humanité. En fait, il n'était pas difficile d'aimer le petit Italien, à moins d'être d'un tempérament dur et soupçonneux comme John Wallis. Un charmant compagnon : court et déjà doté d'une certaine rondeur dans la région du ventre, les yeux vifs et pétillants, facilement rieurs, il avait une façon attrayante de se pencher en avant sur son siège, donnant ainsi l'impression qu'il était fasciné par ce qu'on racontait. Il avait toujours quelque chose à dire sur tout ce qu'il voyait, et aucune de ses observations (par moi entendues) n'était péjorative ; Cola semblait une de ces natures rares et heureuses qui ne remarquent que le meilleur et préfèrent ne pas apercevoir le pire. Même M. Boyle, qui accordait son affection avec la plus extrême réticence, parut s'attacher à lui en dépit des mises en garde de Wallis. Ce fut la chose la plus extraordinaire, peut-être, car Boyle aimait sa tranquillité ; le bruit et les dérangements le faisaient souffrir comme des douleurs physiques, et même au comble de l'excitation il insistait pour que ceux qui le secondaient gardent un air serein. Les domestiques n'avaient pas le droit de faire du bruit avec les appareils ou de parler autrement qu'en chuchotant ; tout devait être accompli comme s'il s'agissait d'un rituel religieux — selon lui, étudier la nature était une forme de piété.

C'est pourquoi l'engouement de Boyle pour le bruyant, le bouillant Cola — qui partait toujours dans de sonores éclats de rire, dont les mouvements gauches et désordonnés le faisaient toujours buter dans les tables et les chaises tout en poussant de grands jurons extravagants — restait une sorte de mystère pour nous. Lower l'expliqua par la sincérité de son amour évident pour l'expérimentation. Personnellement, je pense qu'il fut dû à son amabilité de gentilhomme ; on pourrait dire avec Ménandre que l'accueil qu'il reçut fut le fruit de la solennité de ses manières. M. Boyle se comportait avec une excessive discrétion, pourtant je devinais parfois que quelque chose en lui admirait les êtres légers et joyeux. Peut-être aurait-il eu lui-même cette attitude si sa santé avait été meilleure. Je ne me rendais pas compte que l'attention que Boyle portait à Cola était en partie intéressée, mais ce n'était pas une raison suffisante, car il n'était pas homme à simuler hypocritement l'amitié. Non. L'intervention de Wallis auprès de Boyle rend le succès de l'Italien d'autant plus remarquable — ou rend les hypothèses de Wallis d'autant moins acceptables. Car Boyle connaissait mieux Cola que quiconque en Angleterre et c'était un bon juge en matière de caractère. Jamais il ne lui aurait offert son amitié s'il s'était aperçu que les craintes de Wallis étaient le moins du monde fondées. En outre, Boyle n'avait pas à redouter Wallis et je pense qu'il éprouvait pour lui une certaine répulsion : plus que tout autre, il pouvait juger par lui-même et, par conséquent, il faut accorder davantage de poids à son avis quand on cherche à se faire une opinion sur cette affaire.

Le désenchantement progressif de Lower dans ses rapports avec Cola, cependant, fut en grande partie causé par Wallis, lequel joua, comme le serpent avec Ève, sur les espoirs et les inquiétudes de Lower et s'en servit pour parvenir à ses propres fins. Wallis savait que Lower voulait désespérément réussir, toute sa famille dépendant de lui, puisqu'il était clair que son frère aîné (à cause de la perversion des croyances religieuses) ne serait jamais à même de beaucoup l'aider. Et Lower avait une famille nombreuse : non seulement ses parents étaient toujours en vie, mais il avait plusieurs sœurs encore filles et qu'il fallait doter, ainsi que d'innombrables cousins exigeants. Rien que pour satisfaire une partie de leur attente, il lui faudrait devenir le médecin le plus coté de Londres. C'est une preuve de son sens du devoir que lorsqu'il releva le défi il s'attela à la tâche et obtint les plus grands succès ; et le fait qu'il avait rapidement vu en Cola une menace pour sa carrière prouve aussi que ce fardeau pesait lourdement sur son esprit.

Après tout, Lower avait travaillé très dur avec M. Boyle et quelques autres afin de mériter et de recevoir leur protection. Il avait bénévolement accompli d'innombrables tâches, rendu maints petits services et s'était montré un courtisan assidu. Il devait être récompensé par le soutien de Boyle lorsqu'il serait candidat à la Société royale ; par son approbation au moment où il aurait finalement le courage de présenter sa cause devant le Collège des médecins ; par sa protection quand le poste de médecin de la cour deviendrait vacant ; ainsi que par la vaste famille de patients que le patronage de Boyle pourrait lui apporter au moment où il s'établirait à Londres. Et Lower méritait tout le succès et le soutien que Boyle était en mesure de lui fournir, car c'était réellement un excellent médecin.

Ayant œuvré avec tant d'acharnement et se trouvant maintenant, à trente-deux ans environ, sur le point de pénétrer dans l'arène, il avait peur que quelque événement imprévu ne lui arrachât ces récompenses si ardemment désirées. Cola ne présentait aucune menace pour lui — et ç'aurait été le cas même s'il avait été ce que Lower craignait —, Boyle soutenant ceux qui avaient de la valeur et ne s'amusant pas à avoir des favoris parmi ses protégés. Mais la jalousie de Lower et son inquiétude furent attisées par les propos du Dr Wallis, qui joua avec ses ambitions en affirmant que Cola avait la réputation de voler les idées des autres. Personnellement, je ne condamne pas l'ambition modérée (quoique j'aie choisi un tout autre mode de vie), celle qui a incité Thémistocle à être aussi glorieux que Miltiade, ou celle qui lança Alexandre dans la quête des trophées d'Achille ; c'est l'excès d'ambition — qui se mue en orgueil, conduit les courtisans à se ruiner et à ruiner leur famille et qui fait que des hommes bons se comportent avec désinvolture et cruauté — que doivent condamner tous les hommes raisonnables. Le but de Wallis était de pousser Lower dans cette erreur et il y réussit pendant un certain temps, même si Lower combattit virilement sa jalousie. À mon avis, le conflit qui se déroulait en lui exacerbait ces sautes d'humeur au cours desquelles il passait de l'exultation à la morosité, de l'amabilité excessive aux reproches les plus amers, attitude qui chagrina tant Cola.

Au début, cependant, tout alla pour le mieux. Lower débordait d'enthousiasme en décrivant sa nouvelle relation, et je voyais qu'il espérait la naissance d'une véritable amitié. En effet, il traitait déjà Cola avec la considération et la courtoisie qu'on réserve en général aux personnes que l'on connaît depuis beaucoup plus longtemps.

« Sais-tu, dit-il en se penchant en avant, l'air espiègle et amusé, que c'est un médecin si bon chrétien qu'il a entrepris de soigner la vieille Blundy ? Sans le moindre espoir d'honoraires ou de récompense, sauf qu'étant italien il pense peut-être se payer en nature avec la fille. Crois-tu que je devrais l'avertir ? »

Je fis semblant de ne pas avoir entendu la question.

« Qu'a donc la vieille femme ?

— Elle s'est cassé la jambe en tombant, apparemment. C'est une mauvaise blessure, en tout cas, et ses chances de survie sont maigres. Cola s'en est chargé après que la fille a eu l'audace d'aborder en public le Dr Grove pour lui demander de l'argent.

— Il est compétent ? Il s'y connaît dans ce genre de blessure ?

— Ça, je l'ignore. Tout ce que je sais c'est qu'il s'est mis au travail avec un grand enthousiasme, sans se préoccuper le moins du monde des inconvénients que présente ce genre de malade. Je le félicite de sa générosité sinon de son bon sens.

— Tu ne la traiterais pas toi-même ?

— Avec la plus grande réticence », dit-il. Il hésita un instant, puis reprit : « Non... Bien sûr que si. Mais je suis content qu'on ne me l'ait pas demandé.

— Tu t'es entiché de cet homme...

— En effet. Il est tout à fait délicieux, et extrêmement savant. Je me réjouis à l'avance d'avoir de longues conversations avec lui pendant son séjour qui peut durer longtemps, puisqu'il n'a pas le sou. Il faut que tu viennes le voir ; rares sont ceux qui visitent notre ville ces jours-ci. Il nous faut tirer le meilleur parti de ceux qui nous font cet honneur. »

On laissa alors tomber la question des voyageurs italiens et la conversation se tourna vers d'autres sujets. Je quittai mon ami un peu plus tard, l'esprit quelque peu préoccupé : j'étais bouleversé d'apprendre les malheurs de la mère de Sarah. Cela se passait, en effet, de nombreux mois après notre dernière rencontre, et avec le temps mes sentiments s'étaient adoucis. Je ne suis pas homme à haïr facilement et j'ai du mal à nourrir longtemps une rancœur, quelle que soit la gravité de l'offense. Même si je n'avais aucune envie de reprendre nos relations, je ne souhaitais plus que cette famille eût des ennuis, et j'éprouvais, en outre, une certaine affection pour la vieille femme.

J'avoue franchement encore une fois que je voulais jouer le rôle de l'homme magnanime. Quel que fût le tort qu'elle m'avait causé, je souhaitais me montrer charitable et clément. Peut-être le plus grand châtiment que je pouvais lui infliger, c'était de lui montrer l'étendue de sa sottise et de prendre avec elle de grands airs condescendants.

C'est pourquoi, après mûres réflexions, le lendemain soir, je m'emmitouflai dans mon manteau, mis mes gants et mon chapeau les plus chauds et pris la direction du château fort. (Cola avait certainement raison à propos du temps ; mon ami, M. Plot, a effectué un relevé méticuleux qui montre combien le froid avait été particulièrement rigoureux ; bien qu'un printemps radieux vînt brusquement une semaine plus tard environ, l'hiver garda son emprise glaciale jusqu'au dernier moment.)

J'avais peur d'être vu et encore plus de rencontrer Sarah, sachant que je ne serais pas bien reçu. Mais elle était absente ; je frappai, attendis un instant, puis pénétrai dans la maison, soulagé à la pensée que je pourrais réconforter la mère sans courir le risque d'irriter la fille. La vieille femme dormait, cependant, sans doute à cause de quelque potion, et quoique je fusse tenté de la réveiller afin que ma bonté ne passât pas inaperçue, je m'en abstins néanmoins. Je fus choqué par son visage : il était si pâle et si décharné qu'il ressemblait à une tête de mort. Elle respirait bruyamment et avec difficulté, et dans la pièce l'odeur était absolument insupportable. Comme tout le monde, j'ai souvent vu la mort ; j'ai vu mourir mon père, mes frères et sœurs, mes cousins et mes amis. Certains moururent jeunes, d'autres à un âge avancé, d'accident, de maladie, de la peste ou simplement de vieillesse. Personne, me semble-t-il, ne peut atteindre l'âge de trente ans sans connaître la mort intimement et sous toutes ses formes. Et elle se trouvait dans cette pièce, à l'affût.

Je ne pouvais rien faire pour le moment. Anne Blundy n'avait pas besoin d'une aide concrète que j'aurais pu lui fournir et elle n'eût guère apprécié un réconfort spirituel. À mon corps défendant, je restai immobile devant elle, soudain accablé par l'impuissance de celui qui veut bien faire sans savoir comment s'y prendre, jusqu'au moment où un bruit de pas sur le seuil me tira de mes méditations. Pris de peur à l'idée d'avoir à faire face à Sarah, je me retirai dans le réduit contigu à la chambre, sachant qu'il y avait une petite porte par laquelle je pourrais regagner la rue.

Ce n'était pas Sarah : les pas dans la pièce d'à côté étaient bien trop pesants pour que ce fût elle. Aussi demeurai-je là, par curiosité, afin de savoir qui était entré dans la maison. En regardant soigneusement par l'entrebâillement de la porte — ruse que j'ai honte d'avouer étant donné que c'est une duplicité absolument indigne d'un honnête homme —, je devinai que l'homme se trouvant là était ce Cola ; aucun Anglais (en ce temps-là en tout cas) ne se serait vêtu de la sorte. Il se comportait très bizarrement, cependant, et ses agissements m'étonnèrent tant que j'aggravai mon impolitesse en continuant à l'observer tout en restant moi-même à l'abri des regards.

D'abord, dès son entrée, il s'assura également que la veuve Blundy était toujours parfaitement endormie, puis il s'agenouilla près d'elle, sortit son chapelet et pria intensément pendant quelques instants. Comme je l'ai dit, j'avais pensé faire de même, mais d'une manière plus en accord avec le protestantisme ; pourtant, je la connaissais assez pour savoir que même ce genre de prière ne lui aurait guère plu. Puis il agit de manière encore plus étrange lorsqu'il sortit une petite fiole, l'ouvrit et étala un peu d'huile sur son doigt. Il appliqua doucement ce doigt sur le front de la vieille femme, fit le signe de la croix, pria de nouveau avant de replacer le flacon sous son manteau.

C'était plutôt étrange, mais on aurait pu expliquer ce geste par une grande piété personnelle que je pouvais admirer tout en condamnant l'erreur de doctrine. Ce qu'il fit ensuite me sidéra totalement : il se leva tout à coup et se mit à fouiller la pièce. Il n'agissait pas par simple curiosité, puisqu'il se lança dans une fouille complète et systématique, retirant prestement des étagères les quelques livres et les feuilletant l'un après l'autre à toute vitesse avant de les secouer pour voir si quelque chose s'en échappait. Il en glissa un sous son manteau pour le dérober aux regards. Puis il ouvrit le petit coffre près de la porte, qui contenait tous les biens des Blundy, et le fouilla aussi avec un soin méticuleux. Quel qu'eût été l'objet de sa recherche, il ne le trouva pas, car il referma le couvercle en poussant un profond soupir tout en murmurant quelque imprécation dans sa langue natale. (Je ne compris pas le sens des mots, mais la déception et la frustration étaient patentes.)

Il était debout dans la pièce, se demandant manifestement ce qu'il allait faire ensuite, lorsque Sarah arriva.

« Comment va-t-elle ? demanda-t-elle, et mon cœur s'émut en réentendant sa voix.

— Pas bien du tout », répondit l'Italien. Il avait un fort accent, mais on saisissait bien ses paroles et, à l'évidence, il comprenait notre langue parfaitement. « Tu ne peux pas t'en occuper davantage ?

— Je dois travailler, répliqua-t-elle. Notre situation est déjà assez grave comme ça, maintenant que ma mère ne gagne plus rien. Est-ce qu'elle va s'en tirer ?

— C'est trop tôt pour le dire. Je sèche la plaie, puis je vais la rebander. Je crains qu'elle n'ait de la fièvre. Il se peut que ça passe, mais je suis inquiet. Tu dois vérifier toutes les demi-heures qu'il n'y a pas de signes d'une poussée de fièvre. Et, aussi étrange que cela paraisse, tu dois veiller à ce qu'elle reste bien au chaud. »

Je me rends compte que mon souvenir de la conversation s'accorde très bien avec celui de M. Cola. Sa mémoire est bonne en ce qui concerne le début de l'histoire, c'est pourquoi je ne vais pas continuer à répéter ce qu'il a déjà dit. J'ajouterai seulement que je remarquai quelque chose dont il ne parle pas : il y eut sur-le-champ dans cette pièce une tension tout à fait tangible entre eux et, alors que Sarah se comportait d'une manière absolument normale, se préoccupant uniquement de sa mère, Cola devint de plus en plus nerveux au cours de la conversation. Je crus d'abord qu'il craignait que Sarah ne se fût aperçue de son étrange conduite, mais je voyais bien que c'était impossible. J'aurais dû partir tout de suite et m'éclipser tant qu'il m'était loisible de le faire discrètement, cependant, j'étais comme cloué sur place.

« J'ai beaucoup de chance, vraiment. Pardonnez-moi, monsieur. Je ne voulais pas être insolente. Ma mère m'a appris à quel point vous avez été généreux avec elle et nous vous sommes toutes les deux très reconnaissantes de votre bonté. Nous ne sommes pas habituées à être traitées ainsi et je regrette ces paroles déplacées. J'avais peur pour elle.

— Ça va... Ne t'en fais pas. Du moment que tu ne t'attends pas à des miracles.

— Est-ce que vous allez revenir ?

— Demain, si je le puis. Et si son état s'aggrave, viens me chercher chez M. Boyle. Je vais l'aider. Bon, en ce qui concerne le paiement... », dit-il.

Je reproduis, presque mot pour mot, la conversation transcrite par M. Cola, et je reconnais que sa version des faits, si j'ai moi-même bonne mémoire, est impeccable. J'ajouterai simplement une chose qui, bizarrement, n'est pas mentionnée dans son récit : lorsqu'il parla de paiement, il fit un pas vers elle et posa une main sur le bras de Sarah.

« Ah ! oui, votre paiement. Comment avais-je pu imaginer que vous l'oublieriez ? Nous devons nous occuper de ça de toute urgence, n'est-ce pas ? »

Ce n'est qu'à ce moment-là qu'elle se dégagea et qu'elle le conduisit dans la pièce où je me trouvais ; je me dissimulai promptement dans l'obscurité.

« Allez ! docteur, payez-vous ! »

Et, comme le dit Cola, elle s'étendit, en effet, et releva sa robe, s'exhibant ainsi devant lui en un geste des plus obscènes. Mais Cola ne signale pas le ton de sa voix, la façon dont elle tremblait de colère et de mépris, ainsi que le rictus du visage.

Cola hésita, puis recula d'un pas et se signa. « Tu me dégoûtes. » Tout cela se trouve dans son récit, je ne fais que le plagier. Là aussi je ne suis pas d'accord sur un point de son interprétation : il dit qu'il était furieux, alors que ce n'est pas ce que j'ai vu. Ce que j'ai vu, moi, c'est un homme horrifié, presque comme s'il avait vu le diable lui-même. Les yeux exorbités, il semblait sur le point de hurler de désespoir, tout en se reculant et en détournant le regard. Ce n'est que longtemps plus tard que j'appris les raisons de cet étrange comportement.

« Seigneur, pardonnez à votre serviteur, car j'ai péché ! » s'exclama-t-il en latin, langue que je comprenais, contrairement à Sarah.

Je m'en souviens très bien. C'est contre lui-même qu'il était en colère et non pas contre Sarah ; elle ne représentait pour lui qu'une tentation à laquelle il devait résister. Puis il s'enfuit de la pièce en courant, trébuchant dans sa course, sans claquer la porte, il est vrai, car il partit trop vite pour prendre la peine de la refermer.

Sarah restait couchée sur la paillasse, cherchant à reprendre son souffle. Elle roula sur le côté et enfouit sa tête dans ses bras, le visage contre la paille. Je crus qu'elle allait simplement s'endormir, jusqu'au moment où je perçus les signes manifestes d'un immense chagrin : elle poussait de longs sanglots qui me fendirent le cœur et qui réveillèrent sur-le-champ tous mes sentiments.

Ce fut plus fort que moi ; je ne réfléchis pas un seul instant à ce que j'étais en train de faire. Elle n'avait jamais pleuré ainsi auparavant ; alors, noyant toute amertume et tout ressentiment, le son de cette profonde tristesse emplit mon cœur, le rendant propre et pur. Je fis un pas et m'agenouillai à côté d'elle.

« Sarah ? » murmurai-je.

Elle sursauta, rabattant sa robe pour se couvrir et s'écartant de moi, terrorisée.

« Que faites-vous là ? »

J'aurais pu lui fournir de longues explications, inventer une histoire selon laquelle je venais d'arriver, car je m'inquiétais de la santé de sa mère, mais la vue de son visage me fit abandonner l'idée de tout prétexte.

« Je suis venu implorer ton pardon, dis-je. Je ne le mérite pas, mais j'ai été injuste envers toi. Je le regrette vraiment. »

Ce fut facile à dire, et en prononçant ces paroles je compris qu'elles étaient prêtes depuis des mois. Je me sentis tout de suite mieux et soulagé d'un grand poids. En outre, je pense sincèrement que peu m'importait qu'elle me pardonnât ou non : je savais que c'était son droit le plus strict de refuser, du moment qu'elle reconnaissait que mes excuses étaient sincères.

« C'est un étrange endroit et un étrange moment pour dire ce genre de chose.

— Je le sais. Mais je ne supporte plus la perte de ton amitié et de ton respect.

— Vous avez vu ce qui vient de se passer ? »

J'hésitai avant de dire la vérité, puis je fis oui de la tête.

Elle ne réagit pas sur-le-champ, ensuite elle se mit à trembler. Je pensai qu'elle allait recommencer à pleurer ; à ma grande surprise, elle éclata de rire.

« Vous êtes vraiment un homme étrange, monsieur Wood. Je n'arrive pas du tout à vous comprendre. Sans la moindre preuve vous m'accusez de la conduite la plus vile, et lorsque vous êtes témoin d'une scène comme celle-là vous me demandez pardon. Comment savoir qui vous êtes ?

— Parfois, j'ai du mal à le savoir moi-même...

— Ma mère est sur le point de mourir, poursuivit-elle, cessant de rire et changeant d'humeur tout soudain.

— Oui. Je le crains, en effet.

— Je devrais l'accepter comme étant la volonté de Dieu. Mais ça m'est impossible. C'est étrange.

— Pourquoi donc ? Personne n'a jamais dit que l'obéissance et la résignation sont faciles.

— J'ai si peur de la perdre. J'ai honte, car ça m'est pénible de voir ce qu'elle est devenue.

— Comment s'est-elle cassé la jambe ? Lower m'a dit qu'elle était tombée, mais comment est-ce possible ?

— On l'a poussée. Elle est rentrée un soir après avoir fermé la blanchisserie, et elle a trouvé un homme dans la maison qui fouillait dans notre coffre. Vous la connaissez assez pour savoir qu'elle n'allait pas s'enfuir. Il a eu un œil au beurre noir, mais il l'a jetée par terre et lui a donné des coups de pied. C'est l'un des coups qui lui a cassé la jambe. Elle est vieille et frêle, et ses os sont devenus fragiles.

— Pourquoi ne l'as-tu pas dit ? Pourquoi n'as-tu pas déposé plainte ?

— Elle le connaissait.

— À plus forte raison !

— Tout le contraire... C'est un homme qui a jadis travaillé pour les services de Thurloe, tout comme mon père. Même aujourd'hui, quoi qu'il fasse, il ne sera jamais arrêté ni puni.

— Mais qu'est-ce qui... ?

— On ne possède rien, vous le savez. Rien qui puisse l'intéresser, je pense. Sauf les papiers de mon père que je vous ai confiés. Je vous avais bien dit qu'ils étaient dangereux. Ils sont toujours en sûreté chez vous ? »

Je lui assurai qu'il faudrait de nombreuses heures pour les trouver dans mon appartement, même si quelqu'un savait qu'ils étaient là. Puis je lui fis part de ce que j'avais vu ce soir-là et lui appris que Cola avait également effectué une fouille minutieuse. Elle secoua la tête tristement.

« Seigneur, pourquoi persécutes-tu Ta servante de la sorte ? »

Je l'entourai de mes bras et nous restâmes couchés l'un à côté de l'autre. Je lui caressai les cheveux et la réconfortai autant que je le pouvais ; et c'était bien peu.

« Il faut que je vous parle de Jack Prestcott, commença-t-elle finalement, avant que je la fasse taire.

— Je ne veux rien entendre ; je n'ai pas besoin d'entendre quoi que ce soit. »

Il valait mieux oublier, quoi que ce fût ; je ne voulais rien savoir, et elle fut reconnaissante qu'on lui épargnât l'humiliation d'avoir à parler.

« Veux-tu revenir travailler pour nous ? Ce n'est pas une offre extraordinaire, mais si on apprend que les Wood t'ont reprise chez eux, cela va commencer à restaurer ta réputation, en plus de te procurer un peu d'argent.

— Votre mère acceptera-t-elle de me reprendre ?

— Oh oui ! Elle a été furieuse que tu t'en ailles et elle n'a pas cessé de se plaindre que le ménage était bien mieux fait quand tu étais là. »

Elle sourit ; je savais que ma mère ne s'était jamais permis de prononcer le moindre éloge en présence de Sarah de crainte que cela ne la rendît orgueilleuse.

« Je vais peut-être accepter. Même si, puisqu'il semble que je ne vais plus avoir à payer de médecins, je vais moins avoir besoin d'argent.

— Ça, c'est aller trop loin dans la soumission à la volonté divine. Si c'est possible, il faut fournir à ta mère les soins nécessaires. Comment sais-tu que ton amour pour elle n'est pas mis à l'épreuve, et qu'elle n'est pas destinée à vivre ? Dans ce cas, sa mort serait ta punition pour l'avoir négligée. Il faut que tu la fasses soigner.

— Je ne peux payer qu'un barbier, et il est possible que même un barbier refuse. Elle, elle a rejeté tous les traitements à ma disposition et, quoi qu'il en soit, je ne pourrais pas l'aider.

— Pourquoi ?

— Elle est vieille et son heure est arrivée, à mon avis. Je ne peux plus rien faire.

— Peut-être Lower pourrait-il la soigner.

— Qu'il essaie, s'il le veut bien, et je serai heureuse qu'il y parvienne.

— Je vais le lui demander. Si ce Cola déclare qu'elle n'est plus sa patiente, on réussira peut-être à le convaincre. Il ne va pas offenser un collègue en agissant sans sa permission, mais j'ai l'impression que ce ne serait pas difficile de l'obtenir.

— Je ne peux pas le payer.

— Je vais résoudre cette question d'une manière ou d'une autre. Ne t'en fais pas ! »

C'est avec une extrême réticence que je m'extirpai du lit. Je serais bien resté là toute la nuit ! Je n'avais jamais eu ce genre d'expérience et je la trouvais étrangement agréable : entendre son cœur battre contre le mien, sentir son souffle contre ma joue, quelle délicieuse sensation ! Mais cela l'aurait dérangée et, en outre, on s'en serait également aperçu le lendemain. Il lui fallait rebâtir sa réputation et je devais préserver la mienne. Oxford ne ressemblait pas alors à la cour du roi, elle n'avait même pas non plus la liberté de mœurs de la ville d'aujourd'hui. Tout le monde avait les oreilles grandes ouvertes, et trop nombreux étaient ceux qui s'empressaient de condamner les autres. Moi le premier.

Ma mère souleva seulement quelques objections pour la forme quand je lui annonçai que Sarah s'était repentie de ses péchés, et du reste, ajoutai-je, ils étaient bien plus véniels que ne l'avaient laissé entendre les commérages. C'était une marque de charité de pardonner au pécheur, si les remords étaient sincères ; je conclus en affirmant qu'ils l'étaient.

« Et c'est une bonne travailleuse qui, peut-être, acceptera d'être payée un demi-penny de moins par semaine, dit-elle d'un air rusé. Pour cette somme, on n'en trouvera pas de meilleure. »

Nous tombâmes d'accord ; j'allais en être de ma poche pour un demi-penny de plus afin d'apporter le complément, mais Sarah fut réengagée. Restait le problème de la mère dont je parlai à Lower quelques jours plus tard dès que j'en eus l'occasion. À l'époque, il n'était guère disponible : il était accaparé par sa remarquable étude sur le cerveau et s'inquiétait beaucoup de savoir à qui il devait la dédier.

« À qui devrais-je offrir la dédicace ? me demanda-t-il, le front soucieux, avant que j'aie eu le temps d'ouvrir la bouche. C'est une question très délicate et de loin la partie la plus préoccupante de toute l'entreprise.

— C'est impossible... Les travaux eux-mêmes... »

Il fit un geste de dénégation.

« Les travaux ne sont rien. Il suffit de prendre de la peine et de bien s'appliquer. Les frais de publication, voilà le vrai problème ! Tu sais combien coûte un bon graveur ? Il me faut des illustrations de première qualité ; si les dessins sont ratés on ne comprend plus rien, et quand certains de ces messieurs vous présentent leur travail, on ne distingue pas un cerveau humain de celui d'un mouton. Il m'en faut au moins une vingtaine et qu'elles soient faites par un graveur de Londres. » Il poussa un profond soupir. « Je t'envie, Wood. Tu peux écrire tous les livres du monde sans prêter attention à ce genre de question.

— J'aimerais aussi qu'ils soient pleins de gravures. Il est très important que les lecteurs voient l'image des gens dont je parle afin qu'ils jugent par eux-mêmes que ma description des personnages est juste en comparant leurs actions et les traits de leur visage.

— D'accord, d'accord ! Ce que je voulais dire, c'est que tes mots peuvent se suffire à eux-mêmes si nécessaire. Dans mon cas, le livre est quasiment incompréhensible s'il n'y a pas d'illustrations fort coûteuses.

— Alors préoccupe-toi de ça, pas de la dédicace.

— Les illustrations, répondit-il d'un ton grave, le front soucieux à nouveau, ne sont qu'une question d'argent. Un cauchemar, certes, mais un cauchemar clair et net. Suis-je un ambitieux qui vise trop haut ? Si je suis trop modeste et vise trop bas, je risque d'avoir fait tous ces efforts en pure perte.

— Le livre doit constituer sa propre récompense, à mon avis.

— C'est parler en véritable savant ! répliqua-t-il avec humeur. Facile, pour toi qui n'as pas de famille à nourrir et qui te contenteras de rester ici à jamais.

— J'ai aussi soif de gloire que tout le monde, mais elle naîtra de l'admiration que suscitera le livre ; ton ouvrage ne doit pas te servir de gourdin pour te frayer un chemin jusqu'aux puissants. À qui penses-tu le dédier ?

— Dans mes rêves, quand je songe à la gloire, je pense naturellement l'offrir au roi. Après tout, cet Italien, Galilée, a bien dédié l'une de ses œuvres aux Médicis et a reçu pour récompense un lucratif poste à vie, à la cour. J'imagine Sa Majesté si impressionnée qu'elle me nomme sur-le-champ médecin du roi. Sauf, ajouta-t-il amèrement, qu'il y en a déjà un, et que Sa Gracieuse Majesté est trop à sec pour en avoir deux.

— Pourquoi ne pas faire preuve de plus d'imagination ? Tant de livres lui sont déjà dédiés et le roi ne peut récompenser tous les auteurs d'Angleterre ; tu serais perdu dans la foule.

— C'est-à-dire ?

— Je ne sais pas. Quelqu'un de riche, qui apprécierait le geste, et dont le nom attirerait l'attention. Que penses-tu de la duchesse de Newcastle ? »

Lower ricana.

« Oh, oui ! Très drôle. Et pourquoi pas le dédier à la mémoire d'Oliver Cromwell ? Ce serait une bonne manière d'être sûr que le monde de la recherche cesse de me prendre au sérieux. Une expérimentaliste, en effet ! Une honte pour sa famille et pour son sexe ! Allons, Wood, sois sérieux ! »

Je fis un sourire contraint.

« Lord Clarendon ?

— Trop prévisible ! Et il risque de perdre le pouvoir ou de mourir d'une attaque avant que le livre ait été publié.

— Un de ses rivaux ? Lord Bristol ?

— Dédier un livre à un catholique avéré ? Tu veux que je meure de faim ?

— Une étoile montante alors ? Ce Henry Bennet ?

— Il risque de devenir une étoile filante.

— Un savant ? M. Wren ?

— C'est un de mes meilleurs amis. Mais il ne peut pas plus servir ma cause que moi la sienne.

— M. Boyle, alors.

— Je me flatte de jouir déjà de sa protection. Ce serait un coup d'épée dans l'eau.

— Il doit bien y avoir quelqu'un. Je vais y réfléchir. Ce n'est pas comme si le manuscrit était sur le point de partir chez l'imprimeur. »

Un nouveau soupir.

« Inutile de me le rappeler. Sauf si je mets la main sur d'autres cerveaux ce ne sera jamais le cas. J'aimerais tant que le tribunal pende quelqu'un !

— Il y a ce jeune homme en prison en ce moment dont les chances ne sont pas bonnes. Jack Prestcott. Il est probable qu'il sera pendu dans une semaine environ. Dieu sait qu'il le mérite ! »

Ainsi, voyez-vous, c'est moi qui rappelai Prestcott au souvenir de Lower, Prestcott dont l'arrestation avait causé une petite sensation dans la ville, dix jours plus tôt, et moi qui fus à l'origine de la visite que lui rendit Lower pour solliciter son corps. Et je crois que c'est bel et bien Lower qui emmena Cola avec lui et non pas Cola qui avait inventé un moyen d'aller voir le jeune homme en prison, comme le suppose le Dr Wallis. En fait, et je vais le démontrer, M. Cola possédait de très bonnes raisons de ne pas vouloir avoir affaire à Prestcott s'il pouvait l'éviter. Il dut être sidéré de tomber sur quelqu'un qu'il avait déjà rencontré.

Le nom de Prestcott me faisant naturellement penser à Sarah Blundy et à l'état de sa mère, je suggérai à Lower qu'il pourrait envisager de la soigner.

« Non, dit-il fermement. Je ne peux pas prendre la malade d'un autre médecin, même si Cola n'en est pas un. Ce serait extrêmement malséant.

— Mais, Lower, il ne veut pas s'en occuper et la femme va mourir.

— S'il me le confirme, alors je reconsidérerai la question. De plus, il paraît qu'elle ne peut pas payer. »

Je fronçai les sourcils, sachant fort bien que mon ami traitait fréquemment, sans en tirer le moindre bénéfice, des patients qui n'avaient pas les moyens de s'offrir ses soins. Lower vit ma réaction et parut mal à l'aise.

« C'eût été différent si j'avais offert mes services en connaissance de cause, mais la fille s'est imposée à ce pauvre Cola de manière absolument abominable, sans lui dire qu'elle n'avait pas d'argent. Nous, les médecins, nous avons notre fierté, tu sais. Et puis, je ne veux pas la soigner. Mieux que quiconque, tu devrais être au courant des agissements de sa fille, et je suis stupéfait que tu oses me faire cette suggestion.

— Il est possible que j'aie eu tort. Sarah a été calomniée, en partie, tout au moins, j'en suis sûr. De surcroît, je ne te demande pas de la soigner, elle, mais de soigner sa mère. S'il le faut, je paierai. »

Il réfléchit un instant, ainsi que je m'y attendais, car c'était un homme très bon ; et comme médecin il avait trop besoin de clients pour décliner une offre.

« Je vais parler à Cola et voir ce qu'il dit, répondit-il. Je vais sûrement le rencontrer tout à l'heure. Bien, maintenant, il faut que tu m'excuses, mon ami, car j'ai beaucoup à faire aujourd'hui. Boyle mène une expérience que je veux observer. Il va falloir que je pense à rendre visite en prison au jeune homme dont tu as parlé, et ensuite je dois aller chez le Dr Wallis pour une consultation.

— Il est malade ?

— Je l'espère. Ce serait un excellent patient, si je peux le guérir. Il est très influent à la Société royale et si lui et Boyle soutiennent ma candidature, alors mon élection est assurée. »

C'est ainsi qu'il s'en alla, plein d'espoir, pour simplement s'entendre dire — comme je l'ai lu dans le manuscrit de Wallis — que son ami Cola avait l'intention de lui voler ses idées. Le pauvre homme ! Rien d'étonnant à ce qu'il se soit montré de si méchante humeur avec Cola, un peu plus tard ce jour-là, même si cela l'honore qu'il n'ait pas dit un mot contre l'Italien ; Lower essayait de ne pas porter des accusations sans être sûr qu'elles fussent fondées. Rares sont ceux, hélas ! qui mettent leurs principes en pratique de cette façon. J'ai rencontré maints savants invoquant d'un ton grave lord Bacon et les vertus de la méthode inductive, mais s'empressant de croire les ragots les plus fous sans se soucier de la contradiction. « Cela me paraît raisonnable », disent-ils, sans se rendre compte que la formule est absurde. La raison ne peut pas « paraître » quoi que ce soit ; je croyais que c'était justement là l'essentiel : on doit pouvoir démontrer ce qui est raisonnable. Si quelque chose « paraît », alors la raison n'a rien à y voir.

On sait que Lower parla à Cola, et moi à Sarah ; je la persuadai qu'elle n'avait d'autre choix que de s'excuser auprès de l'Italien afin qu'il consentît à reprendre les soins de sa mère. Je dois dire que j'eus beaucoup de mal à la convaincre, et si sa propre mort avait été dans la balance, aucun mot ni aucun argument n'aurait pu persuader cette étrange et orgueilleuse fille de céder. La vie d'une autre étant en jeu, elle accepta de se soumettre. Pour ma part, craignant que l'Italien ne reprenne ses avances, je décidai de réduire ce risque en offrant de payer de ma poche. Cela revenait à me passer de livres pendant deux mois, mais il s'agissait d'une action charitable qui me semblait méritée.

Cependant, je n'avais pas le moindre argent. À l'époque, je tirais mon revenu des annuités sur les fonds que j'avais prêtés à mon cousin pour l'achat de sa taverne, et il s'était engagé à me verser la somme de soixante-sept livres sterling chaque année, le jour de la fête de l'Annonciation. Il s'acquittait de ce devoir sans défaillance et je me félicitais d'avoir si bien placé ma petite fortune, car rien n'est plus sûr que la famille — quoique ce ne soit même pas toujours vrai. Néanmoins, il ne voulait pas, et ne pouvait pas, payer par anticipation et, peu de temps auparavant, j'avais lourdement grevé mon budget en achetant une nouvelle viole. Une fois mis de côté l'argent de la nourriture et celui que je donnais à ma mère, il ne me restait presque rien pendant plusieurs mois, et il me fallait vivre modestement pour éviter la catastrophe. Les trois livres dont j'avais besoin pour payer Cola constituaient une somme qui dépassait de beaucoup mes ressources. Je pouvais avancer près de vingt-quatre shillings, en emprunter douze autres à plusieurs amis qui me faisaient confiance, et gagner neuf shillings en vendant quelques ouvrages. Il me fallait donc trouver quinze shillings de plus ; c'est pour cette raison que, prenant mon courage à deux mains, je sollicitai un rendez-vous auprès du Dr Grove.

Chapitre cinq

Je n'avais jamais rencontré l'homme et ne le connaissais que de réputation, laquelle le représentait comme quelqu'un d'irascible et d'un caractère difficile, rétrograde et avec une forte tendance à la méchanceté s'il avait un peu trop bu. On le disait cependant très brillant, mais le temps et les malheurs ayant perverti cette qualité, sa finesse d'esprit s'était doublée de rancœur et d'amertume. Je note que Wallis dit du bien de lui, Cola également, et je ne doute pas qu'il pouvait se montrer fort courtois quand il le voulait ; en fait, nul n'était plus charmant que lui s'il vous jugeait digne de son attention ou si vous étiez du même rang que lui. Mais aller rendre visite à Grove était comme jouer à la loterie, et l'accueil qu'il vous réservait ne dépendait en aucun cas des circonstances ; il utilisait ses interlocuteurs pour ses propres desseins, selon son humeur.

Je savais tout cela, mais j'allai le voir malgré tout, ne connaissant personne d'autre qui pût me venir en aide : je n'ai jamais eu d'amis fortunés, et à l'époque la plupart de mes relations étaient plus pauvres que moi. J'étais sûr, désormais, qu'en ce qui concernait les commérages Grove avait été tout autant calomnié que Sarah, et j'étais tout aussi certain qu'il serait peiné d'apprendre que sa servante avait été punie à cause d'accusations mensongères. Évidemment, il ne souhaiterait peut-être pas offrir son aide publiquement, afin de préserver sa réputation, mais j'étais convaincu qu'il accueillerait avec empressement l'occasion de venir à son secours en privé.

Je lui rendis donc visite, et cette visite entraîna sa mort. Je le déclare sans ambages, pour qu'il n'y ait pas la moindre équivoque. Chacun dans son récit fait part de ses propres conclusions, de ses pensées, de ses raisons, de ses soupçons à propos du pourquoi et du comment de cet événement. De nombreuses sortes de preuves sont invoquées ; Cola se sert de l'aveu de Sarah pour conclure qu'elle était coupable, croyant qu'on ne peut nier un témoignage personnel. Elle a avoué le méfait, donc elle est coupable, et je reconnais que dans la plupart des cas il n'y a pas de meilleure preuve. De sa façon tortueuse, Prestcott utilise les procédés de l'argumentation juridique, cherche à savoir à qui profite le crime et puis, comme aucune information ne contredit ses conclusions, il en déduit que le coupable c'est Thomas Ken. Le Dr Wallis applique ses facultés de déduction logique, persuadé que son esprit délié peut appréhender tous les aspects du cas et tirer les conclusions idoines. Tous sont convaincus de l'infaillibilité de leur technique légiste, à laquelle ils doivent avoir recours parce qu'il leur manque le seul type de témoin qui puisse résoudre le problème : aucun d'entre eux n'a vu la personne qui a versé le poison dans la bouteille. Moi si.

Dans son *Novum Organum*, lord Bacon discute cette question et, avec sa virtuosité habituelle, examine les diverses catégories de preuves, lesquelles, selon lui, sont toutes imparfaites. Aucune n'apporte la certitude, affirme-t-il, conclusion qui serait (pourrait-on penser) accablante aussi bien pour les savants que pour les hommes de loi : les historiens et les théologiens ont appris à vivre avec cette incertitude — les premiers en faisant preuve de modestie, les seconds en élevant leur glorieux édifice sur les fondations plus solides de la révélation. Car, sans la conviction qu'apporte la certitude, qu'est-ce que la science, sinon un ensemble de belles conjectures ? Et sans la conviction qu'apporte la certitude, totale et absolue, comment pourrons-nous jamais pendre quelqu'un la conscience tranquille ? Les témoins peuvent mentir et, je le sais personnellement, même un innocent peut avouer un crime qu'il n'a pas commis.

Mais lord Bacon ne désespéra pas et affirma qu'il y avait « l'instance de la croix », qui ne désigne qu'une seule direction et qui n'autorise aucune autre possibilité. Le témoin oculaire parfaitement indépendant qui n'a rien à gagner à cette révélation et qui, de surcroît, a appris à observer et à décrire grâce à son statut d'homme de condition cultivé : c'est le témoin le plus sûr que nous puissions avoir et son témoignage peut être déclaré décisif, rejetant dans l'ombre tous les autres témoignages secondaires. Je revendique ce statut en l'occurrence et j'affirme que ce qui suit élimine toute possibilité de discussion supplémentaire sur ce sujet.

J'envoyai un bref mot au Dr Grove pour lui demander de m'accorder la faveur d'un entretien, et sa réponse ne tarda pas : il me recevrait le soir même. C'est ainsi que, trois heures peut-être après que M. Cola eut quitté le collège, je frappai à sa porte.

Naturellement, je n'évoquai pas tout de suite le but de ma visite ; j'étais peut-être un solliciteur, mais je ne voulais pas apparaître comme quelqu'un d'impoli. Nous parlâmes donc pendant au moins trois quarts d'heure, notre conversation étant ponctuée par les fréquents rots et pets de Grove qui se plaignait âprement de la nourriture que son collège osait servir aux professeurs.

« J'aimerais bien connaître le traitement que lui a fait subir le cuisinier, dit-il après une attaque particulièrement violente. On ne voit pas comment on peut massacrer un bon rôti tout simple. Je jure que cela finira par me tuer. Savez-vous que j'avais un invité ce soir ? Un jeune Italien, probablement de votre âge, ou à peu près. Il a mâché sa nourriture stoïquement sans se plaindre, mais la stupéfaction qui se lisait sur son visage était si grande que j'ai failli lui éclater de rire au nez. C'est le problème avec ces étrangers. Trop habitués à ces sauces compliquées. Ils ne savent pas ce qu'est un bon morceau de viande. Ils aiment leur nourriture comme leur religion, hein ? » Il gloussa, tout content de sa métaphore. « Couverte de garnitures extravagantes, si bien qu'on ne voit pas ce qu'il y a dessous. Ail ou encens, ça revient au même. »

Il gloussa de nouveau, et je vis qu'il regrettait de ne pas avoir pensé plus tôt à sa petite plaisanterie pour irriter encore davantage son invité. Je ne lui fis pas remarquer que son attitude envers la nourriture me paraissait un petit peu contradictoire.

À ce moment-là, il poussa un autre grognement et agrippa son ventre.

« Dieu du ciel ! Cette nourriture ! Passez-moi ce sachet de poudre, mon cher enfant. »

Je le lui donnai.

« Qu'est-ce que c'est ?

— Un purgatif infaillible, bien que ce petit Italien pompeux dise que c'est un produit dangereux. Ce n'est pas vrai : Bate affirme qu'il ne présente aucun danger, et il est médecin du roi. Si c'est assez bon pour le roi, c'est assez bon pour moi, m'est avis. C'est attesté à la fois par les autorités et par ma propre expérience. Et ce Cola prétend que ça ne sert à rien. Absurde ! Deux pincées, et vos intestins se vident sur-le-champ. J'en ai acheté une grande quantité, il y a quatre mois, au cas où j'en aurais besoin.

— Je crois que M. Cola est médecin, aussi sait-il peut-être de quoi il parle.

— C'est ce qu'il dit. Moi, j'en doute. Il est trop jésuite pour être un vrai médecin.

— Je crois comprendre qu'il soigne Mme Blundy qui s'est cassé la jambe », dis-je, voyant là ma chance d'amener la conversation vers le sujet qui m'intéressait.

En entendant ce nom, le Dr Grove se rembrunit et eut l'air très mécontent ; puis il grogna comme un chien qui protège son os contre un rival.

« C'est ce qu'on dit.

— Ou plutôt il la soignait, car elle n'a pas les moyens de s'offrir le traitement, et M. Cola, à ce qu'il paraît, ne peut pas se permettre de travailler pour rien. »

Grove poussa un grognement, mais je n'y pris pas garde, tant j'étais pressé de régler la question qui me préoccupait et de m'en aller.

« Je me suis engagé pour deux livres, cinq shillings.

— C'est très généreux de votre part.

— Mais il me faut encore quinze shillings que je ne possède pas pour le moment.

— Si vous êtes venu me demander un emprunt, la réponse est non.

— Mais...

— Cette fille a failli me coûter quatre-vingts livres par an. J'ai failli perdre le bénéfice qu'on m'a promis à cause d'elle. Je me moque que sa mère meure dès demain ; cette fille ne mérite pas mieux, d'après ce qu'on dit. Et si elle ne peut pas faire soigner sa mère, c'est la conséquence de sa conduite passée, et ce serait pécher que de s'opposer au châtiment qu'elle a tout fait pour s'attirer.

— C'est sa mère, il me semble, qui subit le châtiment.

— Je n'en suis pas responsable et ça ne me regarde plus. Vous semblez beaucoup vous soucier de votre servante, si je puis me permettre... Pourquoi donc ? »

Peut-être me mis-je à rougir et peut-être cela éveilla-t-il ses soupçons, car sa méchanceté le rendait perspicace.

« Elle travaille pour ma mère et...

— C'est vous qui me l'avez recommandée comme domestique, n'est-ce pas, monsieur Wood ? C'est vous qui êtes le *fons et origo* des ennuis qu'elle m'a causés ? Et vous payez ses soins médicaux également ? Quelle prévenance ! C'est tout à fait inhabituel, permettez-moi de vous le dire. Peut-être ces rumeurs qui ont circulé sur son libertinage devraient-elles vous concerner plutôt que moi. »

Il me fixa avec attention et je vis une indubitable expression de clairvoyance s'étaler lentement sur sa figure. Je n'ai jamais cultivé ni perfectionné l'art de la dissimulation. Mon visage est un livre ouvert pour ceux qui savent lire, et Grove possédait cette sorte de malignité qui se repaît des secrets des autres et s'en sert pour les persécuter et les torturer.

« Ah, l'antiquaire et sa servante ! Trop obsédé par ses recherches pour avoir du temps à consacrer à une épouse et qui se contente d'une minable polissonnerie entre deux livres. C'est bien ça, hein ? Vous possédez cette petite putain et vous croyez que c'est de l'amour. Et vous jouez les galants avec cette petite punaise crasseuse, imaginant qu'il s'agit d'une véritable Héloïse, promettant de l'argent que vous n'avez pas, persuadé que d'autres vont vous accorder un crédit afin que vous puissiez impressionner votre dame. Mais ce n'est pas une dame, n'est-ce pas, monsieur Wood ? Tout le contraire, d'ailleurs ! »

Il me regarda une nouvelle fois, puis éclata de rire.

« Oh, grands dieux, c'est la vérité ! Je le vois à votre mine. On ne peut rien imaginer de plus drôle, je dois dire. "Le rat de bibliothèque et la catin", ce pourrait être le titre d'un poème, d'une épître héroïque en hexamètres. C'est un thème digne de M. Milton lui-même, puisque aucun sujet n'est trop ignoble pour sa plume. »

Il rit derechef, car j'avais le visage écarlate de honte et de colère ; je savais qu'aucune dénégation ne pourrait le convaincre ni le détourner de son amusement.

« Allons ! Allons, monsieur Wood ! Vous ne pouvez pas ne pas trouver cela drôle. Même vous, vous devez voir que c'est amusant. Le doux petit savant, qui se consacre entièrement à la science, qui furète à qui mieux mieux parmi des tas de papiers, les yeux rougis à force de rester dans l'obscurité... Et nous nous demandons pourquoi tout ce labeur ne produit jamais aucun fruit. Est-ce un chef-d'œuvre qui prend forme dans sa cervelle ? Sont-ce les difficultés de la conception qui retardent la naissance d'une grande œuvre ? Est-ce l'immensité de la tâche qui explique que les années passent sans résultat ? Et puis nous découvrons le pot aux roses. Non ! Rien de tout ça ! C'est parce que, alors que tout le monde pense qu'il se tue au travail, il est en train de rouler dans la paille avec sa servante. Mieux encore : il a convaincu sa mère d'employer la fille dans la maison, transformant ainsi la domestique en catin et la mère en entremetteuse. Alors, monsieur Wood, dites-moi donc que la plaisanterie n'est pas excellente ! »

Les théologiens nous affirment que la cruauté vient du diable, et c'est peut-être la cause première, car le but de la cruauté est certainement démoniaque. Mais la cause immédiate de la cruauté c'est, à mon avis, la perversion du plaisir ; l'homme cruel jouit du tourment qu'il inflige aux autres et, tel le musicien expérimenté sur sa viole ou sur son virginal, il peut jouer sur son instrument et produire toutes sortes d'harmoniques, susciter à volonté le tourment et l'humiliation, le désespoir ou la colère vaine, la honte, le regret et la peur. Certains parviennent à déclencher toutes ces émotions, ensemble ou séparément, procédant par touches extrêmement légères ; ou en jouant plus fortement parfois sur leur victime, comme sur un instrument, jusqu'au moment où l'agitation créée dans l'esprit de celle-là est presque insoutenable ; puis plus délicatement, de telle sorte que la douleur s'éveille doucement et délicieusement. Grove était un véritable virtuose, car il jouait pour le plaisir de créer et d'exercer ses talents.

Si Thomas Ken (comme je le devinais) avait été régulièrement soumis à ce traitement, alors je ne pouvais qu'admirer son humilité sous ces constants assauts, tous (sans aucun doute) perpétrés à l'abri du regard et à l'insu de ses camarades. Car la torture pratiquée en privé est encore plus délectable pour le bourreau et plus intense pour la victime, qui ne peut décrire son calvaire aux autres sans paraître faible ou stupide, subissant ainsi une nouvelle torture, infligée par elle-même cette fois-ci. Je me ridiculise en racontant cela, je le sais. Mais je dois faire mon récit et j'espère seulement être compris. Tout homme a été plus ou moins humilié et tourmenté ; chacun sait, par conséquent, comment cela fausse le jugement et brouille les idées, si bien que la victime a l'impression d'être semblable à un animal battu et attaché qui voudrait s'échapper sans savoir comment se dégager de la corde qui le retient.

En effet, mes épreuves n'étaient pas encore terminées ; Grove ne voyait que trop bien à quel point j'étais une proie facile et qu'il était aisé de me dominer, puisque je n'avais pas l'adresse de ceux qui esquivent les attaques sans la moindre difficulté, ou qui savent construire des défenses contre ceux qui leur veulent du mal.

« Je m'étonne, dit-il, qu'un homme comme le Dr Wallis puisse continuer à tolérer la présence d'une personne de votre espèce dans les archives où vous prenez tant de plaisir. Il arrive souvent que, rien que par leur lascivité, certains causent plus de dommage que tout autre. Pensez à l'opprobre que votre mère et toute votre famille seront forcées d'endurer quand il deviendra de notoriété publique qu'elle tenait un lupanar et qu'elle payait la putain de son fils de sa propre bourse.

— Pourquoi agissez-vous ainsi ? demandai-je, désespéré. Pourquoi me tourmentez-vous de la sorte ?

— Moi ? Je vous tourmente ? Quelle idée ! En quoi est-ce que je vous tourmente ? Je ne fais que constater les faits, non ? "Nous ne pouvons pas, nous, ne pas parler de ce que nous avons vu et entendu." (Actes des apôtres 4, 20.) Les paroles de saint Pierre lui-même. Est-il juste que le péché reste impuni et que la fornication ne soit pas révélée ? »

Il s'arrêta de parler et son visage se rembrunit tout d'un coup, tandis que l'air moqueur disparaissait et cédait la place à la colère la plus noire, semblable au ciel qui s'obscurcit juste avant que les cieux ne soient déchirés par le tonnerre.

« Je vous connais, monsieur Wood. Je sais que c'est vous qui m'avez envoyé cette fille comme servante afin que votre ami, M. Ken, puisse me calomnier. Je sais que c'est vous qui avez répandu ces histoires dans toute la ville pour salir mon nom et ainsi me priver de ce qui me revenait de droit. M. Prestcott, cet homme aussi honnête que vous êtes sournois, m'a tout raconté... Et ensuite, vous osez venir ici me demander de l'argent comme un petit quémandeur crasseux, les mains couvertes de taches d'encre ? Non, monsieur. Vous ne méritez et vous ne recevrez rien d'autre que de la haine. Vous espérez comploter contre moi et vous en tirer indemne ? Vous n'avez pas choisi le bon ennemi, monsieur Wood, et vous allez bientôt vous apercevoir que vous avez commis là la plus grave erreur de votre vie. Je vous remercie d'être venu, car je sais maintenant comment réagir ; j'ai vu de mes propres yeux la culpabilité sur votre visage. Et, croyez-moi, je vais vous rendre la monnaie de votre pièce. Bon, maintenant, sortez, et laissez-moi tranquille ! J'espère que vous m'excuserez si je ne vous raccompagne pas. Mes intestins ne peuvent attendre plus longtemps. »

Et, laissant échapper un pet monstrueux, il se hissa sur ses pieds et se dirigea vers la pièce d'à côté ; je l'entendis baisser son pantalon et s'installer sur son pot de chambre en poussant un profond soupir. Je ne pouvais rien faire et j'avais lamentablement échoué dans ma résistance à ses attaques. J'étais resté assis là, rougissant comme un enfant, et je n'avais rien tenté pour réagir, à part de misérables parades. Cependant, j'étais assez homme pour bouillir de rage sous ses paroles de mépris. Mais au lieu de me comporter en homme, j'avais eu l'attitude d'un enfant ; ayant omis de lui lancer au visage une noble réplique, dès qu'il eut tourné le dos, je lui jouai un tour ridicule, puis m'esquivai comme un écolier farceur, en me berçant de l'illusion que j'avais enfin fait quelque chose pour me venger.

Car je pris le sachet de poudre sur la table et j'en versai tout le contenu dans la bouteille de cognac qui se trouvait près de son fauteuil.

« Bois ça ! pensai-je en quittant la pièce. Et que cela te brûle les entrailles ! »

Puis je sortis, espérant qu'il passerait une nuit blanche, en proie à de violentes douleurs au ventre. Je jure devant Dieu, et par tout ce qui m'est cher, que c'est là tout le mal que je lui souhaitais. Je voulais qu'il souffre et qu'il se torde de douleur, c'est vrai ; j'espérais ardemment ne pas avoir versé trop peu de poudre dans la bouteille et que le breuvage ne serait pas trop dilué pour être efficace. Mais je ne souhaitais pas sa mort et je n'avais pas la moindre intention de le tuer. Je n'avais aucune idée de la nature de cette poudre et, de plus, je n'avais jamais entendu parler d'arsenic auparavant. Même parmi les gens cultivés, je doute qu'il y ait eu plus d'une personne sur vingt qui ait su ce que c'était. Nous ne sommes pas tous médecins ou chimistes. Même M. Stahl n'avait jamais mentionné cette substance durant les cours de chimie expérimentale que j'avais pris avec lui.

Chapitre six

La nuit était tombée depuis longtemps quand je m'en allai, il faisait froid, car le vent du nord soufflait, et on avait l'impression qu'il allait pleuvoir. Ce n'était pas un soir où il faisait bon être dehors, mais je n'arrivais pas à rentrer chez moi et je n'avais aucun désir de me retrouver parmi mes camarades. Une seule chose occupait mon esprit et je ne pouvais en parler ; tout autre sujet de conversation m'aurait donc paru futile et oiseux. Je ne parvenais pas non plus à me calmer suffisamment pour jouer de la musique. En général, il y a quelque chose d'apaisant dans le déroulement d'un morceau et dans l'exquise inévitabilité d'un finale bien amené. Mais tout morceau de musique composé de la sorte m'aurait déplu ce soir-là, le tumulte qui agitait mon esprit étant bien trop loin de tout ordre harmonieux.

En revanche, je me rendais compte que j'avais envie de voir Sarah, et ce désir grandit en moi malgré toutes mes tentatives pour l'étouffer. Mais je ne voulais pas de sa compagnie, de son réconfort, ni de sa conversation ; je ressentais une rancœur qui surgissait de profondeurs inconnues, au fur et à mesure que mon esprit se persuadait qu'elle et elle seule était la source de mes ennuis. Je passai en revue, une fois de plus, tous les soupçons et toutes les jalousies que je croyais avoir fait disparaître à jamais. Au contraire, ils remontaient à la surface, comme l'été, dans une forêt desséchée, en tombant sur du petit bois, une étincelle allume un incendie dès que souffle la plus légère des brises. Mon esprit enfiévré imaginait que mes excuses avaient été grotesques et mes regrets déplacés. Tous mes soupçons (pensais-je) étaient fondés : la fille était maudite, et quiconque la protégeait aurait à payer cher son amitié pour elle. C'est ce que je me disais tout en marchant, emmitouflé dans mon épais manteau d'hiver, les pieds déjà trempés à cause de la boue qui commençait seulement à geler dans New College Lane. Je me persuadai encore plus de mon infortune tandis que je traversais la Grand-Rue pour m'engager dans Merton Street ; mais je me détournai de la porte de ma demeure, n'ayant aucun désir de voir ma mère et d'avoir à dissimuler mon inquiétude à la pensée de la douleur que j'allais lui causer si Grove tenait sa promesse de faire de ma famille la risée de la ville.

Aussi continuai-je mon chemin jusqu'à St. Aldate's Street, envisageant de marcher dans la campagne et de me promener le long du fleuve, car le son de l'eau qui coule est une autre façon efficace de rasséréner l'âme, comme l'attestent d'innombrables autorités. Ce soir-là, je ne longeai pas le fleuve, car à peine avais-je dépassé Christ Church College que je remarquai une mince silhouette de l'autre côté de la rue, enveloppée dans un châle bien trop fin pour servir à grand-chose et portant un ballot sous le bras, qui avançait d'un pas vif et décidé. À son aspect et à son allure, je reconnus aussitôt Sarah qui se dirigeait (du moins le crus-je dans mon délire) vers quelque rendez-vous secret.

C'était là l'occasion de confirmer mes soupçons une fois pour toutes, et je la saisis presque sans réfléchir. Je savais, bien sûr, que lorsqu'elle était libre Sarah avait accoutumé de quitter Oxford, pour une soirée ou pour une journée et une nuit entières, et j'avais jadis cru qu'elle allait chercher à vendre ses charmes dans les petites villes où personne ne la connaissait ; les amendes encourues pour prostitution étaient telles qu'il eût été insensé pour une femme de se livrer à ce métier dans la ville où elle vivait. Je savais également que c'était totalement absurde ; mais plus je me disais que c'était une fille d'une rare vertu, plus les démons en moi se gaussaient, à tel point que j'avais l'impression que j'allais devenir aussi fou que Prestcott à cause des hypothèses contradictoires qui se disputaient mon imagination. Aussi décidai-je de m'exorciser moi-même afin de découvrir la vérité, puisque Sarah ne voulait pas me la révéler elle-même et que son refus ne faisait qu'aiguillonner ma curiosité.

Je vais donner ici un autre exemple qui montre comment, en partant de prémisses fautives, on peut tirer une conclusion erronée d'un ensemble de faits indiscutables. Le Dr Wallis déclare que sa théorie à propos d'une alliance mortelle entre Cola et les républicains rebelles fut confirmée par l'attitude de la jeune Blundy qui passait beaucoup de temps sur la route entre Burford, à l'ouest, et Abingdon, au sud, à porter des messages aux sectaires qui, affirme-t-il, se soulèveraient comme un seul homme une fois que l'assassinat de Clarendon aurait jeté le pays dans le chaos. Quand il l'interrogea, Sarah nia se livrer à ce genre d'activités, mais d'une manière (tant il était certain de percer les mensonges) qui le convainquit qu'elle mentait pour couvrir des actes illicites.

Elle mentait ; ça c'est vrai. Elle essayait de couvrir des actes illicites ; c'est également vrai. À cet égard, le Dr Wallis avait parfaitement compris la situation. Car la fille était terrorisée à l'idée qu'il pût découvrir ses activités, et elle savait très bien que le châtiment serait sévère, non seulement pour elle mais pour d'autres aussi. Si elle ne faisait pas partie de ceux qui recherchent le martyre par fierté, elle était prête à l'accepter humblement s'il ne pouvait être évité avec honneur : et tel fut, en fait, son destin. Pour le reste, cependant, le Dr Wallis avait tort.

Ma décision prise sans réfléchir, je revins en toute hâte à la taverne de mon cousin et demandai qu'on me prêtât un cheval. Heureusement, comme je connaissais bien la région, il ne me fut pas difficile de suivre des sentiers en direction de Sandleigh puis de revenir sur Abingdon, ce qui me permit d'arriver longtemps avant elle. Je portais un manteau sombre, ainsi qu'un chapeau enfoncé jusqu'aux sourcils ; d'ailleurs (comme on me le répète à l'envi), je passe facilement inaperçu et on ne me remarque pas dans la foule. Il me fut aisé de me poster sur la route d'Oxford et d'attendre son passage, qui se produisit une demi-heure plus tard. Il me fut également facile de lui emboîter le pas et de l'observer, étant donné qu'elle ne cherchait pas à se cacher, ni à dissimuler sa destination, et qu'elle ne se doutait pas qu'elle était suivie. La ville possédait un petit quai utilisé pour décharger les denrées destinées au marché, et c'est là qu'elle se rendit : elle frappa hardiment à la porte d'un petit entrepôt où, la nuit avant le marché, les fermiers gardaient leurs produits. Je ne savais trop que faire ensuite, et alors que j'attendais là, je remarquai d'abord une personne, puis plusieurs autres s'approcher de la porte que l'on ouvrait pour eux. Contrairement à Sarah, ces gens avaient des mouvements furtifs, et ils s'étaient emmitouflés de telle sorte qu'on ne pût voir leur visage.

Totalement perplexe, je restai à l'abri d'un porche pendant quelque temps pour réfléchir à ce que je voyais. Je dois dire que, comme Wallis, je pensai tout d'abord qu'il s'agissait d'une réunion de républicains, car la réputation d'Abingdon était notoire : quasiment tous les habitants de la ville, des conseillers municipaux au moindre citadin, étaient des dissidents impénitents — d'après la rumeur, du moins. C'était étrange, néanmoins : la ville était honnie pour sa façon éhontée de défier la loi, alors que ces gens agissaient secrètement, comme s'ils faisaient quelque chose que même les sectaires auraient pu désapprouver.

Je ne suis ni brave ni téméraire et par nature je fuis le danger, pourtant, j'étais dévoré de curiosité, et je savais qu'attendre dehors que la pluie se mît à tomber ne résoudrait rien. Risquais-je d'être attaqué ? Ce n'était pas impossible, me dis-je. À l'époque, ces gens n'étaient pas réputés pour leur placidité et j'avais entendu tant d'histoires, année après année, que je les croyais capables de tout. Un homme sensé se serait éclipsé ; une personne responsable aurait averti le magistrat. Mais, bien que je me considère à la fois comme sensé et responsable, je ne fis ni l'un ni l'autre. Au contraire, le cœur cognant dans la poitrine, et l'estomac tout simplement noué de peur, je me surpris à me diriger vers la porte et vers l'homme rébarbatif qui la gardait.

« Bonsoir, mon frère, fit-il. Sois le bienvenu ! »

Ce n'était pas l'accueil auquel je m'attendais ; je ne fus l'objet d'aucune suspicion et, au lieu de la réticence que j'avais imaginée, on me montra chaleur et amitié. Mais je ne savais toujours pas de quoi il retournait. Tout ce que je savais c'est que Sarah était entrée dans ce bâtiment au milieu de beaucoup d'autres. Qui voyait-elle ? À quelle réunion assistait-elle ? Je n'en avais aucune idée, mais renforcé dans ma détermination par l'absence de soupçons à mon égard, je devins de plus en plus décidé à le découvrir.

« Bonsoir... mon frère, répondis-je. Puis-je entrer ?

— Bien sûr, répliqua-t-il, quelque peu surpris. Bien sûr ! Mais tu auras peut-être du mal à trouver de la place.

— J'espère ne pas être en retard. Je ne suis pas d'ici.

— Ah ! s'écria-t-il, l'air plutôt content. Bien. Très bien. Alors tu es deux fois bienvenu. Qui que tu sois. »

Et il me fit un signe de tête et m'invita à pénétrer dans l'entrepôt. Un peu plus à l'aise, mais toujours conscient que j'étais peut-être en train de mettre le pied dans un piège diabolique, je passai devant lui.

C'était une petite salle minable, plutôt sombre, et les quelques lampes qui l'éclairaient projetaient sur les murs de gigantesques ombres mouvantes. Il faisait chaud, ce qui me surprit, car il n'y avait pas de feu visible alors qu'il faisait très froid dehors. Peu à peu, je me rendis compte que la chaleur était dégagée par un groupe de près de quarante personnes assises ou agenouillées par terre, sans parler et sans presque bouger, à tel point qu'au premier abord je ne m'étais pas aperçu qu'il s'agissait d'êtres vivants ; j'avais cru voir des bottes de foin ou des gerbes de blé entassées sur le sol.

Quelque peu déconcerté et de plus en plus perplexe, je me frayai un chemin jusqu'au fond de la salle, où je m'accroupis dans l'obscurité, m'assurant que mon manteau couvrait la plus grande partie de mon visage, car tous s'étaient découverts en signe de camaraderie et d'égalité ; même les femmes, notai-je avec un certain dédain, étaient nu-tête, elles aussi. C'était bizarre, pensai-je : on savait que certains d'entre eux refusaient d'enlever leur chapeau même en présence du roi, à plus forte raison d'un homme de moindre importance. Seul Dieu, affirmaient-ils, avec leur outrecuidance coutumière, méritait cette marque de respect.

J'imaginai que j'étais peut-être tombé dans une assemblée de quakers ou de quelque chose d'approchant, mais j'en savais assez à leur sujet pour me rendre compte que leurs réunions étaient différentes de celle-là. Ils parvenaient rarement à rassembler plus d'une demi-douzaine de personnes, et il était encore plus rare qu'ils se réunissent de cette manière. Puis je me dis que j'étais en présence de sectaires républicains en train de préparer un soulèvement ; cette pensée me fit froid dans le dos, car j'étais certain qu'avec ma malchance habituelle les hommes du magistrat allaient, sans aucun doute, cerner le bâtiment et m'embarquer en direction de la prison en tant que complice de sédition. Et ces femmes ? Et ce calme ? Ce n'était guère possible... Ces républicains ont surtout tendance à vociférer, chacun d'eux tenant à exprimer son opinion tout en condamnant vertement celle des autres. Je n'associais pas cette ambiance paisible aux agissements de ces démons.

Je découvris alors que tous les regards sans exception se concentraient avec une extraordinaire intensité sur une silhouette floue qui se tenait devant le groupe ; c'était la seule personne debout, même si elle était aussi silencieuse que les autres. Mes yeux mirent un certain temps à s'accoutumer à l'obscurité, puis je m'aperçus que cette silhouette était celle de Sarah : parfaitement immobile, sa lourde chevelure brune tombant librement sur ses épaules, elle baissait la tête, si bien que son visage se trouvait presque entièrement dans l'obscurité. J'étais de nouveau mystifié ; non seulement elle ne faisait rien, mais personne dans l'auditoire ne semblait s'attendre qu'elle fît quoi que ce fût. Je crois avoir été le seul dans la salle à n'être pas entièrement satisfait.

Depuis combien de temps se tenait-elle ainsi, je n'en avais pas la moindre idée ; peut-être depuis l'instant où elle était entrée, c'est-à-dire depuis près d'une demi-heure. Tout ce que je sais c'est que nous restâmes tous assis pendant environ dix minutes de plus, dans le silence le plus absolu ; une étrange expérience que de demeurer aussi silencieux et immobile, au milieu d'autres personnes tout aussi calmes. Si je n'avais pas été aussi maître de moi, j'aurais juré avoir entendu une voix douce tombant des poutres me souffler d'être patient et serein. Cela m'effraya jusqu'au moment où, levant les yeux, je vis qu'il ne s'agissait que d'une colombe qui voletait de poutre en poutre parce que la présence de ces gens dérangeait son repos. Mais même cela ne me troubla pas autant que ce qui se passa lorsque Sarah se mit à bouger. Elle ne fit que lever la tête pour regarder le toit elle aussi. Le vif émoi et le tressaillement qui parcoururent l'auditoire furent tout à fait extraordinaires, comme s'il avait été frappé par la foudre. Un soupir d'espoir monta d'un côté, un halètement se fit entendre un peu plus loin, des semelles raclèrent le sol, un grand nombre de spectateurs se penchant en avant pour mieux entendre.

« Elle va parler », murmura doucement une femme près de moi ; un homme qui se trouvait à côté d'elle lui fit « Chut ! ».

Mais elle ne parla pas. Le simple fait de bouger la tête produisit un effet suffisamment puissant sur l'auditoire ; il semblait qu'une excitation plus intense serait trop forte pour lui. Sarah se contenta de regarder le plafond quelques minutes de plus, puis elle baissa le regard vers la foule qui réagit avec encore plus d'émotion que la fois précédente. Pris par la ferveur malgré moi, je m'aperçus que mon cœur battait de plus en plus vite dans ma poitrine, au fur et à mesure que le moment (de quoi ?) approchait.

Quand elle ouvrit la bouche, elle parla d'une voix si faible et si douce qu'il était difficile de comprendre ses paroles ; tous devaient se pencher en avant pour faire bien attention et saisir ses propos. Et les mots eux-mêmes, lorsque je les transcris avec ma plume, ne traduisent pas du tout l'atmosphère, car elle nous charmait tous, nous ensorcelait même, à tel point que des hommes faits pleuraient ouvertement et que les femmes se balançaient d'un côté puis de l'autre, le visage empreint d'une paix angélique que je n'ai jamais vue dans aucune église. Par ses paroles, elle nous attirait tous contre son sein, nous apportant le réconfort, chassant nos doutes, calmant nos peurs et nous persuadant que toutes sortes de choses étaient bonnes. Je ne sais pas comment elle s'y prenait ; contrairement aux comédiens, elle ne possédait aucune technique et sa façon de parler était exempte d'artifice. Elle gardait les mains nouées devant elle et ne faisait aucun geste ; elle bougeait à peine et, cependant, de sa bouche et de tout son corps émanaient baume et miel qu'elle offrait généreusement à tous. Je finis par trembler d'amour tout autant pour elle que pour Dieu et toute l'humanité, sans savoir le moins du monde pourquoi il en était ainsi. C'est à partir de ce moment-là que je me livrai à son pouvoir, librement et sans hésitation, m'en remettant à elle, sûr qu'elle ne pouvait me faire aucun mal.

Elle parla pendant plus d'une heure, et on aurait dit qu'elle était à elle seule un excellent orchestre : ses paroles coulaient, tourbillonnaient au-dessus de nous, comme si nous étions, nous aussi, une table d'harmonie que les mots faisaient vibrer et résonner. J'ai relu ses propos. Quelle déception ! L'esprit en est absent et je n'ai pas réussi le moins du monde à évoquer l'amour parfait qu'elle décrivait, ni l'adoration tranquille qu'elle suscitait chez ceux qui l'écoutaient. Je me sens, en fait, tel un homme qui se réveille après un rêve absolument merveilleux et qui le note frénétiquement pour découvrir que ce qui reste sur la page, ce ne sont que des mots vides de toute émotion, aussi secs et stériles que la balle quand on retire le grain de blé.

« À tous les hommes, je dis ceci : nombreux sont les chemins qui mènent à ma porte ; certains sont larges, d'autres étroits, certains sont droits, d'autres tortueux, certains sont plats et dégagés, d'autres malaisés et pleins d'embûches. Que personne ne dise que le chemin qu'il a choisi est le seul et le meilleur, car c'est par ignorance qu'on parle ainsi.

« Mon esprit sera avec vous et je resterai étendue sur le sol, léchant la poussière et respirant la terre ; je donnerai le lait de mon sein, pour la terre, la mère de notre mère, et pour le Christ, père, mari et épouse. Je l'ai tenu la nuit comme un bouquet d'épices entre mes seins et je savais que c'était moi-même. J'ai vu mon esprit sur son visage et j'ai senti le témoin de feu sur ma poitrine, le feu de l'amour qui brûle, guérit et réchauffe par la guérison, comme le soleil après la pluie.

« Je suis l'épouse de l'Agneau et l'Agneau lui-même ; ni ange ni messagère, mais moi, le Seigneur, je suis venu. Je suis la douceur de l'esprit et le miel de la vie. Je serai dans la tombe avec le Christ et je me relèverai après la trahison. À chaque génération le Messie souffrira tant que l'humanité ne se détournera pas du mal. Je vous le dis : vous attendez le royaume des cieux alors que vous l'avez sous les yeux. Il se trouve ici et il est toujours à portée de votre main. C'est la fin de la religion et des sectes ;

jetez vos bibles, elles ne sont plus nécessaires : défaites-vous de la tradition et écoutez plutôt mes paroles.

« Ma grâce et ma paix et ma miséricorde et ma bénédiction sont avec vous. Rares sont ceux qui m'ont vue arriver et encore plus rares ceux qui me verront partir. Ce soir, mes derniers jours commencent et des hommes s'apprêtent à me prendre au piège, les mêmes hommes que naguère, les mêmes hommes que toujours. Je leur pardonne aujourd'hui, car je cesse de me rappeler les péchés et les iniquités ; je suis venue donner l'absolution par mon sang. Je dois mourir et tous doivent mourir et continueront à mourir jusqu'à la fin des temps, à chaque génération. »

Comme je l'ai dit, ce dont je me souviens ne constitue que quelques fragments de tout le discours, qui passait de considérations pratiques et sensées à la folie la plus profonde, avant de revenir en arrière, virant de la simplicité à l'incohérence d'une manière qui rendait impossible la distinction entre les deux. Peu importait à l'auditoire, et cela m'était égal à moi aussi. Je ne suis pas fier d'avoir été ainsi captif, et ce souvenir m'est pénible ; mais je n'ai pas l'intention de me défendre ni de m'excuser. Je décris les faits et à ceux qui me méprisent (comme je le ferais moi-même si j'étais un autre) je peux seulement dire ceci : vous n'étiez pas là et vous ne vous rendez pas compte de sa magie. Je puis juste dire que je transpirais comme si j'avais la plus violente des fièvres et que je n'étais pas seul à sentir des larmes de joie et de tristesse rouler sur mes joues et — les autres personnes présentes également — je m'aperçus à peine que les mots avaient cessé de sortir de sa bouche et qu'elle était partie par une petite porte latérale. Il fallut peut-être un quart d'heure pour que le charme se dissipe et que, un par un, tels des spectateurs à la fin d'une pièce de théâtre, nous revenions à nous pour découvrir que nos membres et nos muscles étaient engourdis, comme si nous avions travaillé dans les champs pendant une journée entière au temps des moissons.

La réunion était terminée et il était évident que les fidèles ne s'étaient réunis que pour entendre parler Sarah. Dans cette ville et parmi ces gens elle jouissait d'une réputation qui avait déjà pris beaucoup d'ampleur. La simple possibilité qu'elle prononçât un discours suffisait à attirer par tous les temps des hommes et des femmes — des pauvres, des êtres mal dégrossis et vulgaires — et à leur faire braver les autorités qui pouvaient leur infliger toutes sortes de représailles. Comme la plupart des autres personnes présentes, je ne savais trop que faire lorsque ce fut terminé, néanmoins je finis par reprendre suffisamment mes esprits pour me rendre compte que je devais aller chercher mon cheval et rentrer à Oxford. Abasourdi, mais totalement rasséréné, je me dirigeai vers l'auberge où je l'avais laissé et m'engageai sur le chemin du retour.

Sarah était une prophétesse. Quelques heures seulement auparavant, cette idée aurait provoqué en moi le plus profond mépris, car depuis des années le pays était plongé dans l'obscurantisme par ce genre de personnes que les troubles avaient révélé en pleine lumière, comme les cloportes apparaissent quand on retourne une pierre. Je me souviens d'un de ces prophètes, venu à Oxford quand j'avais quatorze ans ; c'était un homme qui crachait, la bave aux lèvres, tout en délirant dans les rues, vêtu de haillons, tel un stoïque ou un saint de la première heure, condamnant l'univers au feu de l'enfer avant de tomber en convulsions par terre.

Il ne convertit personne ; je ne fus pas l'un de ceux qui lui lancèrent des pierres (attaques qui lui firent énormément plaisir, car elles prouvaient la faveur du Seigneur), mais, comme toutes les autres personnes présentes, je fus révulsé par le spectacle ; il m'était aisé de voir que, quel que fût le pouvoir dont il était investi, ce n'était pas celui de Dieu. On l'enferma, puis on lui fit la grâce de le jeter hors de la ville sans lui faire subir de châtiment plus sévère.

On aurait pu penser qu'une femme prophétesse serait encore moins bien accueillie, qu'elle n'aurait guère de chances de s'attirer autre chose que du mépris, mais je viens de montrer qu'il n'en était rien. N'est-il pas dit que Marie-Madeleine prêcha, opéra des conversions et fut bénie pour ses peines ? Elle ne fut pas condamnée à l'époque et ne l'a jamais été depuis ; je ne pouvais pas condamner Sarah non plus. Il était clair que le doigt de Dieu avait touché son front, car aucun diable, aucun suppôt de Satan ne peut émouvoir le cœur des hommes de la sorte. Les présents du diable ont toujours un goût amer, et nous savons quand on nous trompe, même si nous acceptons d'être dupes. Mais je ne perçus qu'un bref instant ce qui dans ses paroles faisait naître cette paix et cette sérénité ; je le ressentais sans pouvoir le comprendre.

Mon cheval trottinait sur la route déserte, plus à même que moi de voir où elle menait, car l'obscurité n'était que faiblement éclairée par la lune qui ne sortait de derrière les nuages que pour de brèves apparitions ; je laissais mon esprit errer sur les événements de la soirée, essayant de retrouver l'émotion que j'avais ressentie si peu de temps auparavant et qui, à ma grande tristesse, commençait déjà à refluer. Absorbé dans mes pensées je remarquai à peine sur la route la silhouette brumeuse qui avançait lentement devant moi. Quand je la vis, je la saluai machinalement, avant même de la reconnaître.

« Il est bien tard et il fait bien sombre pour se trouver toute seule sur une route comme celle-là, dis-je. N'ayez aucune inquiétude : montez sur mon cheval et je vous ramènerai chez vous. C'est un cheval robuste qui n'y verra pas d'inconvénient ! »

C'était Sarah, évidemment ; et quand je vis l'éclat de la lune sur son visage j'eus soudain peur d'elle. Mais elle me tendit sa main pour me permettre de la hisser sur ma monture, et elle s'installa confortablement en croupe, passant ses bras autour de ma taille afin de ne pas glisser.

Elle se taisait et moi, je ne savais que dire. J'avais envie de lui apprendre que j'avais assisté à la réunion, mais je craignis de laisser échapper une bourde ou que mes paroles ne fussent interprétées comme un signe de méfiance ou d'hypocrisie. C'est pourquoi nous cheminâmes en silence pendant une demi-heure ; puis elle rompit le silence.

« Je ne sais pas de quoi il s'agit, dit-elle à mon oreille, d'une voix si faible qu'à trois pas on n'aurait pu l'entendre. Il est inutile de chercher à comprendre, comme je suis sûre que vous êtes en train de le faire. Je ne me rappelle pas ce que je dis, ni pourquoi je le dis.

— Tu m'as vu ?

— Je savais que vous étiez là.

— Cela ne t'a pas gêné ?

— Je pense que ce que j'ai à dire est destiné à quiconque veut m'entendre. À chacun de juger si ça en vaut la peine.

— Mais tu agis en secret.

— Pas pour me protéger. Mais ceux qui m'écoutent seraient également punis et je ne peux pas les exposer à ce risque.

— Tu as toujours fait ça ? Ta mère aussi ?

— Non. Elle est voyante, mais elle ne s'occupe pas de ce genre de chose ; ni son mari. Quant à moi, ça a commencé peu de temps après la mort de mon père. Je me trouvais à une réunion de gens simples et je me rappelle m'être levée pour dire quelque chose. Après, je ne me souviens plus de rien jusqu'au moment où je me suis retrouvée couchée par terre et entourée de la foule. Il paraît que j'avais prononcé des paroles extraordinaires. Ça a recommencé quelques mois plus tard, et bientôt les gens sont venus m'entendre. C'était trop dangereux à Oxford, c'est pourquoi aujourd'hui je vais dans des endroits comme Abingdon. Je les déçois souvent, lorsque je reste plantée là et que rien ne s'émeut en moi. Vous m'avez entendue ce soir. Qu'est-ce que j'ai dit ? »

Elle m'écouta comme si je rapportais une conversation à laquelle elle n'avait pas assisté, puis elle haussa les épaules quand j'eus terminé.

« C'est étrange, dit-elle. Qu'en pensez-vous ? Suis-je maudite ou folle ? Peut-être pensez-vous que je suis les deux.

— Tes propos ne contiennent ni violence ni cruauté ; ni menaces, ni avertissements. Ils sont toute douceur et amour. Je pense que tu es bénie du ciel, pas maudite. Mais les bénédictions du ciel peuvent s'avérer être des fardeaux encore plus lourds... beaucoup s'en sont aperçus par le passé. »

Je me rendis compte que je parlais aussi doucement qu'elle, comme si je me parlais à moi-même.

« Merci, fit-elle. Je ne voulais pas que vous me méprisiez, vous surtout.

— Tu n'as vraiment aucune idée de ce que tu dis ? Tu ne prépares rien ?

— Absolument rien. L'esprit se meut en moi et je deviens un simple vaisseau. Et quand je me réveille, c'est comme si je sortais du rêve le plus délicieux.

— Ta mère est au courant de tout ça ?

— Oui, bien sûr. Elle a d'abord pensé qu'il s'agissait d'une espièglerie, parce que j'avais toujours méprisé les fanatiques et tous ceux qui parcourent le pays en faisant semblant d'être possédés pour soutirer de l'argent à qui veut bien les croire. Je n'ai pas changé d'avis, et voilà que j'en suis devenue une moi-même ! Aussi quand je me suis levée, la première fois, et qu'elle en a entendu parler, elle a été choquée de mon impiété ; ce n'étaient pas nos amis qui se trouvaient dans le conventicule, ce soir-là, mais c'étaient des gens bons et honnêtes, et elle était peinée que je puisse me moquer d'eux. J'ai eu beaucoup de mal à la convaincre que je ne les avais pas volontairement insultés. Ça ne lui a pas fait plaisir, et c'est toujours le cas aujourd'hui. Elle pense que, tôt ou tard, j'aurai des ennuis avec la justice.

— Elle a raison.

— Je le sais. Ça a failli arriver il y a quelques mois. Je me trouvais chez Tidmarsh et le guet a fait une descente. Je m'en suis tirée de justesse. Mais je n'y peux pas grand-chose : je dois accepter toutes les épreuves. Il est inutile d'agir autrement. Pensez-vous que je sois folle ?

— Si j'allais voir quelqu'un comme Lower pour lui raconter ce dont je viens d'être témoin, il ferait tout son possible pour te soigner.

— Ce soir, quand je suis sortie de la salle, une femme s'est approchée de moi. Elle est tombée à genoux sur le sol gelé et elle a embrassé le bas de ma robe. Elle m'a dit que son bébé était en train de mourir la dernière fois que je suis venue à Abingdon. Je suis passée devant sa porte et il a été immédiatement guéri.

— Tu la crois ?

— Elle le croit. Votre mère le croit. Depuis plusieurs années beaucoup d'autres ont pensé que j'avais accompli de tels bienfaits. M. Boyle en a aussi entendu parler.

— Ma mère ?

— Elle souffrait le martyre à cause de sa cheville enflée ; ça la mettait de fort méchante humeur et elle a essayé de me battre. J'ai saisi sa main pour l'en empêcher et elle a juré que la douleur et l'enflure ont disparu sur-le-champ.

— Elle ne m'en a jamais parlé.

— Je l'ai priée de ne pas le faire. Avoir ce genre de réputation est trop terrible.

— Et Boyle ?

— Quelqu'un lui en a touché un mot et il a pensé que je m'y connaissais en herbes et en potions ; alors il m'a demandé mon livre de recettes. Ce n'était pas facile de lui dire non, car je ne pouvais guère lui révéler la vérité. »

Il y eut un long silence, brisé seulement par le martèlement des sabots du cheval sur la route et ses reniflements dans l'air froid de la nuit.

« Cela ne me plaît pas, Anthony, dit-elle calmement, mais je pouvais percevoir la peur dans sa voix.

— Qu'est-ce qui ne te plaît pas ?

— Ce qui m'arrive. Je ne veux pas être une prophétesse, je ne veux pas guérir les malades, je ne veux pas qu'ils s'adressent à moi ; je ne veux pas être punie pour quelque chose que je ne peux éviter et que je ne souhaite pas. Je suis une femme et je veux me marier, vieillir et être heureuse. Je ne veux pas être humiliée et emprisonnée. Et je ne veux pas de ce qui va arriver par la suite.

— C'est-à-dire ?

— Un Irlandais est venu me voir ; c'est un astrologue. Il m'a dit qu'il m'avait vue dans ses cartes et qu'il venait me mettre en garde. Il m'a affirmé que j'allais mourir et que tout le monde souhaiterait ma mort. Anthony, pour quelle raison ? Qu'est-ce que j'ai bien pu faire ?

— Je suis sûr qu'il se trompe. Qui croit ce genre de personne ? »

Elle se tut.

« Pars donc si cela t'inquiète, dis-je. Va-t'en !

— Impossible. On ne peut rien changer.

— Il te faut espérer, alors, que cet Irlandais se trompe et que tu es folle.

— Je l'espère. J'ai peur.

— Oh, je suis sûr que tu n'as rien à craindre vraiment. »

Je me secouai pour chasser l'atmosphère de terreur et de menace qui s'était créée autour de nous ; alors je compris plus clairement le ridicule de notre conversation. Ainsi mise par écrit, je suppose qu'elle paraît encore plus grotesque.

« Je n'ai rien à faire des Irlandais et des astrologues et, si j'en juge par mon expérience limitée, de nos jours, les prophètes et les messies ont tendance à courir partout pour vanter leurs propres mérites. C'est très inhabituel d'espérer qu'on vous retirera la coupe. »

Ça la fit rire, mais, saisissant l'allusion, car elle connaissait bien sa Bible, elle me regarda d'un air curieux. Quant à moi, je jure que ce n'est que plus tard que je m'aperçus de ce que j'avais dit, mais je l'oubliai

814

rapidement tandis que nous poursuivions lentement notre chemin.

Lorsque j'y repense, je sais que ce moment passé sur le cheval fut le plus heureux de ma vie. Le retour de l'agréable intimité que j'avais si cruellement détruite à cause de ma jalousie était une telle bénédiction que, si cela avait été possible, j'aurais continué jusqu'à Carlisle rien que pour prolonger la situation — cette conversation entre deux amis intimes et le contact de son bras passé autour de ma taille. Malgré l'air glacial, je n'avais pas du tout froid ; j'aurais pu me trouver dans le plus spacieux salon et non pas sur une route boueuse et détrempée à près de minuit. Je suppose que c'est parce que les événements tumultueux de la soirée et de la nuit m'avaient troublé l'esprit et fait perdre ma prudence coutumière que je ne la déposai pas aux abords de la ville pour éviter que nous ne soyons vus ensemble dans cet équipage. Au contraire, je la gardai avec moi jusqu'à la taverne de mon cousin, et même alors je ne parvins pas à me séparer d'elle.

« Comment va ta mère ?

— Elle se repose tranquillement.

— Tu ne peux rien faire pour elle ? »

Elle secoua la tête.

« C'est la seule chose que j'ai jamais souhaitée qu'on m'accorde et je ne peux l'obtenir.

— Il vaut mieux que tu ailles t'occuper d'elle, alors.

— Elle n'a pas besoin de moi. Pour que je puisse assister à la réunion, une amie qui me connaît bien m'a offert de passer un moment avec elle et de ne partir que lorsqu'elle serait sûre que ma mère est endormie. Elle va bientôt mourir, mais son heure n'est pas encore venue.

— Alors reste encore un peu avec moi. »

Nous reprîmes le chemin de Merton Street et entrâmes chez moi, montant l'escalier à pas de loup afin que ma mère ne nous entendît pas ; ensuite, dans ma chambre, nous nous sommes aimés avec une passion et une violence que je n'avais jamais connues auparavant et que je n'ai jamais ressenties depuis pour quiconque ; et personne ne m'a jamais montré un tel amour non plus. Je n'avais jamais passé une nuit entière avec une femme ; je n'avais jamais dormi près d'une femme dans le calme de la nuit ; je n'avais jamais entendu son souffle, ni jamais senti sa chaleur à mes côtés. C'est un péché et un délit. Je l'avoue franchement, car c'est ce qu'on m'a toujours appris et seuls les fous ont affirmé le contraire. La Bible le dit, les Pères de l'Église l'ont affirmé, les prélats le répètent désormais à satiété, et tous les statuts du pays prescrivent un châtiment pour ce que nous fîmes cette nuit-là. Abstiens-toi des désirs charnels qui assaillent l'âme ! Il doit en être ainsi, la Bible énonce la vérité divine. J'ai péché contre la loi, contre la parole de Dieu, j'ai offensé ma famille, j'ai failli lui faire encourir l'opprobre public, j'ai à nouveau risqué d'être exclu définitivement de mon appartement où je me délectais de mes livres, mon seul plaisir et mon unique occupation. Et, pourtant, pendant toutes les années qui se sont écoulées depuis, je n'ai regretté qu'une chose : que cela n'ait duré qu'un moment qui ne se reproduisit jamais ; car je n'ai jamais été plus près de Dieu, et je n'ai jamais mieux senti Sa bonté et Son amour.

Chapitre sept

Nous ne fûmes pas découverts. Sarah se leva à l'aube et descendit à pas de loup et commença à accomplir ses tâches dans la cuisine, puis, après avoir allumé le feu et apporté l'eau, elle retourna chez sa mère. Comme je ne la revis pas pendant deux jours, je ne sus pas qu'elle trouva celle-ci abandonnée par l'amie et ayant besoin de soins ; c'est pourquoi elle s'excusa auprès de Cola et accepta l'expérience de la transfusion. On lui fit jurer de garder le silence, et Sarah respectait sa parole dans tous les domaines.

Quant à moi, je me replongeai avec délices dans le sommeil et me réveillai fort tard, si bien que plusieurs heures avaient passé lorsque je me rendis dans une auberge pour prendre un petit déjeuner de pain arrosé de bière : un luxe que je m'offre quand je me sens bien dans le monde, ou que je veux fuir la conversation de ma mère. C'est seulement à ce moment-là, alors que je rêvais devant une chope, que j'appris la nouvelle.

Les mythes sont pleins de récits destinés à nous mettre en garde contre les désirs de notre cœur. Le roi Midas voulait être si riche qu'il souhaita que tout ce qu'il touchait se transformât en or, et selon la légende il mourut de faim. Euripide parle de Tithon qu'Éos aimait tant qu'elle supplia Zeus de lui accorder la vie éternelle. Mais elle omit de demander aussi pour lui la jeunesse éternelle et il souffrit une éternité de décrépitude jusqu'à ce que même les dieux cruels aient pitié de lui.

Je souhaitais que me soit épargné le scandale que Grove, dans sa méchanceté, menaçait de me faire subir.

Quand je pensais à lui, mon humeur s'altérait et je priais pour qu'il se taise à jamais et que je ne souffre pas pour mes paroles et mes actes, même si je méritais d'être puni. À peine avais-je fini ma bière que j'appris que mon vœu avait été exaucé.

Lorsque j'entendis la nouvelle, mon sang se glaça d'horreur, car j'étais absolument certain que mes prières et ma vengeance personnelle en étaient la cause. J'avais tué un homme. Je crois qu'il n'y a pas de crime plus grave, et j'étais tellement tenaillé par le remords que je me dis qu'il me fallait avouer sur-le-champ. Ma lâcheté eut bientôt raison de cet instinct, quand je réfléchis à la honte qui s'abattrait alors sur ma famille. Et je me convainquis que je n'étais pas vraiment coupable. J'avais commis une erreur, voilà tout. Comme il n'y avait pas eu intention de tuer, ma culpabilité était limitée et le risque que je sois démasqué était faible.

Ainsi parle l'esprit, mais la conscience n'est pas si aisément amadouée. Je me remis du choc comme je le pus et cherchai à découvrir le moindre détail disponible afin de me persuader qu'en fait je n'étais pas la cause de cet affreux événement. Pendant une courte période, je réussis à me convaincre que tout allait bien, puis j'essayai de me remettre au travail, je m'aperçus rapidement que je ne parvenais plus à me concentrer, mon âme rebelle me forçant à contempler mon méfait. Et, malgré tout, je ne pouvais rien faire pour soulager ma conscience ; je perdis ma bonne humeur et bientôt le sommeil et, pendant les jours et les semaines qui suivirent, ma lutte interne me fit maigrir et altéra ma santé.

Je cherche à m'attirer la sympathie, mais je n'en mérite aucune, car il était facile de remédier à la situation et de me libérer de mon malaise. Il m'aurait suffi de déclarer : « C'est moi le coupable. » Et la question était réglée.

Mais mourir moi-même et faire subir à ma famille l'opprobre d'avoir enfanté un assassin ? Que ma mère soit huée dans la rue, qu'on lui crache dessus ? Que ma sœur soit réduite à rester vieille fille toute sa vie parce que aucun homme ne voudrait l'épouser ? Que le commerce de mon cousin dépérisse, car personne ne viendrait plus boire dans sa taverne ? C'étaient là de vraies causes de souci. Oxford n'est pas Londres, où tout péché est pardonné en moins d'une semaine, où l'on célèbre les criminels et où les voleurs sont récompensés pour leur peine. Ici tout le monde s'occupe des affaires de chacun, et le désir de respecter les bonnes mœurs est intense, quelle que soit la gravité des entorses pratiquées en secret. Aujourd'hui comme hier, j'ai toujours été avant tout loyal à ma famille. Je me suis toujours efforcé, ma vie durant, dans la mesure de mes moyens, d'apporter un certain lustre à mon nom et de maintenir ma respectabilité. J'aurais accepté que le tribunal me punît, car je ne pouvais nier que c'eût été mérité, mais j'étais horrifié à l'idée de causer un si grave dommage aux miens. Ils avaient déjà du mal à s'en sortir à cause de nos pertes pendant les troubles, et je ne voulais pas alourdir leur fardeau.

Pendant les jours suivants je ressassai mon sentiment de culpabilité, enfermé seul dans ma chambre, broyant du noir, refusant toute nourriture et toute conversation, même celle de Sarah que je ne pouvais plus regarder en face. Je lui avais dit que j'étais allé voir Grove, sans oser lui avouer ce que j'avais fait, car je n'aurais pu supporter son dégoût ; je ne voulais pas non plus en faire ma complice en l'accablant sous le poids de mes révélations. Je passai le plus clair de mon temps à prier et encore plus à fixer sans les voir des pages blanches, parce que je ne parvenais pas à forcer mon esprit à accomplir ne serait-ce que les tâches les plus monotones et les plus mécaniques.

Et durant ces quelques jours je manquai plusieurs événements qui comptent beaucoup dans mon récit. En effet, ce fut pendant cette période que Lower découvrit la bouteille de cognac et la porta chez Stahl ; qu'il disséqua le Dr Grove pour voir si le cadavre accuserait Cola en saignant ; qu'il conduisit l'expérience de la transfusion sur

Anne Blundy. C'est pendant cette période, semble-t-il, que les soupçons commencèrent à se porter sur Sarah ; je jure pourtant que je n'étais absolument pas au courant de cela. Je n'étais conscient que du malaise croissant que l'Italien provoquait chez Lower, qui craignait que Cola ne fût décidé à lui voler sa gloire.

Mon explication à propos de leur querelle est compliquée, mais je crois qu'elle sera utile. Les deux hommes, à mon avis, disent la vérité, même s'ils aboutissent à des conclusions opposées. Je ne crois pas d'ailleurs qu'il y ait nécessairement là une contradiction. J'accepte, bien sûr, le fait qu'il n'y a qu'une seule vérité, mais, sauf en de rares occasions, nous n'avons pas la possibilité de la connaître. Horace déclare : *Nec scire fas est omnia*, ce n'est pas la volonté de Dieu que nous sachions tout, phrase qui est, je crois, tirée d'Euripide. Tout connaître, c'est tout voir, et l'omniscience n'appartient qu'à Dieu. C'est l'évidence, je suppose, car si Dieu existe, il en va de même de la vérité, et si Dieu n'existait pas (hypothèse que l'on ne peut sérieusement envisager, sauf par plaisanterie philosophique), alors la vérité disparaîtrait du monde, et l'opinion d'une personne ne vaudrait pas mieux que celle d'une autre. Je pourrais aussi inverser le théorème et affirmer que si les hommes en viennent à penser que tout n'est qu'une question d'opinion, alors ils en viendront également à l'athéisme. « Qu'est-ce que la vérité ? » demande Pilate en se moquant, mais sans prendre la peine de fournir une réponse. Le fait que nous savons dans notre cœur que la vérité existe, sans avoir à aboutir à cette conclusion par un raisonnement, est à mes yeux la plus belle preuve de l'existence de Dieu, et tant que nous

nous efforcerons de la découvrir, nous nous efforcerons aussi de connaître Dieu.

En ce qui concerne Lower et Cola, le divin ne nous apporte aucun secours et nous devons nous servir de la raison du mieux possible. Cola a couché sur papier sa version des faits afin de la rendre publique ; Lower m'a fait part (ainsi qu'à beaucoup d'autres) de la sienne, bien qu'il n'ait pas daigné entrer en lice en publiant la moindre justification de ses revendications. Il avait publié son compte rendu dans les *Transactions*, m'a-t-il déclaré, parce que le Dr Wallis lui avait assuré que Cola était mort en quittant le pays. Et même s'il avait été sûr que l'homme était en parfaite santé, il l'aurait fait de toute manière. D'après ses souvenirs, les théories de Cola étaient extrêmement vagues ; il parlait de régénérer le sang par des moyens magiques, mais n'avait pas prononcé un seul mot sur la transfusion. Ce n'est que lorsque Lower avait décrit ses propres expériences sur les injections que Cola avait soudain pensé à transférer du sang nouveau et à atteindre de la sorte le but désiré. Lower avait déjà cette idée en tête depuis des mois et il ne s'agissait que d'une question de temps avant qu'il passât à l'action. Il fait remarquer que même dans le récit de Cola c'est lui qui se charge de la plupart des travaux techniques. Par conséquent, c'est lui qui devait recueillir les lauriers.

Lorsque je reçus ce compte rendu et que je comparai les deux versions je fus franchement surpris que la querelle ait même pu avoir lieu. Il me semble, en effet, que c'est la rencontre des deux hommes qui a produit le résultat et qu'ils furent autant l'un que l'autre à l'origine de cette idée. Quand j'écrivis cela à Lower, il ridiculisa mon interprétation avec une certaine âpreté, m'indiquant sans ambages (il s'exprima le plus courtoisement possible, mais son irritation était perceptible) que seul un historien — qui est dépourvu de toute idée — pouvait imaginer une telle absurdité. Il y a environ une semaine, il répéta son assertion au cours d'une de ses visites à Oxford, lesquelles se font très rares désormais, lorsqu'il vint me présenter ses respects.

La transfusion du sang, dit-il, était une découverte. Étais-je d'accord ?

J'acquiesçai.

Et l'essence d'une invention ou d'une découverte se trouvait dans l'idée, pas dans l'exécution.

D'accord.

Et elle formait un tout et ne pouvait se diviser. Une idée était semblable aux corpuscules de M. Boyle, ou aux atomes de Lucrèce : on ne pouvait la réduire davantage. C'est l'essence de la conception qui est entière et parfaite en elle-même.

C'était là un concept aristotélicien qui paraissait étrange dans sa bouche, mais je lui dis que j'étais d'accord.

On ne peut avoir une demi-idée ?

Si on ne peut la diviser, alors ce n'est, de toute évidence, pas possible.

Par conséquent, les idées doivent toutes partir d'un seul point, puisqu'une chose ne peut se trouver à deux endroits en même temps.

J'acquiesçai.

Donc, il était raisonnable d'assumer qu'une idée ne pouvait naître que dans l'esprit d'un seul homme ?

J'acquiesçai une fois encore ; il hocha la tête d'un air satisfait, convaincu d'avoir repoussé ma tentative d'opérer une aimable réconciliation entre les deux hommes. Sa logique était impeccable, mais je dois dire que je ne l'accepte toujours pas, bien que je sois incapable de dire pourquoi. Néanmoins, il passa à son théorème suivant : si l'un des deux avait conçu l'idée de la transfusion en premier, l'autre doit nécessairement mentir lorsqu'il en revendique la paternité.

Étant donné ses prémisses, je tombai d'accord que c'était à nouveau une conclusion inévitable, et Lower affirma en définitive que s'il fallait choisir entre lui et Cola sa revendication était la plus légitime, car qui ferait davantage confiance à la parole d'un dilettante italien qu'à celle d'un *gentleman* anglais ? Ce n'était pas qu'il n'arrivât pas à ce dernier de mentir, mais cela se produisait beaucoup plus rarement. Le fait est de notoriété publique et reconnu par tous. Je ne cherchai pas à savoir s'il était également reconnu par tous les Italiens.

Chapitre huit

Quoique je ne me fusse guère aventuré hors de chez moi durant cette période, dans les rares occasions où je quittai soit ma maison soit la bibliothèque je tombai sur l'Italien. La première fois, notre rencontre ne fut pas fortuite, puisque j'allai délibérément le chercher dans la gargote de la mère Jean ; la seconde, ce fut par hasard, après la pièce. La première fois, en particulier, la conversation plongea mon esprit dans la plus grande confusion.

Il a rapporté cette conversation dans son mémoire, et il est clair qu'à l'époque il croyait m'avoir berné. Il me parut réservé, courtois, intelligent, et je trouvai ses propos mesurés. Il avait, de toute évidence, le don des langues, car bien que la conversation tendît à se dérouler en latin, il me semble qu'il ne perdait pas grand-chose lorsque nous nous laissions aller à parler l'anglais. En dépit de son habileté, cependant, il se trahissait affreusement pour quiconque écoutait avec attention ; car quel médecin (ou quel soldat, d'ailleurs) aurait pu parler si savamment d'hérésies dès longtemps disparues, se référer avec une telle érudition aux œuvres d'Hippolyte et de Tertullien, ou même avoir entendu parler d'Elchesai, Zosime ou Montanus ? Les papistes, il est vrai, sont davantage intéressés par ces obscurités que les protestants qui ont appris à lire la Bible par eux-mêmes et qui ont, par conséquent, moins besoin des opinions des autres ; mais rares sont ceux, même parmi les catholiques romains les plus pieux, qui sont assez ferrés en la matière pour se servir spontanément de ces connaissances au cours de débats.

Cola ne s'était pas conduit en médecin lorsqu'il avait fouillé la chaumière des Blundy ; il ne parlait pas non plus comme un médecin. Ma curiosité à son sujet croissait de plus en plus.

Et même cela n'était pas grand-chose comparé au sujet de la discussion et aux indices qu'il me fournissait sans s'en rendre compte le moins du monde. J'ai souvent pensé à ce phénomène qui se produit si fréquemment dans la vie de tous les hommes qu'on n'y prête plus guère attention. Combien de fois, alors que j'avais eu une question à l'esprit, ai-je pris un livre au hasard sur une étagère, parfois un livre dont je n'avais jamais ouï parler, et ai-je trouvé la réponse cherchée inscrite dans les pages ! On sait que les hommes se sentent poussés vers le lieu où ils vont rencontrer pour la première fois la femme qui va devenir leur épouse. De manière similaire, même les paysans savent que laisser la Bible s'ouvrir au petit bonheur et placer le doigt au hasard sur la page ainsi révélée donnera le plus souvent le meilleur conseil qu'un homme puisse souhaiter recevoir.

Les écervelés appellent cela « coïncidence », et je note une tendance de plus en plus marquée parmi les philosophes à parler de « hasard » et de « probabilité », comme si c'était là une explication, alors que c'est plutôt une manière savante de déguiser leur ignorance. Des gens plus simples savent parfaitement de quoi il s'agit, car rien ne peut arriver par hasard quand Dieu voit et sait tout. Suggérer autre chose est, en soi, absurde. Ces coïncidences sont les signes visibles de Sa Providence manifeste, qui peuvent nous apprendre beaucoup si nous acceptons d'y voir Sa main et de contempler le sens de Ses actions.

C'est ainsi qu'à mon corps défendant je fus poussé vers la maison de Sarah, le soir même où Cola effectua sa fouille, et que, l'ayant rencontrée sur la route d'Abingdon, je la suivis ; et c'est également ce qui se passa lors de ma conversation avec Cola. Tout ce que les moqueurs appellent « hasard », « accident » ou « coïncidence » montre que Dieu intervient dans les affaires humaines. Cola aurait pu prendre n'importe quel exemple pour illustrer ses propos, et ces exemples auraient tous été aussi probants, ou même davantage, que l'évocation d'une hérésie depuis longtemps éteinte et oubliée. Aussi, sous quelle inspiration mentionna-t-il cette branche extrêmement obscure de l'hérésie montaniste ? Quel ange lui chuchota à l'oreille et dirigea son esprit, si bien que lorsque je sortis de la gargote mes membres tremblaient et que j'étais en nage ? « À chaque génération le Messie renaîtrait, serait trahi, mourrait et serait ressuscité jusqu'à ce que l'humanité se détourne du mal et ne pèche plus. » Ces paroles m'effrayèrent beaucoup, car Sarah avait prononcé exactement les mêmes quelques jours seulement auparavant.

Les jours qui suivirent, telle fut mon obsession majeure et toute pensée à propos du Dr Grove disparut de mon esprit. Je lus le peu que j'avais chez moi, puis je me rendis à New College et pillai la petite bibliothèque de Thomas Ken, sans vraiment me rendre compte de l'air désespéré et angoissé de ce pauvre garçon tourmenté. Je le regrette, car si je lui avais prêté plus d'attention il se peut qu'il aurait parlé, et il est possible que Sarah aurait été épargnée. Mais je ne fis pas cas de sa détresse, et plus tard je ne réussis pas à lui faire changer d'avis : il s'était rendu chez Grove pour l'implorer de lui pardonner de l'avoir calomnié ; c'est alors qu'il s'aperçut qu'il était pris au piège de ses mensonges, lorsqu'il tomba sur Prestcott mais ne chercha pas à prévenir le magistrat ni le guet. Il n'aurait pu démentir qu'il avait vu Sarah entrer dans l'appartement de Grove sans être obligé d'avouer qu'il avait aidé un délinquant à s'échapper. Entre la crainte de faire face au courroux de Dieu après la mort ou la vengeance du Dr Wallis ici-bas, il préféra la première solution, et il a chèrement payé ce choix depuis. Car il a laissé pendre une innocente afin de pouvoir toucher quatre-vingts livres par an. Je ne peux le condamner trop sévèrement : mon propre péché n'était guère moins grave : en effet, lorsque je me décidai à parler il était déjà trop tard.

Il me prêta tous les livres que je voulais et, une fois que j'en eus terminé la lecture, je me rendis à la Bodléienne, où je cherchai le récit dont m'avait parlé Cola. Les fragments de Tertullien et d'Hippolyte qu'il avait cités étaient exacts ; je trouvai également les références chez Eusèbe, Irénée, ainsi que chez Épiphane. Et plus je lisais, plus ma raison se rebellait contre ce que je découvrais, car comment était-il possible que, sans éducation, Sarah eût pu citer, presque mot pour mot, toute une série de prophéties faites il y avait plus de mille ans ? Il n'y avait aucun doute ; les mots étaient à maintes reprises identiques, comme si la même personne s'exprimait : cette femme morte depuis longtemps qui prophétisait du haut d'une colline d'Asie Mineure et la jeune fille qui avait parlé si étrangement de sa mort à Abingdon.

Bien que ce ne fût pas facile, je m'efforçai de faire abstraction de tout cela ; c'était une folle époque et il y avait toujours toutes sortes de délires dans l'air, même si deux décennies avaient presque épuisé le goût des hommes pour l'enthousiasme religieux. Je me dis que Sarah était la proie d'une illusion, qu'elle avait été gagnée par la corruption du temps et que, tôt ou tard, quand sa mère et son propre avenir auraient cessé de lui causer du souci, elle rejetterait ces chimères et cesserait de se mettre en danger. Il arrive souvent qu'on parvienne à se persuader soi-même, par l'exercice de la raison, que ce qu'on sait pertinemment être la vérité est en fait faux simplement parce qu'on ne la comprend pas.

Pour sortir de cette mélancolie je me forçai à reprendre la fréquentation de mes semblables et, en particulier, j'acceptai volontiers la proposition de Lower de l'accompagner avec Cola au théâtre. Je n'avais pas vu de pièce depuis près de quatre ans et, même si j'aime beaucoup ma ville, je reconnais qu'elle n'a guère de divertissements à offrir à un esprit morose ayant besoin de distractions. Ce fut un excellent moment, je m'en souviens, car, n'en déplaise à M. Cola, je trouvai l'histoire de Lear et de ses filles à la fois distrayante et émouvante ; elle était jouée, en outre, de manière admirable. Je fus également ravi de passer le reste de la soirée en bonne compagnie et, une fois de plus, l'Italien retint mon intérêt. Je bavardai avec lui pendant un très long moment et saisis cette occasion pour le sonder autant que faire se pouvait sans éveiller ses soupçons. Néanmoins, s'il y avait quelque chose à découvrir, cela échappa à ma vigilance : Cola éluda aisément mes questions, revenant sans cesse à des sujets dans lesquels ses croyances et ses opinions personnelles ne jouaient aucun rôle. En fait, il semblait tout à fait conscient de ma curiosité et s'amusait à éviter de me fournir aucune réponse d'importance.

Je ne pouvais pas, bien sûr, l'interroger franchement sur ce qui m'intéressait. Quel que fût mon désir d'apprendre pourquoi il avait fouillé la chaumière de Sarah Blundy, il m'était impossible de poser la question d'une façon susceptible de produire une réponse utile. Lorsqu'il s'en alla, il avait bien compris que j'avais des soupçons sur lui, et il me regardait avec davantage de circonspection et de respect qu'auparavant.

Lui et Lower partis, Locke et moi passâmes une heure de plus à bavarder agréablement avant de quitter l'auberge à notre tour et de rentrer chez nous. Je souhaitai bonne nuit à ma mère et fis ma lecture quotidienne de la Bible pendant quelque temps. J'étais sur le point de me retirer pour la nuit quand de grands coups frappés en bas m'obligèrent à redescendre pour rouvrir la porte que je venais de fermer si laborieusement. C'était Lower. Il s'excusa abondamment de me déranger ainsi puis me pria de lui consacrer un moment.

« Je suis absolument perplexe », dit-il, quand je l'eus fait entrer dans ma chambre en lui demandant de parler plus bas. Ma mère ne supportait pas le moindre dérangement le soir et j'aurais eu à subir plusieurs jours de mauvaise humeur si la conversation de Lower ou le bruit de ses chaussures l'avait réveillée.

« Que penses-tu de Cola ? » me demanda-t-il à brûle-pourpoint.

Je fis une réponse évasive, puisqu'il était clair que mon opinion n'avait pas la moindre importance : « Pourquoi cette question ?

— Parce que je ne cesse d'entendre des choses atroces sur son compte. J'ai été appelé par le Dr Wallis, comme tu le sais. Ce Cola a non seulement l'habitude de voler les idées des autres, mais maintenant Wallis semble croire qu'il est peut-être plus ou moins impliqué dans la mort du Dr Grove. Sais-tu que j'ai anatomisé l'homme ? Il s'agissait de voir si le corps accusait Cola.

— Et ça a été le cas ? »

Mon cœur se mit à battre plus vite à l'évocation de ce sujet. Mon pire cauchemar se matérialisait sous mes yeux et je ne savais pas du tout comment réagir. Jusqu'à ce moment-là, j'ignorais totalement qu'on faisait une enquête sur la mort de Grove. Non seulement je m'étais convaincu que j'étais en sécurité, mais j'avais réussi à presque me persuader que sa mort ne me concernait pas.

« Non. Bien sûr. Mais il n'est pas impossible qu'il l'ait fait : une fois Grove découpé, il était difficile de dire si le saignement était une accusation ou non. Quoi qu'il en soit, le résultat n'a pas été probant.

— Pourquoi Wallis croit-il cela ?

— Je n'en ai pas la moindre idée. C'est un homme taciturne qui ne parle que s'il ne peut pas faire autrement. Mais ses mises en garde m'ont inquiété. Et il semble que je dois emmener Cola en tournée avec moi. Je ne vais plus fermer l'œil de la nuit, sûr qu'il va me plonger un stylet dans le cœur.

— À ta place, je ne m'en ferais pas trop. Pour un étranger, il m'a paru parfaitement ordinaire. Et je sais par expérience que le Dr Wallis prend un étrange plaisir à donner l'impression qu'il en sait plus que les autres. Très souvent ce n'est qu'un procédé destiné à encourager les confidences. »

Lower poussa un grognement.

« Malgré tout, l'homme a quelque chose de bizarre. Maintenant qu'on me l'a fait remarquer, je m'en rends bien compte. D'abord, qu'est-ce qu'il fait ici ? Il est censé tirer au clair des affaires familiales et devrait se trouver à Londres. Or je sais qu'il ne s'en est pas occupé le moins du monde. Au lieu de cela, il s'est mis au service de Boyle, se montre particulièrement obséquieux avec lui et prend des patients en ville.

— Une seule patiente, sans aucun doute, lui signalai-je. Et elle ne compte guère.

— Mais s'il décide de rester ? Un médecin élégant qui vient du continent. Mauvaise nouvelle pour moi ; et il a un désir extraordinaire de tout connaître sur mes patients. Je crois sincèrement qu'il songe à me les voler.

— Lower, lui dis-je avec sévérité, pour un homme sensé, parfois tu te conduis comme le plus grand imbécile que je connaisse. Pourquoi un homme fortuné, fils d'un riche marchand italien, voudrait-il s'installer à Oxford pour te prendre tes patients ? Sois raisonnable, mon ami ! »

Il concéda ce point avec beaucoup de réticence.

« À propos de son implication dans la mort du Dr Grove, repris-je, je dois dire que cela relève du plus pur fantasme. Pourquoi lui ou quiconque aurait-il voulu le tuer ? Tu sais ce que je pense ?

— Quoi ?

— Je pense que Grove s'est tué lui-même. Pas de propos délibéré, mais tout simplement par accident peut-être. »

Lower secoua la tête.

« Il ne s'agit pas de ça. Le problème c'est que je dois passer les sept prochains jours en compagnie d'un homme dont je me méfie de plus en plus. Que dois-je faire à ce sujet ?

— Annule la tournée.

— J'ai besoin d'argent.

— Vas-y tout seul.

— Ce serait le comble de l'impolitesse que de retirer une invitation après l'avoir faite.

— Souffre en silence, ne condamne pas en te fondant sur l'opinion des autres, et essaie de découvrir par toi-même qui il est. Entre-temps, puisque tu es là et que tu le connais mieux que quiconque, je dois te demander ton avis à propos de quelque chose. Je le fais sans enthousiasme, parce que je répugne à exciter encore plus tes soupçons, mais c'est une curiosité que je ne peux expliquer.

— Vas-y ! »

C'est ainsi que, de la manière la moins sensationnelle possible, je relatai ma visite chez les Blundy et racontai comment j'avais vu entrer Cola, lequel, après s'être assuré que la vieille femme était endormie, s'était livré à une fouille en règle des lieux. Je décidai de laisser de côté ce qui s'était passé ensuite.

« Pourquoi ne demandes-tu pas à Sarah Blundy s'il manque quelque chose ?

— C'est son médecin. Je ne veux pas saper sa confiance, ni qu'il refuse à nouveau de soigner sa mère. Qu'en penses-tu ?

— Que je vais mettre ma bourse sous mon oreiller quand on sera dans le même lit. Cela semble bizarre que, après avoir déployé beaucoup d'efforts pour calmer mes soupçons, tu les réveilles en fin de compte.

— Excuse-moi ! Il se comporte d'étrange manière, pourtant je ne crois guère que tes craintes soient vraiment fondées. »

Cette conversation raviva mes propres inquiétudes, mais je souligne qu'à aucun moment Lower ne signala que le magistrat avait déjà commencé son enquête sur

Sarah et qu'elle était considérée comme une éventuelle coupable. Si cela avait été le cas, j'aurais eu une autre attitude. Au contraire, lorsque Lower m'eut abandonné à ma paisible solitude, mes pensées se tournèrent une fois de plus vers l'étrange comportement de Cola et je résolus d'aller au fond des choses. Tout d'abord, cependant, je décidai que, même si Cola était son médecin, il valait mieux interroger Sarah sur la question.

« Sur cette étagère ? demanda-t-elle quand je lui fis part de l'incident. Il n'y a là rien de valeur. Seulement quelques livres qui appartenaient à mon père. » Elle examina les livres avec attention. « Il en manque un, reprit-elle, mais je ne l'ai jamais lu car il était en latin.

— Ton père lisait le latin ? » dis-je, quelque peu surpris. C'était un homme de talent, ça je le savais, mais je ne me rendais pas compte qu'il avait poussé si loin ses études personnelles.

« Non. Il pensait que c'était une langue morte qui ne pouvait intéresser que les imbéciles et les antiquaires. Sauf votre respect, ajouta-t-elle avec un petit sourire. Il souhaitait créer un nouveau monde, et non pas redonner vie à une ancienne civilisation. De plus, il m'avait dit une fois qu'il ne croyait pas que nous ayons quoi que ce soit à apprendre de maîtres d'esclaves païens. »

Je passai sous silence ma désapprobation.

« Alors d'où venaient donc tous ces livres ? »

Elle haussa les épaules.

« Je m'en suis seulement préoccupée lorsque j'ai songé à les vendre. J'en ai parlé à un libraire, mais il m'en offrait une misère. J'allais vous les donner en remerciement de vos bontés si vous vouliez bien les accepter.

— Tu me connais trop bien pour imaginer que je refuserais facilement des livres... Mais c'est ce que je vais faire. Tu n'es pas en position d'être si généreuse. J'insisterais pour te les payer.

— Et je repousserais cette proposition.

— Ainsi nous pourrions nous disputer un bon moment à ce sujet. Et il y a des choses plus urgentes à faire. Quoi qu'il en soit, tu ne peux pas donner et je ne peux pas acheter ce qui est peut-être entre les mains de M. Cola. Je dois voir si je peux avant tout récupérer ce livre. »

Je commençai par me rendre jusqu'à Christ Church College pour m'assurer que Lower et Cola étaient effectivement partis ce matin-là en tournée. Puis j'allai à St. Giles Street, chez Mme Bulstrode, la propriétaire de Cola.

Je connaissais cette dame depuis au moins l'âge de cinq ans. Avant d'épuiser les occupations de l'enfance, j'avais joué avec son fils qui avait à peu près mon âge et qui est aujourd'hui négociant en blé à Witney. Elle m'avait souvent donné une pomme de son jardin ou une cuiller de son délicieux miel en provenance des ruches qu'elle possédait sur une minuscule parcelle de terrain et qu'elle se plaisait à appeler pompeusement sa « propriété à la campagne ». Elle avait des prétentions malgré l'austérité de sa religion et elle aimait jouer les grandes dames. Ceux qui la connaissaient assez bien pour la démasquer se moquaient d'elle sans merci ; ceux qui la connaissaient mieux voyaient la générosité cachée et lui pardonnaient un défaut qui, malgré sa gravité, ne l'avait jamais empêchée d'accomplir un acte charitable ni de prononcer une parole de réconfort.

On m'accueillit dans la cuisine — j'étais une connaissance d'assez longue date pour frapper à la porte de derrière —, et je fus reçu avec beaucoup de chaleur. Ce n'est qu'après une demi-heure de conversation que j'osai aborder la question qui me préoccupait. J'expliquai que j'étais une relation proche de M. Cola.

« Je suis ravie de l'apprendre, Anthony, dit-elle avec gravité. Si c'est l'un de tes amis, alors ce ne doit pas être très mal de le connaître.

— Pourquoi dites-vous cela ? Il s'est mal conduit ?

833

— Pas exactement, concéda-t-elle. En fait, il est à tous égards extrêmement bien élevé. Mais c'est un papiste, et je n'ai jamais hébergé ce genre de personne auparavant. Et je n'en veux plus d'autre. Même si je pense qu'on peut encore l'attirer vers nous. Sais-tu qu'il a prié avec nous l'autre soir ? Il est allé à l'église avec M. Lower, dimanche dernier, et il a dit qu'il avait trouvé l'expérience tout à fait exaltante.

— Je suis charmé de l'apprendre. Et pour ma part, je puis confirmer que c'est un homme bon puisqu'il soigne la mère de notre servante pour un prix modique. Je pense que vous pouvez dormir sur vos deux oreilles. Cependant, voici ce que je voudrais vous demander : pourrais-je entrer dans sa chambre, car il m'a emprunté quelque chose dont j'ai particulièrement besoin pour mon travail ? Et on me dit qu'il est parti pour une semaine. »

La permission me fut accordée sur-le-champ. Et comme je savais où se trouvait la chambre, on me laissa monter tranquillement les deux étages menant à la petite mansarde louée par Cola. À l'intérieur, la chambre étant sous la juridiction de Mme Bulstrode, rien d'étonnant à ce que tout fût impeccablement propre, vu que cette dernière considérait la poussière comme la semence du diable et qu'elle ne cessait jamais ses campagnes d'exorcisme. Cola possédait peu d'affaires, et la plupart se trouvaient dans une grande malle de voyage. Cette malle était malheureusement fermée à double tour.

Parvenu jusque-là, et bien décidé à ne pas rentrer bredouille, j'examinai cet énorme coffre avec la plus grande attention, dans l'espoir qu'il s'ouvrirait soudain sous mes yeux. Il était conçu non seulement pour décourager les voleurs mais également les pareilles de Mme Bulstrode, laquelle l'aurait certainement inspecté si une occasion sans risque s'était présentée, l'inconnu suscitant sa curiosité à l'instar du plus passionné des expérimentalistes. Ayant le choix entre la violence ou la clef, je ne pouvais utiliser ni l'une ni l'autre.

Mes regards intenses et prolongés ne produisant guère d'effet, je finis par accepter le fait que l'ardeur de mes souhaits n'était pas un « sésame ouvre-toi ». C'est donc la mort dans l'âme et en proie à un assez vif ressentiment que je me relevai et m'apprêtai à partir. Mais d'abord, en un geste de pure colère, je décochai à la malle un vigoureux coup de pied de mécontentement.

C'est alors qu'elle s'ouvrit avec un bruit sourd, la serrure étant très ingénieusement munie d'un ressort, dispositif que je n'avais jamais rencontré auparavant. Cela m'étonna beaucoup et je ne m'expliquai pas comment on pouvait être négligent au point de laisser ainsi tous ses biens sans protection. En lisant le manuscrit, je compris que la violente chute subie pendant le voyage de Londres à Oxford avait brisé la serrure et l'avait rendue inefficace.

On ne doit jamais mépriser les dons de Dieu. S'il lui avait plu d'exaucer mes vœux, j'étais sûr que c'était pour une bonne raison. Une prière de reconnaissance sur les lèvres, je m'agenouillai devant la malle comme s'il s'était agi d'un autel, puis je commençai ma fouille d'une manière aussi méthodique que celle employée par Cola lui-même dans la maison de Sarah Blundy.

Je ne vais pas faire la liste de ses biens, commenter la qualité de ses vêtements ni les sacs pleins d'argent qui démentaient sa soi-disant pauvreté. Car il possédait au moins cent livres sterling en or. Loin d'en être réduit à devoir prendre des patients pour survivre, il était assez riche pour mener le train de vie d'un homme de qualité pendant bien plus d'un an. Non, je vais simplement dire que, presque au fond de la malle, je découvris rapidement trois livres, enveloppés dans une chemise de corps, comme si c'étaient les objets les plus précieux du monde ; leur était jointe une feuille de papier où étaient inscrits le nom d'une taverne de Cheapside appelée The Bells et plusieurs autres gribouillis qui semblaient également être des adresses.

Le premier livre était particulièrement magnifique, incrusté d'or, garni d'une fermeture de métal finement ciselée et emboutie. C'est ma passion de bibliophile qui me fit prendre mon temps pour l'examiner, car il s'agissait du plus beau travail vénitien, un travail rarement vu dans notre pays. Je ressentis un accès de la plus vive jalousie en le contemplant, et je jure que si j'avais été un tant soit peu moins honnête je l'aurais pris également. Il est bien, sans doute, qu'on imprime aujourd'hui tant de livres et que leur coût baisse régulièrement, même en ce qui concerne les meilleurs ouvrages savants. Je m'estime heureux de vivre dans notre pays où l'on peut se procurer des livres pour un prix raisonnable, bien qu'ils soient cependant plus chers qu'aux Pays-Bas, où j'irais si j'aimais les voyages, car je pourrais y acheter de nombreux ouvrages et me rembourser le prix du trajet grâce aux économies ainsi pratiquées. Mais parfois je me rends compte que cette heureuse situation comporte des inconvénients.

Bien sûr, ce qui importe c'est le savoir. Bien sûr, la qualité de la science doit tout primer, et il vaut mieux que la sagesse soit mise à la portée du plus grand nombre, car *sine doctrina, vita est quasi morti imago*, dit Dionysus Caton : sans savoir, la vie n'est que l'image de la mort. Et, naturellement, s'il en allait autrement, je pourrais acquérir beaucoup moins de livres. Mais il m'arrive de regretter l'époque où les gens estimaient les livres à leur juste valeur et dépensaient de fortes sommes pour les acheter. Parfois, quand à la Bodléienne ma concentration faiblit et que mon ardeur décroît, je demande l'un de ces merveilleux codex qui sont parvenus jusqu'à notre bibliothèque. Ou bien je me rends dans un collège pour parcourir un livre d'heures, m'émerveillant devant l'amour et l'habileté qu'il fallut pour fabriquer des œuvres aussi magnifiques. J'imagine les hommes qui les ont créées — scribes, papetiers, illustrateurs, relieurs — et je les compare aux misérables et tristes volumes qui ornent mes étagères. Il existe la même différence qu'entre une salle où se réunissent des quakers et une église catholique. La première est consacrée au verbe et à rien d'autre, ce qui implique une certaine vertu, je suppose. Mais Dieu n'est pas que verbe, même s'il le fut au commencement. La parole humaine seule est quasiment impropre à exprimer Sa gloire, et la mesquinerie des constructions protestantes est une insulte à Son nom. Nous vivons aujourd'hui à une époque où les demeures des politiciens sont plus imposantes que la maison de Dieu. Cela ne reflète-t-il pas notre corruption ?

Je restai donc assis à repaître mes yeux de ce petit livre de Cola tout en passant le doigt sur les détails complexes de la reliure. Une salle — non, une seule étagère — de livres semblables à celui-là me procurerait une joie infinie... Autant nourrir l'ambition de devenir chancelier d'Angleterre que d'espérer posséder une telle merveille ! C'était un psautier, et un beau spécimen... Je fis donc jouer le petit fermoir et j'ouvris pour voir si l'impression était à la hauteur de la reliure, car je savais bien que le travail vénitien était le meilleur du monde.

Et je reçus un terrible choc : deux cavités avaient été soigneusement creusées à l'intérieur du livre. Je fus d'abord désespéré : charcuter un si merveilleux objet était à mes yeux quasiment l'équivalent d'un sacrilège. Puis je me concentrai sur les trois petits flacons qui s'encastraient si parfaitement dans les cavités, chacun étant hermétiquement bouché. L'un contenait un liquide épais et sombre ressemblant à de l'huile, un autre un liquide clair qui aurait pu tout aussi bien être de l'eau. Le troisième, cependant, était le plus intéressant, car c'était le plus travaillé des trois ; il était recouvert d'or et de joyaux et valait, bien que je ne fusse pas expert en la matière, des dizaines et des dizaines de livres sterling. Il ne renfermait qu'un vieux morceau de bois épais et sans forme. Mais même une buse comme moi comprit de quoi il s'agissait.

Je le mis donc de côté et, dévoré de curiosité à propos du premier livre, j'examinai les deux autres d'un œil distrait. Au bout de quelques minutes, alors que j'étais en train de les feuilleter, l'esprit ailleurs, je m'aperçus qu'il y avait là quelque chose d'extrêmement étrange et significatif. Car les deux volumes étaient identiques ; l'un des deux provenait de chez Sarah, alors que l'autre devait, sans doute, appartenir à Cola. C'était l'un des tomes de l'*Histoire* de Tite-Live, dans la même édition que celle que Wallis m'avait prié avec tant d'insistance de lui dénicher bien des mois auparavant.

Sarah Blundy fut arrêtée le lendemain, à l'instigation de John Wallis, je le sais maintenant ; la nouvelle déferla sur la ville et sur l'université comme un raz-de-marée s'engouffrant dans une crique par grand vent. Tout le monde savait qu'elle était coupable et applaudissait le magistrat de sa détermination, tout en le critiquant d'avoir tardé à prendre une décision qui, rétrospectivement, avait été évidente aux yeux de tous les citadins dès le moment où ils avaient appris la mort du Dr Grove.

Deux personnes seulement, à mon avis, pensaient différemment — moi-même, qui savais la vérité, et ma mère dont la conviction était d'autant plus méritoire qu'elle n'était fondée sur rien. Mais, comme elle me le dit, elle connaissait la fille. Elle refusait d'admettre qu'un membre de sa maisonnée pût agir de la sorte. Si elle avait appris la vérité, je pense que ça l'aurait tuée.

C'était une étrange femme, ma chère mère, la meilleure mère qui fût. Stricte et pointilleuse à tous égards, jalouse de ses droits et attentive aux devoirs des autres. Personne, ni homme ni femme, n'était plus prompt qu'elle à condamner le péché ou à critiquer un manquement à la morale. Aucune femme n'était plus assidue dans ses dévotions ; elle ne priait pas moins de dix minutes chaque matin au lever et plus d'un quart d'heure chaque soir avant de se retirer pour la nuit. Elle assistait aux offices des meilleures églises, écoutant attentivement les sermons que, souvent, elle ne comprenait pas, mais qu'elle trouvait exaltants néanmoins. Et elle exerçait la charité avec une extrême parcimonie, si bien que les nécessiteux ne recevaient de sa poche ni trop ni trop peu. Sans aucun doute, elle ne dépensait qu'à bon escient tout en prenant bien garde à sa réputation, mais ces deux qualités ne remplaçaient pas ses devoirs envers Dieu.

Elle était si assurée de connaître la volonté de Dieu que lorsque l'opinion publique et la sienne différaient sur un point de détail elle était absolument certaine d'avoir raison. Lorsqu'elle apprit l'arrestation de Sarah, elle annonça sans tarder dans notre grande cuisine qu'on avait commis une grave injustice. Sarah (pour qui elle ressentait désormais une affection de propriétaire) n'avait rien à se reprocher en la matière, affirma-t-elle. Elle n'avait pas touché à un seul cheveu de la tête de ce gros prélat et si elle y était pour quelque chose, alors c'était sûrement bien mérité. Loin de se contenter de simples paroles, elle prépara immédiatement un panier de provisions ainsi qu'un pot de bière brassée à la maison et se dirigea d'un bon pas vers la chaumière de Mme Blundy pour y chercher des vêtements chauds, après avoir pris sur mon lit ma plus chaude couverture (en fait, la seule que je possédais) ; puis, au vu et au su de tous, elle se rendit à la prison où elle s'employa à réconforter la pauvre fille. Elle s'assura, grâce aux vêtements, aux provisions, ainsi qu'aux fermes mises en garde à l'adresse du geôlier, que Sarah serait, dans la mesure du possible, prémunie contre le typhus.

« Elle a demandé à te voir », me dit-elle à son retour. Elle n'était pas de bonne humeur, ayant été l'objet des risées de plusieurs de ces vauriens qui traînent autour de la prison en attendant les assises et qui prennent un malin plaisir à voir arriver les prisonniers enchaînés. Je ne sais pourquoi ces gens n'ont rien de mieux à faire, mais je suis certain qu'une ville bien tenue les chasserait ou les punirait sévèrement de leur oisiveté. « Et tu dois y aller tout de suite. »

Mon cœur battit la chamade en entendant ces mots. Je me sentais comme le bœuf au bout d'une corde qu'on tire vers l'abattoir et qui se débat pour échapper à l'imparable anéantissement. Avant d'apprendre l'arrestation, je m'étais convaincu que le pire était passé ; si personne n'était accusé de la mort de Grove, j'aurais été bien bête de proposer ma tête. En apprenant ce qui était arrivé à Sarah, j'entendis également le bruit de la corde, et mon estomac se serra dès que j'envisageai l'inévitable se dresser devant moi.

Bien sûr, il me fallait aller la voir. Je réussis même à me mettre en colère contre elle, comme si elle était responsable d'être soupçonnée tout à fait à tort ; mais en gravissant les marches de pierre de la prison, je savais aussi que c'était par pur désespoir de me retrouver si fermement pris au piège. Tôt ou tard, il me faudrait reconnaître mon méfait, car, si j'avais commis un crime en tuant Grove, je ne voulais pas qu'une autre âme fût ajoutée dans le plateau de la balance.

À ma grande surprise, je trouvai Sarah de bonne humeur. Le cachot des femmes n'avait pas encore été envahi par la horde de vieilles biques qui allaient y être bientôt emmenées en provenance des quatre coins du comté dans l'attente du bon plaisir du juge, et elle ne s'y trouvait que depuis quelques heures. L'obscurité et l'humidité n'avaient pas encore commencé leur œuvre délétère sur son esprit.

« Allons, quittez cet air lugubre ! me dit-elle, en voyant ma triste figure lui apparaître soudain dans la pénombre. C'est moi qui suis en prison, pas vous. Si j'arrive à être de bonne humeur, vous pouvez bien réussir à prendre une mine plus réjouie.

— Comment peux-tu l'être dans un tel lieu ?

— Parce que j'ai la conscience tranquille et que je crois que le Seigneur me protégera. Toute ma vie j'ai œuvré de mon mieux pour Sa gloire et je refuse d'accepter qu'Il puisse m'abandonner aujourd'hui.

— Et si c'est le cas ?

— Alors, ce sera pour une bonne raison. »

Parfois, je l'avoue, une telle humilité me fatigue à l'excès. Mais j'étais venu dans le dessein de lui donner du courage, et comme elle en avait déjà, ce n'était pas à moi de la convaincre que son optimisme était mal placé.

« Vous pensez que je suis sotte, dit-elle. Vous avez tort. Car je sais que je n'ai rien à voir dans cette affaire.

— Bien sûr, et Dieu le sait également. Comme moi-même. Mais, est-ce que le tribunal sera dans Sa confidence, ça c'est une autre question.

— Que peut-il faire ? Les tribunaux doivent apporter des preuves, n'est-ce pas ? Et vous savez aussi bien que moi où je me trouvais ce soir-là.

— Et si nécessaire, tu dois le dire », affirmai-je.

Mais elle secoua la tête. « Non. Cela remplacerait un scandale par un autre, et je refuse. Croyez-moi, Anthony, ce ne sera pas nécessaire.

— Alors c'est moi qui le dirai.

— Non, déclara-t-elle d'un ton ferme. Je suppose que vous croyez agir par bonté, mais ce n'est pas vous qui en souffrirez. Le tribunal ne vous infligerait pratiquement aucune peine, et moi, je devrais partir, et je ne peux abandonner ma mère dans l'état où elle est. Je ne peux pas non plus laisser exposer à des sanctions les gens d'Abingdon et d'ailleurs. Croyez-moi, Anthony, il n'y a aucun danger. Personne ne pourrait penser que je voudrais ou pourrais me conduire de la sorte. »

Je fis de mon mieux pour la persuader qu'elle avait tort, que non seulement la ville était susceptible de penser ainsi, mais qu'elle était déjà convaincue de sa culpabilité. Pourtant, elle refusa de m'entendre, et finalement elle me demanda ou bien de parler d'autre chose ou bien de la laisser en paix. Son ton était péremptoire, ce qui était étrange, vu sa condition présente, mais tout à fait en accord avec son caractère.

« Vous ne parlerez de cela à personne, dit-elle. Je vous le demande et vous l'ordonne. Vous ne direz que ce que je vous permets et rien de plus. Vous ne vous mêlerez pas de cette affaire. C'est compris ? »

Je la regardai d'un air étrange, car bien qu'elle ne fût qu'une servante, elle avait l'aspect et le ton d'une personne née pour commander : aucun souverain n'aurait pu donner des ordres avec une telle résolution, ni avec une telle assurance d'être obéi.

« Très bien, alors, fis-je, à contrecœur et après un long silence pendant lequel elle attendit l'accord qu'elle était sûre d'obtenir. Parle-moi de ce Cola.

— Qu'y a-t-il à dire que vous n'ayez déjà vu de vos propres yeux ?

— C'est peut-être important. Et ce que j'ai vu me déroute quelque peu. Je l'ai vu s'approcher de toi puis reculer d'horreur. Ce n'est pas ton attitude qui l'a fait reculer ; c'était plutôt comme si ses propres gestes l'avaient horrifié. Est-ce la vérité ? »

Elle l'admit.

« Et tu l'aurais laissé faire ce qu'il voulait s'il ne s'était pas retiré ?

— Vous m'aviez déjà dit que je n'avais rien à perdre, et je suppose que c'est le cas. S'il avait tenu à être payé, il m'était difficile de m'opposer à ce qu'il se paie. Aucune protestation avant ou après n'aurait pu servir à rien. D'autres m'ont appris cette vérité. » Elle me toucha le bras en voyant mon visage se fermer. « Je ne parle pas de vous.

— Et pourtant il s'est retiré. Pourquoi ?

— Je suppose que je le dégoûtais.

— Non, impossible. »

Elle sourit.

« Merci de cette gentillesse.

— Je veux simplement dire que ça ne cadre pas avec ce que j'ai vu.

— Peut-être a-t-il une conscience. Auquel cas vous êtes les deux seuls hommes de ma connaissance qui en sont pourvus. »

Je baissai la tête à ces mots. J'avais en effet une conscience ; à cette époque, pas une minute ne s'écoulait sans que je m'en rende compte. Écouter ses avertissements et les mettre en pratique étaient deux choses différentes, cependant. J'étais donc là, auteur des malheurs de cette jeune fille et capable d'y mettre fin d'un seul mot. Et que faisais-je ? Je la réconfortais, jouant le rôle de soutien compatissant. J'étais si généreux et si attentionné que cela dissimulait entièrement ma turpitude, à tel point que personne ne soupçonnait la profondeur du sentiment de culpabilité qui, jour après jour, devenait plus profond et plus monstrueux. Et je ne trouvais toujours pas le courage de faire ce que j'aurais dû. Ce n'était pas l'envie qui me manquait : à maintes reprises, je m'imaginai me rendant chez le magistrat pour lui avouer ce qui s'était passé et échanger ma vie contre la sienne. Je me vis maintes fois jouer les stoïques et me sacrifier avec panache et une honnêteté sans faille.

« J'ai récupéré l'objet qu'il a volé, dis-je, et je suis terriblement intrigué. C'est un livre de Tite-Live. D'où venait-il ?

— Je crois qu'il se trouvait avec le ballot laissé par mon père, juste avant sa mort.

— Dans ce cas, et avec ta permission, j'aimerais ouvrir ce ballot. Je n'y ai jamais touché parce que tu m'avais demandé de ne pas le faire, mais maintenant il me semble que nous le devons. Il se peut qu'il contienne la réponse. »

Je m'apprêtai alors à m'en aller ; auparavant, je l'implorai une fois de plus de me laisser parler, dans l'espoir qu'elle pourrait être innocentée sans que j'eusse à avouer. Mais elle refusa et il me fallait respecter sa volonté ; vu les circonstances, je ne pouvais guère espérer m'en tirer en lui infligeant de nouvelles peines.

Chapitre neuf

Je dois parler de ce livre, me semble-t-il, car j'ai oublié de signaler que je l'avais examiné. En apparence, il ne possédait rien de remarquable : un simple in-octavo, relié en veau de piètre qualité, et dont le repoussé avait été pratiqué par un homme habile, mais qui était loin d'être un maître de l'art. Aucune marque n'indiquait le propriétaire, mais j'étais sûr qu'il ne provenait pas de la bibliothèque d'un érudit, car je n'en connaissais aucun qui n'y marquât pas clairement son nom et l'endroit de sa bibliothèque où le livre était rangé. Il n'y avait pas non plus le genre d'annotation que je me serais attendu à trouver dans les marges d'un livre lu avec attention et étudié avec soin. Il était cabossé et abîmé, cependant mon œil exercé m'apprit que c'était davantage dû à de mauvais traitements et à des manipulations maladroites qu'au fait qu'on l'avait lu et relu ; le dos, en excellente condition, était la partie la moins détériorée du livre.

À l'intérieur, le texte était intact, à part quelques petites marques à l'encre qui soulignaient certaines lettres. À la première page, un « b » était signalé de la sorte ; un « f » à la seconde, etc. Il y avait une lettre marquée à chaque ligne et, comme je savais que Wallis s'intéressait aux rébus, je pensai que cela formait peut-être un acrostiche. Aussi notai-je toutes ces lettres, mais je n'obtins qu'un méli-mélo totalement dénué de sens.

Je passai une bonne demi-journée à ces recherches infructueuses avant de reconnaître ma défaite, puis je rangeai le livre derrière d'autres ouvrages afin de le dissimuler aux yeux de quiconque viendrait fouiller dans ma bibliothèque. Je m'intéressai ensuite au ballot, toujours fermé par des sceaux intacts. Même aujourd'hui, il est étrange de se dire qu'un si petit objet avait déclenché une telle fureur de par le monde, que tant de gens avaient envisagé tant de cruauté pour s'en emparer et qu'à mon insu j'avais détenu si longtemps une arme aussi puissante. Ce n'est qu'en l'ouvrant que je me rendis compte de tout cela.

Une demi-journée passée à analyser le contenu avec soin me révéla toute l'histoire secrète du royaume. Ce n'est qu'après avoir lu le récit de Wallis que je saisis parfaitement comment ces questions affectaient pleinement la tragédie se déroulant sous mes yeux et que je compris à quel point le mathématicien avait été trompé par John Thurloe, lequel était peut-être toujours la personne la plus puissante du pays, bien qu'il ne détînt aucun poste. Ce qu'il déclara à Wallis était vrai dans une certaine mesure : son récit, selon lequel sir James Prestcott et Ned Blundy, fanatiques tous les deux bien qu'œuvrant pour des causes différentes, formèrent une alliance, fut confirmé dans le moindre détail, car la moitié des documents au moins étaient des lettres qu'avaient échangées Thurloe et Clarendon, Cromwell et le roi, dans lesquelles la politesse dont ils faisaient preuve mutuellement était aussi frappante que la connaissance par chacun du caractère et des aspirations des autres. Une lettre, en particulier, aurait causé un scandale si elle avait été publiée : elle révélait expressément que le roi avait ordonné à Mordaunt de transmettre des détails du soulèvement de 1659. Un feuillet qui lui était adjoint énumérait trois douzaines de noms, de nombreuses caches d'armes et des informations sur des lieux de réunion. Même moi, je savais que de nombreuses personnes figurant sur cette liste avaient été tuées par la suite. Un autre feuillet contenait l'ébauche d'un accord entre Charles et Thurloe, stipulant les conditions d'une restauration de la monarchie, signalant qui il fallait favoriser, les limites à placer au pouvoir du roi, et indiquant les grandes lignes des lois destinées à mettre les catholiques sous surveillance.

Il est clair que, si sir James Prestcott avait récupéré ces documents et les avait rendus publics, la cause royale aurait volé en éclats, ainsi que la carrière de John Thurloe, car les deux parties auraient rejeté sans appel ces personnes qui étaient prêtes à abandonner des principes établis au prix de tant de sang versé. Ces papiers ne formaient, cependant, qu'une petite partie du ballot, et même s'ils avaient représenté un énorme danger en 1660, je doute que cela ait pu ébranler le trône en 1663. Non... Les documents les plus dangereux se trouvaient dans un paquet séparé, et ils avaient de toute évidence été fournis par sir James Prestcott lui-même. En effet, comme le nitre et le salpêtre ne sont guère délétères quand ils sont séparés, mais peuvent faire s'écrouler le château le plus imprenable lorsqu'on les mêle pour fabriquer la poudre à canon, de même ces deux séries de documents se renforçaient l'une l'autre lorsqu'on les regroupait.

Car sir James Prestcott était catholique et associé à cette conspiration papiste ayant pour but de faire repasser l'Angleterre sous l'emprise de Rome. Bien sûr qu'il l'était ; autrement, pourquoi son fils aurait-il obtenu le soutien de ce papiste de comte de Bristol ? Quoi d'autre pourrait expliquer le silence horrifié de sa famille, le refus de celle-ci de parler des maux non spécifiés qu'il lui avait infligés, refus noté par Jack Prestcott mais qu'il attribue, une fois de plus, à leur sécheresse de cœur ? Les membres de la famille de sa femme étant des protestants fervents, que l'un des leurs fût sous l'obédience de Rome leur paraissait impardonnable. Pour quelle autre raison, contre tout instinct du devoir, auraient-ils refusé d'aider sir James lorsqu'il eut des ennuis ? Pourquoi auraient-ils expédié le jeune Jack chez les Compton, où il pouvait être placé sous le joug de Robert Grove, cet anglican convaincu ? Il est dans la nature des papistes de faire tomber dans leurs rets les membres de leur propre famille, de s'immiscer dans leurs esprits et de les corrompre. Y avait-il le moindre espoir qu'un jeune homme aussi influençable que Jack Prestcott fût capable de résister à l'influence de son père adoré ? Non. Quoi qu'il arrivât, il était essentiel pour sa sécurité et la position de sa famille qu'il fût protégé et que, après avoir abandonné ses propriétés, sir James ne les récupérât jamais. À mon avis, la famille doit être acquittée des chefs de convoitise et de duplicité ; je laisse à d'autres le soin de ne pas être d'accord avec mon verdict.

La conversion de sir James vint, je crois, pendant son premier exil, période durant laquelle bien des royalistes, affaiblis par le malheur et l'adversité, et en proie au plus virulent désespoir, embrassèrent la foi papiste. Il se mit au service des Vénitiens au siège de Candie et pendant son séjour à l'étranger il entra fréquemment en contact avec un grand nombre de membres influents de l'Église romaine, lesquels étaient désireux de voir tous les avantages qu'ils pourraient tirer des malheurs de l'Angleterre. Le prêtre avec qui il correspondit dans ces lettres entrait dans cette catégorie.

Je donnerai des explications à ce sujet plus tard. Je vais tout d'abord me contenter de souligner à quel point cela dut être un choc pour tout catholique ayant donné près de vingt ans de sa vie à combattre en faveur du trône de découvrir que le roi était disposé à accepter les plus cruelles mesures de persécution contre lui et ses pareils. La nouvelle que le roi se préparait à parvenir à un accord avec Richard Cromwell et Thurloe le fit passer à l'action et le poussa également à abandonner sa fidélité et à accomplir sa dernière traîtrise.

Car Prestcott savait qu'à cette époque Charles, homme particulièrement retors, négociait en même temps avec les Français, les Espagnols et le pape lui-même, qu'il sollicitait leur aide et leur argent en échange de la promesse de tolérer les catholiques sans la moindre réticence, une fois qu'il serait rétabli sur son trône. Il promit tout à tout le monde, et renia tous ses accords une fois la monarchie restaurée. Même ses conseillers n'étaient pas au courant de l'étendue de sa duplicité, je crois ; Clarendon ne savait rien de ses négociations avec les Espagnols, tandis que M. Bennet était gardé dans l'ignorance des discussions avec Thurloe.

Seul sir James Prestcott était au courant de tout, car Ned Blundy lui parlait d'un des deux camps, tandis que son correspondant, un prêtre qui participait activement à ces discussions, l'informait sur l'autre. Le prêtre s'appelait Andrea da Cola, et Prestcott avait dû le rencontrer lorsqu'il se trouvait au service de Venise.

Chapitre dix

Plus tard, cela me causa beaucoup de chagrin, mais, même aujourd'hui, je ne vois pas comment j'aurais pu organiser les événements de manière à empêcher la mort de Sarah. Si j'avais su que Wallis et Thurloe cherchaient ces documents et m'auraient donné tout ce que je voulais pour les obtenir, si je m'étais seulement rendu compte qu'ils étaient impliqués dans les machinations qui la firent inculper, si j'avais saisi tout le sens de la présence de Cola dans notre pays, j'aurais pu m'écrier : « Arrêtez ce procès immédiatement et délivrez cette fille ! » Je pense qu'on m'aurait obéi et accordé tout ce que je souhaitais.

Mais je ne le savais pas, et je l'ai appris seulement en lisant les récits de Wallis et de Prestcott, qui me firent comprendre pour la première fois que le procès de Sarah n'avait pas été simplement une erreur judiciaire, et qu'il s'était agi d'un engrenage imparable.

Nombreux sont ceux qui, au cours des âges, ont évoqué les récompenses et les châtiments que Dieu distribue à Ses serviteurs pour montrer Son approbation ou Sa défaveur. La victoire comme la défaite sont des signes divins. La perte d'une fortune par suite d'un naufrage sur une mer déchaînée ; une maladie soudaine ou une rencontre fortuite avec une vieille connaissance qui apporte des nouvelles : ces deux événements provoquent des prières de lamentations ou de remerciements. Peut-être est-ce justifié... Mais que dire quand d'innombrables faits et décisions prises en secret et à moitié connues seulement s'accumulent au cours des années pour produire de cette manière la mort d'une innocente ? Car si le roi Charles n'avait pas mené un double jeu ; si Prestcott n'avait pas été un fanatique ; si Thurloe n'avait pas été soucieux de sa propre sécurité ; si Wallis ne s'était pas montré vaniteux et cruel ; si Bristol n'avait pas été ambitieux ; si Bennet n'avait pas été cynique... Si le gouvernement, en somme, n'avait pas été le gouvernement et si les politiciens n'avaient pas été ce qu'ils sont, alors Sarah n'aurait pas été conduite au gibet et le sacrifice n'aurait pas été consommé. Et que dire d'une telle victime dont la mort est le point culminant d'une telle série de péchés mais survient si tranquillement que l'on ne connaît jamais sa vraie nature ?

Comme je l'ai dit, je ne savais rien de tout cela. À ce moment-là, assis dans ma chambre au milieu de ces vieux morceaux de papier, je m'en voulais d'être lâche et de me réfugier dans une affaire qui n'avait pas alors pour moi la moindre importance : je ne me souciais guère, à l'époque, de savoir si le roi Charles d'Angleterre allait, oui ou non, garder son trône. Je ne m'intéressais pas à sa politique non plus, et peu m'importait que les catholiques fussent persécutés ou qu'ils eussent bénéficié de la plus totale tolérance. Tout ce qui me préoccupait c'était que Sarah se trouvait en prison, que je n'avais plus d'excuse à ma disposition, et qu'il me faudrait bientôt avouer.

Pour m'y préparer et pour me donner du courage, je décidai de parler à Anne Blundy, sûr qu'elle pourrait m'apporter la force dont j'avais besoin. Cola signale qu'on l'avait confiée aux soins de John Locke pendant son absence et celui-ci accomplissait sa tâche avec la plus grande minutie quoique avec peu d'enthousiasme.

« Franchement, expliqua-t-il, c'est une perte de temps, même si c'est sans aucun doute bon pour mon âme d'agir sans espoir de récompense, ni pour elle, ni pour moi. Elle se meurt, Wood, et il n'y a rien à faire. Je lui ai prodigué mes soins parce que je l'ai promis à Lower. Mais que j'emploie les plantes ou les minéraux, que je pratique l'ancienne ou la nouvelle médecine, que je la saigne ou que je la purge, cela ne fera aucune différence. »

Il me dit cela à voix basse, dans la rue qui se trouvait devant la chaumière où je l'avais rencontré. Il venait de faire sa visite quotidienne qui, comme il l'avait dit, était surtout pour la forme. Chaque jour, ma mère apportait de la nourriture ici plutôt qu'en prison, à la demande insistante de Sarah, et la vieille femme ne manquait ni de couvertures ni de bois pour le feu. On ne pouvait rien faire de plus.

La pièce empestait la putréfaction, et la puanteur me saisit à la gorge lorsque j'y pénétrai. Toutes les portes et les fenêtres étaient hermétiquement fermées contre les mauvais vents ; c'était nécessaire, tout en présentant l'inconvénient de retenir à l'intérieur tout l'air vicié. Et la vieille femme, qui avait toujours pris un malin plaisir à garder ouverts les volets et les portes, sauf quand le temps était particulièrement glacial, se plaignait amèrement de cet état de fait. Locke les avait tous fermés dès son arrivée, et l'incapacité de la malade à quitter son lit l'empêchait de les rouvrir. Elle me supplia d'accéder à ses souhaits et, malgré ma réticence, je finis par accepter, à condition qu'elle me permît de tout refermer en partant. Je ne voulais pas me disputer avec Locke pour avoir, sur un caprice de la malade, œuvré à l'encontre de la bonne pratique médicale.

Quoi qu'il en soit, je dois avouer que je fus grandement soulagé lorsque les vents commencèrent à chasser la puanteur de la pièce et que la lumière naturelle remplaça l'obscurité ; Anne Blundy parut aussi profiter de la pureté de l'air glacial. Elle prit de profondes inspirations et soupira comme si une grande torture venait de prendre fin.

Je n'avais pas réussi à bien la distinguer dans la pénombre, et ce fut un choc quand, ayant ouvert les volets, je me tournai et l'examinai correctement. Le décharnement du visage et la pâleur mortelle frappaient surtout, bien sûr, mais comme c'était la première fois que je la voyais tête nue, je remarquai aussi la maigreur de la chevelure clairsemée. Elle avait l'air deux fois plus âgée que quelques mois auparavant, et la tristesse me serra la gorge au point que je ne pus parler tout d'abord.

« Vous êtes un étrange jeune homme, monsieur Wood », dit-elle, après que je lui eus demandé comment elle allait et dit tout ce qu'on dit en pareil cas. « Vous êtes tour à tour si bon et si cruel. Je vous plains. »

Qu'il était étonnant d'entendre ce pitoyable sac d'os me plaindre et insultant d'être appelé cruel, car je ne l'avais jamais été de propos délibéré.

« Pourquoi me dites-vous cela ?

— À cause de ce que vous avez fait à Sarah. Ne me regardez pas ainsi : vous savez de quoi je parle. Depuis plusieurs années, vous lui donnez quelque chose d'inestimable : vous lui parlez et vous l'écoutez. Vous êtes son compagnon et un ami aussi intime qu'un homme peut l'être pour une femme. Qu'est-ce que cela signifie ? Ne savez-vous pas que le monde a changé et qu'une fille comme elle doit apprendre à se taire, surtout en compagnie d'hommes de qualité ?

— Ces propos paraissent étranges venant de vous.

— Je vois ce qui se passe autour de moi. Qui ne le pourrait devant tant d'évidence ? Mais vous êtes trop aveugle pour vous en apercevoir, ce me semble. C'est ce que je pensais, en tout cas. Je croyais que vous étiez un simple savant, si passionné par ses recherches qu'il voulait en parler avec quiconque. Tel n'est pas le cas. Parce que vous avez réussi à lui apprendre qu'on pouvait l'écouter, elle attend avec impatience un seul jour par semaine ; et puis vous l'éconduisez et refusez de la revoir. Ensuite vous la reprenez. Et qu'allez-vous trouver maintenant pour lui faire du mal, monsieur Wood ? Je n'aurais jamais dû vous laisser entrer chez moi.

— Je n'ai jamais cherché à la blesser. Et pour le reste, je crois ne rien lui avoir appris. C'est elle la maîtresse aujourd'hui, il me semble. »

Elle parut excessivement triste et hocha la tête avec réticence.

« J'ai très peur pour Sarah. Elle est si étrange désormais que je crois qu'il va lui arriver malheur.

— Quand s'est-elle mise à parler à des réunions ? »

Elle me lança un regard vif.

« Vous êtes au courant ? C'est elle qui vous l'a dit ?

— Je m'en suis aperçu tout seul.

— Quand Ned est revenu cette dernière fois et qu'ensuite on a appris sa mort, on a parlé de lui à maintes reprises ; c'était notre mémorial en son honneur puisqu'on ne pouvait enterrer son corps. On a évoqué ses parents, sa vie, ses batailles et ses campagnes. J'avais énormément de chagrin car je l'aimais beaucoup : il était tout pour moi et c'était mon plus grand réconfort. Mais mon chagrin m'a poussée à commettre une erreur, et rien n'échappe à Sarah. Je lui ai parlé de la campagne d'Edgehill où Ned commandait un peloton mais avait fini par se trouver à la tête de toute une compagnie ; je lui ai expliqué comment il avait été absent pendant plus d'une année et à quel point il m'avait manqué. »

Je hochai la tête, sûr que cela signifiait quelque chose, car elle n'était pas femme à parler pour ne rien dire, même malade.

« Sarah m'a regardée avec un grand calme et une extrême douceur, puis elle m'a posé la simple question qu'elle ne m'avait jamais posée auparavant : "Alors, qui est donc mon père ?" »

Elle fit une pause jusqu'à ce qu'elle se fût assurée que mon visage ne montrait pas du dégoût.

« C'était vrai, naturellement. Ned avait été absent pendant une année entière et Sarah est née trois semaines avant son retour. Il ne m'a jamais questionnée, ni fait aucun reproche, et il a toujours traité Sarah comme si elle était sa fille. On n'en a jamais reparlé, mais, parfois, quand je les voyais assis à côté l'un de l'autre près de l'âtre, tandis qu'il lui apprenait à lire ou lui racontait des histoires, ou qu'il la tenait simplement contre lui, je voyais une tristesse dans ses yeux et j'avais du chagrin. C'était le meilleur des hommes, monsieur Wood. Vraiment.

— Et quelle était la réponse à la question ? »

Elle secoua la tête.

« Je ne veux pas mentir, mais je ne peux dire la vérité. Je passe mes jours et mes nuits à penser à mes péchés et à me préparer à la mort, et j'ai besoin de tout le temps qui me reste. Jamais je n'ai prétendu être le moins du monde vertueuse et je dois beaucoup me repentir. Mais le Seigneur ne pourra pas me reprocher le péché de fornication. »

Ce n'était toujours pas une réponse à ma question, et je n'avais guère envie de connaître la vérité. Je m'intéresse peu à ce genre de ragots même quand tout va bien ; d'ailleurs, Anne Blundy commençait à oublier ma présence et à s'enfoncer dans ses souvenirs.

« J'ai fait un rêve, le plus merveilleux rêve de ma vie... J'étais entourée de colombes et l'une d'elles s'est perchée sur mon épaule et m'a parlé. "Appelle-la Sarah et aime-la, a-t-elle dit, et tu seras bénie entre toutes les femmes." »

Ces paroles me firent tressaillir, mais je lui adressai un brave sourire.

« En tout cas, vous avez fait ce qu'on vous a demandé.

— Merci, monsieur. C'est exact. Peu après que je lui eus raconté cette histoire, Sarah s'est mise à voyager et à parler.

— Et à guérir ?

— Oui.

— Qui était cet homme ? Celui que j'ai vu quitter votre maison il y a quelques mois ? »

Elle réfléchit un instant pour décider de ce qu'elle pouvait révéler.

« Il s'appelait Greatorex, et il se prétend astrologue.

— Que voulait-il ?

— Je ne sais pas. J'étais ici quand il a frappé à la porte. Je l'ai ouverte et il se trouvait là, blanc comme un linge et tremblant de peur. Je lui ai demandé qui il était, mais il était si terrorisé qu'il n'a rien pu me répondre. Ensuite, Sarah m'a crié de l'intérieur de le faire entrer. Et c'est ce qu'il a fait ; alors il s'est agenouillé devant elle et lui a demandé sa bénédiction. »

Le souvenir effrayait encore la mère et son récit m'effraya moi aussi.

« Et alors ?

— Sarah l'a pris par la main et lui a enjoint de se relever comme si elle n'était pas du tout surprise, puis elle l'a conduit jusqu'au siège près de l'âtre. Ils ont parlé pendant plus d'une heure.

— De quoi ?

— Sarah m'a demandé de les laisser seuls, si bien que je n'ai rien entendu. À part le début. Cet homme a dit qu'il avait vu des signes de Sarah dans les étoiles et qu'il avait traversé la mer et voyagé jusqu'ici pour la rencontrer, comme ces signes le lui avaient indiqué.

— Car nous avons vu l'étoile et nous sommes venus pour l'adorer », dis-je d'un ton calme. Anne Blundy me lança un regard noir.

« Ne dites pas ce genre de choses, monsieur Wood, protesta-t-elle. Je vous en prie. Ou vous allez perdre la tête comme je suis en train de le faire.

— J'ai dépassé le stade de la folie, et de beaucoup, répondis-je. Et j'éprouve une peur insensée. »

Il ne me restait que très peu de temps pour écouter la voix de ma conscience, car les préparatifs en vue des assises étaient déjà en cours. Je bus une certaine quantité d'alcool avant de me forcer à agir, mais, malgré tout, je reculais devant mon devoir. Finalement, ayant réussi à vaincre ma lâcheté, je me rendis à Holywell et demandai une audience à sir John Fulgrove, le magistrat. Bien que ce fût sa journée la plus chargée de l'année, il accéda à ma demande, néanmoins, il le fit avec une telle brusquerie que je devins encore plus nerveux : je me mis à bégayer et à trembler lorsque j'essayai de m'exprimer.

« Eh bien, jeune homme, je n'ai pas que ça à faire !

— C'est au sujet de Sarah Blundy, dis-je enfin.

— Et alors ? Qu'avez-vous à dire sur elle ?

— Elle est innocente, je le sais. »

C'était une phrase toute simple, mais ce fut une véritable torture de la sortir de ma bouche et de me jeter volontairement dans l'abîme qui béait devant moi. Je ne suis fier ni de mon courage, ni de mon sens de l'honneur, ni de ma force d'âme. Je me connais mieux que la plupart des hommes. Je ne suis pas de l'étoffe dont on fait les héros et je ne serai jamais l'un de ceux qui instruiront les générations à venir par leur exemple. D'autres que moi, de meilleurs hommes que moi, devrais-je dire, auraient prononcé ces mots plus tôt et se seraient conduits plus dignement, car je m'exprimai en tremblant et en suant à grosses gouttes. Cependant, nous devons agir selon nos moyens ; je ne pouvais faire mieux, et même si je risque de provoquer les ricanements de ceux qui sont plus forts que moi, je déclare que ce fut là l'acte le plus courageux de ma vie.

« Et comment le savez-vous ? »

Du mieux que je le pus, je racontai mon histoire, expliquant que c'était moi qui avais placé le poison dans la bouteille.

« On l'a vue dans le collège, dit-il.

— Elle ne s'y trouvait pas.

— Comment le savez-vous ? »

Je ne pouvais répondre à cette question, ayant promis solennellement de ne pas trahir Sarah en ce qui concernait ses prophéties. Aussi préférai-je mentir, et mon mensonge ruina tout mon projet.

« Elle était avec moi.

— Où donc ?

— Dans ma chambre.

— Quand est-elle partie ?

— Elle est restée avec moi toute la nuit.

— Et les membres de votre famille s'apprêtent à confirmer vos dires ?

— Ils ne l'ont pas vue.

— Ils étaient à la maison, j'imagine ? Je peux le leur demander, vous savez.

— Je suis sûr qu'ils étaient là.

— Et ils ne l'ont pas vue entrer, ni monter à votre chambre, ni ressortir ?

— Non.

— Ils n'ont rien entendu de toute la nuit.

— Non.

— Je vois. Et vous avez apporté cette poudre dans la chambre du Dr Grove dans ce but ?

— Non. Il l'avait déjà, et il m'a demandé de la verser dans la bouteille pour ses maux d'estomac.

— Mais moins d'une demi-heure auparavant on lui avait dit que c'était inutile et il avait déclaré qu'il ne s'en servirait plus.

— Il ne pensait pas ce qu'il disait.

— Tous ceux qui l'ont entendu en parler ont compris qu'il avait l'intention de s'abstenir et qu'il était reconnaissant à l'Italien de lui avoir donné ce conseil.

— Ce n'était pas le cas.

— C'est corroboré par des témoins qui étaient présents.

— Je n'y peux rien.

— Et pouvez-vous m'expliquer comment il se fait que la chevalière en or du Dr Grove a été découverte en sa possession ? L'avez-vous volée sur son corps pour la placer chez elle ?

858

— Non.

— Alors comment se fait-il qu'elle l'ait eue ?

— Je n'en sais absolument rien. »

Sir John se cala dans son fauteuil et me regarda d'un air grave.

« Je ne sais pas ce que vous essayez de faire, monsieur. Il est clair à mes yeux que vous mentez afin de protéger cette créature, et c'est très grave de chercher à égarer la justice. Je vous prie d'y réfléchir à deux fois et de cesser d'agir de cette manière insensée.

— Mais c'est vrai ! C'est la pure vérité !

— Non. C'est impossible. Vous ne pouvez pas réfuter les preuves qui attestent de sa culpabilité, et les faits que vous citez pour prouver son innocence ne sont pas du tout convaincants.

— Vous refusez de m'aider ?

— Que voulez-vous ? Elle a comparu devant un jury d'accusation et on a trouvé matière à poursuivre. Si vous persistez dans ces inepties, je ne peux pas vous empêcher de vous lever pendant le procès et de dire ce que vous avez à dire. Mais si vous le faites, j'affirme que cela ne changera rien et que le juge peut décider de vous punir vous aussi. »

C'est pourquoi je me rendis chez le Dr Wallis, dans l'espoir de le persuader d'utiliser secrètement son influence en faveur de la jeune fille, sans savoir qu'il avait déjà décidé qu'elle devait mourir. Pour la seconde fois je racontai mon histoire, et à nouveau il sembla qu'on ne me croyait pas.

« Je ne vous dois rien, monsieur Wood, dit-il. Et, de toute manière, je ne peux rien faire pour vous. C'est au juge et au jury de décider du sort de cette fille. Je sais que vous avez entendu parler de mon travail pour le compte du gouvernement, mais ces histoires sont exagérées. Je ne peux pas plus arrêter son procès que je n'ai le pouvoir de le mettre en route.

— Me croyez-vous, au moins ? »

Nous étions dans son appartement et l'entrevue me paraissait étrange : l'homme avait un air de lassitude que je n'avais pas remarqué auparavant. Je ne savais pas, bien sûr, à quel point cette affaire tiraillait sa conscience et à quel point il se rendait compte du mal qu'il faisait. Il s'était persuadé qu'il agissait avec noblesse, et lorsqu'un homme se comporte de la sorte pour apaiser son âme, il est bien téméraire de chercher à le convaincre du contraire.

« Non. Je crois que c'est votre égoïsme qui inspire votre démarche. Je pense que vous préférez le plaisir que vous prenez avec cette fille à la bonne marche de la justice. J'en sais plus sur elle que vous ne le croyez, et je suis persuadé que si on la pend on ne commettra pas une grave injustice.

— Elle n'est pas coupable. »

Wallis fit un pas dans ma direction, me dominant non seulement de toute sa taille, mais aussi par la puissance et la cruauté qui se dégageaient de sa personnalité.

« Cette putain que vous aimez tant, Monsieur Wood, aide un conspirateur, un agitateur et un athée. Elle aide l'homme le plus dangereux du pays à commettre un crime monstrueux, et cet homme a déjà assassiné mon serviteur. Je vais me venger, et cet homme va mourir. Si la mort de Sarah Blundy m'aide à assouvir ma vengeance, alors qu'il en soit ainsi. Peut me chaut qu'elle soit innocente ou coupable. Me comprenez-vous maintenant, monsieur Wood ?

— Dans ce cas, vous êtes le plus grand pécheur du monde, répliquai-je, ma voix tremblant sous le choc de ces révélations. Vous n'agissez pas en prêtre et vous n'êtes pas digne de tenir l'hostie entre vos mains. Vous n'êtes pas... »

Wallis était un homme de forte taille ; puissamment bâti, il était bien plus grand que moi. Sans ajouter un seul mot, il me saisit par le col et commença à me traîner vers la porte. Je tentai de protester que ce n'était pas là une attitude de prêtre, mais dès que je commençai à parler, il me secoua comme un chien, me poussant brutalement contre le mur avant d'ouvrir la porte donnant sur la rue.

« Ne vous mêlez pas de ça ! lança-t-il d'un ton glacial. Je ne m'intéresse pas le moins du monde à vos soucis et je n'ai pas de temps à perdre à écouter vos gémissements. Fichez-moi la paix et cessez de m'importuner, ou vous allez le payer cher ! »

Puis il me flanqua à la porte en me donnant un violent coup de pied, si bien que je dévalai les marches de pierre en trébuchant, avant d'atterrir dans une flaque d'eau boueuse et glaciale qui éclaboussa tous mes vêtements.

À genoux au milieu de la flaque, tandis que l'eau envahissait mes souliers et mes culottes, je savais que j'avais échoué. Même si je le criais par-dessus les toits, semblait-il, les gens se boucheraient les oreilles, refusant de reconnaître ce qui était si manifestement la vérité. Je ne sais si les choses eussent été différentes si j'avais parlé plus tôt, mais c'était certainement trop tard à présent ; devant cette évidence je plongeai la tête dans la flaque et pleurai à chaudes larmes, tandis que la pluie m'éclaboussait encore plus. On aurait dit que le ciel lui-même était intervenu pour me faire ressembler à un fou qui apostrophe le monde entier mais découvre que les passants détournent le regard et font semblant de ne pas le voir. Au comble de la fureur, je frappai la terre boueuse de mes poings et, poussant des cris désespérés, je dénonçai la cruauté de Dieu ; en guise de récompense et de réconfort, j'entendis deux passants ricaner avec dégoût de l'ivrogne agenouillé à leurs pieds.

Chapitre onze

Les deux jours du procès de Sarah furent la période la plus angoissante et la plus merveilleuse de ma vie, car je ressentis alors pleinement à la fois la puissance du châtiment de Dieu et la grâce délicieuse de sa miséricorde. Cola en a également décrit le déroulement, et avec perspicacité. Je ne vais pas répéter son récit, mais le compléter, il a en effet tout naturellement omis certains événements qu'il ne pouvait connaître.

Sarah m'avait ordonné de ne pas intervenir, et si je l'avais fait quand même, je n'osais pas lui désobéir en sa présence. Cela peut paraître de la faiblesse de ma part, peu m'importe : je dis la vérité et j'affirme que quiconque aurait connu Sarah comme moi n'aurait pas agi différemment. J'espérais que quelqu'un d'autre prendrait sa défense ou présenterait des éléments prouvant son innocence, mais cela ne se passa pas ainsi. Sarah, elle-même, ne parla que pour avouer, afin que son corps fût confié à Lower et que sa mère reçût le traitement, et lorsqu'elle prononça le mot « coupable », d'une voix si calme et d'un ton si résigné, mon cœur se brisa et je décidai de tenter, pour la troisième fois, de convaincre l'auditoire de la vérité. C'est alors que j'entendis le juge prononcer ces mots : « Quelqu'un d'autre parmi l'assistance a-t-il quelque chose à dire ? Car si quelqu'un a quelque chose à déclarer en faveur de la prévenue, il doit le faire maintenant. »

« Votre Excellence... » commençai-je. J'allais crier à tout l'auditoire que cette pauvre fille était aussi innocente

que le Christ lui-même, car elle n'était en rien responsable de la mort de Grove, et que le coupable c'était moi.
J'allais démontrer le bien-fondé de mes assertions en utilisant les moindres preuves et toute l'éloquence dont je
disposais, sûr que si celle-ci risquait de me faire défaut,
celles-là emporteraient la conviction. J'allais lui sauver la
vie.

J'hésitai, cependant, mon angoisse et mes atermoiements m'ayant noué la gorge, et l'occasion fut perdue. Je
sais que, dans la ville et même à l'université, nombreux
sont ceux qui me méprisent et qui me ridiculisent derrière
mon dos, mais j'ai toujours fait bien attention à ne pas
créer d'occasions qui leur permettraient de m'humilier.
Cette fois-là, je me moquais de ma dignité, mais, pendant
que j'hésitais un court instant, un malotru lança une grossièreté, certains rirent et d'autres les imitèrent bientôt.
Car, au moment où une sentence de mort va être prononcée, un prétoire devient un lieu solennel où règnent l'appréhension et la terreur. On s'empare alors avidement de
tout ce qui peut soulager l'atmosphère et la rendre moins
terrifiante. En quelques secondes, la salle résonna de
huées. Même si j'avais hurlé de toutes mes forces, je ne
me serais pas fait entendre. Rouge de confusion et tout
honteux d'avoir subi un échec, je sentis que Locke me
forçait à me rasseoir ; j'espérais que le juge allait rétablir
l'ordre avant de me prier de reprendre mon intervention.

Il n'en fit rien. Au contraire, un petit sourire condes-
cendant aux lèvres, il me remercia de mes paroles élo-
quentes, et cela afin de déclencher de nouveaux rires. Puis
il condamna Sarah à mort.

À l'audition de la sentence, je quittai le tribunal en
courant pour éviter de nouvelles tortures et je me réfugiai
dans ma chambre où je m'enfermai et priai Dieu afin qu'il
me montrât le chemin. Je ne savais que faire, demeurant
immobile et silencieux, jusqu'au moment où, passant la
tête par la porte, ma mère m'annonça un visiteur qui refusait de se laisser éconduire. Elle lui avait dit de partir,

mais il avait absolument refusé de s'en aller avant de m'avoir vu.

Quelques minutes après, voilà qu'entre Jack Prestcott dont l'allégresse n'avait d'égale que la folie. Il me fit terriblement peur, son état s'étant gravement détérioré depuis notre dernière rencontre, et il avait le regard d'un homme susceptible de réagir par la violence si on le contrariait ou si on le contredisait.

« Holà ! l'ami, me lança-t-il en entrant, exactement comme un seigneur qui condescend à rendre visite à un inférieur. J'espère que vous allez bien ! »

Je ne me rappelle plus ma réponse et peu me chaut. J'aurais pu réciter un extrait du fichier de la Bodléienne, je pense, et ça n'aurait fait aucune différence. Jack Prestcott ne s'intéressait qu'à ses divagations, qui coulaient à grands flots de sa bouche. Il me retint pendant une demi-heure pour me raconter tous ses malheurs et comment il les avait surmontés. Il fournissait tous les détails, comme plus tard dans son manuscrit. En fait, certains mots, certaines formules et certaines phrases, ainsi que les petits apartés et commentaires, étaient tout à fait identiques, et je pense que pendant toutes les années qui se sont écoulées entre cette visite et la rédaction de son mémoire il n'a fait que ressasser le même récit, revenant sans cesse dans son délire sur les mêmes événements. Il se peut qu'après sa mort il aille en enfer ; c'est tout ce qu'il mérite. Mais, à mon avis, il s'y trouve déjà, car Tullius a raison qui dit « *a diis quidem immortalibus quae potest homini major esse poena furore atque dementia* », quel plus grand châtiment les dieux peuvent-ils infliger à un homme que la folie ?

Je ne savais comment interpréter sa visite, sachant qu'il ne me considérait guère comme un ami, et je n'avais certainement rien fait pour encourager une quelconque intimité entre nous. Je pensai qu'il avait peut-être l'intention de me consulter sur des faits historiques et je m'employai à lui faire comprendre que je ne l'aiderais en rien. Mais il m'enjoignit de me taire d'un geste hautain et arrogant.

« Je suis venu vous confier des documents et non pas vous demander votre avis, dit-il avec un sourire sournois. Je vous prie de bien vouloir conserver ces papiers. Je les récupérerai sans doute un jour, peut-être, dans le cas où ma réclamation passerait quand même devant un tribunal, mais comme je serai en voyage durant les prochains mois, il m'est impossible de les garder en sécurité. Si vous les conservez, vous me rendrez un service aussi considérable que la faveur que je vous fais, car le Dr Wallis souhaiterait, sans aucun doute, les reprendre s'il savait où ils se trouvent.

— Je n'en veux pas et je n'ai pas le moindre désir de vous aider, répliquai-je.

— Oui, fit-il en hochant la tête d'un air à la fois très grave et satisfait. Quand votre récit de la vie de mon père sortira et que l'on verra grâce à votre plume à quel point c'était un grand homme, votre carrière sera faite. Et laissez-moi vous assurer que je ne vous abandonnerai pas. Je supporterai toutes les dépenses afférentes à la publication. Un millier d'exemplaires au moins, à mon avis, dans la plus belle reliure et sur le meilleur papier.

— Monsieur Prestcott, dis-je d'une voix plus forte, vous êtes un menteur, un meurtrier et l'homme le plus répugnant que j'aie jamais rencontré. Vous envoyez sans raison à la mort l'être le plus délicieux que je connaisse et la meilleure personne du monde. Je vous supplie de réfléchir à ce que vous êtes en train de faire ; il n'est pas trop tard pour changer et réparer les torts que vous avez causés. Si vous vous rendez chez le magistrat tout de suite...

— Et pour mener à bien votre tâche, continua-t-il, comme si je n'avais fait que marmonner quelques formules banales en remerciement de sa bonté, vous avez besoin de ces documents... Mais à la condition que vous n'en souffliez mot à quiconque jusqu'à ce que le livre soit prêt pour l'imprimerie. »

Encore des papiers ! Je pris les feuillets qu'il me tendait et y jetai un coup d'œil. Ils étaient couverts d'inepties.

« Je vous laisse apprécier leur importance, dit-il. Considérez-les comme un rébus à déchiffrer. »

Puis il éclata de rire en voyant la consternation qui se lisait sur mon visage.

« Je dois vous expliquer, reprit-il, car je vous vois perplexe. Ces papiers proviennent tous d'un tiroir du Dr Wallis. Je les ai volés, il y a quelques semaines. » Il se pencha en avant sur son siège et me chuchota sur un ton de conspirateur : « Ils sont écrits selon un code extrêmement ingénieux qui a eu raison de ce cher révérend. Il est fou furieux d'avoir échoué.

— Je vous en prie, cessez de me parler ainsi ! Vous ne m'entendez pas ? Vous ne comprenez pas ? »

M. Boyle a mené des expériences avec sa pompe aspirante ; Cola en signale certaines et note qu'au fur et à mesure que le vide se fait, les cris de l'animal à l'intérieur deviennent de plus en plus faibles jusqu'au moment où ils ne sont plus perceptibles. Comme Prestcott — qui menait la conversation qu'il désirait avoir et entendait des réponses qui n'existaient que dans sa tête, sans prendre garde à ce que je lui disais — se releva, j'eus l'impression d'être l'une de ces malheureuses bêtes : je me cognais la tête contre une paroi invisible, hurlant de toutes mes forces, mais je ne recevais aucune réponse et mes efforts n'aboutissaient à rien.

« Si fait. Il est fier de son adresse, et cependant ces lettres échappent totalement à sa compréhension. » Il gloussa. « Mais il m'en a donné la clef, bien qu'il me croie trop stupide pour l'avoir remarqué. Apparemment, il faut un livre de Tite-Live. Et grâce à cet ouvrage il pense que tout sera révélé. Je dois dire que peu m'importe qu'il lise les siennes, mais je ne veux plus qu'il lise les lettres de mon père. C'est la raison pour laquelle il faut que vous les gardiez. Il ne pensera pas à venir les chercher ici. »

Et là-dessus, Prestcott me dit adieu et partit s'amuser avant son procès et son entretien fatidique avec Wallis, le lendemain. Ils ont tous les deux présenté leur version des faits : celle de Wallis est sans nul doute la bonne, l'attaque que lui fit subir Prestcott ayant causé un certain scandale, et il y avait foule dans la Grand-Rue quelques semaines plus tard pour voir le jeune homme sortir de la prison de Bocardo, escorté par son oncle et couvert de tant de chaînes qu'il n'arrivait quasiment pas à se mouvoir. Cela valait mieux pour tout le monde — et surtout pour lui — qu'il fût enfermé. Sa fureur était trop meurtrière pour qu'on pût le laisser en liberté, mais il était trop fou pour être châtié. On comprendra, je l'espère, qu'à mon avis il a été traité avec plus de considération qu'il ne le méritait.

Néanmoins, il m'a laissé ces documents et, en particulier, cette lettre fondamentale interceptée par Wallis alors qu'elle avait été envoyée à Cola aux Pays-Bas ; c'était le seul exemplaire, en fait, et la seule preuve de ce qu'était venu faire cet Italien dans notre pays. Je la mis de côté après y avoir à peine jeté un coup d'œil, même si je savais désormais à peu près comment la lire ; pour le moment je n'avais que faire de rébus intellectuels. Je préférai ranger ma chambre avec soin et méthode, puis j'ajoutai ces papiers à ma collection sous les lames du parquet, occupant ainsi mon corps à des tâches inutiles, tandis que mon esprit s'enfonçait à nouveau dans ses rêveries mélancoliques. Ensuite je quittai la maison afin de rendre une dernière visite à Sarah.

Elle refusa de me recevoir. Le geôlier m'informa qu'elle passait seule son dernier soir et qu'elle ne souhaitait rencontrer personne. J'insistai, lui offris un pourboire et le suppliai tant qu'il accepta finalement de retourner la voir.

« Elle ne veut pas, dit-il d'un air de commisération. Elle dit que vous la verrez tout à loisir demain. »

Son refus m'attrista plus que tout ; je suis si égoïste que je ne pouvais penser qu'au chagrin d'être privé de l'occasion d'apporter du réconfort. J'avoue avoir bu plus que je ne l'aurais dû cette nuit-là, pourtant cela ne me mit aucun baume au cœur. J'allai de taverne en taverne, d'auberge en auberge, mais j'avais du mal à supporter la compagnie de tous ces visages radieux. Je bus tout seul et me détournai même lorsque j'étais abordé par des gens que je considérais comme des amis. Partout où j'allais, ceux qui savaient qui j'étais s'approchaient de moi et me posaient des questions sur Sarah et sur ce que je pensais d'elle. Et, chaque fois, j'étais trop malheureux pour dire la vérité. À la Fleur-de-Lis, puis aux Feathers et enfin à la Mitre, je haussai les épaules en prétendant n'être au courant de rien, que cela ne m'intéressait pas et qu'elle était peut-être coupable après tout. Mon seul souhait était de tout oublier, tant l'alcool me faisait m'apitoyer sur mon propre sort.

On finit par me jeter dehors pour ébriété et, ayant glissé sur le sol, je me retrouvai dans le caniveau une fois de plus ; cette fois-là je restai par terre jusqu'à ce que je sente qu'on me faisait relever de force.

« Savez-vous, monsieur Wood, me murmura à l'oreille une voix mélodieuse à l'accent chantant, que je crois avoir entendu le cri du coq. N'est-ce pas étrange à cette heure de la nuit ?

— Laissez-moi tranquille ! »

Ainsi donc, cet étranger, ce Valentine Greatorex, me conduisit chez lui, me fit asseoir près du feu, me sécha, puis, s'étant installé en face de moi, me regarda d'un air grave et très calme jusqu'à ce que je rompe le silence.

« Je me suis rendu chez le magistrat pour lui dire qu'elle était innocente. Je lui ai avoué que c'est moi qui ai tué le Dr Grove et non pas Sarah. Et il ne m'a pas cru.

— Vraiment ?

— Puis je suis allé chez le Dr Wallis et lui ai dit la même chose, mais il ne m'a pas cru non plus.

— Ça ne m'étonne pas.

— Pourquoi dites-vous cela ?

— Parce que autrement elle risquerait de ne pas mourir demain. Vous la connaissez bien, il me semble ?

— Mieux que quiconque.

— Parlez-m'en, je vous prie. Je veux tout savoir d'elle. »

Jack Prestcott évoque cet homme et la manière dont sa voix fascinait et calmait, si bien que ceux à qui il s'adressait tombaient presque dans un rêve apaisant et lui obéissaient au doigt et à l'œil. C'est ce qu'il se passa dans mon cas et je lui fis part de tout ce que je savais sur Sarah, de tout ce que j'ai raconté dans le présent manuscrit et de bien davantage encore, car il était subjugué par la conversation et souhaitait entendre le moindre mot qu'elle avait prononcé. Comme je rapportais ce qu'elle avait dit lors de la réunion à laquelle j'avais assisté, il poussa un énorme soupir et hocha la tête d'un air satisfait.

« Je dois donc la sauver, conclus-je. Il le faut. Je dois bien pouvoir faire quelque chose.

— Ah ! monsieur Wood, vous avez lu trop de romans de chevalerie, dit-il gentiment. Vous vous prenez pour Lancelot du Lac, peut-être, fonçant sur son destrier pour sauver votre Guenièvre du bûcher, vous débarrassant vaillamment de vos ennemis et l'emportant vers un endroit sûr ?

— Non. J'ai pensé que si j'allais voir le lord lieutenant ou le juge...

— Ils refuseraient de vous entendre. De même que le magistrat, que ce Wallis et toute la cour. "Ils vous entendent, en vérité, mais ne vous comprennent pas ; vous regardent, en vérité, mais ne vous voient pas." C'est dit dans Isaïe, et c'est juste.

— Mais pourquoi tant de gens veulent-ils sa mort ?

— Vous le savez parfaitement, mais vous ne voulez pas l'accepter dans votre cœur. Vous savez ce que vous avez vu, vous connaissez l'Écriture et vous avez entendu les paroles de Sarah. Vous ne pouvez rien faire, et vous ne devez rien faire.

— Je ne peux vivre sans elle.

— C'est votre châtiment pour le rôle que vous avez joué dans cette affaire. »

Je n'avais ni le courage ni l'énergie d'en dire plus, et l'alcool m'avait tant brouillé les idées que j'aurais eu du mal à parler même si je l'avais voulu. Greatorex finit par me tirer de mon siège et m'emmena respirer l'air glacial de la rue, ce qui me ragaillardit assez pour me permettre de marcher droit.

« C'est un purgatoire, mon ami, mais qui ne durera pas, vous verrez. Allez dormir, si vous le pouvez ; sinon, priez. Tout sera bientôt terminé. »

Je suivis ses conseils et passai la nuit entière à prier avec une ardeur extrême, pour Sarah et pour moi-même, suppliant Dieu de toutes mes forces qu'Il intervienne et mît un terme à la folie qu'Il avait déchaînée sur le monde. Ma foi manque de conviction ; j'ai honte, étant donné la faveur dont j'ai bénéficié toute ma vie. On m'a épargné les richesses, la gloire, la puissance et la position, tout comme, dans Sa grâce, Dieu m'a évité la pauvreté et les maladies graves. Quel que soit le déshonneur que j'ai subi, j'en suis la seule cause, et mes réussites ne sont dues qu'à Sa bonté. Ma foi n'a pas été assez ardente, malgré tout. J'ai prié avec ferveur ; j'ai utilisé tous les procédés que je connaissais afin d'atteindre à cette totale sincérité dans la soumission que je n'ai éprouvée qu'une seule fois, le soir où j'avais chevauché en plein hiver avec

Sarah en croupe. Une petite partie de mon âme, au moins, savait que je ne faisais que passer le temps avant que l'inévitable ne survînt. À maintes reprises, je me relançai dans la lutte, désespérant de plus en plus de forcer mon esprit rebelle à se calmer. Mais j'avais vécu trop longtemps parmi les rationalistes et au milieu de ceux qui m'avaient assuré que l'époque des miracles était révolue et que les signes du divin, envoyés jadis aux Pères de l'Église, avaient disparu du monde à jamais. Je savais que ce n'était pas le cas et que Dieu pouvait intervenir dans les affaires des hommes et qu'Il le faisait toujours, pourtant je ne parvenais pas à accepter ce fait de tout mon cœur. Je ne pouvais prononcer sincèrement ces simples mots : « Que Ta volonté soit faite ! » Je pensais, je le sais : « Que Ta volonté soit faite si cela va dans le sens de ce que je désire » ; mais ce n'est pas ce que signifie la prière, ni la soumission.

Mes prières furent vouées à l'échec. Juste avant l'aube je levai la tête et abandonnai la partie. Je savais que j'étais seul, que je n'obtiendrais aucune aide et que ce que je désirais le plus ne me serait pas accordé : je perdrais Sarah. Et, à cet instant, je compris qu'elle représentait mon bien le plus précieux et ce qui compterait le plus de toute ma vie. J'acceptai mon châtiment, et dans la sérénité de cette aube désespérée, ce fut la première fois peut-être que je priai vraiment. Tout ce que je sais c'est que les ténèbres se dissipèrent, qu'un sentiment de paix profonde envahit alors mon âme et que je me retrouvai de nouveau à genoux en train de remercier du fond du cœur Notre-Seigneur pour Sa bonté.

Je n'avais aucune idée de ce qui allait se passer et je ne pouvais pas comprendre comment il était possible que l'avance inéluctable de la méchanceté humaine pût être repoussée. Je ne me posais plus de questions et je ne doutais plus. Je m'habillai aussi chaudement que possible, pris mon manteau le plus épais — car malgré la venue du printemps les aurores étaient encore glaciales —, et je me joignis à la foule qui se dirigeait vers le château fort pour assister à l'exécution.

Une seule personne devait mourir ce jour-là. Le juge s'était montré aussi indulgent avec les autres condamnés qu'il s'était acharné sur elle. Tout serait terminé très bientôt. Au moment où j'arrivai sur les lieux, la foule entourait le gros arbre dans la cour, la corde pendait déjà de la lourde branche et l'échelle était en place. Alors mon cœur tressaillit et le doute revint m'envahir. Par un puissant effort de volonté je chassai toutes ces pensées de mon esprit. Je ne savais même pas pourquoi j'étais là ; je n'avais aucun dessein précis et je ne voulais pas que Sarah me vît. Mais je devinais que c'était, en quelque sorte, nécessaire, et que sa vie dépendait de ma présence, même si je ne voyais pas le moins du monde pourquoi.

Lower était là, lui aussi, en compagnie de Locke et de quelques solides gaillards parmi lesquels je reconnus un portier de Christ Church College. Quelle étrange compagnie ! me dis-je ; puis je compris ce qu'il s'apprêtait à faire. Il y avait plusieurs jours que je ne l'avais vu, et j'aurais dû me rendre compte qu'il n'aurait pas facilement manqué l'occasion de se procurer du matériau pour son livre. Ce n'était pas un mauvais homme, mais son travail comptait pour lui plus que tout. Son air sévère et décidé, tandis qu'il faisait les cent pas, n'était pas celui de quelqu'un qui s'attend à être amusé par ce qui est sur le point de se passer... il n'allait sûrement pas reculer, cependant.

Je l'évitai ; je n'avais pas envie de bavarder. Je remarquai à peine un autre petit groupe, qui se tenait à l'écart, autour du titulaire de la chaire royale, et qui parlait fort en faisant des plaisanteries vulgaires. Si j'avais été plus attentif, j'aurais sans nul doute également accordé davantage d'importance aux discussions à voix basses entre Lower et ses associés, à la façon dont ils s'étaient postés près de l'arbre fatidique, ainsi qu'à la mine à la fois sinistre et satisfaite de Lower lorsqu'il contemplait ce qui allait devenir le champ de bataille et la disposition de ses troupes.

Puis Sarah apparut, chargée de lourdes chaînes et flanquée de deux gardiens de forte taille, quoiqu'on eût pu se passer de ces derniers, tant elle paraissait petite, frêle et affaiblie. Cela me brisa le cœur de la voir dans cet état. Elle avait les yeux gonflés, et les cernes qui les entouraient paraissaient encore plus foncés à cause de la pâleur mortelle de son visage ; rien ne dissimulait sa belle chevelure brune, mais celle-ci avait perdu sa beauté. Sarah l'avait toujours peignée avec amour : c'était sa plus grande — en fait, son unique — coquetterie. Ce jour-là, les cheveux étaient emmêlés et en désordre ; on les avait relevés n'importe comment au-dessus de la nuque pour ne pas gêner la corde.

Je ne fais que répéter ce que Cola a déjà expliqué grâce à mon compte rendu ; elle repoussa en effet le prêtre d'une façon qui déclencha les applaudissements nourris de la foule, récita seule ses prières, avant de prononcer un petit discours où elle avoua ses péchés, sauf celui pour lequel elle allait mourir. Il n'y avait aucun héroïsme triomphant, aucun défi, ni aucun appel à la sympathie de la foule, comme, en pareil cas, on s'y serait attendu de la part d'un homme. Son bon sens, j'en suis sûr, lui fit comprendre que ce serait malvenu de sa part et que cela ne lui gagnerait aucune admiration. Au contraire, pour toucher le cœur de la populace, il lui fallait montrer courage et soumission, et ces deux plus grandes qualités humaines se trouvant en parfait accord avec sa nature elle suscita leurs applaudissements rien qu'en étant elle-même. Se conduire ainsi dans un moment aussi difficile est, à mes yeux, le plus grand exploit.

Une fois que tout fut terminé, elle suivit le bourreau sur l'échelle, attendant patiemment pendant qu'il s'affairait autour d'elle avec la corde. Je ne sais pourquoi il faut que les pendaisons soient si maladroitement, si grossièrement effectuées. Les derniers moments d'un condamné devraient être empreints de plus de dignité ; il ne devrait pas y avoir ce spectacle de bras et de jambes escaladant péniblement une échelle branlante appuyée de guingois contre un tronc d'arbre ; et il est rare que ces gestes ne provoquent des ricanements. Mais, ce matin-là, la foule n'était nullement d'humeur à rire. La jeunesse de Sarah, sa fragilité et sa sérénité découragèrent toute vulgarité. D'après mon expérience, les spectateurs furent plus calmes et plus respectueux que d'habitude dans ce genre de circonstances.

Puis les tambours résonnèrent. Il n'y avait que deux petits joueurs de tambour : deux garçonnets de douze ans que j'avais souvent vus jouer dans la rue ; ce n'était plus l'époque où une vraie troupe accomplissait cette cérémonie, et le magistrat avait décidé qu'on pouvait se dispenser de soldats ce matin-là. Il ne s'attendait à aucun trouble dans la foule comme c'eût été le cas s'il s'était agi d'un personnage aimé des citadins, d'un voleur de grand chemin renommé, ou encore d'un homme de famille. Il n'y eut aucun trouble, en effet. La foule observa un silence total, les tambours se turent eux aussi, et le bourreau — d'un geste d'une très surprenante délicatesse — poussa Sarah hors de l'échelle.

« Que Dieu me fasse miséricorde... » s'écria-t-elle. Sa phrase fut interrompue au moment où le nœud se serra sous son poids et elle s'acheva par un sanglot étouffé qui fit naître un soupir de sympathie parmi la foule. Ensuite, le corps se balança dans l'air ; le visage prit une teinte violacée ; les membres furent agités de soubresauts ; puis une puanteur se répandit au moment où les taches révélatrices apparaissant sur sa tunique indiquèrent que la corde avait produit, comme d'habitude, son effet répugnant.

Je vais arrêter ici ma description ; rares sont ceux, sans aucun doute, qui n'ont jamais assisté à un tel spectacle, et, même aujourd'hui, ce souvenir me fait incroyablement mal, bien que je me rappelle avoir regardé la scène avec un calme tout à fait remarquable, malgré le violent et terrifiant coup de tonnerre qui déchira le ciel, lequel s'assombrit tout soudain à l'instant où elle tomba de l'échelle.

Je priai, une fois de plus, pour son âme, ainsi que pour la mienne, les yeux baissés afin de ne pas voir le dénouement.

J'avais compté sans la détermination de Lower à s'emparer du corps avant le titulaire de la chaire royale. Il avait auparavant, bien sûr, graissé la patte du bourreau ; cela expliquait les hochements de tête et les clins d'œil qu'ils avaient échangés et le fait qu'on tolérait sa présence si près de l'arbre. Je ne savais pas qu'il avait acheté l'autorisation de Sarah en lui promettant de soigner sa mère ni qu'au même moment, en réalité, la mère se mourait à quelques mètres du château. À peine les soubresauts et les convulsions de Sarah venaient-ils de cesser que Lower cria d'une voix forte à l'intention de son petit détachement : « Allons-y les gars ! » Et d'un bond il s'élança en avant tout en faisant un signe au bourreau qui, tirant immédiatement un grand couteau de sa ceinture, trancha la corde.

Le corps tomba par terre d'une hauteur de trois pieds et heurta lourdement le sol au milieu des premiers murmures de désapprobation de la foule. Lower se pencha au-dessus de Sarah pour voir si elle respirait encore. « Morte ! » hurla-t-il après un examen attentif, de manière à être bien entendu de tout le monde, avant d'appeler ses acolytes d'un signe de la main. Le portier de Christ Church College se saisit du corps et le jeta sur son épaule et, prenant tout le monde de court, il quitta les lieux, courant presque, sous les protestations de plus en plus virulentes de la foule. Deux autres membres du groupe restèrent en arrière pour retenir les hommes du professeur au cas où ils tenteraient d'intervenir. Lower jeta un coup d'œil en arrière, puis suivit son butin.

Par-dessus l'espace dégagé nos yeux se rencontrèrent. Dans les miens il ne put voir que du dégoût ; il eut un léger haussement d'épaules, puis baissa les siens et ne me regarda plus. Ensuite, il partit lui aussi et se mit à courir sous la pluie qui tombait déjà dru et avec une violence effrayante.

Je n'hésitai qu'un court instant avant de m'en aller également ; mais ne suivant pas la foule, qui se retrouva bloquée dans l'étroit passage lorsque les poursuivants cherchèrent tous à sortir en même temps, j'empruntai l'autre voie d'accès. Sachant où se rendait Lower, je n'avais pas besoin de le garder à l'œil pour les rattraper, lui et son horrible trophée.

Il dut se dépêcher ; il avait tout intérêt à hâter le pas, la foule n'étant plus désormais d'humeur à pardonner. Elle avait accepté la pendaison comme procédant à la fois de la volonté de Dieu et de la justice du roi ; elle y avait assisté afin de veiller à ce que le cérémonial fût respecté. Ce qu'elle ne tolérait pas — les foules ont un sens aigu de ce qui est juste ou non — c'était le manque de cœur. Le condamné doit mourir, mais il doit être traité selon les règles. Lower ayant offensé et la victime et la ville, je savais que si on l'attrapait il passerait un mauvais quart d'heure.

Il s'en tira, cependant, car il avait tout prévu ; je ne le rattrapai moi-même qu'au moment où, passant par-derrière, il s'engouffra dans le laboratoire de Boyle et grimpa l'escalier.

J'étais toujours sous le choc de ses agissements. Je connaissais à l'avance tous ses arguments ; je les avais déjà tous entendus et j'étais même d'accord avec la plupart d'entre eux, mais, cette fois-ci, il m'était impossible de le soutenir. Peut-être direz-vous que, vu ce que j'avais fait — ou n'avais pas fait —, j'avais dès longtemps perdu le droit de juger. Quoi qu'il en soit, je gravis l'escalier afin de m'assurer que les apparences étaient sauves, même si je ne pouvais agir de manière que justice fût faite.

Ayant déjà posté des gardes dans l'escalier, au cas où la foule s'apercevrait qu'il était venu là au lieu de se rendre à Christ Church, il s'apprêtait à fermer le verrou afin de ne pas être dérangé pendant son horrible travail. Je réussis à faire irruption à l'intérieur, cependant, en poussant la porte de toutes mes forces avant que le verrou ne fût tiré.

« Lower, m'écriai-je, lorsque je m'immobilisai et jetai un coup d'œil sur le spectacle démoniaque qui se présentait à moi, cela doit cesser ! »

Locke était déjà là, prêt à aider ; il y avait également un barbier qui devait s'occuper des aspects purement mécaniques de la dissection. Sarah avait été déjà déshabillée, et son beau corps, que j'avais si souvent tenu dans mes bras, gisait nu sur la table tandis que le barbier le nettoyait sans ménagement et le préparait pour le bistouri. Qu'elle fût bien morte, personne ne pouvait en douter un instant ; son pauvre corps brisé était exsangue comme tout cadavre ; la grosse boursouflure violacée au niveau du cou et l'expression d'angoisse figée sur le visage, qui détruisait toute beauté, suffisaient à le faire comprendre.

« Ne sois pas ridicule, Wood, dit-il d'un ton las. Elle est morte. L'âme s'est envolée. Rien de ce que je vais accomplir ne peut lui faire davantage de mal. Tu le sais aussi bien que moi. Tu avais beaucoup d'affection pour elle, mais maintenant c'est trop tard. »

Il me dévisagea avec bonté et me donna une petite tape dans le dos. « Écoute, mon ami, cela va te bouleverser. Je te comprends, il faut avoir le cœur bien accroché. Tu ne devrais pas rester ici pour regarder. Suis mon conseil et va-t'en, mon vieux. Cela vaudra mieux. Crois-moi. »

J'étais trop furieux pour l'écouter. Rejetant violemment sa main posée avec douceur, je fis un pas en arrière, le défiant d'agir sous mon regard de la manière bestiale qu'il s'apprêtait à employer ; peut-être pensais-je stupidement que ma présence l'obligerait à voir le mal qu'il faisait et qu'il renoncerait à son projet.

Il me dévisagea quelques instants, hésitant sur la conduite à tenir, jusqu'à ce que Locke se mît à tousser derrière lui.

« Nous n'avons pas beaucoup de temps, tu sais, dit-il. Le magistrat ne nous a accordé qu'une heure, et le temps passe. Sans compter ce qui risque d'arriver si la foule découvre que nous sommes ici. Décide-toi ! »

Lower s'exécuta avec une certaine réticence ; se détournant de moi, il revint près de la table et enjoignit à tous les autres de quitter la pièce. Je tombai à genoux, suppliant le Seigneur ou quiconque de faire quelque chose pour dissiper ce cauchemar. Même si cela n'avait servi à rien la veille, je refis toutes mes prières et toutes mes promesses. Ô Dieu, Toi qui T'es incarné pour expier nos péchés, aie pitié de cette pauvre innocente, sinon de moi !

C'est alors que Lower se saisit de son bistouri et le plaça sur la poitrine de Sarah. « Prêt ? » demanda-t-il.

Locke acquiesça d'un signe de tête et, d'un geste preste et précis, Lower commença à pratiquer l'incision. Je fermai les yeux.

« Locke ! l'entendis-je s'écrier du fond de mes ténèbres, d'un ton soudain furieux. Qu'est-ce que tu fais donc ? Lâche-moi la main ! Est-ce que vous êtes tous devenus fous ici ?

— Attends un instant ! »

Et Locke, que je n'avais jamais aimé, arracha le bistouri du corps et se pencha au-dessus du cadavre. Puis, la mine perplexe, il se pencha une nouvelle fois ; sa joue reposait maintenant sur la bouche de Sarah.

« Elle respire. »

J'eus du mal à retenir mes larmes en entendant ces simples mots qui possédaient une si puissante signification. Lower avança plus tard une explication : comment on avait dû la décrocher trop tôt à cause de son empressement à s'emparer le premier du cadavre, et comment ce n'était pas la vie qui avait été étouffée mais seulement l'apparence de la vie ; comment la chute n'avait fait que l'étrangler et n'avait causé qu'une perte temporaire de la conscience. Je connais son raisonnement, il m'a fait part de ses interprétations à de nombreuses reprises ; moi, je savais qu'il en allait autrement, mais je ne pris jamais la peine de le contredire. Il croyait une chose, et je savais qu'il se trompait. Je savais que j'avais assisté au plus grand miracle de l'histoire. J'ai vu une résurrection ; car l'esprit de Dieu se mouvait dans cette pièce, et les douces ailes de la colombe qui avait été présente à la conception de Sarah revinrent battre au-dessus de son âme. Il n'est pas donné à l'homme, et surtout pas aux médecins, de faire renaître la vie quand elle s'est éteinte. Lower soutiendrait que cela prouve qu'elle n'était jamais morte, alors que c'est lui-même qui l'avait affirmé, et il avait étudié la question plus sérieusement que quiconque. On dit que l'ère des miracles est révolue, et je le croyais moi-même. Ce n'est pas exact pourtant ; ils ont toujours lieu, mais nous devenons de plus en plus capables de les expliquer de manière rationnelle.

« Alors, qu'est-ce qu'on fait maintenant ? entendis-je Lower demander, d'un ton extrêmement perplexe et stupéfait. On devrait la tuer, tu penses ?

— Quoi ?

— Elle est censée être morte. Ne pas la tuer reviendrait simplement à différer l'inévitable et à me la faire perdre.

— Eh bien... »

Je n'en croyais pas mes oreilles. Après avoir été témoin d'un tel miracle, mon ami ne pouvait parler sérieusement... Il ne pouvait aller à l'encontre de la volonté manifeste de Dieu et commettre un meurtre... J'avais envie de me dresser pour l'admonester, mais je m'aperçus que cela m'était impossible. Je ne pouvais ni me lever, ni ouvrir la bouche ; je ne pouvais que rester là à écouter, car je pense que le Seigneur avait encore un autre dessein ce jour-là : il voulait que Lower se rachetât, s'il acceptait seulement d'en saisir l'occasion.

« Je lui donnerais bien un coup sur la tête, si ça ne risquait pas d'abîmer le cerveau. » Il réfléchit un bon moment, puis se gratta nerveusement le menton. « Je vais devoir lui trancher la gorge, reprit-il. C'est la seule solution. »

Et il saisit son bistouri à nouveau, et à nouveau il hésita, avant de le reposer tranquillement.

« Je ne peux pas, dit-il. Locke, conseille-moi. Que dois-je faire ?

— Il me semble me rappeler, répondit Locke, que nous autres médecins sommes censés protéger la vie et non pas tuer. N'est-il pas vrai ?

— Mais légalement, répliqua Lower, elle est déjà morte. Je ne fais qu'accomplir correctement ce qui aurait déjà dû être fait.

— Tu es donc bourreau ?

— Elle a été condamnée à mort.

— Vraiment ?

— Tu le sais très bien.

— Je me rappelle, rétorqua Locke, qu'elle a été condamnée à être pendue. C'est ce qui s'est passé. Il n'a pas été stipulé qu'elle devait être pendue jusqu'à ce que mort s'ensuive. J'admets que c'est ce qui est généralement compris et exprimé clairement, mais vu que cela n'a pas été le cas en l'occurrence, on ne peut considérer que cela fait partie du châtiment.

— On l'a également condamnée à être brûlée, poursuivit Lower. Et la pendaison n'était qu'une façon de lui épargner des souffrances. Dois-je comprendre que tu me conseilles de l'envoyer au bûcher et de la laisser être brûlée vive ? »

Son attention se porta alors sur Sarah qui, oubliée de tous pendant la discussion, poussa un faible gémissement.

« Qu'on m'apporte un pansement, ordonna-t-il, reprenant son rôle de médecin, pour que je bande l'entaille que je lui ai faite. »

Pendant les cinq minutes qui suivirent, ou à peu près, il s'occupa soigneusement de la blessure, qui n'était heureusement pas profonde ; puis Locke et lui utilisèrent toute leur force pour l'asseoir en appuyant son dos contre leurs épaules et en faisant pivoter son corps sur la table, de manière que ses jambes pendent dans le vide. Finalement, tandis que Locke la faisait respirer profondément, afin qu'elle reprenne ses esprits, Lower alla chercher un manteau et la recouvrit avec une extrême prévenance.

Il est plus difficile d'envisager de tuer une femme assise qu'un corps étendu sur une table, et une fois que Sarah fut installée, l'attitude de Lower changea complètement. Sa bonté naturelle, étouffée maintes fois par son ambition, balaya tout, quel que fût selon lui son devoir, et, presque sans s'en rendre compte, il se mit à traiter la jeune fille semblablement à l'une de ses patientes. Il défendait toujours farouchement ceux qu'il considérait comme étant sous sa protection.

« Mais qu'allons-nous faire maintenant ? »

Tous ceux qui se trouvaient dans la pièce étaient conscients que, pendant que se déroulait cette scène, le bruit venant de la rue s'était insensiblement accru et qu'on entendait désormais un vacarme produit par un attroupement assez considérable. Locke passa la tête par la fenêtre.

« C'est la foule des spectateurs. Je vous avais dit que ça ne leur plairait pas, fit-il. Heureusement qu'il pleut à verse, car beaucoup ont été découragés. » Il scruta le ciel. « Vous avez déjà vu une pluie aussi forte ? »

Un autre grognement de Sarah qui, baissant la tête, se mit à vomir violemment, avec force haut-le-cœur, attira leur attention. Lower apporta de l'alcool et lui donna de petits coups sur la tête, tout en la forçant à en boire un peu, mais cela ne fit que lui soulever davantage le cœur.

« Si tu leur révèles ceci, ils diront simplement que c'est un signe néfaste à propos de tes projets. Ils vont s'emparer d'elle pour la placer sur le bûcher et monteront la garde pour t'empêcher d'approcher.

— Veux-tu dire que nous ne devons pas la rendre ? »

Pendant toute cette scène, je n'avais pas ouvert la bouche, restant dans mon coin à regarder. Mais j'avais enfin recouvré la faculté de parler. Je pouvais faire pencher la balance d'un côté ou de l'autre, puisqu'il était clair que nous devions tous tomber d'accord sur la marche à suivre.

« Il ne faut pas, dis-je. Elle n'a fait aucun mal. Elle est totalement innocente. Je le sais. Si vous la livrez, non seulement vous abandonnerez une patiente, mais vous abandonnerez également une innocente que Dieu protège.

— Tu en es sûr ? » demanda Locke en se tournant vers moi. Il remarquait ma présence pour la première fois, semblait-il.

« Oui. J'ai essayé de le dire au tribunal, mais j'ai dû me taire sous les huées.

— Je ne vais pas te demander comment tu le sais », me dit-il d'une voix douce. Pour la première et la dernière fois, son regard pénétrant me fit comprendre comment il parvint plus tard à occuper une telle position dans le monde entier. Il voyait davantage de choses que le reste des mortels et en devinait encore plus. Je lui fus reconnaissant de son silence et le suis toujours.

« Très bien, reprit-il. Le seul problème c'est que nous risquons de prendre sa place sur le gibet. Je suis un homme généreux, il me semble, mais même moi je pose des limites à ce que j'accepte de faire pour un patient. »

Pendant ce temps, Lower, très agité, faisait les cent pas dans la pièce. De temps en temps, il jetait discrètement un coup d'œil par la fenêtre avant de regarder, tour à tour, Sarah, Locke et moi. Lorsque nous eûmes, Locke et moi, terminé notre discussion, il parla :

« Sarah ? » fit-il gentiment. Il répéta son nom jusqu'à ce qu'elle levât la tête et le regardât. Elle avait les yeux meurtris et injectés de sang, les petits vaisseaux qu'ils contenaient s'étant rompus ; cela lui donnait l'air d'un véritable démon, et l'aspect effrayant était accentué par son teint livide.

« Vous m'entendez ? Vous pouvez parler ? »

Après un long moment, elle hocha la tête.

« Vous devez répondre à une question, dit-il en s'approchant d'elle et en mettant un genou à terre afin qu'elle pût bien le voir. Quoi que vous ayez déclaré par le passé, vous devez dire la vérité aujourd'hui. Il s'agit de notre vie et de notre âme à tous et pas seulement de la vôtre. Avez-vous tué le Dr Grove ? »

Bien que connaissant la vérité, je ne savais pas quelle serait sa réponse. Elle n'en donna aucune pendant quelque temps avant de finir par secouer la tête.

« Votre aveu n'était pas sincère ? »

Elle fit un petit hochement de tête.

« Vous le jurez par tout ce qui vous est cher ? »

Elle hocha encore la tête.

Lower se leva et poussa un profond soupir.

« Monsieur Wood, dit-il, conduisez cette fille dans l'appartement de Boyle. Il sera indigné s'il s'en aperçoit ; aussi bien, essayez de ne créer aucun dégât. Habillez-la du mieux que vous pouvez et coupez-lui les cheveux. »

Je le regardai sans comprendre tandis que Lower fronçait les sourcils.

« Allons ! Allons ! Monsieur Wood, je vous en prie. Il ne faut jamais contredire un médecin qui essaie de sauver une vie. »

Alors je menai Sarah par la main tandis que Lower chuchotait : « Dans la pièce d'à côté, Locke. C'est loin d'être gagné, mais ça peut marcher. »

Bien qu'elle n'eût pas l'air trop mal en point, Sarah était toujours incapable de parler, ni de faire autre chose que rester assise, le regard perdu dans le vide pendant que j'obéissais aux instructions. Il est difficile de couper des cheveux sans ciseaux et le résultat n'aurait pas fait honneur à une élégante. Ce n'était pas, cependant, le dessein de Lower — quel qu'il fût. Je ne mis pas longtemps à terminer ma tâche, puis je fis de mon mieux pour nettoyer.

Ensuite, je m'assis à côté d'elle et lui pris la main. Aucune parole ne pouvant me satisfaire, je me tus. Mais j'appliquai une légère pression de la main et je finis par percevoir une pression infime en retour. Cela me suffit :

j'éclatai en violents sanglots, appuyant ma tête contre sa poitrine tandis qu'elle demeurait immobile.

« Pensiez-vous vraiment que j'allais vous quitter ? demanda-t-elle d'une voix si faible et si douce que j'avais beaucoup de difficulté à l'entendre.

— Je ne pouvais guère espérer grand-chose de mieux. Je sais que je n'en méritais pas tant.

— Qui suis-je ? »

Ce fut le moment le plus magnifique de ma vie. Tout ce qui le précédait conduisait à cette question ; tout ce qui suivit, les années que j'ai vécues depuis et celles dont j'espère encore jouir, ne constitue qu'un épilogue. Pour la première et la dernière fois, je n'éprouvais aucun doute. Je n'avais pas besoin de réfléchir, de soupeser les preuves, ni d'utiliser les méthodes d'interprétation requises pour les questions de moindre importance ; je n'avais qu'à affirmer, sans crainte, la vérité manifeste et incontestable. Certaines choses, en effet, sont si évidentes que l'analyse en est superflue et que l'emploi de la logique serait méprisable. La vérité s'imposait. C'était le don le plus parfait parce qu'il était absolument immérité. Je savais. C'était tout.

« Tu es mon Sauveur, le Dieu vivant, né de l'esprit, persécuté, insulté, offensé, connu des mages, qui est mort pour nos péchés et a été ressuscité, comme c'est arrivé auparavant et comme cela arrivera à chaque génération. »

Quiconque m'eût entendu m'eût pris pour un fou, et en prononçant cette phrase je quittai à jamais la société des hommes et pénétrai dans un royaume de paix qui n'appartenait qu'à moi.

« N'en parle à personne, dit-elle doucement.

— Et j'ai peur. Je ne peux supporter la pensée de te perdre », ajoutai-je, honteux de mon égoïsme.

À peine Sarah paraissait-elle me prêter attention, mais elle finit par se pencher vers moi et posa un baiser sur mon front.

« Tu ne dois pas avoir peur. Tu ne dois plus jamais avoir peur. Tu es mon amour, ma colombe, mon bien-aimé, et je suis ton amie. Je ne t'abandonnerai jamais et je ne te négligerai jamais. »

Ce furent les dernières paroles qu'elle m'adressa, les dernières que j'entendis tomber de ses lèvres. Je demeurai assis à côté d'elle, la tenant par la main et la contemplant, comme frappé de terreur, jusqu'à ce qu'un bruit venant d'en bas me rappelle à la réalité. Alors je me levai du lit où elle était assise, le regard fixe, et je redescendis retrouver Lower. Sarah semblait désormais totalement inconsciente de mon existence.

Le carnage qui régnait dans la pièce était vraiment diabolique ; même moi qui connaissais la vérité, je fus épouvanté. Et le choc que ressentit Cola en pénétrant de force dans ces lieux et en découvrant ce qu'il crut être le corps de Sarah dut être bien plus violent ! Lower avait pris le cadavre qu'il s'était procuré à Aylesbury et l'avait dépecé brutalement afin d'en rendre les morceaux méconnaissables, mutilant la tête au point qu'elle ne paraissait plus être humaine. Pour compléter l'illusion, il était lui-même couvert du sang d'un chien tué par Locke ; la forte odeur d'alcool était insupportable bien que la fenêtre eût été grande ouverte pour laisser entrer le vent.

« Eh bien, Wood ? » demanda-t-il en se tournant vers moi, la mine sinistre. Je vis que Locke avait repris sa nonchalance, son air absent, et qu'il se tenait tranquillement près de la porte. « Penses-tu que quelqu'un va découvrir notre supercherie ? » Et d'un coup de couteau Lower fit sauter un œil du crâne qui se trouvait sur la table, si bien qu'il ne tînt plus que par un fil à son orbite.

« Je lui ai coupé les cheveux, mais cela l'a tant affectée qu'elle est à peine capable de bouger, il me semble. Que suggères-tu que nous fassions maintenant ?

— Le serviteur de Boyle a quelques vêtements dans le placard près de la chambre, répondit-il. Du moins est-ce là qu'il les met généralement. Je crois qu'il nous faut les lui emprunter. Habille-la et fais-la sortir du bâtiment sans que personne puisse la reconnaître. Jusqu'à ce que ce soit possible, garde-la à l'étage et qu'elle ne fasse aucun bruit. Personne ne doit la voir, ni même soupçonner qu'il y a quelqu'un là-haut. »

Je remontai l'escalier, trouvai les vêtements et me mis en devoir d'y faire entrer Sarah. Elle ne dit pas un mot pendant cette longue opération ; lorsque ce fut terminé je la laissai seule et sortis par l'arrière-boutique de M. Crosse, suivis un petit sentier jusqu'à Merton Street où se trouvait ma maison.

Avant, cependant, je fis une halte aux Feathers, car j'avais besoin d'un petit moment pour me calmer les nerfs et reprendre mes esprits. Cola m'y aborda ; il avait les traits tirés et semblait totalement épuisé lui aussi. Il voulait des nouvelles de l'exécution. Je lui fis part de toute la vérité, excepté le seul fait d'importance. Le pauvre homme prit cela pour la confirmation de sa théorie sur la transfusion sanguine, selon laquelle la mort de l'esprit chez le donneur entraîne inévitablement celle de la personne qui a reçu le sang. Je ne pouvais pas, pour des raisons évidentes, l'éclairer sur ce point en lui montrant que sa théorie comportait un défaut fatal dans la présentation des preuves.

Il me parla également de la mort de la mère, ce qui me causa un grand chagrin, car c'était un nouveau fardeau que Sarah allait devoir supporter. Mais je m'efforçai de n'y pas penser, tandis que Cola allait faire des reproches à Lower ; quant à moi, je rentrai à la maison et trouvai ma mère dans la cuisine. Très affectée par les malheurs de Sarah, elle avait pris l'habitude de rester assise tranquillement près du feu quand elle n'était pas en train de prier pour la jeune fille. Lorsque j'arrivai ce matin-là — car il n'était, malgré tout, que huit heures —, elle était assise sur le siège que personne d'autre n'avait le droit d'occuper, et je m'aperçus avec étonnement qu'elle avait pleuré à l'insu de tous. Comme elle cachait ses larmes, je ne fis semblant de rien afin de ne pas l'humilier. Même alors, je crois, je me demandai comment une vie normale pouvait tant soit peu continuer en dépit du miracle dont je venais d'être témoin ; je ne réussissais pas à comprendre que personne à part moi n'eût rien remarqué.

« C'est terminé ?

— En un sens. Mère, je dois vous demander quelque chose très sérieusement. Qu'auriez-vous fait pour l'aider, si cela avait été en votre pouvoir ?

— N'importe quoi, répondit-elle d'un ton ferme. Tu le sais bien. N'importe quoi.

— Si elle s'était échappée, l'auriez-vous aidée, même si cela signifiait que vous deviez vous-même enfreindre la loi ? Vous ne l'auriez pas livrée ?

— Bien sûr que non. La loi n'a pas de valeur lorsqu'elle est injuste, et alors il faut n'en faire aucun cas. »

Je la dévisageai, les mots paraissant bizarres dans sa bouche, jusqu'au moment où je me rendis compte que c'étaient des paroles que j'avais jadis entendu prononcer par Sarah elle-même.

« Vous seriez disposée à l'aider maintenant ?

— Je ne peux plus rien faire pour elle, il me semble.

— Si. »

Elle ne répondit rien. Aussi continuai-je à parler ; en ayant trop dit, je ne pus arrêter le flot de paroles qui sortait de ma bouche : « Elle est morte et elle est ressuscitée. Elle se trouve dans l'appartement de M. Boyle. Elle est toujours en vie, mère, et personne ne le sait. Personne ne le saura jamais si vous ne dites rien, puisque nous avons décidé d'un commun accord de l'aider à s'échapper. »

Cette fois-là, même ma présence ne fut pas un motif suffisant pour l'inciter à garder sa dignité ; elle se balançait d'avant en arrière sur son siège, se tordant les mains et marmonnant : « Merci, mon Dieu, Dieu soit loué, grâce soit rendue à Dieu ! » Des larmes se formaient dans ses yeux et coulaient le long de ses joues ; puis je la pris par la main et parvins à ce qu'elle me prêtât de nouveau attention.

« Il faut la cacher jusqu'à ce qu'on puisse la faire sortir de la ville. Ai-je votre permission pour l'emmener ici ? Si je la cache dans mon bureau, vous ne la trahirez pas ? »

Elle promit sans réserve et je sus que sa promesse avait encore plus de valeur que si c'était moi qui l'avais faite ; c'est pourquoi je l'embrassai sur la joue et lui dis que je serais rentré à la nuit tombée. Quand je partis, elle s'affairait dans la cuisine, sortant des légumes et notre jambon de l'hiver dernier afin de préparer un dîner de fête au retour de Sarah.

Le reste de cette journée fut tout aussi étrange que le début, car, après l'activité fébrile des premières heures, nous nous retrouvâmes, Lower, Locke et moi-même, avec beaucoup de temps libre et sans rien à faire jusqu'au soir. Lower se rendit compte que ces événements l'avaient, en fin de compte, décidé à partir s'établir à Londres, étant donné que sa réputation ne serait plus la même dans la ville, tant on y désapprouvait ses activités supposées. Il n'avait plus le choix : il devait tout risquer et entreprendre la lente tâche de s'installer ailleurs. Les restes de la fille qu'il avait achetés à Aylesbury furent portés au château fort et brûlés sur le bûcher (Lower retrouva assez son sens de l'humour pour faire remarquer qu'elle avait été tellement imprégnée d'alcool qu'on aurait de la chance si elle ne faisait pas sauter tout l'édifice), et Cola m'avait donné assez d'argent pour offrir à Mme Blundy un enterrement convenable.

L'organisation de l'enterrement fut une opération simple mais pénible. Un grand nombre de citadins étaient désormais disposés à faire quelque chose ; le sort de la fille les avait tellement révoltés qu'ils étaient heureux de faire amende honorable en traitant la mère du mieux possible, d'autant plus qu'ils allaient être payés pour leur bonté. J'engageai le prêtre de l'église St. Thomas pour qu'il célébrât la cérémonie funéraire le soir même, et il envoya lui-même ses hommes chercher le corps pour le préparer. Ce n'était ni le prêtre ni l'église qu'elle aurait elle-même choisis, mais je ne savais pas très bien qui aurait dû officier, et puisque le demander à quelqu'un d'autre qu'à un prêtre de l'Église établie aurait créé des difficultés inouïes, je décidai qu'il valait mieux éviter des complications inutiles. L'office était prévu pour huit heures, ce soir-là, et lorsque je quittai l'église le prêtre hurlait déjà l'ordre au sacristain de creuser une tombe dans la partie la plus pauvre et la plus négligée du cimetière, afin qu'il ne choisît pas par mégarde un endroit d'une plus grande valeur et réservé aux hommes de qualité.

J'avais complètement chassé de mon esprit la pensée qu'il faudrait annoncer à Sarah la mauvaise nouvelle. C'était inévitable, évidemment, et je savais que c'était moi qui devrais m'en charger, mais je ne faisais que repousser le moment le plus longtemps possible. Lower le savait déjà grâce à Cola et l'événement semblait le bouleverser.

« Je n'arrive pas à comprendre, dit-il. Elle n'allait pas bien et elle était très faible, mais quand je l'ai vue elle n'était pas en train de mourir. Quand est-elle morte ?

— Je ne le sais pas. C'est M. Cola qui me l'a appris. Il était avec elle, je crois. »

Le visage de Lower se rembrunit.

« Ah ! cet homme... Je suis sûr que c'est lui qui l'a tuée.

— Lower ! C'est affreux ce que tu dis...

— Je ne veux pas dire qu'il l'a tuée volontairement. Mais il connaît mieux la théorie que la pratique. » Il poussa un profond soupir et parut terriblement soucieux. « Je me sens coupable, Wood. Vraiment. J'aurais dû m'occuper moi-même de cette femme. Tu sais que Cola avait l'intention de lui donner encore du sang.

— Non.

— Si. Je ne pouvais pas l'en empêcher puisqu'elle était sa patiente, et j'ai refusé de m'en mêler.

— Ce n'était pas un bon traitement ?

— Pas nécessairement. Mais nous nous sommes querellés et je ne voulais plus m'associer à lui. Je t'ai dit que, selon Wallis, il a déjà par le passé volé les idées d'autres personnes.

— À de nombreuses reprises ? dis-je. Et alors ?

— Et alors ? répéta Lower, fort vexé. Y a-t-il quelque chose de pire ?

— Il pourrait être un jésuite intrigant, venu secrètement dans notre pays pour rallumer la guerre civile et fomenter des troubles dans le royaume, suggérai-je. Cela pourrait être considéré comme un délit plus grave.

— Pas par moi. »

Cette remarque soulagea la tension qui était montée au cours de la journée, et soudain Lower et moi nous ne pûmes nous retenir de hurler de rire, les larmes roulant sur nos joues, tandis que nous nous agrippions fortement l'un à l'autre, le corps secoué de soubresauts provoqués par une gaieté des plus étranges. Nous nous retrouvâmes affalés sur le sol : Lower couché sur le dos, encore haletant, et moi assis par terre, la tête entre les genoux, étourdi d'avoir tant ri et la mâchoire endolorie. À ce moment-là, je ressentais une profonde affection à son égard et je savais que, quelles que soient nos différences et en dépit de son côté bourru, j'aurais toujours beaucoup d'amitié pour lui, car c'était un homme vraiment bon.

Une fois que nous eûmes repris nos esprits et séché nos larmes, Lower posa la question de savoir ce que nous devions faire de Sarah. Et là-dessus il n'y avait pas matière à rire.

« Il faut qu'elle quitte Oxford sur-le-champ, dis-je. Elle ne peut pas rester dans ma chambre éternellement et, même avec les cheveux coupés, elle est aisément reconnaissable. Mais je n'ai pas la moindre idée de l'endroit où elle peut aller et de ce qu'elle doit faire.

« — Tu as combien d'argent ?

— Quatre livres environ. La plus grande partie de cette somme je vous la dois, à toi et à Cola, pour le traitement de sa mère. »

Il écarta l'objection d'un geste de la main.

« Un patient de plus qui ne paie pas... Ce n'est pas le premier et ce ne sera pas le dernier, j'en suis persuadé. En ce qui me concerne, j'ai deux livres, et dans quinze jours je vais recevoir la rente que me verse ma famille. Je peux prendre deux autres livres là-dessus.

— Si tu peux aller jusqu'à quatre, je te rendrai la différence quand je recevrai ma rente trimestrielle. »

Il hocha la tête.

« Ça fait dix livres, par conséquent. Ce n'est pas beaucoup, même pour une fille de sa condition. Et si...

— Hein ?

— Tu sais que mon jeune frère est quaker ? »

Il dit cela tout naturellement et sans honte apparente, alors que je savais que c'était un sujet qu'il n'abordait qu'avec la plus extrême réticence. D'ailleurs, beaucoup de ceux qui le connaissaient bien ignoraient même qu'il avait un frère, tant il craignait que sa réputation n'en souffrît. J'avais rencontré ce frère une fois, et il ne m'avait pas déplu. Tout comme son visage ressemblait à celui de Lower en ayant une expression différente, il avait le même caractère mais sans la joie de vivre et le rire facile, puisque, paraît-il, chez les quakers rire est considéré comme un péché.

Je hochai la tête.

« Il travaille avec un groupe de personnes qui ont les mêmes croyances que lui et qui désirent gagner des lieux où ils ne seront plus persécutés : des régions comme le Massachusetts, par exemple. Je pourrais lui écrire afin qu'il s'occupe d'y envoyer Sarah Blundy. Elle pourrait passer pour la servante ou la parente de quelqu'un, mais elle devrait se débrouiller toute seule en arrivant.

— C'est une dure punition pour quelqu'un qui n'a rien fait de mal.

— Rares sont ceux qui, lorsqu'ils se rendent volontairement dans ces contrées, ont quelque chose à se reprocher. Et pourtant ils y vont quand même. Elle sera en bonne compagnie, et elle trouvera là-bas plus de gens pensant comme elle qu'ici. »

Après tout ce qui s'était passé, la pensée de ne jamais la revoir me serrait le cœur, et j'ai conscience que les arguments que je présentai contre ce projet étaient égoïstes. Car Lower avait raison : si elle restait en Angleterre, tôt ou tard elle serait démasquée. Quelqu'un — un ancien camarade de son père, un voyageur venant d'Oxford, ou un ancien étudiant — tomberait sur elle et la reconnaîtrait. Chaque jour, sa vie serait en danger, et la nôtre également. Je n'avais aucune idée de la façon dont, techniquement, la loi considérait ce que nous avions fait, mais je savais que rares sont les juges qui montrent la moindre bienveillance pour ceux ayant la présomption d'empiéter sur leur terrain. Elle avait été condamnée à mort, et elle était toujours vivante. Même les arguties de Locke seraient difficilement convaincantes en l'occurrence.

Nous tombâmes donc d'accord ; ou, du moins, nous fûmes d'accord qu'il fallait soumettre l'idée à Sarah, étant donné que sans son assentiment le projet était irréalisable. Lower accepta de suggérer cette possibilité puisque c'était son idée et qu'il devrait se charger des démarches auprès des dissidents. Je repris le chemin de St. Thomas afin de m'assurer que les préparatifs de l'enterrement avançaient ; je m'attendais à être la seule personne présente à l'office.

Mais le projet ne plaisait pas à Sarah parce qu'elle ne voulait pas quitter sa mère, et ce n'est que lorsque Lower lui annonça que la vieille femme était morte qu'elle devint raisonnable. Si elle avait subi toutes ses épreuves avec courage, la disparition de sa mère révéla sa fragilité. Je n'en dirai pas plus, sauf pour signaler que Lower n'était pas la personne la plus apte à apporter du réconfort. Il était bon et souhaitait que tout le monde fût heureux, mais il avait tendance à se montrer revêche et peu compatissant dès qu'il se trouvait en face d'une souffrance qu'il lui était impossible de soulager. Je suis à peu près certain que son ton — neutre au point d'être brutal — ne fit qu'empirer les choses.

Sarah insista pour venir à l'enterrement, bien que Lower l'eût tancée vertement, arguant que c'était une pure folie ; il fut impossible de lui faire changer d'avis. Le fait que ma mère la soutint et annonça qu'elle l'emmènerait à l'église, quoi qu'en dît le Dr Richard Lower, régla la question.

Leur arrivée à tous les trois me bouleversa. Lower paraissait anxieux, ma mère avait un air sinistre, et Sarah était livide, comme si une partie de sa vitalité avait à jamais quitté son corps. Ils avaient fait de leur mieux pour changer son apparence : on l'avait déguisée en garçon en la coiffant d'une casquette enfoncée jusqu'aux yeux, mais j'étais terrifié à l'idée que le prêtre allait subitement lever la tête de son livre et jeter sur elle un regard effaré, avant de courir chercher le guet. Mais cela n'arriva pas ; il débita les formules rituelles plus vite que la décence ne l'eût permis, refusant de faire le moindre effort pour une femme qui n'était pas une dame, une riche paroissienne, ni quelqu'un qui fût digne de la condescendance d'un grand personnage comme lui. J'eus envie de le souffleter et de le rappeler à ses devoirs, tant j'avais honte. Avec des prêtres de son espèce, il n'est pas étonnant que tant de monde se tourne vers d'autres Églises. Quand il eut terminé, il referma son bréviaire d'un coup sec, nous fit un signe de tête, tendit la main pour recevoir son dû et s'éloigna à grands pas. Il refusait, dit-il, de terminer la cérémonie devant la tombe, étant donné que la femme était quasiment une païenne. Il avait accompli tout ce qu'il était légalement contraint de faire, et il n'irait pas au-delà.

Cette sécheresse de cœur rendit Lower, me semble-t-il, encore plus furieux que moi, quoique j'aime à croire que cet homme eût été plus courtois s'il avait su qu'un membre de la famille de la défunte était présent. Mais, ne le sachant pas, il ne fit aucun effort, ce qui causa la scène la plus pénible dont j'aie jamais été témoin. Et cela dut être encore bien plus douloureux pour Sarah. Je la réconfortai de mon mieux.

« C'est sa fille qui va lui dire adieu avant son dernier voyage, sa fille qui l'aimait, accompagnée des amis qui ont essayé de l'aider, dis-je. C'est beaucoup mieux et plus approprié. Elle n'aurait pas voulu, de toute façon, qu'un homme de cet acabit psalmodie des prières sur sa tombe. »

C'est ainsi que, Lower et moi, nous transportâmes nous-mêmes la bière hors de l'église et traversâmes le cimetière en titubant dans le noir avec un seul cierge pour nous éclairer. On ne pouvait imaginer une atmosphère plus différente de celle dans laquelle s'étaient déroulées les obsèques du Dr Grove, mais, du coup, maintenant que le prêtre était parti, nous étions tous dans le même état d'esprit.

C'est à moi qu'il revint de prononcer l'éloge funèbre, Lower ne connaissant pas bien la défunte et Sarah paraissant incapable de parler. N'ayant pas la moindre idée de ce qu'il fallait dire, j'exprimai simplement les premières pensées qui me vinrent à l'esprit. J'expliquai que je ne l'avais connue que pendant ses dernières années, que nous n'étions pas de la même confession, elle et moi, et que nous n'aurions pu être plus éloignés l'un de l'autre en matière de politique ; que, cependant, je la respectais, car c'était une femme honorable et courageuse qui faisait ce qu'elle pensait être le bien et qui cherchait à découvrir les vérités qui lui tenaient à cœur. Je ne dirais pas que c'était la plus obéissante des épouses, parce qu'elle eût refusé avec mépris d'être dépeinte sous ce jour. Cependant, elle avait été le meilleur soutien de son mari ; la mère et la fille avaient aimé ce dernier et l'avaient aidé dans toutes les occasions où il l'avait souhaité et jugé nécessaire. Elle avait elle-même lutté pour les croyances de son mari et elle avait élevé une fille qui s'était avérée courageuse, fidèle, douce et bonne, meilleure que la meilleure des filles. De cette excellente façon, elle avait honoré son créateur et était bénie. Je pensais qu'elle ne croyait pas à la vie après la mort, car elle se méfiait de tout ce que disaient les prêtres. Je savais cependant qu'elle avait tort et qu'elle serait accueillie par Dieu à bras ouverts.

Quel galimatias que ce discours ! Je l'avais prononcé davantage pour réconforter Sarah de mon mieux que pour brosser un portrait fidèle de la défunte. À l'époque je croyais tout ce que j'avais dit et je le crois encore. Je sais qu'il est inconcevable qu'une femme comme elle, vu sa religion, ses opinions, son rang et ses besoins, puisse jamais être considérée comme étant le moins du monde respectable, noble ou vertueuse. Et pourtant elle était tout cela, et je ne prends plus la peine de chercher à réconcilier mes idées avec celles des autres.

Quand j'eus cessé de parler, il y eut un moment de gêne, puis ma mère mena Sarah auprès du corps et replia le drap pour révéler le visage. Il pleuvait à verse et l'atmosphère était triste au-delà de toute expression : sous l'effet de la pluie, la boue éclaboussait la morte dont le corps gisait sur le sol glacial détrempé. Sarah s'agenouilla et nous nous tînmes en retrait pendant qu'elle murmurait sa prière ; enfin, elle se pencha, déposa un baiser sur le front de sa mère et remit délicatement en place une mèche de cheveux qui s'était échappée du plus beau bonnet de la vieille femme.

Elle se releva. Lower me tira par le bras et, à nous deux, nous fîmes descendre le corps dans la fosse aussi doucement et solennellement que nous le pûmes ; ensuite, Sarah accomplit son ultime devoir de fille en jetant de la terre sur la bière. Nous l'imitâmes tous ; finalement, c'est à l'aide de pelles que, Lower et moi, nous comblâmes le trou aussi prestement que possible. Quand tout fut terminé, couverts de boue, trempés et glacés jusqu'aux os, nous prîmes le chemin du retour, sans autre forme de procès. Il n'y avait plus qu'à se préoccuper à nouveau des vivants.

Comme à l'accoutumée, Lower s'était montré plus actif et plus efficace que moi. Il avait pris sur lui d'emprunter la voiture de Boyle — considérant avec raison que le véhicule d'un tel personnage ne risquait pas d'être arrêté ni même inspecté par le guet, quelle que fût l'heure tardive où il pouvait se trouver sur les routes — et il loua deux chevaux pour la tirer. Il proposa d'accompagner lui-même Sarah jusqu'à Reading, situé assez loin d'Oxford pour qu'elle fût en sécurité, surtout que les relations entre les deux villes étaient assez mauvaises pour que les communications entre elles fussent, pour le moment, très limitées. Il y logerait Sarah chez des coreligionnaires de son frère, une famille de dissidents qui, il le garantissait, garderaient son secret, ou plutôt ce qu'on leur en dirait. Quand son frère rentrerait et passerait par la ville lors de son retour dans le Dorset, on l'informerait des événements. Sans nul doute, il prendrait alors la jeune fille sous son aile et l'embarquerait sur le premier bateau en partance et qui emmenait des dissidents loin de l'Angleterre. C'est ce que nous décidâmes tous d'un commun accord.

Je n'ai pas la force de décrire nos adieux, le dernier regard que je posai sur son visage, et je vais donc m'en abstenir.

Sarah partit dix jours plus tard en compagnie du frère de Lower ; elle prit sous sa protection le chemin de Plymouth, où elle s'embarqua.

On n'entendit plus parler d'elle. Elle n'atteignit jamais l'Amérique, et on considéra qu'elle était tombée par-dessus bord. Mais le bateau était encalminé à ce moment-là ;

au reste, il était si bondé qu'il était difficile d'imaginer qu'il pût arriver malheur à un passager sans que quelqu'un s'en rendît compte. Et pourtant, elle disparut en plein soleil et sans faire le moindre bruit, comme si elle avait été tout soudain emportée vers les cieux.

Chapitre douze

Ici prend fin l'histoire, telle que je la connais, de Sarah
Blundy ; je ne puis en dire plus et libre à ceux qui le
désirent de ne pas me croire.

Il me reste à raconter la fin de l'histoire et à montrer
quel était le but du voyage en Angleterre de l'Italien.
J'avoue que cela ne me semble pas important, car à côté
de ce dont j'avais été témoin, les erreurs des hommes
qui se querellent dans l'absolue ignorance de la vérité ne
peuvent susciter que le plus total mépris. Cependant,
comme cela fait partie de ces événements tout en en étant
une des causes, je dois tout noter afin de mettre un terme
à ma tâche avant de me reposer.

Je me rendis à Londres le lendemain où Sarah partit
d'Oxford, toujours d'humeur nostalgique et en proie au
plus grand désarroi ; c'est Lower qui me conseilla fortement ce voyage comme remède à la mélancolie et à la
morosité. Un changement de décor, de nouveaux compagnons et quelques distractions, insista-t-il, contribueraient
à chasser la tristesse qui s'était emparée de moi. Je suivis
cet avis parce que ma lassitude était si grande qu'il était
plus aisé d'acquiescer que de résister. Lower prépara mon
sac, m'accompagna jusqu'au carrefour Carfax et m'installa dans la diligence.

« Et amuse-toi bien ! lança-t-il. Tu dois admettre que
tout s'est mieux terminé que tu ne pouvais t'y attendre.
Il est temps d'oublier et de repartir de l'avant. »

C'était plus facile à dire qu'à faire, mais j'essayai
d'écouter son conseil autant que possible en passant un

certain temps à rendre visite à des gens avec qui j'avais
correspondu toutes ces années et en m'efforçant de m'intéresser à leurs propos. Le résultat ne fut pas brillant,
mon esprit dérivant vers des sujets plus graves ; je crains
d'ailleurs d'avoir provoqué un certain ressentiment parmi
mes collègues, à cause de la distance qui se créa entre
nous et qu'ils durent prendre pour du dédain ou de l'arrogance. Des questions qui, d'ordinaire, auraient suscité en
moi la plus intense fascination ne parvenaient pas à éveiller le moins du monde mon intérêt. On me fit part de
la découverte, dans une carrière du Hertfordshire,
d'énormes ossements pétrifiés prouvant que la Bible
disait la vérité quand elle affirmait que jadis des géants
marchaient sur la terre, pourtant, je ne fus pas du tout
subjugué. John Aubrey, à l'époque l'un de mes bons amis,
m'accorda l'hospitalité, mais je n'arrivai pas à montrer le
moindre enthousiasme à l'égard de l'ingéniosité dont il
fit preuve en découvrant le but et la nature de Stonehenge,
Avebury et autres sites du même genre. On m'invita à
une réunion de la Société royale. Je déclinai sans regret
cet honneur insigne et je ne fus pas désolé de n'être plus
jamais réinvité.

Un soir, deux jours seulement après mon arrivée, je
me trouvai par hasard à passer devant une auberge de
Cheapside appelée The Bells et, me souvenant que j'avais
vu ce nom dans la malle de Cola, je ressentis le besoin
de partir à la recherche de quelqu'un ayant également
connu Sarah et qui avait été témoin de certains des événements auxquels j'avais moi-même assisté. J'avais aussi
terriblement besoin de connaître les réponses à de nombreuses questions, de comprendre l'aspect humain de
l'engrenage qui l'avait conduite à sa perte.

On le trouva sans difficulté, bien que l'aubergiste
— qui se révéla plus tard être papiste — ne connût pas
son nom ; je n'eus qu'à demander le gentilhomme italien,
et l'on me fit tout de suite entrer dans la chambre d'honneur, qu'il occupait seul et où il logeait depuis son
arrivée.

Mon apparition le médusa, pas autant cependant que mes premières paroles.

« Bonsoir, mon père », dis-je.

Il ne put se récrier, fanfaronner, protester ou insister qu'il y avait erreur, car les prêtres ne peuvent agir ainsi. Il me fixa d'un air épouvanté, pensant que j'avais été envoyé pour m'emparer de sa personne et que des hommes armés étaient près de bondir dans les escaliers pour le conduire au martyre. Mais il n'y eut aucun bruit, aucun martèlement de bottes, aucun ordre hurlé avec force, rien que le silence dans la pièce tandis qu'il se tenait près de la fenêtre, frappé de stupeur.

« Pourquoi m'appelez-vous "mon père" ?

— Parce que c'est ce que vous êtes. »

Je ne lui dis pas : Qui d'autre transporterait avec soi, au fond de ses bagages, les saintes huiles, de l'eau bénite et une relique sacrée ? Qui d'autre qu'un prêtre tenu par un vœu de chasteté réagirait avec une telle horreur en se rendant compte de la force de ses désirs charnels ? Qui d'autre donnerait secrètement, et avec la meilleure intention, l'extrême-onction à une femme qui, pensait-il, était sur le point de mourir, afin d'intercéder pour son âme contre sa volonté ?

Cola s'assit prudemment sur son petit lit et me regarda avec attention, l'air très pensif, semblant toujours s'attendre à une attaque surprise de ma part.

« Pourquoi êtes-vous venu ici ?

— Pas pour vous faire du mal.

— Alors pourquoi ?

— Je souhaite vous parler. »

J'étais désolé de l'alarmer ainsi et je fis de mon mieux pour l'assurer que je ne voulais pas lui nuire. Je pense que c'est l'expression de mon visage, plutôt que mes paroles, qui le convainquit de ma franchise. Le visage et les mots peuvent mentir, mais pas chez moi car, comme je l'ai déjà dit, l'homme le plus niais peut deviner mes pensées. Si j'avais menti, Cola s'en serait aperçu, mon visage lui montra que j'étais sincère. Aussi, après un long moment de grande tension, il soupira et se soumit à l'inévitable. Il m'invita à m'asseoir.

« Votre nom est-il vraiment Marco da Cola ? J'aimerais bien savoir à qui je m'adresse. Une telle personne existe-t-elle ? » demandai-je.

Il sourit aimablement.

« Elle a existé. C'était mon frère. Moi, je m'appelle Andrea.

— "A existé" ?

— Il est mort. Il est mort dans mes bras à son retour de Crète. Je pleure toujours beaucoup sa perte.

— Pourquoi êtes-vous ici ?

— Comme vous, je puis dire que je ne souhaite du mal à personne. Mais rares sont ceux qui me croiraient ; d'où mon subterfuge. Votre gouvernement n'approuve pas beaucoup les prêtres étrangers. Et certainement pas les jésuites. »

Il parlait lentement, sans me quitter des yeux afin de voir comment je réagissais à ses aveux. Je hochai la tête.

« Vous n'avez pas répondu à ma question.

— Monsieur Wood, reprit-il, vous êtes la seule personne à avoir deviné qui je suis et vous êtes le seul homme appartenant à votre foi qui ne réagit pas comme si j'étais le diable lui-même. Pourquoi cela ? Seriez-vous, au fond de votre cœur, attiré par la véritable Église ?

— "Que personne ne dise que le chemin qu'il a choisi est le seul et le meilleur, car c'est uniquement par ignorance qu'il parle ainsi" », dis-je. Les mots étaient sortis de ma bouche avant même que je me souvinsse où je les avais entendus.

Cola eut l'air troublé. « C'est un sentiment généreux bien qu'entaché d'erreur », répondit-il. J'espérais qu'il ne me poserait pas trop de questions sur ce sujet, car je savais que je ne pourrais ni défendre ma formule ni l'expliquer. Ou le pain se fait chair et le vin se fait sang, ou bien il n'en est rien ; et cela ne peut se passer à Rome et pas à Cantorbéry. Ou bien le Christ a fait de Pierre et de ses successeurs la pierre angulaire de la foi en leur conférant toute autorité pour les questions spirituelles, ou il ne l'a pas fait : Notre-Seigneur n'a pas dit à Pierre qu'il aurait autorité sur le monde entier sauf sur les régions de l'Europe qui pensent différemment.

Mais Cola n'en dit pas plus à ce sujet, se contentant d'avoir eu la bonne fortune d'être démasqué par la seule personne peut-être dans tout le pays qui ne se sentait pas obligée de le trahir auprès des autorités. Je n'étais pas non plus d'humeur à me lancer dans un débat théologique, même si j'avais eu une chance de le gagner. Ce genre de discussion m'avait toujours procuré un vif plaisir, mais, accablé par le poids de ce que je savais, je n'avais plus la tête à me préoccuper de choses que j'estimais désormais insignifiantes.

Au lieu de cela, il m'interrogea avec une gentillesse exquise sur l'enterrement d'Anne Blundy, et je lui racontai ce qui me parut convenable. Il eut l'air satisfait qu'on eût dépensé son argent à bon escient, regrettant amèrement que Lower se fût si mal conduit.

« Vous semblez remis du chagrin que vous a causé la mort de la jeune fille, dit-il en me lançant un regard pénétrant. J'en suis ravi. Ce n'est pas facile, je le sais ; il est si éprouvant de perdre quelqu'un qui compte beaucoup dans sa vie, comme elle dans la vôtre et mon frère dans la mienne. »

Alors nous nous mîmes à parler de ces questions ; le père Andrea le faisait avec un tel bon sens et une telle douceur que, même s'il ne connaissait pas grand-chose de ce qui s'était passé, il me mit du baume au cœur et m'aida à accepter la solitude qui, je le savais déjà, serait désormais mon lot. C'était un homme généreux et un bon prêtre, même s'il était papiste ; j'étais heureux de l'avoir rencontré, car ce genre de personne ne court pas les rues. Il est difficile d'être un médecin du corps : même si nombreux sont ceux qui s'y essaient, rares sont ceux qui ont le talent et la compassion nécessaires pour réussir. Et comme il est plus difficile de soigner l'âme, de guider un homme dans son chagrin jusqu'à ce qu'il parvienne à la sérénité et à la résignation ! Le père Andrea, lui, possédait ces qualités. Quand nous eûmes terminé notre entretien, que je n'eus plus rien à lui demander et qu'il n'eut plus rien à m'offrir comme réconfort, je lui fis part de ma reconnaissance et décidai de lui donner un présent en guise de remerciement.

« Je sais pourquoi vous êtes venu à Oxford », dis-je. Il se retourna brusquement et me fixa, les yeux écarquillés.

« Vous correspondiez avec sir James Prestcott et après sa mort ces lettres ont été perdues. Elles risquaient de causer beaucoup de tort à votre religion dans ce pays et vous souhaitiez les récupérer afin qu'elles ne soient pas connues du public. Voilà pourquoi vous avez fouillé la chaumière des Blundy. »

Il plissa les yeux de surprise.

« Vous êtes au courant ? Vous savez où elles se trouvent ?

— Je sais que vous n'avez aucune crainte à avoir à ce sujet. Je vous donne ma parole d'honneur que personne ne les verra jamais et qu'elles seront détruites. »

Il hésitait à me faire confiance, je le voyais bien, mais il savait qu'il n'avait pas le choix et qu'il avait une chance extraordinaire. Après une pause, il hocha la tête.

« C'est tout ce que je demande.

— Et votre demande sera satisfaite. Il faut que je parte, maintenant. »

Il redescendit avec moi, reprenant un peu plus son déguisement à chaque marche, et alors qu'en haut il m'avait béni en tant que prêtre, dans la rue, il me fit un salut de gentilhomme.

« Je suppose que vous n'allez jamais venir à Rome, monsieur Wood, dit-il avec un sourire. Vous n'êtes pas amateur de voyages. C'est dommage, car vous verriez que c'est une ville absolument extraordinaire, et un grand nombre d'historiens et d'antiquaires qui y demeurent adoreraient votre compagnie autant que vous la leur. Mais, si l'envie de voyager vous saisissait, il faudrait m'écrire, je vous réserverais le meilleur accueil. »

Je le remerciai ; puis nous nous fîmes un dernier salut, et je m'en allai pour ne jamais le revoir.

Mais j'eus d'autres renseignements sur lui, car à peine eus-je fait quelques mètres que je rencontrai à nouveau mon ami John Aubrey, un homme dont la réputation de colporteur de ragots était aussi méritée que la mienne est injustifiée, vu que je méprise de telles absurdités.

« Qui est donc cet homme ? demanda-t-il d'un air curieux, en regardant par-dessus son épaule tandis que Cola s'éloignait. Tu ne vas pas nous présenter ?

— C'est un médecin, ou, en tout cas, un gentilhomme qui s'intéresse à la médecine. Pourquoi demandes-tu ça ? On dirait que tu l'as déjà vu.

— En effet, dit-il en continuant de regarder dans la direction où Cola était parti, bien que celui-ci eût déjà disparu au coin de la rue. Je l'ai vu à Whitehall hier soir.

— On peut se promener sans attirer l'attention, je suppose.

— À l'intérieur du palais ? Pas facilement. Et pas quand on est accompagné par sir Henry Bennet jusqu'à la chambre du roi.

— Quoi ?

— Cela semble énormément te surprendre. Puis-je te demander pourquoi ?

— Pour rien, répondis-je en toute hâte. J'ignorais qu'il avait des relations aussi illustres dans le pays. Je crains qu'à Oxford nous ne l'ayons traité avec une extrême condescendance, le prenant pour un pauvre étranger dans une mauvaise passe. En outre, il n'a jamais cherché à nous détromper. Nous avons dû passer pour un peuple fort désagréable. Mais, au juste, quand l'as-tu vu ? Et où ?

— Tard, bien après le coucher du soleil, peut-être était-il déjà huit heures. J'avais la grande joie d'être invité à dîner — un dîner très intime et sans façons —, avec lord Sandwich, son épouse, ainsi qu'un de ses cousins qu'il protège. Un homme prétentieux qui travaille au ministère de la Marine et qui passe son temps à discourir avec enthousiame sur des sujets dont il ne sait absolument rien, mais tout à fait charmant dans sa naïveté. Il s'appelle, autant qu'il m'en souvienne...

— Je ne veux pas connaître son nom, mon cher Aubrey. Ni savoir ce que vous avez mangé, ni les détails de la table de lord Sandwich. Je veux que tu me parles de ma relation. Tu pourras me raconter ta bonne fortune plus tard, si tu le souhaites.

— J'ai quitté sa demeure, vois-tu, pour regagner à pied mon humble logis ; alors que j'étais presque arrivé, je me suis souvenu d'avoir oublié une boîte de manuscrits que le Chancelier m'avait permis d'examiner pour mes recherches. N'étant pas fatigué, et n'ayant bu qu'un litre de vin à peine, je me suis dit que j'allais les lire avant de me coucher. Aussi ai-je fait demi-tour et, au lieu de traverser Whitehall pour gagner mon bureau, je suis passé par St. Stephen's Yard. Là se trouve un corridor qui, au bout, tourne vers la droite et mène à des bureaux où se trouvent mes documents, tandis qu'en tournant à gauche on arrive à la porte de derrière des appartements royaux. Je te le montrerai plus tard dans la journée si tu le souhaites. »

J'acquiesçai d'un signe de tête, car j'attendais avec impatience la suite du récit.

« J'ai trouvé les papiers que j'étais venu chercher et, les passant sous mon manteau, je suis revenu sur mes pas... Alors, j'ai aperçu dans le couloir, avançant dans ma direction, sir Henry Bennet — sais-tu qu'il est devenu lord Arlington ? — et cet homme que je n'avais jamais vu auparavant.

— Tu es sûr qu'il s'agit bien du même homme ?

— Sûr et certain. Il était habillé exactement de la même façon. Ce qui a attiré mon attention, au moment où je me suis effacé devant eux en leur faisant un salut, c'est qu'il avait dans la main un livre de très belle apparence. Je suis sûr que j'en avais déjà vu un du même genre : travail vénitien, vraiment très ancien, en peau de veau et rehaussé d'or.

— Comment sais-tu que c'est au roi qu'il rendait visite ?

— Presque tout le monde est absent. Le duc d'York a des appartements ailleurs et, de toute façon, il se trouve au palais de St. James avec la mère du roi. La reine est à Windsor avec tout son entourage. Sa Majesté est encore là pour quelques jours. Donc, à moins que Bennet n'ait accompagné notre homme en pleine nuit pour lui permettre de rendre visite à un valet de pied... »

Je restai sur ma faim. En effet, c'est tout ce que je fus certain d'avoir découvert sur les derniers jours passés à Londres par le Vénitien, avant qu'il ne s'embarquât afin de regagner le continent. Je ne peux faire des calculs précis, mais c'est sans doute quelques jours plus tard, alors qu'il s'en allait par le même chemin, qu'il fut aperçu par le Dr Wallis et arrêté. Et pendant ce temps, sir Henry Bennet organisait la recherche tout en dissimulant le fait qu'il avait lui-même conduit da Cola auprès du roi dans le plus grand secret.

De toute évidence, il s'agissait de sombres affaires d'État, et je sais que l'innocent n'en sort jamais avec les honneurs lorsqu'il se mêle de ce genre d'histoire sans une bonne raison. Moins j'en savais, mieux je me porterais ; et même s'il m'était pénible de mettre, pour une fois, un frein à ma curiosité, je me sentis grandement soulagé lorsque la voiture de l'université m'emporta loin de Londres ce soir-là.

J'ai dit « certain d'avoir découvert », parce que je sais pertinemment ce qui s'est passé, avec la plus grande certitude possible sans avoir assisté en personne à cette rencontre des plus secrètes. Maintenant que j'ai eu le grand plaisir de lire le manuscrit de Cola, ainsi que ceux de Prestcott et de Wallis, la raison qui poussa Cola à prendre la plume m'apparaît comme tout à fait évidente.

Son texte a été rédigé pour faire croire que Marco da Cola est toujours en vie alors qu'il est mort depuis tant d'années, et pour prouver que ce soldat — et ce laïc — est venu en Angleterre et a été vu à Whitehall ce jour-là. Car, si Marco da Cola était en Angleterre, alors le jésuite Andrea da Cola ne pouvait s'y trouver. Par conséquent, ce qui s'est passé selon moi à Whitehall ne pouvait pas avoir eu lieu, car cela n'aurait pu être le cas que si un prêtre, un prêtre catholique, avait vu le roi ce jour-là. Et, à une époque où la haine des catholiques est plus grande que jamais et où un homme soupçonné du moindre sentiment papiste court de grands risques, cela est de la plus haute importance.

Le Dr Wallis fut tout près de découvrir la vérité ; en fait, il tenait la preuve dans sa main, mais il la jeta, la croyant superflue. Je vous renvoie à son manuscrit, où son marchand de tableaux vénitien itinérant suggère que Cola n'avait pas la réputation à l'époque d'être doué pour l'étude ni appliqué dans son travail. Cependant, l'homme que j'ai rencontré avait étudié la médecine et possédait une bonne connaissance d'un grand nombre des meilleurs auteurs ainsi que le don de discourir de manière intéressante sur la philosophie des Anciens et des Modernes. Ajoutez à cela le compte rendu du marchand que consulta Wallis et qui décrivit Marco da Cola comme un homme « hâve et émacié, l'air abattu », et comparez ce portrait à l'homme gai et corpulent qui débarqua à Oxford. Ajoutez aussi cela au refus de Cola de discuter de ses activités de soldat en Crète quand il se trouvait chez sir William Compton et citez-moi un soldat qui ne cesse de parler à satiété de son héroïsme et de ses actes de bravoure... Pensez aux objets que j'ai trouvés dans sa malle et réfléchissez à leur signification. Souvenez-vous de sa réaction quand il dut faire face à la force de ses désirs charnels chez Sarah Blundy, ce fameux soir, et dites-moi combien de soldats de votre connaissance possèdent cette délicatesse. En vérité, l'homme ressemblait à l'un de ces rébus incompréhensibles mais qui se révèlent si simples une fois qu'on les a finalement déchiffrés.

Je savais déjà que l'ouvrage en ma possession était l'un des exemplaires du livre de Tite-Live recherché et par Wallis et par Cola, et qu'il renfermait la clef d'au moins certaines des lettres que Prestcott m'avait apportées. Il n'était pas aisé, néanmoins, de décoder ces textes ; en faisant le récit de ma réussite finale, je ne cherche pas à dénigrer ni à amoindrir les exploits du Dr Wallis.

Au début, j'hésitai, et non seulement parce que j'étais certain que tout savoir acquis de cette manière ne me porterait pas bonheur ; les événements que je venais de vivre pesaient toujours si lourdement sur mon esprit que je me laissai aller à ma lassitude pendant des mois. Comme à l'accoutumée, je cherchai la consolation dans les livres et dans mes documents, lisant et annotant avec une fureur que j'avais du mal à contenir. Les actions d'êtres dès longtemps disparus furent ma plus grande consolation, et je devins presque un ermite, remarquant à peine que ma réputation de bizarrerie grandissait au point qu'elle finit par devenir inébranlable. On dit, paraît-il, que je suis un étrange et grossier personnage, acariâtre, irascible et mal embouché ; je pense que cette réputation naquit pendant cette période sans même que je m'en rende compte. Aujourd'hui, elle est méritée : je suis mort au monde et j'éprouve davantage de plaisir à converser avec les morts qu'avec les vivants. Étant si mal à l'aise dans mon époque, je me réfugie dans le passé : ce n'est que là que je peux montrer l'affection dont je suis incapable avec mes contemporains qui ne savent pas ce que je sais et qui n'ont pu voir ce que j'ai vu.

Un petit nombre de choses seulement me tirait de mes livres, et je négligeais tant la société des hommes que c'est à peine si je m'apercevais que j'avais de moins en moins de relations. Lower s'installa peu à peu à Londres, et sa réussite fut si grande (grâce à la faveur de Clarendon et à la mort de plusieurs rivaux sérieux) qu'il devint bientôt le médecin le plus célèbre du pays et obtint un poste à la cour. Non content de s'établir dans une superbe demeure, il se mit aussi à rouler dans un carrosse orné sur la porte de l'écusson de sa famille, s'attirant les critiques sévères de ceux qui voyaient là un signe d'ostentation et de suffisance. Cela ne lui porta pas préjudice, cependant, car les riches et les gens bien nés aiment être soignés par des hommes de bonne famille. En outre, il alla jusqu'à payer la dot de ses sœurs et il rétablit les siens dans le Dorset, ce qui suscita la plus profonde admiration. Mais, après avoir publié son grand ouvrage sur le cerveau, il ne fit plus aucune recherche sérieuse par la suite. Ce qu'il considérait comme étant véritablement noble, c'est-à-dire la poursuite du savoir par l'expérimentation, il l'abandonna en faveur de la recherche des biens terrestres. J'étais seul, je crois, à comprendre quel chagrin cela représentait pour Lower : ce qui était jugé par le monde comme une réussite n'était à ses yeux qu'échec et gâchis.

Quant à M. Boyle, il se rendit également à Londres et il me semble qu'il ne revint à Oxford que deux fois pendant le reste de sa vie. On n'eût pu imaginer une plus grande perte pour la ville, car s'il ne fut jamais membre de l'université, sa présence, néanmoins, apportait à celle-ci rayonnement et renom. Il emporta cette renommée avec lui lorsqu'il s'en alla, et à Londres il la consolida constamment grâce à ses trésors infinis d'ingéniosité qui lui ont assuré une gloire éternelle. Locke partit, lui aussi, lorsqu'il décrocha une bonne sinécure. Il abandonna à son tour l'expérimentation en faveur du monde, mais lui s'est mêlé à la forme la plus dangereuse de la politique, ce qui rend sa position constamment chancelante. Il se peut qu'un jour il devienne célèbre grâce à ses écrits, mais il se peut aussi qu'il soit tellement impliqué dans les événements qu'il finisse sur le gibet s'il ose revenir d'exil et débarquer sur nos rivages. Cela reste à voir.

M. Ken obtint sans surprise le bénéfice qui serait revenu au Dr Grove si celui-ci avait survécu, et c'est peut-être le seul homme qui ait tiré profit des tragédies que je viens de conter. Il devint bon, modéré dans sa religion et connu pour sa charité. Tout cela m'étonna quelque peu... il arrive parfois, il me semble, que certaines personnes s'élèvent jusqu'à la dignité de leur fonction, au lieu de ravaler celle-ci à leur niveau. Fait plutôt rare, assez fréquent cependant pour nous rassurer. Et, pour le bien général de l'humanité, il cessa de jouer de la viole, tant ses devoirs l'accaparaient, et nous devons tous remercier ceux qui lui ont donné un évêché d'avoir accordé cette faveur à la création divine.

Thurloe mourut quelques années plus tard, et il a emporté ses secrets dans la tombe — sauf ceux qui se trouvent parmi les documents qu'il a, je crois, cachés quelque part dès qu'il a senti les premiers signes de la maladie. C'était l'homme le plus étrange du monde et je regrette beaucoup de ne pas l'avoir connu. Je suis persuadé que non seulement il était au courant de tous les secrets dont je parle, mais qu'il avait guidé un grand nombre des actions entreprises par le gouvernement pendant cette période. Cela peut paraître étonnant vu son dévouement à Cromwell, en fait, il avait servi ce grand homme parce que celui-ci avait rétabli l'ordre dans notre malheureux pays ; Thurloe vénérait le calme et l'ordre civilisé plus qu'il ne respecta jamais les hommes, qu'ils fussent rois ou roturiers.

Le Dr Wallis changea peu mais devint de plus en plus irascible et violent au fur et à mesure que sa vue déclina. À part moi, c'est la seule personne, il me semble, qui mène toujours aujourd'hui la même vie qu'à l'époque. Les ouvrages — sur la grammaire, sur la façon d'enseigner à parler aux muets, sur les formes de mathématiques les plus obscures et les plus inintelligibles qu'à part une demi-douzaine d'autres savants il est seul à comprendre — sortent de sa plume en un flot ininterrompu, et de sa bouche coule dans le même temps un torrent de critiques et d'insultes à l'encontre de ses collègues qu'il juge toujours comme des rivaux sans valeur. Il a beaucoup d'admirateurs et aucun ami. Je suis sûr qu'il continue à travailler pour le gouvernement, car son habileté de déchiffreur est toujours aussi grande. Maintenant que Thurloe est mort et que Bennet a peu à peu perdu le pouvoir, comme c'est le lot de tous les hommes politiques, seul le vieux roi détient le secret concernant Wallis : la manière dont on le berna, comment on lui mentit et comment il fut ridiculisé.

Et moi. Car tout seul et sans aide, j'ai déchiffré la lettre interceptée par Wallis alors qu'elle était envoyée à Cola aux Pays-Bas, et j'ai mis au jour tout le secret qu'elle renfermait. Ce ne fut pas facile. Comme je l'ai dit, j'évitai longtemps de la regarder et je ne m'y intéressai de près que bien après la grande peste et le grand incendie de Londres qui emplit Oxford, une fois de plus, de pauvres gens pris de panique et cherchant à échapper à l'anéantissement. J'eus très peur moi-même, et ce fut seulement après plusieurs mois d'inactivité, une fois convaincu que l'affaire était oubliée de tous ceux qu'elle concernait, que je sortis les documents de leur cachette sous les lames du parquet de ma chambre et commençai à les examiner.

Ce ne fut que le début du travail, bien sûr. Ce que le Dr Wallis aurait accompli en quelques heures seulement me prit maintes semaines, car je dus rechercher plusieurs livres en de nombreux endroits avant de pouvoir comprendre le procédé. L'explication toute simple que Wallis donne dans son manuscrit m'aurait épargné beaucoup de peine et de labeur si je l'avais connue alors, mais c'était justement l'unique personne que je ne pouvais pas consulter. Néanmoins, grâce à mes seuls efforts, je parvins à saisir les principes nécessaires. La lettre où débutait le code tous les vingt-cinq caractères n'était pas la lettre suivante du texte, ni la première lettre du mot suivant, mais la prochaine lettre soulignée. Cela semble aisé et, lorsqu'on l'explique ainsi, c'est facile, en effet : si facile qu'un soldat en campagne pouvait déchiffrer le message en un instant, du moment qu'il connaissait le livre à utiliser. C'était là tout l'intérêt.

Ainsi donc, dès que j'eus cette merveilleuse révélation, il me fallut une matinée de travail pour percer tout le secret contenu dans ces missives. Et de nombreux mois afin de parvenir à croire ce que j'avais lu.

J'ai tout détruit, comme j'en avais fait la promesse. Il n'existe qu'un seul exemplaire de ma transcription, et je le détruirai ainsi que le présent manuscrit dès que je me rendrai compte que je souffre de mon ultime maladie. J'ai demandé à M. Tanner, un jeune bibliothécaire érudit de ma connaissance, de s'occuper de ma succession à ma mort et cela fera partie de ses tâches. C'est un homme honnête et sérieux qui tiendra parole. Qu'il ne soit pas dit que j'ai trahi la foi de quiconque ou révélé ce qui devait être gardé secret.

La lettre destinée à Andrea da Cola et chiffrée par Henry Bennet, secrétaire d'État et (ironie suprême !) employeur du Dr Wallis, dit ceci, après les premières formules habituelles :

L'affaire dont nous avons discuté dans notre dernière correspondance est désormais mûre, et Sa Majesté a indiqué son désir d'être reçue, dès que possible, au sein de l'Église de Rome, cela étant parfaitement conforme à ses croyances et à sa véritable foi. J'ai pour instructions qu'un prêtre digne de confiance soit dépêché dans le plus grand secret pour accomplir le vœu du roi, et j'espère de tout cœur que vous allez vous-même vous charger de cette mission, étant donné que nous vous connaissons bien et que nous vous faisons entière confiance. Qu'il soit bien compris qu'un immense désastre s'ensuivrait au cas où cette affaire viendrait à être connue ; cependant, on adoptera progressivement une politique visant à desserrer les liens qui entravent les catholiques, et la haine qu'ils subissent sera apaisée peu à peu au cours d'une période de plusieurs années, avant qu'une révélation publique puisse être envisagée. Dès maintenant, tout ce qui peut être fait sera accompli en geste de bonne intention. Le roi va tenter de persuader le Parlement de montrer une plus grande tolérance envers les catholiques ; il est sûr que cette première mesure en entraînera beaucoup d'autres avant que ne puisse avoir lieu la réunification des Églises. Un émissaire, M. Boulton, se rendra à Rome, une fois la cérémonie terminée, afin de discuter de la manière et des formes à utiliser en la matière.

Quant à vous, mon cher père, vous pouvez venir en paix dans notre pays ; bien que, pour des raisons évidentes, on ne puisse vous fournir aucune protection officielle, nous nous efforcerons d'assurer votre sécurité et de faire en sorte que votre identité ne soit pas révélée.

Le roi d'Angleterre, le gouverneur suprême de l'Église protestante d'Angleterre, est, et ce depuis 1663, un catholique pratiquant, baptisé en secret et qui observe les rites de l'Église catholique. Son principal ministre, M. Bennet, était également un catholique dont la politique secrète consistait à détruire l'Église nationale qu'il avait juré de protéger. Loin d'être venu pour perpétrer un assassinat (qui avait échoué), Cola avait accompli ce voyage en Angleterre pour recevoir le roi dans l'Église romaine ; c'est ce qu'il fit, je crois, quand il se rendit à Whitehall ce soir-là avec ses saintes huiles, son crucifix et sa relique.

Et pendant ce temps Wallis avait ses obsessions. Et Bennet l'écoutait, l'encourageait, si bien que non seulement l'événement ne fut jamais révélé au grand jour, mais il allait être plus que jamais plongé dans les ténèbres. Je suis certain (sans posséder aucune preuve) que c'est Bennet qui a ordonné le meurtre de Matthew, le serviteur de Wallis, afin d'être assuré que le secret ne serait pas mis au jour, car je ne crois pas Cola capable d'un tel méfait : ce n'était pas un homme violent, alors que cet égorgement portait la marque de ce John Cooth dont Wallis lui-même utilisait les services à l'occasion.

Si je publiais cette lettre, ou même si je la portais secrètement à un homme comme le Dr Wallis, la monarchie de ce pays disparaîtrait en moins d'une semaine dans le feu d'une guerre civile, tant est puissante en ce moment la haine de tout ce qui a trait au catholicisme romain. Le courroux de Wallis, en réaction à l'humiliation subie, serait si violent que l'homme déclencherait une virulente campagne contre la royauté et que les protestants d'Angleterre se mettraient en marche sur-le-champ et réclameraient à grands cris le sang d'un autre roi. Si je m'étais rendu auprès du roi lui-même, j'aurais pu devenir riche et vivre confortablement le reste de mes jours, car la valeur de ce document — ou le fait qu'il continue à demeurer inconnu — est inestimable.

Je n'en ferai rien. Pour quelqu'un qui a vu de telles merveilles et ressenti une telle grâce, tout cela est d'un piètre intérêt. Je crois — et je sais — que j'ai vu, entendu et touché le Dieu incarné. Calmement, hors de la vue des hommes, la miséricorde divine descend une fois encore, mais nous sommes si aveugles que nous ne nous rendons même pas compte des trésors infinis de patience et d'amour qui se trouvent en notre possession. C'est ainsi que cela s'est passé alors, comme à chaque génération précédente, et comme cela se passera à chaque génération à venir : un être — mendiant, infirme, enfant, fou, criminel ou femme — naît, notre Seigneur à tous, dans une totale obscurité, puis est méprisé, méconnu ou tué par nous afin qu'il expie nos péchés. J'ai l'ordre de ne le révéler à personne, et j'obéirai à ce seul commandement.

Telle est la vérité, la seule et unique vérité, manifeste, complète et parfaite. En comparaison, qu'importe le dogme des prêtres, la puissance des rois, la rigueur des érudits ou l'ingéniosité de nos hommes de science ?

M. Tanner tria tous les papiers,
dont certains avaient été mis de côté
par M. Wood afin qu'ils fussent brûlés
quand il l'indiquerait lui-même.
Quand celui-ci se sentit disposé à
quitter le monde, il fit le signe et
M. Tanner brûla ces papiers, qui
avaient été rangés à part dans ce but.

Thomas Hearne,
notice Anthony a Wood,
Athenae Oxoniensis,
3ᵉ édition (Londres, 1813),
volume I, p. 134

Dramatis Personae

JOHN AUBREY (1626-1697). Antiquaire et échotier ; homme très savant mais qui a peu publié. Surtout connu aujourd'hui pour ses *Brèves vies*, série de portraits de ses contemporains. Il s'intéressait à toutes les branches du savoir, se débattit constamment au milieu de difficultés financières et fut membre de la Société royale à partir de 1663.

HENRY BENNET (1628-1685). Créé baron Arlington en 1663, puis comte d'Arlington en 1672. « Homme dont les pratiques n'ont pas laissé sa réputation vierge de tout reproche. Les failles dans son intégrité furent oubliées grâce à l'apparence décente de sa malhonnêteté... Il vécut ostensiblement comme un protestant mais mourut catholique. » Ambassadeur en Espagne, puis nommé secrétaire d'État (c'est-à-dire ministre des Affaires étrangères) en octobre 1662 ; inculpé pour propagation du catholicisme en 1674 et démis de ses fonctions.

SARAH BLUNDY, personnage fictif. Les comptes rendus de son procès et de son exécution sont fondés sur ceux d'Anne Greene qui fut pendue à Oxford en 1655.

ROBERT BOYLE (1627-1691). Le « père de la chimie », quatorzième enfant du fabuleusement riche comte de Cork ; inventeur de la « loi de Boyle » qui décrit le rapport entre l'élasticité et la pression des gaz. Dans son *Chimiste sceptique* il utilisa pour la première fois le mot « élément » au sens moderne ; il spécula sur l'existence des atomes. Il se considérait lui-même comme étant un théologien autant qu'un homme de science ; il s'intéressait vivement à l'alchimie et à la chimie moderne.

GEORGE DIGBY, comte de BRISTOL (1622-1677). Partisan de longue date de Charles II, il ne reçut aucun poste officiel à la Restauration à cause de son catholicisme. Jadis ami proche de Clarendon, il passa les années 1660 à comploter contre lui et, en particulier, il lança une accusation de corruption mal préparée, laquelle échoua lorsqu'il ne réussit pas à obtenir l'alliance de l'Espagne. Personne n'ayant soutenu son action, Bristol dut fuir et s'exiler. Il revint pour participer au complot qui provoqua la chute de Clarendon en 1667.

CHARLES II (1630-1685). Il vécut en exil en France, en Espagne et aux Pays-bas, jusqu'à la Restauration de 1660. Les négociations de 1663 qu'il entreprit afin d'être reçu dans l'Église catholique furent pour la première fois publiées dans la *Monthly Review* (13 décembre 1903). Ce fut Jacques II, roi ouvertement catholique, qui lui succéda et qui fut renversé par la « Révolution glorieuse » de 1688.

EDWARD HYDE, comte de CLARENDON (1609-1674). Lord Chancelier et, de fait, Premier ministre après la restauration de Charles II, Clarendon était le plus fidèle partisan du roi, ayant accompagné celui-ci pendant tout son exil. Sa position s'affaiblit lorsque sa fille Anne épousa le fils du roi sans autorisation, mais il demeura au pouvoir jusqu'en 1667, année où il dut s'exiler ; il fut remplacé par Henry Bennet, baron Arlington.

GEORGE COLLOP. Originaire du Dorset, receveur général du duc de Bedford à partir de 1661 jusqu'à sa mort en 1682 ; il supervisa les dernières étapes des projets d'assèchement qui transformèrent d'immenses régions du Lincolnshire en terres arables.

SIR WILLIAM COMPTON (1625-1663). Soldat royaliste et conspirateur, fait chevalier en 1643. Décrit par Oliver Cromwell comme « un jeune homme réservé et un pieux cavalier ». Emprisonné pour complot contre le Commonwealth en 1655 et en 1658, mort à Londres en 1663 et enterré à Compton Wynyates dans le Warwickshire.

JOHN CROSSE. Apothicaire d'Oxford, aujourd'hui surtout connu dans l'histoire comme ayant été le logeur de Robert Boyle pendant le séjour dans la ville de celui-ci.

VALENTINE GREATOREX (alias Greatrakes). Guérisseur irlandais, qui vint en Angleterre et utilisa une technique de massage pour guérir les victimes de la scrofule et autres maladies. Il attribuait ses talents de guérisseur à un don de Dieu. Ses résultats impressionnèrent Boyle et beaucoup d'autres, et il connut quelques succès parmi les membres de l'aristocratie anglaise. « Étrange personnage, ne parlant que de diables et de sorcières. » Il finit par retourner en Irlande pour y poursuivre une carrière de juge de paix et de propriétaire terrien.

ROBERT GROVE (1610-1663). Professeur et « astrologue amateur » à New College, Oxford. « 30 mars. En ce lundi est mort M. Robert Grove, professeur titulaire d'une chaire à New College. [Il] a été enterré dans la partie ouest du cloître du coll. » (Anthony Wood, *Sa vie et son temps*, vol. I, p. 471.) Auparavant, il avait été expulsé de son poste en 1648 pour sympathies royalistes et il ne le retrouva qu'en 1661.

THOMAS KEN (1637-1711). Évêque de Bath et de Wells ; enseigna la logique et les mathématiques à New College, Oxford, de 1661 à 1663, puis reçut le bénéfice d'Easton Parva sous l'égide de lord Maynard ; acquit une réputation de piété et de charité. Prédicateur de renom, il devint évêque en 1684. Opposé à la politique en faveur des catholiques de Jacques II, il s'opposa également à sa déposition, ce qui lui coûta son évêché sur l'ordre de Guillaume III après la révolution de 1688.

JOHN LOCKE (1632-1704). Probablement le plus grand philosophe de langue anglaise. L'œuvre de Locke détermina la pensée politique anglaise pendant plus d'un siècle. Il avait une formation de médecin avant de devenir précepteur dans la famille du comte de Shaftesbury ; ce dernier fut emprisonné pour s'être opposé au gouvernement dans les années 1670. Locke vécut en Hollande de 1683 à 1688, jusqu'au moment où l'accession de Guillaume III lui permit de revenir en Angleterre en toute sécurité. Auteur des *Lettres sur la tolérance*, de l'*Essai sur l'entendement humain* et des *Traités sur le gouvernement civil*.

RICHARD LOWER (1631-1691). Médecin et physiologiste, ami d'Anthony Wood et le médecin londonien le plus célèbre de sa génération. L'un des piliers du petit groupe qui fonda la Société royale ; mais il n'en devint membre qu'en 1667. Membre titulaire du Collège royal des médecins en 1675, sa carrière souffrit de ses engagements politiques ; elle ne fut fermement rétablie qu'après la révolution de 1688. Il mena des expériences de transfusion dans les années 1660 et publia *Tractatus de corde* (1669).

THOMAS LOWER (1633-1720). Frère de Richard et quaker ; épousa la belle-fille de George Fox ; emprisonné en 1673 et en 1686 ; possédait des intérêts dans des colonies de quakers et des terres en Amérique.

COMTE PATRICIODI MOLODI, ambassadeur d'Espagne en Angleterre de 1662 à 1667.

JOHN MORDAUNT, baron Mordaunt (1627-1675). Deuxième fils du comte de Peterborough, envoyé à l'étranger pour son éducation ; devint par la suite conspirateur royaliste. Arrêté en 1658 et acquitté après un procès. Nommé gouverneur du château de Windsor à la Restauration, mais, inculpé par le Parlement en 1666, il n'obtint jamais de poste élevé au sein du gouvernement. Il passa ses dernières années à se débattre au milieu de procès avec des membres de sa famille.

SIR SAMUEL MORLAND (1625-1695). Diplomate et inventeur, employé du secrétaire d'État Thurloe en 1654 et accrédité par Cromwell pour mener une mission en Savoie en 1655. Changea de camp en 1659 après avoir identifié un traître dans les rangs royalistes ; fait chevalier à la Restauration. Construisit une machine à calculer en 1663 et mena des expériences avec des pompes et des machines à vapeur rudimentaires à partir de 1660. Consultant sur des travaux d'adduction d'eau à Versailles en 1681 pour le compte de Louis XIV.

JACK PRESTCOTT, personnage fictif. Son histoire et celle de son père sont fondées sur la disgrâce et l'exil de sir Richard Willys pour trahison en 1660. Plus tard, le fils de Willys mourut fou.

SIR JOHN RUSSELL (mort en 1687). Membre influent du « Noyau scellé », groupe des royalistes militants qui, dans les années 1650, conspirèrent constamment et sans succès en Angleterre afin de renverser Cromwell et de restaurer la royauté.

PETER STAHL (mort en 1675). « Le chimiste de renom et rosicrucien Peter Stahl, originaire de Strasbourg, en Prusse royale, était un luthérien professant une grande haine des femmes, [et] un homme très efficace... que M. Robert Boyle fit venir à Oxford en l'an 1659... Au début de 1663, il déménagea son laboratoire chez un drapier dans la paroisse de la Toussaint. L'année suivante, il fut appelé à Londres ; il y mourut vers 1675 et fut enterré dans l'église de St. Clement Danes. » (Anthony Wood, *Sa vie et son temps*, vol. I, p. 473.)

JOHN THURLOE (1616-1668). Homme de loi, secrétaire du Conseil d'État de Cromwell en 1652 ; organisa ensuite les services d'espionnage de Cromwell. Échappa à tout châtiment à la Restauration et vécut à Great Milton, dans l'Oxfordshire, avant de revenir à Londres peu avant sa mort. Il cacha tous ses documents officiels, qui furent trouvés dissimulés dans un plafond en plâtre et publiés en 1742.

JOHN WALLIS (1616-1703). Professeur de géométrie à l'université d'Oxford, membre fondateur de la Société royale ; c'est le plus fameux mathématicien anglais avant Newton. Grand xénophobe, il conduisit de virulentes querelles dans des publications avec (entre autres) Hobbes, Pascal, Descartes et Fermat. Cryptographe pour le compte du Parlement, de 1643 à 1660, ainsi que pour celui de Charles II, Jacques II et Guillaume III, il publia *Arithmetica infinitorum* (1655), *Mathesis universalis* (1657), *Traité d'algèbre* (1685). Les *Sermons* complets furent publiés en 1791 et l'*Essai sur l'art du déchiffrement* en 1737.

ANTHONY WOOD (1632-1695). Antiquaire et historien, auteur de *Historia et Antiquitates universitatis oxonienses* (1674) et *Athenae oxonienses* (1691). Célibataire qui mena une existence d'ermite, ce qui lui valut une réputation de misanthrope aigri dans les dernières années de sa vie, bien que, jusque dans les années 1660, il ait eu toute une série d'amis et de relations. Surtout connu par ses journaux et ses papiers, qui ne furent pas publiés avant notre siècle.

MICHAEL WOODWARD (1599-1675). Directeur de New College, Oxford, de 1658 à 1675 ; recteur d'Ash, dans le Surrey, c'était « un homme ne possédant qu'une faible envergure scientifique et encore moins de sentiments politiques et religieux ». Mais il ne ménagea pas sa peine pour rétablir les finances du collège après la chute de revenus catastrophique pendant la guerre civile.

SIR CHRISTOPHER WREN (1632-1723). Professeur d'astronomie à l'université d'Oxford, géomètre des travaux royaux et architecte. Jugé par Newton comme l'égal de Wallis en tant que géomètre, il travailla sur la trigonométrie sphérique, produisit une carte à l'échelle de la Lune et fut un membre fondateur de la Société royale ; il accomplit d'importantes recherches anatomiques avec

Lower et d'autres savants faisant partie du cercle d'Oxford. Surtout connu comme étant l'architecte de la cathédrale St. Paul, de plusieurs églises de Londres, ainsi que du palais de Hampton Court. Sa première construction fut le Sheldonian Theatre d'Oxford.